2704004323

Précis de pédiatrie

La publication de cet ouvrage a été encouragée
par une subvention accordée
au titre de la coopération franco-québécoise.

J. Aicardi, M. André, A. J. Antaki, S. Bakouri,
L. Chicoine, A. Cuendet, M. David, A. Davignon,
P. E. Ferrier, B. Friedli, P. Gaudreault, E. Gautier,
J. H. Githens, J. P. Grangaud, G. Huault, J. R. Humbert,
J. H. Joncas, L. Lafleur, J. R. Lapointe, C. Launay,
F. Marchal, M. S. Mazouni, P. Monin, C. L. Morin,
M. Parent, L. Paunier, G. Polgar, J. Rey, C. Roy,
J. M. Saudubray, M. Sempé, P. C. Sizonenko, H. S. Varonier,
P. Vert, P. Viens, M. Weber, M. Wyss

Liste détaillée aux pages suivantes

Diffusion exclusive en Suisse : Payot Lausanne
Diffusion exclusive en France et dans les pays francophones,
sauf la Suisse et le Canada : Doin éditeurs, Paris
Diffusion exclusive au Canada : Edisem, St-Hyacinthe, Québec

Précis de pédiatrie

Publié sous
la direction de
Pierre E. Ferrier

*Troisième édition
revue et augmentée*

Payot Lausanne
Doin éditeurs, Paris
Edisem, St-Hyacinthe, Québec

LISTE DES AUTEURS

J. AICARDI, maître de recherche à l'Institut national de la santé et de la recherche médicale (INSERM) ; Hôpital des Enfants Malades, Paris, France. **M. ANDRÉ,** néonatologue et neurologue, Centre hospitalo-universitaire et maternité régionale, Nancy, France. **A. J. ANTAKI,** professeur adjoint de clinique de l'Université de Montréal ; pédiatre et membre du Centre anti-poison de l'Hôpital Sainte-Justine, Montréal, Québec, Canada. **S. BAKOURI,** professeur de pédiatrie et de puériculture, Division de pédiatrie, Secteur sanitaire et universitaire de Chéraga, Alger, Algérie. **L. CHICOINE,** professeur titulaire de pédiatrie à l'Université de Montréal ; pédiatre et directeur du Centre anti-poison de l'Hôpital Sainte-Justine, Montréal, Québec, Canada. **A. CUENDET,** professeur de chirurgie pédiatrique, Faculté de médecine, Université de Genève ; médecin-chef du Service de chirurgie pédiatrique, Hôpital cantonal universitaire, Genève, Suisse. **M. DAVID,** maître de conférences agrégé, médecin des hôpitaux, Clinique médicale infantile, Hôpital Debrousse, Lyon, France. **A. DAVIGNON,** professeur titulaire de pédiatrie, Faculté de médecine, Université de Montréal ; chef du Service de cardiologie et de médecine pulmonaire, Hôpital Sainte-Justine, Montréal, Québec, Canada. **P. E. FERRIER,** professeur de pédiatrie, Faculté de médecine, Université de Genève ; médecin-chef du Service de pédiatrie, Hôpital cantonal universitaire, Genève, Suisse. **B. FRIEDLI,** chargé de cours, Département de pédiatrie et génétique, Faculté de médecine, Université de Genève ; médecin-adjoint, cardiologie pédiatrique, Clinique de pédiatrie, Hôpital cantonal universitaire, Genève, Suisse. **P. GAUDREAULT,** fellow in clinical pharmacology-toxicology, Harward medical school, Boston, Mass., USA ; consultant, Centre anti-poison, Hôpital Sainte-Justine, Montréal, Québec, Canada. **E. GAUTIER,** professeur de pédiatrie, Faculté de médecine, Université de Lausanne ; médecin-chef du Service de pédiatrie Centre hospitalier universitaire vaudois, Lausanne, Suisse. **J. H. GITHENS,** professeur de pédiatrie, Département de pédiatrie, University of Colorado School of Medicine, Denver, Colorado, USA. **J. P. GRANGAUD,** professeur de pédiatrie et de puériculture, Division de pédiatrie, Secteur sanitaire et universitaire de Chéraga, Alger, Algérie. **G. HUAULT,** chef du Service de réanimation pédiatrique polyvalente, Département de pédiatrie, Hôpital de Kremlin-Bicêtre, Paris, France. **J. R. HUMBERT,** professeur de pédiatrie et microbiologie, State University of New York at Buffalo ; directeur, Division d'hématologie et oncologie pédiatrique, Children's Hospital of Buffalo, NY, USA. **J. H. JONCAS,** professeur titulaire, Département de microbiologie et d'immunologie, Université de Montréal ; directeur du Département de microbiologie et d'immunologie, Hôpital Sainte-Justine, Montréal, Québec, Canada. **L. LAFLEUR,** professeur titulaire de clinique, Département de microbiologie et d'immunologie, Université de Montréal ; directeur-adjoint du Département de microbiologie et d'immunologie, Hôpital Sainte-Justine, Montréal, Québec, Canada. **J. R. LAPOINTE,** professeur-adjoint de clinique, Département de microbiologie et d'immunologie, Université de Montréal ; membre du Département de microbiologie et d'immunologie,

---

Cet ouvrage ne peut être reproduit, même partiellement, sous quelque forme que ce soit (photocopie, décalque, microfilm, duplicateur ou tout autre procédé) sans l'autorisation écrite de l'éditeur.

© 1984, Payot Lausanne.

Hôpital Sainte-Justine, Montréal, Québec, Canada. **C. LAUNAY,** professeur honoraire, Faculté de médecine ; membre de l'Académie nationale de médecine (pédopsychiatrie), Paris, France. **F. MARCHAL,** chef de clinique, Service de médecine néonatale, Centre hospitalo-universitaire et maternité régionale, Nancy, France. **M. S. MAZOUNI,** professeur de pédiatrie et de puériculture, Division de pédiatrie, Secteur sanitaire et universitaire de Chéraga, Alger, Algérie. **P. MONIN,** professeur agrégé de pédiatrie et de génétique médicale, Service de médecine néonatale, Centre hospitalo-universitaire et maternité régionale, Nancy, France. **C. L. MORIN,** professeur titulaire de pédiatrie, Faculté de médecine, Université de Montréal ; directeur du Département de pédiatrie, Hôpital Sainte-Justine, Montréal, Québec, Canada. **M. PARENT,** infirmière du centre anti-poison de l'Hôpital Sainte-Justine, Montréal, Québec, Canada. **L. PAUNIER,** professeur de pédiatrie, Faculté de médecine, Université de Genève ; médecin-chef de service adjoint, Service de pédiatrie, Hôpital cantonal universitaire, Genève, Suisse. **G. POLGAR,** professeur de pédiatrie et associé de physiologie, Faculté de médecine, Wayne State University ; chef de la Division des maladies respiratoires, Children's Hospital of Michigan, Detroit, Michigan, USA. **J. REY,** professeur, Département de pédiatrie, Faculté de médecine Necker-Enfants Malades ; médecin des hôpitaux et chef de service, Service de gastro-entérologie et de nutrition, Hôpital des Enfants Malades, Paris, France. **C. ROY,** professeur titulaire de pédiatrie, Faculté de médecine, Université de Montréal ; chef du Service de gastro-entérologie, Hôpital Sainte-Justine, Montréal, Québec, Canada. **J. M. SAUDUBRAY,** professeur agrégé, Département de pédiatrie, Faculté de médecine Necker-Enfants Malades ; médecin des hôpitaux, Clinique et unité de recherche de génétique, Hôpital des Enfants Malades, Paris, France. **M. SEMPÉ,** maître de recherche à l'Institut national de la santé et de la recherche médicale (INSERM), Clinique médicale infantile, Hôpital Debrousse, Lyon, France. **P. C. SIZONENKO,** professeur de pédiatrie, Faculté de médecine, Université de Genève ; chef de la Division de biologie de la croissance et reproduction, Hôpital cantonal universitaire, Genève, Suisse. **H. S. VARONIER,** privat-docent, Faculté de médecine, Université de Genève ; médecin-consultant, Service de pédiatrie, Hôpital cantonal universitaire, Genève, Suisse. **P. VERT,** professeur de pédiatrie et de génétique médicale, Faculté de médecine de Nancy ; chef du service de médecine néonatale, Centre hospitalo-universitaire et maternité régionale, Nancy, France. **P. VIENS,** professeur titulaire, Département de microbiologie et d'immunologie, Faculté de médecine, Université de Montréal ; membre du Service des maladies infectieuses, Hôpital de l'Hôtel-Dieu, Montréal, Québec, Canada. **M. WEBER,** professeur agrégé, Département de pédiatrie, Faculté de médecine, Université de Montréal ; pédiatre, Centre anti-poison, Hôpital Sainte-Justine, Montréal, Québec, Canada. **M. WYSS,** médecin-adjoint, hématologie et oncologie pédiatrique, Service de pédiatrie, Hôpital cantonal universitaire, Genève, Suisse.

ISBN 2-601-00537-8 (Editions Payot, CH 1000 Lausanne)
ISBN 2-7040-0432-3 (Doin éditeurs, 8, place de l'Odéon, F 75006 Paris)
ISBN 2-89130-077-7 (Edisem, 2475 Sylva Clapin, C.P. 295 St-Hyacinthe, Québec J2S 5T5)

Imprimé en France

Préface de la troisième édition

Le succès rencontré par les deux premières éditions de ce Précis justifie l'entreprise d'une troisième édition.

Nous sommes heureux d'avoir pu garder à l'ouvrage son caractère international, et fiers de le voir servir de trait d'union entre pédiatres francophones.

Le sentiment de rendre service à des confrères et à des étudiants d'expression française, amis ou inconnus, proches ou lointains, constitue en soi la meilleure des récompenses.

Puisse ce livre continuer d'atteindre son but.

Genève, 1984　　　　　　　　　　　　　　　　P. E. Ferrier

Table des matières

1. **Anamnèse et examen de l'enfant malade**, *P.E. Ferrier* 9
2. **Génétique et maladies héréditaires**, *P.E. Ferrier* 18
3. **Malformations congénitales**, *P.E. Ferrier* 53
4. **Croissance et développement**, *P.E. Ferrier, M. Sempé, M. David* 64
5. **Pédiatrie néonatale**, *P. Vert, P. Monin, M. André, F. Marchal* 88
6. **Chirurgie néonatale**, *A. Cuendet* 150
7. **Orthopédie**, *A. Cuendet* 163
8. **Urologie**, *A. Cuendet* 172
9. **Nutrition, vitamines**, *L. Paunier* 187
10. **Gastro-entérologie**, *C. Roy, C. Morin* 211
11. **Affections des voies respiratoires**, *G. Polgar, H.S. Varonier* 284
12. **Cardiologie**, *A. Davignon, B. Friedli* 311
13. **Néphrologie et équilibre hydrominéral**, *E. Gautier* 377
14. **Soins intensifs en pédiatrie**, *G. Huault* 410
15. **Intoxications et accidents**, *L. Chicoine, A.J. Antaki, P. Gaudreault, M. Weber, A. Cuendet, M. Parent* 453
16. **Hématologie**, *J.H. Githens, J.R. Humbert, M. Wyss* 478
17. **Néoplasmes, affections malignes**, *M. Wyss* 529
18. **Immunopathies, allergie**, *J.R. Humbert, H.S. Varonier* 558
19. **Maladies infectieuses et parasitaires**, *J. Joncas, J.R. Lapointe, L. Chicoine, L. Lafleur, P. Viens* 589
20. **Immunisations et vaccinations**, *J. Joncas* 716
21. **Endocrinologie**, *P.C. Sizonenko* 727
22. **Métabolisme**, *J.M. Saudubray, J. Rey* 780
23. **Affections ostéo-articulaires et du collagène**, *L. Paunier* .. 851
24. **Dermatologie**, *H.S. Varonier* 880
25. **Neurologie**, *J. Aicardi* 893
26. **Pédopsychiatrie**, *Cl. Launay* 961
27. **Arriération mentale**, *P.E. Ferrier* 977
28. **La pédiatrie dans les pays en voie de développement**, *J.P. Grangaud, M.S. Mazouni, S. Bakouri* 981
29. **Pharmacologie**, *L. Paunier, P.E. Ferrier, A. Cuendet* 1001
30. **Valeurs normales**, *L. Paunier* 1022

Index alphabétique 1031

Chapitre 1

Anamnèse et examen de l'enfant malade

par P. E. Ferrier

Importance de l'anamnèse

Chez l'enfant comme chez l'adulte, le diagnostic des maladies repose sur le trépied *anamnèse - examen du malade - examens complémentaires*; d'où l'importance capitale d'une bonne anamnèse ou « histoire de l'enfant et de sa maladie ». Cependant, celui qui recueille l'anamnèse d'un enfant doit avoir présents à l'esprit les faits suivants, que l'on ne rencontre pas en médecine d'adulte :

● Les renseignements ne sont pas donnés par le malade lui-même, mais par sa mère, son père, ou ses proches, voire les personnes étrangères qui se sont occupées de lui. L'élément d'interprétation que cette situation introduit est considérable, et pour essayer de réduire les erreurs il vaut mieux, autant que possible, parler à la personne la plus proche de l'enfant, qui est, dans la règle, la mère ; celle-ci donnera de meilleures informations sur l'enfant.

● Il est bon de se souvenir que l'enfant, en général, ne souffre que d'une maladie à la fois, et il faut toujours s'efforcer de relier les faits les uns aux autres.

● Les maladies ont relativement souvent, chez le jeune enfant, une origine anténatale : étiologie soit génétique (mono- ou polygénique), soit tératologique, soit encore infectieuse intra-utérine.

● Les renseignements concernant la croissance et le développement de l'enfant ont une grande importance, car toute maladie sérieuse se répercute sur ces phénomènes et le retentissement est proportionnel à la gravité de l'affection, son début coïncidant avec celui de la maladie.

● Enfin, chez l'enfant comme chez l'adulte, l'anomalie qui a attiré l'attention et motivé le recours au médecin n'est souvent pas l'essentiel, et le malade présente, en fait, des troubles plus significatifs que ceux rapportés, mais qu'il faut savoir découvrir. Savoir écouter et poser les bonnes questions est un art essentiel en médecine infantile aussi bien qu'en médecine d'adulte. Le pédiatre devra apprendre que lorsqu'un enfant lui est présenté pour un rhume ou une petite toux il doit souvent rechercher une cause d'inquiétude ou de malaise familial plus sérieuse. Le vrai problème ne deviendra parfois évident qu'à la suite d'un contact ultérieur, après une nécessaire période de réflexion.

Programme de l'anamnèse

L'anamnèse comprendra les points suivants, qui seront soigneusement consignés :

Source de l'information

Il est important de noter qui est l'informateur : père, mère, les deux parents, membre plus éloigné de la parenté, gardien(ne) de l'enfant. Estimer le degré de fiabilité.

Raison principale du recours au médecin

Par exemple, douleurs abdominales récidivantes, ou fièvre d'origine indéterminée, ou céphalées, ou prise de poids insuffisante. Suivant les circonstances, le motif de la venue de l'enfant est donné par un médecin (qui réfère l'enfant) ou par le ou les parents. Même si la cause présentée par ces derniers comme majeure ne l'est pas, il vaut la peine de noter ce qui, à leurs yeux, est le plus important.

Affection actuelle

Pour satisfaire une certaine logique théorique, ou respecter la chronologie, il faudrait s'occuper d'abord des antécédents familiaux, puis des antécédents personnels, et enfin en venir à l'affection actuelle. En fait, nous préférons, généralement, faire parler les parents de ce qui les préoccupe au plus haut point, c'est-à-dire l'affection actuelle. On retire un certain bénéfice de ce mode de faire, puisque d'une part on leur donne l'occasion de se libérer de toute cette histoire récente, actuelle, qu'ils ont souvent répétée mentalement ou entre eux, et qu'ils ont hâte de livrer au médecin, et que d'autre part ce dernier ne les irrite pas en remontant loin en arrière et en les faisant parler de choses qui leur paraissent secondaires, et dont la relation avec les événements récents leur échappe souvent complètement. Obtenir la collaboration des informateurs est plus important, à nos yeux, que de respecter l'ordre chronologique (qu'on peut rétablir ensuite sur le papier).

1. ANAMNÈSE ET EXAMEN

Préciser donc le début exact des troubles actuels, leur fréquence éventuelle, la durée du ou des phénomènes pathologiques, le degré de sévérité. Ne pas omettre de mentionner les points dont *l'absence* peut avoir une grande signification. Pour les maladies infectieuses, préciser s'il y a notion de *contage*.

Antécédents familiaux ou héréditaires

Ces antécédents sont rarement cités spontanément, et il faut que le médecin énumère une liste de maladies génétiquement déterminées ou à tendance familiale pour que l'informateur se remémore ou évoque l'existence d'une telle affection dans la famille de l'enfant : troubles de la coagulation sanguine, arriération mentale, diabète, goitre, nanisme, maladie des os, convulsions et épilepsie, maladie de la peau, tuberculose, etc. Il est important de dessiner, même sommairement, un arbre généalogique dans ses notes (cf. fig. 1).

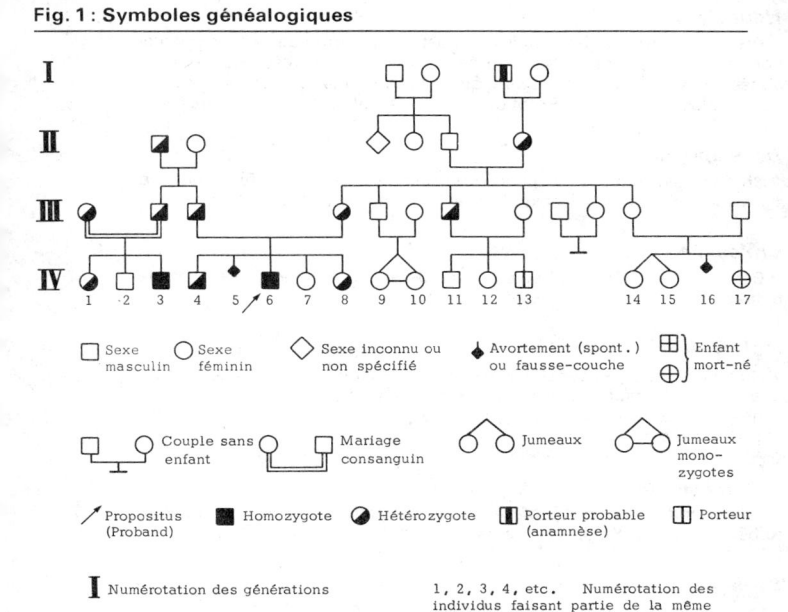

Fig. 1 : Symboles généalogiques

□ Sexe masculin   ○ Sexe féminin   ◇ Sexe inconnu ou non spécifié   ◆ Avortement (spont.) ou fausse-couche   ⊞ Enfant mort-né ⊕

□—○ Couple sans enfant   ○═□ Mariage consanguin   ○○ Jumeaux   ○○ Jumeaux monozygotes

╱ Propositus (Proband)   ■ Homozygote   ◐ Hétérozygote   ⊡ Porteur probable (anamnèse)   □ Porteur

I Numérotation des générations   1, 2, 3, 4, etc. Numérotation des individus faisant partie de la même génération

Antécédents personnels

Anténataux

Incidents de la grossesse : menaces de fausse couche, hémorragies (et leur date). Médicaments, hormones pris pendant la grossesse. Habitudes : tabac, alcool. Emploi, congé de grossesse. Maladies de la mère pendant la grossesse, maladies fébriles notamment. Irradiation (radiographies, radioscopies). Albuminurie, hypertension, prise de poids excessive. Activité du fœtus in utero. Echographie (ultra-sons). Amniocentèse.

Périnataux

Date prévue de l'accouchement. Circonstances de l'accouchement : travail spontané ou provoqué, durée du travail et de l'expulsion. Forceps. Césarienne. Poids de naissance. Longueur corporelle. Etat de l'enfant à la naissance, cri immédiat ? Score d'Apgar lorsqu'il est connu. Mise en incubateur ? Remarques du médecin au sujet de l'enfant. Premières heures de vie : couleur, difficultés respiratoires, administration de O_2.

Néonataux

Premiers jours de vie : jaunisse, transfusions, force de téter, alimentation au sein ou artificielle. Courbe de poids. Difficultés respiratoires, apnée, convulsions. L'enfant a-t-il quitté la Maternité avec sa mère ou est-il resté plus longtemps ? Eruptions cutanées, selles. Cri, activité motrice.

Développement

Chronologie : sourire, capacité de tenir sa tête, de se retourner, de s'asseoir, de se lever, de marcher, etc. (cf. pp. 78 ss.). Langage.

Croissance

Demander les valeurs exactes du poids et de la taille si elles ont été notées au cours des mois et des années.

Maladies

Rougeole, rubéole, varicelle, oreillons, scarlatine. Complications, hospitalisations ? Traumatismes importants. Convulsions, pertes de connaissance. Opérations : tonsillectomie, adénoïdectomie, appendicectomie, etc. Rhumatismes.

Immunisations

Triple immunisation diphtérie-tétanos-coqueluche. Polio. Rougeole. Rubéole. Variole. BCG. Tests cutanés : tuberculine, etc.

Scolarité

Degré atteint, performances, goût pour l'étude et comportement vis-à-vis des camarades. Une baisse du rendement scolaire est souvent significative.

Habitudes et passage en revue des différents systèmes

Appétit, soif, miction, défécation, sommeil, jeux, comportement général. Le passage en revue des systèmes n'est pas enseigné partout, ce qu'il faut regretter, car le procédé a des avantages certains, en toutes circonstances. L'ordre importe peu, c'est la méticulosité de l'interrogatoire qui compte.

Nez, gorge, oreilles

Respiration avec la bouche ouverte, rhumes fréquents, angines, otites, audition.

Dentition

Age d'éruption de la première dent, nombre de dents à 1 an, comparaison avec frères et sœurs.

Système digestif

Caractère des selles, odeur, couleur, fréquence ; vomissements, douleurs abdominales, sang dans les selles, melæna. Ictère.

Système cardiovasculaire et respiratoire

Capacité de courir, tolérance à l'effort physique et goût pour ce dernier, dyspnée, cyanose, toux, sputum, œdèmes.

Système génito-urinaire

Aspect du jet urinaire. Dysurie, brûlure à la miction, pollakiurie, hématurie, incontinence, énurésie. Pertes vaginales. Œdèmes.

Système nerveux, appareil locomoteur

Céphalées, étourdissements, pertes de connaissance, convulsions avec ou sans fièvre, caractère des convulsions, durée, horaire, etc., troubles ou retard du langage, troubles de la vision, de l'audition, de la démarche, de l'équilibre, tics, phobies, sociabilité, changements de caractère, scolarité. Apparition d'une maladresse, d'une tendance aux chutes. Tonus musculaire, hypotonie (bébé flasque, mou ?). Douleurs musculaires, articulaires, tuméfactions articulaires.

Système endocrinien

Frilosité ou intolérance à la chaleur, goitre, croissance (arrêt ? accélération ?). Consommation excessive de sel (NaCl). Polydypsie, polyurie. Début de la puberté, des règles (ménarche). Aménorrhée primaire ou secondaire. Acné, hirsutisme, mue de la voix. Attention : les parents confondent souvent puberté et ménarche. Préciser.

Examen clinique de l'enfant et en particulier du nourrisson

Examen en général

On peut observer beaucoup de choses chez un enfant, et plus particulièrement chez un nourrisson, par la simple inspection, à une certaine distance, pour ne pas l'effrayer. Par exemple pendant qu'il est dans les bras ou sur les genoux de sa mère : trophicité générale, état de conscience, vivacité, regard, posture, mimique, mouvements spontanés, dyspnée, stridor, tirage, cyanose, pâleur, état des téguments, forme de la tête, etc.

On a avantage à ne pas suivre un ordre rigide dans l'examen, car, une fois que l'enfant pleure, on ne peut plus faire grand-chose de bon. Par exemple, il est toujours avantageux de commencer par l'auscultation cardio-pulmonaire au lieu d'examiner d'abord la bouche et les oreilles, cette dernière manœuvre faisant toujours pleurer l'enfant. La même chose est vraie pour l'examen de l'abdomen, difficile quand l'enfant n'est pas calme. L'examinateur en pédiatrie doit être un opportuniste et savoir « saisir l'occasion au vol ».

Mensurations

Poids, taille (en se rapportant aux « percentiles », aux « écarts types », ou à « l'âge pondéral » et à « l'âge statural ») (cf. pp. 66 ss.), *périmètre crânien*, température, pouls, rythme respiratoire, tension artérielle. Le poids, la taille, le périmètre crânien doivent être mesurés à intervalles réguliers (par ex. à chaque consultation) car leur évolution a autant d'importance que leur valeur absolue.

Phanères

- *Peau* : teint, cyanose, turgor (degré d'hydratation), ictère, exanthème, pétéchies, purpura, hématomes, œdèmes, angiomes, taches pigmentaires, sécheresse, desquamation, lésions infectieuses et traumatiques, cicatrices, stries, hirsutisme. Eventuellement dermatoglyphes.
- *Autres phanères* : cheveux, ongles.

Ganglions lymphatiques

Noter leur taille, nombre, consistance, sensibilité.

Tête

Symétrie ; fontanelle (dimension, souplesse, bombement, pulsion, dépression) ; malformations des oreilles externes, de la face. Craniotabès. Angiomes, vaisseaux du cuir chevelu, transillumination. Epicanthus, hypertélorisme. Forme du nez. Perméabilité des choanes. Palpation des glandes salivaires. Langue. Prognathisme, hypognathisme. Fente palatine. Muqueuse buccale. Dentition. Pharynx, amygdales.

Fig. 2 : Points de repère du tympan normal (droit)

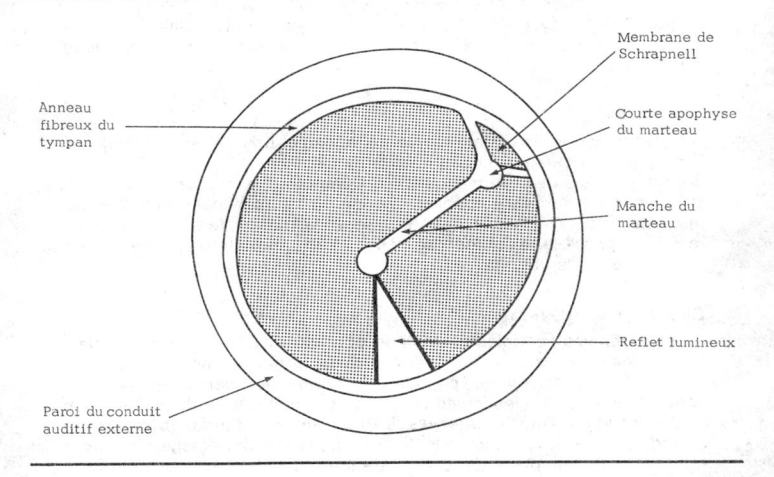

Labels (sens horaire) :
- Membrane de Schrapnell
- Courte apophyse du marteau
- Manche du marteau
- Reflet lumineux
- Paroi du conduit auditif externe
- Anneau fibreux du tympan

Oreille moyenne

L'examen des conduits auditifs et des tympans (cf. fig. 2) doit toujours faire partie de l'examen général. On recherche des signes d'inflammation, voire une perforation, avec ou sans écoulement purulent. La disparition du reflet lumineux sur le tympan indique une déformation de la membrane due à la présence d'exsudat dans l'oreille moyenne. Rechercher la tuméfaction, rougeur, ou douleur à la pression, au niveau des mastoïdes (mastoïdite).

Yeux

Asymétrie des fentes palpébrales, exophtalmie, proptosis, strabisme, colobome irien. Microphtalmie et autres malformations oculaires ou cornéennes. Signes d'inflammation : écoulement purulent, injection conjonctivale ou ciliaire. Anisocorie. Réponse à la lumière ; mobilité oculaire. *Toujours examiner le fond d'œil.* Cataracte ? Etat de la rétine. Hémorragies, exsudat, foyers de chorio-rétinite, etc. Œdème papillaire ? Malformations intéressant le nerf optique, les vaisseaux. Atrophie optique.

Cou

Symétrie. Torticolis. Adénopathies. Palper les lobes thyroïdiens, avec les deux mains, par derrière. Restes de fentes branchiales. Pterygium colli. Implantation des cheveux. Turgescence des jugulaires.

Thorax

Noter les déformations, l'asymétrie, la forme. Chapelet costal (rachitisme). Tirage, dyspnée. Palpation de la région précordiale (frémissement ?). Percussion et auscultation pulmonaire. Auscultation cardiaque. Palper le pouls fémoral en connexion avec l'examen cardiovasculaire.

Abdomen

Noter la forme, la distension, le ballonnement. Hernies ombilicales et inguinales. Circulation collatérale. Omphalite chez le nouveau-né. Palper : douleurs ? défense musculaire ? Déterminer le volume du foie, de la rate. Les reins sont-ils palpables ? Péristaltisme intestinal visible ? Bruits intestinaux, qualité. Ascite ? On fera, selon les circonstances, un toucher rectal. Si possible, examiner les selles : sang frais, melæna, selles mal formées, abondantes, nauséabondes.

Système urogénital

Loges rénales : souplesse, douleur, contact rénal. Examiner *minutieusement* les organes génitaux externes. Chez le garçon, noter l'aspect du scrotum : œdème, couleur, pigmentation, habitation par les gonades ou non. Rechercher les testicules inguinaux ou mobiles. Pénis : taille, méat (hypospadias), phimosis. Chez les fillettes, taille du clitoris, orifice urétral et vaginal, développement des lèvres, pigmentation. Rechercher avec soin toute fusion postérieure des grandes lèvres, signe de virilisation intra-utérine. Ecoulement vaginal, couleur de la muqueuse (œstrogénisation). Développement des caractères sexuels secondaires.

Système nerveux

Etat de conscience, humeur, irritabilité, réaction à différentes stimulations. Qualité du cri. Mouvements spontanés, tremor, convulsions, autres signes méningés (Kernig). Tension de la fontanelle, raideur de la nuque et chute de la tête en arrière lorsqu'on soulève le tronc (« head drop »). Signes oculaires : strabisme, exophtalmie, « soleil couchant », réactivité des pupilles. Toujours examiner le fond d'œil (hémorragies, œdème papillaire, foyers inflammatoires, colobome, etc.).
- Nerfs crâniens : paralysie oculo-motrice, paralysie faciale, mobilité du palais, réflexe de vomissement (« gag »), signe de Chvostek.
- Réflexes primitifs chez le nouveau-né : Moro, succion, préhension, enjambement, marche automatique.
- Bien noter le *tonus musculaire,* qui peut être normal, augmenté (hypertonie) ou diminué (hypotonie).
- Réflexes ostéotendineux. Signe de Babinski. Clonus.
- Réaction à la douleur, réflexe de retrait.
- Réflexe de contraction du sphincter anal.
- Vérifier la complète fermeture du neuropore postérieur (canal ou kyste pilonidal sacro-coccygien).

Extrémités

Symétrie, malformations. Position spontanée, position antalgique. Mobilité, active et passive. Tuméfactions articulaires, signes d'inflammation (rougeur, chaleur, douleur). Œdème, cyanose, hippocratisme digital.

Etat des ongles. Tuméfactions et incurvations du rachitisme (rechercher aussi le chapelet costal et le craniotabès). Rechercher les signes de luxation de la hanche (asymétrie, limitation de l'abduction de la cuisse et signe du piston d'Ortolani).

Synthèse, diagnostic différentiel et plan d'examens complémentaires éventuels

Toute observation médicale est à la fois un travail d'analyse et de synthèse, la synthèse se faisant souvent dans l'esprit du médecin au cours même de l'analyse que représentent l'anamnèse et l'examen somatique. Dans bien des cas le diagnostic est évident, et souvent aucun examen de laboratoire n'est nécessaire. Cependant, plus le cas est difficile, plus le médecin éprouvera le besoin de mettre de l'ordre dans son observation et dans ses idées, afin de procéder logiquement vers le diagnostic et le traitement. Il aura besoin d'un temps de réflexion, et il notera par écrit, selon une habitude salutaire et que l'on ne recommandera jamais trop à l'étudiant d'adopter :
● les points saillants de l'anamnèse et de l'examen somatique (liste des problèmes),
● son diagnostic différentiel, par ordre de préférence,
● son plan d'investigations complémentaires et,
● selon les circonstances, le traitement à entreprendre immédiatement.

Lorsqu'un dossier de malade contient de telles notes, il peut être consulté avec plus de facilité et de profit par d'autres médecins, consultants, etc. De nos jours, plus que par le passé, l'équipe médicale est nombreuse, et tout ce qui contribue à de meilleures communications au sein de cette équipe améliore aussi la qualité des soins que le malade reçoit. Il est donc vital que le dossier établi le soit de façon claire, logique et intelligible. De même il est aussi dans l'intérêt le plus fondamental du malade que les notes soient tenues à jour, et que les actes médicaux, ainsi que les opinions exprimées, soient inscrits d'une façon ou d'une autre dans le dossier du malade. Enfin, dans tous les pays du monde, on constate que le médecin hospitalier (interne, résident, assistant, quel que soit le terme dont on le désigne) a tendance à oublier que le médecin qui a charge de l'enfant au-dehors de l'hôpital, celui que dans les pays de langue française on désigne en général sous le terme de « médecin traitant », fait *aussi* partie de l'équipe médicale et qu'il doit *aussi* être tenu au courant de ce qui advient à son malade hospitalisé. Les techniques d'information peuvent varier (téléphone, etc.), mais l'intérêt du malade exige que son « médecin traitant » ou « médecin local » soit tenu au courant des événements. De même, c'est le devoir du consultant de faire un rapport, verbal ou écrit, au médecin qui lui a référé un patient en consultation.

Chapitre 2

Génétique et maladies héréditaires
par P. E. Ferrier

Le titre de ce chapitre est très conventionnel puisqu'en fait toute la pathologie de l'Homme est conditionnée par son patrimoine génétique, qu'il s'agisse de dérangements métaboliques, de réactions à l'infection, de troubles du comportement psychique, ou de néoplasmes. Toute maladie humaine a donc une composante génétique.

Il est traditionnel cependant de désigner sous le terme global de maladies héréditaires :
● des affections à tendance familiale marquée mais dont l'hérédité est probablement polygénique ou multifactorielle,
● des affections dont la transmission de génération en génération se fait selon un mode monomérique ou monogénique mendélien classique, et
● des syndromes malformatifs associés à des aberrations chromosomiques.

Même considérée sous cet aspect relativement restreint, la génétique a des implications directes pour pratiquement chaque famille humaine.

Le code génétique et la notion de gène

L'acide désoxyribose nucléique (ADN) contenu dans les 23 paires de chromosomes humains est à l'heure actuelle considéré comme le principal porteur de l'information génétique. On sait que l'ADN est composé d'un grand nombre de sous-unités, les nucléotides, qui elles-mêmes contiennent 3 composants chimiquement associés : l'acide phosphorique, le désoxyribose, et les bases puriques [adénine (A) et guanine (G)] et pyrimidiques [thymine (T) et cytosine (C)], ces dernières étant liées par des liaisons hydrogènes selon un appariement immuable A-T et G-C. Chaque nucléotide représente donc l'unité structurelle fondamentale de l'ADN (phosphate-désoxyribose-bases A-T et G-C) et l'ADN est un polynucléotide.

2. GÉNÉTIQUE

Le code génétique repose sur la disposition séquentielle des paires A-T et G-C le long du ruban d'ADN. La lecture de ce ruban par des mécanismes appropriés gouverne la synthèse protéique ou enzymatique, et le gène devient l'unité de matériel génétique capable de déterminer spécifiquement la synthèse d'une protéine ou d'un enzyme, selon la définition de Beadle et Tatum : 1 gène, 1 enzyme. Chaque chromosome représente donc un alignement de régions distinctes et non superposables d'un polynucléotide, et chacune de ces régions est un gène. L'ensemble des gènes constitue le patrimoine héréditaire de l'individu.

Ce matériel héréditaire, en plus de sa grande régularité chimique, possède aussi une étonnante faculté de se reproduire lui-même (« replication »), assurant ainsi la pérennité des caractères génétiques et leur transmission exacte. Ainsi ce matériel est capable de traverser un nombre extrêmement élevé de divisions cellulaires, donc de reproductions, sans modifier l'extrême stabilité de son action. Ce n'est que très exceptionnellement que l'on peut constater une modification de l'activité d'un gène. Une telle modification, qui visiblement repose sur une altération chimique au sein du polynucléotide, s'appelle une mutation, et le gène nouveau, gène mutant ; ce gène, lui aussi, va se reproduire avec une remarquable stabilité. C'est ainsi qu'à la suite de mutations, un gène peut exister, dans la population, sous deux ou plusieurs formes, chaque forme produisant des effets différents. Les formes distinctes « mutées » d'un même gène sont appelées « allèles ».

La notion de gènes *alléliques* représente le fondement de la génétique mendélienne. Certains allèles ou certaines « mutations », si l'on préfère, ont un caractère dominant, et d'autres, un caractère récessif. Tout mutant qui se manifeste à l'état hétérozygote est un gène dominant, et tout mutant qui, pour se manifester phénotypiquement, doit se trouver à l'état homozygote (double dose), est un gène récessif. Les caractères, dominants ou récessifs, dépendant d'un gène situé sur le chromosome X, sont dits « liés-au-sexe », alors que les autres, dépendant d'un gène situé sur un chromosome non sexuel, sont dits « autosomiques ».

Les figures 1, 2 et 3 illustrent la transmission de traits exprimant la présence de gènes autosomiques récessifs, récessifs liés-au-sexe, et autosomiques dominants. On voit que dans la descendance d'un homme et d'une femme porteurs d'un mutant autosomique récessif, chaque enfant a 50 % de « chance » d'être un porteur hétérozygote comme ses parents, et, comme eux, phénotypiquement sain. Chaque enfant a aussi 25 % de risque d'être un homozygote pour le mutant, c'est-à-dire de manifester la maladie, et 25 % de risque d'être un homozygote pour le gène normal, donc aussi bien génotypiquement que phénotypiquement normal. La plupart des affections héréditaires graves, comme la mucoviscidose, la maladie de Werdnig-Hoffmann, l'idiotie amaurotique (Tay-Sachs), la thalassémie majeure, la galactosémie et un grand nombre d'erreurs congénitales du métabolisme, sont transmises selon le mode autosomique récessif (cf. tableau 1).

Dans le cas où l'un des parents est porteur hétérozygote d'une anomalie liée à un mutant autosomique dominant, chaque enfant court un risque de 50 % d'être lui-même porteur du mutant, donc phénotypiquement atteint (cf. fig. 3). Cette situation n'est viable que si le mutant n'affecte pas trop sévèrement l'individu, c'est-à-dire si la maladie n'est pas trop grave. En effet, les mutations qui conduisent à la mort avant l'âge de la reproduction n'ont pas l'occasion de démontrer leur caractère dominant. Parmi les affections liées à une mutation autosomique domi-

Fig. 1 : Transmission de gènes autosomiques récessifs

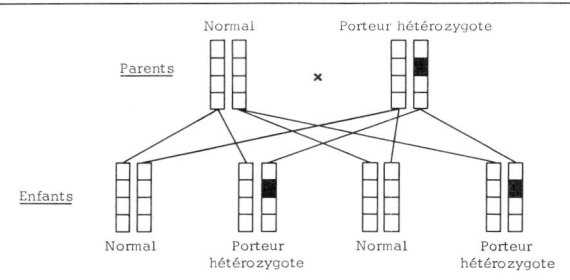

Parents : Normal × Porteur hétérozygote

Enfants : Normal, Porteur hétérozygote, Normal, Porteur hétérozygote

Proportion : Normaux 50%
Hétérozygotes 50%

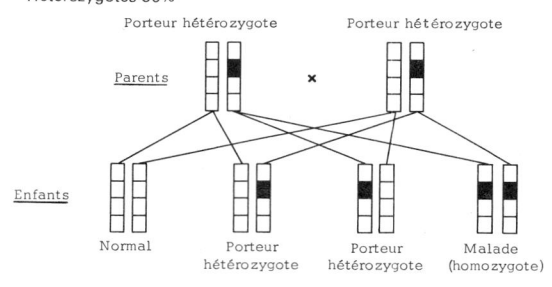

Parents : Porteur hétérozygote × Porteur hétérozygote

Enfants : Normal, Porteur hétérozygote, Porteur hétérozygote, Malade (homozygote)

Proportion : Normaux 25%
Hétérozygotes 50%
Homozygotes 25%

Fig. 2 : Transmission de gènes récessifs « liés-au-sexe » (= liés au chromosome X)

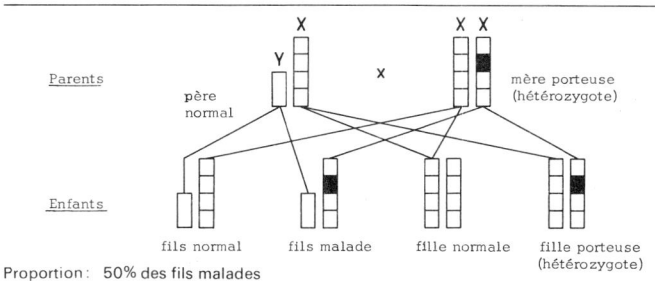

Parents : père normal (X Y) × mère porteuse (hétérozygote) (X X)

Enfants : fils normal, fils malade, fille normale, fille porteuse (hétérozygote)

Proportion : 50% des fils malades
50% des filles porteuses
0% des filles malades

Fig. 3 : Transmission de gènes autosomiques dominants

A. Situation la plus fréquente : l'un des parents seulement est affecté

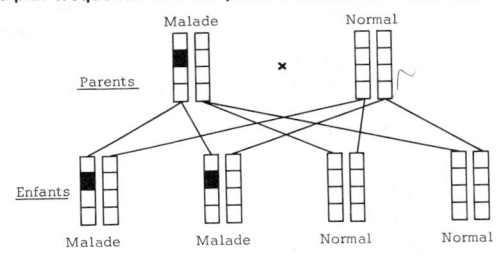

Proportion : 50% des enfants sont malades

B. Les deux parents sont affectés

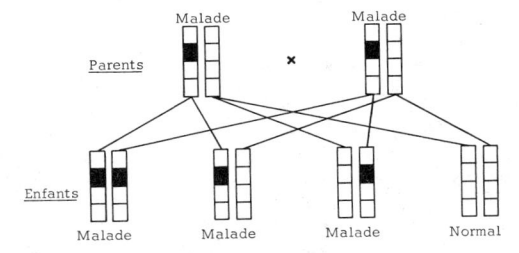

Proportion : 75% des enfants sont malades
(25% homozygotes et 50% hétérozygotes)

C. L'un des parents seulement est affecté, mais il est homozygote

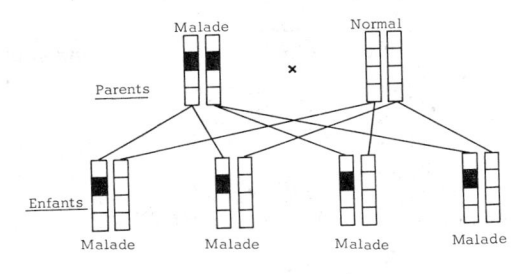

Proportion : 100% des enfants sont malades (hétérozygotes)

Tableau 1 : Quelques maladies transmises selon le mode de l'hérédité autosomique récessive et leur fréquence approximative pour 100 000 naissances[1]

	Fréquence
●Mucoviscidose (fibrose kystique du pancréas)	50
●La plupart des maladies congénitales du métabolisme :	
Phénylcétonurie	5
Hyperplasie congénitale des surrénales	2-20
Glycogénoses	?
Galactosémie	0,4-3
Cystinose	2-5
Cystinurie	7
Homocystinurie	3-8
Maladie de Wilson	10 (?)
Maladie de Tay-Sachs (population israélite)	30
Dyshormonogenèses thyroïdiennes	?
●Thalassémie majeure	selon répartition géographique
●Maladie de Werdnig-Hoffmann	?
●Ataxie - télangiectasie	1-10
●Ataxie de Friedreich	?
●Formes graves d'épidermolyse bulleuse	?

[1] Fréquence des homozygotes.

Tableau 2 : Quelques maladies transmises selon le mode de l'hérédité récessive liée-au-sexe (liée au chromosome X)

- ●Daltonisme (total, deutéranomalie, protanomalie)
- ●Hémophilie A et B
- ●Agammaglobulinémie
- ●Granulomatose de l'enfance (léthale)
- ●Syndrome de Wiskott-Aldrich
- ●Dystrophie musculaire de Duchenne
- ●Diabète insipide néphrogène
- ●Syndrome oculo-cérébro-rénal de Lowe
- ●Syndrome de Hunter (mucopolysaccharidose)
- ●Ichthyose vulgaire
- ●Dysplasie ectodermique anhydrotique
- ●Atrophie musculaire péronière de Charcot-Marie-Tooth

Tableau 3 : Quelques maladies transmises selon le mode autosomique dominant

- ●Achondroplasie
- ●Neurofibromatose de Recklinghausen
- ●Sclérose tubéreuse de Bourneville
- ●Ostéogenèse imparfaite (Lobstein)
- ●Syndrome de Marfan (arachnodactylie)
- ●Sphérocytose héréditaire de Minkowski-Chauffard
- ●Thalassémie mineure
- ●Syndrome ongle-rotule
- ●Chorée de Huntington
- ●Syndrome de Peutz-Jeghers
- ●Polypose intestinale (plusieurs formes)
- ●Porphyrie aiguë intermittente
- ●Rétinoblastome
- ●Reins polykystiques

nante, on connaît plusieurs maladies du squelette, comme l'achondroplasie, des affections du système nerveux, comme la neurofibromatose de Recklinghausen, la sclérose tubéreuse de Bourneville, des maladies des globules rouges comme la sphérocytose héréditaire, etc.

Dans les tableaux 1, 2 et 3 sont énumérées un certain nombre d'affections dont la transmission héréditaire selon un des modes classiques indiqués ci-dessus est bien établie. Il faut savoir que le caractère d'une affection peut varier d'une génération à l'autre, sans pour cela que l'on doive, par exemple, mettre en doute le caractère transmissible, héréditaire, de la maladie.

Par exemple, la neurofibromatose de Recklinghausen, affection autosomique dominante, peut très bien paraître, à l'analyse du pedigree, « sauter » une ou deux générations. En fait cela est dû à l'extrême variabilité de l'expressivité de la maladie, qui peut, chez certains porteurs du gène mutant, ne se manifester que sous la forme de taches café-au-lait, sans ou avec peu de neurofibromes. Il en résulte que ces personnes peuvent passer pour non porteuses du gène, car elles nient en toute bonne foi avoir la maladie, et seul un examen physique approfondi peut en fait démontrer le contraire. Lorsque l'expressivité est assez faible pour passer inaperçue chez certains porteurs, on parle de tel ou tel pourcentage de pénétrance de l'affection. En fait il s'agit donc d'un même phénomène de variabilité phénotypique, considéré de deux points de vue différents.

Affections génétiques multifactorielles ou polygéniques

La grande majorité des infirmités ou maladies congénitales n'appartiennent pas aux catégories bien définies citées jusqu'ici, dont l'hérédité obéit aux règles mendéliennes classiques de la dominance, de la récessivité ou de la liaison au sexe. En effet la plupart des anomalies congénitales sont soit le résultat d'un accident tout à fait sporadique (infection pendant la grossesse, problème obstétrical, etc.), soit des affections ou malformations de caractère familial certes, mais où entrent en jeu plusieurs facteurs étiologiques tant génétiques (polygéniques) qu'extérieurs à l'individu (environnement). Certaines des influences en cause dans ce genre d'affections familiales, que l'on appelle multifactorielles ou polygéniques (cf. fig. 4), agissent dans le sens de l'élévation ou de l'abaissement d'un certain « seuil » (« threshold ») au-dessus duquel l'anomalie devient manifeste. Par exemple, le sexe et l'origine raciale peuvent jouer un rôle : la luxation congénitale de la hanche, quoique de tendance familiale, n'a pas une hérédité bien définie, mais elle est plus fréquente chez les filles, le sexe féminin agissant comme un facteur abaissant le « seuil » d'apparition de l'infirmité. La polydactylie est beaucoup plus fréquente chez les Noirs que chez les Blancs, etc.

Il est logique de penser que certains facteurs non génétiques (facteurs « d'environnement » ou péristatiques) peuvent jouer un rôle semblable de « seuil », mais leur identification n'est pas aussi facile que celle du sexe ou de la race. Dans ce sens, la transmission de la plupart des infirmités congénitales est réellement multifactorielle.

La sténose hypertrophique du pylore est une autre de ces maladies à tendance familiale mais à transmission non mendélienne. Un généticien, Carter, l'a utilisée pour démontrer non seulement l'effet seuil du sexe (la maladie se développe plus souvent chez les garçons) mais aussi son étiologie polygénique. En effet, si davantage de gènes sont nécessaires pour faire apparaître l'affection chez les filles, les filles atteintes doivent transmettre également davantage de ces gènes prédisposants à leur descendance que les garçons atteints. Par conséquent l'affection doit être plus fréquente dans la descendance (des deux sexes) des filles atteintes que dans celle des garçons atteints. Cette hypothèse fut confirmée par l'observation. Donc l'origine de la sténose du pylore est bien polygénique.

Certaines affections d'origine multifactorielle sont assez fréquentes et faciles à diagnostiquer pour que l'on ait pu établir, statistiquement, les risques de récidive selon les circonstances et le degré de parenté. Le tableau 4 donne à leur sujet des informations fort utiles pour le conseil génétique. On voit d'après ce tableau que le risque de récurrence pour une infirmité donnée, parmi les enfants de parents non atteints, est de

---

Tableau 4 : Affections d'origine polygénique ou multifactorielle
Proportion ou risque de récurrence selon le degré de parenté

	Bec-de-lièvre et fente palatine	Luxation congénitale de la hanche Tous les malades	♀ apparentée à une ♀ affectée
	Pour mille	Pour mille	Pour mille
Fréquence générale dans la population (approximative)	1	1	1,8
Apparentés du 1er degré (parents, enfants, frères et sœurs)	35 (35×) 140 si le père ou la mère est aussi atteint	40 (40×)	63 (35×)
Apparentés du 2e degré (oncles, tantes, neveux et nièces)	7 (7×)	4 (4×)	5,4 (3×)
Apparentés du 3e degré (cousins germains)	3 (3×)	1,5 (1,5×)	3,6 (2×)

8 à 100 fois plus élevé que le risque moyen dans la population en général.

Dans un grand nombre de situations, toutefois, la malformation congénitale dont souffre l'enfant ne représente pas une entité ou un syndrome défini, et l'absence de possibilité d'identification et de comparaison rend l'estimation du risque de récidive encore plus vague et difficile. L'expérience empirique montre que dans ces cas-là, à condition qu'il s'agisse du premier enfant affecté de parents sains, le risque de récidive est approximativement le double du risque général de malformation majeure dans la population, c'est-à-dire 5 % au lieu de 2 à 3 %. Le risque, naturellement, est plus élevé (10-15 %) s'il existe déjà 2 enfants affectés. En règle générale aussi, plus l'infirmité est extensive ou grave (plusieurs systèmes affectés), plus le risque de récidive est élevé. Cela est en accord avec le système d'hérédité quantitative supposé : plus l'infirmité est grave, plus le nombre de facteurs génétiques délétères est élevé, et par conséquent plus grand est le risque de récidive parmi les frères et sœurs suivants. Il faudra donc, dans une telle situation, indiquer un risque de récurrence plus élevé que 5 %.

Parfois enfin, la cause du syndrome malformatif est connue et n'a pas de lien avec la génétique. L'action tératologique est le fait, par exemple, du virus de la rubéole ou de l'organisme de la toxoplasmose (cf. pp. 56 ss.). Dans ces cas le risque d'avoir un deuxième enfant similairement touché est nul (rubéole) ou négligeable (toxoplasmose).

Sténose hypertrophique du pylore		Anencéphalie et Spina bifida	Cardiopathie congénitale
Tous les malades	♀ apparentée à une ♀ affectée		
Pour mille	Pour mille	Pour mille	Pour mille
3	1	5	8
60 (20×)	100 (100×)	40 (8×)	Frères et sœurs 34 (4×) Père et mère 18 (2×)
12 (4×)	12 (12×)	—	12 (1,5×)
4,5 (1,5×)	3 (3×)	10 (2×)	8 (1×)

Réf. :
C.O. Carter: *Progr. in Med. Genet.*, A.G. Steinberg et A.G. Bearn éd., Grune Stratton, N.Y., 1965, vol. IV, p. 59.
J.J. Nora et coll.: *Pediatrics* 37: 329, 1966.

Fig. 4 : Hérédité polygénique

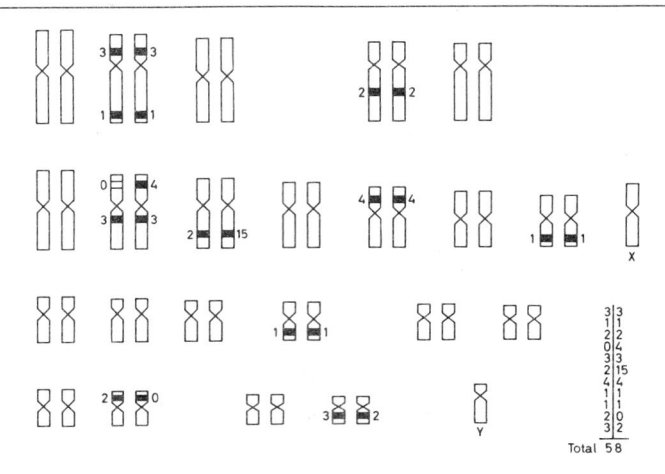

L'effet phénotypique est proportionnel à la somme des influences géniques individuelles.

Dépistage néonatal de certaines affections métaboliques et endocriniennes

Beaucoup de pays ont maintenant mis sur pied un dépistage systématique chez le nouveau-né de certaines erreurs congénitales du métabolisme.

La voie de ce dépistage systématique a été ouverte dès 1960 par Guthrie et ses collaborateurs, qui ont démontré que l'on pouvait déterminer sur une très petite quantité de sang si un enfant nouveau-né (= âgé de quelques jours) présentait une phénylalaninémie trop élevée ou normale. Le test repose sur le principe suivant : quelques gouttes de sang du nouveau-né sont déposées sur un papier buvard. Une fois séché, le papier buvard est expédié à un laboratoire central, où les rondelles de buvard imprégnées de sang sont déposées sur un milieu de culture de Bacillus subtilis. La croissance de ce microorganisme est inhibée par une substance dont l'action peut être contrecarrée par la phénylalanine. Si la rondelle de sang séché contient suffisamment de phénylalanine, le microorganisme se reproduit et la colonie aura un diamètre d'autant plus grand que la concentration en phénylalanine est plus élevée. Cette méthode semi-quantitative est donc suffisamment sensible pour détecter très tôt une accumulation anormale de phénylalanine dans le sang. Elle est encore à l'heure actuelle la base de ce qu'on a pris l'habitude d'appeler le « test de Guthrie », qui s'est généralisé comme moyen de dépistage de la phénylcétonurie et des autres erreurs métaboliques caractérisées par une hyperphénylalaninémie. A l'heure actuelle le sang néonatal récolté sur papier buvard sert à mesurer les substances suivantes (en Suisse) :

3 acides aminés	phénylalanine
	leucine
	méthionine
1 sucre	galactose
1 enzyme	galactose-1-phosphate uridyl transférase
1 hormone	thyréostimuline (TSH)

D'autres acides aminés et d'autres enzymes peuvent être dosés par diverses méthodes biochimiques sur la petite quantité de sang desséché prélevée selon la méthode de Guthrie. Cependant ces substances ne sont pas recherchées systématiquement, car pour qu'un dépistage précoce biochimique soit justifié, il faut non seulement que la détermination soit d'une grande fiabilité (= un minimum de faux positifs, et pas de faux négatifs !), mais il faut encore que l'on puisse offrir *un traitement efficace* de la maladie, ce qui n'est pas souvent le cas dans les erreurs métaboliques. Accessoirement, ce n'est pas la peine de diagnostiquer systématiquement cliniquement une maladie dont les signes cliniques seraient évidents dès la naissance ; à l'inverse, lorsqu'une erreur métabolique ne se manifeste cliniquement que tardivement et progressivement, il devient important de la dépister dès le début de la vie quand même, afin de pouvoir donner un conseil génétique aux parents avant que ne survienne une nouvelle grossesse.

La dernière en date de ces déterminations néonatales systématiques est celle de la TSH, que l'on combine parfois à celle de la thyroxine (T_4) (cf. p. 729). Vu la grande fréquence de l'hypothyroïdie congénitale (de 1/3000 nouveau-nés à 1/6000 nouveau-nés selon les régions), vu la fréquente pauvreté des signes cliniques de l'hypothyroïdie dans la période néonatale, et vu l'excellence du traitement à disposition, cette détermination est devenue la plus importante de toutes. A titre de comparaison, la fréquence de la phénylcétonurie, en Suisse, s'est révélée être de 1/20 000 naissances, et celle de la galactosémie, de 1/50 000 naissances.

Facteurs génétiques et environnement, pharmacogénétique

On a trop tendance à considérer les maladies comme des phénomènes biologiques en vase clos, sans rapport avec le milieu ambiant, l'environnement dans lequel se trouve le malade. Les maladies héréditaires

Tableau 5 : Pharmacogénétique : mutations mendéliennes affectant la réponse à des médicaments

Anomalie ou mutation	Fréquence	Répartition ethnique	Médicaments impliqués	Effet indésirable	Mode de transmission
Très répandues :					
● Déficience en G-6-PD	Cf. tableau 6 100 millions d'individus affectés dans le monde	Populations tropicales et subtropicales (régions d'endémie paludique)	Cf. tableau 7	Anémie hémolytique Hyperbilirubinémie néo-natale et ictère nucléaire (kernicterus) Mécanisme : incapacité de régénérer le NADPH par la voie du pentose-phosphate et de réduire le glutathion oxydé	Lié-au-sexe
● Polymorphisme de l'acétyltransférase hépatique : acétylation lente	60% des Blancs et des Noirs 10% des Orientaux	Universelle (voir ci-contre)	Isoniazide (Rimifon®) Sulfaméthazine Sulfamaprime Phenelzine Dapsone Hydralazine (Aprésoline®)	Intoxication à l'isoniazide chez les acétylateurs lents (polynévrite) Prévention : pyridoxine (vitamine B₆) Intoxication à la phénylhydantoïne si utilisée avec l'isoniazide (épilepsie+Tbc) : inhibition du métabolisme de la phénylhydantoïne par les oxydases microsomiques hépatiques, bloquées par l'isoniazide	Récessif autosomique
● Glaucome cortisonique	29% d'hétérozygotes 5% d'homozygotes	Inconnue	Application topique de corticostéroïdes dans l'œil	Augmentation de la pression intra-oculaire, plus marquée chez les homozygotes	Dominant autosomique
● Déficience en réductase de la méthémoglobine	1% d'hétérozygotes	Inconnue	Dapsone Chloraquine Primaquine	Porteurs hétérozygotes : cyanose méthémoglobinémique après prise des médicaments ci-contre	Récessif autosomique

Rares:

• Sensibilité au suxamethonium (variants de la cholinestérase)	1/170 000 à 1/2500 selon les variants	Rare chez les Noirs, très rare chez les Orientaux	Administration de suxamethonium ou de succinylcholine pendant une anesthésie (relaxant musculaire)	Apnée prolongée Antidote : pseudo-cholinestérase pure	Récessif autosomique
• Hyperthermie maligne	1/20 000 enfants subissant une anesthésie générale	Blancs Noirs Orientaux	Anesthésiques généraux (éther, cyclopropane, halothane, methoxyflurane) et relaxants musculaires comme la succinylcholine	Hyperthermie Décès dans 2/3 des cas Détection : biopsie musculaire et réponse contractile des fibres fraîches à la caféine	Dominant autosomique
• Résistance à la coumarine (anticoagulant)	2 familles décrites		Coumarine Warfarine	25 × la dose habituelle d'anticoagulant est nécessaire. Extrême sensibilité à la vitamine K_3, à cause d'un récepteur hépatique avec affinité augmentée pour la vitamine K_3	Dominant autosomique
• Hémoglobines instables (Hgb M. Hgb Zurich)	Quelques familles		Oxydants : cf. tableau 7	Hémolyse	Dominant autosomique
• Porphyrie hépatique (latente)	1/100 000	Plus fréquente chez les Blancs d'origine nordique Très rare chez les Noirs	Barbituriques Sulfamidés Œstrogènes (contraceptifs oraux) Griséofulvine	Douleurs abdominales Paralysies Paresthésies Psychose, délire, coma Excès d'acide δ-aminolevulinique (ALA) et de porphobilinogène dans l'urine. Mécanisme : activité excessive d'ALA-synthétase	Dominant autosomique

Tableau 6 : Groupes ethniques avec une fréquence de déficience en G-6-PD supérieure à 1 % dans le sexe masculin

Africains et leurs descendants (Noirs)	Indonésiens	Pakistanais
Arabes	Iraniens	Philippins
Chinois du Sud	Israélites (surtout d'Orient)	Roumains
Grecs	Kurdes	Sardes
Indiens (d'Asie)	Malais	Siciliens
	Néo-Guinéens	Thaïlandais

Tableau 7 : Médicaments aptes à causer une hémolyse chez les individus déficients en G-6-PD

	Noirs	Blancs
Acétaniline	+++	
Diaphenylsulfone (Dapsone®)	++	+++
Nitrofurazone (Furacine®)	++++	
Nitrofurantoïne (Furadantine®)	++	++
Sulfanilamide	+++	
Sulfapyridine	+++	+++
Sulfisoxazole (Gantrisine®)	++	
Quinidine		++
Primaquine	+++	+++
Pamaquine	++++	
Quinocide	+++	++
Naphtaline	+++	+++
Trinitroluène		+++
Chloramphénicol	+	++
Nitrite	+	+++
Bleu de méthylène	++	
Acide ascorbique	++	

n'échappent pas à cette tendance. Or certaines mutations ou certains génotypes n'acquièrent de l'importance qu'en fonction des circonstances ambiantes, de l'environnement avec lequel leur porteur est en constant contact. Ainsi, par exemple, l'hémoglobinose S ne s'est perpétuée dans les populations africaines que grâce à la protection relative qu'elle offrait à l'égard de la malaria, très répandue dans cet environnement, et ses manifestations sont aggravées par des changements du milieu ambiant tels que la diminution de la tension d'O_2. Un autre exemple est la déficience en glucose-6-phosphate-déhydrogénase, qui est révélée parfois par un facteur exogène ou ambiant tel que l'ingestion de fèves (favisme). La déficience en α-antitrypsine prédispose à l'emphysème, mais surtout lorsque le porteur d'un tel génotype est un fumeur de tabac. La dysplasie ectodermique anhydrotique est une maladie héréditaire liée-au-sexe qui ne gêne celui qui en est affecté que lorsque la température s'élève, puisqu'il ne peut pas maintenir son homéostase thermique en transpirant.

Dans un grand nombre de cas, la modification de l'environnement révélatrice d'un génotype inhabituel est une modification d'origine humaine, iatrogène même, puisqu'il s'agit de substances chimiques ou de médicaments. La *pharmacogénétique* est cette branche de la génétique qui s'occupe des variations héréditaires ne devenant manifestes qu'à la suite de la prise de *médicaments*. Elle est une science dont l'importance découle, d'une part, du fait que l'homme est un grand consommateur de médicaments et de toxiques de toutes sortes et, d'autre part, du fait aussi que certaines de ces réactions indésirables aux médicaments mettent en danger la vie de l'individu prédisposé.

Toutes les réactions adverses aux médicaments ne peuvent pas être attribuées à des facteurs héréditaires définissables. Certaines de ces prédispositions sont cependant transmises de façon mendélienne classique, et la connaissance de l'existence du trait dans une famille donnée ainsi que la définition précise de son mode de transmission ont une importance évidente. L'une de ces mutations, dont environ 90 allèles différents sont maintenant connus, est la déficience en glucose-6-phosphate-déhydrogénase (G-6-PD), qui affecte environ 100 millions d'individus dans le monde (cf. tabl. 5, 6 et 7). Quelques-unes de ces mutations, classées en 2 groupes selon qu'elles sont communes ou rares, sont énumérées au tableau 5. Elles affectent la réponse aux médicaments, soit en altérant la façon dont ceux-ci sont distribués ou détoxifiés dans l'organisme, soit en modifiant la façon dont ce dernier réagit à la présence du médicament. Il est probable que la composante génétique de nombreuses réactions défavorables aux médicaments reste à découvrir.

Aberrations chromosomiques

Les termes les plus souvent employés dans cette section sont définis au tableau 8.

Soulignons que les malformations constatées sont d'autant moins compatibles avec une survie prolongée que la quantité de matériel chromosomique impliquée dans l'accident (soit par absence soit par excès) est plus importante. En d'autres termes, les enfants atteints de trisomie 21 tendent à survivre plus longtemps que ceux atteints de trisomie 13, leurs malformations étant moins sévères et le chromosome 21 étant plus petit que le chromosome 13.

Enfin il est maintenant établi qu'un grand nombre des œufs fécondés n'arrivent jamais à maturation et avortent très précocement parce que l'embryon est porteur d'une aberration chromosomique (par ex. XO, trisomie 16, triploïdie, etc.). Cela a été démontré par l'étude des produits d'avortements spontanés.

Tableau 8 : Définitions de quelques termes souvent employés en cytogénétique

●**Chromatine sexuelle** (corpuscule de Barr et appendice polynucléaire). Les noyaux des cellules (épithéliales et autres) chez les individus du sexe féminin possèdent une petite masse arrondie ou ovalaire de chromatine très condensée, accolée contre la membrane nucléaire. Ce corpuscule chromatinien se colore facilement par les colorants de l'ADN et est facile à identifier. Au niveau des leucocytes polynucléaires, il a son équivalent sous forme d'appendice caractéristique en raquette, faisant saillie à la surface du noyau lobulé du polynucléaire. Le frottis de la muqueuse buccale est la méthode la plus simple pour obtenir des cellules épithéliales, sur lame, et rechercher la présence de la chromatine sexuelle. Cette dernière représente tout ou partie d'un des 2 chromosomes X, sous forme condensée, et peut être génétiquement inactive. La présence d'un corpuscule de Barr signe la présence de 2 chromosomes X, que le complément soit XX, XXY ou XXYY. Les cellules XXX et XXXY possèdent, dans la règle, 2 corpuscules chromatiniens, et ainsi de suite : il y a toujours 1 corpuscule chromatinien de moins que le nombre de chromosomes X au complément. Les cellules XY ne possèdent pas de chromatine sexuelle type Barr.

●**Nombre diploïde de chromosomes :** 46, soit 23 paires dans l'espèce humaine.

●**Aneuploïdie :** toute anomalie dans laquelle le nombre diploïde de 46 n'est pas respecté.

●**Triploïdie :** aneuploïdie caractérisée par la présence de 69 chromosomes au lieu de 46, c'est-à-dire de 23 triplets au lieu de 23 paires.

●**Chromosomes sexuels ou hétérosomes :** chromosomes responsables de la détermination sexuelle. Ils sont au nombre de 2 : XX chez la fille et XY chez le garçon, l'Y étant parmi les plus petits chromosomes du complément, alors que l'X est beaucoup plus grand. Le sexe féminin possède donc, au total, un peu plus de matériel génétique que le sexe masculin. En outre, le chromosome X contient de nombreux gènes qui n'ont rien à faire avec la détermination sexuelle. Les gènes sont toujours à l'état hémizygotique chez les garçons (XY) alors qu'ils existent sous forme de paires alléliques chez la fille (XX). Ce fait est la base de l'hérédité «liée-au-sexe», c'est-à-dire liée au chromosome X. Le chromosome Y exerce un effet puissamment masculinisant en ce qui concerne la détermination sexuelle. Des gènes localisés sur le chromosome Y et qui n'auraient pas de relation avec la détermination sexuelle n'ont jamais pu être identifiés avec certitude.

●**Autosomes :** les 22 paires de chromosomes non sexuels.

●**Trisomie :** anomalie numérique (aneuploïdie) dans laquelle on observe un chromosome surnuméraire. L'une des paires est donc remplacée par un triplet. Par exemple : trisomie 21 (=47,21+).

●**Monosomie :** aneuploïdie dans laquelle il manque un chromosome, d'où un total de 45 au lieu de 46.

●**Caryotype :** complément chromosomique. Sa représentation graphique ou schématique s'appelle un *idiogramme*.

●**Mitose :** processus de division cellulaire grâce auquel 2 cellules filles sont dotées de la même quantité de matériel chromosomique et du même nombre de chromosomes que la cellule mère. Pour arriver à ce but, les chromosomes, dans un premier temps, doublent, par reproduction exacte, leur matériel génétique ; puis, dans un second temps, les chromosomes se scindent longitudinalement de manière à former 2 *chromatides* nouvelles strictement identiques l'une à l'autre. De la séparation des chromatides résultent 92 nouveaux chromosomes qui subissent une ségrégation en 2 fois 46 paires, constituant l'appareil chromosomique de 2 cellules filles, nouvelles.

●**Méiose :** division cellulaire spécialisée, ne se rencontrant qu'au niveau des cellules germinales. Cette division est responsable de la réduction du nombre *diploïde* (46) en nombre *haploïde* (23) des chromosomes qui constitueront le complément des ovules

Fig. 5 : Fréquence du mongolisme en fonction de l'âge maternel

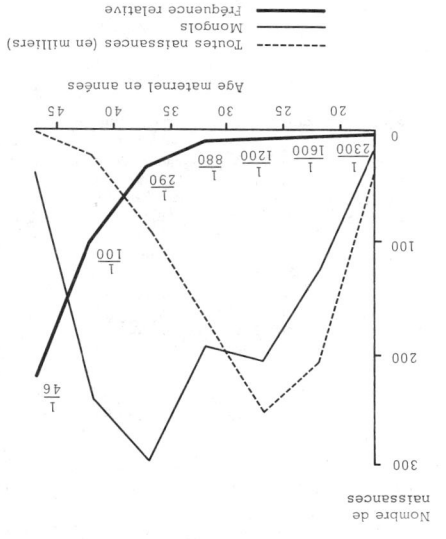

Nombre de naissances

(graph with maternal age on x-axis from 20 to 45, values shown: 1/46, 1/100, 1/2300, 1/1600, 1/1200, 1/880, 1/290)

Âge maternel en années

------- Toutes naissances (en milliers)
——— Mongols
Fréquence relative

D'après :
Collmann, R.D., et Stoller, A. : *Amer. J. Publ. Hlth* 52: 813, 1962, et
Penrose, L.S. et Smith, G.F. : *Down's Anomaly*, Little, Brown and Co. Boston 1966.

anomalie chromosomique (translocation ou mosaïcisme), et nul enfant n'étant affecté du syndrome de Down parmi la proche parenté. Si tel est le cas, la cause de l'accident est inconnue (virus ?) et le risque de récurrence est très bas.

Symptomatologie

Il n'existe pas de caractéristique pathognomonique du syndrome de Down. Le diagnostic clinique, parfois difficile à établir chez le nouveau-né, repose sur un ensemble de caractères jamais présents en totalité, mais qui donnent à tous les enfants atteints une apparence similaire, un « air de famille ».
En voici les principaux :
- Retard mental constant, mais de degré variable.
- Petite taille.
- Microcéphalie (occiput plat).
- Visage plat, rond, nez petit avec base large.
- Fentes palpébrales obliques, l'angle externe étant plus haut que l'interne.
- Épicanthus.

Anomalies des autosomes

Trisomies

Syndrome de Down, mongolisme ou trisomie 21

Fréquence : 1/700 naissances. Atteint les deux sexes également.
L'influence bien connue de l'âge maternel avancé est un argument en faveur d'une distribution anormale des chromosomes (non-disjonction) lors de la méiose maternelle, produisant une cellule germinale à 24 chromosomes (2 chromosomes 21 au lieu d'un) au lieu de 23. La fécondation par un spermatozoïde normal, à 23 chromosomes, produit un zygote (embryon) à 47 chromosomes (trisomie 21). Le risque qu'une grossesse, après l'âge de 40 ans, entraîne la naissance d'un enfant mongolien, est de 1/100 et de 1/46 après 45 ans d'après Collmann et Stoller, alors que ce risque est de 1/1600 entre 20 et 25 ans, comme le montre la figure 5. Cependant, comme le nombre de grossesses survenant chez les femmes entre 20 et 25 ans surpasse beaucoup celui des grossesses après 40 ans, on voit tout de même beaucoup d'enfants mongoliens ayant une mère jeune. Malheureusement dans la plupart des cas l'accident n'était pas prévisible, les parents n'étant pas eux-mêmes porteurs d'une

et des spermatozoïdes *(gametes)*. De la fertilisation ou fusion des gamètes résulte un zygote (œuf fertilisé) doté de nouveau du nombre diploïde de chromosomes.

● **Non-disjonction** : défaut affectant la ségrégation des chromosomes soit lors de la méiose soit lors de la mitose. La non-disjonction méiotique résulte en la formation de gamètes numériquement inégaux, par excès ou par défaut d'un chromosome. Elle est dite secondaire ou obligatoire si le progéniteur est, lui — ou elle-même — aneuploïde (ex: une mère trisomique 21 produit 2 sortes de gamètes : à 23 et à 24 chromosomes). Une non-disjonction mitotique, par contre, n'affecte pas la formation de gamètes, mais peut résulter en la création de 2 nouvelles populations cellulaires au sein d'un zygote ou individu, populations caractérisées par leur aneuploïdie. Par exemple, la non-séparation de la paire de chromosomes X lors de la première division mitotique après la fécondation peut théoriquement résulter en une fille qui possède

2 sortes de cellules dans son organisme : cellules 45, XO et cellules 47, XXX.

● **Mosaïcisme** : condition caractérisée par la présence de 2, 3, etc. populations cellulaires différentes au point de vue du complément chromosomique, chez un même individu. Par exemple, mosaïque 46, XY/47, XXY ou mosaïque 46, XY/47, XY, 21+, ou encore mosaïque diplo-triploïde 46, XY/69, XXY.

● **Translocation** : anomalie chromosomique structurelle, dans laquelle une fraction de chromosome s'est détachée d'un chromosome pour se fixer sur un autre. La rupture chromosomique qui est à l'origine d'une telle anomalie implique toujours une perte de matériel chromosomique.

● **Délétion** : perte de matériel chromosomique. Un chromosome ne peut « survivre » à une délétion, c'est-à-dire traverser des mitoses successives, que si la délétion n'a pas entraîné la perte du centromère (zone d'attachement au fuseau mitotique).

- Petites taches blanches dans l'iris, dites taches de Brushfield.
- Petites oreilles externes, peu ourlées.
- Bouche petite avec langue qui tend à sortir. Langue scrotale.
- Dents petites, d'apparition retardée.
- Cou court, avec excès de peau sur la nuque.
- Hypotonie musculaire. Gros ventre.
- Hernie ombilicale.
- Organes génitaux externes sous-développés (mais gonades se développant bien à la puberté).
- Brachyphalangie, particulièrement au niveau de la phalange moyenne du 5e doigt, qui est de ce fait trop court et incurvé vers la ligne médiane.
- Gros orteil ayant tendance à s'écarter du 2e orteil, avec sillon cutané profond entre les deux.

Signes radiologiques

La constatation d'un angle acétabulaire très aplati, lorsqu'on le mesure sur une radiographie du bassin de face, est suggestive du diagnostic de syndrome de Down, mais non pathognomonique, car l'angle faible dû à « l'ouverture » plus grande des os iliaques est une conséquence de l'hypotonie musculaire, et peut donc s'observer dans des cas d'hypotonie associée à une autre affection.

Affections associées

Les enfants atteints du syndrome de Down ont une nette tendance aux infections répétées du tractus respiratoire (rhume, pneumonie), et pour des raisons peu claires, à mourir de leucémie aiguë plus souvent que les enfants normaux (?).

Un enfant mongolien sur 5, environ, est porteur d'une malformation cardiaque appartenant le plus souvent au groupe de celles qu'on désigne sous le terme de canal atrio-ventriculaire, la communication interventriculaire simple venant ensuite.

Les cataractes sont plus fréquentes chez les enfants mongoliens, de même que les atrésies duodénales, le pancréas annulaire et la maladie de Hirschsprung.

Dermatoglyphes

La présence d'un excès de boucles cubitales et la rareté des tourbillons au niveau de la pulpe des doigts est frappante dans le syndrome de Down. Au niveau de la paume, l'angle atd est très obtus, à cause de la position très distale du triradius t, ou de la présence d'un second triradius t″ très distal (cf. fig. 6). La constatation de cette combinaison d'anomalies dermatoglyphiques est très suggestive de la trisomie 21.

Variations enzymatiques et métaboliques

Pratiquement, le comportement de tous les systèmes métaboliques ou enzymatiques étudiés chez des enfants mongoliens a été trouvé statistiquement et quantitativement anormal : phosphatase acide et alcaline leucocytaire, galactose-1-phosphate-uridyl-transférase leucocytaire et érythrocytaire, G-6-PD érythrocytaire, etc. ; excrétion diminuée des métabolites du tryptophane, et augmentée de la 3-OH-kynurénine et de l'acide xanthurénique après une surcharge orale en tryptophane, etc.

Fig. 6 : Dermatoglyphes de la trisomie 21

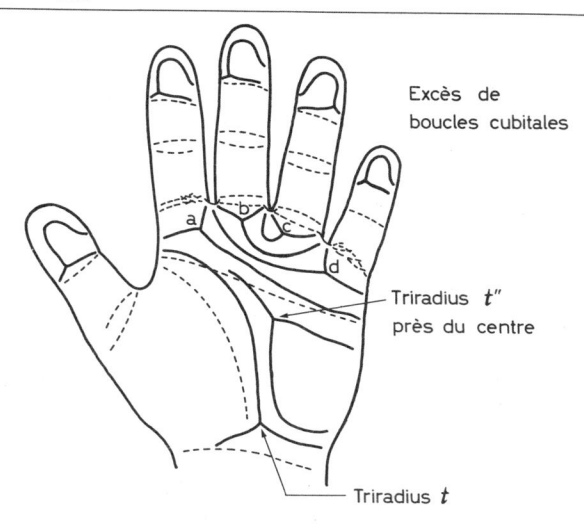

Excès de boucles cubitales

Triradius t'' près du centre

Triradius t

D'après Penrose L.S.: *Nature*, 197 : 933, 1963.

Tableau 9 : Diagnostic différentiel du syndrome de Down et de l'hypothyroïdie

Syndrome de Down

- Hypotonie
- Cri faible
- Acrocyanose
- Langue protubérante
- Hernie ombilicale
- Peau sèche
- Activité diminuée
- Microcéphalie
- Taches de Brushfield
- 5ᵉ doigt court, incurvé, avec brachymésophalangie
- 1ᵉʳ orteil écarté du 2ᵉ
- Age osseux normal (radiologique)
- Thyroxinémie normale
- Caryotype anormal (47 chromosomes)

Hypothyroïdie congénitale

- Hypotonie
- Cri faible et rauque (myxœdème laryngé)
- Acrocyanose et hypothermie
- Grosse langue protubérante
- Hernie ombilicale
- Peau sèche avec myxœdème
- Activité diminuée
- Tête normale
- Pas de taches de Brushfield
- 5ᵉ doigt normal
- Pas d'écartement des orteils 1 et 2
- Retard d'ossification (radiologique)
- Thyroxinémie abaissée
- Caryotype normal (46 chromosomes)

Diagnostic différentiel

Il est important, surtout chez le nouveau-né, de ne pas confondre syndrome de Down et hypothyroïdie ou athyréose congénitale. L'erreur peut être lourde de conséquences car l'hypothyroïdie se traite avec succès et de son traitement précoce dépend largement le pronostic mental de l'enfant. Le tableau 9 souligne les ressemblances tout en résumant les points importants du diagnostic différentiel.

Cytogénétique

La grande majorité des enfants atteints du syndrome de Down ont un chromosome 21 surnuméraire dans toutes leurs cellules (trisomie 21, 47 chromosomes). Un petit nombre de ces enfants sont porteurs de deux populations cellulaires différentes, l'une normale (46 chromosomes) et l'autre trisomique pour le chromosome 21 (47 chromosomes). Ces mongoliens « mosaïques » sont parfois moins sévèrement atteints que les trisomiques purs (par ex. mère mosaïque pour la trisomie, qui a l'air normale, et qui produit un ou plusieurs enfants mongoliens ; plusieurs exemples connus).

Chez d'autres enfants mongoliens, le nombre total des chromosomes est normal, 46. Mais il existe du matériel surnuméraire provenant d'un chromosome 21 en « translocation » sur un autre autosome, généralement un D 13-15, ou un G 22. Dans ce cas, l'affection peut être due à la présence d'une translocation « balancée » chez l'un des parents, qui lui n'a que 45 chromosomes (un seul 21 sur un chromosome D ou G). Un tel parent peut passer son chromosome anormal à sa descendance, en même temps qu'un chromosome 21 normal, ce qui résulte en un enfant porteur de trois fois, ou presque, le matériel 21, au lieu de ne l'avoir qu'en double exemplaire (nombre diploïde normal, 2 chromosomes 21, plus le matériel 21 en translocation sur le chromosome D ou G anormal). Dans cette situation le risque de récurrence du mongolisme est élevé, mais c'est une situation rare heureusement (2 à 3 % de tous les cas de syndrome de Down relèveraient de cette étiologie).

Pronostic mental et social

Tous les enfants mongoliens sont retardés, mais à des degrés variables. Aucun cependant ne se développe suffisamment pour exercer une occupation compétitive, non protégée, dans la vie. Dans leur jeune âge, les enfants mongoliens bénéficient au maximum de leur intégration dans le cadre familial, ce qui n'est pas difficile, car ce sont des enfants affectueux et peu destructeurs. Leurs parents et frères et sœurs s'attachent à eux, et ce n'est que lorsque les parents vieillissent que le mongolien doit être pris en charge par une institution. La création d'ateliers protégés, qui tend à se généraliser, est une solution heureuse pour les plus développés de ces malades.

Trisomie 13 (D$_1$)

Les malformations, dans ce syndrome, sont plus graves que dans la trisomie 21, et conduisent à un décès très précoce, avant 3 ans, et le plus souvent avant 3 mois. La gravité des anomalies somatiques est proportionnelle à l'importance quantitative du matériel génétique intéressé, et les chromosomes du groupe D sont plus grands que ceux du groupe G (21-22). Le 47e chromosome responsable de la trisomie a pu être identifié avec régularité comme appartenant à la 13e paire, d'où l'appellation de trisomie 13. La fréquence de cette aberration chromosomique a été estimée environ à 1/5000 enfants nés vivants ; il est probable qu'elle se produit plus souvent mais que les embryons affectés avortent spontanément. Le risque semble augmenter en fonction de l'âge maternel, comme pour la trisomie 21. Il ne semble pas exister de différence de fréquence selon le sexe. La croissance intra- et surtout extra-utérine de ces enfants est mauvaise et les malformations intéressent beaucoup d'organes. Le système nerveux (absence de clivage du prosencéphale allant jusqu'à la cyclopie), les yeux (microphtalmie, colobome), la face (non-fusion des bourgeons palatins), le cœur (communication interventriculaire) sont particulièrement touchés. Comme dans la trisomie 18, les doigts tendent à assumer une curieuse position de flexion et de croisement les uns sur les autres, qui est très frappante. Une liste plus complète des malformations, externes et internes, figure au tableau 10.

Tableau 10 : Principales caractéristiques de la trisomie 13 (D$_1$)

S.N.C. :

- Arriération sévère
- Convulsions
- Fusion des lobes frontaux, absence de corps calleux
- Absence du tractus olfactif (arhinencéphalie)
- Microphtalmie et colobome

Tête :

- Microcéphalie
- Micrognathie
- Division palatine
- Oreilles externes malformées, atrésie du conduit auditif externe

Cœur et vaisseaux :

- Défauts septaux
- Artère ombilicale unique
- Hémangiomes

Extrémités :

- Polydactylie
- Flexion et croisement des doigts
- Pli palmaire transversal unique

Autres défauts :

- Malrotation du côlon
- Anomalies rénales
- Persistance de l'hémoglobine embryonnaire Gower - 2

Trisomie 18 (E)

Ce syndrome, comme la trisomie 13, est caractérisé par des malformations graves qui conduisent au décès avant la fin de la première enfance. La survie jusqu'à la deuxième décennie est exceptionnelle. Le 47e chromosome impliqué dans la trisomie a pu être identifié avec régularité comme appartenant à la paire n° 18. La fréquence du syndrome a été estimée à environ 1/4000 enfants nés vivants ; elle semble donc proche de celle de la trisomie 13, mais, ici aussi, la léthalité embryonnaire est peut-être très grande, encore que les études chromosomiques faites sur des produits d'avortements spontanés précoces aient démontré beaucoup plus de trisomies 13 et surtout 16 que de trisomies 18. Comme dans l'étiologie des trisomies 21 et 13, l'âge maternel avancé semble jouer un rôle. Une différence, cependant, s'observe en ce qui concerne le sexe : trois fois sur quatre l'enfant affecté est une fille. Ce déséquilibre de la proportion garçon-fille ne se retrouve pas dans les autres trisomies autosomiques et ne s'explique pas par une survie meilleure des filles.

La croissance intra- et extra-utérine est fort mauvaise. Le faciès (« profil grec avec occiput proéminent ») et les déformations des extrémités (pieds « en piolet » et dorsiflexion du gros orteil, contracture en flexion des doigts), l'hypertonie musculaire, la brièveté du sternum, et la présence d'une malformation cardiaque (communication interventriculaire) font que ces enfants sont relativement faciles à reconnaître. Les principales caractéristiques de ce syndrome sont énumérées au tableau 11.

Tableau 11 : Principales caractéristiques de la trisomie 18 (E)

Générales :

- Sexe féminin 3 fois sur 4
- Petite taille, croissance déficiente

S.N.C. :

- Arriération sévère
- Hypertonie musculaire
- Hétérotopies neuronales cérébrales
- Anomalies du cervelet, circonvolutions atypiques
- Microphtalmie

Tête :

- Front fuyant, en continuité avec le nez (« profil grec »)
- Occiput trop proéminent, tête étroite
- Micrognathie

Cœur et vaisseaux :

- Malformations cardiaques, surtout communication interventriculaire
- Artère ombilicale unique

Extrémités :

- Contracture en flexion des doigts avec croisement de l'index sur le médius
- Pieds en piolet (proéminence du calcanéum) et dorsiflexion du 1er orteil
- Dermatoglyphes : nombre excessif d'arcs simples au niveau de la pulpe digitale

Autres défauts :

- Sternum trop court
- Hypoplasie du diaphragme
- Anomalies rénales (rein en fer à cheval)

Tableau 12 : Syndromes associés à une délétion autosomique partielle

Bras court du chromosome 5 (5 p—) : Syndrome du cri-du-chat	Bras court du chromosome 4 (4 p—)	Bras court du chromosome 18 (18 p—)	Bras long du chromosome 18 (18 q—)	Chromosome 21 : antimongolisme
● Retard de croissance intra- et extra-utérin	● Retard de croissance intra- et extra-utérin	● Retard de croissance variable	● Retard de croissance	● Retard de croissance
● Cri faible et ressemblant à un miaulement de chat dans la première enfance (laryngomalacie)				
● Microcéphalie	● Microcéphalie	● Microcéphalie	● Microcéphalie	
● Arriération mentale	● Arriération mentale	● Arriération mentale	● Arriération mentale	● Arriération mentale
● Hypotonie	● Convulsions	● Hypotonie	● Hypotonie	● Hypertonie
● Faciès arrondi	● Asymétrie du crâne	● Pterygium colli (variable)	● Rétraction de l'étage moyen de la face	● Fentes palpébrales obliques en bas et en dehors
● Hypertélorisme	● Hypertélorisme	● Hypertélorisme (variable)	● Anomalies oculaires	● Racine du nez proéminente
● Epicanthus	● Colobome	● Epicanthus et ptose palpébrale variables	● Anthélix saillant et hélix très ourlée	● Grandes oreilles
● Oreilles bas insérées	● Fente palatine	● Pouces haut implantés	● Hypoplasie ou atrésie du canal auditif externe	
	● Oreilles bas insérées, molles (défaut du cartilage)		● Fossettes sous-acromiales	
● Prédominance du sexe féminin		● Prédominance du sexe féminin	● Malformation cardiaque	
			● Déficience en IgA	
● Autres malformations	● Autres malformations	● Autres malformations	● Autres malformations	● Autres malformations

Monosomies partielles

A l'encontre de ce que l'on observe avec les chromosomes sexuels (XO), la monosomie complète d'un autosome ne semble pas compatible avec la survie, sauf sous forme de mosaïque, c'est-à-dire sauf si une partie seulement des cellules de l'individu affecté sont monosomiques, les autres ayant un complément chromosomique normal. La perte partielle, par contre, est compatible avec la survie, et plusieurs syndromes caractéristiques régulièrement associés à une telle perte de matériel chromosomique ont maintenant été identifiés. Nous en citerons cinq : la monosomie partielle d'un chromosome 5 (bras court) ou syndrome du cri-du-chat, et les syndromes liés à des délétions partielles des chromosomes 4 (bras court), 18 (bras court et bras long) et 21 (antimongolisme).

Syndrome du « cri-du-chat » (délétion partielle du bras court d'un chromosome n° 5)

C'est probablement, parmi les syndromes liés à une délétion autosomique partielle, celui qui est le moins difficile à reconnaître cliniquement, à cause du cri plaintif et faible qui ressemble au miaulement d'un chat, dû à une laryngomalacie chez les jeunes enfants qui en sont affectés, des fillettes généralement. Le faciès arrondi avec un hypertélorisme marqué, la microcéphalie, l'hypotonie et le retard mental et staturo-pondéral sévères qui sont les signes accompagnateurs du « cri-du-chat » en rendent le diagnostic aisé. Ce dernier devient plus difficile au fur et à mesure que le patient grandit, car la voix tend à devenir normale et l'apparence somatique devient moins typique. La survie jusqu'à l'âge adulte est possible. L'affection est liée à la délétion partielle du bras court d'un chromosome n° 5.

Autres syndromes associés à une délétion autosomique partielle

Ces syndromes sont très nombreux mais heureusement peu fréquents. Les caractéristiques du syndrome du cri-du-chat et celles de quelques autres syndromes par délétion chromosomique partielle sont comparées au tableau 12. On remarquera que tous ces syndromes ont en commun le retard mental et staturo-pondéral. Le syndrome dit « antimongolisme » a été ainsi appelé, d'une part, parce que contrairement au mongolisme (trisomie 21), il s'agit d'un syndrome par défaut de matériel chromosomique 21 et non par excès, et, d'autre part, parce que certaines des anomalies somatiques sont en quelque sorte le « contretype » de celles du mongolisme : hypertonie, fentes palpébrales obliques en bas et en dehors, racine du nez proéminente, et grandes oreilles. Cependant, comme les enfants trisomiques 21, ces malades sont des arriérés mentaux.

Anomalies des chromosomes sexuels

Syndrome XXY (Klinefelter)

Ce syndrome d'hypogonadisme masculin fut identifié chez les hommes adultes par Klinefelter en 1942, bien avant les découvertes de la chromatine sexuelle et des techniques d'analyse chromosomique. Les garçons atteints de cette maladie ont une chromatine sexuelle (corpuscule nucléaire de Barr) positive et un complément chromosomique 47,XXY. Plus rarement, on observe un complément 48,XXXY ou 48,XXYY, sans que le phénotype soit très différent de celui des patients 47,XXY. La fréquence est de 1/400 ou 2,5 pour mille garçons nés vivants, donc nettement plus élevée que celle du syndrome XO-Turner (0,4 pour mille) pourtant dû lui aussi à une non-disjonction des gonosomes lors de la méiose. La non-disjonction semble cependant se produire plutôt au cours de la méiose maternelle (oogenèse) dans le cas du syndrome de Klinefelter (l'âge de la mère semble jouer un rôle) et plutôt au cours de la méiose paternelle (spermatogenèse) dans le cas du syndrome de Turner. Cette différence affecte peut-être les fréquences respectives des deux syndromes. En plus, on note une grande léthalité embryonnaire du syndrome XO (études de produits d'avortements spontanés), ce qui contribue aussi à en amoindrir la fréquence chez les fillettes nouveau-nées par rapport à celle du syndrome de Klinefelter chez les garçons nouveau-nés.

La fréquence du syndrome de Klinefelter est très élevée au sein de deux groupes de malades : on le rencontre dans le 1 % des arriérés mentaux et dans la proportion de 3 % des hommes adultes stériles. Le diagnostic de syndrome de Klinefelter est difficile avant la puberté, sauf si l'on se livre à une étude systématique de la chromatine sexuelle chez des garçons arriérés, ou, naturellement, si une telle étude est effectuée systématiquement chez tous les garçons nouveau-nés (soit par frottis buccal soit par l'étude des membranes amniotiques). De telles études ont permis de montrer que la quantité de spermatogonies dans les tubes séminifères était déjà déficiente à la naissance. La taille des testicules prépubertaires n'en est cependant pas affectée. La taille des garçons atteints du syndrome de Klinefelter n'est pas différente de celle des garçons normaux.

Après la puberté apparaissent des caractéristiques physiques qui permettent de faire le diagnostic cliniquement :
● Les testicules restent petits, ils sont de consistance molle, et contrastent avec la verge qui a une croissance et une structure normales.
● Classiquement, on décrit une grande taille avec des proportions eunuchoïdes, une gynécomastie et une pilosité sexuelle sous-développée. L'anomalie testiculaire (petitesse et consistance molle) et la stérilité sont les seuls phénomènes vraiment constants. La haute stature, l'eunuchoïdisme et le degré de développement des autres caractères sexuels secondaires sont extrêmement variables, de même que l'arriération mentale. Si la déficience intellectuelle et l'instabilité caractérielle sont fréquentes, elles ne sont pas inévitables et certains malades exercent une activité professionnelle stable et sont bien intégrés dans la société. D'autre part, il faut bien se souvenir qu'un bon tiers des adolescents ont un certain degré de gynécomastie à la puberté, phénomène transitoire

sans signification pathologique. Donc une gynécomastie chez un adolescent peut être ou ne pas être un signe associé à un syndrome de Klinefelter. L'examen des testicules (taille, consistance) est alors déterminant.

Les anomalies faciales et osseuses (synostose radiocubitale) sont plus fréquentes dans les syndromes XXXY et XXXXY que dans le syndrome ordinaire à complément XXY. Le syndrome de Klinefelter et ses caractéristiques biologiques sont repris à la page 775.

Syndrome XO (Turner)

Comme le syndrome précédent, cette affection fut identifiée (Turner, 1938) bien avant l'avènement des techniques permettant l'étude des chromosomes.

Les filles atteintes de ce syndrome sont en général chromatine-négative (pas de corpuscule nucléaire de Barr) et, en général aussi,

---

Tableau 13 : Symptomatologie du syndrome XO chez la fillette nouveau-née et en bas-âge

- Retard de croissance intra- et extra-utérin
- Lymphœdème des extrémités
- Ongles petits et profondément insérés
- Epicanthus bilatéral
- Palais ogival
- Excès de peau sur la nuque (bourrelets)
- Cheveux bas insérés sur la nuque et implantés vers le haut
- Thorax en bouclier et microthélie (mamelons trop écartés et trop petits)
- Cubitus valgus
- Malformation cardiaque (souvent coarctation aortique)
- Malformations rénales (souvent asymptomatiques)
- Nævi multiples et autres taches pigmentaires

Tableau 14 : Symptomatologie du syndrome XO chez la jeune fille, passé l'âge pubertaire

- Petite taille (moins de 150 cm)
- Ongles petits, souvent incarnés (orteils)
- Brièveté du 4ᵉ métacarpien et du 4ᵉ métatarsien
- Palais ogival, malocclusion dentaire
- Fréquentes otites moyennes avec hypoacousie secondaire
- Pterygium colli
- Cheveux bas insérés sur la nuque et implantés vers le haut
- Thorax en bouclier et microthélie
- Absence d'œstrogénisation : non-développement mammaire, infantilisme des organes génitaux externes et de l'utérus, aménorrhée primaire, pilosité sexuelle de type féminin mais peu développée
- Cubitus valgus, malformation cardiaque, nævi multiples et autres taches pigmentaires, malformations rénales (souvent symptomatiques)
- Hypertension
- Arriération mentale modérée (inconstante)

possèdent un complément chromosomique 45,XO. Les exceptions, nombreuses, sont des mosaïques (45,XO/46,XX par ex.) ou des patientes avec deux chromosomes X mais dont l'un a une anomalie structurelle (délétion partielle, isochromosome, etc.). Il existe enfin quelques rarissimes patientes atteintes de dysgénésie ovarienne (malformation commune dans le syndrome de Turner) mais dont le caryotype est soit 46,XX (chromatine positive), soit 46,XY (chromatine négative), ces derniers cas (XY) ayant une tendance familiale nette.

La fréquence du syndrome XO (0,4 pour mille) est moins élevée que celle du syndrome XXY (2,5 pour mille). L'étiologie (non-disjonction lors de la méiose) est comparable.

Contrairement au syndrome précédent, le syndrome de Turner peut être diagnostiqué cliniquement avant la puberté, et même assez aisément, car les signes associés sont en bonne partie présents à la naissance déjà. Le diagnostic clinique peut alors être confirmé par un frottis buccal, montrant l'absence de chromatine sexuelle. L'établissement du caryotype, par culture cellulaire, permet alors d'identifier exactement l'anomalie du chromosome X.

Les principales anomalies associées au syndrome XO sont énumérées aux tableaux 13 et 14, qui montrent aussi que la symptomatologie est très différente suivant l'âge, puisque certaines des anomalies congénitales deviennent moins manifestes avec le temps et qu'après l'âge habituel de la puberté l'absence d'œstrogénisation secondaire à la dysgénésie gonadique devient évidente.

Les manifestations du syndrome XO sont encore plus variables que celles du syndrome XXY. Les plus constantes sont la petite taille et l'absence d'apparition des caractères sexuels secondaires à l'âge habituel de la puberté. Ce manque d'œstrogénisation est secondaire à la dysgénésie ovarienne (« ovaires en bandelette ») et s'accompagne d'une production exagérée de gonadotrophines hypophysaires. La variabilité d'expression du syndrome est peut-être encore augmentée par l'existence de nombreuses formes avec mosaïcisme chromosomique et avec délétion gonosomique partielle.

Il faut bien noter que dans ce syndrome, comme dans celui de Klinefelter d'ailleurs, les organes génitaux ne sont pas ambigus, il ne s'agit pas d'états intersexuels.

Traitement

Si l'administration d'androgènes est d'une utilité discutable dans le syndrome de Klinefelter, celle d'œstrogènes et de progestérone est certainement indiquée dans la plupart des cas de syndrome de Turner (cf. p. 778).

Certaines des malformations congénitales du syndrome XO, telles que les malformations cardiaques et rénales, doivent être traitées chirurgicalement, dans l'intérêt évident des malades. Nous ne recommandons pas les plasties en Z du pterygium colli ; ces malades ayant une tendance à former des chéloïdes, le résultat est en général décevant.

Anomalies de la différenciation sexuelle associées à des aberrations des chromosomes sexuels

Ces troubles sont traités aux pp. 776 ss. (hermaphrodisme vrai, pseudo-hermaphrodisme masculin et féminin, etc.).

Syndrome de fragilité du chromosome X [fra (X) (q 28)], arriération et macro-orchidisme

Cette curieuse association relève de la pathologie génique par son mode de transmission du type récessif lié au chromosome X, et de la pathologie chromosomique par la constatation d'une fragilité télomérique du chromosome X à l'interface des bandes q 27 et q 28. La fréquence de cette association reste à préciser. Certaines femmes conductrices exprimeraient partiellement l'affection (en accord avec la théorie de l'inactivation de l'X de Mary Lyon). Cliniquement les garçons atteints présentent une dysmorphie faciale (front haut, hypoplasie de l'étage moyen, prognathisme, lèvres épaisses, palais ogival et oreilles très grandes et mal ourlées), une macro-orchidie (qui peut se voir dès la naissance) inconstante et un retard mental en général modéré mais qui peut être important.

« Syndrome XYY » (47, XYY)

Cette aberration chromosomique n'est pas rare, d'après des études systématiques de garçons nouveau-nés (fréquence de 1/500 d'après certains observateurs). A part, peut-être, la grande taille, elle ne semble pas s'accompagner, chez l'adulte ni chez l'enfant, d'un phénotype particulier. La propension à la violence et à la délinquance qu'on a voulu attribuer à cette forme d'aneuploïdie n'est pas prouvée.

Détermination de la chromatine sexuelle

Les situations dans lesquelles la recherche de la chromatine sexuelle est indiquée sont nombreuses, comme l'indique le tableau 15. Elle se fait par frottis buccal de préférence (moindres sources d'erreur). Elle est facile pour un observateur expérimenté, qui aura avantage à recueillir lui-même le matériel cellulaire, car un matériel de mauvaise qualité ne peut être interprété.

Tableau 15 : Indications de la détermination de la chromatine sexuelle

---

Filles :

- Ambiguïté sexuelle (cf. pp. 773 ss.)
- Marasme néo-natal avec perte de sel (cf. pp. 744 ss.).
- Dysmaturité («small for date»)
- Lymphœdème des extrémités (néo-natal)
- Faciès particulier avec malformations de type Turner
- Arriération mentale
- Petite taille, même sans malformations associées
- Retard pubertaire, aménorrhée primaire, non-œstrogénisation
- Coarctation aortique
- Présence d'une affection liée au chromosome X, telle que : dystrophie musculaire (Duchenne), hémophilie, daltonisme, etc.
- Hernie inguinale [1]
- Familles avec un grand excès de filles [1]

Garçons :

- Ambiguïté sexuelle (cf. pp. 773 ss.)
- Marasme néo-natal avec perte de sel (cf. pp. 744 ss.).
- Arriération mentale
- Absence de croissance testiculaire à la puberté, avec ou sans gynécomastie
- Cryptorchidie persistante

[1] Cf. pp. 777 s., testicule féminisant

Conseil génétique, diagnostic prénatal

Le conseil génétique a été défini comme une forme de dialogue entre des parents et un médecin, au cours duquel on envisage la probabilité ou le risque qu'une maladie ou un défaut anatomique héréditaire survienne ou se répète dans la famille, avec les problèmes humains et médicaux que cela comporte. Le conseil génétique est donc un acte médical supposant des connaissances étendues dans le domaine de l'hérédité des maladies, du diagnostic, du pronostic, des possibilités thérapeutiques et de la qualité de la survie ; il nécessite également une grande expérience de la psychologie humaine.

Depuis toujours le conseil génétique repose sur l'évaluation du risque génétique, soit mendélien (AD, AR, liaison à l'X), soit empirique (hérédité polygénique, tableau 4), et s'appuie sur l'étude généalogique approfondie de la famille en cause ; cette étude est éventuellement complétée par la détection des porteurs hétérozygotes dans la fratrie, lorsque celle-ci est possible (cf. tableau 16).

Plus récemment le conseil génétique a pris de nouvelles dimensions à la faveur du développement des moyens de diagnostic prénataux, qui permettent, dans un nombre croissant de situations, de ne plus se limiter à l'appréciation d'un risque et d'attendre en quelque sorte le résultat du tirage au sort, mais de diagnostiquer la malformation ou la maladie pendant la vie fœtale déjà, et au besoin d'interrompre la grossesse pathologique. Ces moyens sont l'échographie (ultra-sons), l'amniocentèse, et, moins couramment, la fœtoscopie. Ils permettent à bien des parents d'entreprendre certaines grossesses auxquelles ils auraient renoncé autrement, le risque génétique étant considéré par eux comme trop grand, soit du point de vue pourcentage de risque, soit du point de vue gravité de l'affection, soit les deux.

Dépistage des porteurs hétérozygotes dans les affections récessives

Ce dépistage chez des porteurs cliniquement indemnes aurait un intérêt théorique et pratique très grand dans les affections autosomiques récessives (AR) fréquentes comme par exemple la mucoviscidose et dans les affections récessives liées au sexe (XR) comme l'hémophilie A ou la dystrophie musculaire de Duchenne. Malheureusement dans ces trois affections précisément les nombreux tests de dépistage de l'état hétérozygote essayés jusqu'à présent ont toujours manqué de fiabilité. Rappelons que dans le cas de l'hérédité AR, les frères et sœurs d'un enfant atteint (homozygote) ont 2/3 de risque d'être des porteurs hétérozygotes et que dans le cas de l'hérédité XR, le risque pour les garçons nés d'une mère hétérozygote d'être malades est de 50 %. En conséquence, pour les affections AR le danger est grand surtout si la fréquence du gène muté est élevée (c'est le cas pour la mucoviscidose dans la race blanche) ou si on a affaire à une population ayant un taux de consanguinité élevé. Au contraire dans le cas des affections XR seule la fréquence de la mutation joue un rôle.

Tableau 16 : Quelques affections métaboliques dans lesquelles les porteurs hétérozygotes présentent une déficience enzymatique partielle à l'étude in vitro d'un ou de plusieurs de leurs tissus

Affection	Enzyme	Tissu étudié
• Déficience en glucose-6-phosphate déshydrogénase (favisme)	G-6-PD	Erythrocytes. Fibroblastes en culture de tissu
• Galactosémie	Galactose-1-phosphate-uridyltransférase	Erythrocytes. Leucocytes et fibroblastes en culture
• Maladie de Tay-Sachs	N-acétylhexosaminidase A	Sérum. Larmes. leucocytes et fibroblastes en culture
• Maladie de Van Gierke (glycogénose type I)	Glucose-6-phosphatase	Thrombocytes
• Maladie de Lesch-Nyhan	Hypoxanthine-guanine-phosphoribosyltransférase	Fibroblastes en culture
• Homocystinurie	Cystathionine-synthétase	Hépatocytes. Lymphocytes en culture
• Maladie de l'urine à odeur de sirop d'érable (leucinose)	Décarboxylase (acides cétoniques à chaînes ramifiées)	Leucocytes
• Hypophosphatasie	Phosphatase alcaline sérique	Sérum

En général le principe du dépistage des porteurs hétérozygotes repose sur le dosage d'une activité enzymatique, qui est réduite chez eux alors qu'elle est nulle chez le patient homozygote. Parfois d'autres méthodes sont utilisées, comme par exemple la mesure d'une protéine anormale (par ex. hémoglobine anormale) ou bien la détermination d'une substance circulante après surcharge (par ex. phénylalanine, galactose) ou après épreuve physiologique (par ex. créatine-phosphokinase). Quelques-unes des nombreuses affections dans lesquelles on peut mettre en évidence une déficience enzymatique partielle chez le porteur hétérozygote sont énumérées dans le tableau 16.

Une autre façon encore de déterminer l'état hétérozygote consiste à utiliser la proximité, sur le chromosome, d'un autre gène. C'est le cas par exemple du système HLA, dont le locus complexe se trouve sur le chromosome N° 6 à proximité immédiate du gène de la 21-hydroxylase impliqué dans la biosynthèse du cortisol par la surrénale. La fratrie d'un enfant atteint d'hyperplasie congénitale des surrénales secondaire à une déficience de la 21-hydroxylase peut être étudiée en déterminant le génotype HLA du sujet atteint, de ses parents et de ses frères et sœurs. Cela permet dans bien des cas de déterminer qui dans la fratrie est porteur hétérozygote de la maladie, ce qui ne peut être découvert par aucun autre moyen, les dosages hormonaux n'étant pas suffisamment discriminants.

Le diagnostic prénatal

Ce diagnostic suppose une collaboration avec l'obstétricien, puisque seul ce dernier a les compétences nécessaires à la pratique de l'échographie, de l'amniocentèse, et de l'éventuelle interruption de grossesse. Le diagnostic prénatal a pour but d'identifier à temps une affection ou une malformation justifiant une interruption de grossesse ou tout au moins des précautions obstétricales et périnatales particulières. Dans le cas de l'avortement provoqué, il est évident que celui-ci doit être demandé à l'avance au cas où le diagnostic prénatal serait positif, par des parents dûment informés du problème représenté par l'anomalie en cause. En d'autres termes les conséquences du diagnostic prénatal doivent être convenues d'avance entre les intéressés, c'est-à-dire les parents et les médecins ; on ne fait pas un diagnostic prénatal par simple curiosité, par exemple pour connaître le sexe de l'enfant à naître. Finalement il est évident qu'un avortement ne doit jamais être imposé par un médecin ; le médecin refusera plutôt de faire une amniocentèse si pour des raisons légales ou religieuses une interruption de grossesse est hors de question.

Echographie

L'échographie ou ultrasonographie est un examen non invasif que les gynécologues et obstétriciens pratiquent de plus en plus, même dans des grossesses dites normales. En effet, il renseigne sur le site d'implantation du placenta, la croissance céphalique du fœtus, la nature gémellaire d'une grossesse, etc. Ces renseignements sont utiles dans tous les cas. L'échographie devient impérieuse chaque fois que l'on soupçonne un retard de croissance intra-utérine ou qu'il existe dans la famille un ou des antécédents malformatifs tels qu'un défaut de fermeture du tube nerveux (myéloméningocèle ou anencéphalie), une hydrocéphalie, une microcéphalie ou des malformations des membres, ces dernières étant par ailleurs souvent associées à d'autres anomalies congénitales non décelables par l'échographie (par ex. syndrome d'Ellis-Van Creveld). Parfois l'échographie est capable de déceler des anomalies internes telles que reins polykystiques, hydronéphrose ou autres dilatations d'un organe creux de l'abdomen. L'échographie conduit parfois à une chirurgie néonatale « préparée ». Dans le cas où l'on recherche une éventuelle lésion de non-fermeture du tube nerveux, il est indispensable de vérifier également le taux d'alpha-fœtoprotéine dans le sang de la mère et dans le liquide amniotique (amniocentèse) (cf. tableau 18).

Amniocentèse

L'amniocentèse ou ponction du sac amniotique à travers la paroi abdominale et utérine peut être pratiquée entre la 16e et la 20e semaine au plus tard. Cette méthode diagnostique invasive est grevée d'un risque de 1 % d'avortement secondaire à la ponction, malgré le fait que l'on prend toujours la précaution de la faire précéder d'une échographie. Le liquide amniotique peut être analysé pour :
1. Une anomalie chromosomique fœtale (des cellules fœtales peuvent être centrifugées à partir du liquide, mises en culture fibroblastique et caryotypées).

2. Une déficience enzymatique (comme ci-dessus, mais les cellules sont analysées quant à une activité enzymatique spécifique, cf. tableau 16).
3. Le génotype HLA (idem quant à la culture).
4. Le taux d'alpha-fœtoprotéine.

Anomalies chromosomiques fœtales

La recherche d'une éventuelle aberration chromosomique fœtale par amniocentèse est justifiée si l'un des parents est un porteur connu d'une translocation chromosomique équilibrée (« balanced translocation »), ou si la femme enceinte est relativement âgée (la fréquence de la trisomie 21 augmentant avec l'âge maternel). Certains généticiens considèrent l'âge de 38 ans comme l'âge critique, d'autres abaissent cet âge à 36 ans — voire 35 ans. En fait, si des parents dûment informés demandent une amniocentèse uniquement parce qu'ils veulent être sûrs que le caryotype de l'enfant est « normal », il semble peu judicieux de la leur refuser. Cela d'autant moins que le taux d'alpha-fœtoprotéine sera déterminé par la même occasion.

Déficiences enzymatiques (affections métaboliques congénitales)

Le tableau 17 indique quelques-unes des nombreuses erreurs congénitales du métabolisme qui peuvent être diagnostiquées à l'état homozygote (parfois hétérozygote aussi) par culture et dosage de l'activité enzymatique de cellules fœtales ou par des analyses de l'ADN lui-même dans les cellules fœtales cultivées.

Détermination du génotype HLA

Le groupe HLA peut être étudié sur les lymphocytes ou les fibroblastes (membres d'une famille à risque) et sur les fibroblastes d'un fœtus obtenus par amniocentèse. Dans le cas de la déficience en 21-hydroxylase (syndrome adréno-génital avec hyperplasie des surrénales), l'intérêt de la détermination du génotype HLA réside dans le fait que les gènes du complexe HLA sont extrêmement proches du locus de la 21-hydroxylase, ce qui exclut pratiquement toute recombinaison et permet d'utiliser le caractère HLA comme marqueur pour déterminer l'état homozygote. Il faut naturellement qu'un parent soit déjà né affecté (homozygote) de la maladie. Si le fœtus est aussi atteint de la maladie (= à l'état homozygote), il aura les mêmes antigènes HLA que son germain atteint (un haplotype lié à la déficience en 21-hydroxylase venant de son père et un de sa mère) tandis que s'il n'est pas affecté, il différera de son germain affecté par au moins un haplotype.

Il est entendu que l'intérêt du diagnostic est relatif, puisqu'il existe d'excellents moyens thérapeutiques de compenser la déficience. Cependant il se peut que des parents ayant eu une fille atteinte d'hyperplasie congénitale des surrénales avec masculinisation intra-utérine ne veuillent pas revivre une telle expérience et préfèrent interrompre la grossesse si le fœtus est atteint à l'état homozygote.

Taux d'alpha-fœtoprotéine

L'alpha-fœtoprotéine (AFP) est une protéine qui n'est produite que pendant la vie intra-utérine ; elle se trouve en quantité petite dans le

Tableau 17 : Quelques affections métaboliques et autres pour lesquelles un diagnostic prénatal est possible

Maladie	Test diagnostic
Tay-Sachs	Hexosaminidase A
Leucodystrophie métachromatique	Arylsulfatase A
Hypercholestérolémie familiale	Récepteurs membranaires LDL
Hurler (Mucopolysaccharidose I.H.)	α-iduronidase
Autres mucopolysaccharidoses	Diverses activités enzymatiques
Cystinose	Captation de la ^{35}S-cystine
Homocystinurie	Cystathionine-synthétase
Maladie de l'urine à odeur de sirop d'érable (leucinose)	Décarboxylase d'alpha-cétoacide
Glycogénose type II	α-glucosidase
Glycogénose type IV	Amylo(1,4 → 1,6)-transglucosidase
Galactosémie	Gal-1-P-uridyltransférase
Déficience immunitaire combinée	Adénosine-déaminase
Syndrome de Lesch-Nyhan	Hypoxanthine-guanine-phosphoribosyltransférase
Hypophosphatasie	Phosphatase alcaline
Hémophilie A	Antigène du facteur VIII
Anémie falciforme (drépanocytose)	Synthèse de la chaîne β/Analyse de l'endonucléase de restriction Hpa I de l'ADN
Bêta-thalassémie homozygote	Synthèse de la chaîne β
Alpha-thalassémie homozygote	Hybridation avec de l'ADN complémentaire marqué
Thalassémie bêta delta	

Tableau 18 : Alpha-fœtoprotéine (AFP) élevée

Cause	Vérifiable par ultra-sons
● Grossesse gémellaire	oui
● Non-fermeture du tube nerveux (myéloméningocèle, anencéphalie)	oui
● Exencéphalocèle (syndrome de Meckel)	oui
● Omphalocèle	incertain
● Atrésie digestive	non
● Passage de sang fœtal (hémorragie)	non
● Erreur dans l'appréciation de l'âge gestationnel	non
● Epidermolyse bulleuse	non

liquide amniotique ; elle passe en quantité minime par voie transplacentaire et transmembranaire dans le sang maternel. Les concentrations moyennes dépendent de l'âge de la grossesse ; les valeurs pendant la période de la 16e à la 20e semaine, qui est celle où l'amniocentèse est possible, sont bien connues. On peut donc déceler une augmentation anormale de la concentration d'AFP dans le sang maternel d'une part (dans certains centres ce dosage fait partie de la routine) et dans le liquide amniotique, par amniocentèse, d'autre part. Une telle élévation peut se rencontrer dans les situations citées au tableau 18.

Il est évident que le diagnostic prénatal fondé sur le dosage de l'AFP doit être corroboré par plusieurs examens aux ultra-sons (échographie). Une cause d'erreur telle que l'hémorragie de sang fœtal dans le liquide amniotique (ou transfusion fœto-maternelle dans le cas du taux sanguin maternel d'AFP) peut être éclaircie par la mise en évidence de globules rouges fœtaux ou d'hémoglobine F dans le liquide ou le sang maternel.

Dans un laboratoire ayant une grande expérience de ces dosages, les résultats faussement positifs ne dépassent pas 0,1 %. Une interruption de grossesse ne devrait être pratiquée que si l'échographie montre avec certitude une malformation ou qu'un second dosage d'AFP dans le liquide amniotique confirme une valeur élevée.

Tout liquide amniotique prélevé devrait également faire l'objet d'un examen cytogénétique, afin d'éliminer une aberration chromosomique chez le fœtus. En d'autres termes, on ne prélève pas du liquide amniotique par amniocentèse pour une seule détermination : l'AFP et le caryotype sont un minimum. Dans des cas bien précis, on fera en outre sur les cellules fœtales des déterminations enzymatiques ou moléculaires comme indiqué au tableau 17.

Fœtoscopie

La fœtoscopie est une méthode de diagnostic prénatal encore rarement utilisée. En effet elle est plus périlleuse pour la grossesse que l'amniocentèse, et une bonne partie des informations qu'elle pourrait fournir peuvent être obtenues par l'échographie. Cependant la fœtoscopie est précieuse dans le diagnostic prénatal des hémoglobinopathies (par exemple de la thalassémie majeure), de l'hémophilie A (activité VIII/antigène VIII), grâce à la possibilité qu'elle offre de ponctionner des vaisseaux placentaires sous contrôle visuel. La fœtoscopie permet éventuellement aussi de prélever un fragment de peau fœtale pour examen histologique lorsqu'il existe un risque de maladie héréditaire grave de la peau (comme par exemple l'érythrodermie bulleuse ichthyosiforme). Les prélèvements par fœtoscopie seront peut-être supplantés par les prélèvements trophoblastiques précoces.

Chapitre 3

Malformations congénitales
par P. E. Ferrier

Importance du problème

Les malformations congénitales sont devenues, avec la prématurité, les accidents (traumatismes) et le cancer, une des quatre principales causes de mortalité infantile dans les pays industrialisés. L'augmentation de leur importance est relative, et non numériquement absolue, car elle est due avant tout à la diminution des décès infantiles par maladies infectieuses, qui donne à une pathologie difficilement « compressible » telle que les malformations congénitales une importance statistique plus grande.

La fréquence globale des malformations congénitales ne varie guère d'un pays à l'autre. Le pourcentage des nouveau-nés signalés comme porteurs d'une ou de plusieurs malformations dépend évidemment de la définition des malformations et des critères de sélection. Malgré cela, les chiffres rapportés sont assez constants : entre 1 et 3 % pour les défauts congénitaux ayant une importance fonctionnelle ou sociale. Ce qui varie, par contre, c'est la fréquence de malformations spécifiques, selon le groupe racial (cf. p. 23) et selon le lieu géographique (cf. plus loin), voire selon la saison (anencéphalie, spina bifida, aberrations chromosomiques).

Les malformations congénitales sont une cause très importante de morbidité, puisque l'on estime qu'en moyenne le tiers des lits d'hôpitaux pour enfants sont occupés par des porteurs de malformations ou de leurs séquelles.

Facteurs prédisposants

Il existe, à côté d'étiologies très précises, des facteurs prédisposant aux malformations congénitales qui agissent de façon statistiquement significative mais sans qu'on s'explique très clairement par quels mécanismes.

Ainsi il est connu que l'âge maternel joue un rôle dans l'apparition de défauts congénitaux : ces derniers sont plus fréquents à la fois chez les enfants de mères très jeunes et chez ceux de mères très « âgées », c'est-à-dire à la fin de leur période reproductive. Le trop jeune âge est un facteur adverse peut-être parce que la mère étant souvent non mariée, ou la grossesse non désirée, elle ne reçoit pas la même protection et les mêmes soins qu'une mère mariée. L'âge tardif est également un facteur adverse, parce que le vieillissement de l'organisme maternel, et surtout celui des organes reproducteurs, des vaisseaux sanguins, etc., interfère avec la bonne « intendance » de l'embryon et du fœtus. L'âge avancé prédispose enfin aux accidents méiotiques, sources d'aberrations chromosomiques chez l'embryon.

Certaines **maladies de la mère** prédisposent aux malformations congénitales, sans que le mécanisme en cause soit très clair. Par exemple le diabète sucré. Grâce à l'insuline, une femme diabétique peut facilement concevoir et procréer. La fréquence des malformations majeures est de trois à quatre fois plus élevée chez les enfants nés de mères diabétiques traitées à l'insuline que chez ceux nés de mères non diabétiques. Les malformations observées sont souvent multiples, et les malformations cardiaques en particulier sont très fréquentes. Ces malformations n'ont pas de caractère spécifique, sauf un type, que l'on désigne sous le nom de « *syndrome de régression caudale* » et qui est caractérisé par une agénésie du squelette sacro-coccygien et une dysplasie de l'extrémité inférieure de la moelle épinière, avec atrophie et faiblesse secondaires des membres inférieurs et des sphincters. Le bassin lui-même et les fémurs présentent aussi souvent une aplasie partielle. Le mécanisme pathogénique n'est pas connu.

Une autre maladie métabolique de la mère qui semble prédisposer aux malformations somatiques dans la descendance est la phénylcétonurie, sans que le mécanisme en cause soit évident (métabolites anormaux, facteurs génétiques associés ?). On rencontre, chez les enfants de mères atteintes de phénylcétonurie asymptomatique, des infirmités congénitales telles que microcéphalie, malformations cardiaques, oculaires, osseuses, dysmaturité et arriération mentale. On est troublé par le fait que tous les enfants nés de mères phénylcétonuriques ne présentent pas ces malformations.

Enfin, parmi les facteurs prédisposant aux malformations, on peut encore citer des **influences géographiques et saisonnières.** C'est ainsi qu'on a constaté que la fréquence de l'anencéphalie était d'autant plus élevée, en Grande-Bretagne, que l'on s'éloignait du sud-est pour aller vers le nord-ouest. Ces variations géographiques sont difficiles à analyser quant à leur cause, car de nombreuses influences génétiques et exogènes peuvent entrer en jeu. Des variations temporelles ont aussi été rapportées (années à forte incidence) pour des syndromes associés à des aneuploïdies autosomiques (trisomie 21) et gonosomiques (XO).

Facteurs étiologiques mieux définis

On a coutume de diviser les agents tératogènes connus en facteurs endogènes et exogènes. Parmi les facteurs typiquement endogènes, il faut citer les **facteurs génétiques,** dont l'importance est évidente (cf. pp. 18 ss.) : facteurs monogéniques obéissant aux lois de Mendel (hérédité dominante, récessive autosomique et récessive liée-au-sexe), hérédité polygénique et transmission multifactorielle, et anomalies chromosomiques. On sait désormais, grâce aux études chromosomiques effectuées sur des produits d'avortements spontanés, qu'un très grand nombre de

3. MALFORMATIONS

Tableau 1 : Facteurs tératogènes exogènes

Catégorie	Agent	Effets produits
Virus	Rubéole	Microcéphalie, surdité, cataracte, arriération mentale, malformation cardiaque (surtout persistance du canal artériel)
	Cytomégalovirus	Arriération mentale
Protozoaire	Toxoplasma Gondii	Hydrocéphalie, chorio rétinite, arriération mentale
Radiations	(Bombe atomique)	Microcéphalie
Médicaments	Thalidomide	Phocomélie
	Aminoptérine	Malformations multiples
	Progestines	Masculinisation in utero des fœtus de sexe féminin
	Antithyroïdiens (propylthio-uracyl, métimazole)	Goitre, hypothyroïdie
	Tétracyclines	Coloration des dents
	Hydantoïnes	Retard de croissance pré- et postnatal, microcéphalie, arriération, anomalies faciales, hypoplasie des phalanges distales
Produits chimiques	Mercure (Hg) organique	Atrophie cérébrale, microcéphalie, arriération, infirmité motrice cérébrale (maladie de Minamata)
	Alcool (C_2H_5OH)	Retard de croissance pré- et postnatal, microcéphalie, arriération, anomalies faciales, rétrécissement des fentes palpébrales, fente palatine, malformation cardiaque

conceptions produisent des zygotes aneuploïdes (XO, trisomies variées, triploïdies, etc.) qui sont éliminés très tôt. Si ces aberrations n'étaient pas si souvent léthales pour l'embryon, le nombre des malformations congénitales par erreur chromosomique serait vertigineux !

Parmi les causes exogènes ou **facteurs tératogènes,** les agents infectieux, en particulier les *virus*, ont souvent été incriminés ; mais des études prospectives récentes, menées sur une vaste échelle, ont donné à ce sujet des résultats décevants. Parmi les agents infectieux, le virus de la *rubéole*, celui des *inclusions cytomégaliques* et l'organisme de la *toxoplasmose* sont les seuls qui aient fait leurs preuves. Si d'autres agents microbiens, parasitaires ou viraux, n'ont pas pu être incriminés, c'est peut-être qu'ils sont tellement toxiques pour l'embryon qu'ils amènent sa destruction très précoce, au cours d'un avortement spontané, inaperçu.

Le tableau 1 cite quelques agents tératogènes connus et leurs effets.

En ce qui concerne la *Thalidomide*, l'épidémie de malformations qu'elle produisit, en Allemagne et ailleurs, fut tellement massive qu'elle permit l'étude très précise de ses effets sur l'embryon. Le médicament, rappelons-le, était prescrit (ou acheté librement) pour lutter contre les vomissements de la grossesse. Il agissait en effet efficacement sur l'« emesis gravidarum ». La période tératogène allait de la 3e à la 8e semaine (Lenz). On a pu établir un calendrier des malformations dues à la Thalidomide : du 34e au 38e jour de la grossesse, elle produisait des malformations des oreilles externes, des paralysies des nerfs crâniens, des duplications des pouces. Puis venait, du 39e au 44e jour, la période de phocomélie des membres supérieurs, et, du 42e au 48e jour, celle de la phocomélie des membres inférieurs. A la fin de la période tératogène correspondaient des atrésies digestives et des malformations cardiaques. Des doses totales aussi faibles que 2 tablettes de 100 mg chacune prises au moment de haute sensibilité suffisaient à causer la phocomélie.

Les *médicaments anticonvulsifs* pris pendant la grossesse par des femmes souffrant d'épilepsie peuvent être nocifs pour le fœtus, à des degrés variables d'ailleurs. Les hydantoïnes surtout sont tératogènes, et produisent un ensemble de malformations assez typique (cf. tableau 1). Le problème est difficile : si la femme enceinte ne prend pas son médicament, elle risque de convulser et les convulsions peuvent produire une dangereuse anoxie fœtale. D'autre part les malformations causées par les hydantoïnes (et parfois d'autres médicaments antiépileptiques) ne sont pas toujours mineures.

Il est maintenant bien établi que l'*alcoolisme maternel* (ingestion de quantités importantes d'alcool pendant la grossesse) produit un syndrome malformatif grave, avec arriération et déficit staturo-pondéral permanent chez l'enfant ainsi exposé au toxique in utero. Le fait étonnant est qu'on ait mis si longtemps avant de s'en apercevoir, l'alcoolisme étant un fléau fort répandu.

Enfin les *déchets industriels* peuvent représenter un danger majeur pour les populations dont ils polluent l'environnement, ainsi que le drame de la baie de Minamata, au Japon, l'a démontré. Des composés de méthylmercure, sous-produits de la fabrication de l'acétaldéhyde, qui utilise un sel de mercure comme catalyseur, étaient déversés dans l'eau de la baie, où ils étaient absorbés par des poissons, crustacés et mollusques qui constituent la base de l'alimentation de la population vivant autour de la baie. Des troubles neurologiques secondaires à l'intoxication se produisaient chez les adultes, mais de plus, un certain nombre d'enfants subirent in utero des destructions cellulaires cérébrales et naquirent microcéphales et infirmes moteurs cérébraux.

Embryopathies infectieuses

(cf. tableau 2)

L'embryopathie rubéoleuse

Les épidémies passées de rubéole ont permis d'établir une corrélation entre l'infection de la mère pendant le premier trimestre de la grossesse et la constatation de multiples malformations, toujours les mêmes, chez l'enfant nouveau-né. Le virus de la rubéole traverse le placenta et agit,

3. MALFORMATIONS

Tableau 2 : Comparaison des 3 embryopathies : rubéole, toxoplasmose, cytomégalovirose

		Rubéole	Toxoplasmose	Cytomégalovirose
Période critique de la grossesse		1er trimestre	plutôt 2e trimestre	?
Dysmaturité		+	+	
Hépato-splénomégalie, ictère, thrombopénie		+	+	+
Œil :	Rétinopathie	+	+	+
	Cataracte	+	—	—
S.N.C. :	Micro- ou hydrocéphalie	+	+	+
	Calcifications cérébrales (radiographies)	—	+	+
	Surdité	+	?	?
	Arriération mentale	+	+	+
Canal artériel persistant et autres cardiopathies		+	—	—
Lésions osseuses		+	—	—
Laboratoire :				
Elévation IgM		+	+	+
Virus en culture cellulaire		+	—	+
Autres		Anticorps neutralisant et fixant le complément	« Dye-test » de Sabin-Feldmann	Anticorps neutralisant et fixant le complément

semble-t-il, par deux mécanismes : il cause une mort cellulaire amenant des lésions tissulaires irréparables dans certains organes, par exemple le cristallin et l'appareil cochléaire. Ensuite la virémie fœtale continue d'inhiber la division cellulaire, et la petitesse des organes et du corps du fœtus est due non pas à la faiblesse du volume cytoplasmique mais au nombre anormalement bas de cellules par organe. Le virus peut être mis en évidence dans les sécrétions naso-pharyngées et les urines du nouveau-né infecté pendant 3, 6 ou même 12 mois, donc beaucoup plus longtemps que lorsqu'un enfant ou un adulte contracte la maladie. Ce phénomène est l'expression d'une différence dans la réaction immunitaire entre le fœtus et l'individu plus âgé (cf. p. 559).

Les auteurs australiens, qui, à partir de 1941 (Gregg), signalèrent l'existence de malformations congénitales comme séquelles d'une infection maternelle pendant le premier trimestre de la grossesse, avaient

Fig. 1 : Embryopathie rubéoleuse. Fréquence des différentes manifestations

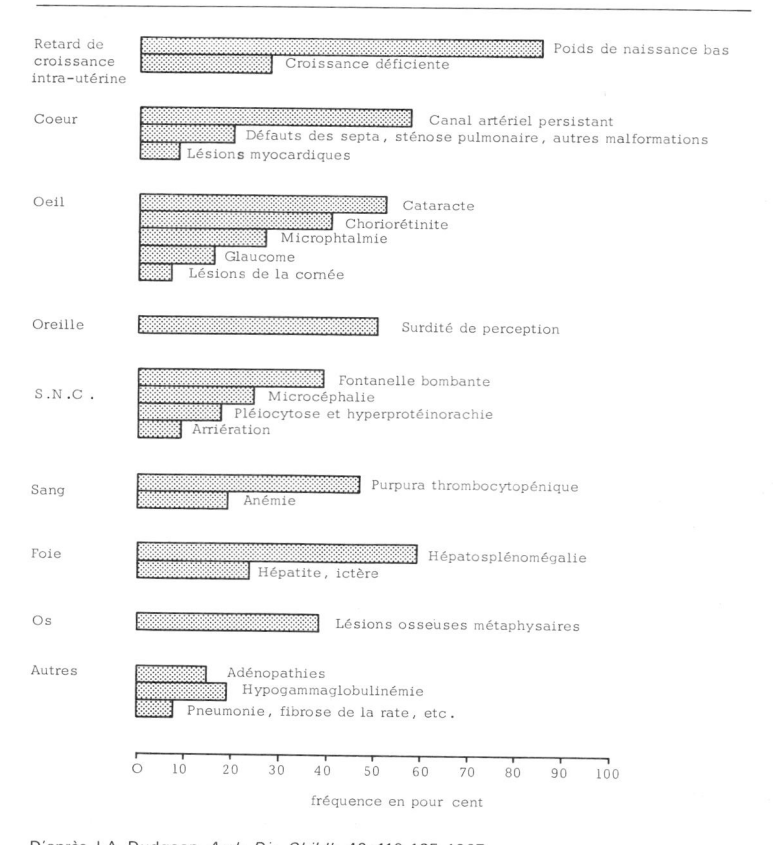

Catégorie	Manifestations
Retard de croissance intra-utérine	Poids de naissance bas Croissance déficiente
Coeur	Canal artériel persistant Défauts des septa, sténose pulmonaire, autres malformations Lésions myocardiques
Oeil	Cataracte Choriorétinite Microphtalmie Glaucome Lésions de la cornée
Oreille	Surdité de perception
S.N.C.	Fontanelle bombante Microcéphalie Pléiocytose et hyperprotéinorachie Arriération
Sang	Purpura thrombocytopénique Anémie
Foie	Hépatosplénomégalie Hépatite, ictère
Os	Lésions osseuses métaphysaires
Autres	Adénopathies Hypogammaglobulinémie Pneumonie, fibrose de la rate, etc.

fréquence en pour cent (0 — 100)

D'après J.A. Dudgeon, *Arch. Dis. Childh.* 42 : 110-125, 1967.

observé les atteintes suivantes : microcéphalie (62 %), cardiopathie (52 %), surdité (48 %), cataracte (18 %) et arriération mentale (5 %). En plus, les auteurs australiens avaient déjà noté que beaucoup de ces enfants avaient une croissance corporelle insuffisante, aussi bien postqu'anténatale.

L'épidémie de rubéole de 1964-1966, aux Etats-Unis et ailleurs, permit d'observer les autres caractéristiques de l'embryopathie rubéoleuse, probablement parce que les enfants « à risque élevé » étaient particulièrement bien surveillés.

La figure 1 (d'après J.A. Dudgeon, Arch. Dis. Childh., 42 : 110-125, 1967) démontre graphiquement les principales atteintes et manifestations cliniques de la rubéole congénitale. Les lésions osseuses, hépatiques, spléniques, pulmonaires, les adénopathies, la thrombocytopénie et l'hypogammaglobulinémie sont réversibles. La seule protection efficace contre l'embryopathie rubéoleuse est soit l'immunité acquise naturellement par la mère (qui a eu la rubéole), soit l'immunité acquise grâce à la vaccination par le virus atténué (cf. p. 723). Des enquêtes effectuées jusqu'à présent, il ressort que la protection est efficace, les femmes vaccinées, puis entrées en contact pendant leur grossesse avec des personnes atteintes de rubéole, ne donnant pas naissance à des enfants atteints de l'embryopathie.

L'embryopathie cytomégalique

L'infection avec le *cytomégalovirus* est fort répandue, le plus souvent infraclinique, et le 50 % environ des femmes jeunes possèdent des anticorps contre ce virus. Chez le fœtus et le nouveau-né, le virus de la cytomégalie, qui traverse le placenta, peut provoquer un syndrome grave, ressemblant par certains aspects à celui causé par le virus rubéolique : retard de croissance intra-utérine, hépato-splénomégalie, ictère, anémie, thrombocytopénie et purpura, chorio-rétinite. En plus, des calcifications intracérébrales, para-ventriculaires, peuvent être démontrées radiologiquement. L'arriération mentale avec microcéphalie ou hydrocéphalie est fréquente, par la suite. La mortalité périnatale est élevée. Le diagnostic repose sur la démonstration de cellules à inclusions typiques (en « œil de hibou ») dans l'urine, et sur des réactions sérologiques (cf. chap. 19, tableau 2). Fort heureusement, le nombre des infections infracliniques, qui ne conduisent pas à une embryopathie ni même à des lésions bénignes transitoires (hépatite, etc.), est très élevé. Cela est d'autant plus heureux qu'il n'existe pas de traitement satisfaisant.

L'embryopathie toxoplasmique

Le protozoaire toxoplasma Gondii, organisme universellement répandu, est responsable de nombreux avortements spontanés. Si la grossesse se poursuit, l'infection intra-utérine par le toxoplasme est souvent la cause d'une embryopathie extrêmement grave, puisqu'elle touche surtout le système nerveux central. L'enfant nouveau-né infecté se présente parfois avec un ictère, un purpura et une hépato-splénomégalie, comme dans l'infection rubéoleuse ou cytomégalique. Il y a des foyers typiques de chorio-rétinite au fond d'œil dans la majorité des cas, soit immédiatement à la naissance, soit plus tard. Le liquide céphalo-rachidien est xanthochromique. Des calcifications cérébrales apparaissent tôt ou tard à la radiographie chez le plus grand nombre de ces enfants. Les autres séquelles de l'atteinte du système nerveux central sont l'hydrocéphalie ou la microcéphalie, l'arriération mentale, les paralysies oculaires et les crises convulsives. Le « dye-test » sérique de Sabin-Feldmann est fortement positif chez le nouveau-né infecté, et le reste longtemps, alors que si les anticorps de l'enfant ont été acquis par le transfert passif de globulines maternelles, leur taux descend très rapidement après la naissance.

Le traitement du nouveau-né affecté limite peut-être l'extension des dégâts mais n'en reste pas moins aléatoire. On utilise en général une combinaison de pyriméthamine (Daraprim®) à raison de 0,5-1,0 mg/kg/jour, de sulfadiazine (100 mg/kg/jour) et de Spiramycine® (Rovamycine®) (0,1 g/kg/jour) ; on poursuit le traitement pendant 4 semaines, en surveillant la formule sanguine (leucopénie, thrombocytopénie). Le pronostic cérébral est réservé même avec l'application d'une dérivation neurochirurgicale (valve) du liquide céphalo-rachidien en cas d'hydrocéphalie.

Associations de malformations congénitales

Les malformations congénitales, en règle générale, surviennent plus facilement en groupe, touchant plusieurs organes ou systèmes, qu'isolément. Le tableau 3 énumère quelques exemples d'associations malformatives que l'on peut rencontrer chez le nouveau-né ou le petit enfant. Ces associations ont été sélectionnées à dessein parce qu'elles comportent une anomalie bien visible, « signe d'appel » en quelque sorte, qui doit faire rechercher le ou les défauts associés, défauts souvent plus lourds de conséquences que le « signe d'appel » lui-même.

Traitement des malformations congénitales

● Le traitement des malformations congénitales commence par celui des parents. En effet même des malformations relativement mineures nécessitent des explications et une grande disponibilité de la part des médecins (pédiatre, chirurgien, obstétricien). Les parents, toujours déçus, toujours inquiets et souvent culpabilisés, ont un besoin impérieux d'entendre parler du traitement, du pronostic, et de la cause de l'anomalie (en général dans cet ordre). Ils désirent des contacts fréquents et être

Tableau 3 : Exemples d'associations malformatives congénitales

Malformation évidente («signe d'appel»)	Défaut associé à rechercher	Moyen de recherche ou détermination
Artère ombilicale unique	Cardiopathie congénitale Hypoplasie pulmonaire Anomalies vertébrales Hernie diaphragmatique Fistule trachéo-œsophagienne Malformations du système nerveux central	Radiographies, etc.
Hypospadias simple	Malformations urinaires et rénales	Urographie
Hypospadias et cryptorchidie	Hyperplasie congénitale des surrénales	Electrolytes Chromatine sexuelle (frottis buccal) 17-cétostéroïdes urinaires
Dysmaturité Lymphœdème des extrémités Epicanthus Palais ogival	XO (Turner) Dysgénésie gonadique	Chromatine sexuelle (frottis buccal) Caryotype
Absence ou hypoplasie de la musculature abdominale («ventre en pruneau sec»)	Hydronéphrose bilatérale	Urographie
Mèche de cheveux blancs ou (et) hétérochromie de l'iris	Surdité ou hypoacousie congénitale (syndrome de Waardenburg)	Examen phonologique Audiogramme (plus tard)
Cataractes congénitales	Anomalies du système nerveux central Malformations multiples possibles dans tous les systèmes	Surveiller le développement Radiographies, etc.
Macrosomie Macroglossie Asymétrie corporelle Omphalocèle (Beckwith)	Hypoglycémie (hyperplasie des îlots de Langerhans)	Glycémie
Micrognathie Division palatine Glossoptose (Pierre Robin)	Anomalies oculaires	Ophtalmoscopie
Polydactylie Nanisme congénital (Ellis-van Creveld)	Cardiopathie congénitale	Radiographies ECG, etc.

Tableau 4 : Quelques malformations fœtales dépistables in utero par échographie

Anencéphalie*, holoprosencéphalie*, encéphalocèle[1], hydrocéphalie, agénésie du corps calleux, anévrisme de l'ampoule de Galien, malformation de Dandy-Walker, (porencéphalie). Spina bifida, myéloméningocèle

Agénésie totale ou partielle d'un membre
Certaines chondrodysplasies

Hygroma cervical[2]

Cardiopathies congénitales[3]
Epanchement péricardique
Troubles du rythme, asystolie

Hernie diaphragmatique[4]
Hydrothorax, (adénomatose pulmonaire kystique), (kyste bronchogénique)

(Atrésie de l'œsophage)
Atrésie duodénale[5]
Atrésie du grêle, (duplication du grêle, kyste du mésentère)
(Kyste du cholédoque)

Omphalocèle[6]
Laparoschisis, gastroschisis
Monstres doubles*
Tumeurs cervicales[7]
Tératome sacro-coccygien

Syndrome « prune belly »[8] et anomalies uro-génitales complexes
Reins polykystiques[1]
Syndrome de Potter*[9]
Uropathies obstructives[10]
Mégavessie, (urétérocèle)

Fentes labiales[11]

---

*Incompatible avec la vie.
( ) Anomalies dont le diagnostic prénatal est possible, mais exceptionnel.

[1] Le syndrome de Meckel-Gruber associe encéphalocèle, malformations rénales, omphalocèle, polydactylie entre autres défauts. Autosomique récessif (AR). Alpha-fœto-protéine (AFP) élevée dans le liquide amniotique. Léthal.

[2] Souvent associé à une monosomie XO (intérêt du caryotype).

[3] Ventricule unique, hypoplasie du cœur gauche, anomalie d'Ebstein, tétralogie de Fallot, dextrocardie avec situs inversus, ectopie cardiaque, tumeur du péricarde.

[4] Essentiellement la hernie postéro-latérale gauche.

[5] Rechercher une trisomie 21 (caryotype).

[6] Doit faire rechercher les éléments du pronostic : taille, malformations associées, caryotype (trisomie 18).

[7] Lymphangiomes kystiques essentiellement.

[8] Syndrome polymalformatif associant agénésie de la musculature abdominale antérieure, mégavessie, urétéro-hydronéphrose bilatérale et cryptorchidie.

[9] Associe à l'agénésie rénale bilatérale un oligoamnios et un retard de croissance intra-utérin précoce.

[10] Hydronéphrose, méga-uretère, valve urétrale avec mégavessie, etc.

[11] Rechercher les malformations associées, le caryotype (trisomie 13).

D'après F. Didier et P. Droulle.

tenus au courant de tout ce qui concerne leur enfant. Certains demandent spontanément un conseil génétique. Sinon, et au cas où la malformation ou le syndrome malformatif a des implications génétiques évidentes, il faudra trouver le moment propice pour en parler avec les parents avant que la mère, ou en tout cas avant que l'enfant, ne quitte l'hôpital.

● Un autre problème qui se pose malheureusement souvent est celui de l'« acharnement thérapeutique » en cas de malformation(s) grave(s), particulièrement du système nerveux central, pour laquelle ou lesquelles il n'existe pas de traitement satisfaisant. Le moins qu'on puisse en dire est qu'il s'agit d'un problème très délicat, et que l'éthique médicale est extrêmement difficile à codifier. Chaque situation doit être abordée individuellement. En général on pense que les parents de l'enfant, dûment informés, doivent participer aux décisions.

● Le médecin n'oubliera pas les frères et sœurs de l'enfant malformé, qui, d'une part, ont tendance à douter de leur propre intégrité corporelle, et, d'autre part, courent le risque de se sentir, à juste titre ou pas, négligés par leurs parents, trop mobilisés par l'enfant malade.

● Depuis quelques années, le problème des malformations congénitales a été modifié par l'introduction du diagnostic prénatal, aux ultra-sons notamment, qui permettent de mettre en évidence un certain nombre de ces malformations. Le diagnostic prénatal permet, selon la situation, soit d'interrompre la grossesse, soit de se préparer à effectuer un accouchement dirigé, suivi de chirurgie correctrice ou palliative. Le tableau 4 énumère un certain nombre de défauts anatomiques dépistables par l'échographie.

Chapitre 4

Croissance et développement
par P. E. Ferrier, M. Sempé et M. David

Définitions

- La **croissance,** d'un point de vue pratique, est la différence entre deux mesures précises et datées : c'est donc le calcul d'un accroissement (ou d'une vitesse) et de son rythme, à condition que l'on choisisse les mêmes intervalles de temps.
- Le **développement** est la progression étalonnée entre deux performances psychomotrices susceptibles d'être réalisées dans une durée donnée : il s'agit donc de modifications plus qualitatives que quantitatives.
- La **maturation** est l'ensemble des changements apparents (ou dépistés par des moyens variés) que présente une personne tout au long de son enfance et de son adolescence jusqu'à l'âge adulte où elle atteint sa maturité.

Croissance longitudinale et pondérale anténatale

La croissance d'un enfant commence bien entendu dès le stade embryonnaire, et cette période de croissance « aveugle » intéresse de plus en plus les pédiatres, depuis qu'ils se sont rendu compte qu'un enfant nouveau-né pouvait naître petit sans être forcément prématuré.

L'évaluation de la croissance intra-utérine se fait avec l'aide de tables comme celles introduites par Lubchenco par exemple (cf. fig. 1). Ces courbes de croissance, fondées sur les mensurations d'enfants nés après une gestation de durée variable, mais connue grâce au calcul du nombre de jours à partir des dernières règles, sont utiles pour aider à détecter des « nouveau-nés à risque élevé », c'est-à-dire ayant par exemple subi dans leur vie intra-utérine des influences nocives telles qu'anoxie ou infections ; on recherchera également avec plus de soin des malformations congénitales chez un nouveau-né trop petit pour son âge gestationnel.

La comparaison du poids, de la taille, de la circonférence crânienne de l'enfant nouveau-né, en se rapportant aux courbes respectives de croissance intra-utérine, peut également être utile dans un tel dépistage. Un enfant *dysmature,* par exemple, est un enfant qui présente une dysharmonie ou un manque de concordance entre ses différentes mensurations physiques, ou, surtout, entre les mensurations physiques et certains autres caractères de maturité (comme la présence de tissu mammaire, de tissu adipeux sous-cutané, de plis plantaires et de cartilage dans les oreilles externes), ou entre les mensurations physiques et les performances motrices. De tels nouveau-nés peuvent ainsi avoir le poids et la taille d'un prématuré du 8e mois, mais un aspect physique et des capacités motrices qui évoquent davantage un enfant à terme (cf. score de Ballard, chapitre 5, tableau 1).

De plus en plus les obstétriciens, estimant que l'arrêt de la croissance céphalique au cours du dernier trimestre représente un risque cérébral élevé, ou la manifestation d'une souffrance cérébrale, procèdent à des mensurations céphaliques in utero à l'aide d'ultra-sons à intervalles réguliers dans les grossesses à risque. Il arrive qu'une décision de provoquer l'accouchement prématurément soit prise sur la base de la céphalométrie aux ultra-sons, couplée en général avec d'autres index renseignant sur l'état de maturation de l'enfant et sur une souffrance fœtale éventuelle. On voit donc l'intérêt de pouvoir consulter des normes de croissance intra-utérine, notamment des normes céphalométriques, puisque de telles données peuvent découler d'importantes interventions thérapeutiques ou prophylactiques.

Il découle de ce qui précède que l'ancienne définition de la prématurité selon le poids (< 2 500 g), proposée par l'Organisation Mondiale de la Santé (1948), a été remplacée par celle de la durée de gestation (en dessous de 37 semaines = prématurité), et que la notion de « *retard de croissance intra-utérine* » est maintenant bien établie.

Croissance longitudinale et pondérale postnatale

La taille, le poids, la circonférence crânienne, l'envergure et la hauteur symphyse pubienne-sol (« segment inférieur ») sont les mensurations les plus utiles, surtout lorsqu'elles sont effectuées à intervalles réguliers. En effet, une mensuration isolée dans le temps n'est pas aussi utile qu'une série de mensurations espacées régulièrement dans le temps, car c'est l'aspect *dynamique* des courbes de croissance qui importe le plus. Par exemple un arrêt de croissance longitudinale (plateau) a une signification très importante. Seules des mensurations répétées permettent d'affirmer son existence avec certitude. Le rapport entre le segment inférieur (symphyse-sol) et le segment supérieur ou la taille totale varie beaucoup avec l'âge. Il est très inférieur à 1 dans la première enfance et tend à se rapprocher de l'unité vers 10-11 ans, pour y rester ensuite. Ce rapport reste inférieur à 1 dans certaines insuffisances endocriniennes interférant avec une croissance longitudinale normale. L'*envergure* présente des variations significatives surtout après la puberté. Normalement, sa valeur est égale à celle de la taille.

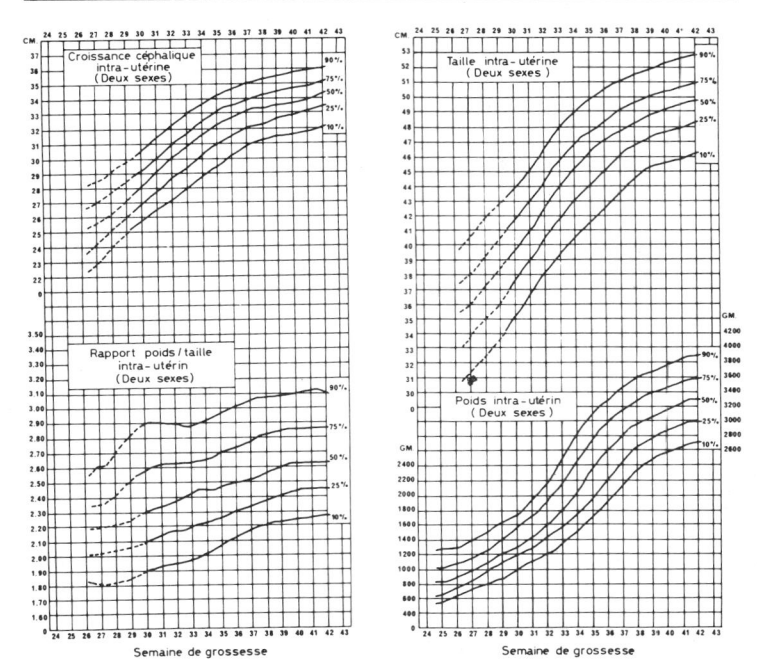

Fig. 1 : Courbes de croissance intra-utérine

Tiré de L.O. Lubchenco et coll., *Pediatrics* 37 : 403, 1966, avec l'autorisation des auteurs et de l'éditeur.

La notion de *vitesse de croissance* est importante aussi. La rapidité de la croissance longitudinale double pratiquement pendant la puberté et la constatation de cette accélération a la valeur de l'observation d'un caractère sexuel secondaire.

Quant à la croissance pondérale, il existe des règles mnémotechniques pour se souvenir du poids idéal à un âge donné. La règle la plus simple et fort utile dit que *le nourrisson double son poids de naissance à 6 mois et le triple à une année.*

Courbes de croissance

Divers auteurs, en Europe et aux Etats-Unis, ont établi des courbes types pouvant servir de référence, à partir de mensurations effectuées sur un grand échantillon d'enfants réputés être en bonne santé, et de tous les

4. CROISSANCE ET DÉVELOPPEMENT

âges. Pour chaque âge et pour chacun des deux sexes les mensurations s'ordonnent selon une répartition plus ou moins « gaussienne » ou « normale » (les deux versants de la cloche ne sont cependant pas tout à fait symétriques) (cf. fig. 2). De ces valeurs normales on a pu construire des courbes dynamiques (fig. 3 et 4), l'âge étant en abscisse, avec des « canaux » ou « itinéraires » continus qui s'arrangent autour de la courbe de moyenne absolue. Ces « canaux » sont dérivés mathématiquement, et selon la formule utilisée on aura des « percentiles » ou des « écarts types » (σ, déviations standard), dont l'éloignement par rapport à la moyenne augmente avec l'âge, les variations individuelles, dans la population générale, s'affirmant toujours davantage. De tels graphiques

Fig. 2 : Répartition du nombre des garçons autour de la moyenne des tailles à 4 ans

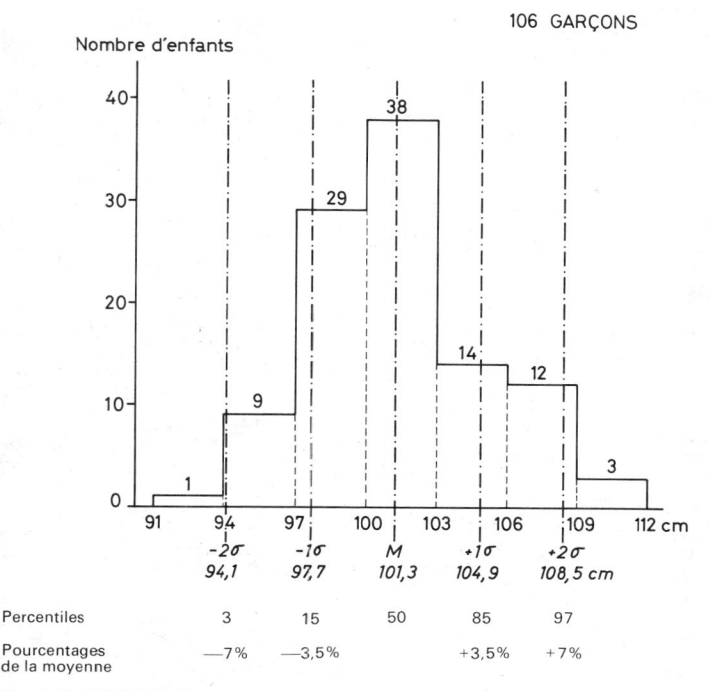

106 GARÇONS

	-2σ	-1σ	M	$+1\sigma$	$+2\sigma$
	94,1	97,7	101,3	104,9	108,5 cm
Percentiles	3	15	50	85	97
Pourcentages de la moyenne	—7%	—3,5%		+3,5%	+7%

D'après le C.E.C.D.E. (Centre d'études sur la croissance et le développement de l'enfant), Paris, 1953–1962.

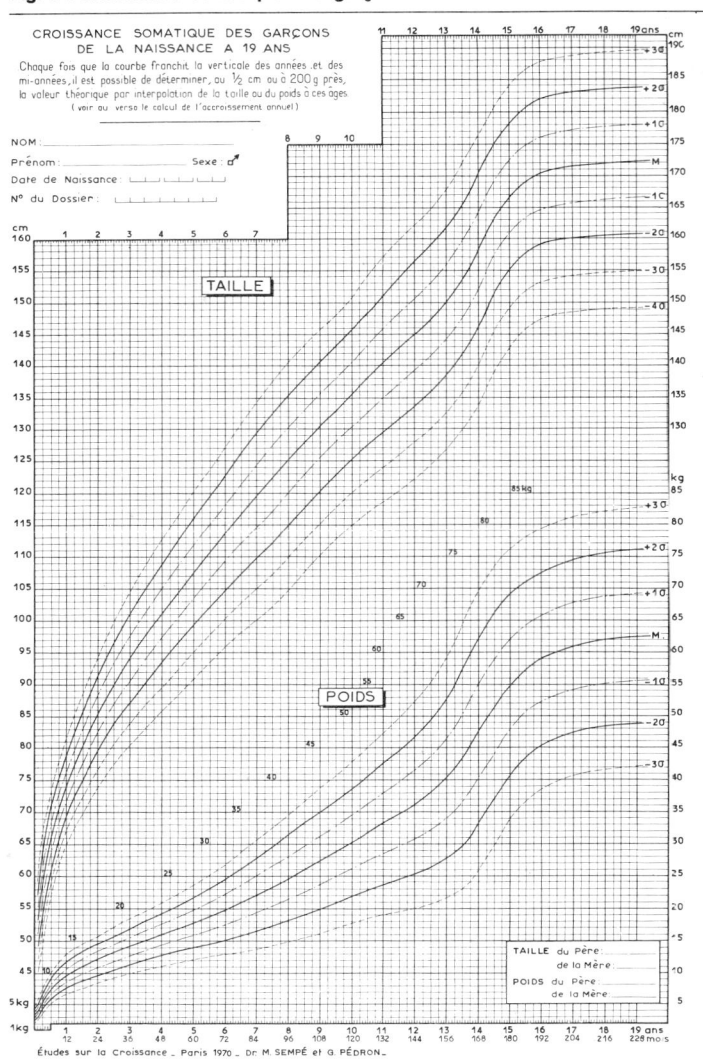

Fig. 3 : Croissance somatique des garçons de la naissance à 19 ans

4. CROISSANCE ET DÉVELOPPEMENT

Fig. 4 : Croissance somatique des filles de la naissance à 19 ans

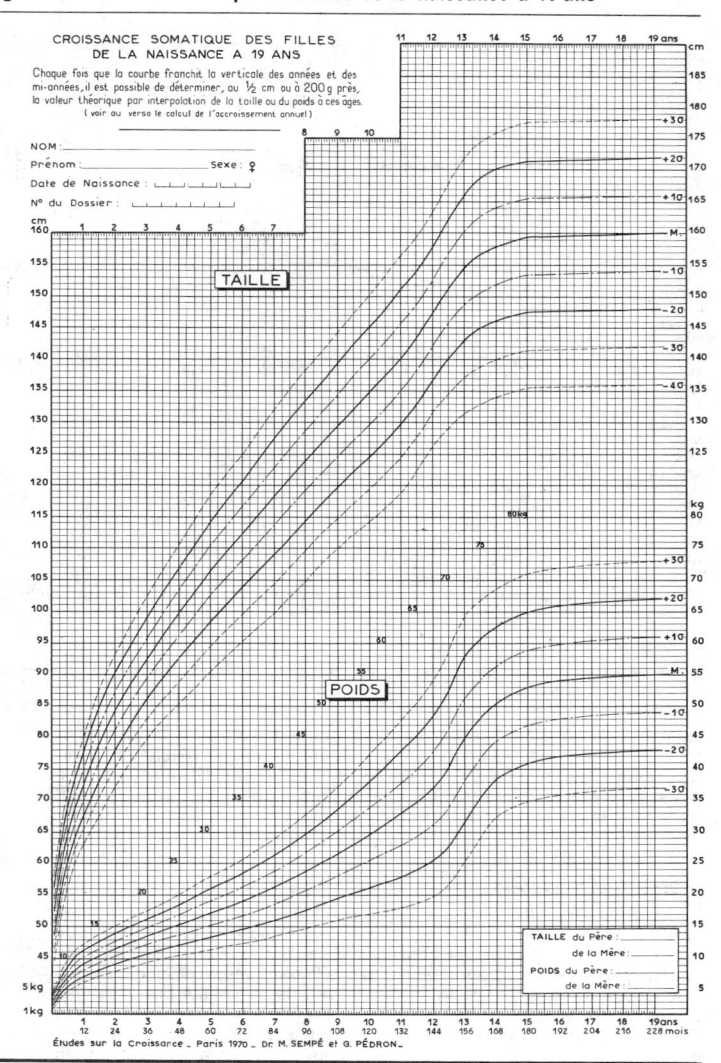

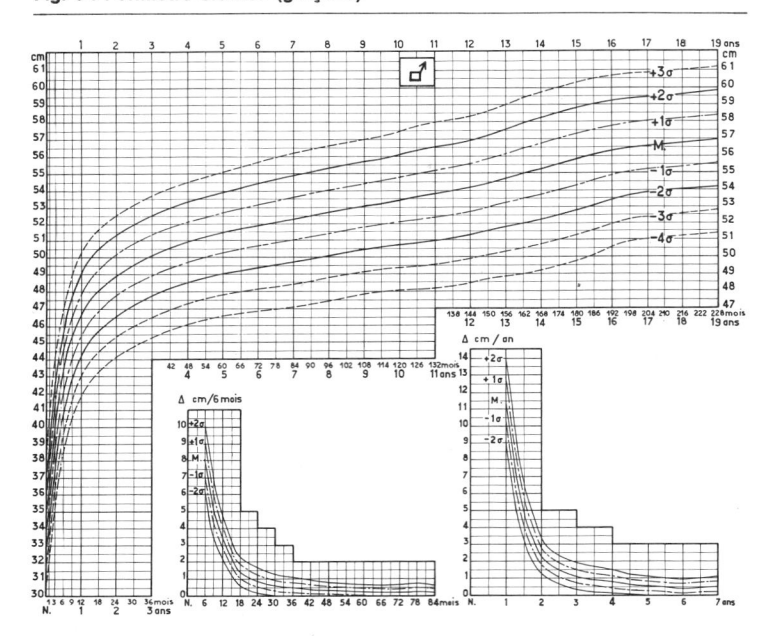

Fig. 5 : Périmètre crânien (garçons)

Etude Dr M. Sempé et G. Pédron, C.I.E. Paris et INSERM Lyon, 1953-1973.

existent pour la taille, le poids, le périmètre céphalique (cf. fig. 5 et 6) et d'autres mensurations encore. Ils permettent d'une part d'estimer l'écart d'un enfant par rapport à la moyenne, et d'autre part de constater si la croissance est régulière, auquel cas l'enfant « chemine » constamment dans le même canal, ou s'il y a ralentissement ou accélération (changement de canal).

Maturation osseuse

La fontanelle antérieure se ferme entre 6 et 12 mois. Les sutures crâniennes demeurent non soudées pendant toute l'enfance (période de croissance cérébrale) et par conséquent peuvent s'écarter, s'élargir, en cas d'hypertension intracrânienne. L'ossification des os longs se fait selon un horaire qui varie relativement peu, la variabilité entre enfants normaux étant de ± 6 mois dans notre expérience. La figure 7 illustre l'apparition des noyaux d'ossification utilisés pour estimer « l'âge osseux » et le comparer à « l'âge chronologique ». Une telle estimation

4. CROISSANCE ET DÉVELOPPEMENT

Fig. 6 : Périmètre crânien (filles)

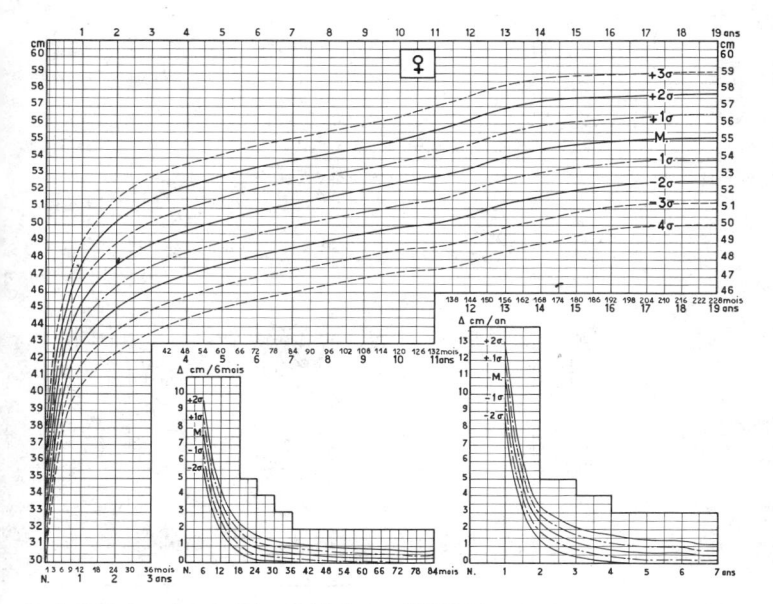

Etude Dr M. Sempé et G. Pédron, C.I.E. Paris et INSERM Lyon, 1953-1973.

est de grande valeur dans le diagnostic de certains troubles de la croissance (cf. pp. 75-78). De façon générale, il est préférable de ne pas fonder une telle estimation sur un territoire épiphysaire seulement, mais de comparer le degré de maturation osseuse dans 2 ou 3 territoires. En effet, des variations considérables peuvent exister d'un territoire à l'autre, et nous préférons établir une moyenne entre les « âges osseux » interprétés à partir de ces différents groupes épiphysaires. Enfin, l'estimation de la maturation repose non seulement sur le nombre de centres d'ossification présents, mais aussi sur leur forme et leur degré individuel de maturité.

Dentition

Il existe certainement des facteurs héréditaires qui influencent la *qualité* des dents, de même que leur morphologie et leur implantation. L'âge d'apparition des dents est au moins aussi variable, si ce n'est plus, que l'âge osseux. Il est cependant suffisamment constant pour que l'on

Fig. 7 : Dates d'apparition des principaux points d'ossification

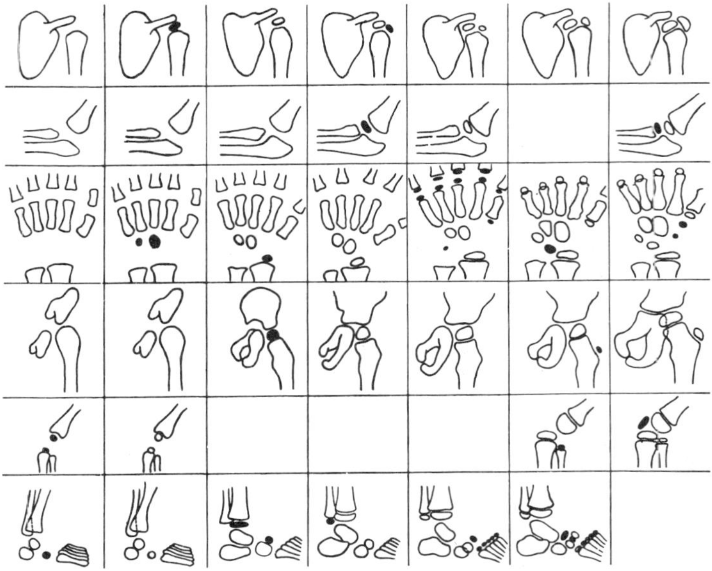

Naissance	6 mois	1 an	2 ans	3 ans	4 ans	5 ans
	Tête de l'humérus *(3 mois)*		Grosse tubérosité de l'humérus			
			Condyle huméral			Tête du radius
	Grand os *(4 mois)* Os crochu	Epiphyse radiale		Pyramidal Métacarpe et épiphyses des phalanges	Semi-lunaire	Trapèze Scaphoïde
		Tête fémorale *(9 mois)*			Grand trochanter	
Ep. fémur et tibia					Tête du péroné	Rotule
Cuboïde		3e cunéiforme Ep. inf. du tibia	Ep. inf. du péroné	1er cunéiforme Epiphyses des métatarsiens	2e cunéiforme Scaphoïde	

D'après L. Wilkins: *The Diagnosis and Treatment of Endocrine Disorders in Childhood and*

4. CROISSANCE ET DÉVELOPPEMENT

chez l'enfant normal

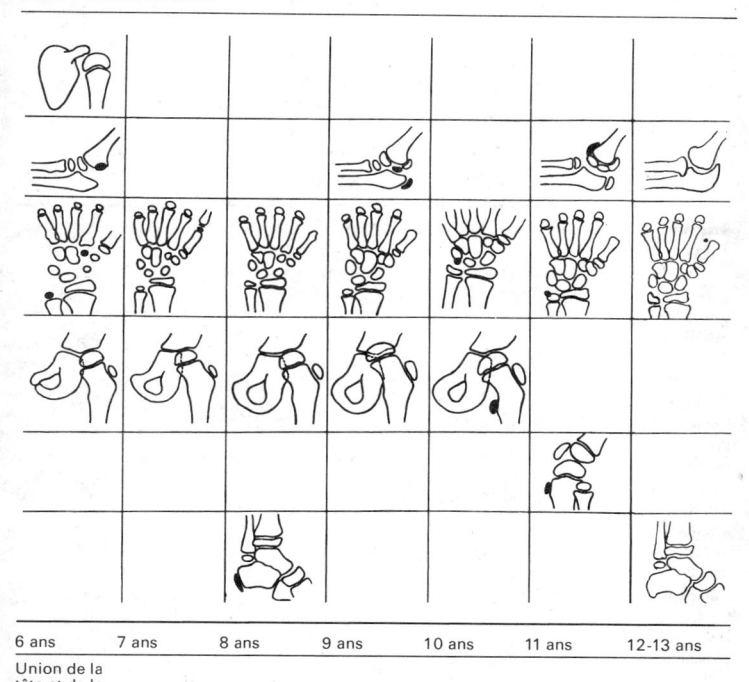

6 ans	7 ans	8 ans	9 ans	10 ans	11 ans	12-13 ans
Union de la tête et de la tubérosité						
Epitrochlée			Condyle interne Olécrâne		Epicondyle	
Trapézoïde Epiphyse inférieure du cubitus			Pisiforme			
	Union ischion et pubis			Petit trochanter		
						Tubérosité antérieure du tibia
		Point complémentaire du calcanéum				

Adolescence, 3ᵉ éd., Charles C. Thomas, Publisher, Springfield, Illinois, 1965.

Tableau 1 : Première dentition (dents de lait)

Age		Eruption	Total
5- 9 mois		4 incisives médianes	= 4
7-11 mois	4+	4 incisives latérales	= 8
10-18 mois	8+	4 premières molaires	=12
16-24 mois	12+	4 canines	=16
20-30 mois	16+	4 deuxièmes molaires	=20

Tableau 2 : Deuxième dentition (définitive ou permanente) = 32 dents

		Calcification		Eruption			
		Début à :	Terminé à :	Max. sup.			Max. inf.
Incisives médianes		3- 6 mois	9-10 ans	7- 8 ans	5	3	6- 7 ans
Incisives latérales	M.S. M.I.	10-12 mois 3- 4 mois	10-11 ans	8- 9 ans	6	4	7- 8 ans
Canines		4- 7 mois	12-15 ans	10-12 ans	10	9	9-11 ans
Premières prémolaires		18-24 mois	12-13 ans	8- 9 ans	8	7	8- 9 ans
Deuxièmes prémolaires		24-30 mois	12-14 ans	10-12 ans	11	12	11-13 ans
Premières molaires (dents de 6 ans)		naissance	9-10 ans	6- 7 ans	2	1	6- 7 ans
Deuxièmes molaires (dents de 12 ans)		30-36 mois	14-18 ans	12-13 ans	14	13	12-13 ans
Troisièmes molaires (dents de sagesse)	M.S. M.I.	7- 9 ans 8-10 ans	18-25 ans	17-25 ans	15	16	17-25 ans

puisse établir un certain horaire (cf. tableaux 1 et 2). Il est curieux de constater que les affections qui retardent la maturation osseuse, comme l'hypothyroïdie, et toutes les affections chroniques débilitantes, retardent aussi l'éruption dentaire ; par contre, une accélération de la maturation squelettique, comme dans les pubertés précoces par exemple, ne s'accompagne pas d'une avance de l'apparition dentaire. Le rachitisme n'affecte pas non plus forcément la qualité des dents, alors qu'une hyperbilirubinémie néo-natale sévère ou prolongée cause des lésions dentaires. Les tétracyclines, administrées soit à la mère pendant la grossesse, soit à l'enfant pendant les premiers mois de sa vie, affectent les dents, dont elles colorent l'émail en jaune-brun (les tétracyclines ont tendance à s'accumuler dans tous les tissus qui se calcifient, où on peut démontrer leur présence grâce à leur fluorescence à la lumière ultraviolette).

Les caries dentaires peuvent être en bonne partie prévenues par la fluorisation de l'eau (1:10^6) ou du sel de cuisine, ou par l'administration de fluor sous forme de tablettes (0,25 mg de NaF pour les très jeunes enfants, 1 mg/jour pour les grands enfants et les adultes) si l'eau ne contient pas assez de fluor.

Troubles de la croissance

Une taille anormale est un motif fréquent de consultation chez le pédiatre. Les parents n'aiment pas que leurs filles soient trop grandes et que leurs garçons soient trop petits. En fait, ils devraient plutôt se préoccuper des filles trop petites et des garçons trop grands, car cette situation-là est plus souvent pathologique que la première.

Petites tailles

Définition
Taille staturale inférieure à − 2 écarts types ou inférieure au 3e percentile (étant entendu que ces deux critères sont arbitraires et ne se recouvrent pas tout à fait). La croissance étant un phénomène dynamique, il faut par ailleurs aussi considérer le tracé général de la courbe de croissance, en dehors de toute valeur absolue. Tout arrêt ou ralentissement de la courbe suffisamment prolongé pour produire un passage à un percentile ou écart type inférieur doit être considéré comme pathologique.

Anamnèse
Dans l'évaluation d'une croissance insuffisante, les points anamnestiques suivants sont capitaux :
● S'agit-il d'une petite taille familiale ?
● La taille (et le poids) étaient-ils déjà petits à la naissance ? Si oui, s'agissait-il d'un enfant prématuré ou d'un enfant estimé petit pour son âge gestationnel ?
● Y a-t-il eu croissance normale jusqu'à un certain âge, puis arrêt ou ralentissement ?
● L'enfant est-il porteur de malformations congénitales associées ?
● Y a-t-il dans l'anamnèse des éléments suggérant l'existence d'une maladie chronique (congénitale ou acquise) ?

Etiologie
La liste étiologique suivante est loin d'être exhaustive. Il est bon toutefois que le médecin ait en tête les situations les plus fréquemment rencontrées ainsi qu'un schéma simple concernant les « petites tailles » :
● Petite taille familiale ou constitutionnelle (de loin la majorité des cas).
● Retard de croissance intra-utérine (enfant né petit pour son âge gestationnel) : un certain rattrapage peut se faire avec le temps à condition qu'il n'y ait pas, comme c'est souvent le cas, des malformations associées.

- Retard de la puberté (adolescence retardée) chez le garçon : il s'agit souvent de garçons qui ont grandi régulièrement mais sur un percentile inférieur et qui font leur puberté à 15 ou 16 ans, en démontrant alors une poussée de croissance de rattrapage.
- Retard de la puberté chez la fille : rechercher le syndrome XO et une dysgénésie gonadique (Turner).
- Système nerveux central et glandes endocrines : l'hypothalamus (cranio-pharyngiome), l'hypophyse, la thyroïde, les parathyroïdes, les surrénales et les gonades peuvent être en cause. Il existe des déficiences isolées en hormone de croissance, en somatomédine, et des hormones de croissance anormales (cf. chap. 21, pp. 729 ss.).
- Squelette : l'achondroplasie se reconnaît facilement (cf. p. 866). D'autres chondrodysplasies (cf. p. 867), heureusement peu fréquentes, peuvent interférer avec la croissance.
- Système digestif : les maladies conduisant à une malabsorption (cœliakie, mucoviscidose) et les maladies inflammatoires chroniques de l'intestin peuvent avoir un début insidieux tout en interférant d'emblée avec la croissance staturale (cf. chapitre 10, pp. 236 ss., 259 ss.).
- Autres maladies chroniques : l'hypoglycémie idiopathique récurrente mérite une mention particulière, car elle peut ne causer que des troubles mineurs au point de vue neurologique (céphalées, troubles caractériels, absence de convulsions) et cause un seul trouble majeur, une croissance ralentie.

Les autres affections chroniques, d'origine congénitale, héréditaire ou acquise, sont en général suffisamment manifestes pour ne pas poser de problème de diagnostic. Il est évident que des affections hépatiques (thésaurismoses, cirrhoses, etc.), rénales (tubulopathies, malformations conduisant à l'insuffisance rénale, etc.) et cardiaques ou pulmonaires chroniques réunissent souvent des conditions d'intoxication ou d'anoxie tissulaire telles que la croissance normale n'est pas possible.

Traitement

L'importance de la recherche d'une cause *traitable* de croissance insuffisante justifie la nécessité d'un diagnostic précis. Parmi les causes traitables, citons : le cranio-pharyngiome, l'insuffisance pituitaire et en hormone de croissance, l'insuffisance thyroïdienne, parathyroïdienne, surrénalienne ; l'hypoglycémie, les différentes sortes de malabsorption intestinale et, jusqu'à un certain point, les maladies inflammatoires chroniques de l'intestin.

Il est tout aussi important de poser un diagnostic correct de petite taille constitutionnelle ou d'adolescence différée, afin de ne pas causer du tort au patient par une thérapeutique intempestive.

Conduite à tenir, pratiquement

- Prendre une bonne anamnèse, familiale et personnelle (poids et taille à la naissance, dessin de la courbe de croissance sur un graphique approprié).
- Eliminer un syndrome polymalformatif en recherchant tous les signes dysmorphiques.
- Faire une revue méticuleuse de l'anamnèse système par système : chercher la maladie débilitante chronique.
- Faire un examen physique approfondi (y compris le fond d'œil !) en

gardant bien en mémoire que les signes physiques de l'hypopituitarisme, de certaines hypothyroïdies, de la dysgénésie gonadique, des maladies inflammatoires chroniques de l'intestin sont souvent subtils et peuvent échapper à un observateur non averti.

● Parmi les examens complémentaires qui peuvent être obtenus ambulatoirement, certains n'apporteront pas de lumière particulière si l'examen physique est négatif. Les examens les plus susceptibles d'apporter un renseignement supplémentaire sont :

l'âge osseux radiologique (main-poignet) ;
la radiographie du crâne ;
le dosage de la thyroxinémie (T_4) et de la TSH ;
le frottis buccal pour la recherche de la chromatine sexuelle ;
l'analyse d'urine.

En fait, la clé du problème « petite taille » est beaucoup plus souvent à trouver dans l'anamnèse ou dans l'examen physique que dans des examens paracliniques inutiles parce que demandés à l'aveugle. On n'hospitalisera et ne soumettra à des tests compliqués et pénibles pour le patient que des enfants chez qui on a de bonnes raisons de soupçonner un état pathologique. Enfin, dès que l'hormone de croissance sera synthétisée in vitro en abondance, il sera facile de faire une épreuve thérapeutique avec cette substance.

Grandes tailles

Définition

Taille staturale supérieure à + 2 écarts types ou supérieure au 97ᵉ percentile (étant entendu que ces deux critères sont arbitraires et ne se recouvrent pas tout à fait). La croissance étant un phénomène dynamique, il faut par ailleurs aussi considérer le tracé général de la courbe de croissance, en dehors de toute valeur absolue. Certains sujets sont grands dès la naissance ou même avant et le restent jusqu'à la fin de leur croissance : ce sont alors de grands adultes normaux. Certains sujets, notamment lors de la puberté, ont une accélération de leur croissance telle qu'ils sont, à la fin, de grands adultes, alors qu'ils n'étaient pas grands dans leur enfance. Il s'en faut donc de beaucoup pour que toute accélération de la croissance soit pathologique (à l'inverse de ce qui a été dit pour la décélération ou l'arrêt de croissance).

Anamnèse

Il est rare que des parents se préoccupent de la grande taille de leur fils. Par contre, si leur fille est ce qu'ils considèrent comme « trop grande », ils consultent volontiers. Or la plupart des « grandes filles » sont en bonne santé. Il suffit en général de voir les parents pour comprendre pourquoi la fille est grande. La courbe de croissance montre qu'elle l'a toujours été.

La situation est différente si l'enfant (garçon ou fille), après avoir été de taille petite ou moyenne, se met tout à coup à grandir rapidement, alors qu'il est encore loin de l'âge physiologique de la puberté. On recherchera alors des signes de puberté précoce (cf. p. 767) ou d'acromégalie (cf. p. 761).

Etiologie

- Grande taille familiale.
- Cause endocrinienne : puberté précoce, hyperthyroïdie, acromégalie (excès d'hormone de croissance).
- Syndrome de Klinefelter chez le garçon (XXY, XXXY, etc.) (cf. p. 775).
- Syndrome malformatif : syndrome de Marfan (cf. p. 870), gigantisme cérébral (cf. Sotos, p. 763).

Conduite à tenir et traitement

- Grande taille familiale chez une fille avant la puberté : expliquer aux parents que ce n'est pas une maladie, et que le médecin préfère ne pas traiter (par des moyens puissants tels que des hormones sexuelles) des conditions qui ne sont pas des maladies. Deuxièmement, obtenir une estimation radiologique de l'âge osseux. Au moyen de tables prédictives établies à partir d'un grand nombre d'observations, tables qui se trouvent dans plusieurs traités et publications de la littérature pédiatrique, on peut prédire avec un certain degré d'exactitude la taille définitive, adulte du sujet, en fonction de sa taille actuelle, de son âge chronologique et de son âge osseux. Très souvent les parents sont satisfaits et rassurés par une taille prédite qui ne leur apparaît pas comme excessive. Si la taille prédite leur semble excessive, deux attitudes possibles : certains médecins refusent d'utiliser des hormones (œstrogènes, ou combinaison d'œstrogènes-progestérone) pour accélérer la venue de la puberté et gagner des centimètres en accélérant la maturation osseuse davantage que la croissance longitudinale. D'autres, pour des raisons psychologiques (éviter une souffrance morale due à la grande taille) acceptent de traiter la jeune fille avec de fortes doses d'hormones sexuelles féminines. Il s'agit d'un traitement controversé, à la fois sur le plan éthique et sur le plan de son efficacité.
- Rechercher, dans les autres cas, des signes physiques de puberté précoce ou d'hyperthyroïdie. Les signes physiques de l'acromégalie sont plus difficiles à percevoir, et une radiographie du crâne (selle turcique) sera très utile.
- Chez le garçon, rechercher la chromatine sexuelle (frottis buccal) qui sera présente en cas de syndrome de Klinefelter (XXY). Le volume testiculaire n'est guère changé avant la puberté. Par contre, le jeune homme atteint d'un syndrome de Klinefelter aura des testicules petits et mous, contrastant avec un développement normal de la verge. La gynécomastie et l'arriération mentale ne sont pas toujours présentes.

Développement psychomoteur

Le développement, tout comme la croissance, commence avant la naissance, et le nouveau-né est l'aboutissement d'une longue maturation fœtale. L'enfant nouveau-né ayant atteint un degré de maturation normal de son système nerveux central doit réagir de façon appropriée à un certain nombre de stimuli donnés. Ces réactions constituent la première étape du développement de l'individu. La description des différentes bornes du développement correspondant aux étapes suivantes constitue un énoncé de repères commodes et pratiques, mais la survenue d'un événement n'est pas ponctiforme dans le temps, et s'étale sur une période de durée variable suivant les individus. On peut envisager les étapes suivantes : période néo-natale, première année, deuxième année, période préscolaire, période scolaire, adolescence.

Le développement est un processus compliqué ; c'est la résultante de forces différentes dont les principales sont *la dotation congénitale d'intelligence, la rapidité de maturation et la qualité stimulatrice de l'environnement.* Tout affaiblissement de l'une de ces trois forces conduit à un retard de développement. La dotation congénitale d'intelligence dépend essentiellement de facteurs héréditaires (polygéniques), de l'intégrité du milieu intra-utérin pendant la vie embryonnaire et fœtale (infections, embryopathies, intoxications, ischémie, anoxie) et enfin de la normalité de l'accouchement (traumatisme obstétrical). La rapidité de maturation dépend de la santé générale de l'enfant (toute affection débilitante entraînant un ralentissement du développement), d'un bon fonctionnement des différents organes (thyroïde !) et d'une nutrition satisfaisante, une carence alimentaire grave ayant pour effet une pauvreté du développement psychomoteur (cette relation induit dans les pays où règne une sous-alimentation chronique un véritable cercle vicieux). Enfin la qualité stimulatrice de l'environnement dépend des conditions sociales (élevage en crèches, carence parentale) et des conditions affectives. La chaleur affective est nécessaire à l'enfant : la croissance d'un enfant désiré est un enchantement et, à l'inverse, l'arrivée d'un enfant dit illégitime est considérée comme l'incarnation d'une faute, ce qui peut entraîner une conduite d'abandon et une attitude hostile. Il existe une communication par les sensations, la posture, la manière de prendre l'enfant, de lui donner son biberon et de lui parler ; le fond sonore dans lequel s'écoulent les premiers mois de l'enfant est également important.

Les critères d'appréciation du développement sont forcément liés à la motricité pendant le premier âge, pour devenir toujours plus variés ensuite, et inclure la communication *verbale* et *graphique,* la faculté d'adaptation *sociale,* la faculté d'*abstraction,* de raisonnement, etc.

Période néonatale

Le nouveau-né a normalement un cri vigoureux, et le score d'Apgar renseigne à la naissance sur (entre autres) l'état cérébral de l'enfant (cf. pp. 90 ss.). Les réactions au bruit et à la lumière sont faibles. Les mouvements ne sont pas adaptés ; ils sont bilatéraux et anarchiques, sauf la succion-déglutition, qui est parfaitement coordonnée. Les *réflexes archaïques* (cf. pp. 92, 894) principaux peuvent être facilement mis en évidence : réflexe de Moro ou d'embrassement, réflexe d'agrippement ou de préhension des doigts et des orteils, réflexe de succion, réflexes des points cardinaux, d'incurvation du tronc, de marche automatique, d'enjambement. Ces réflexes disparaissent au cours des six premiers mois, selon une séquence variable. Les muscles fléchisseurs prédominent sur les extenseurs : étirés, les membres supérieurs reviennent en flexion. L'angle poplité (jambes-cuisses fléchies sur le bassin) est de 80°.

Première année

Le développement moteur est caractérisé par le passage progressif de la position couchée à la position debout, et par la disparition, progressive elle aussi, de la prédominance des muscles fléchisseurs par rapport aux extenseurs.

La figure 8 résume, de façon très simplifiée, les *« points de repère »* du développement moteur au cours de la première année. Comme toutes valeurs biologiques, ces points de repère sont sujets à des variations (d'où la zone ombrée), et c'est d'après l'ensemble des performances et de l'examen physique, neurologique en particulier, que l'on porte un jugement sur un enfant particulier. La figure 11 représente une méthode plus élaborée d'évaluer le développement psychomoteur d'un enfant. Ce test de Denver a l'avantage de bien tenir compte des variations individuelles propres à chaque enfant tout en contenant suffisamment de performances pour que l'observateur puisse se rendre compte si un enfant est vraiment en retard ou en avance pour son âge.

Le premier trimestre est marqué par l'apparition de la poursuite oculaire, du premier sourire et de la tenue de la tête. Entre 1 et 2 mois, le nourrisson va réagir aux bruits importants, fixer son regard, et, vers 2 mois, il perçoit la présence d'un adulte près de lui. Vers 2 ou 3 mois apparaît le sourire en réponse à un visage vu de face ; il succède au « sourire aux anges ».

Le passage progressif de la position couchée à la position debout est dessiné de façon schématique dans la figure 9. La tête est tenue en position verticale et mobilisée volontairement vers 3 mois. L'enfant suit du regard et de la tête, il émet quelques sons « are », « ague » (la lallation). *De 3 à 12 mois,* le tonus croît au niveau du tronc et de la nuque, alors que s'efface l'hypertonie initiale des membres, ce qui permet la *station assise* (6 mois), puis la *station debout* (8-10 mois), en inclinaison d'abord, puis en rectitude.

Fig. 8 : Développement normal au cours de la première année

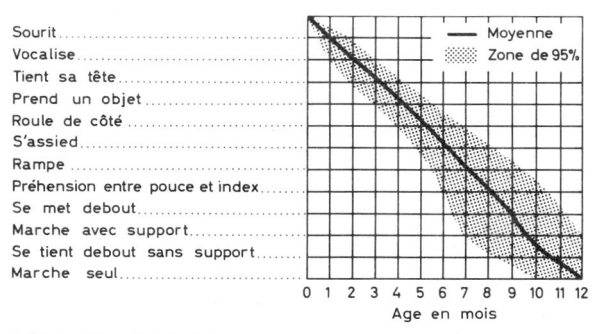

D'après Aldrich et Norval, *J. Ped.* 29 : 304, 1946.

Fig. 9 : Passage de la position couchée à la position debout

1. Tenue de la tête et contrôle du champ de vision

Tête en procubitus à 1 mois

Tête en procubitus à 3 mois

Tête en hyperextension à 4 mois

2. Station assise (phase du "tripode" puis aplomb fessier)

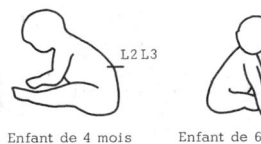

Enfant de 4 mois assis

Enfant de 6 mois assis

Enfant de 8 mois assis

3. Station debout : en inclinaison; en rectitude

L'enfant de 8-9 mois debout pointe les fesses en arrière

Enfant de 10 mois : lordose lombaire

La préhension

Vers 4 mois, l'enfant saisit d'abord au contact. Vers 5 mois, il tend la main en direction d'un objet, et vers 6 mois, il saisit de façon volontaire. Le relâchement volontaire débute vers 8 mois. La figure 10 démontre le raffinement progressif de la préhension manuelle, puis digitale.

Le perfectionnement de la sensorialité

L'enfant fixe sa main vers 3-4 mois, ses pieds à 5-6 mois, et il tourne la tête lorsqu'on l'appelle vers 5-6 mois également. Entre 6 et 8 mois il fait la discrimination du visage de sa mère, tournant capital de son développement. Au même âge il reconnaît un jouet et y porte la main. Vers 9 mois il

Fig. 10 : La préhension
(de l'approche cubito-palmaire à la manipulation pulpaire pouce-index)

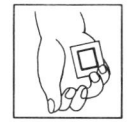

a) 4 mois :
Préhension cubito-palmaire

b) 7 - 8 mois :
Préhension radio-palmaire

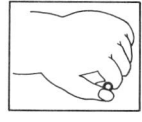

c) 7 - 8 mois :
Pince inférieure

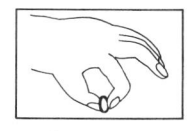

d) 12 mois :
Préhension fine.
Individualisation de la pince pouce-index

soulève le mouchoir qui cache le jouet et le prend. Il porte tout à sa bouche, et cette prédominance de l'intérêt oral (succion, alimentation, morsure, etc.) persistera jusqu'à la fin de la 2ᵉ année.

Le langage

Vers 6 mois l'enfant émet quelques vocalises ; vers 8-9 mois il réagit à de nombreux mots familiers. Vers 10 mois il comprend une défense et arrête un geste sur ordre. Il dit « papa » et « maman ».

Deuxième année

La *marche* sans aide, apparue à 12-14 mois, se perfectionne. A la fin de la 2ᵉ année, l'enfant court, monte un escalier marche par marche, saute sur place, monte sur une chaise tout seul, frappe un ballon avec le pied. L'habileté manuelle progresse : vers 18 mois, il peut faire une tour de 3 ou 4 cubes, et boire seul à la tasse, qu'il tient des deux mains. Il acquiert la connaissance de son *schéma corporel* : devant le miroir il reconnaît son visage, sur une photographie il différencie son visage et celui des personnes familières. Il désigne les différentes parties du visage sur l'ourson, la poupée, un peu plus tard sur lui-même.

L'*acquisition de la propreté* dépasse le simple contrôle des sphincters et nécessite la réunion de conditions physiologiques (régime alimentaire, contrôle volontaire des sphincters) et psychologiques (relation mère-enfant et intensité du dressage). De façon générale, la propreté diurne est acquise en même temps ou peu après la marche. La propreté nocturne est très variable, elle est acquise entre 2 et 3 ans. On ne parle d'énurésie qu'après 4 ans. Du contrôle de ses sphincters, l'enfant ressent un certain sentiment de maîtrise corporelle, de puissance.

Le langage

L'enfant gagne en précision dans la compréhension, mais progresse surtout dans le domaine de l'expression : vers 2 ans il commence véritablement à parler, c'est-à-dire à faire de courtes phrases.

L'enfant de 2 ans commence à *jouer par imitation* : l'ours et la poupée sont considérés comme compagnons de jeu.

Période préscolaire (3e et 4e années)

Les progrès moteurs s'expriment à différents niveaux. La course, le saut se perfectionnent. A 4 ans l'enfant sait sauter à pieds joints, se tenir debout sur un seul pied, et dès 3 ans il sait aller sur un tricycle.

L'activité gestuelle au niveau de la main gagne en précision, bien que gênée encore par des syncinésies. A 3 ans, il sait se servir d'un crayon (il peut imiter un cercle), il se nourrit seul, se déshabille seul, s'habille encore mal. Il sait mettre ses chaussures, mais ne sait pas les lacer.

Certains enfants acquièrent la latéralité gestuelle très tôt, d'autres beaucoup plus tard.

La propreté est acquise, sauf accidents occasionnels.

Le langage

L'enfant de 3 ans dit son nom, son prénom, utilise le « je », connaît les couleurs. A 4 ans, il utilise des adjectifs et des mots de liaison, il sait comparer, il commence à reconnaître les lettres.

L'affectivité

L'enfant de 4 ans apprécie les histoires, les chansons, il joue des situations imaginaires, et il commence à poser d'innombrables questions.

A partir de 3 ans apparaît le « complexe d'Œdipe » : l'enfant est attiré vers le parent de l'autre sexe. La mère est le grand amour du petit garçon et la petite fille est attirée vers son père. Le parent du même sexe apparaît alors comme un rival. Cette période disparaît lorsque l'enfant s'identifie au parent du même sexe. Le petit garçon donne peu à peu une plus grande place à son père et veut faire « comme papa ». Après la période du complexe d'Œdipe, l'enfant entre dans une phase de latence qui dure jusqu'à l'adolescence, avec souvent des difficultés passagères à l'occasion des naissances des frères et sœurs.

La mise à l'école maternelle élargit l'horizon affectif : les institutrices sont souvent adorées des enfants et l'enfant projette ses sentiments dans des jeux, dessins, activités et histoires qui expriment son équilibre et sa personnalité.

Fig. 11 : Evaluation du développement, méthode de Denver

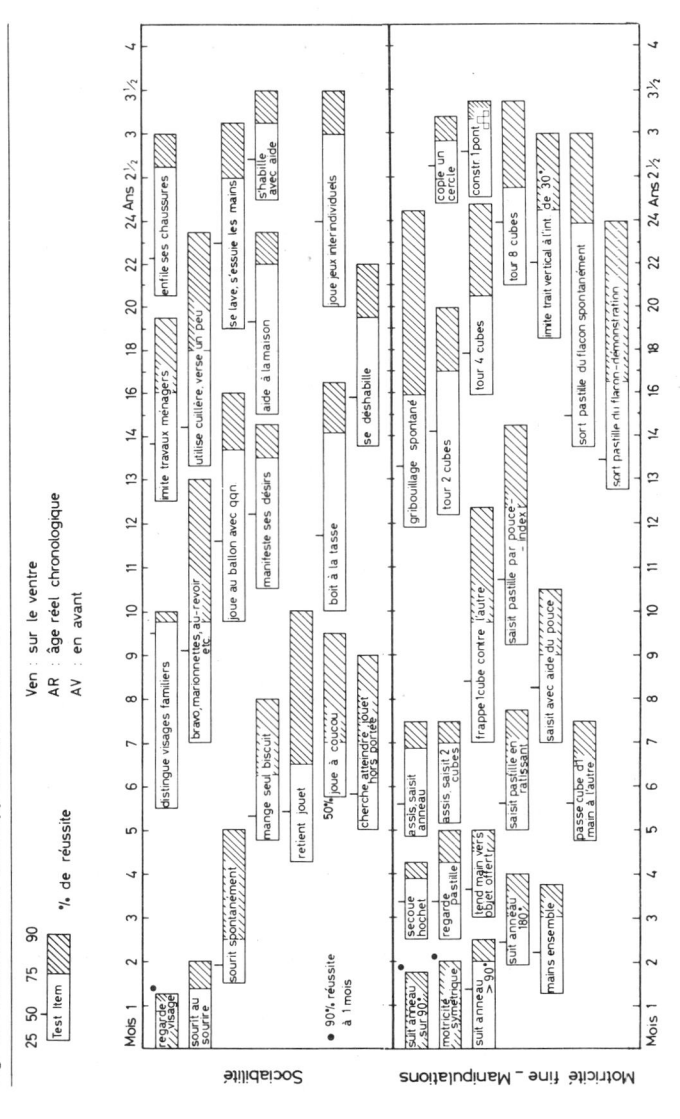

4. CROISSANCE ET DÉVELOPPEMENT

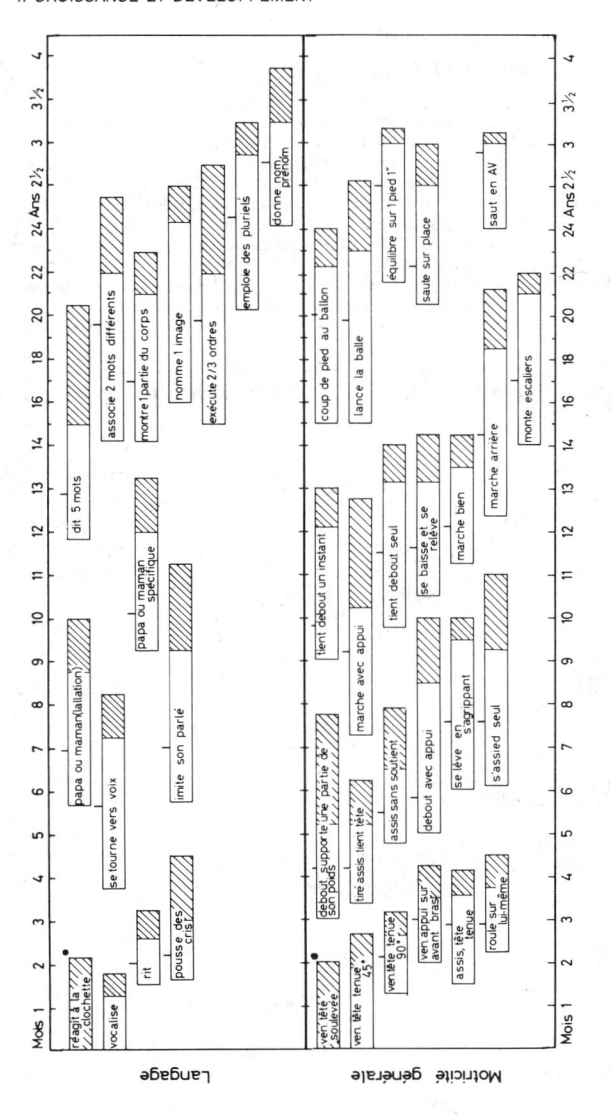

Denver Developmental Screening Test, d'après W.K. Frankenburg et F.B. Dubois, J. Pediat. 71 : 181, 1967.

Période scolaire (5 à 11 ans)

A 5 ans, l'enfant sait s'habiller, lacer ses souliers, il connaît son âge, sait compter jusqu'à 10. Il sait comment traverser la rue, et va à l'école. Il entre dans l'âge de raison ; son équilibre, son comportement et sa personnalité dépendent des conditions socio-familiales. Il s'enrichit dans tous les domaines, c'est une grande période « d'avidité ». C'est cette réceptivité extraordinaire qui est utilisée dans le cadre scolaire, mais l'école ne doit pas représenter un but, simplement un moyen de progresser. L'enfant y perfectionne son langage, ce qui favorise sa formation professionnelle future et son insertion sociale. A l'école, l'enfant tisse des relations sociales très structurées (avec ses pairs, avec les élèves plus âgés et plus jeunes, et surtout avec ses maîtres). L'organisation scolaire très stricte, l'aspect compétitif des performances scolaires pèsent lourdement sur

---

Tableau 3 : Résumé des repères des grandes acquisitions du développement psychomoteur

Sourire social	6-8 semaines ± 2 semaines
Poursuite oculaire	2 mois (2 à 4 mois)
Station ferme de la tête	3 mois (3 à 4 mois)
Préhension palmaire	6 mois (6 à 8 mois)
Station assise sans soutien	7 mois (7 à 9 mois)
Passe un objet d'une main à l'autre	8 mois
Marche	12 mois (12 à 14 mois)
Préhension digitale pouce-index	12 mois
Quelques mots adaptés	12 mois
Jeu animiste (à l'ours ou à la poupée, l'embrasse, le berce)	15 mois
Associe deux ou plusieurs mots	18 mois
Sait retourner un flacon pour extraire une pastille, montre et nomme une image	18 mois
Imite le trait vertical	24 mois
Ebauche le cercle	24 mois
Utilise le « je », le « moi »	30 mois
Fait une croix	3 ans
Décrit une gravure	3 ans
Langage constitué	3 ans
Monte un escalier en alternant le pied	3 ans
Dessine un carré	environ 4 ans
Dessine un losange	environ 6 ans

Selon Kreisler, d'après Gesell.

beaucoup d'enfants. L'enfant est ainsi soumis à des forces contraignantes et souvent contrariantes, ressentant d'une part ses propres besoins et ses tendances, et poussé d'autre part par des parents très attachés à la réussite scolaire ; parfois au contraire, il est laissé pour compte dans une scolarité obligatoire.

Les problèmes scolaires (désintérêt, instabilité, agitation, etc.) peuvent avoir des origines diverses, dont l'une est le conflit entre les besoins d'activité physique insatisfaits ou contrariés et le trop grand formalisme scolaire. D'autre part, la rêverie et l'inattention, comme le jeu, sont des « activités » nécessaires à tous les enfants, à un degré variable selon les individus, et il est aussi nocif qu'illusoire de vouloir trop les réprimer.

Enfin, en dehors de l'école, l'enfant doit pouvoir compter sur un cadre de vie organisé, avec un équilibre liberté-autorité. Un climat de relative sécurité tant sur le plan matériel qu'affectif lui est nécessaire, de même qu'une certaine cohérence dans la ligne éducative suivie à la maison par la famille d'une part, et à l'école par les pédagogues d'autre part.

Le tableau 3 résume quelques-unes des « normes » classiques du développement. Voir aussi le score de Denver, figure 11.

Quotients de développement et quotients d'intelligence (Q.D. et Q.I.)

Ces quotients sont utilisés par les psychologues pour caractériser le développement d'un enfant. Ils reposent sur la notion d'un âge de développement ou d'un âge mental (niveau de fonctionnement), que l'on estime en faisant des moyennes de niveaux exprimées en mois ou en années. Le quotient est l'âge de développement ou l'âge mental exprimé en pourcentage de l'âge réel, chronologique. Par exemple, un enfant ayant un âge mental de 6 ans et un âge chronologique de 8 ans a un quotient intellectuel de 6/8 soit 75%, en abrégé 75. La moyenne des Q.I., pour des enfants normalement doués, varie entre 90 et 110. La précision de ces chiffres est souvent trompeuse. En effet, le niveau de fonctionnement d'un enfant dépend d'abord de l'intégrité de ses moyens de communication (ouïe, vue), de sa locomotricité (spasmes, incoordination, paralysies, etc.) et de l'intensité et de la qualité des stimulations qu'il reçoit dans son existence quotidienne. Certains milieux sont très peu stimulants pour l'enfant. L'état émotionnel de l'enfant influence également le résultat des tests. Q.I. ou Q.D. ne sont donc pas synonymes d'intelligence, et des méthodes appropriées d'examens doivent être utilisées pour les enfants physiquement handicapés.

Troubles du développement

Les troubles du développement et l'arriération mentale sont décrits au chapitre 27, pp. 977 ss.

Chapitre 5

Pédiatrie néonatale
par P. Vert, P. Monin, M. André et F. Marchal

Le terme de *néonatologie* recouvre l'ensemble des connaissances nécessaires pour apporter au nouveau-né normal ou malade les soins qu'il requiert pendant la période délicate de l'adaptation à la vie extra-utérine. Le développement de cette partie de la pédiatrie, aux confins de l'obstétrique (médecine « périnatale »), a justifié la création d'unités ou de services spécialisés, dirigés par des « néonatologistes ». Cependant, la naissance est un fait tellement ubiquitaire que tout médecin doit être à même de connaître les notions essentielles de la néonatologie.

Les *objectifs de la néonatologie* sont :
● les soins aux nouveau-nés normaux ;
● la réduction de la morbidité, de la mortalité et des handicaps liés à la pathologie périnatale (nouveau-nés dits « à risque ») ;
● la réduction de la mortalité infantile par le dépistage précoce des anomalies congénitales.

A cette triple mission correspond une attitude beaucoup moins fataliste qu'autrefois vis-à-vis des troubles néonatals. Il faut savoir que la réduction de la mortalité périnatale s'accompagne d'une diminution de la fréquence des handicaps : soit environ 2 handicaps évités pour une mort économisée. Ajoutons que, selon les statistiques, 9 à 14 % de tous les nouveau-nés nécessitent des soins spécialisés.

Rappel de définitions

La naissance à terme a lieu le plus souvent après 41 semaines d'aménorrhée ou 9 mois après la date présumée de la conception. Pour les besoins de la statistique, on a pris l'habitude de considérer que la période du terme va de 37 à 41 semaines, ce qui est un non-sens physiologique. La mortalité des enfants nés 4 semaines avant terme est environ 10 fois supérieure à celle des enfants nés réellement à terme.
● *La période périnatale* définie par les statisticiens va de 28 semaines d'aménorrhée (196 jours ou 6 mois) à la fin des 7 premiers jours qui suivent la naissance (168 heures). Cette période se divise en une période anténatale et une période néonatale précoce.
● *La période néonatale tardive* va du 8e au 28e jour de vie. La mortalité calculée pour ces différentes périodes est rapportée à 1 000 naissances vivantes.

La mortalité périnatale en Europe et dans les pays d'Amérique du Nord varie entre 9 et 15 ‰. La mortalité néonatale précoce se situe entre 2 et 6 ‰.

Pays	Année	Mortalité périnatale (‰)	Mortalité néonatale précoce (‰)
Belgique	1979	14,7	4,0
Canada	1978	13,0	3,9
France	1980	12,9	5,8
Suède	1979	9,1	2,1
Suisse	1979	10,8	2,6

Les objectifs de la néonatologie ne s'accommodent pas toujours de ces définitions. En effet, à titre d'exemple, un prématuré né à 32 semaines d'aménorrhée (7 mois) est encore considéré comme un nouveau-né lorsqu'il est âgé d'un mois.

Bilan de santé à la naissance

Répondre à la question que toute mère se pose, « mon enfant est-il normal ? », justifie une observation attentive. Tout dépistage tardif d'une anomalie congénitale ou acquise à la période néonatale est un échec. Au fait qu'il y a beaucoup d'anomalies à dépister, il faut ajouter les avantages que confère la présence « normale » du nouveau-né en milieu hospitalier, les dispositions psychologiques des parents qui sont demandeurs, et les épreuves fonctionnelles naturelles que constituent pour l'enfant l'adaptation cardiorespiratoire, l'ajustement de la thermorégulation, la mise en jeu des fonctions nutritionnelles.

Les moyens de ce bilan de santé sont simples : analyse des antécédents, mensurations, observation du comportement, examen systématique à la naissance, au cours du 2e jour et avant la sortie de la maternité. La tenue d'une observation écrite pour le nouveau-né est une discipline qu'on doit s'imposer. Les examens complémentaires seront faits à la demande, selon les indices cliniques éventuels. Ces examens sont désormais tous possibles, tant il est vrai qu'un nouveau-né n'est plus trop petit pour aucun d'eux !

Nouveau-né normal à terme

A la naissance

Respiration

Lors d'un accouchement à terme par voie basse, l'enfant crie dès que le thorax est extrait. Les premiers mouvements respiratoires sont amples. L'enfant devient rose rapidement. Le liquide encombrant les voies aériennes supérieures est éliminé par le cri et la déglutition.

Clampage du cordon

De son délai dépend le volume de la transfusion placento-fœtale qui se fait par gravité, la veine ombilicale demeurant perméable, alors que les artères ombilicales se contractent aussitôt. La volémie du nouveau-né peut augmenter de 15 % (35 ml environ) au cours de la première minute, qui est le délai habituel de clampage.

Température

Le nouveau-né se refroidit rapidement (0,1° par minute), surtout par évaporation. La température de la salle d'accouchement doit être voisine de 25°. L'enfant est recueilli dans un lange chaud stérile et séché immédiatement. Après sa toilette, il est habillé chaudement, de façon à ce que sa température soit de 36°5 à 37°, dans une pièce à 22-23°. S'il n'a pas assez chaud, il est nécessaire, pendant quelques heures au moins, de le mettre dans une chambre chaude à 25-30°, voire dans une couveuse.

Score d'Apgar

A l'appréciation clinique subjective de l'état de l'enfant à la naissance, Virginia Apgar a proposé, dès 1952, de substituer un score chiffré, simple et clair. Universellement utilisé depuis, l'« Apgar » évalue à 60 secondes, puis 5 minutes de vie exactement, cinq critères « aisément appréciables sans interférer sur les soins éventuels à l'enfant ». Chaque critère est coté 0, 1 ou 2 (tableau 1).

V. Apgar considérait le rythme cardiaque comme le critère le plus utile. L'appréciation de l'état respiratoire ne doit tenir compte que de la respiration réellement constatée et non des éventuels « gasps » antérieurs. Les deux éléments suivants apprécient l'état neurologique : réponse à la stimulation, tonus musculaire. Il convient de ne donner 2 qu'aux états parfaits, de donner 0 aux anomalies majeures et 1 à tous les états intermédiaires. La coloration représente le critère le moins valable : la cyanose peut ne pas traduire un état vraiment pathologique.

Le score est rarement à 10. S'il est au moins égal à 7, l'adaptation initiale est bonne. Une désobstruction des voies aériennes supérieures (pharynx et fosses nasales), une aspiration du contenu gastrique sont seules justifiées. Ces gestes doivent être doux, ne pas irriter la paroi

Tableau 1 : Le score d'Apgar

Critères	0	1	2
● Bruits du cœur	Absents	≤ 100	Plus de 100
● Respiration	Absente	Lente Irrégulière	Bonne
● Tonus musculaire	Hypotonie massive	Légère flexion des extrémités	Attitude en flexion Mouvements actifs
● Réaction à la stimulation	Nulle	Cri faible	Cri vigoureux
● Coloration	Bleue ou pâle	Extrémités bleutées	Totalement rose

postérieure du pharynx afin d'éviter une bradycardie, voire un arrêt cardiaque. Ils permettent en outre de vérifier la perméabilité des choanes et de l'œsophage.

Un score inférieur à 7 traduit une adaptation imparfaite : l'enfant doit alors bénéficier d'une aide destinée à limiter les conséquences de l'asphyxie. C'est le rôle de la réanimation en salle de travail (voir plus loin, Souffrance fœtale, pp. 96 ss.).

Gestes à faire

● *L'identification* : Le nom et le sexe de l'enfant sont inscrits sur un bracelet en matière plastique, fixé au poignet de l'enfant.
● *La prévention de la gonococcie ophtalmique* : On instille juste après la naissance une goutte de collyre antibiotique ou au nitrate d'argent à 1 %.
● *La toilette* : Elle est destinée à débarrasser la peau de l'enfant du vernix caseosa, des caillots de sang et du méconium. On utilise du savon liquide et des compresses stériles. On peut baigner l'enfant.

Examen du nouveau-né

Il sera fait autant que possible en présence des parents, afin que ceux-ci connaissent les caractéristiques de leur enfant.

Anamnèse

L'anamnèse concernant la famille et la grossesse en principe est déjà connue du pédiatre qui assiste à l'accouchement. Elle complète et nuance les renseignements apportés par l'examen clinique.

Mensurations

Les mensurations varient selon les races et l'altitude. En Europe, le *poids* normal est de 3 400 ± 440 g (moyenne ± 1 écart type) chez le garçon, 3 280 ± 470 g chez la fille.
La *taille* est de 50,2 ± 2 cm chez le garçon, 49,4 ± 1,8 cm chez la fille. La distance vertex-coccyx, plus stable, est de 34 cm.
Le *périmètre crânien* : sa mesure, plus exacte au 2e-3e jour, lorsque l'œdème du cuir chevelu a disparu, est en moyenne de 35 cm, avec des variations de 33 à 37 cm. La tête est un peu plus grosse chez les garçons.

Examen physique

Il est préférable de ne pas le faire après la prise des mensurations, qui dérange et fait pleurer le nouveau-né. On observe d'abord le sommeil, les réponses aux stimulations sonores ; on examine ensuite les yeux, l'appareil cardio-vasculaire et respiratoire, l'abdomen.
● *La tête* : La forme du crâne dépend du mode d'accouchement. On y trouve les sutures séparant les os et les fontanelles à la jonction des sutures. La *bosse séro-sanguine* est représentée par la partie contusionnée et œdémateuse du cuir chevelu qui constituait la présentation. Elle se résorbe en quelques jours. Le *céphalhématome* correspond à un épanchement sanguin entre un os du crâne et son périoste, ne dépasse donc jamais le pourtour de l'os. Il se produit lentement à partir des capillaires, si bien qu'on ne le remarque qu'après le premier jour. Il se manifeste par une tuméfaction rénitente, souvent au niveau des pariétaux ou de l'occipital. Il guérit en 4 à 8 semaines. Au cours de la résorption, le

pourtour se calcifie, entraînant un « bourrelet ». Aucun traitement n'est nécessaire. Le *visage* peut paraître asymétrique, en particulier lorsque le maxillaire était comprimé contre l'épaule. Cette anomalie régresse progressivement. Des *hémorragies conjonctivales* sont banales. Un œil « qui coule » suggère une obstruction du canal lacrymal, qui se résoudra spontanément ; il importe seulement de traiter les éventuelles conjonctivites.
- *La respiration* est régulière et de type abdominal. Sa fréquence est de 30 à 40 par minute. La ventilation est symétrique dans les deux champs.
- *L'appareil cardio-circulatoire* : La fréquence cardiaque est en moyenne de 130 à 150 par minute, avec des variations de 90 à 180. Les deux bruits cardiaques sont de même intensité, on peut entendre un souffle systolique traduisant la persistance transitoire des shunts fœtaux. La palpation des pouls périphériques est importante. La tension artérielle varie autour de 60-70 mmHg les premiers jours.
- *L'abdomen* est proéminent. Le bord inférieur du foie déborde de 2 cm le rebord costal. On peut palper les reins et le pôle inférieur de la rate. Le cordon ombilical contient une veine et deux artères. La présence d'une seule artère (0,2 à 1 % des cas) peut être normale, mais aussi être associée à d'autres malformations, en général évidentes d'emblée.
- *Le périnée* : L'inspection attentive permet la détermination du sexe phénotypique. La perméabilité de l'anus aura été vérifiée dès la naissance. On vérifie la qualité du jet urinaire, surtout chez le garçon.
- *L'appareil locomoteur* : Son examen comporte notamment le dépistage de la dysplasie de hanches par les manœuvres d'Ortolani et de Barlow et l'abduction passive des cuisses.
- *La peau* : Beaucoup d'anomalies sont bénignes et transitoires : le *milium* constitué de minuscules « points blancs » de sébum au niveau du visage, l'*érythème* toxique ou allergique, éruption érythémato-papuleuse ou pustuleuse d'origine inconnue, la *desquamation*. La *tache mongoloïde*, pigmentée en bleu-gris, s'observe chez les enfants à peau foncée, au niveau de la région lombo-sacrée, mais peut s'étendre au-delà. La *cytostéatonécrose* est représentée par des nodules sous-cutanés, secondaires à un traumatisme local (dos, lombes, région sous-maxillaire). Ils se développent en général après la première semaine. La peau susjacente a souvent un aspect inflammatoire. La lésion disparaît spontanément en quelques semaines.

Examen neurologique

L'examen neurologique est effectué si possible sur un enfant calme, à mi-distance entre deux repas. On observe l'attitude spontanée en flexion des quatre membres, la motricité spontanée. Le tonus passif est évalué par la mesure de l'extensibilité musculo-tendineuse : angle poplité normalement à 90°, signe du foulard, retour en flexion des avant-bras. Le tonus actif est sollicité par les manœuvres de redressement des membres inférieurs, du tronc et du cou. Les *réflexes primaires ou « archaïques »* sont caractéristiques des premières semaines de vie. Leur présence ne permet toutefois pas une certitude quant à l'intégrité du cortex cérébral. Parmi les principaux réflexes, on observe la succion et la déglutition, le grasping des doigts, le réflexe d'embrassement de Moro, l'allongement croisé des membres inférieurs, la marche automatique.

On observe la sensibilité à la lumière. La qualité de l'audition est appréciée par les réactions à la voix, et mieux, à un bruit blanc calibré.

Séjour en maternité

L'idéal est que la mère et son enfant soient dans la même chambre. Cela permet à la mère de participer à la surveillance, de prendre soin elle-même de son bébé, et réduit les risques de contamination microbienne. L'allaitement peut être mis en route plus aisément. Les visites sont libres, ce qui permet aux frères et sœurs aînés de mieux accepter le bébé.

Soins quotidiens

● *Le cordon* : L'ombilic est nettoyé à l'alcool à 95° trois fois par jour, ce qui l'assèche et le stérilise. La pince ombilicale peut être retirée après 24 heures. Le cordon tombe entre 5 et 10 jours, la plaie ombilicale n'est cicatrisée qu'après 2 à 4 semaines.
● *La température* (axillaire ou rectale) : Prise deux fois par jour, elle doit demeurer entre 36°5 et 37°.
● *Le poids* : Chute de 3 à 5 % les premiers jours (maximum toléré 10 %). Le poids de naissance est repris en 6 à 10 jours.
● *Les selles* : Les premières, représentées par le méconium noirâtre et collant, sont émises avant 24 heures, A 2-3 jours, elles font place à des selles verdâtres. Les selles normales apparaissent à 4-5 jours. Le nombre et la fréquence des selles sont très variables, surtout pour un enfant nourri au sein.
● *Les urines* : La première miction a lieu à la naissance ou avant 24 heures. Une coloration rose ou rouge au cours des premiers jours est banale, due à la présence d'urates.
● *Les cris* : La mère apprendra progressivement à distinguer ceux dus à la faim, à la douleur, à l'ennui...
● *Les changes* : Les couches souillées doivent être changées dès que possible. Le siège est lavé à l'eau et au savon, puis soigneusement séché. La peau peut être protégée par une fine couche de vaseline ou de crème.

Alimentation

Allaitement au sein

C'est le mode d'allaitement physiologique. Sa réussite dépend en partie du désir d'allaiter de la mère, qui a été préparée pendant la grossesse. Un des grands avantages du lait maternel et surtout du colostrum des premiers jours est d'empêcher l'infection : présence d'immunoglobulines (IgAs), de leucocytes, d'enzymes et autres facteurs de protection. Il protège des manifestations allergiques. Sa composition en nutriments, sels minéraux, vitamines, est particulièrement adaptée aux besoins du nouveau-né.
● *Réalisation pratique* : Il est important que la mère soit dans de bonnes conditions matérielles et psychologiques : esprit au repos, rassurée quant à ses capacités d'allaiter, ayant suffisamment de sommeil, chambre calme, alimentation variée, normale, sans alcool.

La première mise au sein a lieu dès la naissance. C'est le meilleur stimulus de la sécrétion et de l'écoulement du lait. La seconde a lieu trois heures plus tard environ. Le sein sera ensuite donné quand l'enfant a faim. Au 3e ou au 4e jour, il adoptera de lui-même un rythme régulier toutes les trois à quatre heures. A cet âge, il est normal qu'il ait faim la nuit.

La mère nourrit son bébé dans la position qui lui paraît la plus confortable. Les mamelons sont nettoyés à l'eau et au savon une fois par jour, à l'eau seule avant la tétée. Après, il faut très soigneusement les sécher. La durée des tétées varie de 5 à 15 minutes par sein.

Le volume de colostrum absorbé les deux premiers jours est de l'ordre de 50 ml. A une semaine, l'enfant boit environ 150 ml/kg et par jour.

● *Les difficultés* : Les *crevasses* sont à l'origine de douleurs vives. Elles peuvent être prévenues : mamelon gardé bien au sec, massé avec de la lanoline ; interrompre la succion dès que la tétée est finie ; bonne position de l'enfant, qui doit prendre en bouche toute l'aérole.

Lorsqu'il y a *engorgement mammaire*, le sein devient tendu et sensible, la peau susjacente est œdématiée. Les mamelons sont enfouis dans les tissus gonflés, ce qui rend la tétée impossible. Une douche chaude avant la tétée, l'expression manuelle du lait et, le cas échéant, l'ocytocine par voie linguale et la tireuse mécanique ou électrique soulagent la tension et permettent la tétée.

La *sous-alimentation* est révélée par une prise de poids insuffisante. Les facteurs responsables peuvent être l'engorgement des seins, une production insuffisante de lait, la mauvaise succion d'un enfant endormi. La quantité ingérée à chaque tétée est déterminée avec précision en pesant le bébé tout habillé avant et après la tétée. En cas d'engorgement, l'enfant peut recevoir le lait de sa mère tiré. En cas de production insuffisante, il faut compléter avec un autre lait.

Alimentation au biberon (cf. chap. 9, pp. 204 ss.)

Le lait utilisé est du lait de vache modifié, dont la composition se rapproche le plus possible du lait maternel : aliments lactés diététiques maternisés, aliments lactés diététiques pour nourrissons de moins de 4 mois.

Dans ce cas aussi, il est préférable de nourrir l'enfant à la demande. Dès le 3e ou le 4e jour, il boira au rythme d'un biberon toutes les trois à quatre heures. Les besoins varient de 60 ml/kg les premiers jours à 150 ml/kg/jour à une semaine. Le lait préparé stérilement est donné à la température du corps. Les trous de la tétine doivent permettre au lait de couler goutte à goutte quand le biberon est inversé.

Sortie de la maternité

Un *examen clinique* complet vérifie la bonne santé de l'enfant. Les mensurations sont prises à nouveau.

A cet âge sont souvent observés les éléments de la « crise génitale du nouveau-né » : chez la fillette, des métrorragies ; dans les deux sexes, une hypertrophie mammaire (« mammite »), souvent asymétrique, avec ou sans écoulement de colostrum. Cette mammite peut persister plusieurs semaines ou mois.

Des éléments d'éveil apparaissent souvent, en particulier l'orientation vers la lumière.

Dans certains pays, la vaccination par le BCG est pratiquée à ce moment-là.

Dépistage systématique

Le dépistage systématique de certaines affections métaboliques ou endocriniennes complète cet examen. Le test de Guthrie dépiste la phénylcétonurie. Pour que le test soit valable, il faut que l'apport protidique alimentaire soit suffisant. D'autres anomalies congénitales du métabolisme (galactosémie, leucinose, etc.) et surtout l'hypothyroïdie congénitale (TSH, T4) sont incluses dans ce dépistage systématique (v. chapitres 21 et 22).

Conseils à la sortie

La mère doit être familiarisée avec les soins et la préparation des repas. Si l'enfant est nourri avec un lait artificiel, toutes les indications concernant les biberons doivent être données par écrit : marque du lait, nombre de repas, quantité à chaque repas, volume d'eau, nombre de mesurettes de poudre. La mère doit être informée de l'importance d'une surveillance médicale régulière de son bébé, des vaccinations, de la prophylaxie du rachitisme par la vitamine D, de l'éventuelle supplémentation ultérieure en fer, fluor et vitamines. Il faut aussi qu'elle puisse poser à une personne compétente toutes les questions que soulève pour elle son bébé.

Souffrance fœtale et nouveau-né à risque

Circonstances obstétricales

Souffrance fœtale chronique

D'étiologie variable, en général maternelle (hypertension artérielle, néphropathie) ou placentaire, elle peut s'installer à une date variable de la grossesse, manifestée souvent par un retard de croissance intra-utérin décelable à l'examen clinique, mieux précisé par l'échographie (diamètre bipariétal). Les autres manifestations : insuffisance de production hormonale (hCG, hCS, HPL, œstriol, etc.), anomalie du rythme cardiaque fœtal, anomalie du liquide amniotique, sont alors recherchées et surveillées. Dans certains cas, il est justifié de décider un accouchement prématuré qui permet au fœtus d'échapper à un environnement défavorable, alors qu'il a atteint l'âge de la viabilité.

Souffrance fœtale aiguë

Elle peut aggraver une souffrance chronique préexistante ; elle est le plus souvent isolée, au terme d'une grossesse normale. Sa fréquence a considérablement diminué en raison des progrès dans la surveillance du fœtus au cours du travail (monitorage du rythme cardiaque fœtal) et dans la conduite de l'accouchement.

Elle se manifeste par une altération du rythme cardiaque fœtal décelable à l'auscultation ou, mieux, au monitorage : tachycardie, bradycardie inférieure à 100 par minute, surtout si la décélération persiste après la contraction (décélérations tardives), perte des oscillations du tracé de fréquence cardiaque instantanée (« tracé plat »), émission de meconium dans le liquide amniotique. L'examen du sang fœtal au niveau du cuir chevelu précise le degré d'acidose. Des recherches ont montré que l'électro-encéphalogramme fœtal est perturbé.

L'origine peut être une hypoxémie par anomalie placentaire (décollement prématuré du placenta, placenta praevia) ou funiculaire (circulaire ou écharpe du cordon). Les conséquences des dystocies (dyscinésie cervicale, disproportion fœto-pelvienne, présentation du siège) sont prévenues par une césarienne précoce. Certaines manœuvres instrumentales mal réalisées sont traumatisantes (forceps, extracteur pneumatique, tout particulièrement chez le prématuré).

Etat à la naissance

Score d'Apgar

Une valeur inférieure à 3 correspond aux descriptions classiques de mort apparente. On a souvent démontré une corrélation entre ce score à 1, puis à 5 minutes, et le pronostic vital et neurologique. Mais cette valeur prédictive est surtout une notion statistique. Le score d'Apgar n'a qu'une valeur pronostique individuelle limitée. Un score très bas peut être lié à une souffrance courte ou à une anesthésie, suivies d'une récupération rapide si la réanimation initiale est bien conduite. A l'inverse, un score normal n'exclut pas une souffrance cérébrale qui ne se manifestera que plus tard.

Autres signes d'asphyxie périnatale

Plusieurs perturbations biochimiques reflètent a posteriori la souffrance fœtale.

Acidose métabolique

C'est surtout après souffrance fœtale aiguë à terme que l'acidose métabolique est la plus importante. Le pH est très inférieur à 7,20. Cette acidose est en relation avec le score D'Apgar bas. Elle est due à l'augmentation des acides lactique et pyruvique libérés par la glycolyse anaérobie secondaire à l'hypoxémie tissulaire. Le niveau critique de l'acide lactique est de 39 mmol/l (350 mg/l). L'importance et la durée de cette hyperlactacidémie a une signification pronostique.

Autres modifications

On observe une augmentation de l'activité lactate-déshydrogénase, transaminase glutamo-oxaloacétique, créatine-phosphokinase (notamment iso-enzyme BB d'origine cérébrale) dans le sérum. L'augmentation est retrouvée dans le liquide céphalo-rachidien et pourrait avoir une valeur pronostique.

On a décrit aussi une augmentation des acides gras et du glycérol libres, des triglycérides, et une élévation de l'hypoxanthine.

Réanimation en salle de travail

Elle est destinée à limiter les effets à court et à long terme de l'asphyxie fœtale. Si certaines difficultés à la naissance sont prévisibles, la « souffrance inattendue » demeure une éventualité non exceptionnelle. Le matériel de réanimation doit être prêt en permanence, vérifié avant chaque naissance par un responsable. Une personne expérimentée en matière de réanimation du nouveau-né doit être toujours disponible. Pour les situations graves, c'est en fait une équipe qui doit être réunie rapidement. Il faut respecter une stricte asepsie, et prévenir l'hypothermie (séchage, lampe chauffante).

Techniques

Aspiration

Désobstruer successivement le pharynx, les fosses nasales et, en cas d'inhalation de liquide amniotique, la trachée. L'aspiration de l'estomac évite l'inhalation secondaire du liquide gastrique.

Ventilation

Elle est réalisée avec un appareil manuel relié à un masque facial ou à un tube trachéal, à une fréquence de 15-30/min., avec un débit de gaz de 3 à 8 l/min. Si la ventilation avec l'air ne permet pas de faire rosir l'enfant, on utilise un mélange avec une concentration croissante d'oxygène. Les risques de rétinopathie doivent rendre l'utilisation de l'oxygène particulièrement prudente chez le prématuré. La pression d'insufflation ne dépasse pas 30 cm H_2O, en raison du risque d'emphysème interstitiel. Destinée à pallier la ventilation défaillante de l'enfant, elle est souvent suffisante pour induire les « gasps » (inspirations brusques, bouche ouverte) suivis bientôt de mouvements respiratoires normaux.

Massage cardiaque externe

Il n'est concevable qu'associé à une ventilation efficace. Il est exécuté à un rythme de 100-120/min., chaque fois que l'hémodynamique est insuffisante (bradycardie ou arrêt cardiaque). Il est interrompu pendant l'insufflation des poumons pour éviter la survenue d'un pneumothorax.

Traitement de l'acidose

Il permet d'en éviter les conséquences : diminution du transport de l'oxygène par l'hémoglobine, augmentation des résistances pulmonaires,

diminution de l'efficacité du myocarde, destruction du surfactant, hypoglycémie.
- La composante ventilatoire est corrigée par une ventilation efficace.
- La composante métabolique peut être corrigée par le bicarbonate de sodium. L'injection de bicarbonate peut élever la PCO_2 et augmenter l'acidose si l'enfant n'est pas bien ventilé. Elle peut augmenter la natrémie et l'osmolarité, ce qui majore le risque d'hémorragie cérébrale, surtout chez le grand prématuré.
- Lorsque le pH demeure acide (< 7,25), malgré une PCO_2 basse, on injecte 1 à 2 mmol/kg de bicarbonate de sodium en solution semi-molaire (4,2 % ; 1 ml = 0,5 mmol) à raison de 0,5 mmol/min., après cathétérisme de la veine ombilicale ou dans une veine périphérique. Si l'on utilise du THAM à 7 % (= 0,3 M), il faut le diluer dans un soluté glucosé à 10 %. Un ml de THAM à 7 % équivaut à 0,5 mmol de bicarbonate de sodium.

Médicaments

Le seul justifié est la naloxone (Narcan®) à raison de 0,01 mg/kg (1 ml) en injection i.v. ou i.m. si la mère a reçu peu avant la naissance un opiacé ou de la péthidine. Ne jamais donner de la naloxone à un enfant apnéique : ventiler d'abord, si nécessaire.

Situations rencontrées

- *Le score d'Apgar est égal ou supérieur à 7.* Une aspiration des voies supérieures et de l'estomac est seule nécessaire.
- *Le score d'Apgar est inférieur à 7.* La désobstruction naso-pharyngée et une brève ventilation au masque avec un mélange enrichi en oxygène suffisent en général pour induire une bonne respiration et un rythme cardiaque normal. Sinon, l'intubation trachéale est indispensable. L'aspiration trachéale doit précéder toute insufflation. La ventilation doit être poursuivie jusqu'à ce que l'enfant ait une respiration autonome efficace.

Dans les cas les plus graves, il faut en outre pratiquer un massage cardiaque externe et une injection de bicarbonate de soude.

Cas particuliers

- Dans *deux urgences chirurgicales, atrésie de l'œsophage et hernie diaphragmatique,* la ventilation doit être réalisée sur tube trachéal d'emblée et associée à une aspiration digestive continue.
- *Chez les enfants de 1 000 g et moins,* les chances de survie sans séquelles ne sont pas négligeables, à condition que les soins intensifs (intubation, ventilation) soient réalisés d'emblée si les efforts respiratoires sont inefficaces.

Issue de la réanimation

Si les résultats immédiats sont bons, l'enfant doit bénéficier pendant plusieurs heures au moins d'une surveillance intensive, en particulier neurologique. Si les résultats sont insuffisants, la poursuite des soins sera réalisée en unité de réanimation.

Traumatismes obstétricaux

Les manœuvres obstétricales sont de plus en plus rarement responsables de traumatismes importants. Les lésions secondaires sont parfois graves par elles-mêmes, leurs conséquences sont d'autant plus sévères qu'elles sont très souvent associées, en fait, à des lésions post-asphyxiques. La prévention de celles-ci doit être prioritaire.

Traumatismes céphaliques

Ils sont observés, soit au cours d'accouchements spontanés, soit après manœuvre instrumentale (forceps, vacuum extractor). Les lésions sont le plus souvent dues à des phénomènes de compression ou de distension, entraînant aussi des altérations de la circulation cérébrale. Les *céphalhématomes* sont parfois associés à des fractures. Leur surinfection est exceptionnelle. Les fractures les plus fréquentes sont les *embarrures en « balle de ping-pong »*, de bon pronostic, spontané ou après traitement. La *paralysie faciale* par compression du nerf lors de l'application de forceps régresse souvent spontanément. Les *lésions intracrâniennes* doivent être reconnues, car elles sont éventuellement accessibles à un traitement neurochirurgical (hémorragies sous-durales sustentorielles, hématomes de la fosse postérieure, hématome extra-dural exceptionnellement).

Traumatismes rachidiens

Au cours de tout accouchement, particulièrement s'il est en présentation du siège, la région cervicale subit des tractions importantes.

Lésions des nerfs rachidiens

Quelle qu'en soit l'origine (dystocie des épaules, accouchement par le siège), c'est la tension imprimée au plexus brachial lors de l'abaissement relatif du moignon de l'épaule par rapport à la colonne vertébrale qui détermine les lésions des racines du plexus brachial. Elles entraînent une paralysie flasque, de type périphérique, variable selon le niveau de l'atteinte. Celle-ci peut être haute (C5-C6) : le déficit est alors limité à la racine du membre, le phrénique peut être concerné ; basse isolée, dans des cas exceptionnels ; ou globale, avec membre en abduction, rotation interne, coude en extension souvent incomplète, main en pronation, inclinaison cubitale. Quelques mouvements persistent au niveau des doigts. La radiographie pulmonaire précise s'il existe une paralysie diaphragmatique. La guérison spontanée est fréquente (50 à 90 % des cas) en cas d'atteinte haute, plus rare en cas d'atteinte globale. Les attitudes vicieuses sont prévenues par la kinésithérapie. L'abord chirurgical direct du plexus pour réparation peut être envisagé vers le 3e mois si aucun signe de ré-innervation n'est apparu.

Traumatismes médullaires

A la naissance existe presque toujours une phase de choc avec retard à l'établissement de la respiration. Les manifestations motrices varient selon le niveau des lésions. Au-dessus de C3-C4, elles sont rapidement fatales. Les troubles sphinctériens sont constants. Après plusieurs semaines, les lésions sont stabilisées, le bilan du déficit est possible : syndrome lésionnel moteur et sensitif, syndrome sous-lésionnel rapidement spasmodique. L'essentiel du traitement est symptomatique.

Autres lésions

● Il s'agit surtout de *fractures des os longs* de diagnostic et de traitement simples. L'évolution est en règle favorable. La fracture de la clavicule guérit spontanément. Les fractures des autres os (fémurs, humérus) justifient une immobilisation.

● Le *décollement épiphysaire* d'une extrémité d'un os long entraîne une douleur, une impotence fonctionnelle et des anomalies radiologiques trop souvent méconnues. Il faut y penser précocement après tout accouchement « à risque » en raison d'une traction sur un membre. Le diagnostic peut être affirmé par l'arthrographie. Les manifestations articulaires (aspect inflammatoire, impotence) sont retardées, pouvant faire craindre une ostéo-arthrite. Le traitement est le plus souvent orthopédique. Le risque d'anomalies de la croissance osseuse est d'autant plus grand que le diagnostic aura été plus tardif.

● L'« *hématome* » *du sterno-cléido-mastoïdien* n'apparaît que dans les semaines qui suivent la naissance. Ce nodule faisant corps avec le muscle correspond à la rétraction de faisceaux musculaires déchirés à la naissance, à la faveur souvent d'une malposition intra-utérine. La kinésithérapie s'attachera à prévenir la survenue d'un torticolis.

Prématurité et hypotrophie

Pendant longtemps, on a confondu les enfants de poids de naissance inférieur à 2 500 g, qu'ils soient prématurés ou hypotrophiques, voire les deux à la fois. Bien qu'il soit important de différencier ces populations, certaines caractéristiques invitent à considérer dans une même rubrique leurs particularités physiologiques.

Définitions et généralités

Prématurité

Il s'agit d'enfants nés avant 37 semaines révolues d'aménorrhée (8 mois ou 259 jours). Le diagnostic de prématurité fait bénéficier le nouveau-né d'un régime de surveillance et de soins assez différent de

5. PÉDIATRIE NÉONATALE

Fig. 1 : Poids, taille et périmètre crânien en fonction de l'âge gestationnel
Courbes lissées des moyennes ± 2 déviations standards, pour les deux sexes combinés.

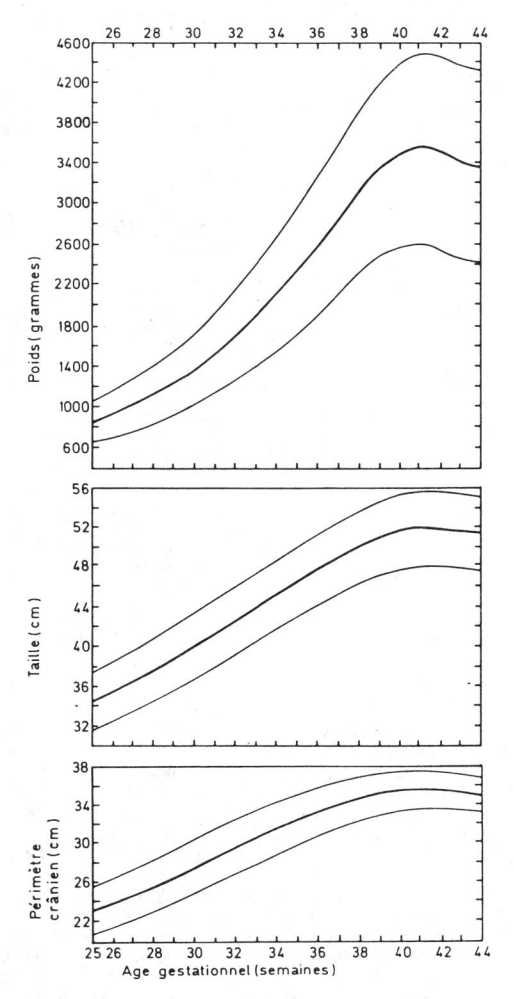

D'après Usher, R.H. et Mc Lean, F.H. (J. Pediat., 74 : 901-910, 1969).

Tableau 2 : Evaluation de la maturité néonatale selon J. L. Ballard *

Maturité physique

Points	0	1	2	3	4	5
Peau	Gélatineuse, rouge, transparente	Lisse, rose. Veines visibles	Desq. superf. et/ou exanth. Peu de veines	Zones pâles et fissurées. Veines rares	Parcheminée avec fissures. Vaisseaux invis.	Plissée, avec fissures profondes
Lanugo	Aucun	Abondant	S'éclaircissant	Régions glabres	Glabre	
Plante des pieds	Pas de plis	Plis à peine visibles. Marques rouges	Pli transverse antérieur seulement	Plis dans 2/3 antérieurs de la plante	Toute la plante est plissée	
Seins	A peine perceptibles	Plats. Aréoles. Pas de boutons	Aréole plissée. Bouton de 1-2 mm Ø	Aréole surélevée. Bouton de 3-4 mm Ø	A. complèt. développée. Bouton de 5-10 mm Ø	
Oreilles externes	Rebord plat, plié	Rebord s'arrondit. Reste mou, peu élast.	Rebord arrondi, mou mais élastique	Rebord bien formé, bonne élasticité	R. épais, oreille ferme (cartil. prés.)	
Organes génitaux ♂	Scrotum vide. Pas de stries		Test. ± descendus. Qqs stries	Testicules descendus. Multiples stries	Testicules en place. Stries profondes	
Organes génitaux ♀	Clitoris et petites lèvres proéminents		Petites et grandes lèvres également saillantes	Grandes lèvres plus grandes que les petites	Couverture complète du clitoris et ptes lèvres par grandes	

celui de l'enfant à terme. Il faut cependant rappeler que les enfants nés entre 8 et 9 mois sont souvent fragiles.

La limite de la viabilité nécessite une évaluation propre à chaque équipe. Les chances de succès de la réanimation et les risques de séquelles sont d'une gravité telle qu'on ne descend pas en dessous de 700 g ou 800 g de poids de naissance et 26 semaines de gestation. Le taux de prématurité est actuellement de l'ordre de 6 % des naissances. Dans des conditions privilégiées avec une prévention active, il peut être ramené à 3 %. Les causes les plus fréquentes de naissance avant terme sont l'infection, les béances cervico-isthmiques (interruptions de grossesses antérieures) et les grossesses gémellaires. Les progrès de la néonatologie incitent les obstétriciens à provoquer de plus en plus de naissances prématurées lorsque l'échographie montre un arrêt de la croissance fœtale, comme, par exemple, en cas de néphropathie gravidique.

Maturité neuromusculaire

Points	0	1	2	3	4	5
Position						
Fenêtre carrée (poignet)	90°	60°	45°	30°	0°	
Ressort du bras	180°		100°-180°	90°-100°	< 90°	
Angle poplité	180°	160°	130°	110°	90°	< 90°
Signe de l'écharpe						
Talon à l'oreille						

Score de maturité (additionner points p. 102 et p. 103)

Score	5	10	15	20	25	30	35	40	45	50
Semaines	26	28	30	32	34	36	38	40	42	44

* J. L. Ballard et coll., *J. Pediat.* 95, p. 769, 1979.

Hypotrophie

Liée à un retard de croissance intra-utérin, encore appelée dysmaturité, elle concerne des enfants trop petits pour leur âge gestationnel. Cette définition suppose qu'on connaisse cet âge, soit par l'anamnèse, soit par l'évaluation de critères de maturité neurologique et physique relativement indépendants de la croissance (cf. tableau 2, score d'évaluation selon Ballard). La maturité peut également être évaluée par le type du tracé électro-encéphalographique et la recherche des points d'ossification. L'âge gestationnel connu, les principales mensurations de l'enfant (poids, taille, périmètre crânien) sont comparées avec des courbes de croissance intra-utérine (fig. 1). *On diagnostique une hypotrophie chez les enfants dont les mensurations sont inférieures à − 2 déviations standard ou au 10ᵉ percentile par rapport à la moyenne.* Il convient cependant d'apporter une certaine pondération lorsque les parents sont de très petite taille.

On distingue les hypotrophies harmonieuses, avec atteinte de tous les paramètres, des hypotrophies pondérales isolées, l'enfant ayant une taille et un périmètre crânien normaux. Il existe aussi des cas où seul le périmètre crânien demeure préservé.

La fréquence de l'hypotrophie varie de 3 à 5 % des naissances. Les enfants sont souvent d'apparence longiligne et maigre, avec des membres grêles, une peau fine et sèche, desquamante, ayant parfois un reflet verdâtre témoignant de la souffrance fœtale chronique (méconium).

Postmaturité

Il s'agit d'un dépassement de terme supérieur à 42 semaines de gestation. L'enfant naît amaigri, déshydraté, polyglobulique, avec souvent des signes de souffrance fœtale chronique pour laquelle les obstétriciens décident de déclencher l'accouchement. L'échographie constitue une aide précieuse pour vérifier qu'il n'y a pas d'erreur d'évaluation de la durée de la grossesse.

Particularités physiologiques

Thermorégulation

Elle est inadéquate par absence de pannicule adipeux, en particulier de graisse brune, et du fait d'un rapport surface corporelle/poids supérieur à celui de l'enfant à terme.

L'incubateur permet une économie d'environ 50 calories/kg/jour, ce qui favorise la croissance et l'économie d'oxygène. L'enfant y est maintenu à une température centrale de 36°5. Plus élevée, celle-ci favorise l'apparition d'apnées. L'incubateur est aussi un lieu d'observation, de protection contre l'infection et d'exposition à la photothérapie. L'incubateur fermé traditionnel reste l'instrument idéal pour les soins au prématuré. Pour les enfants pesant moins de 1 500 g, l'homéothermie est plus stable lorsqu'il y a double paroi. Les incubateurs ouverts augmentent les déperditions hydriques et caloriques ; ces dernières sont importantes au niveau des parties du corps non exposées aux radiations chauffantes. Tout prématuré doit pouvoir assurer son adaptation néonatale en incubateur. Les enfants sont sortis d'incubateur lorsque l'adaptation respiratoire est satisfaisante et, pour les plus petits, lorsque leur poids atteint environ 2 kg.

Respiration

A l'immaturité chimique du poumon (surfactant) et neurologique touchant la commande respiratoire (voir plus loin : Détresses respiratoires) s'ajoutent l'étroitesse des voies aériennes et la mollesse de la cage thoracique, qui se déforme à l'inspiration. Ces facteurs augmentent le travail respiratoire. La correction spontanée de l'acidose hypercapnique et de l'hypoxémie qui accompagnent toute naissance est rendue aléatoire. Le pH et la PCO_2 du prématuré doivent être systématiquement surveillés.

Digestion et nutrition

L'alimentation entérale est introduite prudemment lorsque l'état respiratoire le permet. Le gavage gastrique 6 à 8 fois par jour évite le travail de la tétée et les risques de fausse-route. L'apprentissage de la déglutition est entrepris quand l'enfant pèse entre 1 800 et 2 000 g. La technique de gavage continu, également préconisée, expose aux risques de régurgitation, d'apnées obstructives et de contamination du lait.

La digestion enzymatique est précocement mature ; le lait colostral, même en faible quantité, a un effet bénéfique sur le développement des villosités intestinales. Les graisses du lait maternel sont mieux absorbées que celles des laits artificiels (stéatorrhée du prématuré). Parmi ces derniers, les laits pour prématurés ou, à défaut, les laits humanisés sont recommandés. Les autres sont trop riches en protéines et peuvent être source d'hyperphénylalaninémies.

Les risques d'hypoglycémie liés à l'état de jeûne chez le prématuré et l'hypotrophique sont tels qu'on entreprend toujours une alimentation parentérale dès la première heure. La perfusion sera de 60 ml/kg le 1er jour, 100 ml/kg le 3e jour et 140 à 150 ml/kg à partir du 5e jour. Les perfusions trop abondantes (180 ml/kg et plus) favorisent l'ouverture du canal artériel avec shunt gauche-droit chez les prématurés de moins de 32 semaines.

La perfusion apportera 50 cal/kg au minimum les premiers jours et dès que possible 100 cal/kg. Il faut dès le premier jour une ration quotidienne de 2 à 2,5 g de protéines par kg sous forme de plasma ou d'acides aminés. L'apport lipidique est possible à raison de 1 à 2 g/kg/j. Le complément du volume à perfuser est constitué de sérum glucosé entre 5 et 10 % selon la tolérance. Un apport polyvitaminique est nécessaire (vitamines A, D, E, C...).

Organisation des unités néonatales

Les enfants à risque doivent naître là où leur prise en charge est possible. L'utérus maternel est toujours mieux qu'une ambulance. On prévoit à l'avance les conditions des éventuels transferts médicalisés, qui comportent de plus en plus souvent des moyens de réanimation mobiles. Il est souhaitable que les services pour nouveau-nés soient situés à proximité des salles d'accouchement. Des dispositions sont prises pour assurer l'asepsie, la surveillance intensive continue par un personnel de qualification identique jour et nuit et un monitorage cardio-respiratoire. L'accès à des moyens de laboratoire et de radiologie (unité mobile) doit être possible en permanence. Le sauvetage des prématurés en détresse suppose de plus en plus le recours à des techniques de ventilation assistée, d'échographie cérébrale et d'échocardiographie.

Les parents sont encouragés à venir librement au chevet de leur enfant. Cela permet une relation avec l'équipe soignante et une prise en charge affective dédramatisante de l'enfant.

Le retour à domicile est autorisé quand l'enfant pèse entre 2 300 et 2 500 g et que son comportement alimentaire est satisfaisant.

Gémellité

Epidémiologie

Les jumeaux sont souvent des nouveau-nés à risque, ainsi qu'en témoigne une mortalité périnatale 6 fois supérieure à celle des enfants nés seuls (72 ‰).

La grossesse gémellaire survient en Europe et en Amérique du Nord dans environ 1,2 % des cas, soit pour un nouveau-né sur 42. Les conceptions gémellaires sont plus fréquentes, mais il y a des morts embryonnaires ou fœtales soit des deux jumeaux (un avortement gémellaire sur 35 conceptions), soit d'un seul, laissant alors un rescapé.

Lorsque les deux enfants ont le même patrimoine génétique, on dit qu'ils sont monozygotes. Ce type de gémellité est d'une fréquence uniforme de 3 à 4 ‰ des naissances quels que soient les pays. Par contre, les enfants issus d'une fécondation pluri-ovulaire, ou dizygotes, ont un génotype différent. La fréquence de cette forme de gémellité varie avec les pays : inférieure à 0,5 % au Japon, elle atteint plus de 4 % au Nigéria. Les grossesses pluri-ovulaires, gémellaires ou multi-gémellaires, sont plus fréquentes depuis le traitement hormonal des stérilités.

A la naissance, on est certain qu'il s'agit de jumeaux dizygotes lorsque leur sexe est différent (35 % des cas). L'existence d'un placenta monochorial atteste du monozygotisme. Dans les autres cas, seule l'étude des différents phénotypes érythrocytaires et des groupes HLA donne un diagnostic certain.

Risques de la gémellité

L'accouchement survient prématurément dans 30 à 40 % des cas. L'hypotrophie qui se manifeste au-delà de la 28ᵉ semaine atteint 15 à 50 % des enfants. La néphropathie gravidique est plus fréquente que dans les grossesses simples. L'accord est unanime pour terminer par une césarienne les grossesses multigémellaires (3 enfants et plus). Pour les jumeaux, l'indication dépend de la parité et de la présentation. La surmortalité est liée surtout à la prématurité et dans une faible proportion aux risques d'asphyxie du deuxième jumeau : présentation du siège dans 37 % des cas, accouchement plus long. Le deuxième jumeau est plus souvent ictérique et polyglobulique.

Des anastomoses placentaires entre les deux circulations fœtales sont très fréquentes pour les jumeaux monozygotes. Lorsque celles-ci entraînent un déséquilibre hémodynamique, il se produit une *transfusion fœtofœtale*. Le transfuseur devient anémique et hypotrophique, alors que le transfusé est pléthorique et polyglobulique. Tous deux peuvent mourir *in utero*, le second dans un tableau d'anasarque. Des anastomoses placentaires sont possibles pour des jumeaux dizygotes (0,2 %). En dehors des symptômes décrits plus haut, il peut se constituer un *chimérisme*, avec deux populations globulaires de groupe différent.

Les malformations congénitales, cardiopathies en particulier, sont légèrement plus fréquentes et souvent concordantes chez les jumeaux monozygotes (3,5 %) ; leur incidence n'est pas augmentée chez les dizygotes. On a signalé une faible augmentation du risque malformatif dans la descendance des jumeaux : cardiopathies, anomalies du tube neural.

Le pronostic lointain de la gémellité n'est pas différent de celui d'enfants nés seuls au même âge gestationnel. On signale parfois des anomalies psychologiques liées tant au comportement de l'entourage qu'à une relation exclusive lorsque les deux enfants sont monozygotes.

Les études génétiques ne montrent aucune prédisposition familiale pour la gémellité monozygote. Par contre, celle-ci existe pour les grossesses pluri-ovulaires. Le risque est doublé pour une femme qui a déjà eu des jumeaux ainsi que pour ses sœurs et ses filles.

Avenir du nouveau-né à risque

Avenir somatique

Prématuré

La *croissance staturo-pondérale* du prématuré suit des modalités différentes de celle de l'enfant né à terme. Elle est d'autant plus rapide au cours de la première année que le poids de naissance était faible. 80 à 90 % des prématurés ont une taille et un poids adéquats à plusieurs années. La croissance est plus influencée par les conditions de vie que celle des enfants nés à terme avec un poids normal. Le périmètre crânien traduit la croissance cérébrale et doit être attentivement surveillé : croissance trop rapide d'une hydrocéphalie, trop lente annonçant une microcéphalie.

Le risque important de rachitisme carentiel doit être prévenu par l'administration de doses suffisantes de vitamine D (400-800 U/jour). L'apport systématique d'un supplément de fer au troisième mois prévient l'anémie hypochrome à 4-5 mois.

Hypotrophique (retard de croissance intra-utérin)

La mortalité des nouveau-nés hypotrophiques est dans l'ensemble 5 à 10 fois supérieure à celle des nouveau-nés de poids normal à terme.

La croissance initiale rapide permet en général un certain « rattrapage » du poids normal, ainsi que du périmètre crânien si celui-ci était trop faible. Cette période de croissance céphalique rapide entraîne souvent un tableau de « pseudo-hydrocéphalie ». De la qualité du rattrapage initial dépend le pronostic définitif : le rythme de croissance se stabilise entre 3 et 6 ans. Dans l'ensemble et à long terme, la répartition du poids et de la taille de ces enfants tend à être déviée vers le bas. Il existe cependant de grandes variations individuelles, dues probablement au fait que l'étiologie de l'hypotrophie intra-utérine est très variable.

Avenir neuropsychique

Développement moteur

La première année du prématuré est marquée par un retard moteur qui sera comblé d'autant plus tard (jusqu'à 3-4 ans) que l'enfant est plus prématuré. Ce retard est parfois associé à une hypertonie des extenseurs, en général régressant vers 1 an, mais pouvant aussi évoluer vers une diplégie spastique de Little ou une autre forme d'infirmité motrice cérébrale (6 % des survivants de moins de 1 500 g, < 1 % des autres).

Troubles sensoriels

Ils sont observés chez 15 % des enfants, chiffre variant selon les critères de diagnostic. Les déficits graves sont rares (fibroplasie rétrolentale, surdité).

Développement intellectuel

Il doit être évalué en tenant compte de l'« âge corrigé » (âge légal − degré de prématurité) jusqu'à 4 ans. Les grandes arriérations sont observées chez moins de 3 % des prématurés de plus de 1 000 g, chez 6 % de ceux qui ont connu une souffrance fœtale aiguë. Par contre, des handicaps mineurs, mais gênant la scolarisation, sont fréquents (20 %).

Développement psychologique

Une mauvaise adaptation réciproque mère-enfant, liée à la séparation de la période néonatale (hospitalisation du prématuré) entraîne fréquemment des anomalies du comportement : alimentaire, de sommeil, ritualisme excessif. Ces anomalies peuvent se prolonger, entraînant des difficultés d'adaptation scolaire, faisant alors souvent partie d'un syndrome de dysfonctionnement cérébral minime (ou syndrome de l'enfant hyperkinétique : hyperactivité, difficultés d'attention, incoordination...).

Conclusion

L'avenir du nouveau-né à risque est lié d'une part à des facteurs organiques dépendant beaucoup de la qualité des soins médicaux, d'autre part à des facteurs d'environnement améliorables : en aidant dès la naissance les mères à dépasser leur anxiété pour leur permettre d'établir des relations normales avec leur enfant, en limitant la séparation, en évitant d'alarmer sans preuves.

Le risque d'anomalies du développement rend nécessaire une surveillance prolongée. Le dépistage des handicaps éventuels, le plus tôt possible grâce à une surveillance adaptée pendant les premières années, permet une guidance et une rééducation d'autant plus efficaces qu'elles sont plus précoces. Cette surveillance est utile aussi aux unités de soins néonatals pour l'évaluation des résultats thérapeutiques (rétrocontrôle).

Enfin, la meilleure thérapeutique du nouveau-né à risque est *préventive* : diminution du taux de prématurité par l'amélioration de la surveillance des grossesses, par les congés de grossesse, par l'espacement des naissances ; dépistage des retards de croissance intra-utérins et des malformations congénitales (échographie) ; éducation relative aux toxicomanies (tabac, alcool) et aux maladies infectieuses (toxoplasmose, rubéole, maladies transmises sexuellement).

Nouveau-né malade

Détresses respiratoires

Adaptation à la vie extra-utérine

Dès la naissance, les échanges gazeux assurés au préalable par le placenta sont transférés au poumon, et toute anomalie de l'adaptation entraîne une détresse cardio-respiratoire.

Avant la naissance, les espaces aériens sont remplis par le liquide pulmonaire sécrété par l'épithélium alvéolaire et éliminé en partie dans le liquide amniotique. Sous l'effet des catécholamines fœtales sécrétées au cours du travail, la production de liquide pulmonaire se tarit. Par compression du thorax dans la filière génitale, une partie de ce liquide est expulsée hors des espaces alvéolaires, le reste étant résorbé par voie lymphatique. Ces modifications permettent à l'air de pénétrer dans les poumons, avec création d'une interface air-liquide pulmonaire. Les forces de rétraction élastique pulmonaire sont abaissées par la présence de phospholipides pulmonaires (ou surfactant) qui réduisent les forces de tension superficielle. Au terme de la première inspiration, le volume gazeux intrapulmonaire constitue la capacité résiduelle fonctionnelle. Dans le même temps. les résistances vasculaires pulmonaires s'abaissent en raison de l'aération du poumon et de la vasodilatation artériolaire ; celle-ci est induite par l'augmentation des pressions partielles d'oxygène qui passent soudainement d'environ 30 à plus de 60 mmHg (= 4 à 8 kPa). L'accroissement du retour veineux pulmonaire élève la pression dans l'oreillette gauche au moment où elle baisse dans l'oreillette droite du fait de l'interruption de la circulation ombilicale. Cette inversion du gradient de pression entre les deux oreillettes permet la fermeture fonctionnelle du foramen ovale et la disparition progressive du shunt droite-gauche. La fermeture anatomique ne s'établit que dans les premiers mois. La chute de la pression artérielle pulmonaire et l'augmentation de la pression artérielle systémique réduisent le shunt droite-gauche au niveau du canal artériel, puis l'inversent. Le canal artériel maintenu ouvert durant la vie fœtale par les prostaglandines (probablement E_2 et I_2) subit une vasoconstriction sous l'effet de l'élévation de la PaO_2. Sa fermeture anatomique s'effectue progressivement dans les premières semaines de la vie extra-utérine. On note l'importance de l'oxygénation dans ces phénomènes d'adaptation. Ils supposent une commande respiratoire intacte et des voies aériennes libres.

L'hypoxémie et l'acidose peuvent entraîner un retour à la vasoconstriction artérielle pulmonaire et une réouverture des shunts fœtaux. Ces risques, associés aux altérations possibles de la commande respiratoire, expliquent la grande vulnérabilité de l'adaptation cardio-respiratoire chez le nouveau-né.

Signes cliniques généraux des détresses respiratoires

Quelle que soit leur étiologie, les détresses respiratoires néonatales s'accompagnent d'une dyspnée et d'une accélération de la fréquence respiratoire au-delà de 50 cycles par minute. La tachypnée progressive s'accompagne le plus souvent d'un tirage intercostal et xyphoïdien, d'un balancement thoraco-abdominal, d'un battement des ailes du nez, parfois d'un geignement expiratoire évocateur d'une maladie des membranes hyalines. Les apnées sont fréquentes. L'altération des échanges gazeux responsable de l'hypoxie (inférieure à 50 mmHg ou 6,5 kPa) et de l'hypercapnie (supérieure à 40 mmHg soit 5,2 kPa) explique la cyanose, qui s'observe le mieux au niveau des lèvres. La fréquence cardiaque est augmentée à plus de 140 battements par minute. La pression artérielle systémique s'abaisse, ce qui entraîne une oligurie. L'auscultation, souvent normale, est cependant nécessaire à la recherche de signes d'encombrement, de déplacement de la pointe du cœur, d'asymétrie du souffle pulmonaire. L'association d'une détresse respiratoire avec cyanose et d'une hypocapnie orientera vers une étiologie cardiaque.

Diagnostic étiologique

Maladie des membranes hyalines (MMH)

Elle est secondaire à un déficit en surfactant, d'autant plus fréquente que l'enfant est plus prématuré. Elle est favorisée par l'asphyxie et l'anémie (placenta praevia, hématome rétroplacentaire). Le risque de survenue d'une MMH chez un prématuré peut être prévu par la mesure dans le liquide amniotique de composants du surfactant : rapport lécithine/sphingomyéline (L/S) et phosphatidyl-glycérol/sphingomyéline (P/S). Lorsque le rapport L/S est égal ou supérieur à 2, on considère que la maturité pulmonaire est suffisante ; le rapport P/S doit être égal ou supérieur à 5.

La réduction de la compliance pulmonaire et le collapsus alvéolaire sont à l'origine de la détresse respiratoire. Les signes cliniques s'aggravent pendant les 72 premières heures, puis régressent du fait d'une reprise de la sécrétion du surfactant, si aucune complication n'est survenue. La radiographie montre un fin granité confluent, laissant apparaître un bronchogramme aérique, qui peut, dans les cas graves, effacer complètement les contours cardiaques.

Traitement
- Oxygénothérapie contrôlée (d'après la FiO_2 et la PaO_2).
- Assistance ventilatoire en pression positive continue (CDAP ou CPAP = continuous distending or positive airway pressure) ou en pression positive intermittente (IPPV = intermittent positive pressure ventilation) avec ou sans pression positive résiduelle (PEEP = positive end expiratory pressure).

Complications
- Pneumothorax (favorisé par la pression positive).
- Hémorragies péri- ou intraventriculaires.
- Persistance du canal artériel avec shunt gauche-droite pouvant entraîner une insuffisance cardiaque. Persistance d'autant plus fréquente que le nouveau-né est plus prématuré (< 32e semaine surtout). La fermeture du canal artériel est indiquée lorsque la surcharge vasculaire pulmonaire est cause d'une dépendance de la ventilation assistée. La distension de l'oreillette gauche est évaluée par la mesure du rapport oreillette gauche/aorte à l'échocardiographie. La fermeture du canal artériel peut être tentée par l'administration d'inhibiteurs des prostaglandines (indométacine) ou effectuée par ligature chirurgicale.

Traitement préventif
- Aministration de bêtaméthasone à la mère entre 28 et 32 semaines de gestation, en cas de menace d'accouchement prématuré. Accélérerait la maturation pulmonaire (rapport L/S). Controversé.

Inhalation de liquide amniotique

Composante pulmonaire du syndrome postasphyxique, l'inhalation de liquide amniotique clair ou méconial est une complication grave de la souffrance fœtale aiguë avec hypoxie cérébrale, dont le diagnostic aura pu être porté à l'occasion d'épisodes de bradycardie sévère lors du monitorage fœtal et d'un mauvais score d'Apgar. Le thorax est distendu, peu mobile du fait de zones d'emphysème provoqué par l'oblitération incomplète de certaines bronches par des débris de méconium.

A l'auscultation, on peut percevoir, en plus des râles d'encombrement bronchique, un souffle systolique d'insuffisance tricuspidienne consécutif à une ischémie myocardique, avec parfois des signes d'insuffisance cardiaque. Sur la radiographie, les zones d'emphysème et d'atélectasie s'associent à des condensations plus ou moins importantes en mottes péri-hilaires. La présence d'un pneumothorax n'est pas rare. La gravité de l'inhalation amniotique peut être minimisée par une aspiration trachéo-bronchique dès les premiers gestes de réanimation. Les inhalations postnatales de liquide amniotique dégluti sont prévenues par l'aspiration gastrique à la naissance.

Le traitement de l'inhalation amniotique repose sur la correction des troubles métaboliques (hypoxie-acidose) et l'assistance ventilatoire. Le pronostic est en fait conditionné par l'évolution de l'état neurologique de l'enfant (voir plus loin : Souffrance cérébrale).

Infection pulmonaire bactérienne

Ses manifestations cliniques et radiologiques sont souvent peu spécifiques. Cependant, dans un contexte infectieux, la présence de condensations pulmonaires irrégulières, réticulo-nodulaires, est évocatrice (voir plus loin : Infection néonatale). L'infection pulmonaire peut également constituer une complication de l'assistance ventilatoire, quelle qu'en soit l'indication.

Tachypnée transitoire (« Wet lung »)

Cette détresse respiratoire est la conséquence d'un retard d'élimination du liquide pulmonaire. Elle s'observe chez des enfants nés par césarienne élective avant tout début de travail. Dans ces conditions, la sécrétion de catécholamines qui accompagne une naissance par voie basse ne se produit pas. Cela retarderait l'arrêt de la sécrétion du liquide pulmonaire. Une tachypnée transitoire peut également se développer chez le prématuré. Dans ce cas, on incrimine l'immaturité des récepteurs des catécholamines.

L'évolution de la dyspnée se fait sur un à deux jours. La radiographie montre des ombres pulmonaires qui s'éclaircissent rapidement et laissent apparaître des images trabéculaires hilifuges et parfois un épaississement scissural.

Persistance de la circulation fœtale (PCF)

Il s'agit d'une hypoxémie irréductible consécutive à la persistance d'une hypertension artérielle pulmonaire et à la réouverture des shunts fœtaux, d'où la dénomination de ce syndrome. La dyspnée s'accompagne d'une cyanose intense et souvent de signes d'insuffisance cardiaque droite. La PCF peut être primitive ou secondaire à une souffrance fœtale, à une infection ou à une maladie des membranes hyalines. L'hypertension artérielle pulmonaire est démontrée par l'échocardiographie : augmentation du rapport temps de pré-éjection/temps d'éjection du ventricule droit.

A l'origine des formes primitives, on évoque une hypertrophie de la média des artérioles pulmonaires peut-être en rapport avec une hypoxie chronique intra-utérine. La prise de médicaments anti-prostaglandines (aspirine, indométacine) pendant la grossesse a été incriminée. Dans ces formes primitives, la radiographie du thorax montre une hypovascularisation pulmonaire, et le diagnostic différentiel avec une cardiopathie cyanogène est à faire.

Le *traitement* de la PCF associe à l'oxygénothérapie la correction du pH. Bien que l'alcalose hypocapnique par hyperventilation ait été préconisée, il est préférable d'utiliser des vasodilatateurs pulmonaires tels que la tolazoline (Priscol®). Toutefois, il est recommandé de corriger au préalable une éventuelle hypotension artérielle systémique et une acidose, le médicament étant inefficace si le pH est inférieur à 7,20.

Apnées récidivantes du prématuré

Il s'agit d'arrêts plus ou moins prolongés de la ventilation alvéolaire consécutifs à un trouble de la commande ventilatoire survenant chez le prématuré porteur ou non d'une affection respiratoire préexistante. Si le diagnostic clinique en est facile, le dénombrement et la nature des apnées sont précisés par le monitorage cardio-respiratoire. Associées ou non à une bradycardie (≤ 100 bpm) et à une cyanose, elles se distinguent des pauses respiratoires de brève durée (≤ 4 sec.) fréquentes chez le prématuré et de la respiration périodique qui correspond à la succession de pauses séparées par des périodes de mouvements respiratoires d'amplitude progressivement croissante et décroissante. Les pauses brèves et la respiration périodique peuvent précéder la survenue d'apnées graves de 12 secondes et plus. Cependant, la respiration périodique peut s'observer chez des nouveau-nés à terme en dehors de toute pathologie.

On distingue les *apnées centrales* avec absence de tout mouvement thoracique, les *apnées obstructives* où, malgré la persistance de mouvements respiratoires, il n'existe aucun flux gazeux dans les voies aériennes, et les *apnées mixtes* associant les deux types précédents. Elles sont d'apparence primitive, dites idiopathiques ou secondaires. Les apnées idiopathiques du prématuré surviennent souvent après un intervalle libre de quelques jours du fait d'une réduction progressive de la capacité résiduelle fonctionnelle responsable d'une discrète hypoventilation avec hypoxémie. Elles expriment aussi un retard de maturation des centres de la commande ventilatoire. Ces irrégularités du rythme ventilatoire sont à rapprocher de la périodicité des mouvements thoraciques observés *in utero*.

Les apnées secondaires, souvent plus précoces, traduisent une hypoxémie, une lésion intracrânienne, un trouble métabolique (hypoglycémie) ou une infection (septicémie, méningite). Elles sont le plus souvent d'origine centrale. Chez le prématuré de plus de 34 semaines, un arrêt respiratoire peut être la seule manifestation de la phase tonique d'une crise convulsive. L'apnée peut aussi être la conséquence d'une régurgitation responsable d'un réflexe à point de départ laryngé. Cette apnée réflexe peut être favorisée par une position facilitant le reflux gastro-œsophagien ; quand elle est possible, la position ventrale semble plus favorable. La reprise ventilatoire souvent spontanée peut être obtenue par une simple stimulation manuelle. La récidive des apnées peut être contrôlée par une stimulation continue à l'aide d'un matelas oscillant ou par des moyens pharmacologiques (théophylline, caféine). La pression positive continue est également proposée : elle stabilise la cage thoracique et réduit l'hypoxémie. En cas d'échec de ces différentes méthodes, il faut recourir à la ventilation assistée.

Détresses respiratoires de causes malformatives

Malformations de l'appareil respiratoire

● L'*atrésie des choanes* est évoquée devant un nouveau-né dyspnéique incapable de respirer efficacement par la bouche. Il est impossible de passer une sonde dans les fosses nasales. Il s'agit d'une urgence nécessitant la mise en place d'une canule buccale de Mayo avant un geste chirurgical.

● Le *syndrome de Pierre Robin* associe un microrétrognathisme, une fente palatine et une glossoptose. La bascule postérieure du massif lingual rendue possible par la présence de la fente palatine vient obturer les voies aériennes. Le décubitus ventral permet le plus souvent d'éviter les troubles asphyxiques ; une sonde naso-pharyngée peut favoriser la respiration. Seules les formes sévères sont justiciables d'un traitement chirurgical (hyomandibulopexie). Des difficultés de déglutition transitoires peuvent nécessiter l'alimentation par gavage gastrique.

● La *hernie diaphragmatique*, observée le plus souvent à gauche, entraîne une détresse respiratoire sévère et précoce.

La présence de viscères abdominaux dans l'hémithorax gauche explique l'abdomen plat, le bombement thoracique, le déplacement à droite des bruits du cœur, l'absence de murmure vésiculaire et les bruits hydroaériques. La radiographie montre des images bulleuses intrathoraciques. Le diagnostic peut être évoqué avant la naissance par échotomographie. Dans ce cas, l'extrême gravité du pronostic (50 % de décès) justifie que l'accouchement ait lieu là où une prise en charge adaptée est possible.

Malformations cardiaques

L'origine cardiaque d'une détresse respiratoire est évoquée cliniquement par la découverte d'un souffle à l'auscultation, d'une hépatomégalie, d'une chute de la pression artérielle, de l'absence de pouls périphériques ou d'une cyanose ; elle est précisée par les examens paracliniques : gaz du sang et test d'hyperoxie, radiographie pulmonaire, électrocardiogramme. Dans certains cas, ces examens suffisent à préciser le diagnostic : c'est le cas pour l'hypoplasie du cœur gauche avec absence des pouls périphériques, l'atrésie tricuspidienne associant une cyanose et un axe électrique gauche, ou le ventricule unique avec complexe QRS identique dans toutes les dérivations précordiales. Le plus souvent, il faut recourir à l'échocardiographie et au cathétérisme cardiaque avec angiocardiographie. Compte tenu des possibilités chirurgicales actuelles, ce dernier examen est impératif tant qu'un doute diagnostic persiste. En cas de transposition des gros vaisseaux, il peut permettre la réalisation d'une atrioseptostomie de Rashkind.

Les cardiopathies de révélation néonatale sont le plus souvent sévères, nécessitant en dehors d'un traitement symptomatique (oxygénothérapie, ventilation assistée, tonicardiaques, diurétiques...) un recours chirurgical rapide, souvent palliatif, quelquefois permettant une correction complète d'emblée. Lorsqu'il y a un obstacle sur la voie droite, le maintien de la perméabilité du canal artériel peut être vital en attendant un geste chirurgical (cardiopathie ducto-dépendante). Un traitement transitoire par la prostaglandine E_1 pourra être proposé.

Le diagnostic de cardiopathie peut être évoqué dans la période néonatale en l'absence de tout signe de détresse cardio-respiratoire par la découverte d'un souffle. Il convient de pratiquer une radiographie thoracique, un électrocardiogramme, une échocardiographie ; une surveillance régulière est alors instaurée.

Complications iatrogènes de la réanimation respiratoire

● L'*oxygénothérapie* doit être contrôlée par la surveillance régulière de la FiO$_2$ et de la PaO$_2$ (cathéter artériel ombilical) ou de la TcPO$_2$ (électrode cutanée). L'hyperoxie peut, chez le prématuré, être la cause d'une rétinopathie dont on décrit des formes transitoires et des formes définitives avec atteinte périphérique ou totale pouvant aboutir à une cécité par *fibroplasie rétrolentale*.
● L'*intubation trachéale* mal conduite expose à des incidents graves : fausse-route œsophagienne, descente dans la bronche souche droite, avec atélectasie du poumon gauche, voire du lobe supérieur droit.
● *Emphysème interstitiel et épanchements gazeux du thorax* : Le tissu interstitiel du poumon est d'autant plus abondant que l'enfant est prématuré. A partir de ruptures alvéolaires, de l'air peut diffuser dans ce tissu le long des axes bronchovasculaires pour adopter une topographie périlobulaire. Lorsqu'une bulle d'emphysème sous-pleural se rompt, un pneumothorax se développe. Bien que ces lésions puissent apparaître spontanément et compliquer différents types de détresse respiratoire, la part de la ventilation artificielle manuelle ou mécanique dans la genèse de cet emphysème interstitiel est prépondérante. Le *tableau clinique* est celui d'une insuffisance respiratoire très sévère. A la *radiographie*, l'emphysème interstitiel se caractérise par des chapelets de petites bulles à la limite de la visibilité ou par de grosses bulles sous-pleurales, plus fréquentes sur la face médiastinale du poumon. Le pneumothorax, parfois compliqué d'un pneumomédiastin, est bien objectivé par des clichés de face et de profil. La décision de drainage pleural sera prise non sur la dimension de l'image radiographique, mais sur l'évolution des gaz du sang et sur la tolérance hémodynamique, insuffisance cardiaque et hypotension artérielle.
● La *dysplasie bronchopulmonaire* (maladie des ventilés) est caractérisée par une insuffisance respiratoire chronique qui se développe au décours d'une détresse respiratoire traitée par assistance ventilatoire en pression positive. L'enfant, le plus souvent prématuré, reste dépendant du respirateur pendant des semaines et présente des signes d'insuffisance cardiaque. La *radiographie* montre des bases pulmonaires emphysémateuses et des opacités diffuses inhomogènes dessinant de grossières trabéculations de fibrose et des images pseudokystiques (Mikity-Wilson). Cette maladie, qui se développe après une semaine d'assistance ventilatoire, est due à l'association de l'immaturité pulmonaire à la toxicité de l'oxygène, au barotraumatisme de la pression positive et à l'infection. La déminéralisation osseuse du thorax est souvent un facteur aggravant.

Souffrance cérébrale du nouveau-né

Problème majeur à la période néonatale, en raison de sa fréquence et de sa gravité, et des conséquences possibles sur le développement neuro-psychique de l'enfant. La souffrance cérébrale revêt des aspects particuliers en raison de l'immaturité neurologique du nouveau-né — la myélinisation commence à peine — immaturité encore plus grande quand il s'agit d'un prématuré.

Etiologie

● La cause la plus fréquente est l'*anoxie*, anténatale lors des souffrances fœtales chroniques, périnatale dans toutes les circonstances conduisant à une souffrance fœtale aiguë, postnatale dans les situations graves mal contrôlées : défaillances cardio-circulatoires, détresses respiratoires, anémies aiguës. L'anoxie cause parfois d'emblée des lésions neuronales. Une conséquence fréquente, surtout chez l'enfant à terme, en est un œdème cérébral, lui-même générateur d'ischémie neuronale. Il y a alors aussi, notamment chez le prématuré, une perte de l'autorégulation du débit sanguin cérébral qui est un facteur d'hémorragie cérébrale.

● Les *traumatismes obstétricaux* sont de plus en plus rares.

● Les *infections*, les *septicémies* entraînent des modifications hémodynamiques, souvent associées à des détresses respiratoires génératrices d'anoxie. La souffrance cérébrale est constante au cours des méningites, qu'il y ait ou non atteinte du système ventriculaire ; elle est liée en particulier à des phénomènes de vascularite.

● Les *anomalies métaboliques*, hypoglycémie, hypocalcémie, surviennent souvent dans un contexte de souffrance cérébrale d'autre origine (infection, anoxie) qu'elles viennent aggraver. Hypernatrémie et hyponatrémie déterminent des troubles de l'hydratation cérébrale et un risque d'hémorragie. La carence en pyridoxine est une cause classique mais exceptionnelle de convulsions néonatales.
Les anomalies congénitales du métabolisme des acides aminés (leucinose, hyperammoniémie), des lipides ou des glucides sont rares.

● L'*ictère nucléaire* survient au cours d'hyperbilirubinémies indirectes négligées.

● Les *malformations* (hydranencéphalie par exemple) peuvent être parfois suspectées devant certains éléments dysmorphiques céphaliques ou autres. Elles sont en fait souvent muettes chez le nouveau-né. Il convient néanmoins de les rechercher en cas d'anomalie neurologique non expliquée par ailleurs.

Anatomo-pathologie

Encéphalopathie post-anoxique

Elle est en général la conséquence d'une souffrance fœtale aiguë chez un enfant à terme. Selon l'intensité et/ou la durée de la souffrance, deux types de lésions sont observées, focales ou diffuses :
- œdème cérébral, réversible ;
- nécrose corticale, avec lyse des neurones, variable selon les territoires cérébraux. Elle laissera place, en quelques jours, soit à une gliose, soit souvent à une liquéfaction du tissu nerveux déterminant la formation de cavités (porencéphalie, encéphalomalacie multikystique).

Hémorragies

Les hémorragies sous-arachnoïdiennes, les hématomes sous-duraux, intracérébraux ou de la fosse postérieure, souvent secondaires à un traumatisme mécanique, sont de plus en plus rares. La symptomatologie est fréquemment liée aux lésions anoxiques associées.

Hémorragies intraventriculaires

Elles sont l'apanage des prématurés de moins de 35 semaines, d'autant plus fréquentes que le degré de prématurité est grand. Le point de départ en est une hémorragie précoce (avant 48 heures de vie) de la zone germinative périventriculaire, favorisée par l'immaturité et la disposition particulière du drainage veineux. La rupture de l'épendyme sous-jacent à la zone germinative entraîne l'extension de l'hémorragie au système ventriculaire. L'hémorragie peut ensuite se propager aux espaces sous-arachnoïdiens rachidiens, ce qui explique la présence — inconstante — de sang à la ponction lombaire. En cas de survie, la survenue d'une hydrocéphalie secondaire est fréquente.

Leucomalacie

Il s'agit d'une nécrose ischémique de la substance blanche surtout périventriculaire et du centre ovale, concernant en premier lieu les prématurés.

Symptomatologie

Convulsions

Elles revêtent parfois l'aspect typique de crise généralisée tonico-clonique. Elles sont souvent atypiques, localisées dans le temps (crise tonique ou clonique), dans l'espace (un membre ou segment de membre, face, bouche, yeux...). Des apnées peuvent être la traduction clinique d'une crise convulsive dont le diagnostic sera confirmé par l'électro-encéphalogramme. Les crises sont d'autant plus atypiques que l'enfant est plus immature ou plus gravement atteint ; à l'extrême, il peut s'agir de crises à l'électro-encéphalogramme sans traduction clinique décelable.

La répétition de crises convulsives sur un fond d'altération permanente du comportement neurologique constitue l'état de mal convulsif. La survenue d'un état de mal peut aggraver la souffrance cérébrale par l'intermédiaire d'un œdème cérébral, d'apnées avec anoxie, d'altérations du fonctionnement neuronal.

Autres signes

Les perturbations de la conscience vont de la simple obnubilation au coma carus avec troubles végétatifs. Les réflexes archaïques peuvent être diminués, voire absents. A l'inverse, leurs centres étant sous-corticaux, ils persistent parfois, malgré des lésions hémisphériques cérébrales sévères. Le tonus (axial et des membres) est le plus souvent perturbé dans le sens d'une diminution. Une hypertonie ou une alternance hypo-hypertonie n'est pas rare. L'hypertonie des muscles extenseurs de la nuque (rejet de la tête en arrière) est un signe d'hypertension intracrânienne, associée de façon inconstante à une augmentation du périmètre crânien, à un bombement de la fontanelle. La constatation d'un déficit neurologique focalisé persistant est rare ; il peut traduire une lésion localisée.

Des accès d'hypertonie, comparables aux « crises de décérébration », ont été décrits au cours d'hémorragies intraventriculaires.

Examens complémentaires

Ils orientent ou précisent le diagnostic étiologique soupçonné en général d'après l'anamnèse. Glycémie, calcémie, numération des globules rouges, étude cytochimique du liquide céphalo-rachidien (méningite, hypoglycorrachie post-hémorragique...), recherche d'affections métaboliques rares.

D'autres examens précisent la nature et l'étendue des lésions cérébrales éventuelles, surtout hémorragiques : échotomographie, tomodensitométrie. Devant certains types de lésions, une évaluation pronostique peut en même temps être tentée (hémorragies ou ramollissement très étendus).

S'il est interprété avec rigueur, en fonction des critères de maturation cérébrale, l'électro-encéphalogramme n'est pas seulement utile au diagnostic des convulsions atypiques. L'importance des perturbations inter-critiques, rapportées à l'âge gestationnel, permet de mieux apprécier l'intensité de la souffrance parenchymateuse : gravité des tracés inactifs et paroxystiques, bon pronostic des tracés normaux. Il peut contribuer au diagnostic étiologique : asymétrie persistante, pointes positives rolandiques de l'hémorragie intraventriculaire, maladie métabolique.

Traitement

Le traitement étiologique spécifique n'est pas toujours possible. Il s'agit en fait le plus souvent de prévention de la souffrance fœtale et de la prématurité. Le traitement symptomatique associe les soins intensifs, la lutte contre l'œdème cérébral et la sédation des convulsions.

Soins intensifs

Ils sont indispensables pour maintenir ou restaurer les grandes fonctions, cardio-circulatoires et respiratoires en particulier, l'équilibre métabolique (glycémie, calcémie, pH). Le recours à la ventilation assistée, souvent nécessaire, notamment lors d'état de mal convulsif requérant l'administration de fortes doses de sédatifs, doit toujours être discuté en fonction des éléments de pronostic (aspect de l'électro-encéphalogramme, de la tomodensitométrie, de l'échographie).

Traitement anti-œdème cérébral

Les bases du traitement anti-œdémateux cérébral demeurent empiriques chez le nouveau-né. A la restriction hydrosodée, on peut adjoindre chez l'enfant à terme, où le risque d'hémorragie par hyperosmolarité plasmatique est négligeable, la prescription de solutés hypertoniques de mannitol (à 10 % en perfusion intraveineuse) de glycérol (par voie orale). La corticothérapie (synacthène, dexaméthasone) a été préconisée, mais les effets secondaires éventuels sont mal précisés chez le nouveau-né.

Traitement anticonvulsivant

Une seule drogue est en général suffisante dans les convulsions isolées. Par contre, le traitement des états de mal convulsif requiert l'association de plusieurs médicaments. La prescription doit tenir compte de la durée de vie longue et variable des anticonvulsivants à la période néonatale pour éviter le risque de surdosage par accumulation de médicaments, risque d'autant plus grand que leur élimination est ralentie en cas d'asphyxie et de troubles cérébraux.

● Le *phénobarbital* n'est efficace rapidement qu'après administration intraveineuse. La dose d'attaque est 20 mg/kg, le relais oral étant pris après 24 heures à raison de 1 mg/kg/jour pendant 5 jours, puis de 5 mg/kg/jour. Le taux sanguin efficace est 20 à 30 µg/ml.

● La *diphénylhydantoïne* sera donnée i.v. lentement en dose d'attaque, à raison de 15 mg/kg ; 3 à 5 mg/kg/jour ensuite. L'hydantoïnémie efficace est 10 à 20 µg/ml.

● Les *benzodiazépines* ont l'avantage d'une action presque immédiate. Le diazépam est administré à raison de 1 à 2 mg/kg/jour par voie i.v. ou intrarectale, le clonazépam à raison de 0,1 à 0,2 mg/kg/jour.

● L'*acide valproïque* ou propyl-acétate (Dépakine®) est disponible uniquement *per os*, ce qui limite son emploi ; il est donné à raison de 30 mg/kg/jour (taux sanguin efficace 60-100 µg/ml).

Pronostic

Il n'est pas possible de proposer une évaluation globale : elle doit être modulée en fonction de l'étiologie, de la symptomatologie, de la prématurité et de la dysmaturité. Certains résultats deviennent rapidement caducs, en raison de l'évolution rapide des soins périnatals. En outre, l'évolution des survivants est influencée de façon notable par l'environnement socio-culturel et affectif : pour un trouble néonatal comparable, le pronostic est moins bon chez les enfants dont l'environnement est défavorable.

Au cours des convulsions néonatales, on observe une mortalité de 30 à 35 %. Parmi les survivants, 60 à 70 % sont tout à fait normaux. Les séquelles sévères sont de 10 % environ parmi les enfants à haut risque neurologique néonatal : enfants ventilés, poids de naissance inférieurs à 1 500 g. Leur fréquence augmente considérablement lorsque le poids de naissance est inférieur à 1 000 g.

Infection néonatale

Infections bactériennes

Septicémies (cf. pp. 622, 624)

Septicémies néonatales

Elles sont consécutives à des contaminations anténatales, touchant le nouveau-né à terme et le prématuré. Elles sont le plus souvent liées à des germes Gram positif ; streptocoque β-hémolytique du groupe B, listeria monocytogenes, sensibles aux pénicillines. Les antécédents évocateurs sont inconstants : syndrome infectieux grippal précédant l'accouchement, infection urinaire, rupture prématurée des membranes, souffrance périnatale inexpliquée, parfois fièvre du post-partum.

Les signes précoces sont parfois méconnus : hyperthermie fugace chez le nouveau-né à terme, parfois remplacée par une hypothermie, vomissements, diarrhée, apnées et accès de cyanose. Très rapidement apparaît une détresse respiratoire avec hypoxémie associée à un état de choc : pâleur, marbrures cutanées, tachycardie, hypotension artérielle, oligurie, hépatomégalie. Un ictère précoce et une splénomégalie peuvent compléter ce tableau clinique.

La radiographie pulmonaire montre des images variées, associant à des degrés divers : opacités en mottes non systématisées, réparties dans les deux champs pulmonaires, accentuation de la trame broncho-vasculaire, épanchement scissural ou épanchement de la grande cavité visible sous forme d'un comblement du cul-de-sac costo-diaphragmatique.

● *Signes biologiques* : L'analyse des gaz du sang effectuée en urgence confirme l'hypoxémie profonde : $PaO_2 < 40$ mmHg (5,2 kPa) en oxygène pur ($FiO_2 = 1$), à laquelle s'associe une acidose métabolique : pH < 7,20, excès de base inférieur à −10 mmol avec ou sans hypercapnie.

L'existence ou l'apparition d'une leucopénie inférieure à 10 000/mm³ traduisant une neutropénie (< 5 000/mm³) dans les 24 premières heures de vie est évocatrice. Celle-ci s'accompagne d'une élévation des polynucléaires neutrophiles non segmentés : rapport neutrophiles non segmentés/neutrophiles totaux égal ou supérieur à 20 %.

L'élévation du fibrinogène au-dessus de 3,80 g/l est un signe fréquemment rencontré ; cependant, lorsque la septicémie se complique d'une coagulopathie de consommation, le taux de fibrinogène peut être inférieur à 1 g/l. Il s'y associe alors une thrombopénie.

L'examen direct des frottis du liquide de la première aspiration gastrique a une grande valeur lorsqu'il met en évidence la présence de germes Gram positif et doit être effectué en urgence. L'hémoculture est impérative avant toute antibiothérapie. La ponction lombaire n'est effectuée qu'en présence de signes évocateurs de méningite : hypotonie, convulsions, bombement de la fontanelle, et si l'état cardio-respiratoire de l'enfant l'autorise.

● *Traitement* : L'enfant doit être transféré dans une unité de réanimation. Selon la gravité de la détresse respiratoire et de l'état de choc, les mesures symptomatiques comprennent : oxygénothérapie contrôlée, assistance respiratoire, correction de l'acidose métabolique, restauration de la volémie par du plasma ou du sang. Des substances vasopressives telles que la *dopamine* sont prescrites si l'hypotension et l'oligurie persistent.

L'antibiothérapie fait appel à des associations à large spectre d'action comme *ampicilline* (50 à 200 mg/kg/j.) plus *gentamycine* (6 mg/kg/j.). Cette association sera adaptée ultérieurement en fonction de l'antibiogramme et du pouvoir bactéricide du sérum. La durée du traitement est de 3 semaines au moins lorsque le diagnostic est confirmé.

Indications : L'antibiothérapie est à instituer d'urgence chez un nouveau-né présentant une détresse respiratoire, des apnées précoces, un état de choc, une hépatosplénomégalie et des signes biologiques tels que leucopénie ou hyperfibrinogénémie. Lorsqu'il existe un contexte périnatal évocateur d'infection, si la situation respiratoire et hémodynamique est stable, et en l'absence de signes biologiques, il est possible de surseoir au traitement ; mais les prélèvements bactériologiques doivent être effectués, et l'enfant doit bénéficier d'une surveillance de la tension artérielle, de la diurèse, des gaz du sang et de la numération leucocytaire.

L'antibiothérapie injustifiée entraîne un handicap sévère dans la colonisation bactérienne du nouveau-né, l'exposant à l'infection nosocomiale et, chez le prématuré, à des troubles digestifs graves tels que l'entérocolite ulcéro-nécrosante.

Septicémies néonatales tardives

Elles se rencontrent essentiellement chez le prématuré de faible poids, en unité de réanimation, exposé à l'infection nosocomiale par des portes d'entrée multiples : sonde trachéale, cathéter ombilical, voie veineuse centrale. Les germes prépondérants sont des bactéries Gram négatif (E. Coli, Serratia, Klebsiella, etc.) et le staphylocoque doré, germes souvent multirésistants. Les manifestations cliniques de début sont comparables à celles des septicémies précoces, avec cependant des signes cardio-respiratoires et digestifs plus marqués : apnées subintrantes, hypotension artérielle et bradycardie, ballonnement abdominal avec ralentissement du transit et résidus gastriques verdâtres, recrudescence de l'ictère. Alors que l'enfant entrait en convalescence, toutes les techniques de réanimation deviennent à nouveau nécessaires. Les examens biologiques donnent des résultats identiques à ceux déjà décrits.

Méningites néonatales (cf. pp. 627 ss.)

Méningite néonatale précoce

Elle touche le nouveau-né à terme et le prématuré. Les germes en cause sont, comme pour les septicémies, le streptocoque β-hémolytique du groupe B, listeria monocytogenes, plus rarement un germe Gram négatif. La méningite évolue souvent dans le contexte d'une septicémie qui conditionne le pronostic vital. Isolée, elle se révèle dans les deux ou trois premiers jours de vie par un mauvais comportement alimentaire, un cri plaintif, une léthargie, une hypotonie (méningite à nuque molle), parfois une attitude crispée avec hypertonie axiale. Il existe parfois une hyperthermie, la fontanelle peut être normale ou bombante. Les apnées et les convulsions ne sont pas rares. A ce stade, elles n'ont pas de valeur péjorative à long terme, mais peuvent provoquer une dépression respiratoire.

A la ponction lombaire, le liquide céphalo-rachidien peut être hypertendu ou au contraire s'écouler difficilement. Il est de couleur eau de riz, parfois hémorragique. Il existe une hyperalbuminorachie supérieure à 1 g/l (la protéinorachie normale du nouveau-né est de l'ordre de 0,80 g/l), une hypercytose supérieure à 20 cellules par mm^3 avec majorité de polynucléaires. Il est utile de pratiquer un dosage de la glycémie au moment de la ponction lombaire pour interpréter une hypoglycorachie.

A la culture du liquide céphalo-rachidien, il sera toujours nécessaire d'ajouter une hémoculture.

Les complications les plus fréquentes sont une ventriculite ou un cloisonnement sous-arachnoïdien responsable d'une hydrocéphalie. La surveillance échographique régulière en permet le diagnostic précoce, de même que celui d'un abcès cérébral, plus rare. Les séquelles neurologiques et sensorielles sont consécutives à des thromboses cérébrales.

Le traitement doit se faire là où une réanimation est possible ; en effet, les apnées provoquées par les convulsions et la dépression respiratoire induite par les anticonvulsivants peuvent nécessiter une assistance ventilatoire. L'alimentation parentérale est souvent nécessaire. Le traitement étiologique fait d'abord appel à une association d'antibiotiques à spectre large (par ex. : ampicilline-gentamycine), adaptée dès que possible à l'antibiogramme, au pouvoir bactéricide des diverses associations d'antibiotiques et au pouvoir bactéricide du liquide céphalo-rachidien. La durée de ce traitement est de 3 semaines au moins. Lorsqu'il existe une ventriculite avec hydrocéphalie, il peut être nécessaire de recourir à la mise en place d'une dérivation externe permettant l'injection d'antibiotiques *in situ*.

Méningite néonatale tardive

Chez le nouveau-né à terme, elle correspond à une contamination intranatale ou postnatale. Le germe en cause est soit un streptocoque du groupe B, soit un germe Gram négatif. Les signes apparaissent après un intervalle libre de plusieurs jours : anorexie, hyperthermie, vomissements, hypotonie, convulsions. Le diagnostic et les principes thérapeutiques sont similaires à ceux des formes précoces.

Chez le prématuré, la symptomatologie est souvent peu spécifique. La méningite est due à une infection nosocomiale à germes Gram négatif ou à staphylocoque doré. Elle accompagne souvent une septicémie ou, parfois, complique une hémorragie ventriculaire, réalisant une ventriculite de pronostic redoutable.

Infections bactériennes localisées

Infection broncho-pulmonaire

L'infection broncho-pulmonaire complique généralement une inhalation de liquide méconial chez le nouveau-né à terme. Chez le prématuré, elle est la rançon d'une intubation trachéale prolongée et joue un rôle important dans la genèse de la dysplasie broncho-pulmonaire (voir plus haut : Détresses respiratoires).

Arthrites aiguës

Les arthrites aiguës sont le plus souvent des complications iatrogènes de la réanimation néonatale. Elles surviennent dans le cadre d'une septicémie ou d'une bactériémie à staphylocoque doré ou à germe Gram négatif. Elles sont le plus souvent localisées au niveau de la hanche, uni ou bilatérales, la porte d'entrée étant parfois un cathéter artériel ombilical ou des ponctions répétées au niveau des talons. L'arthrite de la hanche se manifeste d'abord par une attitude antalgique de la cuisse en flexion, abduction. La tentative de mobilisation est douloureuse, ainsi que la palpation de la région du triangle de Scarpa. A un stade plus évolué apparaît une tuméfaction inguinale d'allure inflammatoire avec un œdème de la cuisse. La radiographie du bassin montre un élargissement de l'espace articulaire. Le diagnostic est confirmé par la ponction articulaire (premier geste thérapeutique), qui ramène un liquide trouble. Arthrotomie et mise en traction du membre inférieur sont décidées d'urgence. L'antibiothérapie adaptée au germe isolé dans le liquide de ponction doit être maintenue pour une durée de 6 à 8 semaines. Le pronostic fonctionnel est presque toujours en cause. Des arthrites des genoux, des chevilles sont également possibles.

Syphilis congénitale (cf. pp. 649-650)

Bien que la fréquence de la syphilis ait diminué, les enfants issus de mère à sérologie positive ne sont pas rares. Lorsque la mère n'a pas été traitée, le placenta est anormal, mais les manifestations cliniques peuvent n'apparaître que plusieurs jours après la naissance : rhinorrhée purulente, rashs cutanés péri-orificiels, lésions bulleuses, desquamation excessive des extrémités. L'hépatosplénomégalie, les lésions osseuses sont fréquentes sous la forme de destructions métaphysaires et de bandes claires périostées au niveau des os longs. L'atteinte nerveuse latente est recherchée par la ponction lombaire et se traduit par une hyperalbuminorachie et une hyperlymphocytose. Le diagnostic est beaucoup plus incertain lorsqu'il n'y a pas de signes cliniques évidents. Les examens sérologiques de routine comportent soit les tests VDRL, soit la recherche d'antigènes cardio-lipidiques par micro-agglutination quantitative. Le dosage des IgM spécifiques est nécessaire dans les cas douteux. Le traitement fait appel à la pénicilline à dose progressive pour une durée de 10 à 15 jours. Dans les formes asymptomatiques, en cas de doute diagnostic, on se résout souvent à ce traitement.

Infections virales

Rubéole congénitale (cf. pp. 56-59 et 603-604)

La rubéole est responsable de la majorité des embryo-fœtopathies virales connues. Elle associe à des degrés divers des malformations (syndrome de Gregg) et des signes d'infection néonatale grave (rubéole congénitale évolutive).

● Le *syndrome décrit par Gregg* en 1941, ou *embryopathie rubéolique*, associe une cataracte avec rétinopathie, une microcéphalie et une cardiopathie de type hypoplasie de l'artère pulmonaire ou persistance du canal artériel. Une surdité de perception complique souvent ce tableau.

● La *rubéole congénitale évolutive* se présente comme une septicémie. Il s'agit d'un nouveau-né dysmature qui présente une hépatosplénomégalie, des adénopathies, une pneumopathie interstitielle, une éruption cutanée, parfois un ictère et du purpura. La tableau peut se compléter de signes neurologiques : convulsions, hypotonie, traduisant l'atteinte méningo-encéphalique que confirme une réaction lymphocytaire dans le liquide céphalo-rachidien. La radiographie des os longs montre l'existence de bandes claires métaphysaires. Le diagnostic est confirmé par la recherche d'IgG (inhibition de l'hémagglutination) et si possible des IgM spécifiques. L'isolement du virus dans le sang, l'urine, les sécrétions digestives, montre que l'enfant est contagieux et cela pendant plusieurs mois. Le pronostic dépend de la gravité de l'atteinte. Il y a une importante mortalité néonatale et de lourdes séquelles neurologiques et sensorielles chez les survivants.

Infection à cytomégalovirus (cf. p. 59 et p. 595)

Parfois, la primo-infection maternelle s'est manifestée par un épisode infectieux en cours de grossesse. Le nouveau-né est dysmature, microcéphale ; le tableau peut être celui d'une septicémie congénitale avec, en particulier, un purpura thrombocytopénique et une hépatosplénomégalie. L'examen des fonds d'yeux peut mettre en évidence une choriorétinite, et il existe parfois des calcifications intracrâniennes périventriculaires à la radiographie. Le diagnostic repose sur le dosage des IgM et sur la mise en évidence de cellules à inclusions cytomégaliques et de virus dans les urines. La transmission postnatale de la maladie par la transfusion sanguine a été rapportée, elle se manifeste surtout par une pneumopathie sévère.

Herpès (cf. pp. 594-595)

Bien que l'herpès génital soit fréquent, l'infection congénitale est exceptionnelle. L'enfant se contamine le plus souvent à la rupture des membranes lorsque les lésions sont évolutives. Dans les rares cas d'infection intra-utérine rapportés, l'enfant est microcéphale avec des lésions de chorio-rétinite et des calcifications intracrâniennes. Des vésicules herpétiques peuvent apparaître d'emblée. *L'évolution est fatale.* Lorsque la contamination est intranatale, l'enfant développe une encéphalite, des lésions cutanées bulleuses ou vésiculeuses et une kératite vers la deuxième semaine de vie. Le diagnostic biologique est attesté par la découverte du virus, mais les tests sérologiques ne seront positifs qu'après 2 à 8 semaines d'évolution. La naissance par césarienne pour éviter la contamination ne se justifie qu'en cas de lésions évolutives au niveau du col et avant (ou moins de 4 heures après) la rupture des membranes. L'injection de gamma-globulines à la naissance est habituellement recommandée, dans ces circonstances.

Toxoplasmose congénitale (cf. pp. 59-60 et 705-707)

La maladie est secondaire à la contamination de la mère à partir de viandes mal cuites ou de déjections de chat à n'importe quel moment de la grossesse, rarement avant celle-ci. En l'absence de traitement maternel, la fréquence de l'atteinte fœtale passe d'environ 25 % au 1er trimestre à 65 % au 3e trimestre. Ce risque est réduit de moitié environ par le traitement à la spiramycine (Rovamycine®). Si les atteintes précoces sont souvent graves, les contaminations tardives se présentent le plus souvent comme des formes latentes.

L'enfant contaminé peut naître porteur d'une forme septicémique avec méningo-encéphalite, heureusement rare. Il peut s'agir d'une hydrocéphalie avec calcifications intracrâniennes ou d'une chorio-rétinite évolutive. En l'absence de symptômes, on parle de forme latente (75 % des cas), mais une hyperalbuminorachie supérieure à 1 g/l est souvent retrouvée. Le diagnostic sérologique a recours au taux comparatif des anticorps maternels et fœtaux par les méthodes d'immunofluorescence. La présence d'IgM (test de Remington) traduit l'atteinte fœtale.

La gravité des formes latentes tient à la possibilité d'apparition d'une chorio-rétinite plusieurs mois, voire plusieurs années après la naissance. Ce risque est évalué à 30 % des formes latentes et peut durer jusqu'à l'adolescence. Cela justifie un traitement systématique des enfants atteints par cures alternées de spiramycine, de pyriméthamine (associée à de l'acide folinique) pendant un an. Durant cette période, les examens sérologiques et du fond d'œil seront répétés tous les deux mois. Au-delà d'un an, un examen bisannuel du fond d'œil reste recommandé. Le traitement sera interrompu si après 6 mois il s'avère que les anticorps étaient d'origine maternelle.

Infections mycosiques (cf. pp. 701-705)

Les infections à *candida albicans* sont les plus fréquentes. Il s'agit d'infections nosocomiales dont la prévention repose sur la bonne stérilisation du matériel de biberonnerie. Les formes généralisées sont rares, favorisées par l'antibiothérapie à large spectre et l'alimentation parentérale chez le prématuré. Il s'agit dans la règle de formes digestives. Le muguet buccal apparaît au cours de la deuxième semaine de vie, d'abord sous la forme d'une glossite avec langue lisse dépapillée et rouge sur les bords, puis de formations blanchâtres, adhérentes, disséminées sur la langue, le palais, les gencives, la muqueuse jugale. Lorsque la candidose touche la totalité du tractus digestif, elle se traduit par des vomissements et une diarrhée, et il est fréquent d'observer un érythème en carte de géographie, s'étendant de la région périanale vers les organes génitaux externes et les plis inguinaux. Le traitement repose sur les antifongiques (fungizone 50 mg/kg/jour ou mycostatine 1 000 000 U/jour) administrés par voie orale après les repas, à raison de 8 à 12 prises quotidiennes pendant 10 à 15 jours.

Troubles digestifs

A la naissance, lors de l'aspiration et dans les heures suivantes, à l'occasion des premières déglutitions, la perméabilité œsophagienne est vérifiée. Le moindre doute sur la possibilité d'une *atrésie de l'œsophage* nécessite d'interrompre toute tentative alimentaire et de pratiquer une radiographie sans préparation avec une sonde opaque en place là où elle bute. Il s'agit d'une très grande urgence chirurgicale car, dans la plupart des cas, il y a une fistule qui amène du liquide gastrique depuis la partie inférieure de l'œsophage jusqu'à la trachée et provoque une pneumopathie grave (Cf. pp. 151-152.)

L'installation du transit digestif permet l'aération progressive de l'intestin et l'évacuation du méconium. La colonisation bactérienne en est contemporaine. Elle s'effectue à partir des germes présents dans l'environnement. L'allaitement maternel favorise le développement d'une flore saprophyte adéquate et protège l'enfant contre les germes pathogènes.

Régurgitations-vomissements

Si les régurgitations précoces de lait en fin de tétée sont banales et souvent liées à de petites difficultés comme l'aérophagie ou les positions de l'enfant, les vomissements demandent plus d'attention. Souvent révélateurs d'une anomalie organique (sténose duodénale... cf. p. 158). Ils peuvent aussi accompagner des maladies générales (septicémies, méningites, etc.) ou traduire un trouble fonctionnel. La présence de sang ou de bile sont des éléments de gravité, surtout en cas de ballonnement abdominal associé. Il ne faut jamais oublier le risque quelquefois dramatique de fausse-route trachéo-bronchique que les régurgitations et les vomissements peuvent entraîner.

Chez le prématuré, on s'attache à éviter le plus possible les régurgitations et les vomissements en vérifiant l'absence de résidu gastrique supérieur à 2 ml de liquide clair. Sa recherche systématique avant tout gavage permet le dépistage précoce des troubles du transit attestés par un liquide abondant et bilieux. Ceux-ci peuvent être consécutifs au développement d'une entérocolite ulcéro-nécrosante.

La radiographie simple de l'abdomen peut suffire pour évoquer certains diagnostics comme l'image en double bulle pathognomonique de l'atrésie-sténose duodénale (cf. p. 158). Dans certains cas, une opacification prudente est nécessaire (sténose du pylore, reflux gastro-œsophagien).

Lorsqu'il ne s'agit pas d'une anomalie organique nécessitant un recours chirurgical ou un arrêt de l'alimentation orale, le traitement médical comporte des mesures posturales, un épaississement du contenu gastrique, et éventuellement des antispasmodiques. En cas de vomissements importants avec retentissement métabolique chez un garçon, il faut évoquer la possibilité d'une hyperplasie congénitale des surrénales et rechercher une élévation des 17-cétostéroïdes urinaires (cf. pp. 744 ss.).

Iléus (cf. pp. 158-160)

L'arrêt du transit digestif se présente sous deux formes. Les *occlusions hautes* se manifestent par des vomissements précoces avec un ventre plat. L'évacuation du méconium s'est faite normalement ; on évoque en particulier une atrésie ou une sténose duodénale.

L'*occlusion basse* se signale par un ballonnement abdominal et un retard ou une absence d'émission méconiale. Le tableau correspond plus à celui de l'iléus méconial de la mucoviscidose ou au syndrome du microcôlon gauche. Le mégacôlon congénital par achalasie (maladie de Hirschsprung) se traduit plutôt par un état subocclusif.

Souvent, il s'agit d'un iléus paralytique facilité par les perturbations biologiques telles que l'hypoxémie, l'hypotension artérielle, la polyglobulie. Une immaturité du système nerveux autonome dans sa partie distale a été incriminée chez certains prématurés. L'effet de drogues transmises par la mère (opiacés, diazépines, β-bloquants...) peut être en cause. Dans ces iléus paralytiques, l'abdomen est ballonné, silencieux à l'auscultation. Le cliché simple montre une distension aérique des anses intestinales, avec une stase gastrique plus ou moins abondante. La stase et la distension intestinale aggravent l'iléus et favorisent l'évolution d'une entérocolite ulcéro-nécrosante.

En dehors des indications chirurgicales, le traitement associe la mise au repos du tube digestif, l'aspiration gastrique continue et la correction des troubles métaboliques.

Entérocolite ulcéro-nécrosante

Il s'agit de lésions nécrotiques de la muqueuse intestinale siégeant surtout au niveau du côlon et de l'iléon terminal. Elles sont provoquées principalement par une ischémie du territoire splanchnique souvent aggravée par l'hypovolémie, l'hypotension artérielle systémique ou l'hypoxémie et l'acidose. L'infection généralement associée à l'entérocolite peut en être la cause ou la conséquence, elle est en général due à une bactérie Gram négatif. Une alimentation hyperosmolaire est un facteur favorisant.

L'abdomen est distendu et douloureux. Les résidus gastriques sont abondants et bilieux. On retrouve du sang dans les selles et au toucher rectal. L'arrêt du transit survient rapidement. Les troubles hémorragiques fréquents sont en rapport avec un syndrome de consommation, surtout en cas de septicémie associée. Le cliché simple de l'abdomen montre une distension aérique des anses, associée à des images de pneumatose kystique : petites images aériques dans les parois de l'intestin, à disposition linéaire ou en cocarde. Ces aspects sont visibles surtout au niveau du cadre colique. L'observation d'une anse fixe sur plusieurs clichés successifs est fréquente. L'œdème de la paroi intestinale se traduit par un élargissement de l'espace séparant les images claires des anses distendues. Dans certains cas, un pneumopéritoine traduit une perforation digestive responsable d'une péritonite. Rarement on découvre de l'air dans la veine porte.

Au traitement de l'iléus, on associe la correction des troubles hémodynamiques et hémorragiques, ainsi qu'une antibiothérapie active sur les bactéries Gram négatif. Le traitement chirurgical est envisagé en cas de perforation digestive ou de sténose cicatricielle secondaire d'un segment intestinal, complication tardive fréquente.

Diarrhées

Elles traduisent un trouble de l'absorption intestinale responsable de pertes hydriques et électrolytiques. Il s'agit souvent d'une gastro-entérite que rien ne distingue de celle du nourrisson. En dehors de la diarrhée prandiale et des selles liquides observées sous photothérapie, on évoque plus rarement une cause métabolique comme un déficit congénital en disaccharidases. Un déficit transitoire en lactase a été décrit au décours de l'entérocolite ulcéro-nécrosante.

Constipation

Un nouveau-né a normalement une ou plusieurs selles par jour, selon son type d'alimentation. Les selles de lait maternel sont plus liquides que celles de l'alimentation artificielle. L'absence de selles pendant plus de 24 heures peut céder à la pose d'un suppositoire de glycérine. Cependant, une constipation durable peut faire évoquer une anomalie organique du côlon ou un myxœdème congénital. La constipation des nouveaunés allaités par des mères constipées est de mécanisme inconnu mais disparaît lorsque celles-ci sont efficacement traitées.

Pathologie urinaire

A des troubles sécrétoires et excrétoires alarmants, sont venus s'ajouter des affections paucisymptomatiques ou silencieuses dépistées avant la naissance par l'ultrasonographie.

Masses abdominales palpables

Les masses abdominales accessibles à la palpation systématique des fosses lombaires correspondent le plus souvent à une hydronéphrose, rarement à une maladie polykystique ou à une tumeur. Rappelons que les pôles inférieurs des reins sont normalement palpables, surtout à gauche.

Ascites

Les ascites, en dehors d'un tableau d'anasarque, sont exceptionnellement la conséquence d'une obstruction urinaire basse : valve de l'urètre postérieur chez le garçon.

Oligoanurie

Le nouveau-né urine souvent dès la naissance et dans 92 % des cas le premier jour. Il y a cependant des retards de miction, et on ne porte pas le diagnostic d'anurie avant 48 heures. La diurèse normale est de 15 à 60 ml/kg le premier jour chez l'enfant à terme et de 1 à 3 ml/kg/heure chez le prématuré. Une oligurie est certaine lorsque le débit urinaire est inférieur à 0,5 ml/kg/heure. Après avoir éliminé une rétention vésicale qui se manifeste par une grosse vessie à la palpation, la percussion ou aux ultra-sons, on évoque :

● Une *agénésie rénale bilatérale ou syndrome de Potter* annoncé par un oligoamnios et un faciès avec nez aplati, oreilles implantées bas, épicanthus et micrognathie.
● Une *chute du débit rénal* consécutive à une hypoxie ou à une hypovolémie.
● Une *thrombose des veines rénales*, soit isolée, soit par contiguïté avec une thrombose de la veine cave. Cette complication menace particulièrement les enfants de mère diabétique. Les reins sont gros, l'hématurie et un syndrome de consommation des facteurs de coagulation orientent le diagnostic. La thrombose des artères rénales est beaucoup plus rare. Les reins ne sont pas augmentés de volume, mais il y a une hypertension artérielle.
● Une *nécrose* rénale corticale ou médullaire.

Insuffisance rénale

L'insuffisance rénale se manifeste, comme à d'autres âges, par des œdèmes ou une augmentation de poids, un taux d'urée supérieur à 0,50 g/l (8,3 mmol), un taux de créatinine supérieur à 10 mg/l (88,4 µmol), une hyperkaliémie. L'urographie intraveineuse qui montrerait une absence de sécrétion est contre-indiquée parce qu'elle peut aggraver les lésions. Le traitement symptomatique comporte selon les cas une restauration des équilibres hydro-électrolytique et hémodynamique, parfois du furosémide (1 à 2 mg/kg/jour). En cas de thrombose, le traitement anticoagulant et thrombolytique (urokinase) peut être efficace. Lorsque le taux d'urée dépasse 50 mmol/l (3 g/l) et/ou l'hyperkaliémie 8 mmol/l, il y a indication de dialyse péritonéale.

Infection urinaire

L'infection urinaire peut être soit associée à une septicémie, soit consécutive à un obstacle urinaire malformatif. L'état général peut être altéré ou non. Le comptage des germes est suspect quand il est égal ou supérieur à 10^4 germes par ml et certain pour 10^5 germes par ml, si les urines sont recueillies sans contamination exogène. La pyurie est confirmée lorsque le nombre de leucocytes est sûrement égal ou supérieur à 10 000 éléments par minute au compte d'Addis. Les germes le plus souvent recontrés sont E. Coli, Klebsiella, proteus et entérocoque, souvent associés entre eux. En l'absence d'un traitement antibiotique efficace (ampicilline...), il y a un risque de pyélonéphrite. Il faut éviter autant que possible les antibiotiques néphrotoxiques comme les aminoglucosides, la polymyxine et les céphalosporines.

Lorsque l'infection est localisée à l'appareil urinaire, il est indispensable d'explorer les voies excrétrices par échographie, urographie intraveineuse, cystographie. L'association d'un oligamnios avec hypoplasie pulmonaire conduisant à la création d'un pneumothorax lors de la réanimation doit faire rechercher une uropathie malformative.

Hypertension artérielle

L'hypertension artérielle du nouveau-né est rarement rapportée. Elle est certaine lorsque la pression artérielle systolique est durablement supérieure à 90 mmHg. L'enfant présente une tachypnée et des signes d'insuffisance cardiaque, avec parfois des signes neurologiques à type de léthargie, d'hypotonie ou de convulsions, mais l'hypertension peut aussi être asymptomatique.

Les causes uro-néphrologiques possibles sont la thrombose artérielle rénale et les uropathies obstructives. Mais il faut aussi évoquer la coarctation de l'aorte et les hyperplasies virilisantes des surrénales par déficit en 11-β-hydroxylase ou en 17-hydroxylase (cf. pp. 744 ss.).

Troubles métaboliques

La plupart des troubles métaboliques du nouveau-né sont liés à l'installation de nouveaux équilibres biologiques. Plus rarement, ils sont en rapport avec des erreurs innées du métabolisme de révélation précoce.

Hyperbilirubinémies

Les hyperbilirubinémies peuvent entraîner une encéphalopathie, ou ictère nucléaire, par atteinte directe des noyaux gris centraux. Il s'agit d'un syndrome comportant à la phase aiguë des troubles végétatifs majeurs et à la phase séquellaire des mouvements choréo-athétosiques associés à des troubles du tonus et à une surdité profonde. L'existence d'hypoacousies isolées est bien établie ; celle de lésions cérébrales minimes, également évoquée, n'est pas prouvée. Ces risques dépendent non seulement des taux plasmatiques de bilirubine indirecte mais aussi des particularités de son métabolisme.

Métabolisme de la bilirubine

La molécule de bilirubine (poids moléculaire 585) est un produit de dégradation de l'hémoglobine. La bilirubine non conjuguée ou indirecte est seule toxique pour les structures cérébrales en raison de sa liposolubilité. Dès sa formation, elle se fixe sur l'albumine plasmatique ; le complexe formé, de poids moléculaire de plus de 70 000, ne peut plus diffuser jusqu'au niveau des structures cérébrales. La liaison albumine-bilirubine est instable. Des influences variées (hypoxémie, acidose, hypothermie ou compétition entre bilirubine et d'autres molécules) peuvent « déplacer » la bilirubine indirecte de l'albumine et accroître le risque d'atteinte cérébrale.

Au niveau du foie, la bilirubine est transportée par des protéines dans les hépatocytes, puis conjuguée sous l'action de la glucuronyl-transférase. Conjuguée, la bilirubine est hydrosoluble et éliminée par la sécrétion biliaire. Dans la lumière intestinale, elle est transformée en stercobilinogène, puis en stercobiline et urobiline, dont une partie est réabsorbée puis éliminée dans les urines. Dans l'intestin, la bilirubine peut être déconjuguée par une β-glucuronidase et réabsorbée.

Ictères à bilirubine non conjuguée

Ils sont liés à une insuffisance de conjugaison ou à un excès de production.

Défauts de conjugaison

Le nouveau-né présente fréquemment, après 36 heures de vie, un ictère cutanéo-muqueux d'intensité moyenne, sans aucune autre manifestation clinique. Cet ictère, appelé ictère physiologique du nouveau-né, culmine entre le 4e et le 7e jour, puis disparaît progressivement au cours de la 2e semaine de vie. La bilirubine indirecte plasmatique ne dépasse jamais 205 à 240 µmol/l (120 à 140 mg/l). L'ictère est consécutif à l'insuffisance transitoire de l'activité glucuronyl-transférase, qui n'atteint une capacité suffisante qu'à la fin de la première semaine. Cette situation est responsable de l'ictère du prématuré, qui est constant. Sa gravité est inversement proportionnelle à l'âge gestationnel. Il est d'autant plus dangereux que le taux d'albumine plasmatique est plus bas et que les perturbations biologiques comme l'hypoxémie et l'acidose sont fréquentes.

Le défaut de conjugaison peut être acquis : c'est le cas pour l'ictère au lait de femme, rare, qui d'ordinaire n'est pas une contre-indication à l'allaitement maternel, ou des ictères associés à l'usage des ocytociques.

L'exceptionnel déficit congénital en glucuronyl-transférase constitue un tableau identique non régressif (maladie de Gilbert, maladie de Crigler et Najjar, voir chapitre 10).

Excès de production de bilirubine

Les hyperhémolyses d'origine immunologique ont longtemps constitué la cause la plus redoutée de l'ictère du nouveau-né.

● *Iso-immunisation Rhésus* : L'hémolyse des hématies fœtales Rh + porteuses d'un antigène du système Rhésus (généralement D) est provoquée par des anticorps immuns d'origine maternelle. Ces anticorps apparaissent chez les femmes Rh − à la suite d'une immunisation préalable généralement survenue lors d'une première grossesse. Au cours de la gestation chez une mère immunisée, le passage d'hématies fœtales Rh + dans la circulation maternelle stimule la production d'anticorps anti-Rh + qui gagnent la circulation fœtale. Le tableau clinique varie de l'ictère isolé à l'anasarque fœto-placentaire. L'ictère peut apparaître et s'aggraver rapidement dès la première heure en raison d'un passage massif d'anticorps anti-Rh + dans la circulation fœtale pendant l'accouchement. L'ictère s'associe à une importante hépatomégalie et à une splénomégalie. Il existe une anémie plus ou moins sévère pouvant compromettre l'adaptation cardio-respiratoire néonatale. Une érythroblastose traduit l'activité hématopoïétique fœtale induite par l'hémolyse et l'anémie.

Le *test de Coombs direct* (voir note [1] p. 149) établit le diagnostic. Il est systématique en cas d'ictère néonatal. Il révèle toutes les immunisations possibles liées aux différents antigènes du système Rhésus responsables de tableaux cliniques identiques (D, E, e, c). Avant la naissance, un *test de Coombs indirect* (voir note [2] p. 149) fait sur le sérum de la mère évalue la gravité de l'immunisation : la mesure du taux de la bilirubine amniotique et l'échotomographie qui peut montrer l'apparition de signes d'anasarque précisent le retentissement fœtal.

Cette maladie est prévenue par l'administration systématique de gamma-globulines anti-D dans un délai de 72 heures après l'accouchement chez toute femme Rh −. La prévention est répétée à chacune des naissances si l'enfant est de groupe Rh + ; elle est également effectuée après tout avortement et amniocentèse.

● *Incompatibilité ABO* : L'hémolyse des hématies fœtales du groupe A et B est provoquée par des anticorps immuns anti-A ou anti-B d'une mère de groupe O. Cette immunisation peut survenir dès la première grossesse, mais en l'absence d'anémie et d'anasarque, sa gravité est moindre que dans le système Rhésus. L'ictère débute vers le 2ᵉ jour. Le diagnostic repose sur le test de Coombs direct réalisé après sensibilisation par la broméline et sur la recherche d'agglutinines irrégulières dans le sérum de la mère. L'extrême banalité de ce type d'immunisation commande de chercher une autre étiologie lorsque le tableau clinique prend une allure plus grave.

● *Anémies hémolytiques constitutionnelles* (cf. chap. 16, pp. 491 ss.) : Leur fréquence est variable selon les régions et les ethnies. Toutes ne sont pas responsables d'une hémolyse massive à la naissance. Il s'agit d'anomalies de l'hémoglobine (thalassémie, drépanocytose), de la membrane du globule rouge (anémie de Minkowski-Chauffard) ou plus fréquemment d'un déficit enzymatique intra-érythrocytaire. Dans ce cas, il s'agit d'un déficit en glucose-6-phosphate-déshydrogénase (G6PD) atteignant les garçons : une poussée d'hémolyse peut être induite par l'absorption intempestive d'une substance déclenchante par la mère (antipaludéens, antipyrine...) ou par l'enfant (sulfamides, poudres contenant du menthol). Ces anomalies correspondent à des maladies génétiques et imposent une enquête familiale.

• *Résorption d'hématomes* : Les hématomes diffus (présentation du siège) ou localisés (céphalhématome) se résorbent progressivement après hémolyse. Ils sont responsables d'ictères souvent intenses et prolongés.

• *Accentuation du cycle entéro-hépatique* : Ce mécanisme peut intervenir dans toute obstruction intestinale ou ralentissement du transit, et certaines malformations digestives comme la sténose du pylore ou la sténose duodénale s'accompagnent parfois d'un ictère.

Ce mécanisme explique aussi l'ictère prolongé de l'hypothyroïdie néonatale, en plus d'un trouble de la conjugaison.

Ictères à bilirubine conjuguée (cf. pp. 268 ss.)

Ces ictères sont consécutifs à un trouble de l'élimination biliaire. Leur début est tardif et leur évolution lente et progressive, ils possèdent une composante verdâtre. Les urines sont foncées, les selles ne sont décolorées que dans les formes sévères. L'hépatomégalie est importante.

Il peut s'agir d'une atrésie des voies biliaires intra- ou extra-hépatique. Plus rarement d'un kyste du cholédoque comprimant la voie biliaire principale, dont le diagnostic peut être fait par l'échotomographie.

Chez le prématuré, une cholestase peut apparaître au cours d'une alimentation parentérale prolongée. Son origine est mal connue. Elle disparaît progressivement après reprise de l'alimentation orale.

Ictères mixtes

L'élévation de la bilirubine indirecte associée à celle plus modérée de la bilirubine directe est fréquente. Il s'agit le plus souvent d'infections néonatales avec atteinte hépatique d'origine bactérienne (streptocoque B, listeria, colibacille), virale (cytomégalovirus) ou parasitaire (toxoplasmose). Dans ces cas, l'ictère et l'hépatomégalie sont associés aux autres signes cliniques et biologiques d'infection. Un ictère prolongé mixte peut apparaître chez certains enfants convalescents d'un ictère hémolytique sévère : son mécanisme est incertain. Plus rarement, il s'agit d'une maladie métabolique (galactosémie) ou d'une atteinte hépatique d'origine toxique.

Surveillance et traitement

Surveillance

A la phase aiguë, elle repose sur la mesure pluriquotidienne des taux plasmatiques de bilirubine directe et indirecte. La fréquence des dosages est adaptée à l'évolution, avec pour objectif de ne pas dépasser le seuil dangereux. Les résultats sont interprétés en fonction de l'âge postnatal, du poids de naissance et des troubles associés. Le bilan initial comporte une vérification du groupe sanguin et de la numération globulaire. La crase sanguine est contrôlée en cas d'infection ou d'immunisation grave.

Traitement

Mesures préventives

L'évacuation du méconium, l'alimentation précoce et suffisante, et la prévention de l'hypothermie ont une efficacité indiscutable. La prévention peut aussi être obtenue par induction de l'activité glucuronyl-transférase par le phénobarbital en dose unique *per os* de 5 à 10 mg/kg. La quantité de bilirubine indirecte non liée (à l'albumine) peut aussi être réduite par une perfusion d'albumine, ainsi que par la correction de l'acidose et de l'hypoxémie, ce qui diminue transitoirement le risque d'atteinte cérébrale.

Mesures curatives

● *Photothérapie* : Elle agit surtout par isomérisation en photocomposés solubles de la bilirubine excrétables dans les selles et les urines et à un moindre degré par destruction directe de la molécule de bilirubine en composés mono- et dipyroles également hydrosolubles. Elle est indiquée dès que le taux plasmatique de bilirubine atteint 220 à 250 µmol/l (130 à 150 mg/l). Chez le prématuré, en présence de facteurs de risques surajoutés, elle est indiquée dès 170 µmol/l (100 mg/l). Anodine en apparence, la photothérapie élève les pertes hydriques et accélère le

Tableau 3 : Indications thérapeutiques de l'hyperbilirubinémie

Bilirubine plasmatique µmol/l (mg/l)	Poids de naissance g	< 24 heures	24-28 heures	49-72 heures	> 72 heures
< 85 (< 50)	Tous	Observation	Observation	Observation	Observation
85-169 (50-99)	Tous	Photothérapie si hémolyse	Observation	Observation	Observation
170-249 (100-149)	< 2 500	Exsanguino-transfusion si hémolyse	Photothérapie	Photothérapie	Photothérapie
	≥ 2 500	Exsanguino-transfusion si hémolyse	Examens complémentaires si bilirubine > 120 mg		
250-339 (150-199)	< 2 500	Exsanguino-transfusion	Exsanguino-transfusion	Exsanguino-transfusion ou photothérapie	Exsanguino-transfusion ou photothérapie
	≥ 2 500	Exsanguino-transfusion	Exsanguino-transfusion	Photothérapie	Photothérapie
≥ 340 (≥ 200)	Tous	Exsanguino-transfusion	Exsanguino-transfusion	Exsanguino-transfusion	Exsanguino-transfusion

En cas d'asphyxie, de détresse respiratoire, d'acidose (pH < 7,25), d'hypothermie, d'hypoalbuminémie (< 5 g/100 ml), de signes d'atteinte cérébrale ou de grande prématurité (< 1 500 g), traiter selon la catégorie supérieure.

D'après Maisels M.J. : Neonatal jaundice, in Avery G.B. : *Neonatology*, J.B. Lippincott, Philadelphie, 1975.

transit digestif. La mise sous photothérapie implique au préalable un bilan diagnostic complet et l'élimination d'une étiologie infectieuse.

● *Exsanguino-transfusion* : Elle est indiquée pour toute hyperbilirubinémie précoce d'évolution rapide et en cas d'anémie. Elle est effectuée dès la naissance si la bilirubine indirecte dans le sang du cordon est supérieure à 85 µmol/l (50 mg/l). En cas d'immunisation, elle permet le retrait d'anticorps circulants et d'hématies porteuses d'anticorps non encore hémolysées.

Lorsque l'ictère est progressif, l'exsanguino-transfusion est indiquée dès que la bilirubine indirecte dépasse un seuil donné, dont la valeur varie selon l'âge postnatal et le poids de naissance de l'enfant. En dehors de troubles associés (hypoxémie, acidose), le seuil est de 340 µmol/l (200 mg/l) chez le nouveau-né de plus de 2 500 g. Ces traitements sont généralement associés (voir tableau 3).

Hypoglycémie

A la naissance, le nouveau-né est brusquement privé de l'apport continu de glucose maternel. Pour maintenir sa glycémie, il ne dépend désormais que de ses réserves, de son apport alimentaire et de ses capacités métaboliques. L'hypoglycémie fréquente et précoce peut entraîner somnolence, hypothermie, trémulations, convulsions, cyanose ou apnées pouvant être des équivalents convulsifs. Souvent elle est asymptomatique. La découverte d'une hypoglycémie après une crise convulsive n'implique pas qu'elle en soit la cause. Bien que l'hypoglycémie soit classiquement définie par un taux de glucose inférieur à 1,7 mmol/l (0,30 g/l) (mesuré par la méthode de la glucose-oxydase), il est plus prudent de considérer que tout chiffre inférieur à 2,2 mmol/l (0,40 g/l) est dangereux. L'évaluation semi-quantitative de la glycémie est possible par une bandelette réactive ou Dextrostix, mais sujette à de nombreuses erreurs.

On connaît mal les mécanismes de l'hypoglycémie, qui est pourtant associée à de nombreuses situations pathologiques néonatales. Un déficit en substrats peut être incriminé chez le prématuré et le nouveau-né hypotrophique. Chez ce dernier, on invoque également un déséquilibre entre la consommation de glucose par le cerveau et la capacité de production réduite du foie. Les enfants en état de choc, d'hypoxémie, d'hypothermie, ou atteints d'infection grave, présentent souvent une hypoglycémie associée. L'hyperinsulinisme est en cause chez l'enfant de mère diabétique qui devient hypoglycémique dès la première heure. Les maladies métaboliques telles que la galactosémie et les glycogénoses se manifestent également par ce symptôme.

Le diagnostic précoce des hypoglycémies est obtenu par un dosage pluriquotidien chez les enfants à risque (3 à 6 fois par jour, selon les circonstances). La prévention comporte une alimentation précoce et fractionnée (8 à 10 repas par jour) ou, chez les enfants à haut risque (hypotrophiques ou nés de mère diabétique), l'administration continue à la pompe de sérum glucosé de 5 à 10 %, par voie intraveineuse. L'hyperglycémie iatrogène est à éviter, car elle peut induire une polyurie osmotique et une déshydratation.

En cas d'hypoglycémie avérée, l'administration soudaine d'une seule dose de charge est à rejeter, car elle entraîne une hypoglycémie secondaire par sécrétion d'insuline. L'apport de glucose est maintenu tant que le risque d'hypoglycémie persiste, en général tant que les apports alimentaires ne dépassent pas 70 à 80 % des besoins quotidiens (100 cal/kg). Dans la plupart des cas, un apport en glucose de 9 g/kg/24 heures permet d'éviter les hypoglycémies. Devant une hypoglycémie rebelle, il convient de rechercher un trouble constitutionnel du métabolisme glucidique.

Hypocalcémie et hypomagnésémie

Un nouveau-né est considéré comme hypocalcémique quand le taux de calcium plasmatique est inférieur à 1,75 mmol/l (70 mg/l). L'hypocalcémie est responsable de troubles de l'excitabilité neuro-musculaire par baisse de calcium ionisé. Les manifestations cliniques sont variées : irritabilité, agitation, hypotonie ou convulsions. Le signe de Chvostek est un bon indice, lorsqu'il est présent.

● *Diagnostic* : Il est basé sur le dosage du calcium plasmatique, et le cas échéant, sur l'allongement de l'espace QT à l'électrocardiogramme. Chez les enfants à risque, la calcémie doit être surveillée régulièrement durant la phase de soins intensifs. Le dosage du calcium ionisé serait utile, mais est rarement disponible. L'hypocalcémie est fréquente chez les enfants nés de mère malade : diabète, toxémie gravidique, carence calcique, hyperparathyroïdie. Elle peut être liée à des perturbations telles que la souffrance fœtale, l'hypoxémie, l'acidose, l'état de choc, les septicémies... L'hypocalcémie provoquée par l'exsanguino-transfusion est consécutive à la réduction du calcium ionisé qui se fixe sur le citrate (sang prélevé sur ACD).

Dans tous les cas, l'hypocalcémie est d'autant plus fréquente que les stocks sont plus bas (prématuré, hypotrophie...). L'hypocalcémie tardive, survenant à la fin de la première semaine, est attribuée à l'alimentation par des laits trop riches en phosphore. Elle tend à disparaître depuis l'usage des laits maternisés.

● *Traitement* : Administration d'un sel de calcium *per os* ou par voie intraveineuse. Le plus utilisé est le gluconate de calcium (1 ml à 10 % = 9 mg ou 2,25 mmol (4,5 mEq) de calcium élément). En général, une dose de calcium élément comprise entre 45 et 90 mg/kg/24 heures suffit à maintenir une calcémie normale. L'injection intraveineuse directe de calcium est contre-indiquée, car elle peut entraîner des troubles graves du rythme cardiaque. L'extravasation de solutions calciques peut être responsable de nécroses tissulaires. En cas de persistance d'une hypocalcémie malgré une supplémentation adaptée, il faut rechercher une hypomagnésémie.

Hypomagnésémie

L'hypomagnésémie, rarement rencontrée, entraîne des crises convulsives difficilement contrôlables. Le déficit en magnésium est attribué à une incapacité transitoire du tubule rénal à le retenir. En raison des interrelations entre les ions Mg^{++} et Ca^{++}, il existe toujours une hypocalcémie associée. Une calcémie normale exclut l'hypomagnésémie, alors qu'une hypocalcémie rebelle doit l'évoquer. L'administration de 0,1 à 0,2 ml/kg de sulfate de magnésie à 50 %, éventuellement répétée après 12 heures, suffit à rétablir une magnésémie normale : 0,6 à 1,15 mmol/l (15-28 mg/l).

Erreurs congénitales du métabolisme

Voir chapitre 22 : Métabolisme.

Troubles sanguins

Chez le nouveau-né, les hématies présentent des caractéristiques différentes de celles de l'adulte : la numération, le volume globulaire moyen, la teneur en hémoglobine et l'hématocrite sont plus élevés : respectivement 4,5 à 5,5 millions/mm^3, 110 à 120 µ^3, 15 à 20 g/l, 45 à 60 %. Le capital érythrocytaire varie de plus selon l'importance de la transfusion placentaire, conditionnée par le délai de clampage du cordon.

Anémies néonatales

En pratique, l'anémie néonatale se définit par un hématocrite inférieur à 45 % ou par un taux d'hémoglobine inférieur à 14 g/l. Elle dépend de deux mécanismes principaux : hémolyse et hémorragie.

Syndrome d'anémie aiguë

Signes cliniques

La baisse brutale du contenu en oxygène du sang est responsable d'une insuffisance cardiaque, et la chute de la volémie d'un collapsus vasculaire. La polypnée est souvent au premier plan : supérieure à 60 respirations par minute. S'y associent : pâleur, tachycardie supérieure à 150 battements par minute, hépatomégalie, hypotension artérielle (maximale inférieure à 50 mmHg), oligurie. Cependant, la tension artérielle peut rester transitoirement normale grâce à une vasoconstriction périphérique.

Signes biologiques

Lorsque l'anémie résulte d'une spoliation sanguine, la numération globulaire montre des valeurs transitoirement normales, puis avec la mise en jeu des mécanismes compensateurs de l'hypovolémie, hématocrite et taux d'hémoglobine diminuent. Il existe souvent une érythroblastose

sanguine et ces cellules nucléées pouvant être comptées avec les globules blancs induisent une fausse hyperleucocytose. Les gaz du sang mesurés d'urgence montrent une acidose métabolique, alors que la PaO_2 est habituellement normale et la $PaCO_2$ basse. D'autres examens indispensables à la conduite du traitement et au diagnostic étiologique doivent être pratiqués d'urgence :
- groupe sanguin de l'enfant ;
- test de Coombs ;
- dosage de la bilirubine.

Diagnostic étiologique

L'anamnèse permet très souvent d'orienter, voire de poser le diagnostic. Il est important de rechercher des antécédents d'anémie familiale, de préciser le groupe de la mère, la parité, l'évolution des grossesses antérieures éventuelles et des complications néonatales (ictère en particulier), et les complications ayant émaillé la grossesse actuelle : toxémie gravidique, hémorragie anté- ou périnatale, souffrance fœtale, intervention obstétricale pendant le travail : césarienne ou application de forceps.

La cause de l'anémie peut être anténatale : incompatibilité Rhésus ; intra- ou périnatale : placenta praevia, transfusion fœto-maternelle ; ou néonatale : hématomes viscéraux, hémorragie intracrânienne.

Anémie hémolytique par incompatibilité Rhésus

Elle se présente sous deux formes en période néonatale :
- *Anasarque fœto-placentaire* : Maladie Rhésus grave, le syndrome anémique évoluant depuis plusieurs semaines *in utero* est responsable d'une grande asystolie avec œdèmes, ascite, épanchements pleuraux, alors que l'ictère reste discret. Son pronostic est encore redoutable.
- *Ictère grave* : Maladie Rhésus de début tardif dans la chronologie de la grossesse. L'ictère est rapidement évolutif, en quelques heures ; l'anémie est au second plan.

Le diagnostic de l'anémie hémolytique par incompatibilité Rhésus repose sur le groupe sanguin de la mère, l'évolution des anticorps anti-Rhésus maternels pendant la grossesse, la biliamnie qui possède une valeur pronostique, le groupe sanguin et le test de Coombs de l'enfant.

Anémies par spoliation sanguine

Les hémorragies d'origine placentaire ou ombilicale sont de diagnostic facile, parce qu'extériorisées. Elles s'associent souvent à des signes d'asphyxie fœtale induits par l'arrêt des échanges gazeux. Le *placenta praevia* peut être responsable d'une hémorragie, puis d'une anémie fœtale, d'autant plus graves que cette anomalie est associée à une naissance prématurée, voire au développement d'une maladie des membranes hyalines. L'*hématome rétroplacentaire* peut se voir dans un contexte de toxémie gravidique ou en dehors de toute pathologie connue : on parle alors de décollement prématuré du placenta normalement inséré. Les spoliations sanguines d'origine *ombilicale* sont dues à la rupture du cordon ombilical en cas d'insertion vélamenteuse ; on peut en rapprocher la rupture d'un vaisseau placentaire aberrant lors de la rupture des membranes. Le *clampage précoce du cordon* ou, au cours d'une césarienne, le maintien de l'enfant au-dessus du niveau du placenta alors que le cordon n'est pas clampé, peuvent être responsables d'une anémie néonatale par hypovolémie.

Anémies par transfusion fœto-maternelle ou fœto-fœtale

● *Transfusion fœto-maternelle* : Elle peut s'effectuer sur un mode chronique, pendant la grossesse, ou aigu, pendant le travail. Dans le premier cas, du fait de l'adaptation hémodynamique fœtale, les signes cliniques à la naissance sont modérés et souvent se résument à une pâleur avec tachycardie. L'anémie est microcytaire, hypochrome hyposidérémique. Dans le second cas, l'enfant naît en état de choc (la transfusion dépasse 30 ml), l'hématocrite est normal et chute rapidement pendant les premières 24 heures. Le diagnostic repose sur le test de Kleihauer : identification des hématies contenant de l'hémoglobine fœtale acido-résistante dans le sang maternel.
● *Transfusion fœto-fœtale* : Chez les jumeaux homozygotes, la présence d'anastomoses des circulations placentaires permet une transfusion fœto-fœtale. Le fœtus transfuseur est anémique, hypotrophique, le fœtus transfusé est polyglobulique, de poids normal ou élevé. Le risque de mort *in utero* du fœtus transfuseur n'est pas négligeable.

Hématomes et hémorragies fœtales

● *Hématome sous-capsulaire du foie* : Il se rencontre souvent dans les accouchements en présentation du siège ayant nécessité des manœuvres d'extraction. Il se révèle au 2e ou au 3e jour de vie par une dyspnée, associée à une pâleur. Il existe un collapsus vasculaire, le ventre est ballonné, douloureux, on retrouve une hépatomégalie. Le diagnostic est confirmé par l'échographie.
● *Hématome surrénalien* : Celui-ci survient dans un contexte similaire, l'examen retrouve un empâtement ou une tuméfaction des fosses lombaires. Le pronostic est en partie lié à l'association éventuelle à une thrombose des veines rénales. Le diagnostic repose sur l'échographie et, rétrospectivement, sur l'apparition de calcifications surrénaliennes à la radiographie.

Hémorragies intracrâniennes

● *Chez le nouveau-né à terme*, elles sont en règle générale d'origine traumatique, de localisation méningée, cérébro-méningée ou sous-durale. Cette dernière localisation peut évoluer à bas bruit et se révéler à quelques jours de vie.
● *Chez le prématuré*, elles surviennent dans un contexte d'asphyxie périnatale, de détresse respiratoire néonatale, elles sont de localisation ventriculaire et périventriculaire, se révélant dans les premiers jours de vie. Le diagnostic repose sur l'échographie cérébrale.

Anémies tardives

L'anémie du prématuré est d'étiologie multifactorielle : d'abord déficit en vitamine E accélérant l'hémolyse, puis déficit en fer, normalement stocké en fin de grossesse. Le traitement, surtout préventif, repose sur la correction de ces déficits, mais on ne prescrit jamais la vitamine E et le fer en même temps. La transfusion peut être nécessaire lorsque le taux d'hémoglobine est inférieur à 10 g/l.

L'anémie d'Eklin survient au cours de la 2ème ou 3ème semaine de vie, chez des enfants atteints d'une iso-immunisation Rhésus. Du fait d'un conflit antigène-anticorps modéré, ils n'ont pas présenté d'ictère grave à la naissance.

On peut observer également une anémie tardive chez les nouveau-nés ayant été traités par exsanguino-transfusion, quelle qu'en ait été l'indication.

Conduite à tenir

Devant une anémie aiguë, récente, il est urgent de corriger l'hypovolémie, l'hématocrite étant encore normal à ce stade. On a recours au sang total : 10 à 20 ml/kg. Lorsque le collapsus vasculaire est majeur, avec une tension artérielle inférieure à 50 mmHg, les délais imposés par le groupage de l'enfant font parfois recourir à un traitement d'attente par perfusion de plasma à la dose de 10 à 15 ml/kg. L'efficacité du traitement est jugée sur l'évolution de la tension artérielle, de la diurèse et de l'acidose métabolique.

Lorsque l'anémie est majeure (hématocrite inférieur à 35 %), le risque d'insuffisance cardiaque provoquée par une transfusion trop massive peut faire proposer l'exsanguino-transfusion avec un sang d'hématocrite élevé (50 à 60 %) reconstitué à partir d'hématies concentrées et de plasma.

A long terme, la surveillance des enfants ayant présenté une spoliation sanguine anté-, péri- ou néonatale est nécessaire. En effet, la correction de l'anémie par les transfusions initiales est souvent insuffisante à corriger le déficit du stock de fer. Un traitement par le fer est souvent nécessaire à partir de la quatrième semaine de vie.

Polyglobulie néonatale

La polyglobulie néonatale se définit par un hématocrite supérieur à 65 % ou un taux d'hémoglobine supérieur à 22 g/l. Elle est souvent associée à une augmentation de la volémie. Il faut rappeler que la polyglobulie est banale chez le nouveau-né de mère vivant en altitude comme dans les Andes. Elle est souvent asymptomatique, mais peut s'associer à des troubles respiratoires, neurologiques, digestifs et biologiques. En pratique, il est souvent difficile de savoir ce qui, dans la symptomatologie, revient à la polyglobulie et à l'hyperviscosité sanguine qui en résulte ou à l'hypoxémie chronique anténatale dont elle peut témoigner.

Signes cliniques

L'enfant présente une érythrocyanose due à la stase sanguine dans la microcirculation. Il peut présenter des accès de cyanose sans gravité, traduisant l'augmentation de la quantité d'hémoglobine réduite. Ces accès nécessitent parfois un diagnostic différentiel avec des apnées, voire des équivalents convulsifs. Une dyspnée spontanément résolutive peut s'observer dans les premières heures de vie. Toutefois, lorsque la valeur de l'hématocrite est très élevée, au-dessus de 75 %, une insuffisance cardiaque peut apparaître. La radiographie pulmonaire montre une accentuation de la trame vasculaire, une cardiomégalie. La survenue de convulsions peut être déterminée par la baisse du débit sanguin cérébral, l'hypoglycémie ou l'hypocalcémie. Les troubles digestifs se manifestent par un ralentissement du transit avec régurgitations ou vomissements, ballonnement abdominal.

Signes biologiques

L'hématocrite et le taux d'hémoglobine sont de meilleurs indices de cette polyglobulie que la numération globulaire dont le chiffre dépasse 6 millions d'hématies par mm^3. L'hyperbilirubinémie reflète l'augmentation de l'hémolyse néonatale. L'ictère peut être masqué par l'érythrocyanose. D'intensité modérée, son évolution est rapidement régressive sous photothérapie. L'hypoglycémie inférieure à 1,65 mmol/l (0,30 g/l) est souvent latente ; l'hypocalcémie est fréquente, inférieure à 2 mmol/l (80 mg/l). La mesure de la viscosité sanguine serait intéressante, mais n'est pas de pratique courante. Rappelons que l'élévation de l'hématocrite a des conséquences différentes sur le débit sanguin, selon qu'elle s'associe ou non une hypervolémie. L'hypervolémie est responsable d'une baisse des résistances vasculaires permettant la préservation du débit sanguin.

Etiologie

L'étiologie relève de deux mécanismes principaux : les *transfusions fœtales* et les situations d'*hypoxémie anténatale.*
- La polyglobulie peut être liée à l'exagération de la transfusion placentaire, phénomène physiologique assurant une augmentation de la volémie d'autant plus importante que le clampage du cordon est tardif, l'enfant étant maintenu en dessous du niveau du placenta. La transfusion materno-fœtale est une cause rare de polyglobulie néonatale. Le diagnostic repose sur la recherche d'hématies maternelles chez le nouveau-né ou d'une proportion d'hémoglobine fœtale inférieure à 60 %. La transfusion fœto-fœtale survient chez les jumeaux monozygotes avec anastomoses placentaires. Le jumeau transfusé est polyglobulique quand l'autre est anémique.
- L'hypoxémie anténatale est due principalement à un dysfonctionnement placentaire avec souffrance fœtale chronique. En cas de toxémie gravidique par exemple, le nouveau-né présente un retard de croissance intra-utérin dysharmonieux. Un mécanisme similaire peut être en cause en cas de placenta praevia ou de postmaturité.
- Parmi les autres causes de polyglobulie, on rencontre : l'intoxication oxycarbonée chronique chez l'enfant de mère fumeuse ; la pléthore de l'enfant de mère diabétique ; enfin, le syndrome de Beckwith associant macrosomie, splanchnomégalie, hypoglycémie et polyglobulie.

Conduite à tenir

La découverte d'une polyglobulie doit en faire rechercher la cause, en particulier une souffrance fœtale chronique, et entreprendre le traitement étiologique. Asymptomatique, elle ne nécessite qu'une surveillance clinique. Si des complications telles qu'une insuffisance cardiaque ou des convulsions apparaissent, on peut recourir à une réduction de la masse sanguine avec compensation de la masse plasmatique. Cela est réalisé par plusieurs soustractions de sang, avec perfusion de plasma, ou par une exsanguino-transfusion partielle utilisant du plasma frais congelé. Ce traitement vise à ramener l'hématocite à environ 60 %.

Troubles de l'hémostase (voir tableau 4)

Si les plaquettes sont en nombre normal chez le nouveau-né, les facteurs de coagulation, en particulier ceux sensibles à la vitamine K (prothrombine, proconvertine, facteurs anti-hémophilique B et Stuart), sont souvent en quantité diminuée, même en dehors de tout désordre hémorragique. Le thrombo-élastogramme montre une hypercoagulabilité qu'on attribue à un déficit en plasminogène. L'interprétation des tests d'hémostase est plus aléatoire chez le nouveau-né du fait des conditions de prélèvement difficiles.

Les troubles de l'hémostase en période néonatale se répartissent en 4 catégories :
1. le déficit en prothrombine ;
2. les thrombocytopénies ;
3. les coagulopathies de consommation ;
4. les rares déficits congénitaux en facteurs de coagulation.

Déficit en prothrombine

● Il correspond à la maladie hémorragique du nouveau-né ; le diagnostic repose sur la mesure du taux de prothrombine. Expression clinique variée : saignement digestif ou hémorragie interne (hématome surrénalien, sous-capsulaire du foie, hémorragie intracrânienne) survenant dans les 3 premiers jours de vie. Le traitement et la prévention chez le prématuré reposent sur l'administration intraveineuse de vitamine K (1 à 5 mg). La prescription de vitamine K à tous les nouveau-nés a été préconisée, mais n'est pas universellement admise.

● C'est également une complication rencontrée chez l'enfant de mère épileptique traitée par les barbituriques ou les hydantoïnes. L'hypothrombinémie peut être prévenue par l'administration de vitamine K à la mère en fin de grossesse (20 mg par jour).

● Enfin, ce déficit peut :
a) accompagner une hépatite néonatale grave (rubéole congénitale évolutive par exemple) : la vitamine K_1 est inefficace ;
b) traduire un défaut d'absorption de la vitamine K (au cours d'un ictère rétentionnel).

Tableau 4 : Valeurs extrêmes normales des principaux facteurs de l'hémostase chez le nouveau-né à terme

Plaquettes	Temps de Howell (sec.)	Temps de prothrombine (sec.)	Facteur V (%)	Facteur VIII (%)	Fibrinogène (g/l)
130 000	2'15	13	50	60	1,50
440 000	5'30	20	100	100	4,0

Thrombocytopénies (cf. p. 516)

La thrombocytopénie est fréquente chez le nouveau-né malade, mais n'a que rarement une expression clinique : purpura, ecchymoses. Biologiquement, elle se définit par une numération plaquettaire inférieure à 100 000/mm^3. Les étiologies en sont nombreuses ; en pratique, 4 situations sont fréquentes :

A. Infection

● Au cours des septicémies bactériennes, la thrombocytopénie est fréquente, isolée ou traduisant une coagulopathie de consommation.
● Au cours des infections congénitales : rubéole, infection à cytomégalovirus, toxoplasmose.

B. Retard de croissance intra-utérin

La thrombocytopénie est très fréquente chez le nouveau-né dysmature, le plus souvent asymptomatique.

C. Thrombocytopénies d'origine immunologique

1. *Par auto-immunisation* : Lorsque la mère est porteuse d'un purpura thrombocytopénique idiopathique ou d'un lupus érythémateux disséminé, le transfert d'anticorps auto-immuns de la mère au fœtus est responsable d'une thrombocytopénie néonatale, souvent spontanément résolutive.
2. *Par iso-immunisation* : D'un mécanisme similaire à la maladie rhésus, mais avec possibilité d'atteinte du premier enfant. Ce passage transplacentaire d'anticorps immuns antiplaquettaires peut occasionner des troubles graves de l'hémostase avec hémorragie déclenchée par le traumatisme obstétrical. Le traitement peut nécessiter : corticothérapie, transfusion de plaquettes fraîches et exsanguino-transfusion.

D. Thrombocytopénie iatrogène

● Après une exsanguino-transfusion, le nombre des plaquettes peut transitoirement être abaissé. Il a été décrit des cas de thrombocytopénies dus à la prescription de *thiazides* durant la grossesse.
● Bien qu'il ne s'agisse pas d'une altération du nombre des plaquettes, les *salicylés* prescrits à la mère peuvent altérer la fonction plaquettaire du nouveau-né.

Coagulopathie de consommation (cf. p. 525)

● Elle se rencontre chez le nouveau-né gravement malade : détresse respiratoire, septicémie, asphyxie périnatale, hémorragie fœto-placentaire, hématomes volumineux, hémangiome géant.
● Elle se traduit par un saignement diffus (points de ponction cutanés, hémorragie digestive, trachéale...).
● Elle est confirmée par la chute du taux des facteurs de coagulation (prothrombine, facteur V, fibrinogène, plaquettes) et une élévation des produits de dégradation de la fibrine dans le sang et les urines.

● Le traitement des formes symptomatiques repose sur l'exsanguino-transfusion avec du sang frais de moins de 24 heures, si possible hépariné, ou du sang reconstitué avec du plasma frais congelé.

Au cas où le syndrome de consommation est dû à une coagulation intravasculaire disséminée, l'héparinothérapie peut être indiquée.

Déficits congénitaux en facteur de coagulation
(cf. pp. 519 ss.)

Rares dans la population, ils ne se manifestent guère à la période néonatale.
● L'*hémophilie* se révèle rarement à la naissance en dehors d'une brèche cutanée, mais en cas d'anamnèse familiale, le diagnostic hématologique est faisable.
● Les *déficits en facteurs VII et V* posent le problème du diagnostic différentiel de la maladie hémorragique du nouveau-né (inefficacité de la vitamine K$_1$) ; l'afibrinogénémie, celui d'une coagulopathie de consommation.

Enfant de mère malade ou toxicomane

Les enfants nés de mères malades sont théoriquement exposés aux effets de la maladie maternelle et à ceux des médicaments utilisés pour la contrôler. Les enfants nés de mères toxicomanes souffrent de l'exposition à la substance toxique. Il est nécessaire d'assurer pour ces enfants une surveillance néonatale très étroite et un suivi à long terme adapté à leurs risques.

Enfant de mère diabétique

Il est l'exemple historique des conséquences possibles du développement humain dans un milieu inadéquat.

L'*hypertrophie somatique* ou macrosomie est la caractéristique traditionnelle de ces enfants. Elle peut être prévenue par un contrôle très précis du diabète, ce qui, dans les cas heureux, permet de mener la grossesse à terme. En cas de diabète avec complications vasculaires, l'enfant peut naître hypotrophique. Lorsque l'enfant naît prématurément, souvent par césarienne, le risque de maladie des membranes hyalines est plus important que ne le voudrait l'âge gestationnel. On a démontré un retard de maturation du surfactant chez ces enfants. Une polyglobulie associée à une hypercoagulabilité sanguine favorise les thromboses, en particulier au niveau des veines rénales. La fréquence de l'infection urinaire chez la diabétique enceinte augmente les risques infectieux chez l'enfant. Le risque le plus redoutable est celui d'*hypoglycémie*. Le glucose est librement échangé au niveau du placenta, mais l'insuline ne passe pas. Le pancréas du nouveau-né est le siège d'une hyperplasie des cellules bêta. Chaque élévation de la glycémie induit un hyperinsulinisme réactionnel, suivi d'une hypoglycémie profonde. Il est indispensable d'assurer un équilibre glycémique rigoureux à la mère en cours d'accouchement ou de césarienne et au nouveau-né en lui perfusant un débit régulier de solution glucosée à l'aide d'une pompe durant deux ou trois jours, le temps que l'alimentation entérale soit suffisante. Des accès de cyanose peuvent attirer l'attention sur un souffle systolique fonctionnel et sur une cardiomégalie. L'échographie a montré qu'il s'agit d'une cardiomyopathie avec épaississement du septum interventriculaire souvent plus marqué à gauche. Cette lésion disparaît spontanément en un à cinq mois.

L'incidence des malformations graves chez les enfants de mère diabétique est de l'ordre de 7 %. Le taux de 2 % d'associations polymalformatives est dix fois supérieur à celui rencontré dans la population générale. Il peut s'agir de cardiopathies, d'uropathies, d'anomalies du système nerveux ou de la colonne vertébrale dont la forme majeure, mais rare, est le syndrome de régression caudale (absence de vertèbres lombosacrées, fusion des membres inférieurs, paraplégie, cf. p. 54). Il est démontré qu'un bon contrôle du diabète instauré avant la conception ramène le risque malformatif aux proportions d'une population témoin, ce qui élimine l'hypothèse d'un lien génétique entre la maladie de la mère et les malformations fœtales, pour en faire un exemple de mécanisme tératologique accessible à la prévention.

Enfant de mère épileptique

D'individualisation récente, le tableau clinique rassemble des signes inconstants dans leur apparition et dans leur association : troubles hémorragiques, dépression neurologique ou syndrome de sevrage, anomalies morphologiques. Tous ces signes sont en relation avec les médicaments anti-épileptiques administrés en cours de grossesse.
● La diminution de la synthèse des facteurs d'hémostase sensibles à la vitamine K peut se traduire par des accidents dramatiques, hématome sous-capsulaire du foie, hémorragie intracrânienne ou digestive. Il est indispensable de doser la prothrombine chez les enfants de mère épileptique et de leur administrer, dès la naissance, 5 mg de vitamine K_1 si la mère n'a pas fait l'objet d'un traitement préventif (voir plus haut : Troubles de l'hémostase).
● Les signes en rapport avec l'assuétude intra-utérine aux neuro-sédatifs sont d'abord à type dépressif : somnolence, mauvaise déglutition, apnées ; puis, peuvent survenir une agitation, des trémulations, une soif

exagérée accompagnée de vomissements, tableau évocateur du syndrome de sevrage décrit chez les enfants de mère héroïnomane. Ces troubles nécessitent la prescription de petites doses de neuro-sédatifs pendant quelques jours à quelques semaines. Ceux-ci peuvent éventuellement se trouver dans le lait de la mère, car l'allaitement n'est pas contre-indiqué.

● Des anomalies morphologiques du visage, avec racine du nez plate, fentes palpébrales rétrécies, hypoplasie des os maxillaires, se rencontrent dans environ 7 % des cas. Le périmètre crânien est inférieur à −2 déviations standard par rapport aux normes dans plus d'un quart des cas. Cette petite tête correspond à une boîte crânienne réduite dans toutes ses dimensions, comme en témoignent les index morphométriques à la radiographie. Si la plupart des enfants récupèrent une croissance céphalique normale, il est des cas où un retard de développement pourra être observé. Notre expérience montre que ce risque est majoré également pour les enfants ayant présenté un syndrome de sevrage.

● Une hypoplasie des phalanges distales et des ongles a été décrite sous le nom de *syndrome fœtal des hydantoïnes*, mais il est rare. La fréquence des fentes labio-palatines et des malformations cardiaques est trois à six fois plus grande lorsque les mères absorbent des anti-épileptiques (surtout plusieurs) de façon régulière en début de grossesse. Il n'est pas exclu qu'une susceptibilité génétique soit partiellement en cause.

● En pratique, il est recommandé de maintenir ces mères autant que possible sous monothérapie et d'assurer un monitorage pergravidique du taux sanguin des drogues.

Enfant de mère hypertendue

L'hypertension artérielle complique 6 % des grossesses. Soit ancienne, soit survenant au troisième trimestre, elle retentit sur le développement fœtal avec risque de retard de croissance intra-utérin. Les médicaments prescrits passent le placenta et exercent sur le fœtus des effets qui ne sont pas encore totalement élucidés. Les obstétriciens font naître l'enfant prématurément lorsque le pronostic maternel est en cause ou lorsque l'échographie montre un arrêt de la croissance du diamètre bipariétal. Les problèmes posés par cette prématurité, éventuellement associée à une hypotrophie, n'ont rien de spécifique. Par contre, l'effet des *antihypertenseurs* nécessite une observation attentive. Les incidents les mieux décrits concernent les bêtabloquants comme le propanolol, l'acébutolol ou l'oxprenol. Il s'agit de bradycardie prolongée, d'hypotension artérielle, d'oligurie et même de chocs cardiogéniques. La possibilité d'épisodes hypothermiques et hypoglycémiques est également signalée. Aucun effet similaire n'est décrit pour les autres anti-hypertenseurs, mais on ne possède pas d'études précises.

Le sulfate de magnésie prescrit dans les états pré-éclamptiques peut induire une hypermagnésémie chez l'enfant, avec des risques de dépression respiratoire, d'anomalies de la conduction myocardique (espace PQ et complexe QRS) et une hypotonie. L'alpha-méthyldopa serait susceptible de ralentir la croissance du périmètre crânien, mais les enfants récupèrent un développement normal dans les 6 premiers mois.

La conduite à tenir est donc de surveiller attentivement l'adaptation cardio-circulatoire néonatale et le développement des enfants de mère hypertendue, même s'ils sont nés à terme.

Enfant de mère droguée

Quand l'enfant est exposé *in utero* à des drogues comme l'héroïne, la morphine, la méthadone ou le LSD, il naît hypotrophique, déprimé et devient souvent hypoglycémique. Le myosis atteste de l'imprégnation. Mais, dès la 6e heure, apparaissent les signes alarmants d'un syndrome de sevrage. L'agitation est extrême, l'enfant trémule et peut convulser. Tachypnée, sudation très abondante, difficultés de déglutition, vomissements entraînent rapidement une déshydratation et de la fièvre. L'enfant peut mourir si l'on n'entreprend pas une réanimation associée à la prescription de sédatifs (diazepam, élixir parégorique...). La période difficile dure souvent deux à trois semaines. Le problème posé par ces enfants ne se limite évidemment pas à la période néonatale ; une intervention des services sociaux est toujours nécessaire.

Alcoolisme fœtal

Bien que les effets néfastes de l'alcoolisme parental sur le développement fœtal aient été suggérés dès le XIXe siècle, les descriptions précises de ce syndrome sont récentes. Il s'agit d'une embryo-fœtopathie de pronostic souvent redoutable, consécutive à l'absorption de quantités importantes d'alcool durant la grossesse. L'alcool passe librement le placenta. Le retard de croissance intra-utérin et la prématurité (1/3 des cas) sont fréquents. L'hypotrophie s'accentue avec la parité.

La dysmorphie cranio-faciale comporte une microcéphalie, un front bombé et hirsute, des fentes palpébrales rétrécies. Le faciès est plus caractéristique de profil, avec un nez court à la racine aplatie, un philtrum allongé. La bouche est large, la lèvre supérieure mince, les commissures tombantes. Un microrétrognathisme complète l'aspect disgracieux. Parmi les malformations associées, on note des fentes palatines, des cardiopathies, diverses malformations viscérales, des spina bifida, des anomalies des organes génitaux externes et des angiomes cutanés.

Un syndrome de sevrage comparable à celui des narcotiques est également décrit. Des signes d'irritabilité, des trémulations avec hypertonie musculaire, voire des convulsions, peuvent survenir à partir de la 6e heure. Le pronostic mental et physique est le plus souvent médiocre. Les études histologiques du cerveau ont montré d'importantes altérations du cortex. Le diagnostic étiologique n'est pas facile à faire, car l'alcoolisme maternel est souvent dissimulé. En dehors des signes cliniques d'imprégnation, on pourra s'aider d'un dosage de l'alcoolémie (supérieure à 1 g) de la gammaglutamyl-transférase, de la constatation d'une anémie hypochrome chez la mère. Une éventuelle grossesse ultérieure exempte d'intoxication alcoolique permet la naissance d'un enfant normal.

Enfant de mère fumeuse

Longtemps considérée comme un risque mineur, l'habitude de fumer durant la grossesse qui, dans certaines régions, touche 40 % des femmes, s'avère être pourvoyeuse de troubles considérables. Pour une consommation de 20 cigarettes par jour, le risque de prématurité est multiplié par trois. Le retard pondéral peut atteindre 10 à 20 %. Un retard de croissance modéré, mais indéniable, porte sur la taille, le périmètre crânien et la maturation osseuse. La présence chronique d'un taux de carboxyhémoglobine plus élevé chez le fœtus que chez la mère (5 à 10 %) est cause d'une polyglobulie proportionnelle à la quantité de tabac fumé par jour. Une hyperexcitabilité de l'enfant peut être observée dans les premiers jours. L'association d'un tabagisme à une hypertension artérielle est cause de très grands retards de croissance intra-utérins. La nicotine passe dans le lait maternel. On a incriminé cette forme d'intoxication à l'origine de certaines apnées et épisodes de diarrhée. Les risques de survenue d'un cancer chez les sujets exposés *in utero* aux composants du tabac (3-méthyl-cholanthrène) ont été démontrés chez l'animal, mais restent incertains dans l'espèce humaine.

Enfant de mère dysthyroïdienne

La TSH, les hormones thyroïdiennes ne passent pas (ou très faiblement) le placenta. Par contre, les immunoglobulines thyréostimulantes du type LATS, l'iode et les antithyroïdiens de synthèse passent largement de la mère au fœtus. L'hypothyroïdie maternelle mal corrigée peut être la cause d'une naissance prématurée et parfois de déficits mentaux à long terme.

L'enfant de mère hyperthyroïdienne peut naître porteur d'une hyperthyroïdie dans environ 2 % des cas. La naissance peut là aussi être prématurée. L'enfant est hypotrophique et la prise pondérale est retardée ; hyperexcitabilité et tachycardie peuvent se révéler après un intervalle libre de plusieurs jours. On constate une polyglobulie et parfois une thrombocytose. La maturation osseuse est en avance. Les dosages sanguins confirment l'hyperthyroxinémie et l'élévation de la TSH. Lorsque la mère a été traitée par des antithyroïdiens de synthèse (ce qui est rare, car ces drogues sont tératogènes chez l'animal), l'enfant peut naître porteur d'un goitre. De même, un goitre fœtal peut se développer lorsque la mère a absorbé de l'iode, quelle qu'en soit l'indication. Ces goitres peuvent être la cause d'un tableau asphyxique chez le nouveau-né.

Dysfonction parathyroïdienne et pathologie néonatale

La parathormone et la calcitonine ne passent pas de la mère au fœtus. Seules les modifications phosphocalciques sont responsables des réponses fœtales au dysfonctionnement parathyroïdien maternel. En cas d'hyperparathyroïdie maternelle, le nouveau-né peut présenter une tétanie hypocalcémique. Lorsque la mère présente une hypoparathyroïdie, l'enfant est atteint d'une carence calcique avec hyperparathyroïdie. Le tableau clinique et radiologique est celui d'une déminéralisation osseuse majeure, avec déformations et fractures spontanées.

---

[1] Cette réaction met en évidence la présence d'anticorps anti-érythrocytaires (anti-Rh+) à la surface des globules rouges de l'enfant (sang du cordon). On utilise un sérum de lapin qui a été fortement immunisé contre les globulines humaines (sérum antiglobuline). Les globules rouges de l'enfant sont donc agglutinés et précipitent (réaction directe de Coombs positive), ce qui indique toujours qu'il y a iso-immunisation.

[2] Cette réaction met en évidence la présence d'anticorps anti-Rh dans le sang maternel. On incube des érythrocytes Rh+ avec le sérum maternel, puis on ajoute du sérum de lapin anti-Rh. La précipitation des érythrocytes Rh+ indique la présence d'anticorps anti-Rh dans le sang maternel. Cette réaction de Coombs indirecte n'est pas synonyme d'iso-immunisation.

Chapitre 6

Chirurgie néonatale
par A. Cuendet

Thorax

Détresses respiratoires (causes chirurgicales)

● *Clinique* : Utilisation des muscles accessoires de la respiration.

● *Etiologie* :
Diminution de la compliance pulmonaire :
a) Atélectasie (aspiration, reflux).
b) Compression du parenchyme (hernie diaphragmatique, gros cœur).
c) Pneumothorax.
Diminution de la compliance thoracique : Malformations thoraciques rares. Aplasie du muscle droit (syndrome « prune belly ») (cf. p. 61).
Augmentation de la résistance des voies aériennes :
a) Voies aériennes supérieures : occlusion de la langue dans les fosses nasales ; division palatine associée et rétrognathisme maxillaire inférieur (syndrome de Pierre Robin).
b) Fosses nasales : atrésie des choanes.
c) Larynx : sténose, angiome, différentes tumeurs.
d) Trachée : compression extrinsèque (arc aortique double).
e) Bronches : compression extrinsèque (canal artériel) ; emphysème lobaire congénital.

● *Traitement* : La correction chirurgicale permet de faire disparaître la détresse respiratoire. Notion d'urgence, parfois extrême (hernie diaphragmatique par ex.).

Œsophage

(cf. fig. 1)

Atrésie de l'œsophage

Siège au niveau de la 2e vertèbre dorsale. Fréquence variable suivant les statistiques et suivant les années dans les mêmes régions : environ 1/2 000 naissances. Dans plus de 80 % des cas, il existe une fistule œso-trachéale associée, siégeant sur l'œsophage distal. Des fistules œso-trachéales proximales ou doubles peuvent être observées. Dans 3 à 4 % des cas, il n'existe pas de fistule, et, dans ces cas-là, l'atrésie œsophagienne est longue (anastomose termino-terminale impossible).

● *Malformations associées* : Par ordre de fréquence : cardiovasculaires, intestinales, génito-urinaires, respiratoires, ostéo-articulaires, du système nerveux central.
● *Symptômes* : Hydramnios fréquent chez la mère, constant dans les formes sans fistule. Troubles respiratoires à la naissance : hypersialorrhée, encombrement bronchique nécessitant souvent une réanimation.
● *Complications* : Atteinte broncho-pulmonaire, soit par fausse route, lorsque l'enfant a été alimenté, soit par un reflux gastro-œsophagien au travers de la fistule dans l'arbre bronchique. Lésions du lobe supérieur droit visibles à la radiographie (atélectasie).
● *Diagnostic* : Recherche de la perméabilité œsophagienne ; la sonde bute entre 12 et 14 cm de l'arcade dentaire. Prise d'un cliché avec une sonde radio-opaque en place (injection de lipiodol dangereuse et inutile). Présence d'air dans l'intestin distal en cas de fistule, pas d'air dans les formes rares sans fistule.
● *Traitement* : a) *Médical* : de courte durée, consistant en toilette bronchique par aspiration sur tube endotrachéal. Vitamine K. Groupe sanguin (perte opératoire environ 20 à 40 cm^3). b) *Chirurgical* : la fermeture de la fistule œso-trachéale est le geste le plus urgent. La reconstitution de la continuité œsophagienne peut être différée dans les formes compliquées, sinon rétablissement immédiat de la continuité. En cas d'opération en deux temps, on pratiquera une gastrostomie et une

Fig. 1 : Formes d'atrésie œsophagienne avec ou sans fistule
Pourcentage de fréquence

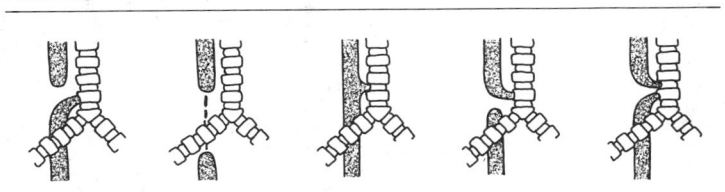

| 87 % | 7 % | 4 % | 1 % | 1 % |

œsophagostomie cervicale. On peut aussi pratiquer des bougirages de l'œsophage supérieur pour l'allonger. Le résultat des opérations varie en fonction de l'état pulmonaire préopératoire, de l'état de prématurité de l'enfant et de la gravité des malformations associées.
● *Complications et séquelles* : Sténoses postopératoires nécessitant soit dilatation, soit réopération. Hernies hiatales (v. p. 153), par traction sur l'œsophage inférieur.

Fistules œso-trachéales isolées

Malformation rare, de diagnostic difficile. Infections pulmonaires à répétitions. Radiologie et endoscopie. Traitement chirurgical.

Sténoses de l'œsophage

Les formes congénitales, simples ou multiples, sont rares. Lorsqu'elles sont serrées, elles nécessitent résection et suture termino-terminales. Les formes acquises sont liées au reflux gastro-œsophagien ; elles surviennent souvent dans la première année de la vie, parfois avant 1 mois. Elles nécessitent le traitement de la hernie hiatale associée (opération anti-reflux).
● *Symptômes* : Dysphagie aggravée par le passage à l'alimentation solide. Vomissements si une hernie hiatale est associée.
● *Diagnostic* : Transit baryté, œsophagoscopie.

Diaphragme

Hernies diaphragmatiques

Les hernies diaphragmatiques avec sac péritonéal présentent rarement une symptomatologie suffisamment grave pour réaliser une vraie urgence chirurgicale dans la période néonatale. Ainsi, les hernies hiatales, les hernies para-œsophagiennes, les hernies de Morgagni ou de Larrey (sterno-costales), les hernies ou éventrations du centre tendineux, ne déterminent que rarement des occlusions. La persistance du canal pleuropéritonéal (canal de Bochdaleck) cause par contre des troubles graves dès les premières heures de la vie. Dans la période néonatale, 90 % des hernies diaphragmatiques sont de ce dernier type et généralement localisées à gauche (80 %). Incidence : environ 1/10 000. Les malformations associées sont exceptionnelles. Il existe une hypoplasie pulmonaire parfois bilatérale.
● *Diagnostic* : Détresse respiratoire, difficultés alimentaires, impression d'une dextrocardie (palpation). L'auscultation des bruits intestinaux au niveau thoracique et la dépression de l'abdomen ne sont pas des signes constants. La radiographie du thorax est caractéristique avec des images bulleuses et un déplacement médiastinal (diagnostic différentiel radiologique : kystes pulmonaires, hamartome, aplasie diaphragmatique). La symptomatologie respiratoire est généralement d'autant plus sévère que

l'enfant est plus jeune. C'est l'inverse pour les signes d'occlusions digestives, qui s'accompagnent alors d'infections respiratoires à répétition.
- *Traitement* : Mise en place d'une sonde gastrique (décompression), ventilation si possible après intubation (risque de pneumothorax si ventilation en pression positive). La pO_2 de l'artère ombilicale doit être entre 8 et 11 kPa (60-80 mm Hg) : sinon risque d'hémorragie pulmonaire. Transport vers un centre de chirurgie néonatale (avec anesthésiste). intervention d'urgence par voie abdominale. Fermeture de la brèche diaphragmatique. Mise en place d'un drain pleural.
- *Complications postopératoires* : Pneumothorax contro-latéral (20 %) se manifestant par une brusque péjoration (drainage immédiat). Une ventilation inadéquate peut indiquer le recours au respirateur mécanique. Malgré les progrès de la réanimation, la mortalité reste élevée (> 40 %).

Hernies hiatales

Les deux types (« rolling » et « sliding type ») peuvent causer : dysphagie, vomissements et hématémèse dans la période néonatale, le premier par étranglement de l'estomac, le deuxième par œsophagite peptique sur reflux gastro-œsophagien. Cette dernière peut aboutir à la sténose œsophagienne, complication grave, imprévisible et souvent précoce de la hernie hiatale. L'aspiration de liquide gastrique pourrait être une des causes de la « mort subite » des premiers mois.
- *Diagnostic* : a) Vomissements, absence de prise de poids. Aggravation lors d'infection ORL ou d'association à une sténose du pylore (Roviralta). Anémie, dysphagie et hématémèse en cas de complications. b) Transit gastro-œsophagien en différentes positions pour mettre en évidence le niveau de la jonction œso-gastrique (formes mineures) et le reflux (diagnostic différentiel chez le nouveau-né : fistule œso-trachéale).
- *Traitement conservateur* : Basé sur le fait qu'après 1 an (acquisition de la position verticale) la fréquence des hernies hiatales et des reflux diminue : mise en position assise continue durant plusieurs mois (chaise « Baby-Relax »). Sédation, parfois gavage. En cas d'œsophagite peptique : anti-acides, pansement muqueux.
- *Indication au traitement chirurgical* : Echec du traitement médical (absence de prise de poids, vomissements continus, anémie persistante). Complication de type peptique (sténose). Complication de type pulmonaire (mort subite rattrapée, infection à répétition). L'intervention doit viser à la réfection de l'angle de Hiss. Opération anti-reflux de type Nissen ou gastropexie.

Paroi thoracique

Thorax en entonnoir (« funnel chest », « pectus excavatum »)

Déformation inesthétique, d'apparition plus ou moins précoce, entraînant très exceptionnellement des troubles fonctionnels. Indication opératoire cosmétique.

Thorax en carène

Même remarque.

Aplasies costales

En général, accompagnées d'une aplasie du grand pectoral et parfois de malformations de la main (syndrome de Poland).

Abdomen

Défauts de fermeture de la paroi abdominale antérieure

Classification par rapport à la localisation
a) Ombilicaux (hernie du cordon, omphalocèle).
b) Para-ombilicaux (gastroschisis).
c) Supra-ombilicaux (ectopie cardiaque).
d) Infra-ombilicaux (exstrophie vésicale, fissures vésico-intestinales).
e) Aplasie de la musculature abdominale.

Hernie du cordon

Hernie de petite dimension contenant généralement une anse intestinale. Malformations associées rares (occlusion intestinale sur atrésie ou adhérences).
- *Traitement* : Réduction de la hernie. Fermeture chirurgicale préférée.

Omphalocèle

Malformations associées fréquentes : débilité, malrotation, vices cardiaques, syndrome de Beckwith. Caractérisé par un large orifice de la région ombilicale. Sac translucide sur lequel est implanté le cordon. Contient des anses intestinales et souvent une partie du foie.
- *Complications* : Rupture du sac, infection.
- *Traitement conservateur (Grob)* : Badigeon au mercurochrome 2 %, couverture par tulle gras, bandage compressif. En quelques semaines, épithélialisation spontanée. L'éventration résiduelle est corrigée entre 1 et 3 ans. Désavantages : les malformations associées sont ignorées ; risque de rupture de sac ; risque d'intoxication au mercure.
- *Traitement chirurgical* : Excision du sac et fermeture de la musculature ou, dans les formes plus importantes, de la peau seulement. Dans les

formes sévères, la fermeture de la brèche abdominale par une prothèse temporaire (Schuster) peut être nécessaire. Complications postopératoires liées aux malformations associées ou à l'augmentation de la pression intra-abdominale (troubles cardio-vasculaires ou respiratoires). Mortalité environ 40 %.

Gastroschisis

Orifice para-ombilical généralement situé à droite ; contrairement à l'omphalocèle, il n'y a pas de sac et les viscères sont extériorisés dans la période anténatale déjà. Cordon ombilical normalement inséré sur les bords de l'orifice. Les anses intestinales sont épaissies et l'intestin court. La cavité abdominale est réduite de volume. Malformations associées rares à l'exception d'un mésentère commun qui est constant.
● *Complications* : Préopératoires : infection, refroidissement dû à l'éviscération, étranglement et nécrose intestinale. Postopératoires : troubles respiratoires ou cardio-vasculaires liés à l'augmentation de la pression abdominale, retard de reprise du transit intestinal.
● *Traitement* : Couvrir les anses avec des compresses stériles. Mettre l'enfant dans incubateur. Dénudation jugulaire avec cathéter intra-auriculaire. Opération précoce : agrandissement de l'orifice, fermeture de la peau seule ou par plastie (Schuster). Mortalité 50 %. Réanimation complexe.

Ectopie cardiaque

Tumeur pulsatile située entre la pointe du sternum, qui est court, et l'ombilic. Hernie dont le sac est formé par du péricarde. Diverticule cardiaque et anomalies septales souvent associées.

Exstrophie vésicale

Conséquence d'un développement embryologique anormal de la membrane cloacale (Marshall) qui s'étend jusqu'à la paroi abdominale antérieure. Lors des phénomènes de résorption de cette membrane, les viscères restent à nu. Absence de fusion médiane, d'où diastasis du pubis.
● *Différentes formes* : a) Exstrophie vésicale isolée exposée ou couverte (fermeture secondaire de la peau). b) Fissure vésico-intestinale. L'intestin s'ouvre dans la plaque vésicale. Imperforation anale associée.
c) Différents degrés d'épispadie ou de dédoublement des organes génitaux (clitoris et pénis). Testicules abdominaux si sexe masculin.
● *Traitement* : Chirurgical complexe.

Aplasie de la musculature abdominale (« prune belly » syndrome)

Associée à une cryptorchidie, mégavessie, méga-uretère et hydronéphrose, dysplasie rénale. Le syndrome complet n'est observé que chez le garçon.
● *Pronostic* : Lié à l'évolution rénale.

- *Traitement* : Chirurgical des anomalies urinaires ; orthopédique pour corriger les troubles liés à l'absence de musculature abdominale.

Hernies inguinales

Dues à une persistance du canal péritonéo-vaginal qui se ferme généralement vers la 36e semaine. Constantes chez les prématurés. Plus fréquemment situées à droite. Communicantes ou non communicantes. Kyste du cordon ou hydrocèle présentent également une communication microscopique avec l'abdomen.
- *Complications* : Etranglement, plus fréquent chez le garçon. Hernie de l'ovaire chez la fille. Risque de compression vasculaire et nécrose de la gonade (dans les deux sexes).
- *Traitement* : Bandage inutile (dangereux s'il est placé sur une hernie non réduite). Ponction des kystes ou des hydrocèles inutile également. Traitement chirurgical précoce par chirurgien entraîné !

Occlusions

Durant la période néonatale, on peut observer des occlusions résultant de fœtopathies (perforation, volvulus, thrombose artérielle) ou d'embryopathies (arrêt du développement entre le 2e et le 5e mois).

Les occlusions survenant après la naissance sont dues à des causes mécaniques ou paralytiques comme chez l'adulte, mais la pathologie et le tableau clinique peuvent différer.

Diagnostic de l'occlusion en général

a) Les éléments *anamnestiques* qu'il est important de noter et qui peuvent être parfois révélateurs de la nature du siège de l'occlusion sont les suivants : présence d'un hydramnios, petit poids de naissance, présence de bile dans les vomissements (vomissements verdâtres), existence de complications pulmonaires, présence ou absence de méconium et son caractère, existence de malformations associées. Le contrôle de la grossesse par les ultrasons permet de plus en plus fréquemment le diagnostic anténatal de l'occlusion.

b) L'*examen* de l'enfant comportera, en plus de l'examen général qui est indispensable chez tous les nouveau-nés, certaines recherches particulières : recherche de la perméabilité œsophagienne par une sonde poussée dans l'estomac, recherche de la perméabilité anale par l'introduction du 5e doigt qui doit remonter jusque dans le rectum. Examen attentif de l'abdomen à la recherche, soit d'une augmentation du volume de celui-ci (ballonnement), soit d'une diminution : abdomen déprimé des hernies diaphragmatiques et des atrésies de l'œsophage sans fistule œsotrachéale. On devra chercher également l'œdème de la paroi, les signes d'omphalite, l'existence d'une circulation collatérale.

c) Dans toutes les occlusions, l'examen complémentaire indispensable est un *cliché radiologique* pris en position verticale, permettant de voir le thorax et l'abdomen. Dans la plupart des cas, cet examen est suffisant pour poser un diagnostic.

Estomac

Sténose hypertrophique du pylore

Affection souvent familiale avec prédominance chez le garçon (5/1). Hypertrophie de la musculature pylorique apparaissant entre la 2ᵉ et la 4ᵉ semaine de vie.
- *Symptômes* : Vomissements « en jet » survenant immédiatement après les repas et ne contenant pas de bile mais parfois du sang. Rechercher les ondes péristaltiques de l'estomac et la présence d'une « olive pylorique » dans l'hypochondre droit. Perte de poids. Dans les cas vus tardivement : déshydratation, bradypnée (alcalose hypochlorémique), dénutrition.
- *Radiologie* : Le transit baryté donne des signes indirects : gros plis muqueux, hypersécrétion (gastrite), absence d'image pylorique, absence d'évacuation de l'estomac ; ou des signes directs : allongement et rétrécissement du canal pylorique, image en « parenthèse » qui délimite les dimensions de l'olive pylorique.
- *Diagnostic différentiel* : Occlusion duodénale sus-vatérienne (absence de bile dans les vomissements), si on ne palpe pas d'olive pylorique (malrotation). *Troubles d'origine métabolique.*
- *Malformations associées* : Malposition cardio-tubérositaire ou hernie hiatale (Roviralta).
- *Traitement* : a) *Conservateur* : augmenter le nombre des repas (12-24), épaissir le régime, spasmolytiques, position assise. S'il n'est pas efficace (courbe de poids), recours à la chirurgie : pylorotomie extramuqueuse (Fredet-Ramstedt). b) *Réanimation* : par voie intraveineuse durant 72 heures environ avant prise d'une alimentation normale (5 à 6 repas).

Duodénum

Atrésie, sténoses et compressions extrinsèques peuvent être à l'origine d'une occlusion duodénale. Contrairement aux occlusions jéjunales ou iléales, elles ne produisent pas de distension abdominale et les vomissements ne contiennent de bile que lorsque l'obstacle est sous-vatérien.

Compressions extrinsèques du duodénum

60 % des occlusions duodénales selon Knutrud. On les rencontre généralement en cas de défaut de rotation de l'anse intestinale primitive (malrotation), sous forme de brides (Ladd) qui compriment la région du premier duodénum. Elles peuvent être associées à une autre sténose duodénale (atrésie, sténose par pancréas annulaire ou diaphragme), qui doit être systématiquement recherchée lors de l'exploration chirurgicale.

Atrésies du duodénum

Elles s'accompagnent d'une énorme dilatation sus-jacente qui rendra difficile la reprise du transit après opération. Malformations associées fréquentes (mongolisme, malformations digestives, sténoses multiples).

Sténose du duodénum

Causée soit par diaphragme situé généralement au niveau de l'ampoule de Vater, soit par pancréas annulaire (développement anormal du bourgeon ventral).
- *Symptômes* : Vomissements bilieux ou non. Troubles de l'émission méconiale dépendant de l'importance de l'occlusion. Troubles électrolytiques.
- *Malformations associées* : Trisomie 21 (25-30 % des cas). Malformations digestives : sténoses multiples, malrotation (60 %). Malposition de la veine porte (rare).
- *Radiologie* : Dans les formes sévères et en cas d'atrésie, image typique avec deux niveaux hydro-aériques (estomac et duodénum dilatés), le reste de l'abdomen restant opaque. En cas de sténose incomplète ou de compression, le transit baryté permet de voir le niveau de la sténose et la dilatation sus-jacente.
- *Traitement chirurgical* : Les suites opératoires sont souvent compliquées par la lenteur de reprise du transit. Mise en place d'un cathéter veineux (oreillette droite) pour apport calorique suffisant (glucose 50 %, intralipides, acides aminés).

Jéjunum et iléon

Atrésies et sténoses

Elles ont été attribuées soit à une absence de reperméabilisation de l'intestin primitif (Tandler), soit à des troubles de vascularisation. Cette dernière cause est plus généralement invoquée et explique mieux les résorptions partielles du mésentère souvent constatées au cours des opérations pour atrésies, de même que la présence de cellules desquamées dans l'intestin d'aval. La création expérimentale d'atrésie (Barnard) par oblitération artérielle mésentérique semble également confirmer cette théorie.
- *Symptômes* : On retrouve généralement les trois signes classiques : vomissements bilieux, absence de méconium et distension abdominale. Le diagnostic est confirmé par la radiographie de l'abdomen sans préparation, prise en position verticale et qui montre de nombreux niveaux hydro-aériques.
- *Traitement* : Chirurgical urgent.

Obstructions intestinales intraluminales

L'obstruction intestinale due à un bouchon de méconium peut avoir des étiologies variées. Si les symptômes sont les mêmes que toute occlusion néo-natale (cf. p. 156), les complications, le pronostic et le traitement diffèrent.

Iléus méconial

Le terme est réservé à l'occlusion due à la mucoviscidose (absence de sécrétions pancréatiques et anomalies du mucus). En l'absence d'une

histoire familiale suggestive, le diagnostic est difficile à établir chez le nouveau-né (échec du test à la sueur).
- *Radiologie* : Sur le film pris en position verticale, sans préparation, les signes caractéristiques ne sont pas constants : dilatation des anses sans niveau hydro-aérique, aspect granité dû aux bulles d'air prises dans la masse méconiale, calibre variable des anses dilatées.
- *Complications* : Perforation, volvulus de l'anse contenant le bouchon méconial, gangrène ; elles peuvent survenir déjà dans la période anténatale, réalisant alors une *péritonite méconiale*.
- *Diagnostic différentiel* : Péritonite méconiale (radiologie : méconium calcifié dans l'abdomen).
- *Traitement* : Précautions contre les risques de surinfection pulmonaire. Traitement général (cf. sous fibrose kystique, pp. 279 ss.). Mise en place d'un cathéter intra-auriculaire pour une perfusion de longue durée. *a) Traitement conservateur si possible* : lavement à la gastrografine (Noblet) sous contrôle scopique et en milieu chirurgical. Le liquide doit atteindre l'anse bouchée, il peut ainsi décoller le bouchon méconial (effet mécanique) et le diluer (hyperosmolarité). Attention aux perturbations électrolytiques et à l'hypovolémie. *b) Traitement chirurgical* : en cas de complication, résection de l'anse dilatée et jéjunostomie (Bischof-Koop). Lavages intestinaux avec acétylcystéine à 4 % (Simpson), sérum physiologique (Grob) ou pancréatine (irritant la muqueuse colique).

Maladie méconiale (Rickham)

Aboutit à une occlusion, mais avec sécrétion normale de trypsine et un test à la sueur négatif. Il s'agit souvent d'enfants de petit poids à la naissance. Complications moins fréquentes que dans l'iléus méconial. Pronostic bon. Traitement généralement conservateur. Etiologie inconnue.

Syndrome du bouchon méconial (Clatworthy)

Signes d'occlusion cédant rapidement après évacuation d'un bouchon de méconium grisâtre (toucher rectal). Défaut temporaire de l'absorption de liquide intestinal.
- *Diagnostic différentiel* : Maladie de Hirschsprung (cf. p. 276).

Occlusions dues au lait

Evacuation normale de méconium. L'occlusion survient à la suite de l'administration précoce d'une alimentation hautement concentrée en protéines et graisses (jamais au lait maternel). Masse de lait coagulée qui peut être évacuée par lavage, nécessitant parfois l'ablation chirurgicale. Pas de séquelle.

Malrotation

Défaut de rotation de l'anse primitive autour de l'axe de l'artère mésentérique supérieure. Peut provoquer des occlusions duodénales (bandelettes de Ladd), des volvulus. Fréquemment associée aux omphalocèles, gastroschisis, hernies diaphragmatiques.
- *Radiologie* : Signes d'occlusion. Lavement baryté à la recherche d'une anomalie de position du caecum.

Invagination (intussusception)

Peut survenir à tous les niveaux de l'intestin (iléo-iléale, iléo-colique, iléo-caecale, colo-colique). 75 % des cas surviennent durant les trois premiers mois. Plus fréquemment chez le garçon. Etiologie souvent inconnue. Cause déterminante : diverticule de Meckel, polype, kyste entérogène, lymphosarcome, laparotomie récente.
- *Symptômes* : Douleurs brutales, signes d'occlusion (vomissements, ballonnement, arrêt des selles). Palpation d'une masse abdominale (boudin d'invagination). Sang dans les selles (stase veineuse). Etat de choc. Signes de péritonite en cas de nécrose intestinale avec perforation.
- *Radiologie* : Niveaux hydro-aériques. Lavement baryté : remplissage incomplet du cadre colique.
- *Traitement* : Pression hydrostatique par lavement, généralement lavement baryté, qui permet de confirmer le diagnostic et de suivre la progression de la désinvagination. Laparotomie en cas d'échec du traitement conservateur ou de récidive.

Kystes entérogènes (duplication)

Souvent associés à des anomalies vertébrales (spina bifida antérieure ou postérieure, Klippel-Feil, aplasies vertébrales). Situés dans le mésentère d'une anse intestinale (70 % des cas), plus rarement médiastinaux ou coliques. Communication fréquente avec l'intestin adjacent. Tapissés d'une muqueuse de différents types.
- *Complications* : Occlusions intestinales, invagination, hémorragies (ulcère peptique transitionnel).
- *Radiologie* : Images de compression au transit ou au lavement baryté, opacification de la duplication.
- *Traitement* : Chirurgical ; son urgence est liée à la gravité des complications.

Côlon et rectum

Maladie de Hirschsprung (mégacôlon congénital)

(cf. aussi p. 276)

Défaut du développement des cellules ganglionnaires et des nerfs dans les plexus de Meissner et Auerbach. Atteinte de l'innervation parasympathique (absence de péristaltisme) et sympathique (spasticité permanente du sphincter interne) s'étendant du rectum sur quelques centimètres (15 % des cas) à la jonction recto-sigmoïdienne (75 % des cas), plus rarement à la totalité du côlon et même de l'intestin grêle. Fréquence : 1/5 000. Incidence familiale. Plus fréquent dans le syndrome de Down.
- *Symptômes* : Chez le nouveau-né, retard d'apparition du méconium. Bouchon méconial. Ballonnement abdominal. Le toucher rectal ou l'introduction d'une sonde rectale déclenche un passage brusque de gaz et de selles liquides qui suppriment temporairement les signes radiologiques et cliniques d'occlusion. Dans les formes à long segment aganglionnaire, ce signe manque. Chez l'enfant plus grand, anamnèse typique

d'alternances de constipation et de diarrhée, retard de développement staturo-pondéral. Toucher rectal : sensation de spasme au niveau du sphincter interne. Ampoule rectale vide.
- *Diagnostic* : Repose sur des examens radiologiques, histologiques et manométriques.

1. Le lavement baryté permet de visualiser la zone aganglionnaire, spastique et la dilatation sus-jacente (mégacôlon). Images inconstantes avant l'âge de 6 semaines, ou si une colostomie préalable a été pratiquée. En cas d'aganglionose très courte ou intéressant tout le côlon, l'interprétation peut être difficile.

2. La biopsie rectale (2 cm de la marge anale) permet de certifier l'absence de cellules ganglionnaires et l'épaississement des troncs nerveux, caractéristiques de l'anomalie.

3. L'étude manométrique des contractions sphinctériennes (Schuster) permet d'observer l'absence de relaxation du sphincter interne lors des

---

Tableau 1 : Malformations ano-rectales

Classification basée sur l'examen radiologique en déterminant la position du cul-de-sac rectal par rapport aux muscles releveurs d'anus, à la ligne pubo-coccygienne et à la forme anatomique (Santulli, Kiesewetter et Bill, 1970)

Garçon   Fille

FORMES BASSES

1. Anus en place normale

a) sténose anale
b) anus couvert complet

2. Anus périnéal

a) fistule ano-cutanée
b) anus périnéal antérieur

3. Anus vulvaire

a) fistule ano-vulvaire
b) fistule ano-vestibulaire
c) anus vestibulaire

FORMES INTERMÉDIAIRES

1. Agénésies anales

a) sans fistule

b) fistule recto-bulbaire

b) fistule recto-vestibulaire
c) fistule recto-vaginale

2. Sténose ano-rectale

FORMES HAUTES

1. Agénésies ano-rectales

a) sans fistule

b) fistule recto-urétrale
c) fistule recto-vésicale

b) fistule recto-vaginale
c) fistule recto-cloacale
d) fistule recto-vésicale (?)

2. Atrésie rectale

stimulations rectales, avec conservation du réflexe de contraction du sphincter externe.
- *Traitement* : Le but du traitement chirurgical est de supprimer la zone aganglionnaire sans perturber la continence anale. Opération généralement retardée à l'âge d'un an. Dans la période néonatale : colostomie ou sonde rectale passée régulièrement.
- *Complications* : Colites probablement allergiques du type Sanarelli-Schwartzman (Berry et Frazer).
- *Pronostic* : 40 % de décès avant un an en absence de traitement.

Anomalies ano-rectales

(cf. tableau 1)

Fréquence 1/5000 environ. Défaut du développement embryologique (5e à 8e semaine). Fait partie du syndrome de défaut de régression caudale. Malformations associées fréquentes : cardiaques, digestives, urinaires et spinales (agénésie sacrée).
- *Diagnostic* : Généralement précoce, à l'exception des formes avec fistules vaginales qui peuvent être méconnues. L'étude radiologique en position de Wangensteen (tête en bas) a un grand intérêt pour différencier les formes hautes des formes basses pour des raisons de technique opératoire.
- *Traitement* : Chirurgical délicat, surtout dans les formes hautes qui présentent souvent une incontinence postopératoire.

Hémorragies digestives

Dans plus de 80 % des cas, l'origine est anale (fissures) ou rectale (polypes, prolapsus). Elles peuvent parfois réaliser de véritables urgences chirurgicales, si elles se répètent ou si elles ne tarissent pas sous traitement conservateur. Les principales causes des hémorragies digestives sont énumérées au tableau 2.

Tableau 2 : Principales causes d'hémorragies digestives ou d'émissions de sang avec les selles

- Sang dégluti par le nouveau-né [1]
- Varices œsophagiennes
- Ulcère peptique (reflux gastro-œsophagien) [1]
- Ulcère duodénal [1]
- Polypose intestinale
- Duplication intestinale [1]
- Diverticule de Meckel [1]
- Volvulus [1]
- Invagination [1]
- Maladie systémique (leucémie, troubles de la crase) [1]
- Polype rectal [1]
- Gastro-entérite et colite (Hirschsprung) [1]
- Fissure anale [1]
- Prolapsus [1]
- Purpura de Schönlein-Henoch

[1] Observées dans la période néonatale.

Chapitre 7

Orthopédie

par A. Cuendet

Les maladies ou anomalies rencontrées dans le domaine de l'orthopédie sont des affections atteignant l'os, le cartilage, le muscle, les tissus fibreux ou la graisse, tissus dérivés du mésoderme primitif puis du mésenchyme. C'est ce dernier qui va donner le modèle du squelette. La formation des os dépend de nombreux facteurs, non seulement hormonaux, mais également mécaniques, et enfin génétiques, qui peuvent agir « in utero » et donner des malformations présentes à la naissance, donc congénitales, ou apparaissant lors de la croissance ou du développement.

Anomalies du développement du membre supérieur

Clinodactylie

Déformation en valgus du 5e doigt, souvent héréditaire, parfois bilatérale. Lorsque la déformation est sévère, on peut être conduit à la corriger chirurgicalement. Se rencontre dans la trisomie 21 et le syndrome 48,XXXY.

Pouce à ressort

Extension impossible de la dernière phalange du pouce, due à un épaississement du long fléchisseur au niveau de l'articulation métacarpo-phalangienne. Anomalie apparaissant brusquement entre six mois et deux ans. Le traitement est chirurgical : section de la bandelette fibrocartilagineuse.

Surélévation congénitale de l'épaule (Sprengel)

Uni- ou bilatérale. Anomalies vertébrales et musculaires associées. Opération cosmétique parfois indiquée.

Synostose radiocubitale

Dans sa forme la plus grave, bloque complètement les mouvements de prosupination. Le traitement chirurgical (création d'une pseudarthrose) est décevant. Fréquente dans certaines anomalies chromosomiques (48,XXXY-48,XXYY, etc.).

Subluxation radiocubitale inférieure

Anomalie isolée ou associée au syndrome de Turner, à certaines mucopolysaccharidoses et à l'ostéochondromatose. Généralement bilatérale, la malformation est habituellement observée chez les filles. Elle se présente comme une déformation cubitale douloureuse. Traitement chirurgical.

Brides amniotiques

Formation d'anneaux plus ou moins serrés, pouvant aller jusqu'à l'amputation intra-utérine. Lymphœdème distal dans les formes sévères. Troubles vasculaires et nerveux. Pathogenèse mal comprise, le terme « bride » exprimant une hypothèse difficile à vérifier. Traitement chirurgical en plusieurs temps.

Syndactylie

Anomalie fréquente de la main (ou du pied). Malformation isolée ou associée à d'autres malformations : absence congénitale du grand pectoral (syndrome de Poland), hémihypertrophie, trisomie 13, polydactylie, polysyndactylie. Grande variété dans les formes. Traitement chirurgical entre quatre et cinq ans.

Polydactylie

Doigt surnuméraire. Traitement chirurgical vers quatre à cinq ans à la main, et à l'âge de la marche au pied. Plus fréquente dans le groupe ethnique noir. Caractéristique majeure des syndromes d'Ellis-Van Creveld (cf. pp. 332 et 867) et de Laurence-Moon-Biedl.

Anomalies du développement de la hanche

Luxation congénitale de la hanche

On peut observer à la naissance soit une laxité congénitale de la capsule permettant une subluxation, soit une dysplasie articulaire avec défaut d'adaptation de la tête et du cotyle, soit plus rarement, une

dislocation de la tête, c'est-à-dire une vraie luxation (luxation tératologique, arthrogrypose, myéloméningocèle).
- *Fréquence* : L'instabilité de la hanche à la naissance est probablement très fréquente, mais un grand nombre de cas se stabilisent spontanément durant la première semaine, ce qui explique les divergences statistiques (1/1000 à 20/5000). Les filles sont quatre fois plus souvent atteintes que les garçons. Le caractère héréditaire de l'affection est connu, mais une anamnèse familiale suggestive n'est pas la règle.

Luxation à la période néonatale

La recherche d'une instabilité de la hanche, de même que des hypertonies des abducteurs, est indispensable chez tout nouveau-né. La

Fig. 1 : Radiologie de la luxation congénitale de la hanche

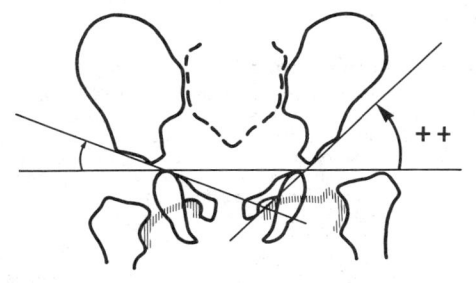

A. Dysplasie et dislocation de la hanche gauche chez un nouveau-né. Angle acétabulaire gauche augmenté, déplacement du fémur vers le haut et l'extérieur. Rupture du cintre cervico-trochantérien ||||||||||||

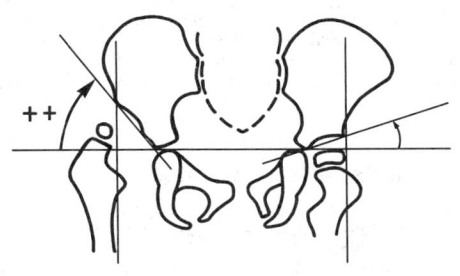

B. Luxation congénitale de la hanche droite chez une fillette plus âgée. On note : 1) un sous-développement du toit du cotyle et une augmentation de l'angle acétabulaire, 2) une hypoplasie du point d'ossification de la tête fémorale et 3) une luxation du fémur vers le haut et latéralement.

mise en évidence d'un signe de ressaut ou d'une sensation de piston (suivant l'importance du limbus) se fait en pratiquant la manœuvre de Barlow : une main tient le bassin et l'autre la partie proximale de la cuisse fléchie et en légère abduction ; on recherche un déplacement antéro-postérieur (ou postéro-antérieur) en faisant un léger mouvement de prosupination. L'asymétrie des plis fessiers est un signe tardif et ne se voit que sur la hanche luxée.
- *Signes radiologiques chez le nouveau-né* (cf. fig. 1) : La découverte d'une hanche luxable impose un traitement, quel que soit le résultat de la radiographie. Celle-ci peut montrer une rupture du cintre cervico-trochantérien. En abduction à 45°, hanche étendue et rotation indifférente, l'axe du fémur croise la colonne en dessus de la charnière lombo-sacrée en cas de luxation. La radiographie à la naissance n'a pas de valeur de dépistage.
- *Traitement* : Le langeage en abduction stricte est généralement suffisant. Attelle d'abduction. Radiographies de contrôle : à l'âge de 4 mois et de 1 an. Recherche de stabilité de la hanche éventuellement à l'aide de l'arthrographie. En cas de dysplasie acétabulaire associée (luxation tératologique), traitement orthopédique complexe.

Luxation et subluxation chez le nourrisson

Bien qu'un certain nombre de hanches luxables non traitées se guérissent probablement spontanément, il peut apparaître des modifications au niveau de la musculature, de la capsule et de l'acétabulum, qui vont déterminer des signes cliniques et radiologiques caractéristiques.
- *Signes cliniques* : Limitation de l'abduction de la hanche fléchie (diagnostic différentiel : spasticité d'autre origine, coxa vara). Raccourcissement du membre. Asymétrie des plis fessiers (inconstant).
- *Signes radiologiques* (cf. fig. 1) : Vue antéro-postérieure du bassin qui permet d'observer des excentrations de la tête d'après certains repères (c'est plus aisé dès l'apparition du noyau de la tête fémorale) ou des modifications de l'angle d'inclinaison acétabulaire.
- *Traitement* : Après l'âge de 6 mois, la seule mise en attelle d'abduction est généralement inefficace à cause des lésions des tissus mous. On doit recourir à la mise en extension pour réduire la luxation. Plâtre pelvi-cruropédieux en position de réduction pour quatre à six mois. Réduction chirurgicale exceptionnelle. Après l'âge d'un an, la boiterie à la marche est un signe clinique important. Le traitement conservateur est plus aléatoire et le recours à des techniques chirurgicales complexes est la règle.

Epiphysiolyse de la tête fémorale

Peut être traumatique (avant l'âge de 9 ans généralement). Sinon s'observe chez l'adolescent, plus fréquemment chez le garçon (14 à 16 ans) que chez la fille (11 à 13 ans). Lésion bilatérale dans le 20 % des cas. Obésité et organes génitaux peu développés sont fréquemment associés. Faiblesse de la plaque épiphysaire liée à la sécrétion hormonale.
- *Signes cliniques* : Douleurs de la hanche (parfois du genou), boiterie, signe de Trendelenburg positif. Hanche en adduction et rotation externe. Limitation de la rotation interne, de l'abduction et de l'extension.

- *Signes radiologiques* : Clichés de face et de profil : élargissement de la ligne épiphysaire, glissement de la tête en arrière et en bas.
- *Traitement* : Chirurgical. Il s'agit d'une véritable urgence. Fixation, après réduction, par des broches. Dans les cas vus tardivement ou avec bascule importante, ostéotomie de recentrage.

Maladie de Legg-Calvé-Perthes (coxa plana)

Nécrose ischémique de la tête fémorale. Lésion de l'enfant, généralement entre 4 et 9 ans, plus fréquente chez le garçon que chez la fille (4/1). Boiterie et douleurs (souvent décrites dans le genou) sont les premiers signes. La limitation des mouvements de la hanche est discrète.
- *Signes radiologiques* : Simple ostéoporose du col au début, puis condensation de la tête, enfin fragmentation de la tête. La phrase de guérison radiologique dure de six mois à deux ans environ.
- *Traitement* : Extension puis décharge jusqu'à guérison radiologique.

Maladie d'Osgood-Schlatter

Nécrose ischémique de la tubérosité antérieure du tibia. Apparition généralement vers l'âge de 10 à 12 ans.
- *Signes cliniques* : douleur au niveau de la tubérosité antérieure avec tuméfaction et souvent rougeur locale.
- *Signes radiologiques* : fragmentation du noyau de la tubérosité antérieure.
- *Traitement* : mise au repos avec suppression de toute activité sportive, parfois immobilisation nécessaire.
- *Evolution* : toujours favorable. La persistance de la tuméfaction n'est pas exclue.

Synovite transitoire de la hanche (« rhume de la hanche »)

Impotence et limitation des mouvements. Etat fébrile, survenant entre 2 et 12 ans, le plus souvent chez le garçon. Début aigu souvent précédé d'un épisode infectieux ORL. Il s'agit d'une inflammation non spécifique de la membrane synoviale. Une étiologie virale ou bactérienne n'a jamais pu être prouvée. La vitesse de sédimentation peut être temporairement modérément élevée. Pas de leucocytose.
- *Signes radiologiques* : Généralement aucun.
- *Evolution* : Le repos au lit amène la disparition des phénomènes douloureux en une à deux semaines. Contrôles radiologiques de la hanche trois à six mois plus tard. Une maladie de Perthes peut commencer de cette manière, d'où l'inclusion de cette affection dans le cadre des anomalies du développement de la hanche.

Anomalies du développement du genou

Luxation récidivante de la rotule

Plus fréquente chez la fille. Débute vers 12 ans. Très souvent la première luxation suit une chute banale. Douleur au niveau de l'aileron interne, épanchement parfois. La mobilité exagérée de la rotule s'accompagne de douleurs. La radiographie révèle souvent une anomalie du condyle externe (dysplasie). A la longue, apparition d'une chondromalacie. Faire des clichés en position axiale en flexion à 30°, 60° et 90°.
● *Traitement* : Chirurgical précoce (14 ans). Il permet d'éviter les lésions dégénératives.

Genu recurvatum

a) Forme simple : sans limitation de la flexion. Evolution généralement bonne, sans traitement.
b) Forme fixée : avec limitation de la flexion mais sans signe radiologique de luxation. Traitement conservateur.
c) Luxation congénitale : étiologie complexe. La luxation est toujours antérieure. Traitement chirurgical.

Genu valgum (« jambes en X »)

Déformation physiologique chez l'enfant. Mesurer la distance intermalléolaire qui doit être de moins de 10 cm. Si la déformation est unilatérale, suspecter une autre lésion (épiphysaire, rachitisme, ostéomyélite). Evolution spontanée favorable. En cas de persistance ou d'aggravation du genu valgum après 10 ans, on doit envisager un traitement chirurgical (blocage de la croissance du côté interne).

Genu varum (« jambes en O »)

Déformation plus fréquente chez les Noirs que chez les Blancs. Correction spontanée. Dans les formes sévères, traitement chirurgical.

Pseudarthrose congénitale du tibia

Résulte généralement d'une fracture pathologique sur lésion kystique, ou sur un os scléreux, de diamètre réduit, avec oblitération du canal médullaire. La neurofibromatose est souvent associée (rechercher les taches « café au lait »). La lésion peut être localisée au tibia seul, mais souvent le péroné est également atteint.
● *Traitement* : Chirurgical complexe.

Anomalies du développement des pieds

Metatarsus varus

Caractérisé par une déformation en varus de l'avant-pied, alors que l'arrière-pied est en position normale ou même en valgus. La voûte plantaire est plus haute que normalement ; l'abduction et l'éversion de l'avant-pied est impossible activement, limitée passivement. Chez l'enfant vu précocement, les manipulations sont efficaces ; si la déformation est trop fixée, il faut faire des plâtres correcteurs.

Pied creux

Souvent associé à des troubles neuromusculaires (ataxie de Friedreich, spina bifida, myélodysplasie, agénésie sacrée). La forme idiopathique est plus rare et ne s'accompagne d'aucune flexion des orteils. Des semelles plantaires suffisent généralement à améliorer la position, sinon il faut attendre l'âge de 10 ans pour entreprendre une opération correctrice.

Pied plat

La forme et la position du pied varient durant les premières années. La pronation et la rotation externe notées au début de la marche vont disparaître de même que la masse graisseuse qui dissimule la courbure de la voûte plantaire. Dans la plupart des cas, l'évolution se fait normalement. Si la voûte ne se creuse pas, les facteurs étiologiques sont nombreux : affection familiale, poids excessif, genu valgum associé, hypotonie musculaire, laxité ligamentaire. L'examen des pieds en position debout (valgus) et sur la pointe des pieds (pas de creusement de la voûte), l'examen des chaussures (usure du bord interne), la notion de douleur, sont des éléments nécessaires pour conseiller un traitement.

Pied-bot

Forme idiopathique et forme associée à d'autres anomalies du squelette (luxation congénitale de la hanche), du collagène (arthrogrypose) ou de la moelle (myéloméningocèle). L'anomalie est caractérisée par une déformation en équin, supination et adduction de l'arrière-pied, adduction et supination de l'avant-pied. Traitement long et compliqué, consistant éventuellement en manipulations et plâtre au début, allongement du tendon d'Achille qui est toujours trop court, arthrodèses tardives pour fixer les corrections.

Anomalies de développement et de croissance de la colonne vertébrale

Scolioses et cyphoscolioses

Une scoliose désigne une déviation de la colonne vertébrale dans le plan frontal (déviation latérale), alors que la cyphose et la lordose sont des courbures dans le plan sagittal. Une certaine lordose cervicale et lombaire est physiologique. Ne sont considérées comme déviations que les cyphoses et lordoses exagérées ou mal placées, et toutes les scolioses.

Scolioses fonctionnelles

Dues à un membre inférieur plus court que l'autre ou à un spasme musculaire transitoire. Il n'y a pas de lésions structurelles, ni de rotation de la colonne.

Scolioses structurelles

Certaines sont associées à des lésions telles qu'hémivertèbres, tumeurs intraspinales, neurofibromatose spinale, séquelles de poliomyélite ou de maladie de Scheuermann, ataxie de Friedreich, etc. Mais la majorité sont idiopathiques, c'est-à-dire qu'on n'en comprend pas l'origine. Les rapports des scolioses avec des affections mésenchymateuses telles que le syndrome de Marfan sont encore très mal compris.
- *Diagnostic* : Une scoliose structurelle ne s'efface pas quand on fait se pencher l'enfant en avant ou, du moins, la courbure primaire ne disparaît pas.
- *Evolution* : Les scolioses idiopathiques se produisent de préférence chez les jeunes filles à l'adolescence. Elles ont une fâcheuse tendance à progresser vers des déformations très invalidantes et, par conséquent, il est du devoir du médecin de les diagnostiquer le plus tôt possible, en examinant soigneusement les dos des jeunes patientes et en n'hésitant pas à faire faire des radiographies pour surveiller l'évolution de la scoliose. Toute scoliose qui s'accentue doit être déférée à un orthopédiste.
- *Traitement* : Du domaine de l'orthopédie. Corsets de Milwaukee, plâtres et corrections mécaniques et, dans certains cas, recours à la chirurgie osseuse.

Pronation douloureuse

Il s'agit d'une lésion purement traumatique, d'une subluxation de la tête du radius qui survient lorsqu'un jeune enfant, par ailleurs tout à fait normal, est violemment tiré par la main ou l'avant-bras. Cet accident se produit souvent dans la rue, lorsque la personne accompagnant l'enfant veut le faire traverser plus rapidement qu'il ne le désire, pour échapper au danger du trafic automobile. L'enfant ne peut plus replier l'avant-bras ni le mettre en pronation, il a mal et il pleure. La subluxation se réduit souvent d'elle-même ; sinon il faut placer l'avant-bras en supination et flexion complètes, puis passer lentement de la flexion à l'extension complète. On peut sentir un déclic au moment où la tête radiale se remet en place. Il n'y a pas de séquelles, et aucune autre mesure n'est nécessaire.

Chapitre 8

Urologie

par A. Cuendet

La pathologie urologique de l'enfance est constituée avant tout de lésions congénitales et malformatives. Ces anomalies du tractus urinaire sont fréquentes (5 à 10 % des autopsies). Elles ne s'accompagnent pas toujours de troubles fonctionnels. Dans un certain nombre de circonstances et surtout dans les uropathies obstructives, leur diagnostic précoce est essentiel si l'on veut éviter que des complications et une détérioration de la fonction rénale ne surviennent à plus ou moins brève échéance. Ce diagnostic est souvent malaisé, car la symptomatologie peut être déroutante et les investigations (radiologiques et endoscopiques) sont complexes.

Un certain nombre de renseignements anamnestiques, de malformations associées et de signes cliniques peuvent faire soupçonner la présence de malformations du tractus urinaire.

L'utilisation de plus en plus fréquente des ultra-sons dans la surveillance des grossesses permet de diagnostiquer avant la naissance certaines malformations (hydronéphrose, mégavessie, méga-uretère).

Anamnèse familiale

Quelques malformations et anomalies rénales ont un caractère familial, comme les reins polykystiques, la cystinurie, les duplications urétérales et, dans le cadre des anomalies génitales, le syndrome adréno-génital.

Malformations associées

Penser à des malformations urinaires en cas de :

- oligohydramnios (agénésie rénale, valves urétrales),
- artère ombilicale unique,
- faciès de Potter (agénésie rénale) (cf. p. 62 et tabl. 5, p. 400),
- absence de musculature de la paroi abdominale (méga-uretère) (syndrome « prune belly », cf. pp. 62 et 155-156),
- hypospadias (25 % d'anomalies urinaires, généralement urétrales),
- syndrome de Turner (rein en fer à cheval) (cf. pp. 43-44 et 778),
- anomalies ano-rectales,

- malformations cardiaques (demander une *urographie* en même temps qu'une *angiographie*).

Tuméfaction de la loge rénale

Le rein normalement lobulé chez le nouveau-né et le nourrisson se trouve en position lombaire à la naissance, mais n'est plus palpé chez l'enfant plus âgé. La découverte d'une masse à la palpation bimanuelle avec contact lombaire et son déplacement respiratoire permettent de soupçonner l'origine rénale (diagnostic différentiel : tumeur surrénale, tumeur hépatique ou splénique, kystes cholédociens, pancréatiques ou mésentériques). A la naissance, une masse rénale peut être due à :
- une hydronéphrose,
- des reins polykystiques (masse bilatérale),
- un rein multikystique,
- une thrombose de la veine rénale,
- un hématome surrénalien (chercher des calcifications sur la radiographie),
- un néphroblastome (tumeur de Wilms) (cf. pp. 545 ss.),
- un neuroblastome (refoulant le rein).

Chez l'enfant plus âgé, le diagnostic de tumeur rénale ou surrénale est le plus probable.

Douleurs des loges rénales

Les douleurs sont généralement d'origine calicielle ou pyélique et sont le plus souvent dues à une augmentation brusque de la pression (lithiase, sténose sous-pyélique, reflux vésico-rénal).

Lorsque la douleur lombaire irradie dans le flanc ou dans l'aine, elle est d'origine urétérale. Les douleurs de la pyélonéphrite sont moins aiguës que celles des obstructions.

Masses abdominales et pelviennes

La vessie du petit enfant est normalement palpable (intra-abdominale). La vidange incomplète de la vessie s'apprécie par le toucher rectal et la palpation abdominale après miction (palpation bimanuelle). Les masses fécales sont fréquentes et peuvent prêter à confusion avec les tumeurs très rares du sinus urogénital et de la vessie, les tératomes, les neuroblastomes sacrés, les méningocèles antérieures, ou les duplications rectales.

Rétention urinaire

Chez le nouveau-né, il faut la différencier de l'anurie. A cet âge, la vraie rétention peut être due à l'oblitération de méat, à une sténose de l'urètre, à des valves urétrales. A la naissance la première miction peut être retardée de 24 heures.

Chez l'enfant plus âgé, la rétention urinaire est généralement due à des causes transitoires : blessures, oxalurie, constipation sévère ; mais elle peut être également causée par un diverticule de l'urètre (congénital ou traumatique).

Incontinence

La continence se définit par l'existence de mictions périodiques contrôlées, avec un jet d'urine. Il faut distinguer l'incontinence vraie organique et l'incontinence fonctionnelle (énurésie). Dans l'incontinence vraie, l'enfant est constamment mouillé, on n'observe pas de jet puissant ; dans l'énurésie, les mictions non contrôlées sont inconstantes, souvent nocturnes, parfois liées à un besoin urgent.

Hématurie

La couleur de l'urine est insuffisante pour poser le diagnostic d'hématurie (aliments, médicaments). Il faut donc vérifier au microscope qu'il s'agit bien d'une urine sanglante. L'examen de l'enfant portera sur la recherche d'une tumeur rénale (elles saignent dans le 30 % des cas), d'une blessure au niveau du méat (traumatisme, corps étranger), d'une infection urinaire. On doit éliminer la glomérulonéphrite et les autres causes médicales (purpura, dyscrasie sanguine, oxalurie).

Infections urinaires

Avant l'âge de 2 ans, le diagnostic clinique ne peut être posé qu'exceptionnellement. Plus tard, on peut rencontrer les signes classiques : température, douleurs abdominales, dysurie, pollakiurie. Plus fréquemment, l'attention est attirée par l'apparition d'une énurésie secondaire.
Avant 2 ans : symptomatologie vague et non spécifique, telle que vomissements, température élevée (parfois convulsions), troubles gastro-intestinaux, retard du développement staturo-pondéral. Seule la recherche systématique d'une infection urinaire permet de parvenir au diagnostic. Celui-ci repose sur la présence de leucocytes et de bactéries dans l'urine. Encore faut-il que l'examen ait été fait dans des conditions très précises :
● *Prélèvement de l'urine* :
a) Le matin, après la première miction.
b) Désinfecter les organes génitaux puis nettoyer au sérum physiologique.
c) Prélèvement de l'urine au vol (en cours de miction) chez le grand enfant. Par ponction sus-pubienne, chez le nouveau-né et le nourrisson, ou après avoir collé un sac stérile sur la région périnéale.
d) Autres moyens : cathétérisme de la vessie (sonde vésicale).
● *Examen de l'urine* :
a) Urine fraîchement émise, examinée dans la cellule de Fuchs-Rosenthal. Compte des leucocytes par mm^3.
b) Ensemencement immédiat sur un milieu de culture (ou à défaut mise au réfrigérateur jusqu'à l'ensemencement). Des techniques simplifiées comme l'« U-BA-Test » (Thiel) ou l'« Uricult » (Guttmann et Naylor) ont prouvé leur valeur. La première méthode est semi-quantitative, la deuxième quantitative. On compte après 12 à 24 heures le nombre des colonies bactériennes/ml.
● *Résultats* : Il y a infection urinaire si la leucocyturie est à plus de 10/mm^3, et la bactériurie à plus de 100 000/ml. Si leucocyturie < 10/mm ou si bactériurie entre 10 000 et 100 000/ml, répéter l'examen.

- *Interprétation* : L'infection des urines peut se faire par voie hématogène ou ascendante. Dans le premier cas, il doit exister un trouble de l'écoulement de l'urine associé (uropathie obstructive ou lésion tubulaire), que l'on retrouve effectivement dans 50 % des infections urinaires. L'infection par voie ascendante (sans obstruction) est plus fréquente chez la fillette à partir de l'âge d'un an.
- *Conduite à tenir en cas d'infection* : En dessous d'un an, recherche systématique d'une malformation des voies urinaires dès la confirmation d'une infection, au moyen de l'urographie intraveineuse, de la cystographie mictionnelle, de l'échographie et de la cystoscopie.

Au-dessus d'un an, traiter l'infection ; examens diagnostics en cas de récidive.

Lorsque l'examen clinique, l'anamnèse familiale ou les malformations associées permettent de suspecter une anomalie des voies urinaires, *on fera systématiquement les examens radiologiques, sans attendre une récidive* et même sans attendre une infection (malformation ano-rectale ou héréditaire, par ex.).
- *Traitement* : cf. pp. 383 ss.

Cystite

Dysurie et pollakiurie sont des symptômes souvent rapportés par la mère de l'enfant. Ils doivent être confirmés par la bactériologie, pour que l'on puisse affirmer le diagnostic de cystite. L'entourage parle parfois d'une « odeur » particulière de l'urine qui accompagne quelquefois l'infection.

Hypertension

L'hypertension est souvent le signe d'une affection rénale, généralement acquise mais parfois malformative :
- Pyélonéphrite
- Glomérulo-néphrite chronique
- Reins polykystiques
- Hyperplasie rénale segmentaire
- Sténose de l'artère rénale (p. 184)
- Hydronéphrose
- Syndrome hémolytique urémique (cf. p. 382)

Malformations rénales

Agénésie rénale

Uni- ou bilatérale. Oligohydramnios fréquent. Associée à un faciès particulier : oreilles bas-implantées, nez épaté, hypertélorisme, pli de la paupière inférieure (Potter). Dans les formes unilatérales, le diagnostic différentiel avec une aplasie est important, surtout lorsqu'il existe une hypertension ou des infections urinaires.

Hypoplasies

Uni- ou bilatérales. Souvent associées à des malformations urinaires basses (reflux, ectopies urétérales, valves urétrales). La néphrectomie est indiquée dans les formes unilatérales. Le traitement chirurgical des malformations associées ne se justifie que dans les formes unilatérales. Le diagnostic est posé sur les examens radiologiques : pyélographie ascendante, artériographie, néphrogramme isotopique.

Dysplasie rénale

Il s'agit d'un diagnostic histologique basé sur l'existence d'un excès de tissu fibreux, la présence de cartilage, de kystes sous-capsulaires, de glomérules malformés. La dysplasie peut toucher tout un rein et s'accompagner de malformations urétérales (rein multikystique, duplicité urétérale, reflux) ; elle peut aussi être segmentaire. Hypertension artérielle fréquente. Insuffisance rénale si la dysplasie est importante. Les images radiologiques sont identiques à celles de la pyélonéphrite : amincissement du cortex par absence de développement. Le traitement des complications consiste en l'ablation de la zone malformée (néphrectomie polaire ou segmentaire).

Anomalies de position du rein

Au cours de son développement, le rein subit une rotation et une migration en direction céphalique. Des anomalies de ce double déplacement conduisent aux situations énumérées ci-dessous.

Ectopie simple

Reins trop bas situés, palpables ; cette anomalie n'entraîne pas de complications. Diagnostic différentiel : les causes de déplacement ou d'élargissement du rein.

Ectopie croisée

Les deux reins se trouvent du même côté du corps alors que les uretères s'abouchent normalement dans la vessie. Malformations urinaires associées fréquentes. Stase urinaire favorisant infections et lithiase.

Rein pelvien

Généralement unilatéral. Vascularisation anormale. Découverte fortuite.

Rein « en galette »

Forme particulière de fusion des deux masses rénales dans la région sacrée.

Rein « en fer à cheval »

Forme de malrotation rénale où les deux reins sont réunis par un isthme en avant de l'aorte. Rencontré fréquemment dans le syndrome de Turner. La malformation n'entraîne par elle-même aucune complication. En cas de malformations associées des voies excrétrices, celles-ci sont traitées comme il est de règle.

Kystes rénaux

Le diagnostic est basé sur l'interprétation des urographies intraveineuses ; les différents types ayant souvent des aspects radiologiques semblables, c'est l'examen complet de l'enfant et l'anamnèse familiale, plus que l'anatomopathologie, qui permettront une classification.

Rein multikystique

Dysplasie rénale, généralement unilatérale, sur uropathie obstructive. L'atrésie de l'uretère est plus ou moins étendue. Un aspect identique peut être observé dans les sténoses urétérales et certains reflux vésico-urétéraux. Il existe des anomalies utétérales, contro-latérales dans plus de 20 % des cas. Malformations associées fréquentes. Diagnostic : palpation d'une masse abdominale, unilatérale, rein muet à l'urographie intraveineuse. Lorsque le diagnostic n'est pas fait à la naissance, des infections des voies urinaires finissent par révéler l'anomalie plus tard.
● *Traitement* : Néphrectomie.

Reins polykystiques (forme infantile)

Atteinte rénale bilatérale familiale de caractère récessif. les reins fortement agrandis et les voies excrétrices ne présentent pas de malformation. Oligohydramnios fréquent. Un faciès de Potter (cf. p. 175) n'est pas exceptionnel. Les microkystes (1-2 mm) sont répartis dans le cortex et la médullaire. On en retrouve dans le foie et dans le pancréas parfois. A rapprocher de la fibrose hépatique congénitale où l'atteinte hépatique domine, associée à des extasies tubulaires rénales, et qui présente également une transmission héréditaire de caractère récessif.
● *Diagnostic* : Palpation de deux masses abdominales chez le nouveau-né, parfois causes de dystocie et souvent de troubles respiratoires. Azote uréique augmenté. Urographie intraveineuse (augmenter les doses) : néphrogramme tardif, images d'élongation et de divergence des calices. Pratiquer une biopsie rénale et hépatique.

- *Pronostic* : Mort par insuffisance rénale, en général immédiate à la naissance, exceptionnelle dans l'enfance.
- *Traitement* : Aucun (greffe rénale contre-indiquée vu l'atteinte hépatique).

Rein polykystique (type adulte)

Les kystes sont de dimensions variables et grossissent au cours du développement. Affection familiale de caractère dominant, touchant les deux reins. Rarement diagnostiquée avant 7 ans mais soupçonnée à cause de l'histoire familiale. A l'urographie intraveineuse, on note un déplacement et une élongation des calices. Le rein est agrandi et déformé (diagnostic différentiel : tumeur rénale). Atteinte hépatique dans 30 % des cas. Pas de traitement. La greffe rénale peut être discutée.

Rein médullaire en éponge

Kystes tubulaires allongés dans les pyramides. Atteinte rénale bilatérale le plus souvent, rarement diagnostiquée avant l'âge adulte. Les images d'opacification de la pyramide qu'on peut retrouver chez l'enfant font penser à une affection congénitale asymptomatique. Les infections à répétition et la formation de calculs sont fréquentes. On trouve des kystes médullaires et également corticaux, donnant l'image d'un rein médullaire en éponge, chez les enfants présentant un syndrome de Beckwith (macroglossie, gigantisme, anomalies ombilicales) et dans la néphronophtise juvénile familiale de Fanconi, affection familiale touchant surtout les filles.

Kystes solitaires

Exceptionnels chez l'enfant et fréquents chez l'adulte. Diagnostic différentiel ; tumeur rénale. Traitement : chirurgical.

Diverticule caliciel

Images radiologiques souvent asymptomatiques. Lithiases et infections urinaires à répétition peuvent être l'indication d'une néphrectomie partielle.

Hydrocalicose

La connexion de ces kystes avec les calices permet de les distinguer des autres formes. Souvent associés à des valves urétrales (Williams).

Tumeurs rénales

Cf. chapitre 17, pp. 545 ss.

Malformations urétérales

Duplicité urétérale

Malformation fréquente, associée ou non à d'autres anomalies : dysplasies rénales, uretérocèles, ectopies urétérales, reflux. Le dédoublement de l'uretère s'accompagne d'un rein d'apparence normale, parfois un peu plus grand que le rein contro-latéral. Le dédoublement peut être complet (duplicité) ou incomplet (bifidité). Seules les anomalies associées nécessitent un traitement chirurgical.

Ectopie urétérale

Il s'agit pratiquement toujours d'une ectopie sur duplication urétérale. Généralement, seul l'uretère correspondant au pôle supérieur du rein s'abouche en position ectopique. Une dysplasie rénale ou une pyélonéphrite sont souvent associées, de même qu'une dilatation des voies urinaires supérieures. L'uretère ectopique peut s'ouvrir dans la vessie ou dans l'urètre, même en dehors du tractus urinaire (vagin chez la fille, vésicules séminales chez le garçon). Les signes cliniques sont ceux liés à l'infection urinaire et, chez la fille (50 % des cas), ceux liés à l'abouchement vaginal ou vestibulaire (incontinence diurne). Le diagnostic est posé par l'association de l'urographie (diagnostic de la duplicité urétérale) et de l'endoscopie (recherche de l'abouchement ectopique) ainsi que de l'examen vaginal chez la fille.

Uretérocèle

Dilatation kystique intravésicale de la portion terminale de l'uretère. Généralement associée à une duplication de l'uretère et à une sténose du méat concerné. S'observe également sur des uretères à abouchement ectopique (cervical) non sténosés.
- *Radiologie* : Image ronde intravésicale caractéristique.
- *Traitement chirurgical* : Réimplantation. Néphrectomie polaire.

Uropathies obstructives

Hydronéphrose

Dilatation du bassinet et des calices due à une obstruction de la jonction pyélo-urétérale. La sténose est souvent bilatérale, parfois plus marquée d'un côté (généralement à gauche).
- *Causes* :
a) Sténose organique de la jonction pyélo-urétérale.
b) Sténose fonctionnelle (absence de passage des ondes péristaltiques).

c) Artère polaire, croisant la jonction et provoquant une irritation mécanique (rarement observée chez l'enfant en dessous de 2 ans).
d) Associée à un reflux vésico-urétéral ou à un méga-uretère.
- *Signes cliniques* : Palpation d'une masse rénitente de la loge rénale. Infection urinaire (dans 50 % des cas c'est le signe cardinal). Les douleurs de type colique sont fréquentes chez l'enfant âgé. L'hématurie n'est pas exceptionnelle, et parfois suit un traumatisme léger. Rarement l'hypertension peut être le symptôme révélateur.
- *Diagnostic* : L'urographie intraveineuse permet d'observer la dilatation pyélique et calicielle (« image en boule ») plus ou moins importante. Les clichés tardifs montrent le retard d'évacuation pyélique. Dans les formes les plus sévères, des clichés pris à 6 et 9 heures après l'injection révèlent l'hydronéphrose.
- *Traitement* : Plastie de la jonction pyélo-urétérale.
- *Complication postopératoire* : Syndrome de la levée d'obstacle lié aux lésions tubulaires et à des phénomènes de non-réabsorption du Na.
- *Pronostic* : Dépend du retentissement rénal et de la pyélonéphrite souvent associée.

Hydro- et méga-uretère

On parle d'hydro-uretère en cas de dilatation urétérale consécutive à une obstruction organique, de méga-uretère lorsqu'on ne peut mettre en évidence d'obstruction organique (obstruction de type fonctionnel ou reflux vésico-urétéral).

Hydro-uretère

- *Causes* :

a) Sténose anatomique ou fonctionnelle de la partie inférieure de l'uretère (jonction urétéro-vésicale). En cas d'atrésie complète, on observe généralement un rein multikystique. La sténose peut être bilatérale. Il peut y avoir une uretérocèle associée.
b) Uretérocèle : voir plus haut.
c) Les valves urétérales sont rares.
d) L'uretère rétrocave donne généralement une symptomatologie tardive.
e) La fibrose rétropéritonéale est également exceptionnelle dans l'enfance.
f) L'hydro-uretère peut enfin être la conséquence d'une obstruction basse, sous-cervicale, avec hypertrophie de la paroi vésicale qui gêne l'évacuation urétérale (valves urétrales par exemple).
- *Diagnostic* : Les signes cliniques n'ont rien de spécifique et le diagnostic est posé au vu des examens radiologiques.
- *Traitement* : Suppression chirurgicale de l'obstacle. Réimplantation de l'uretère dans la vessie. Modelage de l'uretère en cas de dilatation importante (Hendren).

Méga-uretère

A. Sans reflux

Plus fréquent chez le garçon et diagnostiqué plus tardivement que les autres formes de méga-uretère. Etiologie inconnue. Le calibre conservé

du bas-uretère fonctionnel fait penser à la maladie de Hirschsprung, mais aucune altération des cellules ganglionnaires n'a pu être mise en évidence. L'uretère gauche est plus fréquemment atteint.
● *Diagnostic* : Cliniquement, les signes sont ceux de toute uropathie obstructive (douleur, infection urinaire, hématurie, lithiase). La pyélographie intraveineuse est d'interprétation parfois difficile (concentration insuffisante du produit de contraste). On peut alors recourir à la pyélographie ascendante.
● *Traitement* : Résection du segment non fonctionnel et réimplantation de l'uretère.

B. Avec reflux

L'arrangement des fibres musculaires de la jonction urétéro-vésicale empêche normalement le passage à contre-courant de l'urine, lors des mictions. Ce reflux peut être congénital (primaire) ou acquis (secondaire).

Reflux congénital : les rapports anatomiques normaux sont perturbés, soit que l'uretère s'abouche en position normale dans le trigone (béance ostiale congénitale), soit qu'il s'abouche en position ectopique (dans le col ou dans l'urètre).

Reflux acquis : il s'agit de la décompensation d'un mécanisme anatomiquement normal, soit par œdème (cystite), soit par lésion vésicale (diverticules, vessie de lutte, obstacles sous-cervicaux), soit par effet iatrogène (opération d'uretérocèle, réimplantation vésicale).
● *Signes cliniques* : Le reflux se rencontre trois fois plus souvent chez la fille que chez le garçon et il est plus fréquent chez le petit enfant (guérison spontanée possible). Les douleurs pyéliques lors de la miction sont rarement décrites avant 9 ou 10 ans, et les autres signes sont aspécifiques (infections urinaires récidivantes).
● *Complications* : Infections urinaires à répétition, retard du développement, pyélonéphrite, insuffisance rénale, ostéodystrophie, hypertension comme dans toute atteinte rénale chronique. Il semble que les complications soient directement liées à l'association infection urinaire et reflux.
● *Traitement* :
a) *Conservateur* : chez les enfants très jeunes (en dessous de 2 ans) ou présentant un reflux modéré (sans dilatation des voies urinaires supérieures et sans signe radiologique de pyélonéphrite), un traitement par antibiotiques (cf. traitement infections urinaires, pp. 383-387) peut être institué avec contrôle bactériologique régulier. Il ne semble pas y avoir d'avantage à donner un traitement continu. La disparition du reflux après 5 ans serait fréquente, de même que la disparition des épisodes d'infection urinaire. Cette évolution est peut-être liée au développement du trajet intramural de l'uretère (Tanagho).
b) *Chirurgical* : la création d'un mécanisme anti-reflux selon la technique de Politano ou de Cohen (création d'une valve urétéro-vésicale) est à conseiller en cas de signes radiologiques d'atteinte du parenchyme rénal (amincissement ou irrégularité du cortex traduisant soit une pyélonéphrite, soit une dysplasie rénale) et lorsqu'il existe une dilatation des voies excrétrices supérieures. Les indications à l'intervention sur le seul signe d'infections urinaires à répétition doivent rester exceptionnelles.

Malformations vésicales

Exstrophie vésicale :
Cf. pp. 155.

Diverticules vésicaux

Se développent à un niveau de moindre résistance musculaire, souvent près des méats urétéraux. Contrairement à ceux de l'adulte, ne sont que rarement en relation avec une obstruction urétrale. Peuvent entraîner un reflux urétéral. Traitement chirurgical à discuter lorsque le diverticule a plus de 3 cm en fin de miction.

Mégavessie

Soit liée à une augmentation de liquide intravésical, soit par polyurie (diabète insipide), soit associée au méga-uretère avec reflux conduisant à un résidu postmictionnel. La seconde forme accompagne le syndrome d'aplasie de la musculature abdominale. Il faut rechercher une éventuelle obstruction sous-cervicale (cystographie mictionnelle), des troubles neurologiques (destruction du centre de la miction S1-S3), des facteurs psychologiques (âge scolaire).

Anomalies de l'ouraque

Le canal de l'ouraque fait communiquer l'allantoïde et la vessie chez le fœtus. Le canal peut rester ouvert et entretenir une fistule urinaire. Chez le nouveau-né, cette fistule est presque toujours en relation avec un obstacle sous-vésical qu'il faut rechercher. La fermeture incomplète de l'ouraque détermine des diverticules ou kystes plus ou moins volumineux qui peuvent s'infecter.

Malformations de l'urètre

Tout obstacle à l'écoulement de l'urine s'accompagne d'une stase urinaire, avec dilatation plus ou moins marquée. Les trabéculations vésicales sont la règle (vessie de lutte, vessie à colonne), de même que l'infection. La dysurie, les modifications de la force du jet, la rétention sont inconstantes. La cystographie mictionnelle et l'endoscopie sont nécessaires à l'établissement du diagnostic.

Valves urétrales

Malformation de l'urètre postérieur, rencontrée chez le garçon, créant une obstruction dont l'importance est très variable. Les formes les plus sévères se manifestent chez le nouveau-né déjà (rétention urinaire,

urémie) et s'accompagnent de dilatation des voies urinaires supérieures et de lésions du parenchyme rénal. L'infection urinaire est constante. La diminution de la force du jet est fréquente. Le diagnostic anténatal par ultra-sons est souvent posé.
- *Traitement* : Médical de l'insuffisance rénale. L'ablation chirurgicale des valves urétrales se fait généralement par voie endoscopique. Le drainage temporaire de la vessie est parfois nécessaire. Le traitement chirurgical des lésions secondaires des voies urinaires supérieures (néphrectomie, uretéroplastie, réimplantation, uretérostomie, etc.) varie suivant la gravité de ces complications. La dérivation anténatale de l'urine vésicale a été réalisée.
- *Pronostic* : Lié à l'atteinte rénale, donc à la gravité de la sténose. Le diagnostic précoce est très important.

Sténose du méat urétral

Accolement muqueux, semblable à la synéchie des petites lèvres chez la fille. La membrane se rompt à chaque miction. Peut entraîner de petites hémorragies et une dysurie. On doit parfois recourir à des dilatations répétées.

Autres formes d'obstruction

Diaphragme, sténoses, duplications, diverticules, polypes peuvent être observés. Ces malformations sont plus rares. Même symptomatologie que les valves.

Sténoses acquises : traumatisme par sondage, rupture traumatique (fracture du bassin).

Lésions vasculaires

Thrombose de la veine rénale

Uni- ou bilatérale, elle s'observe chez le nourrisson mais surtout chez le nouveau-né, parfois in utero. Fréquence augmentée chez les enfants de mère diabétique. Peut apparaître après déshydratation (gastro-entérite) ou état toxique. Crase sanguine normale. Une atteinte surrénalienne associée est possible.
- *Signes cliniques* : Hématurie massive, oligurie (anurie si les deux reins sont infarcis), palpation d'une masse rénale. Enfant pâle, léthargique, parfois déshydraté.
- *Traitement* :
a) Lésions unilatérales : la correction de la déshydratation, des désordres électrolytiques (acidose métabolique), de l'anémie et de l'hypotension (atteinte surrénalienne) représente le traitement conservateur d'urgence. L'emploi des anticoagulants n'est pas indispensable dans les cas unilatéraux (Johnston). La néphrectomie est réservée aux complications (hypertension).

b) Lésions bilatérales : même traitement d'urgence auquel on ajoute l'héparine administrée par voie intraveineuse (50 unités/kg immédiatement puis 100 unités/kg toutes les 4 h), de façon à avoir un temps de coagulation d'environ 20 minutes. La dialyse péritonéale doit être discutée en cas d'insuffisance rénale majeure, de même que la greffe rénale lors d'infarcissement complet des deux reins.

Hémorragies surrénaliennes

- *Causes* :
- *a)* Associées à une thrombose de la veine rénale.
- *b)* Septicémie (syndrome de Waterhouse-Friederichsen).
- *c)* Traumatisme obstétrical (surrénale droite plus souvent affectée).
- *d)* Associées à un neuroblastome.
- *e)* Idiopathiques.
- *Signes cliniques* : Palpation d'une masse ferme dans la loge rénale (refoulement du rein). Signes généraux en relation avec l'importance de la perte sanguine. Choc toxinien dans les septicémies, avec coagulopathie de consommation.
- *Radiologie* : Les calcifications apparaissent en quelques jours chez le nouveau-né. Urographie : déplacement du rein ou infarcissement en cas de thrombose veineuse.
- *Traitement* : Symptomatique. Exploration chirurgicale si on suspecte un neuroblastome (catécholamines urinaires) et chez le prématuré.

Obstruction artérielle rénale

- *Causes* :
- *a)* Hyperplasie fibromusculaire d'origine inconnue uni- ou bilatérale.
- *b)* Sténose congénitale de l'artère rénale.
- *c)* Embolie artérielle.
- *Diagnostic* : En cas d'hypertension, recherche d'une lésion artérielle par angiographie sélective.
- *Traitement* : Néphrectomie ou greffe artérielle.

Anévrisme sacculaire rénal

Uni- ou bilatéral. Peut se compliquer d'hémorragie ou de thrombose.
- *Signes cliniques* : Douleur, hématurie, auscultation d'un souffle.
- *Traitement chirurgical* : En utilisant la technique de la perfusion « ex vivo ».

Fistule artério-veineuse rénale

Lésion congénitale ou post-traumatique. Hématurie fréquente, parfois hypertension. Les calcifications peuvent être visibles à la pyélographie. Auscultation d'un souffle continu.
- *Traitement* : Chirurgical (néphrectomie partielle, ligature).

Anomalies des organes génitaux externes

Hypospadias

Malformation fréquente (1/1000) par défaut de fermeture du sinus urogénital. L'orifice du méat urétral est reporté en arrière de sa position glandulaire normale.
- *Classification* : Formes balanique, pelvienne, scrotale et périnéale.
- *Anomalies associées* : Coudure du pénis, torsion de la verge. En cas de cryptorchidie bilatérale, penser à la possibilité de virilisation par hyperplasie cortico-surrénalienne (sexe chromatinien) (voir p. 144 ss).
- *Traitement chirurgical* : Différentes techniques. Les opérations précoces s'accompagnent de plus de complications (fistules) que les opérations tardives. Le redressement de la verge doit naturellement précéder la reconstitution de l'urètre.

Epispadias

Malformation rare chez la fille et le garçon. Associée fréquemment à l'extrophie vésicale. S'accompagne très souvent d'une incontinence. Traitement chirurgical complexe.

Cryptorchidies

Absence de descente du testicule dans le scrotum, rencontrée dans environ 0,8 % de la population. Uni- ou bilatérale, cette non-descente doit être confirmée par un examen minutieux de la région périnéale. Lorsque l'abaissement est manuellement réalisable, on parle alors de testicule oscillant. Lorsque la position du testicule permet de le situer en dehors de l'axe de descente normale d'une gonade (position pré-aponévrotique, fémorale, pubienne, périnéale), on parle de testicule ectopique.
- *Malformations associées* : Lorsque à une cryptorchidie bilatérale s'associent d'autres anomalies scrotales ou périnéales, il faut suspecter la possibilité d'une ambiguïté sexuelle. Faire la recherche de la chromatine sexuelle dans tous les cas où la palpation des gonades n'est pas certaine et dans les cryptorchidies associées à une extrophie vésicale, un épispade, un hypospade. Association avec le syndrome dit de « prune belly » (hypoplasie de la musculature abdominale et dilatation des voies urinaires excrétrices supérieures et inférieures). Association avec les malformations urinaires (12 %). Association avec des aberrations chromosomiques, comme le syndrome de Klinefelter.
- *Complications* : La cryptorchidie est souvent associée à une hernie, d'où hernie étranglée possible ; torsion du testicule en position inguinale. Tumeur rénale plus fréquente chez les adultes cryptorchides (opérés ou non opérés).
- *Conséquences de la cryptorchidie* : Dans la phase pré-pubertaire, diminution du volume de la glande, diminution du nombre de spermatogonies (moins de 50 spermatogonies par 50 canaux coupés transversalement). Diminution du calibre des tubes séminifères. Réponse normale à l'injection d'hormone chorionique gonadotrophique (Pregnyl®).

Après la puberté : Perturbation de la maturation des spermatogonies, puis fibrose et augmentation du tissu interstitiel ; dans les cryptorchidies bilatérales l'azoospermie est constante.
- *Traitement* : Stimulation de la descente. On peut, dans les formes basses de cryptorchidie, obtenir la descente en donnant 4 injections de Pregnyl ® (hormone chorionique gonadotrophique) à la dose de 5 000 unités/m^2 réparties sur deux semaines. Dans les formes hautes (intracaniculaire, intra-abdominale), ces traitements sont inutiles. Le traitement par hormone hypothalamique (LHRH) a été proposé et donnerait plus de 50 % de succès dans la première année.

L'âge idéal de l'abaissement *chirurgical* n'est pas universellement accepté ; celui-ci ne devrait pas être envisagé avant l'âge de 2 ans et devrait être réalisé avant le début de la puberté.

Ambiguïtés sexuelles :

Voir chapitre 21.

Chapitre 9

Nutrition, vitamines

par L. Paunier

Principes généraux

Une alimentation adéquate doit fournir à l'enfant les calories et les éléments nécessaires à la croissance et au fonctionnement harmonieux de l'organisme.

Il y a trois catégories d'éléments indispensables :
- les acides aminés (histidine, isoleucine, leucine, lysine, méthionine, phénylalanine, thréonine et valine) ;
- les vitamines (acide ascorbique, acide folique, niacine, pyridoxine, riboflavine, thiamine, vitamine B_{12}, vitamine A, vitamine D, vitamine E, vitamine K, acide panthoténique, biotine et acide linoléique) ;
- les sels minéraux (calcium, chlore, cuivre, iode, fer, magnésium, manganèse, phosphore, potassium, sodium, zinc, sélénium, mylobdène et fluor).

Les principes de la nutrition moderne reposent encore sur une bonne part d'empirisme et d'habitudes transmises de générations en générations. En effet, on connaît encore imparfaitement les besoins optima de l'organisme en éléments indispensables et en calories et on oublie parfois qu'un excès peut être aussi nuisible qu'une carence.

Calories

Les besoins caloriques sont déterminés par :
- le métabolisme de base ;
- l'action dynamique spécifique (= augmentation du métabolisme due à l'ingestion de nourriture) ;
- la perte dans les excreta ;
- l'activité physique ;
- la croissance.

La fig. 1 représente graphiquement la façon dont les besoins caloriques se décomposent aux différents âges de la vie. Pendant la première année, la croissance, très rapide, peut nécessiter jusqu'à 140 calories par kg/jour. Il existe d'un enfant à l'autre de grandes variations dans les besoins caloriques. Les seuls critères permettant de juger si l'apport calorique est adéquat sont la courbe de développement staturo-pondéral et le sentiment de bien-être ressenti par l'enfant. Le tableau 1 donne les besoins caloriques selon l'âge : 1 g de protéine ou de glucide apporte 4 calories à l'organisme ; 1 g de lipide, 9 calories. On admet que dans un régime bien équilibré les protéines doivent fournir 15 % des besoins caloriques, les glucides 50 % et les lipides 35 %.

Fig. 1 : Répartition des besoins caloriques selon l'âge

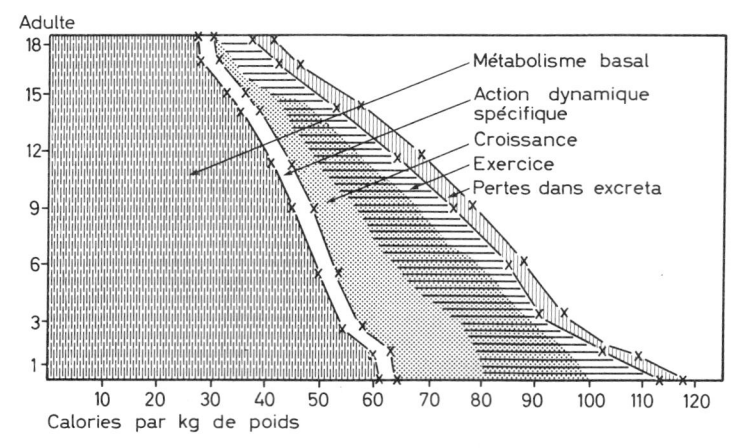

Adapté de Nelson W.E., Vaughan V.C., et McKay R.J., *Textbook of Pediatrics*, Saunders, Philadelphia 1975, p. 128.

Tableau 1 : Apports recommandés en calories*, en protéines et en eau

Age	Eau ml/kg	Calories* par kg de poids	Protéines g/kg de poids
3 jours	80-100		
15 jours	125-150	110-120	3,5-4,0
3 mois-1 an	140-150	100-140	3,5-4,0
1- 3 ans	110-130	90-110	3,5-2,0
4- 6 ans	90-110	80-90	3,0-2,0
7- 9 ans	70-90	70-80	3,0-2,0
10-12 ans	60-85	60-70	1,8
13-15 ans	50-65	50-60	1,7
16-19 ans	40-50	50-60	1,5
adulte	40-50	40-45	1,0

* Kcal   1 kilojoule = 4,2 kcal

Eau

Les besoins en eau sont déterminés par :
- l'apport calorique ;
- l'osmolarité urinaire maximum ;
- les pertes insensibles.

Dans des conditions normales, les besoins en eau du nourrisson sont couverts par 1,5 ml d'eau par calorie consommée. Cette quantité relativement importante s'explique par le fait que, chez le nourrisson, le pouvoir de concentration rénale est plus faible que chez l'enfant plus âgé.

Protéines

Les protéines apportent les acides aminés indispensables (histidine, isoleucine, leucine, lysine, méthionine, phénylalanine, thréonine, valine et tryptophane) (cf. tableau 2). Une protéine possède une haute valeur biologique lorsque les acides aminés indispensables y sont tous représentés et en proportions adéquates. Les protéines d'origine animale (œufs, lait, viande, poisson) ont une valeur biologique élevée, tandis que les protéines végétales ont une valeur nutritionnelle limitée, soit à cause de l'absence d'un ou de plusieurs acides aminés indispensables, soit à cause des proportions relatives de ces mêmes acides aminés qui sont moins adéquates. Les besoins optima en protéines ne sont pas connus avec précision. Le tableau 1 donne des valeurs approximatives et encore à condition que les 2/3 de l'apport soient couverts par des protéines de haute valeur biologique.

Glucides

Les glucides ont la propriété d'apporter des calories sans charge osmotique pour le rein. Il n'existe pas de sucres indispensables. Cepen-

---

Tableau 2 : Besoins en acides aminés essentiels chez le nourrisson et l'adulte

Acide aminé	Nourrisson Besoins minima mmol/kg/jour	Adulte Besoins minima mmol/jour	Apports recommandés mmol/jour
L-histidine	0,22	0	0
L-tryptophane	0,11	1,22	2,45
L-phénylalanine	0,54[1]	6,62[3]	13,24
L-lysine	0,70	5,47	10,94
L-thréonine	0,73	4,20	8,40
L-méthionine	0,30[2]	7,37[3]	14,74
L-leucine	1,14	8,39	16,77
L-isoleucine	0,96	5,33	10,66
L-valine	0,90	6,83	13,66

[1] Avec apport de tyrosine.
[2] Avec apport de cystine.
[3] Besoins minima supérieurs chez la femme enceinte ou qui allaite.

Adapté de *Documenta Geigy*, tables scientifiques, 7e éd., 1972.

dant certains glucides ont une importance nutritionnelle particulière. Ainsi le lactose facilite l'absorption intestinale du calcium. D'autre part, dans certaines affections congénitales ou acquises, le métabolisme de certains glucides est anormal (galactosémie, intolérance au fructose, diabète sucré) ou l'absorption intestinale de un ou plusieurs sucres est défectueuse (intolérance au lactose, malabsorption de glucose ou de galactose, etc.). Ces affections nécessitent des mesures diététiques spéciales, comme un régime sans lactose, un régime sans galactose, etc.

Lipides

Les graisses sont la source alimentaire d'énergie la plus concentrée et un véhicule pour les vitamines liposolubles (A, D, E, K). Il existe un acide gras indispensable, l'acide linoléique, nécessaire à la synthèse de l'acide arachidonique. On admet que 0,1 % des calories doivent être constituées par de l'acide linoléique. La carence en acide linoléique se manifeste surtout par des signes cutanés (sécheresse de la peau, desquamation, intertrigo). Etant donné le rôle possible des acides gras saturés d'origine animale dans la pathogenèse de l'artériosclérose, ceux-ci sont partiellement remplacés dans certains laits industriels par des acides gras non saturés, d'origine végétale. A l'heure actuelle, il n'est pas possible de dire si cette mesure comporte des avantages nutritionnels à long terme. Les triglycérides à chaîne moyenne et courte (TCM), dont les acides gras sont

Tableau 3 : Apports recommandés en sels minéraux

	0-1 an	1-10 ans	10-15 ans	15-19 ans
Calcium				
g/jour	0,4-0,8	0,6-1,2	1,1-1,4	0,5-1,0
mmol/jour	20-40	30-60	55-70	25-50
Cuivre				
mg/jour	0,05	0,05	0,1	0,1
µmol/kg/jour	0,78	0,78	1,57	1,57
Fluor				
mg/jour	0,5	0,5	1,0	1,0
µmol/jour	26,32	26,32	52,6	5,26
Iode				
mg/jour	0,04	0,04	0,1	0,1
µmol/jour	0,32	0,32	0,79	0,79
Fer				
mg/jour	10	10-18	10-18	10-18
mmol/jour	0;18	0,18-0,32	0,18-0,32	0,18-0,32
Zinc				
mg/jour	3	10	15	15
mmol/jour	0,046	0,15	0,23	0,23
Magnésium				
mg/kg/jour	6	6	10	10
mmol/kg/jour	0,5	0,5	0,83	0,83
Potassium				
mEq/kg/jour	1,5	1,5	1,5	1,5
mmol/kg/jour	1,5	1,5	1,5	1,5
Sodium				
mEq/kg/jour	2,0	2,0	2,0	2,0
mmol/kg/jour	2,0	2,0	2,0	2,0

Tableau 4 : Apports quotidiens recommandés en vitamines

	0-1 an	1-10 ans	10-15 ans	15-19 ans
Vitamine A				
U.I./jour	1 500	2 000-4 000	4 000-5 000	5 000
Vitamine D				
U.I./jour	400	400	400	400
Thiamine				
mg/jour	0,4	0,5-1,2	1,0-1,5	1,5
μmol/jour	1,5	1,88-4,52	3,77-5,65	5,65
Riboflavine				
mg/jour	0,6	0,8-1,3	1,4-1,8	1,4-1,8
μmol/jour	1,59	2,13-3,45	3,72-4,78	3,72-4,78
Niacine				
mg/jour	6	9-15	15-20	15-20
μmol/jour	48,74	73,11	73,11-162,5	73,1-162,5
Vitamine B_6				
mg/jour	0,2-0,4	0,5-1,0	1,5-2,5	1,5-2,5
μmol/jour	1,18-2,36	2,96-5,92	8,86-14,78	8,86-14,78
Acide ascorbique				
mg/jour	35	40	45	45
μmol/jour	198,7	227	255	255
Vitamine B_{12}				
μg/jour	0,3	1-2	3	3
nmol/jour	0,2	0,7-1,4	2,1	2,1

absorbés directement dans le système porte, sont utilisés lors de malabsorption lipidique ou d'insuffisance de lipase pancréatique (mucoviscidose).

Eléments minéraux

Pour la plupart des éléments minéraux, les besoins minima ne sont pas connus avec précision. Le sodium, le potassium, le calcium et le magnésium sont les cations importants, le phosphore, le chlore et le soufre les anions importants. Le fer, l'iode et le cobalt font partie intégrante de composés organiques essentiels. Le cuivre, le zinc et le manganèse sont des oligoéléments et font partie de la structure de certains enzymes. Les cristaux d'hydroxypatite de l'os et des dents renferment du fluor, lequel joue un rôle important dans la prophylaxie de la carie dentaire. Enfin, le sélénium, le silice, le bore, le nickel, l'aluminium, l'arsenic, le brome, le molybdène et le strontium sont présents en traces dans un régime normal et dans le corps. Leur fonction physiologique n'est pas connue avec précision. Le tableau 3 donne les apports recommandés de ces différents ions. Ces valeurs ne sont qu'approximatives. En effet, l'absorption d'un ion peut influencer celle d'un autre : le calcium, par exemple, est moins bien absorbé si le régime est riche en phosphore ; il en est de même pour le magnésium, si le régime est riche en calcium.

Vitamines

Les vitamines sont des composés organiques indispensables qui ne peuvent être synthétisés par l'organisme. Le tableau 4 résume les quantités journalières recommandées pour les différentes vitamines. On distingue classiquement les vitamines liposolubles (A, D, E et K) et hydrosolubles (thiamine ou vitamine B_1, riboflavine, niacine ou acide nicotinique, pyridoxine ou vitamine B_6, vitamine B_{12} ou cyanocobalamine, acide folique ou acide ptéroylglutamique, acide pantothénique, biotine, vitamine C).

Syndrome de carence en cuivre

Un syndrome causé par des apports nutritionnels insuffisants en cuivre peut survenir chez de petits prématurés, lors d'alimentation parentérale prolongée, ou peut être secondaire à une malnutrition ou à un Kwashiorkor. Il se manifeste par un arrêt du développement staturo-pondéral et une apathie. L'enfant peut présenter les signes physiques suivants : hypotonie musculaire, hypothermie, retard psycho-moteur, troubles de la vue, dépigmentation de la peau et des cheveux, ostéoporose avec élargissement des métaphyses, dermatite séborrhéique. Les examens de laboratoire révèlent une anémie hypochrome qui ne répond pas au traitement martial, une leucopénie. Dans la moelle hématopoïétique, on remarque la présence de sidéroblastes et une vacuolisation des cellules de la série érythro- et myélopoïétique. Dans le sérum, les taux sériques de cuivre et de céruloplasmine sont abaissés. Le tableau clinique et biologique est rapidement réversible après administration de cuivre (solution de $CuSO_4$ à 1 % : 1-3 mg/kg/jour).

Les signes cliniques et biologiques d'une carence en cuivre se manifestent également dans le syndrome des cheveux en vrille (Kinky hair syndrome). Ce syndrome héréditaire, transmis par un gène lié au sexe, est causé par une anomalie congénitale de l'absorption intestinale du cuivre.

Syndrome de carence en zinc

Le zinc, de même que le cuivre, joue un rôle métabolique important, car c'est un co-facteur de nombreux enzymes.

Un syndrome de carence en zinc a été décrit et comporte les éléments suivants : arrêt de croissance avec nanisme, hypogonadisme, hépatosplénomégalie et anémie.

Une carence en zinc, primaire ou secondaire, pourrait être à l'origine de l'« acrodermatitis enteropathica ». Cette maladie héréditaire, transmise par un gène autosomal récessif, comporte des diarrhées très sévères, une dermatite et une alopécie. Le taux plasmatique et l'excrétion urinaire du zinc sont fortement abaissés. Le traitement par le sulfate de zinc administré per os à la dose de 100-600 mg/jour entraîne une rémission rapide et complète de la maladie.

Vitamines, hyper- et avitaminoses

On rencontrera souvent des syndromes de carence en vitamines liposolubles dans les affections s'accompagnant d'un trouble de l'absorption intestinale des graisses.

Vitamine A

La vitamine A ou axérophtol se trouve uniquement dans le règne animal. La provitamine A, le carotène, se trouve dans le règne végétal. La transformation du carotène en vitamine A a lieu dans l'intestin grêle. Cette transformation ne se fait que d'une manière restreinte chez le nourrisson et est dépendante de la présence d'hormone thyroïdienne. La vitamine A se combine avec une protéine pour former les pigments rétiniens, la rhodopsine, et l'iodopsine. Un déficit en vitamine A augmente le temps nécessaire au passage de la vision par les cônes à la vision par les bâtonnets (le temps d'adaptation à la vision nocturne passe de 8 minutes — valeur normale — à 30 à 45 minutes). La vitamine A exerce une action trophique sur les tissus épithéliaux. Dans les avitaminoses A, il y a une hyperkératose de la peau, une atteinte des conjonctives et de la cornée ainsi que des muqueuses digestives, respiratoires et urinaires. La vitamine A est également nécessaire à la formation de l'os et du cartilage normal. L'unité internationale = 0,001 μmol (= 0,0003 mg) de vitamine A cristalline.

Symptômes d'avitaminose A

Nyctalopie, photophobie, xérophtalmie, conjonctivite, hyperkératose cutanée, kératinisation des membranes muqueuses, retard de croissance, formation défectueuse de l'émail dentaire.

Hypervitaminose A

Un apport exagéré de carotène provoque une coloration orange de la peau. L'hypervitaminose A proprement dite provoque une anorexie, un ralentissement de la croissance, une hépato-splénomégalie, une hyperostose corticale avec douleurs osseuses et quelquefois des fractures ; enfin, on a décrit un syndrome de pseudo-tumeur du cerveau dû à une hypertension intracrânienne associée à l'ingestion de doses exagérées de vitamine A. Les sensibilités individuelles à la vitamine A sont variables : une dose de 50 000 U/jour prise pendant une période prolongée peut provoquer des signes d'intoxication.

Doses recommandées

De 0 à 1 an : 1 500 U/jour. De 1 à 10 ans : 2 000 à 4 000 U/jour. Plus de 10 ans : 5 000 U/jour.

Vitamine D

La vitamine D_3 (cholécalciférol), forme naturelle de la vitamine D, est produite par une réaction photochimique à partir du 7-déhydrocholestérol, substance contenue dans la peau. Pour être active, la vitamine D_3 doit subir une hydroxylation dans le foie qui la transforme en 25-hydroxycholécalciférol et une deuxième hydroxylation qui a lieu dans le rein, pour aboutir au 1,25-dihydroxycholécalciférol. La vitamine D favorise le transport du calcium et du phosphore au niveau des cellules de l'intestin, de l'os et du rein. Chez l'homme, cet effet est particulièrement important au niveau de l'intestin où, en l'absence de vitamine D, très peu de calcium est absorbé. La vitamine D est indispensable au maintien de l'homéostase phosphocalcique et certains de ses effets sont synergiques à ceux de l'hormone parathyroïdienne. 1 unité internationale = 0,065 nmol = 25 ng de vitamine D_3 cristalline.

Carence en vitamine D (rachitisme carentiel)

La carence en vitamine D est la cause la plus fréquente de rachitisme, lésion osseuse due au défaut de déposition de calcium dans les zones de croissance de l'os (cf. classification des syndromes rachitiques pp. 871 ss.). L'hypovitaminose D peut, dans sa phase initiale, se manifester uniquement par des anomalies biochimiques dont l'hypocalcémie est la plus sérieuse puisque cause potentielle de tétanie et de convulsions généralisées. C'est cette forme d'hypovitaminose D que l'on observe le plus souvent dans les pays développés chez les nourrissons de 3-8 mois n'ayant pas reçu de prophylaxie antirachitique. Dans un deuxième temps, l'hypocalcémie se corrige grâce à l'apparition d'un hyperparathyroïdisme secondaire. L'évolution naturelle de l'hypovitaminose D est résumée dans le tableau 5.

Manifestations cliniques du rachitisme

- *Signes osseux* : Craniotabès, chapelet costal, élargissement des zones métaphysaires des os longs particulièrement visible au niveau des poignets et des chevilles. Dans les formes très graves de rachitisme, il y a parfois des déformations des os longs et du bassin qui se corrigent spontanément après la guérison du rachitisme au cours de la croissance.
- *Signes neuromusculaires* : L'hypocalcémie se manifeste soit par des convulsions généralisées (forme la plus fréquente chez le nourrisson), soit par des signes de tétanie (spasme carpo-pédal, stridor laryngé) ou de tétanie latente (signe de Trousseau[1] positif). La carence en vitamine D est souvent associée à une hypotonie musculaire. Dans les formes graves, le ramollissement des côtes entraîne des troubles ventilatoires qui favorisent des infections pulmonaires (« poumon rachitique »), cause fréquente de mort dans les pays en voie de développement.

---

[1] Le signe de Trousseau se recherche en provoquant une ischémie de la main et de l'avant-bras en gonflant pendant 3 minutes la manchette d'un appareil à mesurer la tension artérielle à une pression supérieure à la pression systolique. Si le signe est positif, on voit apparaître une contracture des muscles de l'avant-bras et de la main provoquant la classique « main d'accoucheur ».

● *Signes radiologiques* : Irrégularité des lignes métaphysaires, élargissement du cartilage de conjugaison, anomalies de la trabéculation osseuse.
● *Signes biologiques* : Les anomalies du calcium, du phosphore et de la phosphatase alcaline sérique sont représentées au tableau 5. Dans les urines, on trouve toujours une calciurie très faible ; aux stades II et III du rachitisme on trouve une aminoacidurie.

Traitement

a) Vitamine D : 5 000 U/jour per os pendant 4 à 6 semaines, puis 1 000 U/jour pendant 6 mois.
b) Il est parfois utile d'administrer un supplément de calcium per os.

Besoins en vitamine D et prophylaxie antirachitique

Les besoins réels de l'homme en vitamine D n'ont pas encore été établis avec précision. La dose recommandée à tout âge, prématurés compris, est de 400 U/jour. Elle peut être prise per os sous forme de vitamine D_3 (cholécalciférol) ou D_2 (calciférol) ou en exposant la peau au soleil ou aux rayons ultraviolets. La pigmentation de la peau filtre, dans une certaine mesure, les rayons ultraviolets et diminue la production de vitamine D. Le lait maternel contient de petites quantités de vitamine D et de ses métabolites. Si la mère a, soit par son régime, soit par une exposition de son corps au soleil, des quantités circulantes de vitamine D adéquates, il n'est pas obligatoire de donner un supplément de vitamine D à l'enfant.

Dans de nombreux pays, le lait industriel (lait pasteurisé, lait concentré, lait en poudre, etc.) est enrichi en vitamine D à raison de 400 U/l. Dans d'autres pays, certains laits pour nourrissons sont enrichis en vitamine D, d'autres non. Le pédiatre devra veiller à ce que chaque nourrisson reçoive l'équivalent de 400-800 U de vitamine D par jour. Si l'enfant reçoit un lait non enrichi en vitamine D, il sera nécessaire d'administrer les suppléments vitaminiques pendant toute la première année, puis pendant le 2ᵉ et le 3ᵉ hiver.

Tableau 5 : Les trois stades du rachitisme

	Biochimie sanguine			Signes cliniques	Signes radiologiques
	Calcium	Phosphore	Phosphatase alcaline		
Stade I infraclinique	Abaissé	Normal ou Elevé	Légèrement élevée ou Elevée	(convulsions, tétanie)	Absents
Stade II	Normal	Normal ou Abaissé	Elevée	Modérés de rachitisme	Présents
Stade III	Abaissé	Abaissé	Très élevée	Très marqués de rachitisme et d'hypocalcémie	Très marqués

Intoxication à la vitamine D

Un surdosage de vitamine D entraîne une intoxication qui peut être très sévère, voire mortelle. Ce surdosage est généralement causé par l'administration répétée de « chocs vitaminiques » (300 000-600 000 U de vitamine) ou par la prescription de doses supraphysiologiques pour des périodes prolongées.

La sensibilité à la vitamine D est variable : chez certains individus susceptibles, des doses de 2 000 à 3 000 U par jour pendant des mois peuvent provoquer des symptômes d'intoxication. Il faut donc éviter de dépasser les quantités recommandées pour la prophylaxie antirachitique.

Les doses pharmacologiques de vitamine D ne seront employées que sous strict contrôle médical dans les cas où elles sont indiquées (rachitisme vitamino-résistant, hypoparathyroïdisme). L'intoxication à la vitamine D entraîne une hypercalcémie par mobilisation du calcium de l'os et augmentation de l'absorption intestinale.

Les signes cliniques de l'intoxication seront ceux de l'hypercalcémie :
- signes digestifs : anorexie, constipation, vomissements ;
- signes urinaires : polydypsie, polyurie ;
- signes neuromusculaires : hypotonie musculaire, bradycardie avec extrasystoles ;
- apparition de calcifications métastatiques dans les tissus mous, particulièrement au niveau des artères et des tubules rénaux.

Les formes sévères peuvent être mortelles.

Traitement

Le traitement de l'hypercalcémie est difficile :
- prednisone 1-2 mg/kg pour bloquer partiellement l'action de la vitamine D au niveau intestinal ;
- réhydratation par voie intraveineuse ;
- administration de calcitonine, qui aurait donné de bons résultats dans certains cas ;
- furosémide : ce diurétique augmente l'excrétion urinaire de calcium ; son administration répétée peut être utile pour contrôler une hypercalcémie menaçante ; il faut veiller à éviter une déplétion en sodium, potassium, magnésium et une déshydratation.
- Les diphosphonates sont utilisés avec succès chez l'adulte dans certains cas d'hypercalcémie. L'expérience de ces nouveaux dérivés en pédiatrie est encore très limitée.

Vitamine E

La vitamine E ou tocophérol est un agent antioxydant diminuant l'oxydation de la vitamine A, du carotène et de l'acide linoléique. Elle aurait également une influence sur la fragilité des globules rouges et le métabolisme du muscle strié. Une carence en vitamine E se manifeste principalement par des anomalies hématologiques : anémie hémolytique avec présence d'acanthocytes ; il y a souvent une thrombocytose. Des signes physiques de carence peuvent s'observer parfois : œdème des membres inférieurs et des paupières, tachypnée, irritabilité. Une carence en vitamine E peut apparaître chez des prématurés dont l'intestin absorbe mal la vitamine. Les besoins en vitamine E semblent s'accroître si le régime contient beaucoup d'acides gras non saturés. Les manifestations neurologiques (aréflexie, troubles de la marche, parésie du regard, atteinte de la sensibilité profonde) que l'on observe chez certains enfants atteints d'une sévère maladie hépatique chronique ou dans les cas d'abêtalipoprotéinémie ont été mises en relation avec un déficit chronique en vitamine E par malabsorption intestinale.

Cette vitamine se trouve dans les huiles (germe de blé, arachide, soya) et dans certains légumes (pois, céleri, épinard).

Doses recommandées : 0-1 an : 5-7,5 U.I./jour ; 1-10 ans : 10-15 U.I./jour ; adultes : 20-30 U.I./jour.

Vitamine K

La vitamine K fait partie du groupe des naphtoquinones. Elle est normalement synthétisée par la flore intestinale, ce qui fait que l'apport alimentaire en vitamine K n'est pas nécessaire. La vitamine K est indispensable pour la synthèse de la prothrombine par le foie.

L'avitaminose K se manifeste par un syndrome hémorragique causé par le manque de prothrombine. Elle se rencontre lorsque la flore intestinale est absente (nouveau-nés, traitement par antibiotiques à large spectre) ou lorsque l'absorption des lipides est défectueuse (maladie cœliaque, insuffisance biliaire). Si la fonction hépatique est normale, l'administration parentérale de vitamine K corrige très rapidement le trouble de la crase sanguine (1 mg/jour i.m.).

Thiamine ou vitamine B_1

La thiamine est une vitamine nécessaire au métabolisme intermédiaire des glucides pour la décarboxylation de plusieurs acides α-cétoniques. Les besoins en thiamine dépendent donc de l'importance de l'apport énergétique fourni par les glucides. La carence en thiamine est exceptionnelle dans les pays où les conditions de nutrition sont satisfaisantes. Elle peut se voir chez les nourrissons nourris par le lait d'une femme elle-même carencée en thiamine ou chez des enfants nourris uniquement avec des farines blanches ou du riz poli.

La carence en thiamine ou béribéri se manifeste par des névrites périphériques avec atrophie musculaire. Une myocardite est fréquente et peut s'accompagner d'œdèmes. Chez le nourrisson, le béribéri peut être très grave et d'évolution rapide, se terminant par la mort par insuffisance cardiaque due à la myocardite. L'acide pyruvique est élevé dans le sang après l'exercice physique ou l'ingestion de glucides.

On trouve la thiamine dans l'enveloppe de nombreuses céréales. Le lait de femme en contient 0,15 mg/l. La thiamine contenue dans le lait de vache est rapidement détruite par la cuisson.

Dose recommandée : 0,4 mg/jour pour les nourrissons ; 0,5-1,5 mg/jour pendant l'enfance et l'adolescence.

Riboflavine

La riboflavine se combine avec des protéines pour former des enzymes indispensables à la respiration cellulaire, notamment les cytochromes, la diaphorase et la déshydrogénase succinique. Une carence en riboflavine est rarement isolée ; ses manifestations cliniques peu définies touchent surtout la peau et les muqueuses : dermatite séborrhéique, rhagades des lèvres, glossite et vascularisation de la cornée. On trouve de la riboflavine dans la viande, les œufs, le lait et certains légumes. Le besoin des nourrissons est estimé à 0,4-0,6 mg/jour.

Niacine ou acide nicotinique

L'amide de l'acide nicotinique ou niaciamide fait partie d'importants coenzymes, les systèmes transporteurs d'hydrogène intracellulaire comme le NAD et le NADP. La carence en niacine ou *pellagre* se manifeste par une atteinte cutanée, une stomatite, des diarrhées et des désordres mentaux.

La niacine peut être synthétisée dans l'organisme à partir du tryptophane en présence de pyridoxine.

Les symptômes de la maladie de Hartnup, qui provient d'un trouble du transport intracellulaire du tryptophane, ressemblent à ceux de la pellagre.

Sources de niacine : viande, poisson, blé complet, légumes verts. Le lait contient très peu de niacine mais a néanmoins une bonne action antipellagreuse du fait de sa teneur élevée en tryptophane.

Les besoins ne sont pas connus avec précision ; les *doses recommandées* sont 6 mg/jour durant la première année et 9 à 22 mg/jour pendant l'enfance et l'adolescence. 60 mg de tryptophane correspondent à 1 mg de niacine, à condition que les besoins en tryptophane indispensable à la croissance et à la structure des protéines soient couverts.

Pyridoxine ou vitamine B_6

Il existe trois substances ayant une activité vitaminique B_6 (pyridoxine, pyridoxal et pyridoxamine) qui, après s'être transformées en composés actifs, servent de coenzymes pour de nombreux enzymes nécessaires au métabolisme des acides aminés (transaminase, désulfurase). La vitamine B_6 est également nécessaire à la synthèse de certains acides gras non saturés.

Une carence en pyridoxine se manifeste par des lésions semblables à celles produites par la carence en riboflavine et en niacine : dermatite séborrhéique, glossite, rhagades des lèvres. Il existe souvent une polynévrite. Certains médicaments comme l'isoniazide et la pénicillamine interfèrent avec le métabolisme de la pyridoxine et peuvent entraîner l'apparition de symptômes de carence, à moins qu'on ne donne des suppléments en vitamine B_6.

Des nourrissons nourris avec un lait dans lequel la pyridoxine avait été détruite par l'exposition à la chaleur ont manifesté des symptômes de carence et des convulsions généralisées. Les nouveau-nés de mères ayant été traitées par de la pyridoxine pendant la grossesse à cause de vomissements gravidiques peuvent avoir des besoins plus élevés en vitamine B_6 ou être ce qu'on appelle vitamino-dépendants. Cet état de vitamino-dépendance a aussi été décrit dans certaines familles ; il s'agirait alors d'un trouble congénital du métabolisme de la pyridoxine. Les signes cliniques se manifestent par des convulsions généralisées, qui cessent immédiatement après l'injection de 100 mg de pyridoxine. Ce test thérapeutique devrait être fait chez tout nouveau-né avec des convulsions d'origine non clairement établie.

On trouve la pyridoxine dans la viande, le foie, le blé complet, le soya. Les besoins ne sont pas connus avec précision.

Doses recommandées : Nourrissons : 0,2-0,3 mg/jour ; 2,5 mg/jour en cas de vitamino-dépendance. Enfants et adolescents : 0,1-0,2 mg/jour.

Vitamine B_{12} ou cyanocobalamine

La vitamine B_{12} joue un rôle important dans le transfert des groupes méthyles et la synthèse des purines et des pyrimidines. Son action au niveau du système nerveux est encore inexpliquée. L'utilisation de la vitamine B_{12} de la nourriture nécessite la présence du facteur intrinsèque. Ce facteur est sécrété par la muqueuse gastrique normale et se combine à la vitamine B_{12} pour permettre son absorption par la muqueuse intestinale. On trouve la vitamine B_{12} dans les aliments d'origine animale.

L'anémie pernicieuse est pratiquement inconnue chez l'enfant (cf. pp. 483 ss.).

Acide folique ou acide ptéroylglutamique

L'activité métabolique précise de l'acide folique n'est pas connue avec exactitude. Elle joue un rôle important dans la synthèse des bases puriques et pyrimidiques. Si ces bases ne sont pas disponibles, l'hématopoïèse s'arrête au stade mégaloblastique.

Chez l'homme, la carence en acide folique est la cause d'une anémie macrocytaire qui ressemble à l'anémie pernicieuse, mais sans les signes neurologiques qui lui sont associés. Une malabsorption intestinale peut accompagner l'anémie macrocytaire.

Le diagnostic d'une carence en acide folique peut se confirmer par la découverte d'un taux sérique abaissé et par une excrétion diminuée d'acide folique et folinique dans l'urine. Une surcharge per os d'histidine entraîne, en cas de carence, une élimination augmentée d'acide formiminoglutamique dans l'urine (FIGLU).

Les enfants atteints d'une maladie cœliaque ont souvent une carence relative en acide folique.

On trouve l'acide folique dans les légumes verts, le foie, le blé complet ; la flore bactérienne intestinale est capable de synthétiser cette vitamine.

Les besoins en acide folique ne sont pas connus avec précision.

● *Apports recommandés* : Nourrissons : 0,05 mg/jour ; enfants et adultes : 0,1-0,4 mg/jour.

Acide pantothénique

L'acide pantothénique est une partie du coenzyme A, lequel sert de transporteur du groupe acétyle (acétyl-CoA) et joue par là un rôle essentiel dans la synthèse des acides gras, des stéroïdes et du cholestérol. L'acide pantothénique est largement répandu dans la nature.

On recommande une dose quotidienne de 10-15 mg/jour, dose aisément assurée par un régime normal.

On n'a pas décrit chez l'enfant de symptôme carentiel spécifique.

Biotine

La biotine sert de coenzyme pour des réactions de carboxylation et de décarboxylation de divers acides organiques (oxalo-acétate, succinate, aspartate et malate). La biotine est synthétisée dans le tractus digestif par la flore intestinale de sorte qu'un apport nutritionnel spécifique n'est pas nécessaire.

Vitamine C

La vitamine C se trouve à l'état naturel sous deux formes :
● réduite = acide L-ascorbique ;
● oxydée = acide déhydro-ascorbique.

Elle n'est une vitamine que pour les primates et les cobayes, les autres animaux ayant la faculté de la synthétiser. Le mécanisme d'action de l'acide ascorbique n'est pas connu avec précision.

La vitamine C joue un rôle dans le métabolisme de la phénylalanine et de la tyrosine en activant l'oxydation de l'acide para-hydroxy-phénylpyruvique. Chez des nouveau-nés et des prématurés soumis à un régime riche en protéines, on peut rencontrer une hyperphénylalaninémie par surcharge de la voie du métabolisme oxydatif de la tyrosine. Il est facile de distinguer cette hyperphénylalaninémie de celle de la phénylcétonurie en dosant la tyrosine sanguine qui est élevée et en recherchant dans l'urine les acides para-hydroxy-phénylacétique et para-hydroxy-phényllactique.

Cette hyperphénylalaninémie disparaît en quelques jours après administration de vitamine C.

La vitamine C facilite la conversion de l'acide folique en acide folinique et permet la transformation de la proline en hydroxyproline. En cas d'avitaminose, le défaut d'hydroxyproline entraîne la formation d'un collagène anormal dont vont découler la plupart des lésions dues à une carence en vitamine C.

Le nouveau-né possède des réserves suffisantes de vitamine C si l'apport maternel a été adéquat. De même, le lait maternel contient de 227 à 340 µmol/l d'acide ascorbique à condition que le régime de la mère en fournisse des quantités suffisantes.

Carence en vitamine C

La carence en vitamine C s'appelle le scorbut. Il est rare de voir un scorbut chez un enfant âgé de moins de 6 mois. Les symptômes sont tout d'abord non spécifiques : irritabilité et perte de poids. L'enfant a mal lorsqu'on manipule ou palpe ses membres, lorsqu'on change ses langes. Les mouvements des membres sont douloureux, d'où la pseudo-paralysie du scorbut, l'enfant restant immobile dans son lit, en position de grenouille. Un syndrome hémorragique apparaît, vu la fragilité vasculaire : pétéchies cutanées, gencives enflées et bleuâtres, particulièrement autour des dents ayant fait éruption.

Il peut y avoir une hématurie, un melæna. Le chapelet scorbutique est causé par la subluxation des côtes au niveau de leur jonction avec le sternum. L'aspect radiologique du squelette est caractéristique : *a)* atrophie osseuse avec amincissement des corticales des os longs ; *b)* disparition de la trabéculation : aspect en « verre pilé » (ground glass) des diaphyses et des noyaux épiphysaires, lesquels sont cernés par une ligne radio-opaque. A un stade ultérieur on voit des luxations des noyaux épiphysaires et des pseudo-fractures au niveau des métaphyses. Les hémorragies sous-périostées sont visibles radiologiquement au moment où elles se calcifient. Elles sont particulièrement importantes au niveau de l'insertion du périoste sur les métaphyses.

Les examens de laboratoire ne sont pas d'une très grande aide pour le diagnostic du scorbut. Si le taux de l'acide ascorbique dans le sang est supérieur à 34 µmol/l, il permet d'exclure ce diagnostic ; si la concentration de l'acide ascorbique dans les leucocytes est égale à 0, elle indique un scorbut latent même si les signes cliniques ne sont pas encore apparents. Il existe dans le scorbut une aminoacidurie généralisée d'origine tubulaire. Enfin, une surcharge en tyrosine fait apparaître dans l'urine des sujets scorbutiques des acides organiques, d'où une réaction de Millon positive (acides para-hydroxy-phénylpyruvique, para-hydroxy-phénylacétique, para-hydroxy-phényllactique).

Le pronostic est favorable chez les sujets traités. Les douleurs disparaissent très rapidement, les lésions squelettiques guérissent sans séquelles et sans traitement orthopédique même en cas de luxation épiphysaire.

Traitement

Acide ascorbique : 100-200 mg/jour. Prévention : les apports quotidiens recommandés sont indiqués sur le tableau 4.

Alimentation du nourrisson

En pédiatrie, rien n'a été plus soumis au régime des modes que les principes de l'alimentation du nourrisson. On évolue entre des régimes très stricts où l'horaire des biberons, leur composition et les aliments de complément sont minutieusement déterminés, et les régimes libres où le nourrisson lui-même décide par ses manifestations et ses cris du moment de son repas. Il y a quelques années on croyait que des laits de vache modifiés (dits « laits artificiels ») pouvaient parfaitement remplacer le lait maternel. Aujourd'hui, on a pris conscience de l'importance de l'allaitement maternel, non seulement pour des raisons nutritionnelles, mais également immunologiques et psycho-affectives.

Allaitement maternel

Avantages

La composition du lait maternel est idéale pour l'enfant. Les différences entre le lait de femme et le lait de vache sont indiquées au tableau 6. Le lait de femme contient moins de protéines mais plus de lactose. Les

Tableau 6 : Lait de femme et lait de vache

	Lait de femme	Lait de vache
● Eau	87-88%	83-88%
● Protéines	0,8-1,5%	3,2-4,1%
– Lactalbumine	0,6-0,8%	0,5%
– Caséine	0,3-0,5%	3,0%
● Lactose	5,5-8,0%	4,4-5,0%
● Lipides	3,0-4,0%	3,5-5,2%
● Calories/100 ml	60-70	70
● Minéraux :		
Sodium (mEq/l)	7,0	25,0
Potassium (mEq/l)	14,0	35,0
Calcium (mg/l)	330,0	1250,0
Phosphore (mg/l)	150,0	960,0
Fer (mg/l)	0,5	0,5
● Vitamines (par 100 ml) :		
A	60-500 U	80-220 U
C	1,2-10,8 mg	0,9-1,8 mg
D	0,4-10,0 U	0,3-4,4 U
Thiamine	0,002-0,036 mg	0,03-0,04 mg
Riboflavine	0,015-0,080 mg	0,10-0,26 mg
Niacine	0,10-0,20 mg	0,10 mg

lipides du lait de femme sont mieux absorbés par le bébé que ceux du lait de vache. Le lait de femme a un contenu élevé en acide oléique et en cholestérol. Il est beaucoup plus pauvre en électrolytes, notamment en sodium, calcium et phosphore. Cependant le calcium du lait de femme semble être beaucoup mieux absorbé que celui du lait de vache, du fait de sa teneur élevée en lactose et faible en phosphore. De plus, le lait de femme contient des immunoglobulines et des leucocytes qui jouent un rôle dans la défense immunitaire du nourrisson. Le lait de femme contient également des agents bactériostatiques ou bactériolytiques comme la lactoferrine ou les lysozymes.

L'allaitement peut permettre à la mère et à l'enfant d'établir des liens affectifs complets, sources de satisfaction réciproque. En effet, le type de relation mère-enfant qui s'établit pendant les premières semaines est déterminant dans le développement affectif futur de l'enfant. Cependant il est utile de souligner qu'une mère qui nourrit son enfant artificiellement peut tout autant lui apporter l'affection et le « maternage » dont il a besoin.

Le lait maternel a encore des avantages pratiques : il ne coûte rien, est à la bonne température et il est stérile.

Dans les groupes de bas niveau socio-économique, les chances de survie d'un nouveau-né nourri artificiellement sont beaucoup plus faibles. Ses apports caloriques et protidiques sont souvent inadéquats à cause du coût du lait de vache, lequel est fréquemment contaminé et la cause de gastro-entérites graves.

Désavantages et contre-indications de l'allaitement maternel

- *Contre-indications chez la mère* : Maladies physiques ou psychiques graves, telles que maladies infectieuses, tuberculose, psychose, etc.
- *Contre-indications chez l'enfant* : Si l'enfant est incapable ou n'a pas la force de téter, on peut donner le lait maternel par biberon ou par sonde. Certains enfants nourris au sein peuvent avoir une élévation de la bilirubine non conjuguée dans le sang. On a pu démontrer qu'un métabolite de la progestérone inhibait la glycuronyltransférase, enzyme nécessaire à la conjugaison de la bilirubine. En cas d'hyperbilirubinémie, il faudra arrêter l'alimentation au lait maternel pendant 4-5 jours.

Médicaments et substances passant par le lait maternel

Iodures et dérivés de la thiourée, dicoumarines, ergotamine, réserpine, morphine, antibiotiques (sulfamidés, isoniazides, chloramphénicol). La plupart des médicaments (barbituriques, tranquillisants, etc.), l'alcool, la caféine se retrouvent en petite quantité dans le lait mais ne sont pas, en général, la cause d'un risque pour l'enfant.

Technique de l'alimentation au sein

Il est important de tenir compte des points suivants si on veut que l'allaitement maternel réussisse :
- Pour des raisons psychologiques et pratiques, il faut préparer la mère à l'allaitement pendant la grossesse déjà.
- La montée du lait ne se fait pas avant le troisième ou le quatrième jour postpartum. Auparavant, il y a sécrétion de colostrum, qui est un liquide

riche en protéines et en sels minéraux, pauvre en graisses et en glucides. Le colostrum a une certaine action laxative.
- Au moment de la mise en train de la lactation, il est important que le sein soit tété fréquemment et vidé complètement. La stase inhibe la sécrétion lactée.
- L'évacuation du lait se produit grâce à un réflexe hypophysaire déclenché par le contact des lèvres de l'enfant sur l'aréole du sein. Ce réflexe provoque la contraction des canaux galactophores. L'état psychique de la mère peut avoir une grande influence sur ce réflexe.
- La première tétée doit avoir lieu en salle d'accouchement pendant les deux heures qui suivent la naissance.
- Jusqu'à ce que la production de lait soit bien établie, il faut donner le sein « à la demande », lorsque l'enfant ne dort pas, s'agite ou crie. Les tétées doivent être courtes : 5 à 6 minutes par sein, en donnant les deux seins chaque fois, en commençant alternativement par le sein gauche et par le sein droit.
- Quand la lactation est bien établie (autour du 20e jour), le nombre des tétées diminue à 6 ou 5 par jour. On donne les deux seins à chaque repas tant que la sécrétion d'un côté ne suffit pas à apaiser l'appétit de l'enfant. Lorsque la lactation est plus abondante, on donne alternativement un sein à chaque repas. De cette façon, on a un système parfait d'autorégulation, la succion de l'enfant stimulant la production de lait. Il faut éviter de peser l'enfant après chaque repas, il suffit de le faire une fois par jour au maximum. Si la croissance de l'enfant se poursuit normalement, la quantité de lait est suffisante. Il est recommandé cependant d'administrer à l'enfant un supplément de vitamine D (400 U/jour).

Hygiène de la mère qui allaite

Il faut nettoyer les mamelons avant et après chaque tétée avec de l'eau bouillie et bien les sécher avec une compresse stérile. Le port d'un bon soutien-gorge est utile. L'alimentation de la mère doit être normale et comporter un apport suffisant de vitamines C, D et de calcium. Le calcium est apporté en suffisance si la mère prend un supplément de lait de vache (1/2 l par jour au minimum).

Sevrage

Le sevrage se fait progressivement vers l'âge de 6 à 9 mois. On peut directement apprendre à l'enfant à boire dans une tasse, sans passer par le biberon. Dans tous les cas, il est recommandé d'adjoindre au lait d'autres aliments, tels que fruits, céréales et légumes.

Allaitement artificiel

Le lait de vache constitue la base de l'allaitement artificiel. Il contient plus de protéines, plus de sels minéraux et moins de lactose que le lait de femme. Par conséquent, on ne peut jamais donner à un nouveau-né du lait de vache entier. Il doit toujours être modifié. Il faudra le couper avec de l'eau bouillie : $^1/_2$ lait, $^1/_2$ eau pendant le premier mois, $^2/_3$ lait, $^1/_3$ eau vers la quatrième semaine. Ce coupage diminue la charge osmotique.

Pour compenser la perte de valeur calorique causée par le coupage, on ajoute 5 % de sucre, soit du saccharose, soit une dextrine-maltose qui est moins rapidement absorbée et moins fermentescible que le saccharose.
Vers la fin du premier mois, on peut ajouter 1 % de crème de riz ou de crème de maïs sous la forme d'une décoction farineuse.

Si la mère prépare en une fois les biberons de toute la journée, il est nécessaire de faire une stérilisation terminale, c'est-à-dire de stériliser les biberons une fois qu'ils sont remplis et munis de leur tétine, puis de les conserver au réfrigérateur.

De plus en plus, le lait de vache ordinaire est remplacé par des laits industriels. Les procédés de fabrication de ces laits modifient la caséine et la rendent plus digestible.

Le lait concentré non sucré ou lait évaporé est un lait homogénéisé, stérilisé et auquel on a fait perdre la moitié de son eau. En ajoutant une quantité d'eau égale à la quantité de lait concentré, on reconstitue un lait de vache entier qui servira à la composition des biberons comme le lait naturel.

Les laits spéciaux pour nourrissons sont très nombreux :
● laits humanisés : ces laits ont été modifiés de façon à reproduire presque exactement la composition du lait maternel.
● laits en poudre additionnés de un ou de deux glucides ;
● laits acidifiés, soit par adjonction d'acide lactique, soit par fermentation lactique partielle (babeurre).

Certains de ces laits sont additionnés de fer, de diverses vitamines. Dans d'autres, une partie des lipides est remplacée par des graisses végétales.

Enfin il existe des laits diététiques :
● laits sans lactose (indications : intolérance au lactose, galactosémie) ;
● laits à base de soya (indications : intolérance au lait de vache) ;
● laits albumineux (indications : certains cas de dystrophie des petits nourrissons).

Tous ces laits ont une valeur nutritionnelle satisfaisante.

Technique de l'allaitement artificiel

Début de l'alimentation :
● Nouveau-né à risque élevé : 1er repas, 3-6 heures après la naissance.
● Nouveau-né sans risque élevé : 1er repas, 3-14 heures après la naissance.

6 repas pendant le 1er jour, sans interruption pendant la nuit. Dès le 2e jour, 5 repas par jour.

Solution de glucose à 10 % pour les 2 premiers repas, puis on met l'enfant au sein.

En cas d'échec de l'allaitement au sein, passage à un lait artificiel.

Quantité de régime : 1er jour : 20 ml/kg. On augmente ensuite de 20 ml/kg et par jour (jour 2 : 40 ml/kg, jour 3 : 60 ml/kg, etc.) jusqu'à ce qu'on atteigne au 8e jour la quantité de 150-160 ml/kg/jour.

On calcule la quantité totale de liquide selon les formules suivantes :

De 10 jours à 3 mois : $\frac{\text{Poids de l'enfant}}{6}$ ou environ 150 ml/kg.

De 3 mois à 6 mois : $\frac{\text{Poids de l'enfant}}{7}$ Ne jamais dépasser la quantité de 1 000 g.

On peut calculer la quantité totale de lait *pur* à ne pas dépasser, selon la loi de Budin : 1/10 du poids du corps, maximum 600 g.

On ajoute 5 % de dextrine-maltose ou de saccharose.

Nombre de repas :
- 1 semaine à 1 mois : 5-6
- 1- 3 mois : 5
- 3- 7 mois : 4-5
- 7- 9 mois : 3-4
- 9-12 mois : 3

Les biberons seront donnés tièdes de préférence, soit à une température de 37 à 40°. La température n'est cependant pas critique puisqu'on a montré que des enfants acceptaient et digéraient parfaitement des biberons donnés froids.

Pour donner le biberon, la mère ne doit pas laisser l'enfant dans son berceau, elle doit le prendre dans ses bras et le « materner », lui parler, le bercer en lui faisant des sourires, etc. Au milieu et à la fin du biberon, il faudra tenir l'enfant verticalement jusqu'à ce qu'il fasse un renvoi d'air, puis le recoucher dans son berceau, sur le côté, de préférence.

Il ne faut pas être trop rigide avec les quantités. Par temps chaud, il faudra donner une plus grande quantité de liquide.

Deuxième hydrate de carbone

A l'âge de 4-6 semaines, on ajoute en général au régime un deuxième hydrate de carbone. On peut le faire de plusieurs façons :
- Addition au biberon de lait de vache d'une décoction de céréales. On utilise de préférence pendant les quatre premiers mois la farine de maïs ou la farine de riz, puisqu'elles ne contiennent pas de gluten. *Dose en % de la quantité de biberon = âge de l'enfant en mois moins 1.* A 3 mois, par exemple, un nourrisson recevra un biberon contenant 2 % de crème de maïs.
- Emploi d'un lait industriel contenant 2 hydrates de carbone.
- Introduction progressive d'une bouillie de céréales que l'on donne à la cuiller. Un enfant de 6 à 8 semaines peut déjà apprendre à manger à la cuiller. Cette dernière solution est souvent utilisée dans les pays anglo-saxons.

Supplément en vitamine D

Il est important que l'enfant reçoive une prophylaxie antirachitique adéquate en prenant 400 U de vitamine D par jour. Dans de nombreux pays, le lait pasteurisé évaporé ou les laits pour nourrissons sont enrichis en vitamine D. Dans d'autres pays, la législation sanitaire ne permet pas d'ajouter des vitamines dans le lait naturel, alors que certains laits en poudre pour nourrissons sont enrichis en vitamine D. Il faudra donc considérer chaque cas en particulier et prescrire 400 U de vitamine D par jour, administrée par gouttes per os, dans tous les cas où l'enfant n'a pas d'autre source de vitamine D dans son régime.

Introduction des aliments solides

Il n'y a pas de moment où il faut obligatoirement introduire des aliments solides dans le régime du nourrisson. Cependant, vers l'âge de 4-5 mois, les réserves de fer de l'organisme sont insuffisantes et le lait de vache ne contient pas assez de fer pour couvrir les besoins. Il en est de même pour la vitamine C. C'est pourquoi il est nécessaire de diversifier assez tôt le régime. Et comme l'enfant doit de toute façon apprendre à manger à la cuiller, à boire dans une tasse, tout cet apprentissage se fera plus facilement s'il est progressif. Si l'enfant refuse ou a des difficultés à manger à la cuiller, il faudra surtout éviter de le forcer et repousser de 1 à 2 semaines le prochain essai. Les aliments solides seront introduits petit à petit, un nouvel aliment à la fois, pour éviter toute intolérance digestive.

En général, on introduit les aliments solides dans l'ordre suivant :
- 2e mois : céréales (riz ou maïs) ;
- 3e-4e mois : jus de fruits et fruits écrasés ;
- 4e-5e mois : légumes en purée ;
- 5e-6e mois : jaune d'œuf, viande en purée ;
- 7e mois : biscuits, crèmes ;
- 9e mois : menu familial haché fin ;
- 12e mois : blanc d'œuf.

Chez les enfants ayant une tendance allergique, il est recommandé de ne pas introduire le blanc d'œuf et le gluten avant la fin de la première année.

On passe ainsi progressivement à un régime qui ressemble beaucoup à celui du reste de la famille. Vers la fin de la première année et pendant la seconde année, il y a une réduction progressive de l'apport calorique par kg de poids, puisque la vitesse de croissance staturo-pondérale diminue. Il ne faudra donc pas forcer l'enfant à manger plus qu'il ne veut. Un développement staturo-pondéral normal est le seul critère permettant de juger si le régime est adéquat.

Malnutrition protéino-calorique

Cette expression désigne les états de malnutrition qui apparaissent chez des sujets dont le régime est carencé en calories et en protéines. Cette carence peut être causée soit par des affections interférant avec l'absorption normale des substances nutritives dans le système digestif (mucoviscidose, maladie cœliaque, etc.), soit par un apport insuffisant en quantité ou en qualité. Dans un grand nombre de pays du tiers monde, la malnutrition protéino-calorique est endémique et est une des causes les plus importantes de mortalité infantile. Il semble qu'un état de malnutrition hypothèque particulièrement l'avenir d'un enfant s'il survient pendant la période de croissance rapide du cerveau, soit pendant les premiers 6-12 mois de vie. Le niveau d'intelligence et une taille normale peuvent être définitivement compromis.

Le marasme et le Kwashiorkor constituent les deux pôles de la malnutrition protéino-calorique.

Marasme

Etat caractérisé par une carence massive des apports caloriques. La graisse sous-cutanée disparaît, les muscles s'atrophient. La peau perd son turgor, l'abdomen est distendu. La température est subnormale, le pouls lent. L'enfant est constipé, en général, mais dans les états extrêmes il existe souvent des diarrhées contenant du mucus et du sang.

Kwashiorkor [1] ou malnutrition protéique pure

Pendant la croissance, les besoins en acides aminés essentiels sont élevés. La malnutrition protéique est causée par une carence en acides aminés indispensables en dépit d'un apport calorique relativement suffisant. Le syndrome apparaît le plus fréquemment chez des enfants âgés de 1 à 3 ans au moment du sevrage. L'évolution est souvent précipitée par une infection intercurrente. Les signes cliniques se manifestent de manière insidieuse : ralentissement de la croissance, modification du caractère (l'enfant devient apathique), fonte des tissus musculaires avec conservation de la graisse sous-cutanée, apparition d'œdèmes. Le taux des albumines sériques est diminué. A côté de ces signes principaux, on note souvent une altération des cheveux qui se manifeste par une dyspigmentation et une fragilité d'implantation, une dépigmentation diffuse de la peau, une dermatite dite en « peinture écaillée ».

Il existe presque toujours des infections associées : une tuberculose pulmonaire, une parasitose intestinale massive, une gastro-entérite.

Obésité

L'obésité est une accumulation de tissu graisseux sous-cutané produite par un excès d'apports nutritionnels. L'obésité est un problème important dans les pays de haut niveau socio-économique. Aux Etats-Unis, le 15 % des adolescents a un excès pondéral. En Angleterre ou en Suède, le 2 à 3 % de la population pédiatrique en général est obèse. L'obésité des adultes est souvent la conséquence d'une obésité infantile. Le 30 % des adultes obèses a une histoire d'obésité juvénile, et des études prospectives ont démontré que le 80 % des enfants obèses le reste à l'âge adulte.

L'obésité est un syndrome dû à des facteurs étiologiques multiples :
* *Génétiques* : L'importance relative de l'hérédité et de l'environnement est difficile à évaluer avec précision. 75 % des enfants obèses ont un

---

[1] Kwashiorkor : le mot désigne une maladie qui survient chez un enfant « déposé », c'est-à-dire écarté de la mère par une naissance ultérieure.

parent au moins qui est obèse. L'obésité fait partie de certains syndromes génétiques tels que le syndrome de Prader-Willi, etc.
- *Psychologiques* : Des désordres affectifs primaires ou secondaires peuvent déclencher un excès d'absorption de nourriture et une diminution de l'activité physique. Les facteurs psychologiques sont à évaluer avec soin lors de l'établissement d'un traitement et d'une mise au régime. Chez certains enfants, l'acte de manger a une telle importance du point de vue affectif qu'une restriction de nourriture peut entraîner une décompensation psychologique grave.
- *Troubles de la régulation de l'appétit* : McCance a démontré que si on donne un excès de nourriture à des jeunes rats immédiatement après leur naissance, ces animaux continuent à manger trop par la suite et deviennent obèses, comme si les centres régulateurs de l'appétit avaient été déréglés pendant la période critique des premières semaines de vie. Les observations chez l'enfant obèse évoquent la possibilité d'un mécanisme semblable. Des nourrissons à qui on donne un excès de nourriture pendant les premiers mois de vie et qui deviennent obèses ont beaucoup de chances de le rester par la suite. L'obésité qui a commencé dès la petite enfance est beaucoup plus difficile à traiter qu'une obésité tardive. La composition du tissu adipeux est différente et contient plus d'adipocytes. Dans l'obésité tardive, le nombre d'adipocytes est le même, mais leur volume est plus grand. En cas de perte de poids, le nombre des adipocytes reste identique, mais le volume cellulaire diminue.

Aspects endocriniens

Il est très rare qu'une affection endocrinologique soit à l'origine de l'obésité.

Syndrome de Cushing

Des sujets obèses sont fréquemment envoyés dans les consultations d'endocrinologie pour suspicion de syndrome de Cushing. Les éléments suivants peuvent prêter à confusion :
- Hypertension : On enregistre souvent une tension artérielle élevée chez les sujets obèses. Si on mesure la tension artérielle sur un bras recouvert d'une épaisse couche de graisse cutanée, le résultat est fallacieusement élevé.
- Obésité : L'obésité du syndrome de Cushing a une répartition tronculaire caractéristique.
- Stries cutanées : Elles s'observent dans l'obésité simple et dans le syndrome de Cushing.
- Intolérance au glucose : Chez les adultes et les adolescents on obtient une réponse hyperglycémique lors du test de tolérance au glucose. Cette réaction hyperglycémique semble être en rapport avec la durée de l'obésité, puisqu'elle est rarement trouvée chez le jeune enfant obèse.
- Augmentation de l'élimination des 17-cétostéroïdes urinaires : Cette augmentation semble être en relation avec la masse corporelle élevée.

- Dans le syndrome de Cushing, il y a en général un ralentissement ou un arrêt de la croissance staturale qui s'accompagne d'un retard de l'âge osseux. Dans l'obésité nutritionnelle, au contraire, la taille est souvent supérieure à la moyenne et la maturation osseuse avancée.
- Le test de freination à la dexaméthasone permettra de faire le diagnostic différentiel en cas de doute (cf. p. 749).

Hypothyroïdie

L'hypothyroïdie n'est jamais la cause d'une obésité, la prise de poids étant due au myxœdème.

Insulinome

L'hypoglycémie qui stimule l'appétit est à l'origine d'une obésité.

Aspects cliniques

Le diagnostic de l'obésité se pose davantage par l'examen physique que par référence au poids absolu. La mesure de l'épaisseur du pli cutané au niveau de la face tricipitale du bras est utile pour apprécier objectivement l'importance du tissu graisseux sous-cutané et les résultats du traitement.

Traitement

Le traitement de l'obésité infantile pose un problème très difficile. Avant de l'entreprendre, il faut apprécier la situation psychologique de l'enfant et de sa famille, les habitudes alimentaires, et trouver des motivations suffisantes pour faire accepter un régime. Les relations patient-médecin sont extrêmement importantes.
- *Régime* : Le régime devra être équilibré et apporter tous les éléments nécessaires à la croissance de l'organisme. Chez l'adolescent, l'apport calorique doit être limité à 1 000-1 400 calories par jour, dont le 25 % au moins doit être composé de protéines.
- *Exercice* : La pratique régulière d'un sport doit être encouragée. Cependant, il faut tenir compte des raisons psycho-sociales qui poussent souvent l'obèse à se tenir à l'écart des sports d'équipe et des piscines.
- *Médicaments anorexigènes* : Ces médicaments doivent être administrés avec prudence et discernement. Les dérivés de l'amphétamine réduisent l'appétit, mais leur effet s'épuise en général après quelques semaines.

Chapitre 10

Gastro-entérologie

par C. Roy et C. Morin

Dysphagie

Prise dans son sens large, la dysphagie inclut les troubles de déglutition et de succion car ces deux activités sont souvent difficiles à dissocier l'une de l'autre. Le tableau 1 présente une liste des principales causes de dysphagie.

Dysphagie du nouveau-né

Chez le nouveau-né, un certain nombre des entités nommées au tableau 1 pourront être suggérées par l'anamnèse (polyhydramnios des atrésies de l'œsophage), d'autres deviendront évidentes à l'examen physique (Pierre-Robin) ou au cours des déglutitions (incoordination crico-pharyngée). Un certain nombre d'anomalies anatomiques peuvent être asymptomatiques pendant la période néonatale (anomalies vasculaires, duplications, etc.). Le médecin devra donc toujours attacher une grande importance à tout problème de succion et de déglutition pendant cette période. En donnant lui-même le biberon au bébé, il pourra évaluer le tonus musculaire de la bouche, la pression négative exercée au moment de la succion, la coordination de celle-ci avec les mouvements de déglutition et de respiration. L'investigation initiale devra inclure la vérification de la perméabilité du naso-pharynx et de l'œsophage au moyen d'un cathéter, une radiographie latérale du cou et antéropostérieure des poumons ainsi qu'un « ciné » de l'oro-pharynx et de l'œsophage en utilisant une solution diluée de baryum.

Traitement
Pour le prématuré ou le bébé hypotonique dont les mouvements de succion sont faibles, l'emploi de tétines molles largement percées et de biberons où l'entrée de l'air est facilitée pourra être efficace. Dans d'autres cas, on enseignera à la mère comment élever de façon rythmique

Tableau 1 : Principales causes de dysphagie

Lésions anatomiques congénitales ou acquises :

- Atrésie des choanes
- Fente labiale et palatine
- Macroglossie
- Kystes et lymphangiomes de la langue
- Micrognathie, syndrome de Pierre Robin
- Ankylose temporo-mandibulaire
- Kyste ou tumeur du pharynx, de l'épiglotte ou du larynx
- Sténose et duplication de l'œsophage
- Fistule œsophago-trachéale
- Hernie hiatale
- Sous-clavière aberrante, double arc aortique
- Glossite, stomatite ou œsophagite infectieuse, allergique ou chimique

Affections neuromusculaires et neurologiques :

- Prématurité
- Arriération mentale
- Maladie de Werdnig-Hoffmann
- Paralysie ascendante du syndrome de Guillain-Barré et de la poliomyélite
- Dysautonomie familiale
- Tumeurs cérébrales
- Maladies dégénératives du système nerveux
- Myasthénie grave
- Tétanos
- Dystrophie musculaire

Varia :

- Maladies du collagène (dermatomyosite, sclérodermie)
- Incoordination crico-pharyngée
- Chalasie et achalasie
- Maladie de Crohn avec atteinte de l'œsophage

le maxillaire inférieur de l'enfant. A part le tube de gavage, aucune mesure thérapeutique n'est efficace pour le nouveau-né qui s'étouffe, a des régurgitations nasales ou est incapable de coordonner succion, déglutition et respiration.

Le biberon compressible, la prothèse palatine, l'administration du biberon en gardant le patient en position ventrale, sont efficaces dans le cas de certaines lésions anatomiques congénitales.

Incoordination crico-pharyngée

Le sphincter œsophagien supérieur est constitué en grande partie par le muscle crico-pharyngé qui est toujours en état de contraction relative, prévenant ainsi l'entrée d'air au moment de l'inspiration, ainsi que le reflux œsophago-pharyngé et l'aspiration trachéo-bronchique. La déglutition entraîne le relâchement de ce sphincter. L'incoordination crico-pharyngée est une entité relativement rare, qui s'accompagne de troubles de déglutition associés à des vomissements, des régurgitations nasales et à des pneumonies d'aspiration. La plupart des cas rapportés s'accompagnent d'anomalies sévères telles que : myéloméningocèle, microcéphalie, arthrogrypose et infirmité motrice cérébrale. L'obstruction fonctionnelle au niveau du muscle crico-pharyngé se traduit radiologiquement par une dilatation pharyngée et par une encoche dorsale persistante. La plupart des cas guérissent spontanément à plus ou moins brève échéance ; dans quelques cas plus sévères, une myotomie s'est avérée curative.

Achalasie

L'achalasie est caractérisée par un relâchement inadéquat du cardia et des contractions péristaltiques anormales dans le corps de l'œsophage. Cette affection est assez fréquente après l'âge de 5 ans.

Signes cliniques
Le symptôme principal est la dysphagie qui, au début, suit l'ingestion de nourriture solide. La douleur est rétrosternale et soulagée par la déglutition de liquides. Le patient éprouvera éventuellement de la difficulté même avec les liquides, qui entraîneront eux aussi des vomissements ou des pneumonies d'aspiration. L'anémie, la perte de poids, le retard statural sont des conséquences à long terme d'une symptomatologie conduisant l'enfant à restreindre ses ingestions de nourriture.

Diagnostic radiologique et manométrique
Le transit œsophagien montre un méga-œsophage se terminant au niveau de sa jonction avec l'estomac par un rétrécissement serré et très court, qui peut aussi être vu dans les cas de dysautonomie familiale (syndrome de Riley-Day). Les sténoses de l'œsophage distal par œsophagite chimique ou peptique (hernie hiatale) ne s'accompagnent pas d'une absence manifeste de péristaltisme normal. D'ailleurs, dans l'achalasie, l'étude manométrique de la motilité œsophagienne est caractéristique.

Traitement
Chez l'adulte, une ou plusieurs séances de dilatation œsophagienne constituent une forme de thérapie satisfaisante. Les résultats chez l'enfant sont moins bons et une myotomie chirurgicale (technique de Heller) demeure le traitement de choix.

Reflux gastro-œsophagien

Cliniquement, près de 40 % des nourrissons régurgitent ; cela est attribuable à un certain degré d'hypotonicité du sphincter œsophagien inférieur face à un gradient croissant de pression entre l'estomac et l'œsophage.

Symptomatologie

Dans la très grande majorité des cas, il s'agit d'un bébé normal dont le gain de poids est satisfaisant. Contrairement aux vomissements, les régurgitations se font sans effort et ne ramènent qu'une partie du biberon ingéré quelques minutes auparavant. Exceptionnellement, la courbe de poids pourra être ralentie et le degré d'incompétence cardio-œsophagienne pourra entraîner des pneumonies d'aspiration et une œsophagite peptique avec hématémèse et anémie. Des périodes d'apnée et les « near miss » du syndrome de mort subite ont été attribués au reflux gastro-œsophagien. D'autres modes inusités de présentation tels que le mérycisme et le syndrome de Sandifer (hernie hiatale et torsions anormales du cou) sont aussi connus.

Diagnostic différentiel

L'examen radioscopique de l'œsophage et de l'estomac permettra d'éliminer une hernie hiatale, une sténose œsophagienne, une sténose hypertrophique du pylore ou une autre lésion obstructive au niveau du pylore telle qu'un ulcère du canal. La manométrie œsophagienne permet de localiser la zone d'hyperpression correspondant au cardia : elle est donc utile pour poser le diagnostic d'hernie hiatale. Par ailleurs, l'enregistrement des pressions ne permet pas de poser un diagnostic de chalasie, puisqu'un grand nombre de nourrissons ont des pressions basses et ne régurgitent pas. Le meilleur test disponible est l'enregistrement continu du pH de l'œsophage distal au moyen d'une électrode qui est passée par le nez. Une chute du pH < 4 suggère un reflux. Il faut compter le nombre d'épisodes de reflux et leur durée au cours des deux premières heures post-prandiales pour optimiser la valeur diagnostique du test.

Traitement et pronostic

Le traitement consiste à augmenter la densité du biberon en y ajoutant quelques cuillerées de céréale de riz. La restriction relative des quantités administrées à chaque biberon pourra aussi aider. La mesure thérapeutique qui consistait à mettre l'enfant en position assise pour quelques heures après chaque biberon est contestée. On propose maintenant la position ventrale à un angle de 30 degrés. Une amélioration de la symptomatologie peut aussi suivre l'emploi d'antacides, d'un régime pauvre en lipides et de métoclopramide (Primpéran®). Le béthanéchol (uréchoIine), à la dose de 7,5-15,0 mg/m²/24 h, administré toutes les 8 heures, peut être efficace chez le nourrisson. Habituellement, la symptomatologie s'amende lorsque le bébé atteint l'âge de 6 mois. Ce n'est que dans de rares cas qu'un traitement chirurgical peut devenir nécessaire. La fundoplication est la technique de choix ; elle est indiquée dans les cas suivants :
1. Persistance de vomissements et retard pondéral après 3 mois de traitement.
2. Œsophagite avec sténose.
3. Episodes d'apnée, pneumonies d'aspiration répétées.
4. Arriération mentale et problèmes du système nerveux central, car dans ces cas le traitement médical échoue habituellement.

Diarrhée

La diarrhée est un des symptômes les plus fréquemment rencontrés en pédiatrie. Elle est le résultat d'une altération des fonctions de digestion, d'absorption et de sécrétion du tractus gastro-intestinal et se traduit par une augmentation du nombre de selles et de leur contenu en eau et électrolytes. Etant donné les variations individuelles considérables du fonctionnement côlonique, un changement du nombre et de la consistance des évacuations constitue un élément anamnestique important. Les conséquences physiologiques de la diarrhée varient avec sa sévérité, sa durée, les symptômes associés, l'âge du patient et son état de nutrition. La perte aiguë d'eau et d'électrolytes conduit à la déshydratation et à des modifications de l'équilibre acido-basique. Lorsqu'elle est subaiguë ou chronique, la diarrhée entraîne souvent la malnutrition et un retard de croissance.

Bien que dans la plupart des cas la diarrhée soit la manifestation clinique d'un épisode aigu et transitoire de gastro-entérite, elle peut être le reflet d'une affection métabolique ou endocrinienne, d'une anomalie anatomique, d'une infection extra-intestinale, d'une diète inappropriée, d'une réaction médicamenteuse ou d'un autre problème digestif (cf. tabl. 2). Il y a chevauchement considérable entre la diarrhée aiguë et chronique. La gastro-entérite peut en effet se prolonger et la diarrhée en tant que manifestation d'une maladie sous-jacente peut avoir un début aigu mimant la diarrhée infectieuse. Le dilemme habituel du clinicien est de décider si l'enfant avec une diarrhée persistante est porteur ou non d'une pathologie organique nécessitant une investigation.

Approche clinique

Anamnèse

● *Age* : La diarrhée au cours des deux premières années de vie doit attirer davantage l'attention car le risque de déshydratation et de malnutrition est plus grand. La notion d'âge doit aussi entrer en considération car un certain nombre d'affections touchent certains groupes d'âge, par exemple la maladie cœliaque des premières années, les maladies inflammatoires de l'adolescence.

● *Caractère des selles* : A la description précise et à l'examen visuel des selles, on doit ajouter l'information concernant l'horaire des évacuations : diarrhée nocturne, diarrhée post-prandiale, intervalles de diarrhée et de constipation, etc. La mère peut habituellement préciser si les selles sont petites et répétées (diarrhée côlonique) ou abondantes avec prédominance de liquide (diarrhée aqueuse) ou de solides (diarrhée graisseuse).

● *Anamnèse diététique et administration de médicaments* : La séquence d'introduction des aliments et leur relation chronologique avec la diarrhée est importante (allergie alimentaire, intolérance aux hydrates de carbone, maladie cœliaque, etc.). Le rôle de certains médicaments dans le déclenchement ou la prolongation d'une diarrhée est bien connu, par exemple les antibiotiques. La suralimentation peut entraîner une diarrhée, la sous-alimentation secondaire à des restrictions diététiques ou à

Tableau 2 : Etiologie des diarrhées

Infections intestinales :

- Bactériennes :
  Coli entéropathogènes et entérotoxiques,
  Shigella,
  Salmonella,
  Staphylocoque doré,
  Klebsiella,
  Aerobacter,
  Pseudomonas,
  Choléra,
  Campylobacter et Coli entérinvasifs,
  Yersinia,
  Clostridium difficile et butyricum
  Vibrio parahemolyticus
- Virales :
  Adénovirus,
  Entérovirus,
  Rotavirus,
  Agent de Norwalk,
  Parvovirus
- Parasitaires :
  Amibes,
  Giardia lamblia,
  Ascaris

Infections parentérales :

- Septicémie
- Infection urinaire
- Otite moyenne

Maladies inflammatoires du grêle et/ou du gros intestin :

- Maladie de Crohn
- Entéro-colite nécrosante du nouveau-né
- Colite ulcéreuse
- Entéro-colite non spécifique du nouveau-né

Affections pancréatiques et hépatiques :

- Cirrhose
- Hépatite
- Atrésie biliaire
- Pancréatite
- Insuffisance pancréatique exocrine
- Fibrose kystique du pancréas

Causes anatomiques et mécaniques :

- Intestin court
- Fistule
- Obstruction intestinale partielle
- Anse stagnante
- Malrotation
- Maladie de Hirschsprung
- Lymphangiectasie intestinale

Désordres biochimiques :

- Maladie cœliaque
- Déficience en disaccharidase
- Malabsorption du glucose et du galactose
- Abêta- et hypobêta-lipoprotéinémie
- Déficience en acide folique
- Chloridorrhée congénitale
- Acrodermatite entéropathique
- Maladie de Wolman

Lésions tumorales :

- Carcinoïde
- Ganglioneurome et neuroblastome
- Syndrome de Zollinger-Ellison
- Polypose
- Lymphome
- Adénocarcinome
- Tumeurs des îlots du pancréas

Déficiences immunitaires :

- Agammaglobulinémie acquise
- Déficience sélective de l'immunité cellulaire et déficience cellulaire et humorale combinée
- Dysgammaglobulinémie
- Maladie granulomateuse chronique
- Candidiase muco-cutanée

Endocrinopathies :

- Hyperthyroïdie
- Hyperplasie surrénalienne congénitale
- Polyendocrinopathie et candidiase

Malnutrition :

- Kwashiorkor et marasme

Facteurs diététiques :

- Suralimentation
- Introduction de nouveaux aliments

Allergies :

- Colite au lait
- Gastro-entéropathie allergique

Désordre fonctionnel :

- Côlon irritable
- Pseudo-obstruction intestinale chronique idiopathique

Agents toxiques et pharmacologiques :

- Arsenic, plomb, sulfate ferreux, etc.
- Hydrocarbures phosphorylés
- Antibiotiques

---

l'anorexie peut l'entretenir et être responsable du retard de croissance et de la malnutrition.

- *Symptômes associés* : La notion d'une infection ailleurs, les symptômes tels que : anorexie, fièvre, douleur et distension abdominales, ténesme et prolapsus rectal demandent à être bien précisés.
- *Evaluation des pertes hydriques et perte de poids* : Il est impérieux surtout chez le nourrisson de noter avec soin la quantité et la qualité des ingesta. On s'informera avec soin du débit urinaire. Le bilan hydrique est difficile à dresser autrement que par la notion de perte de poids, sachant qu'un nourrisson à jeun ne doit pas perdre plus de 1 % de son poids par jour.

Examen

La partie la plus importante de l'examen est l'inspection qui permettra de répondre en grande partie aux quatre questions suivantes :
1. Est-ce que l'enfant a l'air malade ? Si oui, s'agit-il d'un processus aigu ou chronique ?
2. Quel est son état de nutrition et d'hydratation ?
3. Y a-t-il évidence de perte de poids, d'hypotonie, de ballonnement abdominal ?
4. L'affect, l'activité et le développement neuro-moteur sont-ils normaux ?

Paramètres de croissance

La diarrhée a des répercussions considérables sur la croissance et l'état de nutrition. Les parents n'auront souvent pas noté un ralentissement insidieux de croissance. Ils auront par contre remarqué une perte de poids. Le clinicien prendra donc soin de dessiner la courbe staturo-pondérale en se souvenant que la malabsorption entraîne toujours un ralentissement pondéral hors de proportion avec le nivellement de la taille.

L'évaluation des répercussions de la diarrhée sur la croissance facilitera l'approche diagnostique. Parfois, lorsque la diarrhée est absente ou

Tableau 3 : Diarrhée chronique du nourrisson et de l'enfant

Bon état général et croissance normale :

- Déficience en disaccharidases chez l'enfant
- Déficience en sucrase-isomaltase
- Suralimentation
- Allergie alimentaire
- Côlon irritable
- Polypose
- Giardiase

Mauvais état général et perte de poids :

- Fibrose kystique du pancréas et autres causes d'insuffisance pancréatique exocrine
- Maladie cœliaque
- Maladies inflammatoires du grêle et/ou du gros intestin
- Intestin court, anse borgne ou stagnante
- Sténose congénitale ou acquise du grêle ou du gros intestin
- Allergie au lait
- Abêta- et hypobêta-lipoprotéinémie
- Malrotation
- Gastro-entéropathie allergique (protéines bovines)
- Lymphangiectasie intestinale
- Déficience en disaccharidases chez le nourrisson
- Carcinoïde, ganglioneurome, neuroblastome, syndrome de Zollinger-Ellison
- Déficits immunitaires
- Cirrhose, hépatite, atrésie biliaire
- Maladie de Wolman

---

peu marquée, l'aplatissement de la courbe de croissance deviendra la pierre angulaire d'un diagnostic éventuel de malabsorption.

La malnutrition iatrogène est quelquefois la rançon de diètes restrictives imposées pour contrôler une diarrhée bénigne qui se prolonge. Il faudra donc s'assurer que le retard de croissance et la perte de poids sont bien des conséquences de la diarrhée et non le résultat de diètes « crève-la-faim ».

Le diagnostic différentiel des diarrhées chroniques de l'enfant est particulièrement difficile à établir mais peut être grandement facilité si la classification étiologique tient compte de la présence ou de l'absence de répercussions sur l'état général et la courbe de poids (cf. tabl. 3).

Gastro-entérites infectieuses

En pédiatrie, les gastro-entérites infectieuses suivent de près les infections respiratoires comme cause principale de maladie. Elles sont d'origine virale (> 50 %), bactérienne (15 à 20 %). Un certain pourcentage reste non identifié. Les gastro-entérites secondaires aux parasites sont moins fréquentes et la majorité sont dues au protozoaire Giardia lamblia (cf. p. 714-715). Il n'existe aucune évidence que le Candida albicans soit responsable de gastro-entérite.

Pathogenèse des gastro-entérites bactériennes

L'interaction des agents bactériens avec la muqueuse intestinale est de trois types :
1. Certaines bactéries telles que le Vibrio cholerae, E. Coli, Clostridium perfringens, Staph. aureus, et certaines souches de Shigella adhèrent à la muqueuse et sécrètent une exotoxine. Cette toxine stimule l'adényl-cyclase et l'accumulation d'AMP cyclique responsable d'une diarrhée sécrétoire. L'épithélium est intact.
2. Les Shigella et de rares souches de E. Coli et de Salmonella envahissent et détruisent l'épithélium de surface, entraînant des ulcérations.
3. Les Salmonella pour leur part pénètrent la lamina propria, déclenchent un processus inflammatoire dans la muqueuse et envahissent l'organisme à distance. Les changements épithéliaux sont absents ou modestes.
4. Certains coli entéropathogènes pénètrent le glycocalyx, adhèrent à la surface de l'entérocyte et endommagent seulement les microvillosités, sans envahir ni sécréter de toxine.

Gastro-entérites virales

Le rôle de certains agents viraux longtemps présumés responsables de la gastro-entérite non spécifique est maintenant bien défini. Les plus importants sont les rotavirus et des agents viraux qui ressemblent à des parvovirus (« Norwalk agent »). A signaler en outre des épidémies à picornavirus, astrovirus et adénovirus. Le rôle d'autres agents retrouvés dans les selles reste à préciser. La diarrhée associée parfois à des infections virales localisées ailleurs dans l'organisme traduit vraisemblablement une infection locale concomitante.

Signes cliniques

La maladie commence de façon brutale avec vomissements suivis de fièvre et éventuellement de diarrhée 1 à 4 jours après le début. L'existence du même tableau clinique dans la constellation familiale ou dans l'entourage de l'enfant est communément mise en évidence. L'épidémiologie suggère une susceptibilité plus grande des nourrissons et une fréquence accrue au cours des mois d'hiver. A l'examen, l'abdomen est souvent distendu et douloureux au début. La déshydratation pourra être sévère mais en général l'enfant n'est pas très toxique. La mortalité est exceptionnelle et le pronostic est excellent. La maladie dure rarement plus d'une semaine. Les changements histologiques sont parfois marqués et entraînent une intolérance aux hydrates de carbone qui peut se prolonger plusieurs semaines et être responsable d'une diarrhée prolongée. La microscopie électronique d'un filtrat fécal ou la technique immunologique ELISA confirmera le diagnostic.

Traitement

La décision la plus importante consiste à faire le triage des patients ayant besoin de soins hospitaliers. Les antiémétiques et les anticholinergiques sont contre-indiqués. Les préparations antidiarrhée sont inutiles car elles ne diminuent pas la durée de la maladie ni l'étendue des pertes d'eau et d'électrolytes dans la lumière intestinale.

Avec le début de la maladie, une période de jeûne de quelques heures est indiquée. Par la suite, on offrira de petites quantités (5 à 15 ml à la fois) de liquides clairs (jus de pomme dilué, thé faible, Pédialyte®, Oralpaedon®, etc.). La recette suivante fournit une solution contenant 30 mEq/l de Na⁺ et 18 mEq/l de K⁺ : ajouter à un litre de jus d'orange 2,5 g de sel de table (1/2 c. à thé) et 1 litre d'eau. Ces liquides seront répétés toutes les 15 minutes et leur quantité augmentée selon la tolérance. Une fois la période de vomissements terminée, les quantités offertes devront rapidement réparer les déficits et compenser les pertes par les selles. On introduira rapidement des aliments tels que soupes claires, purée de pommes, banane, pain, riz, etc. Une non-amélioration de la diarrhée au bout de quelques jours alertera le clinicien à une intolérance aux hydrates de carbone (disaccharides et monosaccharides, cf. p. 229-231). Le lait ne devrait être réintroduit qu'au bout d'une semaine ou deux.

On retrouvera à la p. 412 la conduite à tenir dans les cas où une réhydratation intraveineuse s'impose.

Gastro-entérites à E. Coli

Le rôle de certains sérotypes de E. Coli entéropathogènes (EPEC) dans la gastro-entérite du nouveau-né et du nourrisson est bien connu. Toutefois, leur importance est contestée puisqu'on retrouve, sauf en cas d'épidémie, ces mêmes sérotypes chez bon nombre d'enfants en parfaite santé. Un certain nombre d'autres membres de la grande famille des E. Coli sont aussi responsables de gastro-entérite et peuvent toucher l'enfant plus âgé et l'adulte (diarrhée des voyageurs). L'étude de ce second groupe, appelé entérotoxigène (ETEC), a permis de mettre en évidence une toxine thermolabile ou thermostable qui est apparentée à la toxine du choléra. De façon caractéristique, l'infection à E. Coli n'entraîne aucune lésion histologique car la diarrhée est sécrétoire et secondaire à la production d'une entéro-toxine. L'infection peut être très contagieuse, et des épidémies récentes soulignent la vulnérabilité particulière des nourrissons au cours des premiers mois de vie. A noter que les bébés nourris exclusivement au sein sont complètement protégés contre cette infection qui, à l'état d'épidémie, a un taux de mortalité élevé (5 %).

Le tableau clinique est variable ; parfois il y a vomissements, hyperpyrexie, ballonnement abdominal et état de choc. Dans la plupart des cas la diarrhée explosive prédomine. Etant donné le grand nombre de souches impliquées, le sérotypage habituel est devenu insuffisant ; il faut maintenant faire la détection de l'entéro-toxine, mais cela n'est conseillé que s'il y a notion d'épidémie.

Un certain pourcentage de nouveau-nés et de nourrissons peuvent être des porteurs sains. Les antibiotiques ne sont indiqués que s'il y a détérioration clinique ou épidémique. Etant donné le caractère non invasif de cette forme de gastro-entérite à E. Coli, il est préférable d'employer un antibiotique non absorbable tel que Colimycine (15 mg/kg/24 h.), ou Néomycine (100 mg/kg/24 h. pendant 5 à 7 jours).

L'Escherichia Coli peut entraîner non seulement une gastro-entérite entérotoxigène mais aussi, bien que plus rarement, un syndrome apparenté à l'infection par Shigella. En effet, un certain nombre de souches sont invasives et produisent un syndrome dysentérique caractérisé par fièvre, douleurs abdominales, ténesme, mucus, pus et sang dans les selles diarrhéiques. Les coli invasifs peuvent toucher aussi bien les jeunes enfants que les adultes. Le traitement avec un antibiotique absorbable est recommandé à cause des dangers d'un essaimage à distance (septicémie, ostéomyélite, méningite), particulièrement au cours des deux premières années de vie.

Shigella (dysenterie bacillaire) (cf. p. 642)

Maladie transmise surtout par contact de personne à personne mais aussi par l'ingestion de nourriture et de boissons contaminées. Les mouches peuvent être des vecteurs de l'infection, qui est plus fréquente au cours des mois d'été.

Le tableau est plus grave avec S. dysenteriae mais c'est surtout S. sonnei qui est rencontrée. Les Shigella se multiplient à l'intérieur du revêtement épithélial et causent des ulcérations superficielles de la muqueuse colique. Après une période d'incubation de 1 à 4 jours (ad 7 jours), le malade présente un syndrome dysentérique à début soudain, caractérisé par de la diarrhée peu malodorante, parfois sanguinolente, des douleurs abdominales très sévères faisant penser à un abdomen aigu chirurgical, des vomissements, de la fièvre et du méningisme, du délire et des convulsions. Une déshydratation sévère avec état de choc survient occasionnellement. La septicémie et la péritonite sont des complications rares. Une coagulopathie intravasculaire, le syndrome hémolytique urémique et l'entérocolite pseudo-membraneuse sont occasionnellement rencontrées dans le contexte d'une épidémie. L'infection touche de façon sélective le côlon et les changements sont plus prononcés au niveau du côlon descendant et du rectum. A l'endoscopie, la muqueuse est friable et ulcérée.

Les antibiotiques ne sont indiqués que s'il y a détérioration clinique ou épidémie chez les porteurs devant retourner en pouponnière ou à l'école et au cours de shigellose à S. dysenteriae. Des souches résistantes à l'Ampicilline sont de plus en plus fréquemment rencontrées. L'antibiotique de choix est le Triméthroprime-Sulfaméthoxazole ou Bactrim® (5-10 mg/25-50 mg/kg/24 h. pendant 5 jours).

Salmonella

(cf. p. 641).

Les espèces les plus fréquemment rencontrées sont S. typhimurium (groupe B), S. Heidelberg (B), S. Thompson (C1), S. Newport (C2), S. enteritidis (D). Les sources d'infection sont très variées : patients et porteurs sains, animaux (volaille, bétail, animaux domestiques, cobayes, tortues, etc.), nourriture (œufs, poudre d'œuf, poulets, porc, bœuf, lait, etc.). A localisation surtout iléale, les Salmonella pénètrent la muqueuse intestinale, se multiplient au niveau de la lamina propria et peuvent envahir les voies lymphatiques et les vaisseaux sanguins.

Après une période d'incubation de 1 à 4 jours, le tableau clinique est celui d'une gastro-entérite (cf. Shigella, ci-dessus) avec selles malodorantes et parfois sanguinolentes ; on peut noter des manifestations extra-intestinales variées (bactériémie, pneumonie, ostéomyélite, méningite, altération de la conscience et autres manifestations neurologiques), plus fréquemment rencontrées chez les malades atteints d'hémoglobinopathie, de néoplasie, de maladie gastro-intestinale sous-jacente, d'hépatite, de malaria, etc. A signaler en outre le danger d'une coagulopathie intravasculaire avec syndrome hémolytique urémique.

L'antibiothérapie est toujours indiquée au cours des premiers mois de vie et à tout âge s'il y a détérioration clinique. En outre, il y a indication de traitement en présence de manifestations extra-intestinales ou de facteurs prédisposants (anémie falciforme, etc.), lors d'infections à S. typhi, S. paratyphi, S. cholerae suis. Il faut retenir toutefois que les antibiotiques ne raccourcissent pas la durée de la maladie. Ils prolongent la durée d'excrétion fécale de la bactérie en phase de convalescence, augmentent le nombre de porteurs et favorisent l'apparition de souches résistantes. Certains auteurs contestent aujourd'hui ces notions. Des études prospectives ont montré que le Triméthroprime-Sulfaméthoxazole au même dosage que pour les shigelloses est très efficace.

Fièvre typhoïde

La fièvre typhoïde est une maladie unique à l'espèce humaine. Après une période d'incubation de 1 à 2 semaines, le malade présente de la fièvre, qui augmente en plateau sur une période de 2 à 3 jours, suivie de céphalée, de douleurs abdominales, accompagnées elles-mêmes d'anorexie, de nausées et de vomissements, de distension abdominale et de malaises généralisés. On peut parfois noter une prédominance de manifestations neurologiques : convulsions, confusion, stupeur (typhos), coma. La diarrhée, rarement prédominante, peut apparaître en cours d'évolution, à la suite d'un épisode de constipation. On peut noter une éruption cutanée discrète (taches rosées lenticulaires), une splénomégalie, une bradycardie malgré une fièvre élevée (dissociation sphygmothermique), de l'ictère. A craindre les complications suivantes : hémorragie intestinale avec choc hypovolémique, perforation intestinale, manifestations extra-intestinales septiques (arthrite, ostéomyélite, pneumonie, cholécystite, pyélonéphrite, etc), et glomérulonéphrite à complexes immuns.

La fièvre paratyphoïde présente un tableau clinique de fièvre entérique ressemblant à la fièvre typhoïde. Tous les patients atteints de typhoïde ainsi que les porteurs asymptomatiques de S. typhi doivent être traités.

Infections à Yersinia

Le rôle du Yersinia enterocolitica dans les gastro-entérites bactériennes a été reconnu au cours des dernières années. La majorité des cas surviennent avant l'âge de 3 ans. La transmission est intra-familiale ainsi que par la nourriture et les animaux. L'incubation dure de 7 à 10 jours. Le tableau clinique est habituellement celui d'une gastro-entérite aiguë. Chez les enfants plus âgés, les douleurs à la fosse iliaque droite peuvent simuler une appendicite aiguë alors qu'il s'agit d'une iléite aiguë. Quelques auteurs signalent des manifestations extra-intestinales telles qu'arthrite, érythème noueux et myocardite. Les formes compliquées de la maladie se produisent plus volontiers chez les enfants avec thalassémie, leucémie ou anémie aplastique.

Il est rare qu'un traitement antibiotique soit nécessaire dans la forme usuelle (gastro-entérite) de la maladie. Le micro-organisme est sensible aux aminoglycosides, ainsi qu'au Triméthroprime-Sulfaméthoxazole.

Infections à Campylobacter

C'est seulement récemment que cette bactérie a été incriminée comme agent pathogène responsable de gastro-entérite chez l'homme. Au cours de l'année 1977-1978, 28,7 % des cas de gastro-entérite bactérienne à Ste-Justine et au Montreal Children's Hospital étaient dues au Campylobacter. La transmissibilité se fait surtout de personne à personne, mais on a prouvé le rôle de certains aliments et de l'eau comme vecteurs. L'infection se localise au jéjunum et à l'iléon et déclenche une jéjuno-iléite hémorragique. L'incubation est courte (2-11 jours) ; elle est suivie de fièvre, douleurs abdominales et diarrhée profuse avec sang rouge. La maladie dure communément une semaine. Les douleurs abdominales peuvent être assez sévères pour mimer une appendicite aiguë. On a rapporté des cas de septicémie et de méningite à Campylobacter. La majorité des patients guérissent spontanément mais l'administration d'Erythromycine 20-40 mg/kg/24 h. en 4 doses pendant 7 à 10 jours est très efficace.

Intoxications alimentaires

Cf. p. 642, Staphylococcus aureus

Diarrhée secondaire
aux antibiotiques, infections parentérales, malnutrition, erreurs diététiques et allergies alimentaires

Antibiotiques

Les antibiotiques à large spectre sont souvent responsables de diarrhée. La symptomatologie s'amende avec l'arrêt de la médication et une diète pauvre en lactose. A la diarrhée peut s'ajouter une malabsorption des lipides. Dans d'autres circonstances une véritable colite suit l'emploi de certains antibiotiques, lincomycine et clindamycine particulièrement.

Exceptionnellement les antibiotiques peuvent déclencher une entérocolite pseudo-membraneuse, qui est presque invariablement due à la cytotoxine du *Clostridium difficile*. Les symptômes peuvent débuter dès le premier jour après le début de l'antibiothérapie mais peuvent aussi n'apparaître que 2 ou 3 semaines après l'arrêt. La diarrhée est sévère, le patient est toxique et les douleurs abdominales sont vives. Le mégacôlon toxique et les perforations sont des complications bien documentées. La présence de pseudo-membranes à la rectoscopie et de changements radiologiques confirment le diagnostic. Le traitement de choix est la Vancomycine, 125-500 mg/1,73 m² quatre fois par jour pendant une semaine ; il est indiqué dans tous les cas où des pseudo-membranes sont identifiées. Le taux de rechute est assez élevé et peut nécessiter une seconde période d'antibiothérapie.

Infections parentérales

Certaines infections localisées en dehors du tractus gastro-intestinal peuvent se compliquer de diarrhée. Signalons en particulier les infections urinaires et les otites moyennes. Les mécanismes précis expliquant la diarrhée sont mal connus. Une étude prospective a récemment montré que les deux tiers d'une population de 152 nourrissons avec gastro-entérite à rotavirus avaient une infection respiratoire concomitante qui, pour un tiers des cas, était localisée à l'oreille moyenne.

Malnutrition

Il n'y a pas de doute que les enfants mal nourris sont plus sujets aux gastro-entérites que les autres. La malnutrition a des répercussions sur la motilité intestinale, la flore microbienne, l'activité disaccharidasique et enfin sur l'intégrité morphologique de la muqueuse. Le jeûne prolongé, traditionnellement conseillé dans les cas de gastro-entérite infectieuse, peut avoir des conséquences graves lorsqu'il s'agit d'un enfant qui est déjà dénutri. La malnutrition iatrogène peut alors entretenir la diarrhée.

Erreurs diététiques

La cause la plus fréquente de diarrhée d'origine diététique chez le nourrisson est la suralimentation. Il s'agit habituellement d'un bébé de moins de 3 mois qui est irritable et qu'on suralimente. L'estomac distendu stimule le réflexe gastro-iléo-colique qui raccourcit le temps de transit et entraîne une diarrhée osmotique en raison de la présence de substances non digérées et non absorbées qui sont osmotiquement actives.

Un changement de régime, le sevrage, l'introduction de nouveaux aliments, tels que jus de fruit, céréales de blé, jaune d'œuf et certains légumes, peuvent déclencher une diarrhée bénigne sans atteinte de l'état général. Une diarrhée osmotique peut suivre l'ingestion de grandes quantités de ces jus de fruits dont la charge osmotique est considérable (jus de pomme : 650 mOsm/kg ; jus d'ananas : 900 mOsm/kg).

Allergies alimentaires (allergie au lait)

Plusieurs études ont démontré que certains enfants présentent des manifestations cutanées, respiratoires et gastro-intestinales chaque fois qu'ils ingèrent certains aliments déterminés. Malgré des progrès considérables visant à confirmer au laboratoire le diagnostic d'allergie alimentaire, la réponse clinique au retrait et à la réintroduction de l'aliment impliqué reste primordiale. La fréquence de l'allergie au lait est variable (0,5 % à 1 %). Le spectre des manifestations est considérable et on reconnaît actuellement plusieurs formes cliniques : choc anaphylactique, diarrhée rebelle du nouveau-né, colite au lait, syndrome de Wilson-Lahey, gastro-entéropathie allergique et syndrome cœliaque.

Signes cliniques

● Les symptômes débutent habituellement entre la 2e et la 6e semaine de vie. Une anamnèse familiale d'« atopie » est fréquente. La diarrhée peut être bénigne ou, à l'opposé, explosive et sévère (diarrhée rebelle). Les vomissements sont fréquents et accompagnés parfois de distension abdominale, pâleur, léthargie.
● Le syndrome clinique peut mimer la colite ulcéreuse. On retrouve du sang rouge dans les selles et l'examen proctoscopique confirme qu'il s'agit d'une « colite au lait ». Plus fréquemment, il n'existe pas de lésions décelables du côlon, mais on retrouve du sang à l'hématest et une anémie hypochrome est mise en évidence (syndrome de Wilson-Lahey). Le lait de vache serait responsable d'un certain pourcentage d'anémies hypochromes chez des nourrissons par ailleurs normaux et ceci indépendamment des ingestions de fer.
● Une réponse anormale du type digestif aux protéines bovines contenues dans le lait peut aussi entraîner une perte importante de protéines. La « gastro-entéropathie allergique » se traduit par des vomissements, de la diarrhée, du sang microscopique dans les selles, de l'anémie hypochrome, de l'œdème périphérique et une hypo-albuminémie. Les lésions histologiques peuvent être minimes au niveau de l'intestin grêle et surtout évidentes au niveau de l'estomac (gastrite éosinophile). La majorité des nourrissons et jeunes enfants atteints souffrent en outre d'eczéma, d'asthme ou de rhinite allergique.
● Bon nombre de nourrissons présentent un tableau clinique superposable à celui de la maladie cœliaque. Le syndrome de malabsorption s'installe avant que le nourrisson ait commencé à ingérer du gluten. La malabsorption peut être sévère, il y a stéatorrhée, le test d'absorption au D-xylose est anormal et l'histologie jéjunale montre des lésions plus ou moins sévères de la muqueuse.

Diagnostic

La relation de cause à effet entre la symptomatologie intestinale et l'ingestion de lait est souvent très étroite ; la preuve biologique est cependant peu solide. Les tests intradermiques et la mise en évidence d'anticorps contre les protéines du lait ne sont pas dignes de confiance. Les copro-anticorps qu'on retrouve associés aux IgA ne semblent pas non plus très prometteurs. Une élévation des IgE et particulièrement des IgE spécifiques aux antigènes du lait peut être mise en évidence par le test « RAST » (réagines spécifiques).

En l'absence d'un des syndromes bien caractérisés décrits plus haut, le clinicien doit étoffer son diagnostic par une épreuve thérapeutique en éliminant de l'alimentation les protéines bovines du lait. Leur réintroduction à deux ou trois reprises doit, en outre, entraîner une reprise des symptômes. Un test d'absorption du D-xylose qui est normal sous régime sans protéines bovines, et qui se détériore (< 25 mg % soixante minutes après la prise de D-xylose (14,5 g/m^2)) 5 jours après la réintroduction du lait de vache, constitue un argument diagnostique fiable.

Traitement

Les préparations à base de protéines végétales (soya) donnent de bons résultats. Toutefois, comme un certain nombre de nourrissons et de jeunes enfants normaux peuvent présenter une intolérance à ces préparations, il est préférable de faire une épreuve diagnostique et thérapeutique avec un « lait » à base d'un hydrolysat de caséine. Pour le traitement, il faut, en outre, mentionner les formules à base de protéines d'agneau.

Les corticostéroïdes en lavement (prednisone, 10 à 20 mg dans 50 à 100 ml de salé physiologique) sont très efficaces dans les cas de « colite au lait ». Le nourrisson sévèrement atteint de « gastro-entéropathie allergique » répond bien à l'administration orale de prednisone (2,5 mg 3 fois par jour). On n'aura cependant recours aux stéroïdes que lorsque les autres moyens auront échoué et on évitera les traitements prolongés.

Le lait maternel est recommandé. La prévention de l'allergie au lait est particulièrement importante chez les enfants issus de familles où la fréquence d'allergie est élevée.

Pronostic

Le choc anaphylactique est rare. Il semble que l'allergie au lait disparaisse spontanément dans la plupart des cas après 12 à 18 mois. Un test de provocation au lait de vache est alors indiqué en utilisant le test d'absorption du D-xylose comme critère de jugement.

Côlon irritable

Cette entité est responsable de la majorité des cas de diarrhée chronique avec état général bien conservé. On en pourra faire le diagnostic à partir des caractéristiques suivantes :
1. début entre 8 mois et 3 ans, souvent à la suite d'une gastro-entérite ;
2. antécédents personnels d'irritabilité et de colique des premiers mois ;
3. antécédents familiaux de problèmes gastro-intestinaux fonctionnels ;
4. croissance et développement normaux ;
5. selles molles (3 à 6 par jour) avec mucus abondant et aliments non digérés, la plupart des selles étant évacuées au cours des premières heures de la journée ou immédiatement après les repas.

La pathogenèse de cette entité reste obscure. On croit volontiers à la présence d'un réflexe gastro-iléo-colique exagéré responsable d'une accélération du transit. Les antidiarrhéiques, la Lopéramide® (Imodium®) et les anticholinergiques sont inutiles et peuvent même exacerber la symptomatologie. Le rôle du contenu lipidique de la diète a récemment attiré l'attention. Une étude a montré qu'une augmentation du % des lipides et une diminution proportionnelle du % des hydrates de carbone améliorent ou guérissent 80 % des cas. A signaler en outre une étude récente suggérant l'effet bénéfique de l'acide acétylsalicylique, qui serait manifestement attribuable à une diminution de synthèse des prostaglandines. Dans quelques cas sévères, l'administration de cholestyramine (2 à 4 g au petit déjeuner) peut être utile.

Diarrhée rebelle du nourrisson

Il s'agit d'un assemblage de conditions pathologiques caractérisées par une diarrhée chronique non infectieuse, très sévère, débutant au cours des trois premiers mois de la vie. Le début peut être insidieux ou très brusque, conduisant à une déshydratation rapide. Dans le premier cas, un changement de régime lacté sera suggéré ; dans le second, on croira à une gastro-entérite. Toutefois, la convalescence se fait attendre. Le patient continue à présenter des selles liquides abondantes qui contiennent parfois du sang. La présence de distension abdominale et de vomissements suggère une pathologie anatomique. La malnutrition et la cachexie surviennent rapidement.

Etiologie

Parmi ces diarrhées rebelles du nourrisson on distingue des entérocolites non spécifiques (« primaires ») dont l'étiologie demeure conjecturale et des formes secondaires à une malformation ou maladie bien caractérisée.

Le diagnostic de la forme primaire de la diarrhée rebelle ne peut être fait qu'après avoir éliminé les formes secondaires. La majorité des cas de diarrhée rebelle sont des entérocolites non spécifiques avec des changements histologiques variables au niveau du grêle et du côlon. La plupart des nourrissons atteints ont au cours de leur évolution des vomissements en plus de la diarrhée, qui est explosive et ne cède pas à l'arrêt de l'alimentation orale. La déshydratation, l'acidose métabolique et la malnutrition sont constantes. Bien que la pathogenèse reste obscure, on postule qu'à la suite d'une agression initiale du tube digestif la malnutrition s'installe rapidement et entretient la diarrhée.

Parmi les formes secondaires, citons :
- la maladie de Hirschsprung ;
- la sténose du grêle ou du gros intestin ;
- la malrotation intestinale ;
- l'intestin court ;
- la fibrose kystique du pancréas (mucoviscidose) ;
- la maladie cœliaque ;
- la malabsorption du glucose-galactose ;

- la déficience en sucrase-isomaltase ;
- la chloridorrhée congénitale ;
- la malabsorption primaire des acides biliaires ;
- la déficience en disaccharidases (lactase surtout) ;
- l'allergie au lait ;
- les tumeurs de la crête neurale ;
- l'abêta- ou l'hypobêta-lipoprotéinémie ;
- la maladie de Wolman ;
- l'entérocolite nécrosante ;
- la colite ulcéreuse et la maladie de Crohn ;
- l'acrodermatite entéropathique ;
- la lymphangiectasie intestinale ;
- les déficiences immunitaires ;
- les septicémies, infections urinaires, otites, mastoïdites ;
- l'hyperplasie surrénalienne congénitale ;
- la thyrotoxicose.

Ces formes secondaires pourront être facilement éliminées par les examens suivants :
- radio simple de l'abdomen ;
- recherche du sang et des substances réductrices dans les selles ;
- pH des selles ;
- formule sanguine avec décompte des petits lymphocytes ;
- test de la sueur et chymotrypsine fécale ;
- électrolytes ;
- électrophorèse des protéines et immunoglobulines ;
- recto-sigmoïdoscopie et biopsie par succion pour cellules ganglionnaires et histologie de la muqueuse ;
- biopsie jéjunale et mesure des disaccharidases.

Traitement et pronostic des formes secondaires de diarrhée rebelle

Ils sont fonction de la malformation ou de la maladie en cause.

Traitement et pronostic des formes primaires (entéro-colites non spécifiques)

Le traitement d'urgence a comme objectif de réparer les déficits hydro-électrolytiques et corriger une acidose souvent sévère. Après quelques jours de jeûne et d'alimentation parentérale par voie périphérique, on introduira une formule sans lactose et sans protéines bovines à faible concentration calorique, 33 kcal/ml au début, et en perfusion nasogastrique à débit constant. L'intolérance pour les mono- et les disaccharides est souvent sévère ; dans ces cas un mélange de triglycérides à chaîne moyenne (2,5 %) et d'hydrolysat de caséine (5 %) peut être offert. Les hydrates de carbone devront alors être administrés uniquement par voie parentérale.

Une diarrhée qui persiste et l'absence de gain de poids dans plus de 50 % des cas forcent l'arrêt de toute l'alimentation orale pendant un mois et la poursuite de l'alimentation parentérale qui devra alors être administrée par cathéter central. La persistance d'une diarrhée importante (> 50 ml/kg/24 h.) en l'absence de toute prise orale signe la présence d'une diarrhée sécrétoire qui, dans la plupart des cas, nécessite la mise en place d'un cathéter central et un traitement prolongé.

Les antibiotiques et les antidiarrhéiques n'ont pas leur place dans le traitement de cette entité. Bien que quelques auteurs suggèrent l'emploi de cholestyramine, l'expérience avec ce médicament n'est pas du tout favorable. A noter que la forme primaire de diarrhée rebelle est très rare chez un nourrisson au sein. Le pronostic de cette entité était sombre avant l'ère de l'alimentation parentérale, il est maintenant très amélioré. Le taux de mortalité est passé de 75 % à 10 %.

Intolérance aux disaccharides

Les hydrates de carbone constituent 50 % des calories d'une alimentation normale. L'amidon est un mélange de deux polymères du glucose : l'amylose et l'amylopectine. Dans le premier, les molécules de glucose sont liées les unes aux autres par des liens 1-4-alpha. L'amylase salivaire et pancréatique hydrolyse la molécule pour donner le disaccharide, maltose, et le trisaccharide, maltotriose. Quant à l'amylopectine qui compte pour 80 % de l'amidon de l'alimentation, l'action de l'amylase entraîne non seulement la formation de maltose et de maltotriose, mais aussi d'alpha-dextrine où les molécules de glucose sont liées les unes aux autres par les liens 1-6-alpha. Le tableau 4 résume le processus d'hydrolyse sous la dépendance des disaccharidases localisées sur la bordure en brosse de la cellule épithéliale intestinale.

Approche diagnostique

- Anamnèse.
- Examen des selles :
— pH sur la partie liquide d'une selle : pH< 5,5 ;
— recherche de substances réductrices.
- Mesure de l'hydrogène expiré (Breath test) après ingestion de lactose (2 g/kg) ou de sucrose (2 g/kg).
- Biopsie jéjunale perorale :
— examen histologique ;
— activité disaccharidasique de la muqueuse prélevée.

Tableau 4 : Hydrolyse des disaccharides

Substrat	Enzyme	Produit d'hydrolyse
Maltose	Maltase	Glucose et glucose
Maltotriose	Maltase	Glucose, glucose et glucose
Alpha-dextrine	Isomaltase	Glucose et glucose
Sucrose (saccharose)	Sucrase	Glucose et fructose
Lactose	Lactase	Glucose et galactose

Traitement

L'exclusion du disaccharide est rapidement favorable. Dans le cas de déficience en lactase, le régime doit exclure toute source de lactose. Pour ce qui est de la déficience en sucrase-isomaltase, une alimentation pauvre en sucrose suffit habituellement.

Déficience congénitale en disaccharidases

Déficience en sucrase-isomaltase

C'est la forme la plus commune ; un mode récessif de transmission a été mis en évidence. Une diarrhée aqueuse chronique ayant débuté avec l'introduction du sucrose et des amidons est caractérisque. Douleurs abdominales, flatulence, distension abdominale, retard dans l'apprentissage de la continence rectale sont des symptômes importants. Parfois les symptômes sont intermittents ; souvent le diagnostic d'allergie alimentaire ou de diarrhée chronique non spécifique (côlon irritable) aura été porté.

Les nourrissons atteints peuvent être très touchés et peuvent même se présenter avec une diarrhée rebelle. Alors que, chez l'enfant plus âgé, l'état général et la croissance sont bien conservés, il y a malnutrition et retard staturo-pondéral chez les nourrissons.

Déficience en lactase

Il s'agit d'une affection très rare. Dans la majorité des cas, la déficience est transitoire ; aussi est-on en droit de douter qu'il s'agisse réellement d'une forme primaire. Les symptômes sont dramatiques, avec diarrhée profuse, déshydratation, acidose, vomissements, malnutrition et parfois stéatorrhée. La symptomatologie commence dans les premières semaines de la vie.

Déficience acquise en disaccharidases

A cause de leur localisation sur la bordure en brosse de la muqueuse intestinale, toute affection causant une altération de l'intégrité morphologique de la muqueuse peut entraîner une diminution de l'activité des disaccharidases. Etant donné que l'activité lactasique normale est quantitativement inférieure à celle des autres disaccharidases, la déficience secondaire en lactase est plus fréquente que celle touchant la sucrase-isomaltase.

La liste des affections souvent associées à une déficience secondaire en lactase peut être établie comme suit : maladie cœliaque, gastro-entérite virale ou bactérienne, administration de certains antibiotiques, giardiase, malnutrition sévère, fibrose kystique du pancréas, maladie de Crohn, colite ulcéreuse, déficit immunitaire, résection intestinale, syndrome de l'anse borgne.

Déficience en lactase chez des enfants par ailleurs en bonne santé

Il existe un pourcentage d'enfants qui ont toléré le lait normalement au cours des premières années de la vie et qui développent une intolérance clinique au lait et une baisse remarquable et inexpliquée de leur activité lactasique sans que leur état général soit par ailleurs affecté.

Des facteurs génétiques rendent sans doute compte du fait qu'on note cette intolérance au lactose chez 10 % des gens d'extraction nord-européenne comparativement à 70 % chez les Noirs américains adultes.

Malabsorption des monosaccharides

On en reconnaît deux types ; la forme primaire et la forme secondaire ou acquise. Dans la forme congénitale, qui est très rare, la diarrhée est explosive et sévère, elle survient dès les premiers jours de vie. L'intolérance touche le glucose et le galactose et s'améliore après les premiers six mois de vie. La maladie se transmet par un gène autosomique récessif. L'absorption du fructose est normale et sera la seule source d'hydrate de carbone du régime.

La malabsorption acquise des monosaccharides est plus fréquente. On retrouve des substances réductrices dans les selles qui ont un pH acide et les tests d'absorption des monosaccharides sont anormaux et déclenchent une débâcle diarrhéique. Cette malabsorption se rencontre à l'occasion d'une gastro-entérite infectieuse (à rotavirus plus particulièrement) et au décours d'une diarrhée rebelle (forme primaire), d'une entérocolite (forme primaire), d'une malnutrition (marasme) et après chirurgie néonatale du tube digestif. La durée est variable et la réponse est généralement favorable à une diète excluant tous les monosaccharides y compris le fructose. Les monosaccharides doivent être administrés i.v. pour prévenir l'hypoglycémie. On introduira progressivement les monosaccharides par voie orale en commençant par une concentration ne dépassant pas 1 %. Dans la majorité des cas où la diarrhée rebelle est en cause, une période prolongée d'alimentation parentérale sera nécessaire.

Chloridorrhée congénitale

Les selles diarrhéiques contiennent généralement moins de chlorure et plus de bicarbonate. Ici, le contenu des selles en chlorure est très élevé et conduit à une alcalose métabolique sévère. Il s'agit d'une maladie familiale rare qui se manifeste précocement par une diarrhée sévère avec déséquilibre hydro-électrolytique, hyperaldostéronisme secondaire, hyperplasie juxtaglomérulaire, retard de croissance et de développement.

La malabsorption défectueuse de l'anion chlore au niveau de l'iléon et du côlon se traduit par des chlorures dans les selles qui se chiffrent entre 110 et 180 mmol/l/l (N : 6 à 17). L'administration de chlorure de potassium prévient les déséquilibres électrolytiques mais ne modifie en rien la symptomatologie gastro-intestinale.

Une forme acquise et temporaire de la maladie a été décrite à la suite d'interventions chirurgicales sur l'intestin du nourrisson et, plus récemment, au cours d'une épidémie de gastro-entérite à E. Coli entéropathogène.

Douleurs abdominales à rechutes de l'enfant

Un grand nombre d'enfants entre 3 et 14 ans sont montrés au médecin pour des douleurs abdominales épisodiques. Si la pathogénie de cette affection nous échappe entièrement, les caractéristiques cliniques sont suffisamment connues pour permettre de poser un diagnostic avec un certain degré d'assurance.

Anamnèse
● *Douleur* : En crampe et périombilicale, la douleur est épisodique, parfois très intense ; elle dure rarement plus de quelques heures.
● *Troubles associés* : Par ordre de fréquence : pâleur, nausée, céphalée, somnolence après l'épisode, vomissements.
● *Etat général* : Toujours excellent en dehors des crises.
● *Traits de personnalité* : Particulièrement vulnérables sont les enfants introvertis et talentueux qui sont des obsessifs-compulsifs. Fréquemment atteints aussi sont les enfants d'intelligence moyenne mais qui sont immatures au point de vue du comportement et qui somatisent leur anxiété lorsqu'ils se voient incapables de se hausser aux niveaux scolaires, athlétiques ou autres que leurs parents leur ont fixés.
● *Antécédents familiaux* : Des problèmes médicaux chroniques tels que côlon irritable, migraines sont souvent retrouvés à l'intérieur de la constellation familiale.

Examen physique
Habituellement négatif, sauf une vague douleur à la palpation, non pas de la région périombilicale mais plutôt au niveau du côlon descendant.

Diagnostic différentiel
Même si seulement 5 % des douleurs abdominales à rechutes de l'enfant sont d'origine organique, il est bon d'avoir en mémoire le tableau 5, qui groupe les principales entités organiques auxquelles il

Tableau 5 : Causes organiques de douleurs abdominales à rechutes

A. Extra-abdominales :
Diabète, rhumatisme articulaire aigu, asthme, épilepsie, porphyrie, empoisonnement au plomb

B. Intra-abdominales :
- *Gastro-intestinales* : invagination intestinale, constipation chronique, hernie, ulcus, volvulus, duplication intestinale, maladie de Crohn, colite ulcéreuse, hyperplasie lymphoïde nodulaire, maladie cœliaque, ascaris, ténia, giardiase, purpura de Henoch-Schönlein, intolérance au lactose, bézoar, équivalent de l'iléus méconial, fécalithe
- *Urinaires* : pyélonéphrite, hydronéphrose, calculose, néphrose
- *Autres* : hépatomégalie, splénomégalie, cholélithiase, pancréatite chronique, maladie de Gilbert, crises hémolytiques, calculose vésiculaire

---

faudra penser. On a suggéré qu'un pourcentage relativement élevé d'enfants avec ce syndrome souffrent d'intolérance au lactose.

Pour tout enfant souffrant de douleurs abdominales à rechutes, on devrait faire une formule sanguine, une vitesse de sédimentation, un examen et une culture d'urine, une recherche du sang et des parasites dans les selles. Devant une atypie symptomatologique, ces examens devraient être complétés par une échographie abdominale et éventuellement par des radiographies du tube digestif.

Traitement

Etant donné que le symptôme douleur prédomine parfois dans l'intolérance au lait, la restriction temporaire du lait est conseillée particulièrement aux enfants qui en consomment beaucoup. Un « breath test » après ingestion de lactose viendra confirmer le diagnostic si la restriction du lait s'avère bénéfique.

Les médicaments sont à déconseiller, car ils ne traitent tout au plus que le symptôme douleur. Un soutien psychothérapeutique contribue bien davantage à diminuer le stress psychologique responsable de la somatisation.

Ulcère gastro-duodénal

Le nombre de cas d'ulcères gastro-duodénaux observés chez l'enfant augmente alors qu'il diminue chez l'adulte. Ceci ne traduit pas nécessairement une augmentation de la fréquence mais peut être en rapport avec le raffinement de l'approche clinique et des moyens diagnostiques (repas baryté à double contraste et endoscopie).

Pathogénie

La pathogénie de l'ulcus duodénal semble en rapport avec une masse de cellules pariétales augmentée, une hypersécrétion de HCl, une sécrétion inappropriée de gastrine et une vidange anormale de l'estomac suite à un repas. Quant à l'ulcère gastrique, le facteur prédominant est une rétrodiffusion anormale des ions H^+ à travers la barrière membranaire. Cette perméabilité anormale peut être induite par les acides biliaires, l'aspirine, une infection, l'hypoxie, une congestion veineuse ou par des altérations du mucus gastrique.

Ulcères secondaires

Ces ulcères siègent tout aussi fréquemment à l'estomac qu'au duodénum. La localisation gastrique est fréquente chez le nouveau-né et le premier signe est souvent une perforation. Jusqu'à l'âge scolaire, la majorité des ulcères gastro-duodénaux sont des ulcères secondaires. En général les ulcus secondaires se caractérisent par deux symptômes, les vomissements et les hématémèses. La douleur est inconstante et atypique. On retrouve les ulcères secondaires dans les circonstances cliniques suivantes :
- ingestion médicamenteuse ; aspirine, corticoïdes, antimitotiques, capsules de KCl ou de fer, indométhacine, phénylbutazone, éthanol ;
- affections systémiques : asthme, septicémie, choc, brûlures ;
- affections du système nerveux central : hypertension intra-crânienne, encéphalite, méningite, tumeur cérébrale.

Ulcères primaires

Les garçons sont plus souvent affectés que les filles (3/1). La fréquence maximale se retrouve entre 12 et 18 ans. La localisation duodénale est beaucoup plus fréquente que le site gastrique (5/1). Les facteurs génétiques sont surtout importants pour l'ulcère duodénal. Une anamnèse familiale est retrouvée dans 50 % des cas.

Signes cliniques

Avant l'âge de 6 ans, les vomissements sont invariablement présents. Une anamnèse d'hématémèse et/ou de mélaena dans presque la moitié des cas. Parfois l'anémie est le seul signe et on mettra en évidence du sang dans les selles. Les douleurs abdominales sont présentes chez 80 % des enfants au-delà de l'âge de 6 ans mais dans la majorité des cas elles sont atypiques bien que très souvent présentes la nuit. Chez l'enfant plus jeune et le nourrisson, les douleurs sont périombilicales, sans relation avec la prise de nourriture, et s'accompagnent volontiers de signes d'obstruction pylorique avec vomissements subintrants.

Diagnostic

Un dosage de gastrine à jeun et en période post-prandiale (60 min.) est indiqué pour éliminer la présence d'un gastrinome (syndrome de

Zollinger-Ellison). L'analyse de l'acidité gastrique n'est indiquée que dans les cas d'ulcère à rechute ou de gastrite atrophique. Le « sine qua non » radiologique consiste en l'identification d'une niche ulcéreuse avec la présence de replis muqueux convergents. L'endoscopie confirmera ou infirmera le diagnostic lorsque les signes radiologiques sont équivoques. La recherche systématique du sang dans les selles devrait être faite en présence d'une symptomatologie suggestive.

Etant donné l'atypie des signes cliniques, le clinicien mettra en train un protocole d'investigations dans les circonstances suivantes :
- douleurs abdominales chroniques nocturnes ou tôt le matin ;
- vomissements répétés suivant la prise de nourriture ;
- symptomatologie vague mais anamnèse familiale positive ;
- anémie avec présence de sang microscopique dans les selles.

Traitement et pronostic

La diète lactée et les repas fréquents sont maintenant contre-indiqués. Il est préférable d'éviter les collations. Il faut surtout insister sur l'importance de ne pas permettre à l'enfant porteur d'un ulcère de manger avant d'aller dormir ; ceci diminuera la sécrétion d'acide la nuit. L'alcool, le thé, le café, la cigarette et l'aspirine sont à éviter ainsi que les aliments dont l'ingestion est suivie de malaises épigastriques. Les antacides (mélange d'hydroxyde d'aluminium et de magnésium), administrés à raison de 30 ml/1,73 m^2 une heure et trois heures après les repas et au coucher, sont tout aussi efficaces que la cimétidine (300 mg/1,73 m^2 avant les repas et au coucher). On compte que 80 % des ulcères duodénaux seront complètement guéris après 6 semaines de traitement avec les antacides ou la cimétidine. Toutefois, le taux de rechute avec cet antagoniste des récepteurs-H_2 est plus élevé qu'avec les antacides. Chez certains malades hypersécréteurs, il y a parfois avantage à ajouter à la dose d'antacide administrée au coucher un anticholinergique tel que le bromure de propanthéline (0,25 mg/kg). Occasionnellement, on ajoutera la cimétidine (300 mg) à un régime d'antacide. En raison du taux élevé (70 % en 6 mois) de rechutes après l'arrêt du traitement à la cimétidine, il est conseillé de procéder à un sevrage graduel et de continuer la dose vespérale pendant 6 à 12 mois.

En présence d'un ulcère qui saigne et dont on aura vérifié l'existence par endoscopie ou d'une lésion entraînant des vomissements et des signes d'obstruction pylorique, le drainage gastrique continu est indiqué pendant quelques jours. La cimétidine i.v. (300 mg/1,73 m^2) toutes les 4 heures est un médicament précieux pour les ulcères et les gastrites hémorragiques. Un goutte-à-goutte intragastrique d'antacide (60 ml/1,73 m^2/h.) maintiendra le pH autour de 7 et permettra la guérison.

Le pourcentage de patients pédiatriques nécessitant une intervention chirurgicale a beaucoup diminué. Celle-ci est maintenant exceptionnelle et toujours réservée aux complications (phénomènes obstructifs, hémorragies récidivantes, douleurs résistantes au traitement). La vagotomie sélective et la pyloroplastie constituent l'intervention de choix ; les résultats sont excellents.

Notre expérience suggère que les ulcères duodénaux survenant avant la puberté ont beaucoup moins tendance à récidiver que dans le groupe d'âge 12-18 ans, où une poussée d'ulcère duodénal traduit habituellement la présence de la maladie ulcéreuse.

La maladie peptique sans ulcus

Un certain pourcentage d'enfants avec une symptomatologie suggestive ou même typique d'un ulcus souffrent de gastroduodénite identifiable à la radiologie ainsi qu'à l'endoscopie et à l'histologie. Une étude prospective chez l'adulte suggère que 30 % des duodénites évolueront à brève échéance vers un ulcus. Il semblerait en outre qu'une certaine proportion de patients avec gastroduodénite ont une histoire antérieure d'ulcus bien documenté.

Maladies inflammatoires chroniques de l'intestin

Si la colite ulcéreuse et la maladie granulomateuse de l'intestin grêle (maladie de Crohn) et du côlon sont discutées sous le même vocable, c'est que les distinctions classiques faites entre ces deux entités de cause inconnue (cf. tableau 6) ne tiennent pas toujours. En fait, il est possible que ces deux affections représentent deux modes de réponse à un même agent étiologique.

Colite ulcéreuse

Plus fréquente chez les jeunes adultes ; 15 % des cas se rencontrent avant l'âge de 16 ans. La maladie peut frapper de très jeunes enfants, mais la majorité des cas pédiatriques s'observent entre 10 et 19 ans.

Signes cliniques

Les manifestations intestinales se caractérisent par une diarrhée sanguinolente avec mucus et pus. Le passage de sang rouge sans douleur ni diarrhée peut être le signe du début. Les douleurs abdominales sont paroxystiques et souvent sous forme de ténesme, forçant le patient à tenter d'évacuer son côlon d'un peu de mucus, pus et sang. L'anorexie est sévère à la phase aiguë de la maladie et peut s'accompagner de nausées et de vomissements. La symptomatologie extra-intestinale accompagne mais peut aussi précéder de plusieurs mois les signes intestinaux. Perte de poids, retard de croissance, retard pubertaire, température vespérale ou hyperthermie sévère, érythème noueux, érythème polymorphe, stomatite aphteuse, arthralgies, arthrite, conjonctivite, uvéite sont des symptômes tous relativement fréquents. La pyodermite gangréneuse est rare chez l'enfant.

Signes biologiques et radiologiques

L'anémie hypochrome est habituelle. Occasionnellement, la vitamine B_{12} est malabsorbée : ceci surtout lorsqu'il y a atteinte de la valvule iléocæcale et iléite par reflux. L'électrophorèse des protéines montre très souvent une hypo-albuminémie, témoin d'une entéropathie exsudative, et constitue un signe d'activité de la maladie.

L'examen radiologique du côlon peut être entièrement négatif au début. Cependant, en règle générale, on peut y voir de fines irrégularités de la muqueuse et une perte des haustrations. Lorsque la maladie évolue depuis un certain temps, les ulcères sont mieux définis : il y a raccourcissement du côlon, des sténoses segmentaires, et, finalement, le côlon prend l'apparence d'un « tuyau de plomb ».

Diagnostic recto-sigmoïdoscopique et biopsique

L'examen endoscopique montre une muqueuse hyperémiée, friable et qui saigne facilement. La muqueuse peut paraître granuleuse, parsemée d'ulcérations ou de pseudo-polypes. La biopsie doit être faite même en l'absence de constatations endoscopiques caractéristiques. La crypte abcédée peut aussi se rencontrer dans les colites bactériennes, amibiennes et dans celles qui surviennent après antibiothérapie. Comme les abcès cryptiques sont aussi vus dans la maladie de Crohn, ils ne constituent pas un critère diagnostique. Les ulcérations sont superficielles mais peuvent pénétrer la sous-muqueuse.

Evolution de la maladie et complications

La sévérité de l'attaque initiale et l'étendue des lésions constituent un facteur de pronostic. Une pancolite avec manifestations extra-intestinales, hypo-albuminémie et anémie ou un mégacôlon toxique laissent présager que la réponse au traitement médical ne sera pas bonne et que la chirurgie sera nécessaire à court terme. Par définition, la colite ulcéreuse évolue comme une maladie chronique avec exacerbations aiguës. On distingue cependant deux formes cliniques :
a) *la colite rémittente* : les épisodes aigus sont fréquents au cours des premières années ; les épisodes de rémission se prolongent éventuellement, et, parfois, la maladie peut s'arrêter complètement ;
b) *la colite chronique* : après les premiers mois, les épisodes aigus font place à une évolution continuelle, mais à bas bruit, du processus inflammatoire et de la symptomatologie.

Les complications intestinales sont nombreuses, telles que les fissures anales, les perforations et fistules intestinales, les pseudo-polypes, et, enfin, le mégacôlon toxique, rare chez l'enfant. Certaines manifestations extra-intestinales peuvent être considérées comme des complications de la maladie. L'hépatite chronique active peut être vue en association avec la colite ulcéreuse. Le risque de dégénérescence carcinomateuse est surtout élevé chez le patient porteur de la forme chronique de la maladie et à peu près nul chez celui dont l'atteinte est limitée au côlon gauche ou à l'ampoule rectale, formes qui sont malheureusement rares chez les enfants, puisque 80 % ont une pancolite. Le risque cumulatif dans toutes les formes de la maladie est de 5 % après dix ans d'évolution ; il s'élève à 25 % après vingt ans.

Traitement

● *Hospitalisation* : Un changement d'environnement est toujours bénéfique et il est parfois presque miraculeux. Une hospitalisation favorise, en outre, une évaluation diagnostique complète, un contact étroit avec les parents de l'enfant et une réhabilitation nutritionnelle.

● *Régime alimentaire* : Le malade étant souvent anorexique, mieux vaut ne pas essayer de restreindre sa liberté alimentaire. Cependant, au début de la maladie surtout, l'activité lactasique intestinale est diminuée et l'exclusion du lait est parfois bénéfique. L'état clinique du patient dicte le degré de restriction quant à l'activité physique. Un retour précoce à l'école est à conseiller, en veillant toujours à ce que l'enfant ne s'épuise pas.

● *Agents antidiarrhéiques* : Les opiacés peuvent être dangereux en phase aiguë (comme dans le mégacôlon toxique). On pourra aider le ténesme et les douleurs avec des anticholinergiques. La lopéramide est tout à fait inefficace.

● *Salicylazosulfapyridine* : Efficace en phase aiguë, ce médicament prévient aussi les rechutes. Il doit donc être administré de façon continue. A souligner certaines intolérances digestives, une anémie hémolytique, l'agranulocytose, l'érythème polymorphe et la maladie sérique. L'effet thérapeutique ne devient souvent apparent qu'après une semaine d'administration. La dose préconisée est de 50 mg/kg par jour (maximum 4 g/jour) en doses fractionnées avec les repas. Ce dosage est diminué de moitié lorsqu'une rémission a été obtenue.

● *Corticostéroïdes et ACTH* : Les corticostéroïdes ne doivent être administrés que lorsque les manifestations extra-intestinales sont sévères.
a) En phase aiguë : ACTH 80 unités/1,73 m^2 i.v. ou hydrocortisone 10 mg/kg/jour pendant 7 à 10 jours. La thérapie orale avec prednisone 1 à 2 mg/kg/jour pourra alors être commencée et continuée pendant 6 à 8 semaines.
b) Une fois la symptomatologie aiguë contrôlée : sevrage progressif jusqu'à 15 mg/jour, puis diminution de la dose quotidienne de 2,5 à 5 mg par semaine les jours pairs, jusqu'à ce que le patient ne reçoive sa prednisone que tous les 2 jours.
c) La méthyl-prednisolone en lavements de rétention (20 à 40 mg dans 100 à 150 mg de solution saline physiologique) ou le Corténéma® peut être très efficace lorsque les lésions se limitent au recto-sigmoïde. Deux par jour sont donnés au début.

● *Agents immunosuppresseurs* : L'azathioprine (Imuran®) à raison de 2 mg/kg/jour a un effet anti-inflammatoire qui potentialise celui des corticostéroïdes. Certains patients dont la maladie ne peut être contrôlée que par de fortes doses quotidiennes de prednisone bénéficient de ce médicament. Son administration n'est pas sans danger mais permet de diminuer les corticoïdes et de les administrer tous les 2 jours.

● *Chirurgie* : A cause du risque de cancer et de l'effet curatif de la chirurgie, une procto-colectomie est à considérer chez tous les patients dont la maladie compte plus de dix ans d'évolution. La chirurgie devra être faite plus tôt lorsque le traitement médical échoue ou à l'occasion de complications graves. La proctocolectomie avec mise en place d'une

Tableau 6 : Diagnostic différentiel entre la colite ulcéreuse et la maladie de Crohn

	Colite ulcéreuse	Maladie granulomateuse (Crohn)
Symptomatologie		
• Sang dans les selles	Très fréquent	Rare
• Diarrhée	Souvent sévère	Modérée ou absente
• Douleur	Ténesme	Plus diffuse et plus sévère
• Anorexie	Peu marquée	Souvent très marquée
Perte de poids	Modérée	Habituellement importante
Retard de croissance	Modéré	Plus marqué
• Manifestations extra-intestinales	Fréquentes	Fréquentes
Localisation de l'atteinte intestinale		
• Iléon	10%	80%
• Côlon	100%	50%
• Rectum	95%	30 %
• Anus	10%	80%
Distribution des lésions	Ininterrompues	Discontinues, segmentaires
Signes radiologiques	Ulcères superficiels, perte des haustrations, raccourcissement du côlon	Lésions focales et sténotiques, ulcères profonds
Changements histologiques	Abcès des cryptes, ulcères de la muqueuse	Atteinte de toute la paroi intestinale, granulomes à cellules géantes
Réponse au traitement		
• Alimentation parentérale et entérale	Décevante	Très bonne a court terme
• Corticostéroides et salicylazosulfapyridine	75%	25 à 50%
• Chirurgie	Curative	Reprise de la maladie dans 50% des cas à court terme
Evolution		
• Rémissions	Fréquentes	Rares et difficiles à définir
• Dégénérescence carcinomateuse	Risque élevé	Rare

iléostomie permanente était jusqu'à récemment la seule forme de chirurgie recommandée. Plusieurs groupes européens suggèrent que la colectomie peut être suivie d'une anastomose iléo-rectale si le moignon rectal est relativement sain. En Amérique, on favorise maintenant le décollement de la muqueuse endorectale avec anastomose iléo-anale (Soave) et création d'un réservoir iléal. L'enfant ainsi opéré ne sera donc pas handicapé par une iléostomie permanente. L'expérience avec la création d'un stoma cutané et d'un réservoir iléal (Koch) est limitée en pédiatrie.

● *Psychothérapie* : On connaît le rôle important des problèmes émotionnels, sinon dans le déclenchement de la maladie du moins dans la précipitation des exacerbations. Comme dans toute maladie chronique de l'enfant, il faut tenter d'augmenter la tolérance du patient au handicap que représente la colite ulcéreuse. En outre, il est indiqué d'éviter les situations qu'on sait particulièrement éprouvantes pour le patient en cause.

Pronostic

Plus de la moitié des patients répondent bien à la thérapie médicale et peuvent mener une vie presque normale. Malheureusement, les autres, particulièrement ceux atteints de la forme chronique continuelle, sont résistants à la médication. Le cancer du côlon est en grande partie responsable d'un taux de mortalité de 20 % après quinze ou vingt ans d'évolution. Ce taux est probablement beaucoup plus élevé chez ceux qui ont une pancolite. Une surveillance étroite des signes de dysplasie muqueuse est conseillée après 5 ans d'évolution. L'exitus peut être secondaire à un épisode suraigu, une complication hépatique, une perforation intestinale, une hémorragie massive.

Maladie granulomateuse de l'intestin (iléite de Crohn)

Comme la maladie de Crohn peut toucher n'importe quelle partie du tube digestif, de la bouche à l'anus, le terme maladie granulomateuse de l'intestin est plus approprié que celui d'iléite régionale et définit davantage le processus pathologique, qui demeure toutefois d'étiologie inconnue. Cette affection chronique touche davantage les jeunes adultes, mais se rencontre à tous les âges de la vie et occasionnellement au cours des 6 premiers mois de vie. Sa fréquence est supérieure à celle de la colite ulcéreuse (1,8/1).

La lésion microscopique caractéristique de la maladie consiste en la présence de granulomes avec cellules géantes et cellules épithélioïdes. Toutefois, dans 50 % des cas, le processus inflammatoire est moins spécifique ; il y a œdème, fibrose, inflammation chronique de toutes les couches des segments intestinaux atteints, avec extension au mésentère et aux ganglions lymphatiques de la région. La paroi intestinale rigide et grossièrement épaissie réduit d'autant le calibre de la lumière intestinale. On note la présence d'ulcérations longitudinales et verticales profondes. La maladie est limitée à l'iléon terminal dans 30 % des cas ; elle touche l'iléon et le côlon dans 50 % et le côlon seul dans 20 % des cas. Une atteinte étendue de l'intestin grêle est observée chez 5 à 10 % des patients. Rares sont les patients qui n'ont qu'une atteinte anale.

Signes cliniques

● Les manifestations extra-intestinales sont les mêmes que celles décrites dans la colite ulcéreuse (cf. p. 236 ss.), mais il faut insister sur le retard de croissance qui est plus sévère et précède, chez plusieurs patients, les symptômes intestinaux.
● Les douleurs abdominales sont plus sévères ; en fait, la symptomatologie peut mimer une appendicite aiguë. L'anorexie peut être assez sévère pour laisser croire à une anorexie nerveuse. Les vomissements sont fréquents et peuvent en imposer pour une obstruction intestinale partielle ou complète. Il n'est pas rare que la symptomatologie initiale soit celle d'une gastro-entérite aiguë, quoique, en général, la diarrhée soit moins sévère que dans la colite ulcéreuse et contienne plus rarement du sang.
● Il y a perte de poids avec fonte musculaire. L'abdomen est souvent difficile à examiner. On pourra souvent palper une zone où le contenu abdominal est moins mobile, plus douloureux ; parfois, une masse boudinée sera palpée.
● A l'anus, on pourra reconnaître assez fréquemment une fissure, une ulcération, un abcès, une fistule, des hémorroïdes ou une sténose serrée, évidence d'une atteinte anale et périrectale.

Signes radiologiques et biologiques

● La *vitesse de sédimentation* est accélérée. L'*anémie* habituellement hypochrome est constante. Il existe souvent une malabsorption de la vitamine B_{12} dans les atteintes iléales et/ou de l'acide folique lorsque la maladie touche le jéjunum. L'hypo-albuminémie est presque toujours documentée et constitue un signe fidèle d'activité de la maladie. La stéatorrhée est rare sauf dans les cas où il existe une atteinte proximale. Les cultures de selles sont négatives même si dans la presque totalité des cas on peut mettre en évidence une prolifération bactérienne anormale dans l'intestin grêle.
● Les *radiographies* de l'intestin grêle et du gros intestin doivent être faites dans tous les cas. Le radioscopiste notera un péristaltisme anormal dans le ou les segments atteints. On retrouve des zones de dilatation, de sténose et des ulcérations dans les anses intestinales qui fréquemment semblent anormalement séparées les unes des autres quoique adhérant les unes aux autres.
● L'*endoscopie recto-sigmoïdienne* permettra une *biopsie*. La colonoscopie permettra de poser un diagnostic dans les cas d'atteinte iléo-colique où le rectum est sain. Dans les cas d'atteinte jéjunale, un diagnostic histologique peut être fait à partir d'une biopsie par succion de l'intestin grêle.

Complications et évolution de la maladie

La maladie évolue de façon plus chronique que la colite ulcéreuse et s'accompagne plus rarement d'épisodes d'exacerbation aiguë. La malnutrition, les retards de croissance et de puberté sont courants. L'obstruction intestinale, les fistules internes et la formation d'abcès sont plus fréquentes que la perforation ou l'hémorragie. Le mégacôlon toxique est rare. On croit maintenant que le risque de carcinomatose du côlon est augmenté de 20 fois. L'hydronéphrose, l'amyloïdose et les complications hépatiques sont peu fréquentes.

Diagnostic différentiel

Colite ulcéreuse (cf. tableau 6), tuberculose intestinale, amibiase, sarcoïdose, lymphomes et adénocarcinomes.

Traitement chirurgical

Une casuistique récente montre que, sur une période de 8 ans, près de 70 % des enfants et des adolescents ont dû être opérés. Le traitement chirurgical est souvent seulement palliatif car le pourcentage de rechutes après résection du segment atteint est de près de 50 % au cours des premières années suivant la chirurgie. Les rechutes sont particulièrement fréquentes dans les iléo-colites (25 % après 5 ans) par rapport aux iléites (15 %). Dans les collectifs où le suivi s'étend sur plusieurs décades, le pourcentage de rechutes atteint presque 100 %. On réservera donc le traitement chirurgical aux complications.

Traitement médical

Le repos est important lorsque la maladie est particulièrement active.
● *Nutrition* : L'alimentation devra être au goût du patient, des petits repas fréquents sont à conseiller ; on insistera sur un régime riche en protéines. Il est indiqué d'essayer un régime sans lactose particulièrement dans les cas d'atteinte jéjunale. Vitamines et fer sont importants. Des suppléments caloriques sont essentiels, car on sait que les ingestions correspondent souvent à moins de 50 % des besoins. Une période initiale d'alimentation parentérale périphérique contribuera à la réhabilitation nutritionnelle. Plusieurs équipes ont montré que l'alimentation entérale à débit constant avec une diète élémentaire peut induire une rémission, guérir une fistule et assurer une reprise de la croissance.
● *Corticoïdes* : Très utiles aux mêmes dosages que pour la colite ulcéreuse pour induire une rémission initiale. Par ailleurs, il n'y a pas de preuves que cette médication puisse prévenir les rechutes. Malgré tout, il est souvent difficile ou même impossible de sevrer un fort pourcentage d'enfants. La thérapie tous les 2 jours (12,5 à 15 mg) est compatible avec une croissance staturale acceptable et avec un bon contrôle de la maladie.
● *Salicylazosulfapyridine* : Moins efficace que dans la colite ulcéreuse, cette médication trouve son indication et son utilité surtout dans les atteintes coliques pures et dans les iléo-colites. Un certain pourcentage d'enfants sans manifestations extra-intestinales sont traités uniquement avec la salicylazosulfapyridine.
● *Antibiotiques* : Le syndrome de malabsorption pourra être amélioré par l'administration d'un antibiotique à large spectre, car il y a souvent contamination bactérienne de l'intestin grêle. Le métronidazole (1,0 à 1,5 g/jour) est efficace pour le traitement des abcès péri-anaux et des fistules.
● *Azathioprine* : Comme pour la colite ulcéreuse, l'Imuran® (2 mg/kg/jour) est indiqué dans certaines circonstances.

Pronostic

La morbidité associée à la maladie de Crohn est élevée. 20 % des enfants ont une maladie invalidante alors qu'un pourcentage comparable est à peu près asymptomatique. L'invalidité fréquente est secondaire aux complications systématiques et intestinales malgré une thérapie appropriée. La mortalité est toutefois peu élevée.

Affections hépatiques aiguës et chroniques

Hépatites virales

Quoique l'hépatite A et l'hépatite B rendent compte de la majorité des hépatites virales, il faut signaler aussi l'hépatite non A non B, dont il est toutefois difficile de préciser l'incidence étant donné l'absence de marqueurs. D'autres agents étiologiques tels que les virus Ebstein-Barr (mononucléose), herpès et cytomégalovirus sont aussi bien connus.

L'hépatite virale B

La particule virale complète (particule de Dane) mesure 42 nm et est composée d'une enveloppe lipoprotéique antigénique (HBsAg) et de matériel nucléaire dont l'antigénicité est spécifique et qui a une activité polymérasique pour l'ADN (HBcAg). D'autres antigènes sont aussi rattachables à l'hépatite B, signalons l'antigène « e » (HBeAg), dont la présence signe une infectivité particulièrement grande de l'hépatite. Contrairement à ce qu'on croyait il y a encore quelques années, moins de 25 % des cas d'hépatite survenant à la suite de transfusions de sang ou de ses sous-produits sont dus au virus B. La plupart des cas d'hépatite B se transmettent par contact de personne à personne. L'intimité des contacts augmente beaucoup les chances de transmission, puisque le virus est présent dans toutes les sécrétions. A risque élevé sont les équipes de soins, le personnel de laboratoire, les hémodialysés et ceux qui en prennent soin. Les enfants vivant en institutions, les hémophiles et tous les enfants ayant besoin de transfusions répétées ont aussi une fréquence augmentée d'hépatite virale B. La période d'incubation varie entre 3 et 10 semaines, mais on a rapporté des cas où elle n'excède pas une semaine s'il y a eu transmission parentérale massive de particules virales. Le dépistage de la maladie se fera par la mesure des antigènes mentionnés plus haut et par l'apparition éventuelle de leurs anticorps respectifs.

Il se produit non seulement une réponse humorale à l'hépatite B, mais aussi une réponse de l'immunité cellulaire et la formation de complexes immuns qui ajoutent une dimension particulière à la symptomatologie. La maladie, dans 10 à 15 % des cas, se présente comme une maladie sérique. Chez l'enfant, on signale le *syndrome de Gianotti-Crosti* caractérisé par de la fièvre, une lymphadénite et une acrodermatite papulaire. La maladie peut se compliquer d'une glomérulonéphrite membranaire ou d'une périartérite noueuse. Contrairement à ce qui se passe dans l'hépatite virale A, un pourcentage d'enfants ayant fait une hépatite B restent porteurs et peuvent transmettre la maladie, quoique le danger posé par les porteurs sains soit en général peu marqué. Par ailleurs, certains porteurs sont plus dangereux pour leur environnement. En général ils ont une hépatite chronique persistante ou une hépatite chronique active ou une cirrhose bien organisée et des signes sérologiques d'infectivité. Un fort pourcentage des cancers du foie seraient rapportables à l'hépatite virale B.

Dans les pays occidentaux où le taux de porteurs du HBsAg est inférieur à 1 %, la transmission de l'hépatite virale B par une mère porteuse de l'HbsAg à son nouveau-né serait de 5 à 10 %. Le nouveau-né semble bien tolérer le virus B et développe habituellement une antigénémie dans les 6 à 8 semaines suivant la naissance. Toutefois, s'il est né d'une mère qui a fait une hépatite B au cours du 3e trimestre ou qui a des signes sérologiques d'infectivité (HBsAg, anti-HBc, Polymérase de l'ADN, HBeAg), il pourra faire une hépatite clinique et même parfois une hépatite fulminante. L'hépatite fulminante peut aussi se produire chez le nouveau-né à la suite d'administration de sang ou de plasma. Tous les nouveau-nés issus de mères HbsAg positifs devraient donc recevoir dès la naissance une injection de 0,5 ml de globulines hyperimmunes (HBIG). Cette injection devrait être répétée à 1, 3 et 6 mois. De plus, le nouveau-né devrait être isolé dans la pouponnière et les précautions d'usage observées. L'utilisation d'HBIG (0,5 ml/kg) est conseillée aux individus qui, par contact sexuel ou piqûre, ont été exposés aux sécrétions d'un porteur d'hépatite B. Une deuxième dose est recommandée un mois plus tard. L'immunisation active par le vaccin présentement disponible est indiquée dans tous les groupes à risque qui n'ont pas d'anticorps.

L'hépatite virale A

La particule virale de 27 nm se retrouve dans les selles au moment de la période d'incubation (2 à 4 semaines) et pendant une quinzaine de jours après l'apparition de l'ictère. Le taux de transmissibilité est élevé et se fait aussi par des vecteurs tels que les fruits de mer ou par des aliments contaminés. Au cours de la dernière décade, il semble que la fréquence de l'hépatite A soit à la baisse. La réponse immunitaire se caractérise par des anticorps (anti-HVA) qui sont mesurables par les techniques de RIA ou ELISA au moment de la phase aiguë de la maladie. L'hépatite virale A est rarement en cause dans les hépatites fulminantes et n'est jamais à l'origine d'une hépatite chronique active.

Signes cliniques de l'hépatite virale A

Comme dans toute maladie infectieuse, la sévérité de la maladie varie considérablement et est en rapport avec la dose de virus et la résistance de l'hôte. *C'est ainsi que la majorité des hépatites de l'enfant sont anictériques.* Un syndrome grippal avec vagues manifestations digestives peut suggérer le diagnostic au clinicien.

La forme clinique caractéristique se traduit par une période initiale d'une semaine avec fièvre modérée, anorexie, nausées, vomissements et fatigue. Parfois des douleurs abdominales et de la diarrhée s'ajoutent à cette symptomatologie prodromale qui fait place au passage d'urine foncée, de selles décolorées et enfin d'ictère. Le foie est augmenté de volume, sensible à la palpation. La rate est palpable dans un peu moins du quart des cas. Une éruption maculo-papulaire, des arthralgies ou plus rarement une articulation chaude et gonflée sont autant d'autres signes.

La phase ictérique de l'hépatite virale dure moins de 4 semaines. On s'inquiétera si elle persiste car il faudra alors considérer la possibilité d'une complication. Une dégradation de l'état général, un ictère qui augmente, l'apparition d'ascite et de problèmes de coagulation signalent une hépatite subaiguë ou fulminante. La phase de convalescence de l'hépatite virale est variable et s'étend sur une période de 1 à 3 mois. La persistance de tests de fonction anormaux et une fatigue inexpliquée peuvent traduire le passage à la chronicité.

Examens de laboratoire

● Bilirubine : L'élévation porte surtout sur la bilirubine directe et dure de 3 à 6 semaines. Une bilirubinémie dépassant 25 mg/dl signe une hépatite sévère nécessitant une surveillance étroite.
● Transaminases : Parfois, une élévation transitoire de l'activité des SGOT constitue le seul indice d'une hépatite anictérique. La corrélation entre le degré d'élévation de l'activité des transaminases et la sévérité de l'atteinte hépatique n'est pas bonne, sauf si les chiffres de SGOT dépassent les 3 à 5 000 U.
● Phosphatase alcaline : Ce test a peu de valeur dans le diagnostic de l'hépatite virale.
● Temps de prothrombine : Une légère prolongation est usuelle et répond habituellement à une dose de vitamine K i.m.
● Céruloplasmine : La maladie de Wilson devrait être éliminée chez les enfants plus âgés (> 5 ans) souffrant d'hépatite.
● Monospot test : La mononucléose infectieuse peut se compliquer d'hépatite.
● Glycémie, électrolytes et pH : Hypoglycémie et alcalose respiratoire sont des manifestations d'hépatite fulminante.
● Electrophorèse des protéines : Une hypo-albuminémie en phase aiguë signale une nécrose hépatique massive et est d'un mauvais pronostic. La combinaison hypo-albuminémie et hyper-gamma-globulinémie (72,5 g/dl) suggère que l'hépatite aiguë est en fait la manifestation initiale d'une hépatite chronique active. 60 % des cas d'hépatite chronique active chez l'enfant ont ce mode de début *(indications de biopsie)*.

Evolution et pronostic

● *Evolution bénigne* : Dans la très grande majorité des cas d'hépatite A, il y a « restitutio ad integrum » malgré la sévérité apparente de l'atteinte. A noter, dans un certain nombre de cas, une rechute au cours des 10 à 12 semaines suivant le début de l'ictère.
● *Evolution fatale* : Dans un petit nombre de cas (< 1/1 000), l'évolution est fatale en quelques jours ou conduit à un exitus après une détérioration plus ou moins rapide survenant à un moment où on croit le patient en période de défervescence de son hépatite.

- *Evolution chronique* : Quelques patients sévèrement atteints évolueront vers le stade d'hépatite chronique persistante, d'hépatite chronique active ou de cirrhose postnécrotique, mais cette évolution ne se produit qu'avec l'hépatite B et l'hépatite non A non B.

Traitement

- Il n'existe aucune preuve que le repos traditionnellement imposé et le régime influencent le pronostic.
- Les corticostéroïdes sont contre-indiqués pour le traitement de l'hépatite virale aiguë et ils n'ont pas leur place non plus dans le traitement de l'hépatite fulminante. Ils sont par contre de grande utilité si on fait la preuve que l'hépatite virale B ou non A non B se complique d'hépatite chronique active.
- Le dépistage systématique de l'HB$_s$Ag dans les banques de sang et chez les enfants les plus susceptibles d'en être porteurs ainsi que l'isolement des cas d'hépatite virale sont de rigueur. L'administration de gammaglobuline, 0,4 ml/kg pour les contacts étroits et 0,2 ml/kg pour les contacts occasionnels, est efficace pour la prévention de l'hépatite A. Cette mesure est efficace pour l'hépatite B transmise par voie orale et confère de plus une certaine immunité active contre cette forme d'hépatite. Si le contact avec le virus B est parentéral ou susceptible d'être intime on donnera plutôt des globulines hyperimmunes (HBIG). Comme il est signalé plus haut, l'immunisation active est réservée aux groupes qui sont le plus à risque.

Syndrome de Reye

En 1963, Reye, Baral et Morgan décrivaient, chez 21 enfants, ce qui leur semblait être une entité anatomo-clinique nouvelle, caractérisée essentiellement par une encéphalopathie aiguë non inflammatoire et une infiltration graisseuse massive du foie et d'autres viscères. Depuis lors, ce syndrome est devenu rapidement un problème majeur en pédiatrie. L'étiologie du syndrome demeure inconnue. Celui-ci est cependant le plus souvent associé à une infection virale : l'influenza de type B et le virus de la varicelle sont les plus fréquemment rencontrés. A différentes reprises une étiologie toxique exogène a été invoquée : les salicylés, certains insecticides ou aflatoxines ont été incriminés.

Signes cliniques

L'âge des patients varie de quelques semaines de vie à 16 ans, mais environ 85 % d'entre eux ont moins de 7 ans. D'une façon générale, le syndrome évolue en deux temps : une phase de prodrome qui prend l'allure d'une infection virale et qui est suivie de la phase d'état caractérisée par une encéphalopathie aiguë. Dans 80 % des cas, la phase de prodrome consiste en une infection des voies respiratoires supérieures, alors que chez 10 % des patients il s'agit d'une varicelle ou d'une gastro-entérite. D'autres infections virales telles que rougeole, rubéole, oreillons, stomatite herpétiforme et mononucléose infectieuse ont quelquefois constitué le prodrome. La durée moyenne de cette phase est de cinq jours mais celle-ci peut aller de 24 heures à 2 à 3 semaines. On doit noter que le syndrome n'a jamais été rapporté à la suite d'une infection bactérienne.

Souvent l'infection virale est en voie de guérison ou même complètement guérie lorsque la phase d'état fait son apparition, et c'est à partir de ce moment-là que les événements se précipitent. Le patient se met habituellement à vomir d'une façon répétée et les symptômes dénotant une atteinte cérébrale apparaissent de quelques heures à quelques jours après le début des vomissements. Au début, il peut n'y avoir que de l'irritabilité, de l'agitation, mais rapidement il y a une atteinte de l'état de conscience qui peut aller jusqu'au coma profond. Des convulsions localisées ou généralisées sont souvent présentes. On a souvent également des modifications du tonus musculaire et des réflexes, et le rythme respiratoire est souvent perturbé. Une hépatomégalie modérée est présente chez 50 % des patients. L'ictère est rare chez ces patients et les signes méningés sont absents.

Le syndrome peut survenir chez plus d'un membre d'une même famille et récidiver chez le même individu.

Examens de laboratoire

L'activité des transaminases est toujours augmentée. L'ammoniac sanguin est souvent élevé mais seulement d'une façon transitoire, pour 24 à 72 heures. Chez la plupart des patients, le temps de prothrombine est allongé tandis qu'il peut y avoir une hypoglycémie surtout s'il s'agit d'un jeune enfant. On note souvent au début de l'encéphalopathie une alcalose respiratoire qui se complique ensuite d'une acidose métabolique. Le taux de la bilirubine peut être légèrement élevé.

Diagnostic

Les principaux critères du diagnostic sont : 1. l'anamnèse ; 2. l'activité des transaminases ; 3. la biopsie hépatique.

Le diagnostic de syndrome de Reye est à considérer chez tout enfant qui, à la suite d'une infection virale, développe une encéphalopathie aiguë qui ne fait pas sa preuve. Une élévation de l'activité des transaminases chez un tel enfant justifie alors, après correction des problèmes de coagulation avec du plasma frais, une biopsie hépatique à l'aiguille. L'examen microscopique d'une coupe à la congélation colorée avec l'« Oil Red 0 » révèle une stéatose massive et diffuse. Chaque hépatocyte contient plusieurs micro-vacuoles lipidiques de taille variable qui ne déplacent pas le noyau.

Evolution et pronostic

L'évolution est habituellement rapide. Dans les 4 ou 5 jours qui suivent le début de l'encéphalopathie et souvent dans les 48 heures, le patient décède ou on note une amélioration. La mortalité était d'environ 50 % d'après l'ensemble de la littérature, il y a quelques années. Avec un diagnostic précoce et un traitement intensif, elle a été réduite à 20 %. Des séquelles neurologiques sont présentes chez 10 à 30 % des survivants. Elles surviennent fréquemment chez le jeune âgé de moins d'un an ; dans 42 % des cas, selon notre expérience.

Traitement

a) *Support*
- Soluté : dextrose 10 %-0,2 % NaCl avec potassium à raison de 1 000 ml/m² de surface. Maintenir la densité urinaire entre 1,025 et 1,030.
- Sonde gastrique avec aspiration continue si coma.
- Vitamine K (3 à 10 mg) i.v. et plasma frais (10 ml/kg) si anomalies de la coagulation.
- Néomycine (50 mg/kg/24 h.) via la sonde gastrique et néomycine sous forme de lavements (250 à 500 mg dans 100 ml de sérum physiologique) pour réduire l'hyperammoniémie.
- Bicarbonate de Na si acidose.
- Diazépam ou phenytoïne si convulsions.
- Mannitol (20 %) : 1 g/kg i.v. en 15 minutes toutes les 4 à 6 heures si agitation ou légère atteinte de l'état de conscience.

b) *Hypertension intra-crânienne* : traitement à faire dès que le patient est en coma.
- Paralysie neuromusculaire : Pancuronium (Pavulon®) : 0,1 mg/kg i.v. et dose d'entretien ensuite.
- Intubation et hyperventilation contrôlée : maintenir la PCO_2 aux environs de 3-4 kPa (25 à 30 mm Hg) et la PO_2 artérielle entre 13 et 16 kPa (100-120 mm Hg).
- Mise en place d'une vis sous-arachnoïdienne pour enregistrement continu de la pression intra-crânienne (PIC). Le but du traitement est de maintenir la PIC à moins de 2,5 kPa (20 mm Hg) et la pression de perfusion cérébrale (PPC) supérieure à 7-8 kPa (50-60 mm Hg) (PPC = pression artérielle moyenne − PIC).
- Si malgré le traitement décrit plus haut la PIC demeure supérieure à 2-5 kPa (20 mm Hg), utiliser dans l'ordre et au besoin les moyens suivants :
1. Hyperventilation manuelle.
2. Mannitol (20 %) : 0,25 à 1,0 gm/kg i.v. en 15 minutes. Si les injections doivent être répétées fréquemment, donner une infusion continue i.v. à raison de 0,25 gm/kg par heure.
- Si les mesures précédentes sont inefficaces, envisager les moyens suivants :
1. Furosémide : 1 mg/kg i.v. toutes les 6 heures.
2. Pentobarbital : 10 mg/kg i.v. donné en une heure et infusion i.v. continue par la suite (1 à 2 mg/kg/heure).
3. Crâniectomie décompressive.

D'après notre expérience, la dialyse péritonéale et les exsanguino-transfusions répétées n'ont pas amélioré le traitement mentionné ci-dessus.

Hépatites chroniques

L'hépatite chronique est une atteinte inflammatoire du foie dont la durée d'évolution est supérieure à 3 mois. Le début peut être insidieux ou faire suite à un épisode d'hépatite aiguë. La biopsie hépatique est essentielle puisque les résultats histologiques sont nécessaires à la classification, au pronostic et à l'attitude thérapeutique.

Hépatite chronique persistante

L'enfant avec une hépatite chronique persistante peut être asymptomatique ou se plaindre d'une certaine fatigue ou d'une diminution de l'appétit. La notion d'une hépatite dans les mois précédents peut être notée et le diagnostic envisagé lorsqu'il y a une élévation modérée des transaminases. Les autres épreuves fonctionnelles hépatiques sont habituellement normales. L'examen physique peut révéler une hépatomégalie modérée et plus rarement un subictère et une splénomégalie. L'examen histologique montre des espaces porte avec un infiltrat inflammatoire fait essentiellement de lymphocytes, une architecture hépatique normale, l'absence de fibrose ou une fibrose très modérée.

Le pronostic est bon et l'hépatite chronique persistante ne nécessite aucun traitement.

Hépatite chronique active (« agressive »)

L'hépatite chronique active vient en second lieu après l'ictère cholestatique congénital (atrésie et hépatite néonatale) comme cause d'affection hépatique chronique de l'enfant. La cause précise de cette entité clinique demeure inconnue. Chez un petit nombre de patients, le virus de l'hépatite B ou certains médicaments (oxyphénisatine, alpha-méthyldopa, isoniazide, nitrofurantoïne) semblent être responsables du début de la maladie. Celle-ci est également quelquefois associée à des maladies dans lesquelles l'origine « auto-immune » est évoquée : colite ulcéreuse, thyroïdite, syndrome de Sjögren. Une importante composante « auto-immune » semble jouer un rôle prépondérant, sinon dans le déclenchement de la maladie, du moins dans son évolution. L'image histologique est celle d'une dégénérescence et d'une nécrose parenchymateuses en foyers presque toujours présentes à la périphérie du lobule avec infiltrat lympho-plasmocytaire. Après un certain temps d'évolution ces lésions peuvent être associées à une cirrhose.

Signes cliniques

La fréquence chez les filles est trois fois plus élevée que chez les garçons. L'ictère est le signe clinique le plus constant. Viennent ensuite les symptômes tels que fatigue, fièvre, aménorrhée, anorexie, perte de poids, arthralgies, arthrites, érythème noueux, prurit et gynécomastie. A l'examen physique, l'hépato-splénomégalie est à peu près constante ; à celle-ci s'ajoutent plus rarement des angiomes stellaires, de l'acné et de l'hippocratisme digital.

Diagnostic

Le diagnostic repose sur la clinique, les données biologiques et surtout sur l'histologie du tissu hépatique obtenu par ponction-biopsie du foie. Les principales entités cliniques qui doivent être considérées dans le diagnostic différentiel sont l'hépatite aiguë, l'hépatite chronique persistante, la maladie de Wilson, la mucoviscidose et la cirrhose postnécrotique associée à une déficience de l'alpha-1-antitrypsine ou consécutive à une hépatite néonatale.

Examens de laboratoire

A part les perturbations importantes du profil hépatique, notons en particulier :
- hypergammaglobulinémie : > 3 g/100 ml chez la très grande majorité ;
- anticorps antinucléaires : 50 % ;
- cellules L.E. : 30 % ;
- Coombs direct : 20 % ;
- anticorps antimuscle lisse et antimitochondrie : 60 % et 30 % respectivement ;
- HB$_s$Ag (hépatite B, antigène de surface) : détection habituellement faible chez l'enfant mais pouvant atteindre 30 % dans certains centres chez l'adulte.

Traitement et évolution

L'effet bénéfique du traitement avec de la prednisone utilisée seule ou en association avec de l'azathioprine (Imuran®) est maintenant bien établi. Avec ce traitement, 75 % des patients vont avoir une rémission tant sur le plan clinique que biologique. Par contre, l'absence de traitement tel qu'il a été démontré chez l'adulte peut entraîner une mortalité de 60 % dans les 6 mois.
- Prednisone : 2 mg/kg pour 2 semaines, réduction graduelle de 5 mg par semaine jusqu'à une dose d'entretien de 5 à 10 mg par jour.
- Azathioprine (Imuran®) : 1,5 mg/kg par jour après les premières semaines de prednisone.

Cette forme de traitement est utilisée pour une période de 18 à 24 mois avant d'entreprendre un sevrage. Selon certains résultats observés chez l'adulte, 50 % des patients vont alors présenter une rechute et le traitement devra être continué.

Hépatite fulminante et coma hépatique

L'hépatite fulminante ou suraiguë constitue une entité très grave résultant d'une nécrose massive du foie entraînant des signes d'encéphalopathie. Elle se verrait dans moins de 0,1 % des hépatites, la plupart du temps à virus non A non B, soit dès les premiers jours de l'hépatite, soit après quelques semaines d'une évolution jusque-là considérée comme bénigne. Elle peut aussi survenir lors d'une hépatite médicamenteuse (acétaminophène à fortes doses, isoniazide, acide acétylsalicylique, acide valproïque, indométhacine, halothane) ou toxique (tétrachlorure de carbone, phosphore).

Le coma hépatique est le résultat d'une hépatite fulminante mais peut aussi survenir au décours d'un processus cirrhotique, à la suite ou non d'une hémorragie digestive, de l'emploi non judicieux de diurétiques, de sédatifs ou d'une infection sévère.

Signes cliniques et biologiques

Les signes d'atteinte hépatique sont caractérisés par le développement ou l'aggravation d'un ictère, par un foie qui diminue de volume (atrophie jaune aiguë), un fœtor hepaticus, parfois une ascite, des hémorragies (allongement du temps de prothrombine non corrigé par la vitamine K), une tendance à l'hypoglycémie, des transaminases sériques et une ammoniémie (NH_3) élevées.

Le coma hépatique peut être divisé en quatre stades selon la présence de certains symptômes et signes neurologiques. Le stade I se traduit par un léger astérixis, alors que la conscience, sauf pour de brèves périodes, est bien conservée. Le stade II se révèle par une confusion mentale avec diminution de la vigilance et désorientation temporo-spatiale. Une agitation et des cris peuvent être observés. Le stade III est défini par l'apparition du coma ; celui-ci est cependant peu profond et le patient peut réagir à une stimulation douloureuse mais non verbale. Une hypertonie des membres et un signe de Babinski uni- ou bilatéral peuvent être observés. Au stade IV, le patient ne réagit plus à une stimulation douloureuse. Le coma devient de plus en plus profond, les réflexes ostéotendineux disparaissent, des convulsions et des pauses respiratoires peuvent être observées. Un arrêt respiratoire survient rapidement. Au cours de cette évolution l'hyperventilation est constante et entraîne initialement une alcalose respiratoire.

Une hypertension intra-crânienne survient chez 30 à 50 % des patients et peut entraîner une détérioration rapide.

Traitement

a) Support (selon le stade)
- Maintien de l'apport calorique avec diète pauvre en sodium (10 mmol/m^2 de surface/24 h.) et en protéine (0,5 g/kg/24 h.) et riche en glucide.
- Liquide par voie parentérale : 1 500 ml/m^2 de surface/24 h. de solution glucosée à 10 %.
- Vitamine K, 5 mg i.v.
- Plasma frais congelé.
- Cimétidine, 20 à 40 mg/kg/24 h. i.v. en doses fractionnées.
- Néomycine par sonde gastrique et en lavement si début soudain, ou lactulose si évolution plus lente.
- Antibiotique si infection.
- Bicarbonate de sodium si acidose.
- Oxygène nasal.

b) Hypertension intra-crânienne : voir Syndrome de Reye, p. 246 ss.

c) Mesures héroïques
Différents traitements tels que transfusion d'échange, plasmaphérèse, circulation croisée avec un humain ou un animal, hémoperfusion avec colonnes de charbon actif ou foie de porc, transplantation hépatique, sont actuellement à l'essai dans plusieurs centres. Le but de ces différentes mesures est de soutenir la fonction hépatique en espérant une régénération du foie.

Pronostic

La survie est d'environ 15 à 30 %. La plupart des survivants d'un épisode de nécrose hépatique massive avec coma développent une cirrhose postnécrotique.

Cirrhose

Les causes de cirrhose sont très nombreuses, comme le montre le tableau 7. La progression d'une de ces affections vers la cirrhose est dépendante de la sévérité de l'atteinte initiale, de la persistance de l'agent causal et de la réponse de l'hôte. La manifestation clinique par excellence de la cirrhose est l'hypertension portale (varices œsophagiennes, ascite, hypersplénisme). A ceci s'ajoute, à des degrés divers, un retard staturo-pondéral, la malnutrition, le syndrome de malabsorption, l'anémie, le prurit, la fatigue, l'anorexie, l'ictère, les angiomes stellaires, l'érythème palmaire, les xanthomes, l'hippocratisme digital.

Traitement

1. Un régime pauvre en graisse complété de triglycérides à chaîne moyenne sera particulièrement efficace dans la cirrhose biliaire lorsque le syndrome de malabsorption est sévère. Une carence en vitamines liposolubles (A, D, E, K) est fréquente au cours des cirrhoses biliaires et doit être compensée par l'administration d'une dose de vitamines sous forme hydrosoluble double de la normale. Il pourra être nécessaire de donner une dose quotidienne de vitamine K (2,5-5 mg/24 h.) et de

---

Tableau 7 : Etiologie de la cirrhose chez l'enfant

Cirrhose biliaire :
- Atrésie biliaire extra-hépatique
- Hypoplasie ductulaire
- Kyste du cholédoque
- Sténose du cholédoque
- Fibrose kystique du pancréas (mucoviscidose)
- Cholestase intra-hépatique :
  — familiale : cirrhose amérindienne, maladie de Byler
  — médicamenteuse : hydantoïnes, chlordiazepoxide (Librium®), imipramine (Tofranil®), chlorpromazine, thiouracil.
- Cholangite ascendante
- Colite ulcéreuse

Cirrhose postnécrotique :
- Hépatite virale :
  — à virus A
  — à virus B
  — à virus non A non B
- Hépatite néonatale :
  — rubéole, toxoplasmose, virus cytomégalique, syphilis, Coxsackie B, herpès idiopathique
- Hépatite chronique active (hépatite « agressive » chronique)
- Maladies métaboliques : Wilson, glycogénose type IV, galactosémie, intolérance au fructose, tyrosinémie, Niemann-Pick, Gaucher, mucopolysaccharidose, cystinose, thalassémie, anémie à cellules falciformes, hystiocytose X, porphyrie hépatique ; Rendu-Osler-Weber, déficience en alpha-1-antitrypsine, syndrome de Zellweger, maladie de Wolman
- Congestion veineuse sévère : péricardite constrictive, hypertension pulmonaire
- Malnutrition sévère : Kwashiorkor, marasme
- Hémangio-endothéliome
- Syndrome de Budd-Chiari : obstruction idiopathique, inflammatoire ou tumorale des veines sus-hépatiques
- Cirrhose idiopathique de l'enfant : Indes, Afrique du Sud, Moyen-Orient
- Poisons, toxines, médicaments

vitamine D (5000-10 000 unités/24 h.) pour diminuer les risques d'hémorragie, de rachitisme et d'ostéomalacie.

2. L'administration de cholestyramine (8 à 12 g par jour) est indiquée dans les cas de cirrhose biliaire où il y a perméabilité des canaux biliaires extra-hépatiques et prurit.

3. Ascite : Le traitement de l'ascite est avant tout médical. On doit tenter de diminuer l'ascite plutôt que de l'assécher (risque de choc hypovolémique, particulièrement en l'absence d'œdème périphérique, et risque d'hyponatrémie avec hypokaliémie, alcalose et encéphalopathie).
a) Un régime pauvre en sodium (10 à 20 mEq/m² de surface), même si son administration est difficile chez l'enfant, doit d'abord être tenté chez les patients avec ascite légère.
b) Diurétiques : 1) Hydrochlorothiazide (2 mg/kg/24 h. en 2 doses) associée à la spironolactone (3 mg/kg/24 h. en 4 doses) à donner d'abord quotidiennement puis tous les 2 jours ; dans les cas réfractaires à ce traitement, l'hydrochlorothiazide est remplacée par le furosémide (2-3 mg/kg/24 h. en 2 doses) ; on doit alors donner par voie orale un supplément de potassium à raison de 3 à 5 mEq/kg. 2) Furosémide ou acide éthacrynique (0,5 à 1 mg/kg) i.v. avec ou sans albumine si la voie orale est contre-indiquée.
c) Restriction liquidienne : Celle-ci est difficile chez l'enfant. On doit limiter l'ingestion des liquides à 1 000 ml/m² seulement lorsque la rétention liquidienne est difficile à contrôler.

4. Encéphalopathie portosystémique : L'encéphalopathie est soit spontanée, soit provoquée et peut être observée non seulement au stade terminal de la cirrhose, mais à n'importe quel moment de l'évolution. Les principaux facteurs déclenchants sont une hémorragie digestive, une infection intercurrente, des désordres hydro-électrolytiques (alcalose, hypokaliémie) consécutifs à l'administration de diurétiques, de sédatifs, et à une intervention de dérivation portocave. Les symptômes peuvent être très discrets au début : modification du caractère, troubles du sommeil, difficultés d'idéation, dysarthrie légère, légers troubles de coordination. En cas d'atteinte plus sévère, on peut voir des troubles de la conscience (cf. coma hépatique, p. 250).

5. Les infections doivent être identifiées et traitées agressivement. A surveiller particulièrement les infections respiratoires et la péritonite à pneumocoque.

6. Hémorragie digestive : Cf. Hypertension portale, ci-après. Le traitement a un double but : contrôler le facteur déclenchant et réduire les substances nitrées.
a) Il faut arrêter l'hémorragie digestive et éliminer le sang du tube digestif par aspiration gastrique et par lavement. Il faut cesser les diurétiques et les tranquillisants.
b) Les protides sont initialement exclus de la diète puis réintroduits graduellement selon l'évolution.
c) La néomycine (50 mg/kg/24 h.) par voie orale (50 mg/kg/24 h.) ou sous forme de lavement (250 à 500 mg dans 100 ml de sérum physiologique) renouvelée deux ou trois fois par jour peut être utilisée pour une courte période.
d) Le lactulose (30 à 60 ml quatre fois par jour) sera utilisé de préférence à la néomycine pour un traitement à long terme.

Fibrose hépatique congénitale

La fibrose hépatique congénitale est une maladie à transmission héréditaire de caractère récessif, dont la définition est essentiellement anatomique. On retrouve une fibrose portale importante dont la limite avec le lobule est nette. Le parenchyme paraît toutefois morcelé et on observe au sein de cette fibrose des voies biliaires dilatées et dysmorphiques bordées d'un épithélium le plus souvent cubique. Il y a absence de cellule inflammatoire au niveau des espaces portes. Cette maladie est souvent associée à des ectasies tubulaires rénales ou à la forme infantile de la maladie des *reins polykystiques*.

Signes cliniques

Les principaux signes sont l'hémorragie digestive par rupture de varices œsophagiennes, une hépatomégalie isolée ou associée à une splénomégalie. Plus rarement, on observera une poussée de cholangite.

Diagnostic

Les tests de la fonction hépatique sont le plus souvent normaux. Le diagnostic est confirmé par l'examen histologique du tissu hépatique obtenu par biopsie à l'aiguille ou chirurgicale.

Traitement

Une dérivation chirurgicale portocave est habituellement faite après la survenue d'une hémorragie digestive.

Hypertension portale

Une augmentation de pression dans le territoire porte se retrouve dans les trois conditions suivantes :
1. Obstruction de la veine porte ou de ses tributaires.
2. Augmentation de résistance vasculaire d'origine hépatique.
3. Blocage des veines sus-hépatiques (hypertension portale post-sinusoïdale).

Hypertension portale extra-hépatique

La cause la plus fréquente d'hypertension portale chez l'enfant est d'origine extra-hépatique et résulte d'un processus endophlébitique de la veine porte. Dans un certain nombre de cas, on retrouve dans les antécédents une septicémie néonatale, une infection ombilicale ou la mise en place d'un cathéter dans la veine ombilicale. L'enfant atteint devient habituellement symptomatique au cours des cinq premières années de vie. Son foie est normal et son développement staturo-pondéral est satisfaisant. Le seul signe physique est une splénomégalie. Le symptôme qui l'amènera à l'hôpital est une hémorragie digestive (melæna ou hématémèse) par rupture d'une varice œsophagienne. Le diagnostic ne fait plus de doute en présence d'un foie fonctionnellement et morphologiquement normal et d'une spléno-portographie montrant une obstruction ou une transformation cavernomateuse de la veine porte et une circulation œsophago-gastrique anormale. Dans un bon nombre de cas, l'œsophagoscopie aura mis en évidence les varices œsophagiennes comme source de l'hémorragie digestive. Les épisodes d'hémorragie apparaissent souvent à la suite d'une infection respiratoire haute.

Traitement

A. De l'hémorragie

Le traitement de l'hémorragie digestive doit être entrepris de toute urgence.
1. Position demi-assise (45 degrés) et sédation si nécessaire.
2. Signes vitaux et hématocrites répétés.
3. Tube de Levine dans l'estomac pour pouvoir évaluer l'importance des pertes en cours et pour diminuer la distension gastrique qui augmente la pression veineuse.
4. Lavage gastrique avec une solution saline physiologique froide.
5. Sang total le plus frais possible. Il est préférable de laisser le patient en hypovolémie relative.
6. Si l'hémorragie ne cède pas, on pourra donner de la vasopressine (pitressine) à raison de 10 unités/m² de surface das une solution glucosée à 5 % sur une période de 20 minutes. Cette dose peut être répétée à une reprise, 3 ou 4 heures plus tard. Si l'hémorragie persiste, une perfusion intraveineuse continue de vasopressine (0,15-0,5 unité/min./m² de surface) pourra être donnée.
7. La mise en place du tube de Sengstaken-Blakemore s'avère rarement nécessaire.
8. Devant une hémorragie rebelle, l'oblitération de la varice qui saigne par l'injection sous vision directe d'une substance sclérosante, pourra s'avérer nécessaire.

B. De l'hypertension portale

1. L'histoire naturelle de la maladie suggère une diminution progressive de la fréquence et de la durée des hémorragies digestives. Les sports de contact, à cause du danger de traumatisme sur une rate congestive, devront être évités. Même en présence d'un hypersplénisme marqué, on tentera à tout prix de s'abstenir de faire une splénectomie, car la rate est le point de départ de collatérales importantes diminuant l'hypertension portale. On traitera énergiquement toute infection respiratoire, toux ou constipation, comme mesure adjuvante.
2. Devant des épisodes répétés d'hémorragie qui menacent la vie, le shunt de choix est le mésocave de Marion-Clatworthy. Le shunt spléno-rénal est aussi utilisé dans certains centres.

Hypertension portale hépatique

Dans cette affection, le système porte extra-hépatique est intact. L'obstruction intra-hépatique est liée à la désorganisation de l'architecture hépatique. Cette obstruction peut siéger en aval des sinusoïdes hépatiques comme dans la fibrose kystique congénitale, la sarcoïdose, certains cas de la maladie de Wilson, la schistosomiase, la maladie de Rendu-Osler-Weber. L'obstruction dans les autres cas de cirrhose se situe en amont des sinusoïdes hépatiques.

Diagnostic

Un certain nombre d'enfants cirrhotiques ont un bon état général. La fonction hépatique peut être normale sauf pour le test au B.S.P. qui sera presque à coup sûr anormal. On identifiera la cause de l'hypertension portale par une biopsie hépatique. La spléno-portographie confirmera la perméabilité du système porte extra-hépatique. Le cathétérisme des veines sus-hépatiques mettra en évidence une pression bloquée normale dans les cas d'hypertension portale présinusoïdale et élevée dans les cas où l'hypertension est postsinusoïdale.

Traitement

Le traitement de l'hémorragie digestive est celui qui est exposé de façon détaillée à la p. 266 sauf que l'approche doit être plus agressive en raison des problèmes de coagulation souvent coexistants et de fonctions hépatiques à la limite de la normale. Dans les cas de fibrose hépatique congénitale, le shunt portocave est curatif puisque l'hémorragie digestive en est la seule manifestation. Par ailleurs, dans les cas où il y a cirrhose, le shunt portocave est palliatif car le processus cirrhotique continuera à évoluer. A noter que pour les patients où le processus cirrhotique est particulièrement actif, le traitement médical pourra diminuer le degré d'hypertension portale et ralentir la fréquence et la sévérité des hémorragies.

Le shunt portocave, en court-circuitant le foie atteint d'une cirrhose en phase décompensée, peut précipiter le décès par insuffisance hépatique et encéphalopathie.

Hypertension portale postsinusoïdale (syndrome de Budd-Chiari)

L'occlusion des veines hépatiques ou de la portion sus-hépatique de la veine cave inférieure est rare chez l'enfant. L'ascite est le signe le plus constant ; suivent l'hépato-splénomégalie, les douleurs abdominales et l'ictère.

Les affections suivantes peuvent conduire au syndrome de Budd-Chiari : tumeurs, leucémie, vasculite allergique, maladies inflammatoires de l'intestin. La cause la plus fréquente chez l'enfant est la maladie véno-occlusive qu'on retrouve à la suite d'ingestion de certains alcaloïdes (Senecio) et en association avec la cirrhose idiopathique de l'enfant en Inde, en Afrique et en Egypte.

Syndromes de malabsorption

La malabsorption peut se rencontrer dans toute condition qui empêche le passage normal d'une substance nutritive (lipides, hydrates de carbone, protéines, vitamines, électrolytes, eau) ou d'un produit de cette substance, de la lumière intestinale vers la voie sanguine ou lymphatique.

On reconnaît habituellement deux grands types de malabsorption, à savoir celle de type généralisé et celle de type sélectif (cf. tableau 28). Dans la malabsorption de type généralisé, plusieurs substances nutritives sont habituellement impliquées et une stéatorrhée est presque toujours présente, tandis que dans le type sélectif, la malabsorption porte sur une seule ou un groupe de substances nutritives et la stéatorrhée est habituellement absente. En clinique, le terme de malabsorption est habituellement synonyme de malabsorption de type généralisé et la stéatorrhée en est la marque distinctive.

Rappel physiologique

Le régime normal de l'enfant contient environ 35 % de lipides, principalement sous forme de graisses neutres ou de triglycérides. La digestion et l'absorption des triglycérides comportent cinq phases distinctes, selon le schéma ci-dessous :

A. Digestion

1. Hydrolyse des triglycérides (TG) en monoglycérides (MG) et acides gras libres (FFA) par les enzymes pancréatiques : lipase, colipase et phospholipase.
2. Association des MG et des FFA aux sels biliaires pour former des micelles. Cette formation de micelles est une condition essentielle à l'absorption des MG et des FFA.

B. Absorption

1. Diffusion passive des MG et des FFA à travers la membrane des microvilli vers l'intérieur de la cellule intestinale.
2. Resynthèse des TG à l'intérieur de la cellule intestinale et association de ceux-ci à une mince couche protéique et lipidique pour former une lipoprotéine appelée chylomicron.
3. Passage des chylomicrons vers la circulation générale par la voie lymphatique.

Ainsi, la digestion et l'absorption des graisses sont un mécanisme complexe nécessitant une fonction adéquate du foie, du pancréas, de l'intestin grêle et du système lymphatique. Toute perturbation dans la physiologie de ces organes pourra s'accompagner d'une stéatorrhée et d'une malabsorption de type généralisé.

Pathogénie et symptômes

La stéatorrhée, particulièrement celle qui est consécutive à une mauvaise absorption des lipides, s'accompagne d'un excès d'acides gras dans la lumière intestinale qui, après hydroxylation, peuvent être très irritants pour la muqueuse intestinale. Ils pourront alors être en partie responsables de la diarrhée avec déperdition hydrique et électrolytique et également entraver l'absorption de plusieurs substances nutritives. De plus, l'excès de lipides dans la lumière intestinale peut lui-même être responsable de la mauvaise absorption des vitamines liposolubles et du calcium.

La conséquence la plus immédiate d'un syndrome de malabsorption est d'entraver la croissance normale de l'enfant. L'âge pondéral de l'enfant est habituellement plus touché que son âge statural qui est lui-même retardé par rapport à l'âge chronologique. La diarrhée est habituellement présente bien qu'il soit possible d'avoir un syndrome de malabsorption sans diarrhée. Elle peut être aqueuse, mais habituellement les selles sont abondantes, pâles, non formées, nauséabondes, et peuvent parfois contenir des lipides macroscopiquement visibles. Une fonte musculaire, notable surtout au niveau de la partie proximale des extrémités, est habituellement présente, et l'abdomen est protubérant.

Si le syndrome de malabsorption a été présent pendant une assez longue période, l'enfant pourra présenter de l'œdème périphérique, une glossite, des phénomènes hémorragiques, un hippocratisme digital, du rachitisme et même des épisodes de tétanie.

Investigations biologiques

Pour tout patient chez qui on soupçonne un syndrome de malabsorption, l'investigation préliminaire suivante doit être faite :
- *Profil nutritionnel* : Hémoglobine, cholestérol total, carotène, albumine, calcium, sodium, potassium. La mesure du taux de ces différentes substances permet au clinicien d'évaluer l'état nutritionnel de l'enfant et peut l'aider à décider si l'investigation doit être poussée plus loin dans les cas litigieux. En effet, il est très rare qu'une ou plusieurs de ces valeurs ne soient pas abaissées dans un syndrome de malabsorption. Le taux sérique du carotène, du cholestérol total et de l'albumine sont les index les plus sensibles à cet égard. L'anémie dans le syndrome de malabsorption de l'enfant est habituellement ferriprive.
- *Dosage des graisses dans les selles* : Le dosage des lipides dans les selles (méthode de Van de Kamer) demeure le meilleur test pour mettre en évidence un syndrome de malabsorption. Ce dosage est fait à partir des selles recueillies entre marqueurs (charbon de bois, carmin) durant une période exacte de 72 heures alors que l'ingestion des lipides est d'au moins 20 à 30 g. par jour. Une excrétion lipidique supérieure à *5,0 g par 24 heures* est considérée comme pathologique. Une excrétion entre 3,0 et 4,5 g par 24 heures chez l'enfant âgé de 1 à 10 ans est suggestive d'un syndrome de malabsorption.
- *Test d'absorption au xylose* : Cette épreuve a pour but d'évaluer la capacité fonctionnelle de la muqueuse intestinale. Elle consiste à faire ingérer à l'enfant une solution de xylose à 10 % (14,5 g/m^2 de surface ; dose maximum 25 g). L'épreuve est faite en mesurant la xylosémie 60 minutes après l'ingestion. Une hausse de 25 mg% et plus de la xylosémie est considérée comme normale.
- *Test à la sueur* : La détermination de la quantité de chlore dans la sueur est essentielle chez tout patient avec un syndrome de malabsorption. La sueur est obtenue après iontophorèse de pilocarpine et toute valeur de chlore supérieure à 70 mEq/l confirme le diagnostic de fibrose kystique du pancréas (mucoviscidose).
- *Culture des selles, recherche des parasites et pH des selles* : Font partie de l'évaluation initiale également.

Diagnostic

Si les investigations préliminaires énumérées ci-dessus sont toutes normales, un syndrome de malabsorption de type généralisé peut être éliminé. Si le diagnostic de malabsorption est confirmé, les recherches devront alors être adaptées à chaque cas. Un transit du grêle, une biopsie intestinale sont généralement indiqués. Il pourra être nécessaire de faire un dosage de la chymotrypsine dans les selles, d'évaluer la fonction hépatique (tests hépatiques, concentration des sels biliaires dans le duodénum), la fonction pancréatique (tubage duodénal avec dosage des enzymes et des bicarbonates), de faire une culture du jéjunum avec décompte bactérien et, enfin, de compléter l'investigation de façon à éliminer les causes plus rares mentionnées dans la classification.

Principales entités associées à la malabsorption

(cf. tableau 8)

Les affections pancréatiques et hépatiques pouvant causer un syndrome de malabsorption de même que la déficience primaire et secondaire en disaccharidase sont décrites ailleurs dans ce chapitre.

Maladie cœliaque (entéropathie au gluten)

La maladie cœliaque est une entéropathie reliée à l'ingestion de gluten dont l'étiologie exacte n'est pas encore connue. Elle touche la partie proximale de l'intestin grêle et se traduit cliniquement par un syndrome de malabsorption de type généralisé.

Fréquence

Après la fibrose kystique du pancréas, la maladie cœliaque est la cause la plus fréquente de malabsorption chez l'enfant. La fréquence exacte de la maladie est difficile à obtenir puisqu'elle semble plus élevée dans certaines régions du globe. A l'hôpital Saint-Justine de Montréal, Canada, 10 nouveaux patients avec maladie cœliaque sont vus par année, à comparer avec 25 nouveaux patients atteints de mucoviscidose sur un total de 20 000 enfants hospitalisés annuellement.

Signes cliniques

Le tableau clinique est identique à celui qui a été décrit pour le syndrome de malabsorption de type généralisé. Le début de la maladie se situe habituellement entre 6 et 18 mois et la courbe de croissance est habituellement normale durant les premiers mois de vie.

Tableau 8 : Classification des malabsorptions

Malabsorption généralisée

A. Digestion inadéquate des lipides :

    D'origine pancréatique
- Achylie pancréatique avec troubles hématologiques (Shwachman)
- Mucoviscidose
- Pancréatite aiguë, chronique ou récidivante
- Déficience congénitale en lipase
- Malnutrition

    D'origine hépatique
- Atrésie des voies biliaires
- Hépatite néo-natale
- Hépatite chronique
- Cirrhose
- Stéatorrhée du nouveau-né, en particulier du prématuré

    Par altération de la flore intestinale
- Anse exclue
- Sclérodermie
- Pseudo-obstruction intestinale

    Hypersécrétion gastrique
- Zollinger-Ellison

B. Absorption inadéquate des lipides :

    Anomalies de la muqueuse
- Maladie cœliaque
- Sprue tropicale
- Malnutrition
- Lymphangiectasie intestinale
- Infestation chronique : G. lamblia, amibes
- Maladie inflammatoire chronique de l'intestin
- Infiltration néoplasique : lymphome, Hodgkin
- Médicaments : antimitotiques, antibiotiques
- Déficience en fer, en acide folique
- Gastro-entérite éosinophile

    Anomalies anatomiques
- Résection intestinale excessive
- Sténose jéjunale, iléale
- Malrotation, duplication
- Fistule intestinale

Altérations de la motilité	● Hyperthyroïdie
	● Ganglioneurome, neuroblastome, carcinoïde
	● Dysautonomie familiale (Riley-Day)
Anomalies biochimiques	● A-β-lipoprotéinémie
	● Déficience en disaccharidases
	● Chloridorrhée congénitale
	● Acrodermatite entéropathique
Divers	● Déficiences immunitaires
	● Maladies du collagène
	● Carence affective
	● Diarrhée rebelle du nourrisson
	● Mastocytose, histiocytose

Malabsorption sélective

Substances		Affections
A. Hydrates de carbone		● Déficiences en disaccharidases, primaires et acquises
		● Malabsorption du glucose et du galactose
B. Protéines	Polypeptides	● Déficience en entérokinase
	Acides aminés	● Cystinurie
		● Maladie de Hartnup
		● Syndrome de Lowe
		● Malabsorption du tryptophane avec hypercalcémie (syndrome des langes bleus)
		● Malabsorption de la méthionine
C. Ions	Chlorures	● Alcalose (chloridorrhée) congénitale
	Calcium	● Rachitisme (déficience en vitamine D)
		● Administration de cortisone
	Magnésium	● Hypomagnésémie congénitale
D. Vitamines	B_{12}	● Malabsorption de la vitamine B_{12}
	Acide folique	● Malabsorption de l'acide folique

Pathogénie

Le gluten est une fraction protidique insoluble dans l'eau provenant du blé, de l'orge et de l'avoine. C'est la fraction gliadine du gluten qui est toxique pour ces patients. Deux théories sont proposées pour en expliquer les effets nocifs. Selon certains, cette maladie serait due à une déficience d'une peptidase spécifique amenant une digestion incomplète du gluten et l'accumulation de métabolites toxiques pour la muqueuse intestinale. L'hypothèse la plus plausible est qu'il y ait une perturbation d'ordre immunologique de la muqueuse intestinale vis-à-vis du gluten.

Diagnostic

Quatre conditions sont jugées suffisantes pour poser le diagnostic de maladie cœliaque : 1) un syndrome de malabsorption ; 2) une muqueuse intestinale anormale ; 3) une amélioration clinique à la suite du retrait du gluten de l'alimentation ; 4) une normalisation de la muqueuse intestinale avec la diète sans gluten et une réapparition d'une muqueuse intestinale anormale avec ou sans symptôme à la suite d'un challenge avec gluten. Ce challenge se fait habituellement deux ans après le début de la diète sans gluten. Un faible pourcentage de patients (5 %), surtout ceux dont les symptômes ont débuté avant l'âge d'un an, n'auraient qu'une intolérance transitoire au gluten.

La biopsie intestinale révèle habituellement une perte totale de la structure villositaire de la muqueuse intestinale. Chez certains patients, les villosités ne pourront être qu'élargies et raccourcies. Les cryptes paraissent allongées, l'épithélium superficiel est aplati ou détruit, il y a disposition anormale des noyaux des cellules épithéliales et le chorion est le siège d'une infiltration cellulaire excessive.

Traitement et pronostic

Le traitement consiste à éliminer le gluten du régime. Cette diète est actuellement présentée aux parents comme nécessaire pour le reste de la vie de leur enfant lorsque les quatre conditions pour poser le diagnostic ont été remplies. En effet il semble bien que le risque de cancérisation au niveau de l'intestin grêle et les déficiences nutritionnelles rapportées chez l'adulte avec maladie cœliaque et diète normale justifient cette attitude. Le lactose est éliminé de la diète pour une période de 6 à 8 semaines seulement s'il y a évidence d'une intolérance à ce disaccharide. Pour les patients avec anorexie sévère, il pourra être nécessaire d'utiliser une alimentation parentérale périphérique avec la mise en train de la diète sans gluten.

Le pronostic est excellent. les effets bénéfiques du régime sont habituellement apparents en 4 à 6 semaines. L'enfant revient à un poids normal en 3 à 6 mois.

Syndrome de l'intestin contaminé (anse exclue)

La partie proximale de l'intestin de l'individu normal contient rarement plus de 10^4 bactéries par ml de sécrétions intestinales. La prolifération bactérienne est contrôlée par le péristaltisme normal. Cependant, celle-ci peut survenir dans toute condition amenant une stase intestinale et être responsable d'un syndrome de malabsorption. Les principales causes de stase intestinale chez l'enfant sont les lésions congénitales (malrotation sténose, diaphragme), les anses borgnes créées par une intervention chirurgicale, les structures associées à l'iléite régionale. Nous avons rencontré cette complication chez des enfants souffrant de sclérodermie et de pseudo-obstruction intestinale.

Diagnostic

Les critères suivants sont suggestifs d'un syndrome de l'anse exclue :
1. Un décompte bactérien supérieur à 10^4/ml de sécrétions intestinales de la partie proximale de l'intestin ;
2. Un syndrome de malabsorption ;
3. Une malabsorption de la vitamine B_{12} indiquée par un test de Schilling anormal fait avec facteur intrinsèque ;
4. La présence de sels biliaires déconjugués dans les sécrétions intestinales de la partie proximale de l'intestin ;
5. Le test d'absorption au xylose peut également être anormal.

Traitement

Avant tout chirurgical. Dans les conditions où la chirurgie est impossible un traitement à long terme avec des antibiotiques à large spectre doit être entrepris.

Lymphangiectasie intestinale

Forme d'entéropathie exsudative consécutive à une anomalie congénitale des vaisseaux lymphatiques de l'intestin, souvent associée également à une anomalie du système lymphatique des membres. Cette entité peut également être secondaire à une stase de la circulation lymphatique (péricardite constrictive, cirrhose, malrotation intestinale) ou à un blocage de celle-ci (maladie de Crohn, lymphome, atteinte intestinale de la sclérodermie). Elle est caractérisée par une perte importante de protéines et de lipides dans l'intestin. Bien que la réabsorption intestinale des acides aminés se fasse normalement, la synthèse des protéines par le foie ne peut compenser les pertes protéiques et il s'ensuit une hypo-albuminémie. Il y a également perte par la voie intestinale de lymphocytes et d'immunoglobulines.

Signes cliniques et biologiques

L'œdème périphérique est le signe clinique le plus constant. Ces patients peuvent également présenter un retard de croissance, de la diarrhée, de l'ascite et un passé d'infections à répétition. Les signes biologiques les plus fréquents sont l'hypo-albuminémie, la lymphopénie, une diminution du taux des immunoglobulines, et éventuellement une anémie, une hypocalcémie et une stéatorrhée.

Diagnostic

Cette entité doit être distinguée des autres conditions pouvant s'accompagner d'une entéropathie exsudative. Les principales chez l'enfant sont la maladie cœliaque, l'allergie au lait, les maladies chroniques inflammatoires de l'intestin et le mégacôlon congénital.

La perte excessive de protéines dans l'intestin est mise en évidence par des méthodes isotopiques et le diagnostic pourra être confirmé par la biopsie intestinale qui montre une dilatation des lymphatiques de la muqueuse.

Traitement

Un régime contenant des triglycérides à chaîne moyenne est la meilleure forme de traitement. La chirurgie est réservée pour les cas où la lésion est localisée à un segment limité de l'intestin ou est secondaire à une tumeur ou une péricardite constrictive.

Giardiase

Le Giardia lamblia est un protozoaire intestinal fréquemment rencontré chez l'enfant. Le plus souvent il ne cause aucun trouble, mais il peut entraîner de l'anorexie, des douleurs abdominales, de la diarrhée et même un syndrome de malabsorption. L'association d'un syndrome de malabsorption, d'une déficience en immunoglobulines et d'une infestation avec Giardia lamblia est maintenant bien connue.

Diagnostic

Il repose sur la mise en évidence de kystes dans les selles ou du parasite dans le liquide duodénal ou sur une lamelle mise en contact avec la muqueuse jéjunale obtenue par biopsie par voie orale.

Traitement

Un traitement de 10 jours avec du métronidazole (Flagyl®) (5-10 mg/kg/24 h. en 3 doses ; max. : 750 mg/24 h.) est habituellement suffisant. Le chlorhydrate de quinacrine (atabrine, stabrine) (6 mg/kg/24 h. en 3 doses ; max. : 300 mg/24 h.) pendant 5 jours peut aussi être utilisé.

Hémorragie digestive

L'hémorragie intestinale, chez l'enfant comme chez l'adulte, peut être de deux ordres : 1) elle peut être aiguë et se manifester soit par le vomissement de sang frais ou de sang altéré (hématémèse), soit par le passage de sang noirâtre (melæna) ou de sang rouge par le rectum ; 2) elle peut être chronique sous forme de petites quantités irrégulières de sang dans les selles ; elle peut même n'être décelable que par méthode biochimique. Certaines substances (betteraves, ampicilline, « Kool-Aid », colorants de la nourriture) peuvent donner une coloration rougeâtre aux selles. Les selles pourront être noires lorsque l'enfant prend un médicament à base de fer ou de bismuth.

Evaluation de l'enfant avec hémorragie intestinale

● *Examen subjectif*

A. *Quantité de sang perdue* :

La réponse à cette question peut donner une idée de l'importance de l'hémorragie, surtout si on tient compte du volume sanguin de l'enfant. Ainsi une perte sanguine de 100 ml chez un enfant de 10 kg correspond à près de 12 % de son volume sanguin et équivaut à une perte sanguine de 700 ml chez un adulte. Une histoire de syncope à la suite d'une hémorragie digestive suggère une perte supérieure à 20 % du volume sanguin de l'enfant.

B. *Caractères de l'hémorragie* :

1. *Hématémèse* : Le fait de vomir du sang indique que la lésion est située au-dessus du ligament de Treitz. Le vomitus pourra être rouge, indiquant une hémorragie toute récente, ou noirâtre si le sang a séjourné durant quelques temps dans l'estomac et a été altéré par l'acide chlorhydrique.
2. *Rectorragie* : *a) Melæna* : la présence de melæna indique toujours une hémorragie relativement importante puisqu'il faut 50 à 60 ml de sang par 24 heures pour donner une selle noire. Cela indique habituellement une lésion haute puisque le sang doit séjourner dans l'intestin durant une période d'environ huit heures avant de devenir noir. *b) Sang rouge-noir* : ceci indique d'une façon générale que l'hémorragie vient du côté droit du côlon et/ou de la partie terminale de l'iléon. *c) Sang rouge* : l'évacuation de sang rouge suggère que la perte sanguine se fait à partir du côlon gauche. Cependant, lorsqu'il y a hémorragie digestive abondante, il peut y avoir passage de sang rouge par le rectum, même si la lésion est à la partie supérieure de l'intestin. Si la source d'hémorragie est dans le canal anal ou le rectum distal, il y a présence de stries de sang sur les selles. Pour toute lésion située avant l'angle splénique, le sang est mélangé aux selles.

C. *Phénomènes associés à l'hémorragie* :

Quelques observations faites au moment du questionnaire pourront orienter le diagnostic. Ainsi une douleur épigastrique sera suggestive d'un ulcère, alors que si elle survient au moment de la défécation, une fissure anale pourra être soupçonnée. Une douleur paroxystique fera penser à une invagination ou à un volvulus. Si la douleur s'accompagne de diarrhée, le clinicien devra éliminer une gastro-entérite d'origine infectieuse, une maladie chronique inflammatoire de l'intestin ou une allergie au lait. Il est bon de se souvenir que les varices œsophagiennes, l'ulcère peptique, le diverticule de Meckel et la duplication intestinale sont quatre entités qui peuvent être accompagnées d'hémorragie intestinale importante sans qu'il y ait douleur. Un ulcère de stress sera souvent associé à une lésion du système nerveux central ou peut survenir quelques jours après le début d'une maladie grave, chirurgie ou brûlures étendues.

● *Examen objectif*. Chez tout enfant avec hémorragie intestinale, on doit d'abord évaluer l'état général (signes vitaux). Une augmentation du rythme cardiaque de 20 à la minute ou une chute de plus de 10 mm de Hg de la pression systolique en faisant asseoir le patient indique une perte sanguine correspondant à environ 15 % du volume sanguin. On doit ensuite examiner les voies respiratoires supérieures pour éliminer toute source d'hémorragie de cette région, rechercher les signes d'hypertension portale en se rappelant que, dans l'hypertension portale extra-hépatique, seule une splénomégalie pourra être révélatrice. L'ictère, la présence d'ascite, une circulation collatérale sur l'abdomen pourront mettre sur la piste d'une atteinte hépatique. Certains signes cutanés tels que pétéchies et purpura pourront révéler une dyscrasie sanguine, tandis que des taches pigmentaires et des télangiectasies sur les muqueuses évoqueront la possibilité d'un syndrome de Peutz-Jeghers ou maladie de Rendu-Osler-Weber. Enfin, dans tous les cas de rectorragie, l'anus doit être bien examiné, à la recherche d'une fissure anale. Cette inspection doit se faire avant le toucher rectal, qui complète l'examen.

Diagnostic différentiel

Le tableau 9 donne une liste des causes responsables d'une rectorragie chez l'enfant. Ce tableau permet de faire un diagnostic différentiel en allant de la bouche à l'anus. Selon la localisation de la lésion, le sang passant par le rectum pourra être noir, rouge ou rouge-noir.

Les principales entités qui peuvent être responsables d'une hémorragie digestive chez le nouveau-né sont le sang maternel dégluti au moment de l'accouchement, la maladie hémorragique du nouveau-né, l'ulcère de stress et l'entérite nécrosante, tandis que la fissure anale, l'invagination intestinale, le diverticule de Meckel, la gastro-entérite infectieuse et de nouveau l'ulcère de stress sont les causes fréquentes, passée la période néonatale et jusqu'à 2 ans. Les polypes, les varices œsophagiennes, l'ulcère peptique et les maladies chroniques inflammatoires de l'intestin sont les principales causes d'hémorragie chez l'enfant plus âgé.

Conduite à tenir

Il faut d'abord évaluer l'enfant selon les critères mentionnés plus haut, mesurer le taux d'hémoglobine, l'hématocrite, le temps de prothrombine et le taux des plaquettes, et faire préparer quelques unités de sang si jugé nécessaire.

Si l'hémorragie semble sérieuse, il faut mettre en marche une perfusion intraveineuse et donner du sang. Il est préférable d'utiliser du sang fraîchement prélevé si la moitié du volume sanguin de l'enfant a été remplacé et qu'il continue de saigner, afin d'éviter des troubles de la coagulation. La mesure du débit urinaire et de la pression veineuse centrale est supérieure à la détermination répétée de l'hémoglobine et de l'hématocrite lorsqu'il est nécessaire de donner plusieurs transfusions sanguines. Un tube naso-gastrique est ensuite passé dans l'estomac et celui-ci irrigué avec une solution saline froide jusqu'au retour d'un liquide clair. Ce passage d'un tube naso-gastrique est très important puisqu'il permet d'établir si le patient saigne d'une lésion située avant le ligament de Treitz et si le saignement est actif (sang rouge). De plus, le tube laissé en place permettra d'établir s'il y a une récidive de l'hémorragie une fois que celle-ci a cessé.

● *Hémorragie haute* : S'il s'agit d'une hémorragie haute qui s'arrête d'elle-même, on doit procéder le plus tôt possible à un transit baryté. Si cet examen ne révèle pas la source du saignement, on fait une endoscopie haute (œsophagoscopie, gastroscopie et duodénoscopie). Si l'hémor-

Tableau 9 : Causes de rectorragie (de la bouche à l'anus)

Sang noir :
- Sang dégluti
- Corps étranger
- Médicaments : Aspirine®, corticostéroïdes
- Œsophagite : hernie hiatale, caustique ; chalasie
- Varices œsophagiennes
- Gastrite
- Ulcère de stress
- Ulcère peptique
- Duplication intestinale
- Hémangiome intestinal

(Hématémèse possible)

Sang rouge :
- Diverticule de Meckel
- Invagination (intussusception)
- Volvulus
- Troubles de la coagulation
- Diathèses hémorragiques : Henoch-Schönlein, purpura idiopathique thrombocytopénique
- Syndrome de Peutz-Jeghers
- Maladie de Weber-Osler-Rendu
- Vasculite : lupus érythémateux, périartérite noueuse
- Gastro-entérite d'origine infectieuse

- Allergie au lait
- Entérite nécrosante
- Maladies inflammatoires chroniques
- Syndrome hémolytique-urémique
- Colite pseudo-membraneuse
- Polypes
- Néoplasie
- Invagination récurrente du sigmoïde
- Lésions anales : fissure, fistule, érosions anales, valvulite et papillite, hémorroïdes, prolapsus rectal, corps étranger

---

ragie est active, on procède d'emblée à une endoscopie haute. Ces différents examens pourront mettre en évidence le site de l'hémorragie et faciliter la décision quant à la chirurgie d'urgence.

● *Hémorragie basse* : Les examens à faire sont une recto-sigmoïdoscopie, un lavement baryté et un transit baryté. Si l'hémorragie est incontrôlable, il y a lieu d'explorer chirurgicalement, puisqu'il s'agit probablement d'un diverticule de Meckel qui saigne ou d'une duplication intestinale. Une artériographie sélective du tronc cœliaque et de l'artère mésentérique supérieure pourra précéder la chirurgie dans les centres où cette technique est disponible.

Hémorragie chronique : Il faut d'abord s'assurer que l'enfant passe du sang dans les selles. Les deux meilleurs tests disponibles sont l'Hématest® et le test au guaiac. L'étape suivante est de contrôler la formule sanguine. Si la rectorragie a été minime, de courte durée, sans retentissement sur la formule sanguine et qu'il n'y a plus de sang dans les selles, l'investigation n'est pas poussée plus loin. Par contre, si l'hémoglobine chute, les tests suivants doivent être faits dans l'ordre : test de coagulation, colonoscopie, lavement baryté avec double contraste, transit baryté et test radioactif avec du ^{99m}TC-pertechnetate. Ce dernier test peut permettre de visualiser un diverticule de Meckel. Enfin, si l'investigation est négative et que l'hémorragie chronique continue de faire baisser le taux d'hémoglobine, on procédera à une laparotomie exploratrice.

Ictère choléstatique du nourrisson

La choléstase ou ictère rétentionnel est un syndrome clinique dans lequel tous les constituants de la bile n'atteignent pas complètement l'intestin mais s'accumulent dans le foie et dans le sang.

La choléstase du nourrisson s'accompagne cliniquement d'un ictère, du passage d'urines foncées et souvent de selles blanchâtres. Une hépatomégalie est habituellement présente et associée ou non à une splénomégalie. Enfin, si la choléstase dure depuis un certains temps, il y a du prurit. Du point de vue biologique, l'ictère rétentionnel se traduit par

---

Tableau 10 : Diagnostic différentiel des ictères rétentionnels du nouveau-né

A. Choléstase d'origine hépatique :

- Infections : septicémie, infection urinaire, maladie à inclusions cytomégaliques, toxoplasmose, rubéole, syphilis, herpès simplex, infection à virus Coxsackie B, Echo, hépatite de type B, leptospirose
- Maladies métaboliques : déficience sérique de l'alpha-1-antitrypsine galactosémie, fructosémie, tyrosinémie congénitale, mucoviscidose, maladie de Gaucher, maladie de Niemann-Pick, maladie de Byler, syndrome de Zellweger, maladie de Wolman
- A la suite d'hémolyse (syndrome de la bile épaisse) ou d'anoxie
- Hépatite toxique
- Choléstase récurrente familiale avec lymphœdème
- Maladie microkystique du foie et des reins
- Atrésie des voies biliaires intra-hépatiques
- A la suite d'une alimentation parentérale
- Hépatite néonatale : forme idiopathique

B. Choléstase d'origine extra-hépatique :

- Atrésie des voies biliaires extra-hépatiques
- Kyste du cholédoque
- Syndrome du bouchon muco-biliaire

une hyperbilirubinémie de type mixte (65 % de la bilirubine totale étant conjuguée), par une élévation de la phosphatase alcaline et du cholestérol sanguin et, selon le degré de la choléstase, par une absence de pigments biliaires dans les selles et d'urobilinogène dans les urines.

Plusieurs affections (cf. tableau 10) peuvent être responsables d'un ictère rétentionnel chez le nourrisson, mais l'hépatite néonatale et l'atrésie des voies biliaires en rendent compte à 85 %. Malheureusement, l'examen clinique et les tests hépatiques conventionnels sont habituellement de peu d'utilité dans le diagnostic différentiel de ces deux affections. Seule l'exploration chirurgicale associée à une cholangiographie peropératoire permet un diagnostic anatomique exact. Cependant, il semble bien que le traumatisme chirurgical et anesthésique influence défavorablement l'évolution ultérieure des nourrissons avec certaines formes de choléstase intra-hépatique. C'est pourquoi notre approche est conservatrice et implique la mise en train de certains procédés de diagnostic (cf. conduite à tenir, ci-dessous) qui ont pour but de mettre en évidence certaines entités spécifiques responsables de la choléstase, avant de décider de soumettre ou non le patient à une exploration chirurgicale.

Conduite à tenir

● *Anamnèse et examen physique* : L'anamnèse et l'examen physique sont dans l'ensemble assez peu contributifs. Cependant, un antécédent d'érythroblastose fœtale peut orienter vers un syndrome de la bile épaisse. La présence de pétéchies en plus d'ictère et d'une hépato-splénomégalie est suggestive de quelques processus pathologiques comme une septicémie, une rubéole congénitale, une toxoplasmose ou une maladie à inclusions cytomégaliques. Des problèmes cardio-pulmonaires associés à une choléstase peuvent suggérer une infection à virus Coxsachie B tandis qu'une anamnèse de vomissements avec irritabilité et défaut de croissance peut être révélatrice d'une galactosémie congénitale. Enfin il est fréquent de constater que le nourrisson de quelques mois de vie avec ictère cholestatique consécutif à une atrésie des voies biliaires conserve un excellent état général, alors que celui qui a une hépatite néonatale est souvent dans une condition physique plus précaire. La notion d'une dysmaturité, d'une atteinte précoce de l'état général, la découverte d'une splénomégalie dès les premières semaines, suggèrent une hépatite néonatale.

● *Mises en évidence d'une cause spécifique* :
a) Exploration biologique
1. hémoculture ;
2. culture des urines ;
3. cultures virales : rubéole, herpès simplex, cytomégalovirus et entérovirus ;
4. tests sérologiques : syphilis et fixation du complément pour la toxoplasmose ;
5. recherche de l'antigène HBs chez la mère et l'enfant ;
6. recherche des substances réductrices dans les urines ;
7. évaluation qualitative de l'aminoacidurie ;
8. test à la sueur ;
9. dosage de l'alpha-1-antitrypsine ;
10. détermination quantitative des immunoglobulines.

Cette exploration biologique permettra d'éliminer les principales causes spécifiques responsables de l'ictère cholestatique. Plusieurs cultures des urines sont essentielles, puisque l'association d'une infection urinaire à E. Coli et ictère rétentionnel est maintenant bien connue. La présence de substances réductrices dans les urines pourra être révélatrice d'une galactosémie ou fructosémie congénitale, alors que l'évaluation de l'aminoacidurie pourra mettre sur la piste d'une tyrosinémie congénitale. Il convient également de faire un test à la sueur, puisque la première manifestation clinique d'une mucoviscidose peut être un ictère rétentionnel. Un taux abaissé d'alpha-1-antitrypsine peut suggérer une déficience en alpha-1-antitrypsine qui se manifeste souvent par une cholestase durant les premiers mois de vie. Enfin, un taux sérique d'IgM supérieur à 60 mg/dl pourra être suggestif d'une infection intra-utérine à l'origine de la cholestase intra-hépatique.

b) Exploration radiologique
1. radiographie du crâne ;
2. échotomographie abdominale ;
3. transit baryté.

Des calcifications intracrâniennes sont présentes chez 50 % des patients avec toxoplasmose ou maladie à inclusions cytomégaliques. Un kyste du cholédoque pourra être mis en évidence par des ultra-sons.

● *Evaluation du degré de rétention : test au rose Bengale radioactif.* Si aucune cause spécifique n'est mise en évidence, on évalue le degré de la cholestase en injectant par voie intraveineuse une solution de 1 ml contenant 1 mg et 1 microcurie de rose Bengale radioactif. A la suite de cette injection, les selles et les urines du patient sont recueillies séparément pendant une période de 3 jours et la quantité de radioactivité dans les selles est exprimée en fonction de la dose injectée. Nous avons utilisé ce test chez 43 patients avec atrésie des voies biliaires extra-hépatiques prouvée par l'exploration chirurgicale. La moyenne de la radioactivité recouvrée dans les selles a été de 4,3 % et aucun patient n'a eu une excrétion supérieure à 8 %. Cependant quelques patients avec hépatite néonatale ont eu une excrétion inférieure à 8 %. La scintigraphie hépato-biliaire utilisant des substances liées au technétium est actuellement à l'étude dans plusieurs centres. La distribution hépatocytaire du traceur, sa clearance et l'étude de son évacuation bilio-digestive pourront peut-être permettre de faire la distinction entre une atrésie des voies biliaires extra-hépatiques et une cholestase intra-hépatique sévère.

● *Exploration chirurgicale* : Une biopsie hépatique percutanée est également faite chez ces patients. Tout patient avec une quantité de radioactivité recouvrée dans les selles inférieure à 8 % de la dose injectée et un diagnostic histologique compatible avec une atrésie des voies biliaires est immédiatement soumis à une laparotomie exploratrice. Si l'enfant est âgé de moins de 8 semaines et que la biopsie hépatique montre peu de fibrose ou une image histologique nettement suggestive d'une hépatite néonatale, on préfère attendre deux semaines et répéter le test au rose Bengale avant de prendre une décision. Durant cette période d'observation, l'enfant pourra recevoir du phénobarbital ou de la cholestyramine. Pour tous les enfants, la décision de procéder ou non à une laparotomie exploratrice devra être prise le plus tôt possible avant l'âge de 3 mois. Pour tous les enfants soumis à une exploration chirurgicale, il est préférable de faire d'abord une petite incision de façon à visualiser le foie et la vésicule biliaire. Si celle-ci est présente et contient de la bile, une cholangiographie peropératoire est alors faite pour bien établir si les voies biliaires distales sont perméables. Si tel est le cas, une biopsie hépatique est faite et l'intervention se termine là. Par contre si la vésicule biliaire est absente ou rudimentaire ou si les canaux biliaires ne peuvent être visualisés, une exploration complète des canaux biliaires doit être faite.

Principales entités

Hépatite néonatale

L'hépatite néonatale ou hépatite à cellules géantes se traduit cliniquement durant les premiers mois de vie par un ictère rétentionnel et histologiquement par une désorganisation des travées hépatiques, par la présence de nombreuses cellules géantes et par une réaction inflammatoire intraportale et intralobulaire. Il y a habituellement absence d'une prolifération néoductulaire suggestive d'un obstacle extra-hépatique.

Les maladies infectieuses et métaboliques mentionnées dans le diagnostic différentiel précédent peuvent être responsables d'une hépatite néonatale. Cependant, chez environ 75 % des patients atteints d'hépatite néonatale, une cause spécifique ne peut être mise en évidence. Une infection virale acquise durant la vie intra-utérine autre que celles déjà mentionnées pourrait être en cause. Certains facteurs génétiques pourraient jouer un rôle puisque l'hépatite néonatale survient plus fréquemment chez les garçons ; sa fréquence est augmentée dans la trisomie 21 et 17-18.

Signes cliniques

Les principaux signes cliniques sont l'ictère, une hépato-splénomégalie, des urines foncées et des selles jaunâtres ou blanchâtres. Ces nourrissons sont habituellement léthargiques, se nourrissent mal et ont une croissance inadéquate.

Traitement et pronostic

Un traitement spécifique doit être institué lorsqu'une cause bien définie (septicémie, infection urinaire, galactosémie, fructosémie) est mise en évidence. A part cela, traitement de soutien. Une double dose de vitamines A, D, E et K sous forme hydrosoluble est à conseiller. Un régime pauvre en lipides complété de triglycérides à chaîne moyenne pourra aider certains patients. Les corticostéroïdes ne semblent aucunement influencer le pronostic à long terme. Si la cholestase est importante et qu'il y a présence de prurit, on donne du phénobarbital (5 mg/kg/24 h.) et de la cholestyramine (4 à 8 g/24 h.) en trois doses au moment des repas.

L'évolution à long terme de la forme idiopathique est variable. La guérison peut être spontanée en quelques semaines sans séquelles.

Cependant, si la cholestase se prolonge sur plusieurs mois, ces enfants développent le plus souvent une cirrhose ou plus rarement une hypoplasie des voies biliaires interlobulaires (hypoplasie ductulaire).

Déficience en alpha-1-antitrypsine

Le déficit en alpha-1-antitrypsine peut être associé à un ictère choléstatique chez le nourrisson, une cirrhose chez l'enfant plus âgé ou un emphysème pulmonaire précoce chez l'adulte. La synthèse de cette glycoprotéine au niveau hépatique est sous le contrôle d'une paire d'allèles codominants : 26 allèles et au moins 20 phénotypes ont été décrits. Le polymorphisme électrophorétique de l'alpha-1-antitrypsine est à la base de la classification du système Pi (protease inhibitor). Dans la plupart des populations, les sujets sont porteurs du phénotype PiMM tandis que les sujets déficients, susceptibles d'être atteints de troubles hépatiques ou d'emphysème, sont PiZZ. L'allèle PiZ est vraisemblablement responsable de la synthèse d'une espèce moléculaire d'alpha-1-antitrypsine qui est en grande partie séquestrée dans l'hépatocyte expliquant les taux sériques très faibles de cette protéine. La séquestration de cette protéine n'explique cependant pas complètement les problèmes cliniques puisque 10 à 20 % des homozygotes PiZZ sont tout à fait normaux. Enfin quelques patients avec les phénotypes PiSZ et PiFZ et cirrhose ont été décrits.

Signes cliniques

Une déficience en alpha-1-antitrypsine doit être soupçonnée chez tout nourrisson avec un ictère rétentionnel qui ne fait pas sa preuve. L'ictère apparaît habituellement durant les premières semaines de vie et disparaît d'une façon générale vers 6 ou 7 mois. Les autres signes cliniques sont semblables à ceux de l'hépatite néonatale.

Chez l'enfant plus âgé, la présence de signes cliniques associés à une cirrhose doit suggérer la possibilité d'une déficience en alpha-1-antitrypsine.

Enfin certains enfants avec cette déficience peuvent présenter des troubles pulmonaires chroniques et d'autres, beaucoup plus rarement, une glomérulonéphrite membrano-proliférative.

Diagnostic

La possibilité d'une déficience en alpha-1-antitrypsine doit toujours être considérée chez le nourrisson avec ictère rétentionnel ou l'enfant plus âgé avec une atteinte hépatique chronique. Un taux abaissé ($< 0,2$ mg/100 ml) de l'α_1-globuline est noté à l'électrophorèse des protéines sériques. Le dosage spécifique de l'alpha-1-antitrypsine donne des valeurs supérieures à 200 mg/100 ml pour les sujets normaux (MM) et inférieures à 100 mg/ml pour les homozygotes (ZZ). Les hétérozygotes (MZ) ont des valeurs oscillant entre 100 et 200 mg/ml. Les tests hépatiques usuels peuvent être normaux ou perturbés.

La biopsie hépatique révèle toujours chez les homozygotes (ZZ) et les hétérozygotes (MZ) la présence dans les hépatocytes d'inclusions mises en évidence avec le PAS (periodic acid-Schiff). Les inclusions sont surtout présentes dans les hépatocytes au pourtour des espaces-portes.

La détermination du phénotype Pi sera faite chez les patients et les membres de la famille.

Traitement

Il n'y a aucun traitement spécifique de cette condition. Un traitement de soutien semblable à celui proposé pour l'hépatite néonatale ou la cirrhose pourra être appliqué s'il y a lieu.

Pronostic

On considère actuellement que 20 à 30 % des homozygotes (ZZ) vont développer des lésions hépatiques, 50 à 60 % un emphysème pulmonaire, tandis que 10 à 20 % des sujets demeurent asymptomatiques.

Atrésie des voies biliaires extra-hépatiques

L'atrésie des voies biliaires extra-hépatiques est responsable dans plus de 50 % des cas de cholestase prolongée du nourrisson. Sa fréquence est de 1/8 000 à 1/14 000 naissances et elle survient également chez garçons et filles. Aucune prédisposition génétique n'a pu être mise en évidence, et l'étiologie exacte de cette lésion n'est pas connue. Elle comporte plusieurs variétés anatomiques, mais la forme la plus fréquente est celle qui touche tout l'arbre biliaire extra-hépatique.

Signes cliniques

La cholestase est habituellement notée vers l'âge de 2 ou 3 semaines. Les urines sont alors foncées et les selles décolorées. Le foie est augmenté de volume et sa consistance est anormalement dure. Une splénomégalie est présente après le premier mois de vie. Ces enfants gardent habituellement un bon état général durant les 4 ou 5 premiers mois bien qu'il y ait un délai dans la croissance. Enfin, du prurit, des xanthomes et de l'hippocratisme digital peuvent survenir chez les patients un peu plus âgés.

Traitement et pronostic

Le traitement chirurgical doit être pratiqué le plus tôt possible avant l'âge de trois mois. L'intervention habituelle est une hépato-porto-entérostomie selon la technique de Kasai ou une modification de celle-ci. Le principe de cette intervention consiste à effectuer au niveau du hile du foie une section transversale du vestige de la voie biliaire. Le but de cette section est d'ouvrir la lumière des voies biliaires intra-hépatiques qui peuvent être perméables. Une anse grêle interposée en Y, ou la vésicule si cela est possible sont utilisées pour l'anastomose bilio-digestive. Rarement (10 % des cas), une forme dite « curable » sera mise en évidence par le chirurgien, et une cholédocojéjunostomie ou une cholécystojéjunostomie pourra être faite. A la suite d'une hépato-porto-entérostomie, la sécrétion biliaire pourra être rétablie chez plus de 50 % des patients une à quatre semaines après l'intervention. L'ictère disparaîtra en quelques semaines chez 40 % de ces enfants, qui développent cependant à long terme une hypertension portale. Les enfants dont la correction chirurgicale ne s'avère pas salvatrice développent une cirrhose biliaire et décèdent durant les deux premières années de vie. Le décès pourra être plus tardif chez certains patients dont l'excrétion biliaire aura été présente à la suite de la chirurgie, mais insuffisante pour faire disparaître l'ictère. L'évolution en période post-opératoire des patients avec un certain degré d'excrétion biliaire est compliquée de poussées de cholangite, surtout au cours de la première année. Celles-ci se traduisent par une fièvre, une réapparition ou une recrudescence de l'ictère.

Un régime pauvre en lipides, complété de triglycérides à chaîne moyenne pourra aider ces patients. Une double dose de vitamines A, D, K et E sous forme hydrosoluble est à conseiller. L'emploi prophylactique d'antibiotiques (trimethroprim-sulfaméthoxazole, ampicilline ou céphalosporine) durant la première année, pour prévenir les poussées de cholangite, est utilisé par plusieurs. Les cholérétiques (phénobarbital et/ou cholestyramine) pourraient être aussi utiles pour faciliter la sécrétion biliaire et prévenir la cholangite.

Atrésie des voies interlobulaires

Cette entité est caractérisée par une absence ou un nombre réduit des canaux biliaires interlobulaires. Elle peut être associée à une atrésie des voies biliaires extra-hépatiques. En plus de la cholestase, ces patients présentent une hépato-splénomégalie et développent rapidement un prurit intense et des xanthomes. Les niveaux sériques de la phosphatase alcaline et du cholestérol sont habituellement très élevés. Plusieurs de ces enfants développent une cirrhose biliaire et meurent en insuffisance hépatique avant l'adolescence.

L'atrésie des voies biliaires interlobulaires a été décrite (Alagille) sous forme de syndrome en association avec des anomalies cardiovasculaires, le plus souvent une sténose de l'artère pulmonaire, des anomalies vertébrales, un faciès particulier, un retard de croissance avec ou sans retard mental. Ce syndrome a été observé chez plus d'un membre d'une même famille et son pronostic est favorable.

Le traitement a pour but d'abaisser le taux circulant des sels biliaires à l'aide de cholestyramine à raison de 6 à 18 g par jour. Le phénobarbital est également utile à cet égard. Ce traitement diminue l'intense prurit et améliore la fonction hépatique ainsi que la malnutrition.

Alimentation parentérale prolongée

Une cholestase peut apparaître chez le nourrisson après plus de deux semaines d'alimentation parentérale. Cette complication survient chez 25 à 40 % des prématurés. Le mécanisme exact de cette cholestase n'est pas connu. Le pronostic est bon, la cholestase disparaît à l'arrêt de l'alimentation parentérale.

Syndrome de la bile épaisse

Un ictère rétentionnel peut survenir chez un certain nombre d'enfants à la suite d'une érythroblastose fœtale. Ce type de cholestase peut durer jusqu'à deux ou trois mois, mais comporte un excellent pronostic. Aucun traitement spécifique n'est préconisé.

Syndrome du bouchon muco-biliaire

Un magma de sécrétions mucoïdes et biliaires peut entraîner une obstruction du cholédoque et un ictère rétentionnel. Cette affection rare peut être corrigée chirurgicalement.

Constipation, encoprésie et affections proctologiques courantes

Constipation

La constipation est caractérisée par l'évacuation difficile de selles moins abondantes et plus dures que normalement. A ceci s'ajoute fréquemment un retard dans l'évacuation des selles. C'est donc dire que si un enfant passe une selle de caractère normal tous les deux ou même tous les trois jours, il ne devra pas être considéré comme un constipé.

Etiologie

Chez la plupart des enfants avec constipation, aucune étiologie précise ne peut être mise en évidence. Il ne fait aucun doute que certaines prédispositions constitutionnelles, habitudes familiales ou sociales peuvent jouer un rôle important dans la genèse de ce symptôme. Chez le nourrisson, la constipation est souvent consécutive à un régime de haute teneur en protéines donnant un faible résidu. Une fissure anale est aussi souvent rencontrée chez le nourrisson constipé, rendant l'évacuation difficile. Parmi les causes anatomiques pouvant s'accompagner de constipation, il y a le mégacôlon congénital (maladie de Hirschsprung, cf. pp. 160-166) et beaucoup plus rarement une sténose anale ou une tumeur sacrococcygienne. La constipation est également souvent rencontrée dans l'hypothyroïdie congénitale, chez les déficients mentaux et chez les patients avec maladie neurologique.

Chez les enfants plus âgés, les conflits qui peuvent survenir durant la période d'apprentissage conduisant à la continence rectale, la mauvaise habitude que certains d'entre eux acquièrent en ne répondant pas dans un délai raisonnable au besoin de défécation afin de ne pas interrompre leurs activités sont des facteurs importants dans l'apparition de la constipation.

Tableau 11 : Diagnostic différentiel entre la constipation chronique et la maladie de Hirschsprung

	Maladie de Hirschsprung	Constipation chronique
Anamnèse	● Début à la naissance ● Symptômes d'obstruction intestinale ou entérite ● Evacuation normale seulement avec lavement	● Début variable, période néo-natale habituellement sans histoire ● Evacuation de selles énormes par intervalles
Distension abdominale	● Constante et importante	● Variable
Croissance	● Anormale	● Habituellement normale
Encoprésie	● Absente [1]	● Fréquente
Examen rectal	● Ampoule rectale vide	● Rectum dilaté et présence de matières fécales

[1] De l'encoprésie peut être notée chez des patients avec maladie de Hirschsprung à segment court.

Signes cliniques

Plusieurs symptômes, tels que fièvre, convulsions, performance scolaire inadéquate et mauvaise haleine, ont été attribués dans le passé à la constipation. Il semble assez peu probable que cela soit vrai. Cependant, la constipation du nourrisson peut être responsable de coliques, d'érosions ou fissures anales et de l'émission de selles s'accompagnant de filets de sang. L'enfant plus âgé habituellement ne se plaint pas et la constipation passerait inaperçue si ce n'était les craintes qu'elle suscite chez les parents qui la découvrent. Cependant, si la constipation est chronique et de longue durée, elle peut entraîner une certaine distension abdominale et l'enfant peut souffrir d'encoprésie. La constipation chronique favorise également les infections urinaires. L'examen physique de ces patients révèle souvent des matières fécales dures qui peuvent être mises en évidence lors de la palpation abdominale et de l'examen rectal. Chez un enfant avec une constipation chronique, la possibilité d'une maladie de Hirschsprung est souvent évoquée et les quelques points suivant (cf. tabl. 11) permettent habituellement d'établir facilement un diagnostic différentiel. En cas de doute, on doit faire un lavement baryté avec un film tardif, une biopsie rectale avec un tube à succion et une manométrie rectale.

Traitement

L'utilisation régulière de lavements évacuants, de laxatifs ou de suppositoires qui agissent par irritation colique sont habituellement à déconseiller dans la constipation.

Chez le nourrisson, la constipation est souvent corrigée par des mesures diététiques. Si l'apport de lait est élevé, il y aura lieu de le diminuer et de compenser par des aliments solides. L'addition de fruits en purée, particulièrement de prunes 1 à 2 fois par jour, est habituellement très utile. L'addition de sucre non raffiné comme du sirop de maïs, à raison de 1 cuillerée à thé par biberon, peut également aider. Enfin, si ces mesures ne suffisent pas, un agent comme le dioctyl sodium sulfosuccinate (Colace®) peut être utilisé à raison de 5 à 10 mg par kg de poids.

Chez l'enfant plus âgé, il faut augmenter l'apport hydrique et donner des aliments riches en cellulose. Il est surtout important de bien lui enseigner à répondre sans attendre au besoin de défécation. L'utilisation d'huile minérale (huile de paraffine), à raison de 30 ml par 10 kg de poids, donnée en deux doses, peut beaucoup aider à l'établissement d'un rythme régulier de défécation.

Encoprésie

Le terme d'encoprésie doit être réservé à l'enfant qui présente de l'incontinence fécale associée à une constipation chronique.

L'encoprésie est caractérisée par le passage fréquent et quotidien de selles dures, semi-liquides ou liquides dans les sous-vêtements, survenant habituellement durant le jour, chez un enfant avec un passé de constipation de longue durée. Cet enfant, le plus souvent un garçon, est habituellement d'âge scolaire et est souvent devenu la risée de ses compagnons de jeux ou de classe et est rejeté par ceux-ci. L'encoprésie peut aussi débuter à un âge moins avancé ; il est cependant assez difficile de la distinguer d'un entraînement infructueux à la propreté avant l'âge de trois ans. L'anamnèse de ces patients révèle habituellement que l'encoprésie a été précédée d'une constipation opiniâtre pour laquelle différents traitements se sont avérés infructueux. Ces enfants sont cependant en mesure de déféquer sans l'utilisation de médicaments, à intervalles réguliers pouvant aller jusqu'à 10 ou 12 jours : les selles sont alors très volumineuses. Le point le plus important à retenir dans l'encoprésie est que ces enfants retiennent leurs selles. Cependant, les efforts qu'ils font pour y parvenir sont souvent interprétés par les parents comme une tentative de défécation. L'énurésie est souvent associée à l'encoprésie.

L'étiologie exacte de l'encoprésie est toujours difficile à préciser. Elle amène fréquemment des perturbations psychologiques, et dans certains cas elle est consécutive à des conflits émotionnels. L'entraînement à la propreté de ces enfants a souvent été coercitif ou commencé lorsqu'ils étaient trop jeunes.

La palpation abdominale met souvent en évidence une accumulation importante de matières fécales au niveau du sigmoïde et même du côlon transverse. L'anus est fréquemment entrouvert et l'examen rectal révèle habituellement une accumulation importante de matières fécales. Le tonus sphinctérien peut être normal ou augmenté.

Traitement

La première phase du traitement consiste à éliminer toute rétention fécale. Ceci se fait à l'aide de lavements à base d'une solution hypertonique de phosphate (lavement Fleet®) à raison de 30 ml/10 kg de poids (maximum 120 ml). Il suffit généralement de donner ces lavements deux jours consécutifs, et de les faire suivre de lavements quotidiens avec solution saline isotonique pendant 5 ou 6 jours. Lorsque le fécalome est de consistance très dure, il est préférable de commencer cette phase de traitement avec l'instillation rectale d'huile minérale (150 ml) et rétention de celle-ci durant une heure. Un lavement avec une solution saline isotonique est ensuite donné et répété toutes les 12 h. pendant quelques jours.

Durant la deuxième phase du traitement, de l'huile minérale (huile de paraffine) est donnée par la bouche à raison de 30 ml par 10 kg de poids, répartis en deux doses, matin et soir. Cette dose est ensuite augmentée jusqu'à ce que l'enfant passe deux à trois selles molles par jour.

Une fois ceci établi, l'enfant est assis régulièrement à heure fixe sur les toilettes, matin et soir, pour une période de cinq minutes. Une fois le processus de défécation établi lors de ces séances, l'huile minérale est diminuée progressivement sur une période de deux mois. Par la suite, il pourra être nécessaire de traiter d'une façon irrégulière la constipation, souvent persistante chez ces patients.

Un traitement psychiatrique n'est entrepris que s'il y a, en plus de l'encoprésie, des troubles émotionnels importants associés.

Affections proctologiques courantes

Fissure anale

La fissure anale est la condition proctologique la plus fréquemment rencontrée en pédiatrie. Elle consiste en une déchirure de la muqueuse du canal anal au niveau de la jonction muco-cutanée et est habituellement consécutive au passage de selles dures ou à une gastro-entérite.

Chez le nourrisson, les fissures sont souvent multiples et peuvent survenir à plusieurs endroits du canal anal, alors qu'elles sont habituellement situées à la région postérieure chez l'enfant plus âgé.

La douleur à la défécation est le symptôme principal de la fissure anale. Celle-ci est souvent associée au passage de sang rouge sous forme de stries sur les selles. Une constipation résultant de la fissure anale, ou l'ayant causée, est habituellement présente.

Les fissures anales de l'enfant guérissent habituellement très bien avec un traitement conservateur consistant en des bains de siège suivis d'un séchage par tamponnement de la marge anale et de l'application d'une pommade anesthésique. On aura également soin de ramollir les selles durant quelques semaines avec du dioctyl sodium sulfosuccinate (Colace®, cf. traitement de la constipation, p. 276).

Si ce traitement s'avère inefficace, on pourra faire une cautérisation avec du nitrate d'argent (0,5 %). Enfin, chez quelques rares patients, lorsque ces mesures ont échoué et que le fond de la fissure anale présente du tissu cicatriciel, l'intervention chirurgicale est à recommander.

Valvulite et papillite

Les valvules et les papilles anales sont spécialement exposées aux traumatismes et aux infections. Le passage de selles dures ou liquides peut amener une inflammation de ces structures. Les symptômes qui en résultent sont une sensation de brûlure dans le canal anal, une défécation douloureuse et du ténesme. L'examen anuscopique révèle une hypertrophie et une inflammation des papilles ou un érythème avec œdème des valvules. Le traitement est le même que celui de la fissure anale.

Abcès et fistule de l'anus

L'abcès anal doit être considéré comme le stade initial d'une fistule anale et, jusqu'à preuve du contraire, doit être évacué chirurgicalement si on veut éviter une perforation spontanée interne ou externe (fistule) du foyer purulent.

La fistule anale consiste en un trajet fistuleux irrégulier, allant de la muqueuse anale jusqu'au bord de l'anus. 95 % environ de toutes les fistules anales commencent au niveau d'une papille et sont précédées d'un abcès. Le traitement est chirurgical et consiste en une excision de la fistule. On doit se rappeler que la fistule anale est une complication fréquente de la maladie de Crohn.

Affections pancréatiques

Insuffisance du pancréas exocrine

Fibrose kystique (mucoviscidose)

La mucoviscidose est une maladie héréditaire du type autosomique récessif, consécutive à une dysfonction généralisée de toutes les glandes exocrines. Les principales manifestations de la maladie sont des troubles pulmonaires chroniques, une insuffisance pancréatique et une élévation anormale des principaux électrolytes de la sueur.

Fréquence

La maladie atteint aussi fréquemment les garçons que les filles et ne se manifeste cliniquement que chez les homozygotes. Sa fréquence dans la population blanche est d'environ 1/2 000 naissances vivantes. Ceci veut dire qu'une personne sur 20 environ est un porteur hétérozygote de la mutation. La fibrose kystique est cependant beaucoup moins fréquente dans la population noire et est à peu près inexistante dans la population jaune. Dans les familles où un enfant est déjà affecté, le risque à chaque nouvelle grossesse est de 25 %. Il n'existe pas de test sûr pour faire le diagnostic pendant la période prénatale, ni pour dépister les porteurs hétérozygotes.

Pathogénie

Le mucus produit par les différentes glandes de l'organisme a une viscosité augmentée et peut entraîner une obstruction de ces glandes et de leurs canaux excréteurs. La plupart des changements pathologiques et des symptômes cliniques observés dans cette maladie sont secondaires à cette obstruction. Cependant, l'étiologie exacte de la maladie n'est pas encore connue. Plusieurs hypothèses ont été formulées, mais aucune d'entre elles n'a pu encore expliquer d'une façon valable l'hyperviscosité du mucus et l'élévation anormale des principaux électrolytes de la sueur. Une erreur innée du métabolisme des glycoprotéines, une dysfonction du système nerveux autonome, un facteur humoral anormal, une sécrétion exagérée du calcium par les glandes exocrines ont été quelques-unes des hypothèses formulées durant ces dernières années pour expliquer la maladie.

Signes cliniques

Chez 90 % des patients, les signes d'atteinte pulmonaire et d'insuffisance pancréatique vont se manifester durant la première année de vie.

- *Manifestations pulmonaires*

Les sécrétions mucoïdes visqueuses nuisent à un bon drainage de l'arbre bronchique chez ces patients, qui développent tous une maladie pulmonaire chronique. L'apparition de celle-ci est cependant très variable d'un malade à l'autre. Au début, les malades peuvent ne présenter qu'une toux sèche et des épisodes répétés de bronchite ou de pneumonie. Cependant, les sécrétions obstruant les bronches et les bronchioles finissent par entraîner des zones d'emphysème et aussi d'atélectasie du parenchyme pulmonaire, causant des foyers d'infection secondaire. Les premiers épisodes peuvent être habituellement contrôlés par antibiothérapie. Cependant, la répétition de ces phénomènes est responsable d'une diminution graduelle de la capacité fonctionnelle des poumons. Les patients présentent alors une toux chronique, un rythme respiratoire augmenté avec une phase expiratoire prolongée. L'hippocratisme digital et une augmentation du diamètre antéropostérieur du thorax font souvent partie du tableau clinique. Les principales complications de la maladie pulmonaire sont l'hypertension pulmonaire, le cor pulmonale, le pneumothorax, l'hémoptysie sévère et les abcès pulmonaires.

- *Manifestations gastro-intestinales*
1. *Insuffisance pancréatique* : Elle est présente dès la naissance chez 80 % des patients et s'installe de façon progressive durant la première année chez un 10 % additionnel. Les principales manifestations cliniques sont un retard de croissance, qui se manifeste dès les premiers mois de vie en dépit d'un excellent appétit, un abdomen protubérant, une fonte musculaire notable surtout au niveau des extrémités, le passage de selles non formées, nauséabondes, pâles et graisseuses. La stéatorrhée est associée à une malabsorption des vitamines liposolubles (A, D, E, K) et

peut entraîner des problèmes reliés à une déficience de ces différentes vitamines. L'insuffisance pancréatique est aussi responsable d'une perte fécale excessive de vitamine B_{12} et de sels biliaires qui peut être partiellement corrigée avec des extraits pancréatiques.

2. *Iléus méconial* : Cette manifestation précoce survient chez 10 à 20 % des patients. Elle consiste en une obstruction intestinale néonatale survenant à 24 ou 48 heures de vie, causée par un blocage de l'iléon terminal par du méconium. Chez presque 50 % des patients, l'iléus méconial s'accompagne d'une complication, soit une atrésie intestinale, soit un volvulus, soit une perforation avec péritonite méconiale.

3. *Equivalent de l'iléus méconial* : Les selles anormales de ces patients peuvent entraîner à la suite de la période néonatale une obstruction intestinale semblable à celles de l'iléus méconial du nourrisson. Les principaux signes cliniques sont des douleurs abdominales sous forme de coliques, des vomissements et la présence d'une masse palpable à la fosse iliaque droite.

4. *Prolapsus rectal* : Cette complication survient chez 25 % des patients non traités.

5. *Atteintes hépatiques* : Un ictère rétentionnel peut être la première manifestation d'une atteinte hépatique chez le nourrisson avec fibrose kystique. Une cirrhose biliaire focale est notée à l'autopsie chez environ 25 % des patients. Cette atteinte hépatique n'a habituellement aucune manifestation clinique. Cependant, chez les patients plus âgés, il n'est pas rare de rencontrer une cirrhose biliaire multilobulaire avec des signes d'hypertension portale. Enfin, 30 % environ des patients présentent une infiltration graisseuse du foie.

Diagnostic

La maladie est confirmée d'une façon certaine dans 99 % des cas par la démonstration dans la sueur obtenue par iontophorèse de pilocarpine d'une teneur en sodium supérieure à 70 mEq/l et à 60 mEq/1 pour le chlore.

Traitement

A) *Manifestations pulmonaires* : Voir chapitre 11.

B) *Manifestations gastro-intestinales* : L'insuffisance pancréatique est en partie compensée par un régime riche en calories et en protéines. Certains ont préconisé un régime pauvre en lipides, mais il semble préférable de donner un régime équilibré qui puisse satisfaire l'appétit de l'enfant. Des collations entre les repas sont à recommander. Des extraits pancréatiques (Pancréase®, Cotazyme®, Viokase®), sous forme de poudre pour le nourrisson ou en tablettes ou capsules pour l'enfant plus âgé, doivent être utilisés à chaque repas et à chaque collation.

La quantité d'extraits pancréatiques à utiliser varie d'un patient à l'autre. L'aspect et le nombre de selles peut servir de guide à cet effet. Un complexe vitaminé au double de la dose recommandée et de la vitamine E doivent être utilisés quotidiennement. On doit également donner un supplément de vitamine K trois fois par semaine lorsque l'enfant reçoit des antibiotiques ou qu'il a une atteinte hépatique.

Le traitement de l'iléus méconial a été abordé aux pp. 158-159. Le traitement de l'équivalent de l'iléus méconial en absence d'invagination peut se faire en augmentant les extraits pancréatiques et en donnant par voie orale de l'huile minérale (paraffine) ou de l'acétylcystéine. L'utilisation de lavements salins contenant des extraits pancréatiques et de l'acétylcystéine peut aider à déloger le fécalome. La chirurgie peut être nécessaire dans certains cas.

Pronostic

L'amélioration du traitement de cette maladie et son dépistage précoce ont beaucoup influencé le pronostic durant les dix dernières années. On considère maintenant que la survie moyenne d'un patient est de 19 ans à la suite du diagnostic.

Hypoplasie du pancréas exocrine avec troubles hématologiques (Shwachman)

Cette affection rare, qui semble congénitale, est caractérisée par un syndrome de malabsorption et une croissance inadéquate consécutive à une insuffisance du pancréas exocrine. Histologiquement, la masse des acini du pancréas est remplacée par du tissu adipeux. Les canaux excréteurs sont cependant conservés, de même que les îlots de Langerhans. Cette maladie s'accompagne habituellement de troubles hématologiques, sous forme de neutropénie constante ou cyclique et quelquefois d'anémie et de thrombocytopénie. 10 à 15 % de ces patients présentent des lésions osseuses suggestives d'une dysostose métaphysaire au niveau des fémurs, des tibias et des côtes. Le test de sudation est normal chez ces patients et le traitement consiste à donner des extraits pancréatiques.

Déficience en entérokinase

Cette affection est caractérisée par une absence d'activité de la trypsine dans le liquide duodénal et se traduit cliniquement par une diarrhée chronique et des troubles de croissance. Elle est due à une déficience en entérokinase, qui est un enzyme nécessaire à la conversion du trypsinogène en trypsine.

Pancréatite

Pancréatite aiguë

Plus de 50 % des pancréatites aiguës chez l'enfant sont d'origine traumatique ou surviennent en même temps que les oreillons. Un certain nombre de cas peuvent être associés à une pathologie vésiculaire, à une maladie systémique (lupus érythémateux, fibrose kystique), à la prise de médicaments (corticostéroïdes, sulfasalazine, chlorothiazids, acide valproïque) ou à une infection virale. Enfin, chez un pourcentage assez élevé de patients, aucune cause spécifique n'est trouvée.

Signes cliniques

Une douleur habituellement épigastrique, irradiant souvent dans le dos, est presque toujours présente. Cette douleur, d'intensité variable, peut être très importante. Des nausées et des vomissements font partie intégrante du tableau clinique. Le patient est tachycardique, légèrement fiévreux, quelquefois ictérique, et, dans les cas sévères, il peut y avoir état de choc. La palpation abdominale révèle un abdomen douloureux, tendu, mais non rigide. Il y a diminution du péristaltisme abdominal.

Diagnostic

Il repose sur l'anamnèse, le tableau clinique et la mise en évidence d'une élévation de l'amylase sérique. Celle-ci s'élève dans les heures qui suivent le début de la maladie et peut demeurer élevée pendant 24 à 72 h. Certains préconisent la détermination de l'amylase urinaire comme moyen de diagnostic. La lipase sérique peut également servir à cette fin.

Traitement

Il comporte l'administration de plasma ou de sang s'il y a état de choc, de solutés, avec aspiration gastrique continue. Les douleurs sont calmées avec de la mépéridine. La chirurgie est réservée pour les complications telles que pseudo-kystes ou abcès.

Pancréatite chronique

La pancréatite chronique à rechutes est très rare chez l'enfant. Dans un certain nombre de cas, la maladie est familiale et du type autosomique dominant avec pénétrance variable. Les symptômes, par moments, peuvent faire penser à une pancréatite aiguë. Le diagnostic est souvent difficile à établir et une pancréatographie rétrograde pourra être utile. Le traitement médical demeure celui de la pancréatite aiguë. Si l'exploration chirurgicale s'avère nécessaire, on doit procéder à une pancréatographie et à une cholangiographie. Une insuffisance pancréatique et un diabète surviennent éventuellement chez ces patients.

Chapitre 11

Affections des voies respiratoires
par G. Polgar et H. S. Varonier

Séméiologie, examens complémentaires, valeurs normales

Séméiologie
● *Toux :* Peut survenir dans n'importe quelle affection pulmonaire et peut être pathognomonique, surtout si elle s'accompagne d'expectorations particulières (coqueluche, mucoviscidose, pneumonie à chlamydia trachomatis, bronchiectasie). Une toux d'origine psychogène peut également se manifester en l'absence de toute pathologie respiratoire. La toux chez un nourrisson est rare et doit toujours être considérée comme un symptôme significatif.
● *Dyspnée :* Il s'agit, par définition, d'une sensation subjective d'essoufflement ; elle est rarement manifeste chez l'enfant, même lors d'affections respiratoires sévères.
● *Difficultés respiratoires paroxystiques ou récurrentes :* Elles sont dues principalement à un broncho-spasme réversible (asthme), à des accumulations de mucus (mucoviscidose) ou de toutes autres substances (protéinose alvéolaire) dans les voies aériennes.
● *Détresse respiratoire :* L'utilisation des muscles accessoires indique une augmentation du travail mécanique respiratoire. Plus le sujet est jeune et plus cet effort supplémentaire se traduit par une rétraction inspiratoire des tissus mous et même de la cage thoracique. Chez l'adulte, cette situation entraîne généralement de la dyspnée. Causes : diminution de la compliance pulmonaire (atélectasie, fibrose pulmonaire, épanchement pleural), diminution de la compliance thoracique (cyphoscoliose, affections osseuses et/ou cartilagineuses), augmentation de la résistance des voies aériennes (broncho-spasme), inflammations (bronchites), obstruction (mucoviscidose, emphysème, anomalies congénitales, cicatrices post-traumatiques), forte augmentation de la ventilation.
● *Battements des ailes du nez :* Difficulté inspiratoire en rapport avec une compliance pulmonaire ou thoracique diminuée, une obstruction des voies aériennes ; peut être observée également en cas d'hyperventilation forcée.

- *Orthopnée :* Besoin d'être assis pour respirer. Signe d'une congestion pulmonaire avec augmentation de la compliance et de la résistance au courant aérien des zones concernées. Ce signe est très utile pour poser le diagnostic d'une insuffisance circulatoire et non respiratoire.
- *Fréquence respiratoire :* Signe peu sûr, car sa mesure précise est difficile et il n'est pas le reflet direct de l'état ventilatoire. Une ventilation irrégulière (respiration périodique des prématurés, crises d'apnée, « prodromes » d'un syndrome de mort subite) peut être au moins partiellement due à des anomalies de la régulation respiratoire.
- *« Grunting » :* Sorte de gémissement expiratoire ; c'est un signe non spécifique de détresse respiratoire chez le nouveau-né et le nourrisson, surtout lors de la maladie des membranes hyalines, de bronchiolite et de broncho-pneumonie.
- *Stridor :* Sifflement, qui est toujours dû à une obstruction des voies respiratoires supérieures, surtout au niveau laryngé. Dans les cas sévères, on l'entend à l'inspiration et à l'expiration ; lorsque l'obstruction est légère, il ne se manifeste qu'à la phase inspiratoire, la lumière laryngée diminuant alors par l'augmentation de l'effort inspiratoire.
- *Hypoventilation :* Due à un trouble de régulation ou à une obésité et/ou à une obstruction des voies aériennes supérieures. Difficile à détecter sans mesures appropriées de la ventilation ou des gaz sanguins.
- *Hippocratisme digital* (doigts et orteils) : Reflète une hypoxie chronique. Une mesure précise de cette déformation des extrémités en baguette de tambour renseigne assez bien sur la sévérité de l'affection causale.
- *Cyanose :* Elle n'est pas un reflet fidèle du degré d'hypoxie. Celui-ci doit être vérifié et apprécié quantitativement par la mesure des gaz sanguins.
- *Hypercapnie :* Entraîne une baisse de la sensibilité, puis somnolence ou coma.
- *Douleur thoracique :* Les enfants d'âge scolaire peuvent l'exprimer et elle est alors un élément diagnostique important en cas de pneumothorax, début de pleurésie, infarcissement pulmonaire (par exemple, dans l'anémie falciforme).
- *Index thoracique :* La détermination du rapport diamètre antéro-postérieur/diamètre frontal du thorax au moyen d'un pelvimètre est utile pour apprécier un emphysème et les situations restrictives pulmonaires. L'évolution de cet index au cours du temps est un bon renseignement.

Exploration fonctionnelle pulmonaire

(cf. tableau 1).

Elle est possible chez la plupart des enfants de plus de 5 ans et chez le nouveau-né. La détermination des gaz sanguins (pO_2, pCO_2) et du pH devrait se faire à tout âge pour apprécier la présence et le degré d'une insuffisance pulmonaire et pour la surveillance de l'oxygénothérapie et d'une éventuelle ventilation assistée.

Autres examens complémentaires

Voir tableau 2.

Tableau 1 : Fonctions pulmonaires et leurs variations habituelles en pathologie respiratoire

	Asthme	Muco-viscidose	Fibrose interstitielle	Faiblesse musculaire
Capacité pulmonaire totale (CPT)	N ou ↑	N ou ↑ ou ↓	↓	↓
Volume résiduel/CPT	↑	↑	N ou ↓	N ou ↑
Capacité vitale (CV)	N ou ↓	↓	↓	↓
Débit expiratoire maximum (DEM)	↓	N ou ↓	N ou ↑	↓
Débit maximum mi-expiratoire (DMM)	↓	↓	N ou ↑	↓
DMM à 60 % CPT	↓	↓	N ou ↑	N ou ↓
Volume-isodébit/CV	N ou ↑	↑	N	N ou ↑
Résistance des voies aériennes	↑	↑	N ou ↓	N ou ↑
Volume de fermeture/CPT	N ou ↑	↑	N ou ↓	N ou ↑
PO_2 artérielle	N ou ↓	N ou ↓	N ou ↓	N ou ↓
PCO_2 artérielle	↓ ou ↑	N ou ↑	N ou ↑	N ou ↑
pH artériel	↑ ou ↓	N ou ↓	N	N

Tableau 2 : Examens complémentaires dans les affections respiratoires

- Radiologie : clichés du thorax (face et profils), tomographie, tomodensitométrie, fluoroscopie, scintigraphie au gallium, scintigraphie de la ventilation/perfusion au xénon 133, xérographie, angiographie, bronchographie, pneumopéritoine, etc.
- Bronchoscopie, laryngoscopie, naso-pharyngoscopie, thoracoscopie
- Ponction pleurale
- Biopsie pulmonaire ou aspiration à l'aiguille
- Fonctions pulmonaires
- Mise en cultures pour la microbiologie (bactéries, champignons, virus) : échantillons de sang, de sécrétions naso-pharyngées, trachéo-bronchiques, de tissus pulmonaires, de liquide pleural et de moelle osseuse
- Frottis avec coloration faits à différents niveaux de l'arbre respiratoire pour la recherche d'éosinophiles, de macrophages, de cellules tumorales, de parasites, de bactéries, de champignons, etc.
- Sérologie : échantillons de sérum pris durant la phase aiguë puis lors de la convalescence pour la recherche d'agglutinines froides ou d'anticorps viraux, précipitines, alpha-1-antitrypsine, protéine C-réactive, ASLO, ASK, etc. (affections rhumatismales), angiotensine-convertase (sarcoïdose)
- Electrocardiographie
- Echocardiographie
- Tests cutanés : allergènes divers (atmosphériques, polliniques ou fongiques, tuberculines, etc.)
- Sudogramme (mucoviscidose)
- Tubage gastrique (bacille de Koch)
- Electrophorèse, immuno-électrophorèse du sérum sanguin et étude de l'immuno-compétence cellulaire
- Taux sérique de l'alpha-1-antitrypsine

D'après W. W. Waring, *Diagnostic and Therapeutic Procedures in Disorders of the Respiratory Tract in Children*, E. L. Kendig Jr., 2d edition, 1972, Saunders, Philadelphia, London.

Principes généraux de traitement

1. Traitement étiologique : antibiotiques et autres médications spécifiques, chirurgie (malformations congénitales, résection d'un segment, d'un lobe, voire d'un poumon, amygdalectomie, etc.), bronchoscopie (extraction d'un corps étranger).

2. Traitement symptomatique : broncho-dilatateurs, oxygénothérapie, inhalation d'aérosols, drainage bronchique, trachéotomie ou intubation, lavage trachéo-bronchique, ventilation assistée (respirateur) avec ou sans pression de distension continue (PDC), pression positive continue avec respiration spontanée.

3. Traitements adjuvants : exercices respiratoires, physiothérapie, humidification et mucolyse, maintien de l'équilibre acido-basique et hydrique.

Il faut noter les points particuliers suivants :
● Les médications expectorantes, béchiques ou toniques ont, sauf exception, peu de valeur thérapeutique, spécialement chez les enfants où l'administration de substances beaucoup plus utiles est souvent déjà difficile.
● L'antibiothérapie doit être dirigée ; un diagnostic bactériologique spécifique devrait toujours être recherché. Les infections virales ne sont pas sensibles aux antibiotiques et les « surinfections » bactériennes doivent être prouvées avec antibiogramme avant l'introduction d'une thérapie antimicrobienne.
● L'oxygénothérapie doit être prescrite et surveillée comme toute autre médication ; il faut garder en mémoire le danger de lésion pulmonaire due à une trop haute pression partielle d'oxygène.
● Les inhalations de médicaments aérosolisés peuvent être utiles, mais la distribution efficace de la substance jusqu'à la périphérie pulmonaire reste incertaine ; ainsi ce mode d'administration est surtout indiqué pour les substances absorbées au niveau des voies aériennes supérieures et agissant par voie sanguine (bronchodilatateurs). La vapeur sous tente à oxygène ou croupette semble surtout utile pour l'humidification des voies respiratoires supérieures (laryngite striduleuse, etc.).
● Une ventilation assistée doit être mise en route lorsqu'une acidose respiratoire atteint un degré important. L'oxygénothérapie n'élimine pas le déficit ventilatoire et peut au contraire diminuer la stimulation respiratoire dans les affections chroniques.
● L'administration d'alcalinisants (bicarbonate, THAM) ne permet pas de corriger définitivement une acidose respiratoire, mais permet souvent de maîtriser l'acidose métabolique qui l'accompagne fréquemment. Une alcalose respiratoire sévère peut survenir lorsque la respiration artificielle n'est pas suffisamment contrôlée. Une hyperventilation spontanée entraîne rarement une alcalose dangereuse.
● Le choix entre trachéostomie et intubation nasale ou orotrachéale lors d'urgence (par ex. épiglottite) devrait être déterminé seulement selon l'habileté de l'opérateur. En cas de compétence identique, l'intubation est préférable.

Maladies infectieuses du tractus respiratoire

La plupart des affections respiratoires sont d'origine infectieuse : virus, mycoplasmes (cf. tableau 3), bactéries, champignons. L'infection a lieu surtout par inhalation à l'occasion d'un déficit temporaire de l'immunité physiologique (rôle du tissu lymphoïde, système mucociliaire, macrophages, immunité humorale).

Age : les enfants de 1 à 6-7 ans sont particulièrement susceptibles de contracter des infections respiratoires virales. Cependant, la fréquence de telles infections est très variable chez un même individu. Certains enfants sont infectés presque toute l'année et présentent alors une variété de symptômes mineurs. Dans ces cas, l'on doit rechercher des facteurs prédisposants (allergies, déficits immunitaires, mucoviscidose, etc.). Les infections bactériennes ou d'autres origines non virales se manifestent sporadiquement, avec un caractère endémique ou épidémique (streptocoque). La prévention des infections du tractus respiratoire, par exemple par des mesures d'isolement, est pratiquement impossible dans les régions à forte densité de population. En outre, aucun bénéfice véritable ne peut être obtenu par les procédés d'immunisation active actuellement disponibles, sauf contre quelques micro-organismes (virus influenza, streptoccocus pneumoniae). Le traitement reste essentielle-

Tableau 3 : Rôle étiologique des virus et mycoplasmes en pathologie respiratoire chez l'enfant

Groupe	Sérotypes Total	Associés à un état pathologique	Bronchiolite	Pneumonie	Faux croup	Bronchite	Rhinopharyngite
Myxovirus :							
• Influenza	3	2 (A, B)	+	+	+	+++	++
• Para-influenza	4	4 (1, 2, 3, 4)	++	++	++++	+++	+++
• Resp. syncitial	15	1	++++	++++	++	+++	+++
Picornavirus :							
• Coxsackie A	24 +	8 (2, 4, 5, 6, 8, 10, 21, 22)		+			+++
• Coxsackie B	6	3 (2, 3, 5)		+			+++
• Echo	30 +	6 (8, 9, 11, 20, 22, 25)		+			++++
• Rhinovirus	100 +	100 +				++	++++
Coronavirus	Nombreux						++++
Adénovirus	33	10 (1, 2, 3, 4, 5, 6, 7, 8, 14, 21)	++	+++	+	+++	+++
Mycoplasmes	8	1 (M. pneumoniae)	+	+++		++	

ment non spécifique car, d'une part, un diagnostic étiologique est rarement possible et, d'autre part, les virus ne sont pas sensibles aux antibiotiques usuels. Cette situation apparemment peu favorable est partiellement améliorée par des mécanismes immunologiques assez efficaces pour lutter contre ces infections respiratoires. L'exposition particulière du système respiratoire à des agents pathogènes aériens stimule ces mécanismes protecteurs. Cependant, des données récentes montrent que des épisodes répétés d'infections respiratoires apparemment mineurs entraînent des troubles fonctionnels permanents. Cela peut jouer un rôle dans le développement d'affections chroniques chez l'adulte.

Voies respiratoires supérieures

Rhinopharyngite aiguë

Le « rhume » apparemment banal est une affection beaucoup plus fréquente et aussi plus sévère chez l'enfant que chez l'adulte. Ces deux particularités sont probablement dues à l'état immunobiologique particulier des jeunes enfants qui ont eu moins de contacts infectants antérieurs et qui ont tendance aux réactions systémiques avec une certaine inaptitude à localiser l'infection.
● *Séméiologie :* Une forte hyperthermie est plus fréquente chez le nourrisson et le petit enfant. Au début de l'affection, les enfants plus âgés se plaignent de prurit, voire d'une sensation de sécheresse douloureuse au niveau du nez, du palais, du pharynx et de la région rétrosternale. Des éternuements, puis une rhinorrhée d'intensité croissante (d'abord muqueuse puis séreuse, finalement à nouveau muqueuse et souvent purulente) apparaissent ensuite. Des douleurs musculaires et abdominales accompagnent souvent ce tableau clinique. Chez le nourrisson, les premiers signes sont souvent des troubles du sommeil ou de l'alimentation (vomissements, succion difficile) dus à la congestion nasale. Le stade initial peut ne durer que quelques heures, et les signes majeurs apparaissent généralement dans les 4 à 5 jours. Cependant, une décongestion complète du nez, avec le tarissement de la rhinorrhée, ne s'obtient que rarement avant une semaine.
● *Diagnostic :* Il ne pose pas de problème lorsque la symptomatologie est aiguë. Il faut cependant se rappeler que certaines maladies infectieuses et contagieuses peuvent se manifester initialement par une rhinopharyngite apparemment banale (diphtérie et syphilis).
● *Complications :* Otite moyenne, sinusite et participation du tractus respiratoire inférieur. Ces localisations peuvent cependant être considérées comme des manifestations régionales de la même infection.
● *Traitement :*
a) Antithermiques et analgésiques selon les besoins.
b) Une médication locale n'est pas toujours nécessaire. Des déconges-

tionnants topiques et des antihistaminiques peuvent être utiles, mais il ne faut cependant pas répéter la dose plus de 4 à 6 fois par 24 heures. Cette médication est parfois suivie d'un « effet rebond » très désagréable.
c) Gargarismes avec solution désinfectante ou simplement saline : utiles par un effet adoucissant local.
d) Une protection de la peau autour des narines est parfois nécessaire ; on utilise des pommades neutres ou anti-inflammatoires.

Rhinopharyngite chronique

Elle s'observe chez des sujets particulièrement susceptibles et peut être entretenue par :
a) une certaine pollution atmosphérique (fumée, etc.) ;
b) des infections récidivantes ;
c) une adénoïdite chronique.

La présence d'une infection chronique, toute l'année, des voies respiratoires supérieures, plus que des épisodes répétés, peut entraîner une pathologie respiratoire chez l'adolescent et l'adulte.
● *Traitement :* Détection et suppression des facteurs étiologiques.

Amygdalite aiguë (angine)

Une amygdalite aiguë n'accompagne pas toute rhinopharyngite. Certains sujets présentent des amygdalites récidivantes après l'âge d'un an, certains n'en souffrent jamais.
● *Etiologie :* Surtout bactérienne (streptocoque, H. influenzae, association fuso-spirillaire).
● *Complications :* Participation systémique avec parfois septicémie. Complications régionales : otite moyenne, sinusite, adénite cervicale, abcès périamygdalien (esquinancie), pneumonie. Complications générales : rhumatisme articulaire aigu, glomérulo-néphrite. Il apparaît donc qu'une amygdalite est une infection beaucoup plus sérieuse qu'une infection banale des voies respiratoires supérieures.
● *Séméiologie :* Début brusque, hyperthermie parfois avec frisson et malaises, dysphagie (les petits enfants se plaignent souvent de gastralgies), amygdales hypertrophiées parfois visibles, sinon palpables au niveau du cou, participation ganglionnaire régionale ; les amygdales elles-mêmes sont érythémateuses, œdémaciées, recouvertes d'un exsudat friable.
● *Diagnostic :* Doit être confirmé par la mise en évidence de l'agent pathogène responsable (frottis de gorge).
● *Traitement :*
a) Antithermiques et analgésiques.
b) Antibiotiques, selon la nature du germe cultivé (contre le streptocoque hémolytique, le médicament de choix reste la pénicilline par voie intramusculaire ou par voie orale durant 10 jours à raison de 1 000 000 d'unités par jour au minimum).
c) Chez les enfants plus âgés, on peut employer une médication locale adjuvante, sous forme de gargarismes et de chaleur.

Amygdalite chronique

L'existence même de cette affection doit être mise en doute. En effet, rien ne prouve que l'hypertrophie des amygdales soit le résultat d'infections récidivantes. Cette hypertrophie est en général transitoire et disparaît avec le temps. Par ailleurs l'ablation des amygdales ne prévient pas les infections pharyngiennes à streptocoques, ni les infections virales. Il est très rare enfin que l'hypertrophie amygdalienne soit telle qu'elle résulte en une insuffisance respiratoire avec cœur pulmonaire chronique.

La tonsillectomie est un acte chirurgical généralement inutile, qui fait plus de bien aux parents qu'aux enfants. Les seules indications opératoires sont : abcès péri-amygdalien ou néoplasme, ou encore la rarissime obstruction respiratoire avec danger de cœur pulmonaire chronique.

L'adénoïdectomie simple est indiquée dans certains cas d'otite moyenne séreuse, pour tenter de désobstruer l'orifice de la trompe d'Eustache ou lorsqu'un trouble de la respiration nasale ne peut être mis sur le compte d'une allergie nasale.

Sinusite aiguë

Les sinus frontaux, ethmoïdaux et maxillaires participent toujours à une rhinopharyngite aiguë (à l'exclusion des sinus frontaux chez le nourrisson). Une sinusite bactérienne suppurée survient généralement à la suite d'un drainage insuffisant dû à une muqueuse œdémaciée, des bouchons muqueux, voire une irritation locale (natation).
- *Séméiologie :* Fièvre, douleurs spontanées ou à la percussion, céphalées, malaises, œdèmes périorbitaires, voix nasonnante, rhinorrhée purulente.
- *Diagnostic :* Opacité à la transillumination. Voile plus ou moins épais à la radiographie.
- *Traitement :*
a) Antibiotiques selon les résultats bactériologiques.
b) Vaso-constriction locale sous forme de gouttes ou de spray nasal, voire d'aérosol.
c) Antithermiques et analgésiques.
d) Le lavage de la cavité nasale peut être utile, avec ou sans méthode de Protz.
e) Un drainage chirurgical des sinus est rarement nécessaire, si le traitement symptomatique et antibiotique a été correct.

Sinusite chronique

Elle est fréquente chez les enfants présentant une allergie respiratoire, une mucoviscidose, une hypogammaglobulinémie, un syndrome de Down (mongolisme), une malnutrition, ou le syndrome des cils épithéliaux immobiles.
- *Séméiologie :* Les symptômes sont peu spécifiques : hyperthermie modeste, variable, anorexie, rhinorrhée.

Laryngite et épiglottite

Le « faux croup » est une dyspnée aiguë avec stridor et toux aboyante due à une obstruction inflammatoire et œdémateuse du larynx. Cette laryngite striduleuse peut être asphyxiante chez le petit enfant mais elle est surtout dangereuse lorsque l'inflammation et l'œdème s'étendent à l'épiglotte ou touchent électivement l'épiglotte (*épiglottite*). L'épiglottite aiguë peut être une cause de mort par asphyxie à tout âge, et elle représente une urgence médicale absolue.

● *Etiologie :* La laryngite et l'épiglottite sont souvent d'origine virale (para-influenza, adéno-, syncitial, respiratoire, etc.) mais peuvent aussi être de nature bactérienne (Hemophilus influenzae, surtout l'épiglottite). Pour le vrai croup diphtérique, que l'on n'observe plus dans les populations bien vaccinées contre la diphtérie, cf. p. 718. Les infections virales ne provoquent une laryngite aiguë que chez certains enfants, et cette réaction individuelle particulière n'est pas due à une allergie spécifique.

● *Séméiologie :* Une laryngite peut faire suite à une rhinopharyngite après quelques jours d'évolution ou se manifester comme une laryngite d'emblée. Les signes sont ceux d'une obstruction respiratoire haute modérée à sévère : enrouement, toux aboyante, tirage inspiratoire, parfois hyperthermie. L'épiglottite se manifeste brusquement par une détresse respiratoire importante, de la *dysphagie,* un état général toxique, une hypoxie et une hypercapnie. L'épiglottite rouge cerise, tuméfiée, peut parfois être vue par la simple inspection du pharynx. Il est dangereux d'utiliser un abaisse-langue pour la visualiser ; la manœuvre peut provoquer un spasme laryngé ou une bascule de l'épiglotte sur l'orifice laryngé qui peuvent être fatals. Il est possible, si l'on soupçonne une épiglottite, de faire une radiographie latérale du cou (larynx), qui permet en général de mettre en évidence la tuméfaction de l'épiglotte. Le diagnostic est important car il implique une surveillance intensive du malade et, à la moindre péjoration, une intubation ou une trachéotomie immédiate. On ne fera cependant ce cliché que si l'état de l'enfant le permet, et sans relâcher la surveillance !

● *Traitement :* L'angoisse et l'agitation du malade avec laryngite tendent à aggraver la dyspnée, mais les sédatifs ne doivent être utilisés qu'avec prudence. On peut administrer du diazépam mais nous préférons l'hydrate de chloral qui a moins tendance à déprimer le centre respiratoire. En cas d'épiglottite, aucune sédation avant l'obtention d'une perméabilité des voies aériennes.

a) La vapeur froide sous tente à oxygène (croupette) ou dans un local ad hoc est souvent très utile.

b) L'oxygène doit être donné sans hésiter mais toujours associé à la vapeur froide (le dessèchement augmente l'œdème de la muqueuse).

c) Ampicilline et chloramphénicol en cas d'épiglottite.

d) L'utilité des corticostéroïdes n'est pas prouvée.

Lorsque l'angoisse augmente, avec des signes de fatigue, voire de prostration, témoignant d'une obstruction laryngée irréductible, l'intubation endotrachéale ou la trachéotomie sont indiquées. Cette indication est rare pour la laryngite.

Tout enfant chez qui on soupçonne l'existence d'une épiglottite doit être hospitalisé. Si l'intubation ou la trachéotomie est jugée nécessaire, il faut la faire *immédiatement.* On admet actuellement de procéder de manière préventive car tout retard peut être fatal (cf. chap. 14 pp. 424-426).

L'existence montre en fait qu'une intubation est presque toujours possible, lorsqu'elle est effectuée *lege artis*, et bien tolérée, même durant plusieurs jours. Elle présente beaucoup moins de complications que la trachéotomie.

Otite moyenne aiguë

L'oreille moyenne participe toujours à une rhinopharyngite virale mais généralement sans signes cliniques. Les infections bactériennes facilitées par un mauvais drainage à travers la trompe d'Eustache sont la cause d'une inflammation pyogène. Une otite sévère peut cependant aussi être due à un virus.
- *Séméiologie :* Otalgies modérées à fortes, parfois brusques. Chez le nourrisson, elles se traduisent par des tremblements de la tête, une certaine agitation : parfois l'enfant se frotte les oreilles. La fièvre n'est pas toujours présente. La palpation de la région périauriculaire est douloureuse, surtout au niveau du tragus. Les tympans sont rouges ou jaunes, mats ; leur reflet à la lumière est faible, voire aboli. Ils peuvent encore être soit bombés soit rétractés.
- *Traitement :* Une simple inflammation du tympan (myringite) sans autre symptôme n'exige aucun traitement. En cas d'otite moyenne manifeste, une antibiothérapie par voie générale est de rigueur et durera une semaine au minimum (ampicilline ou pénicilline).
a) Des analgésiques locaux sous forme de gouttes otologiques peuvent être utiles, mais rendent souvent l'examen à l'otoscope difficile.
b) Compresses chaudes et sèches. Des vaso-constricteurs aident au drainage eustachien.
c) Une myringotomie n'est pas nécessaire si l'otite est traitée suffisamment tôt.
- *Complications :* Une perforation spontanée du tympan peut entraîner une otite chronique. La mastoïdite est une complication sévère, surtout chez le nourrisson. Elle est devenue rare depuis l'avènement des antibiotiques. L'otite moyenne chronique, avec ou sans chalestéatome, requiert l'intervention du chirurgien ORL. De même la mastoïdite qui ne cède pas rapidement aux antibiotiques.

Otite moyenne séreuse

L'otite moyenne séreuse (« glue ear » des auteurs anglo-américains) est une affection maintenant fréquemment rencontrée chez les enfants et qui est liée à une dysfonction (obstruction) de la trompe d'Eustache. La persistance d'une telle otite peut conduire à une hypoacousie et secondairement à des troubles de l'élocution, des difficultés scolaires et du comportement. Cette affection est souvent une complication d'un traitement antibiotique (otite refroidie), d'une allergie respiratoire, d'une division palatine ; elle se voit aussi avec prédilection chez les enfants mongoliens ou atteints d'une mucoviscidose. Le contenu muqueux, épais, de l'oreille moyenne est stérile mais peut s'infecter ou se réinfecter. Si l'on n'obtient pas un résultat rapide avec des gouttes nasales décongestives (vasoconstricteurs), on doit procéder à une myringotomie avec aspiration du matériel et mise en place de petits drains en matière plastique (tubes ou diabolos). Cette intervention doit parfois être répétée dans les cas chroniques.

Voies respiratoires inférieures

Bronchite aiguë

Avec trachéite, accompagne souvent ou est la conséquence d'une rhinopharyngite aiguë. Elle se rencontre surtout chez l'enfant plus âgé. Une trachéobronchite aiguë fait souvent partie du tableau clinique de certaines maladies contagieuses (rougeole, coqueluche, salmonellose, etc.).
- *Etiologie :* Surtout virale, parfois bactérienne, voire pollution (fumée, gaz, etc.).
- *Séméiologie :* Toux : d'abord sèche, irritative, non productive et douloureuse, elle devient assez rapidement productive avec des expectorations muco-purulentes durant 8 à 10 jours. Les petits enfants avalent leurs sécrétions bronchiques. Auscultation : murmure vésiculaire rude, expiration prolongée, audition de râles et de ronchi de plus ou moins gros calibre. Radiographies et examens de la fonction pulmonaire ne sont pas utiles.
- *Traitement :*
a) Identique à celui de la rhinopharyngite.
b) Antibiotiques seulement en cas d'infection bactérienne prouvée.
c) Expectorants (béchiques) : n'ont qu'un intérêt limité et sont souvent anorexigènes chez les petits enfants. Certains mucolytiques peuvent cependant aider lorsque l'hypercrinie est importante. Un apport abondant de liquides par voie orale facilite la mucolyse et l'expectoration.
d) Antitussiques : ne doivent être employés que pour des cures brèves lorsque la toux n'est pas productive.

Bronchite chronique

Elle est souvent la manifestation d'une mucoviscidose, d'une sinusite, de bronchectasie, de tuberculose pulmonaire. La bronchite du fumeur, du travailleur en milieu pollué, ne se rencontre pas chez l'enfant, bien qu'un état chronique existant puisse être aggravé par une inhalation « passive » de la fumée. Il faut sérieusement prévenir le tabagisme chez les adolescents. Le traitement est celui de l'affection en cause.

Bronchiolite

C'est l'infection aiguë la plus sévère des voies respiratoires inférieures, chez les enfants au-dessous de 2 ans et surtout chez les nourrissons de moins de 6 mois. Certains enfants présentent plusieurs épisodes successifs. L'affection a une fréquence surtout hivernale, lorsque les infections des voies respiratoires supérieures sont fréquentes.
- *Etiologie :* Surtout virale (virus respiratoire syncitial, etc.) mais aussi bactérienne (Hemophilus influenzae, etc.).
- *Anatomopathologie :* Inflammation généralisée des bronchioles avec multiples petites atélectasies.

● *Physiopathologie :* Augmentation des résistances aériennes, maldistribution de l'air inspiré, augmentation de l'espace mort, hypoxie et hypercapnie, acidose respiratoire, acidose métabolique.
● *Séméiologie :* Les symptômes initiaux sont souvent ceux d'une infection banale des voies respiratoires supérieures. La difficulté respiratoire chez le nourrisson survient souvent au moment des repas, avec une respiration rapide et superficielle ; l'expiration s'accompagne d'un « grunting », l'inspiration d'une rétraction thoracique. L'insuffisance respiratoire par hypoventilation alvéolaire s'accompagne d'agitation, et les téguments deviennent pâles, voire cyanosés. *Toux :* pas toujours présente. *Fièvre :* discrète ou modérée ; si l'hyperthermie est forte, une déshydratation menace. *Signes stéthacoustiques :* beaucoup moins bruyants que les difficultés respiratoires, parfois râles disséminés et sibilants, diminution du murmure vésiculaire. La percussion est tympanique avec une augmentation de l'index thoracique, reflet d'une hyperinflation pulmonaire due à l'obstruction bronchiolaire.
● *Radiologie :* Augmentation du diamètre thoracique antéro-postérieur, augmentation de la transparence qui peut masquer des anomalies parenchymateuses, car, lorsque l'hyperinflation diminue, apparaissent de petites opacités dues à de multiples atélectasies.
● *Diagnostic différentiel :* Il se fait essentiellement avec un asthme bronchique, déclenché par une affection virale. Le broncho-spasme asthmatique provoque une difficulté expiratoire en général plus grande et des sibilances sont entendues sur toute l'aire pulmonaire. Un traitement broncho-dilatateur amende la symptomatologie. Les enfants allergiques peuvent cependant aussi avoir une vraie bronchiolite. Souvent les enfants qui ont des bronchiolites avec obstruction significative développent par la suite un asthme vrai. Une bronchiolite est une entité clinique limitée à elle-même et dure rarement plus de 3 à 7 jours. La mortalité, quoique faible, n'est pas négligeable.
● *Traitement :* Une thérapie spécifique est rarement possible puisqu'un diagnostic étiologique est souvent difficile. Cependant, un antibiotique à large spectre est recommandé, ne serait-ce que pour prévenir une surinfection bactérienne.

a) L'oxygénothérapie est indiquée et adaptée au degré d'hypoxie révélé par la gazométrie.

b) Une perfusion alcalinisante (bicarbonate ou THAM) ne maîtrise pas toujours efficacement l'acidose respiratoire mais contrôle adéquatement l'acidose métabolique surajoutée.

c) L'humidification de l'air inhalé avec ou sans oxygène prévient la déshydratation ; les tentes à oxygène ou croupettes sont alors utiles, bien que leurs avantages ne compensent pas toujours l'inconvénient d'une observation moins aisée du patient.

d) Une ventilation assistée par pression positive intermittente, grâce à un respirateur et une intubation endotrachéale, est indiquée en cas d'insuffisance respiratoire.

e) Corticothérapie : en principe peu utile ; aussi, lorsqu'une dose initiale est sans effet, elle devrait être interrompue. Son efficacité dans l'asthme bronchique permet le diagnostic différentiel.

Un enfant atteint de bronchiolite doit être traité et surveillé de façon intensive avec la possibilité de toute médication ou intervention d'urgence.
● *Complications :* Dues aux surinfections bactériennes avec brusque hyperthermie, pneumonie, pneumothorax et otite moyenne.

Pneumonie

Elle est fréquemment la complication d'une infection respiratoire, voire systémique, aiguë ou chronique, chez le nourrisson et l'enfant. Elle peut cependant d'emblée être limitée à une infection uniquement pulmonaire. Son incidence diminue avec l'âge. Une infection microbienne se développe à l'occasion d'une baisse passagère des mécanismes immunitaires par ailleurs très efficaces. La pneumonie peut être le résultat d'une agression virale initiale.

● *Anatomopathologie :* Elle varie selon la localisation (lobaire, lobulaire ou segmentaire), la participation des structures anatomiques (alvéoles, tissus interstitiels) et la réaction tissulaire (consolidation, suppuration, nécrose, cicatrisation).

● *Etiologie :* Toutes les bactéries, virus, champignons et autres agents responsables d'une inflammation peuvent être responsables d'une affection broncho-pulmonaire.

● *Séméiologie :*

a) Chez le nourrisson : début après un léger « rhume », rapide élévation thermique (parfois avec convulsions), vomissements, agitation, grognements expiratoires, toux modérée (légère, voire absente), tachypnée, tachycardie, subcyanose (de petits foyers parenchymateux disséminés peuvent provoquer beaucoup plus d'hypoxie que des lésions plus grandes grâce aux shunts droit gauche à travers un tissu pulmonaire atélectasié), parfois ballonnement abdominal. Les signes stéthacoustiques (râles, ronchi) et la percussion (matité) donnent souvent peu de renseignements.

b) Chez l'enfant : en plus des signes et des symptômes mentionnés ci-dessus : céphalées, frissons, malaises, somnolence, délire, angoisse, faciès érythrosique (souvent plus marqué du côté de la pneumonie), douleurs thoraciques, avec souvent une projection au niveau abdominal, exanthème. Les signes stéthacoustiques sont ici plus fidèles. Tous ces symptômes et ces signes sont présents dans chaque pneumonie sans préjuger de son étiologie.

● *Séméiologie particulière à certaines pneumonies selon leur étiologie :*

Pneumonie streptococcique : tableau clinique polymorphe, exanthème scarlatiniforme, purpura.

Pneumonie staphylococcique : complique en général d'autres manifestations d'une infection à staphylocoques. Evolution parfois fulminante, avec une forte hyperthermie, une cyanose et un état de prostration, voire de choc.

Pneumonie à Hemophilus influenzae : début insidieux, fréquente participation bronchiolitique, signes physiques et radiologiques diffus, toux rebelle.

Pneumonie à Pneumocystis carinii : début insidieux (chez le prématuré débile en milieu hospitalier ainsi que chez les patients immuno-carencés ou -supprimés), peu ou pas de fièvre, tachypnée, signes cliniques pauvres.

Pneumonie à bacille de Friedländer : toux avec production d'un mucus abondant et visqueux.

Pneumonie à mycoplasme (Mycoplasma pneumoniae) : début brusque, mauvais état général, céphalées, myalgies, toux sèche et spasmodique, tendance aux atélectasies. Cette infection est plus fréquente chez l'enfant d'âge scolaire et l'adolescent.

Pneumonie virale : association à une infection des voies respiratoires supérieures, évolution biphasique, avec tendance migratrice.

Pneumonie variceIleuse : peut être due au virus lui-même ou à une surinfection bactérienne.

Pneumonie à cellules géantes : anamnèse d'une récente rougeole.

Pneumonie coquelucheuse : se développe durant la phase paroxystique de la coqueluche.

Pneumonie mycosique (actinomycétales, nocardiose, blastomycose, coccidiomycose, cryptococcose, aspergillose, candidiase) : évolue comme les pneumonies aiguës ou les infections de type tuberculose ; souvent asymptomatique (découverte radiologique). Diagnostic étiologique au moyen de culture des expectorations, des aspirations endobronchiques ou d'une biopsie à l'aiguille.

Pneumonie à Chlamydia trachomatis : les nourrissons âgés de 4 à 12 semaines contaminés par leurs mères présentent une tachypnée, une toux de « staccato » typique et des râles crépitants. Conjonctivite et rhinite précèdent en général la pneumonie. La maladie, bénigne et afébrile, peut se prolonger. L'agent pathogène peut être identifié dans les sécrétions naso-pharyngées, en culture cellulaire, par immunofluorescence et par fixation du complément. La radiographie visualise des opacités diffuses, réticulaires, linéaires et nodulaires, avec ou sans hyperaération. L'érythromycine est l'antibiotique de choix.

Pneumonie à Legionella : encore rare chez l'enfant.

Certaines pneumonies, surtout mycosiques et à Pneumocystis carinii, peuvent avoir une évolution assez longue et devenir chroniques. D'autres affections pulmonaires chroniques avec réaction ganglionnaire, pleurale et endotrachéale, sont dues à des mycobactéries (tuberculose), à des spirochètes (syphilis, etc.) ou à la sarcoïdose.

● *Examens complémentaires :* La formule sanguine n'a qu'une valeur d'orientation (bactéries ou virus). Dans les pneumonies bactériennes, les hémocultures sont souvent positives et sont très utiles ; par contre les cultures de prélèvements naso-pharyngiens ou même d'aspirats trachéaux sont peu fidèles. Les réactions sérologiques aident à préciser l'étiologie virale ou à Mycoplasma pneumoniae, mais la prise de sang doit être répétée après 2 ou 3 semaines afin de démontrer une montée des anticorps. Il faut donc toujours effectuer deux prélèvements sanguins si l'on veut démontrer une étiologie non bactérienne.

Les *signes radiologiques* apparaissent souvent après les premiers symptômes et persistent quelque temps (parfois 6 à 8 semaines) après la guérison clinique. Ils ne sont pas toujours spécifiques mais montrent parfois des images caractéristiques pour un type de micro-organisme ; par exemple dans la pneumonie à staphylocoque les petits foyers pneumoniques multiples ont tendance à former des cavités bulleuses qui peuvent se rompre dans la plèvre (pyopneumothorax).

● *Complications :* Rares lorsque le traitement a été bien conduit. Empyème et abcès pulmonaire après les pneumonies bactériennes et mycosiques. Parfois bronchectasies dans les cas plus ou moins bien suivis. Une méningite et d'autres réactions localisées ou systémiques peuvent survenir. Bronchiolite oblitérante, pneumonie interstitielle et ultérieurement fibrose généralisée après certaines pneumonies virales.

● *Traitement :* Une antibiothérapie dirigée, avec une posologie correcte, permet souvent d'éviter l'évolution complète d'une pneumonie bactérienne. En cas de pneumonie manifeste, on doit utiliser une antibiothérapie à large spectre, avant même de connaître l'agent causal que l'on recherchera au niveau de la gorge, du nez, des sécrétions bronchiques et du sang. On pourra ensuite choisir le médicament le mieux approprié au germe mis en évidence. Le traitement antibiotique doit être poursuivi plusieurs jours après la défervescence, mais pas nécessairement jusqu'à la normalisation complète de l'image radiologique.

● *Mesures thérapeutiques générales :* Lors de la phase aiguë, les enfants très malades doivent être hospitalisés, avec surveillance de l'apport hydrique, air humide avec apport d'oxygène lorsque les signes d'hypoxie sont présents, médication antitussique si nécessaire surtout lorsque la toux est douloureuse, digitalisation en cas de décompensation cardiaque ; une sédation pharmacologique n'est pas nécessaire, elle peut même être dangereuse (dépression du centre respiratoire). Il est préférable de maintenir un microclimat optimal, avec une bonne ventilation et un contrôle thermique dans la chambre de l'enfant.

● *Notes thérapeutiques particulières à quelques pneumonies selon leur étiologie :*
a) Staphylocoque : hospitalisation indispensable. Le traitement est parfois chirurgical, pour le drainage et l'aspiration d'un pyopneumothorax et pour l'administration locale des antibiotiques.
b) Les infections virales ne répondent pas aux antibiotiques, mais une antibiothérapie à large spectre peut être administrée pour prévenir une surinfection bactérienne.
c) Pneumocystis carinii n'est pas sensible aux antibiotiques usuels, mais peut être traité avec succès par la pentamidine et le triméthoprime-sulfaméthoxazole (Bactrim ®).
d) Les infections mycosiques doivent être traitées avec des fongicides spécifiques.

Pleurésie

La plèvre participe souvent, avec ou sans symptômes manifestes, aux infections aiguës et chroniques pulmonaires ou abdominales d'origine virale ou bactérienne. Une pleurésie séro-fibrineuse peut accompagner une tuberculose, une maladie du collagène ou une tumeur intra-thoracique. Avec les progrès dans le traitement de ces affections cependant, la fréquence de la participation pleurale tend à diminuer.

● *Séméiologie :*
a) Douleurs thoraciques déclenchées par une inspiration profonde, par la toux et les ampliations thoraciques (surtout dans la première phase) ; ces douleurs sont parfois projetées au niveau de l'abdomen ou des épaules.
b) Respiration superficielle qui entraîne une hypoventilation avec hypoxie et hypercapnie dues à la douleur et à la compression par l'épanchement.
c) Frottement (palpable et audible) dans la pleurésie sèche et fibrineuse.
d) Diminution du murmure vésiculaire avec matité lorsque l'épanchement est important. Nette diminution des mouvements respiratoires de l'hémithorax où siège l'épanchement.

● *Radiologie :* Visualisation de l'épanchement ou de l'épaississement de la plèvre. Cette dernière image avec des bandes et des opacités bizarres se voit parfois encore longtemps après le stade aigu.

● *Traitement :* Il doit être dirigé contre l'affection pulmonaire ou systémique sous-jacente. Des tussiplégiques peuvent être donnés pour diminuer la douleur. L'aspiration du liquide n'est souvent pas nécessaire, mais, lorsqu'il est abondant, peut soulager le patient.

Empyème

Il s'agit d'une réaction pleurale pyogène qui suit une pénétration bactérienne intrapleurale à partir de lésions pulmonaires ou abdominales aiguës ou chroniques. Cette complication est rare si les infections bactériennes sont correctement traitées par les antibiotiques. Le pyopneumothorax du nourrisson est généralement dû au staphylocoque.
● *Séméiologie :* En plus de celle constatée en cas de pleurésie : fièvre haute, de type septique avec état général toxique.
● *Diagnostic :* Doit être confirmé par une ponction pleurale qui permettra d'obtenir un échantillon pour l'examen bactériologique.
● *Traitement :*
a) Antibiotique : choix selon l'agent étiologique, administration parentérale et intrapleurale.
b) Agents fibrinolytiques (streptokinase, streptodornase) : doivent être utilisés localement dans les cas chroniques avec tendance à la pachypleurite.
c) Drainage chirurgical par un système d'aspiration en circuit fermé ; dans le cas d'une organisation fibreuse, épaisse et définitive, de l'exsudat pleural, une décortication chirurgicale doit être envisagée. Plus l'enfant est jeune, plus le danger est grand de voir se développer une cyphoscoliose secondaire à la fibrose pleurale.

Affections non infectieuses

Atélectasie

Une atélectasie peut intéresser un lobe, un segment, rarement une petite subdivision pulmonaire qui ne contient que peu d'air. Les zones pulmonaires congestionnées, voire hépatisées, sont aussi vides d'air mais ne sont pas décrites comme atélectasiques.
Une atélectasie est toujours secondaire à :
1. une compression ou une obstruction extrinsèque ou intrinsèque du poumon et des bronches respectivement (tumeurs, épanchement pleural, pneumothorax), à des difformités thoraciques, des adénopathies, des malformations cardiovasculaires, des corps étrangers, un bouchon muqueux (asthme) ;
2. une résorption gazeuse accélérée (en respirant de l'oxygène à 100 %) ;
3. une mauvaise perfusion pulmonaire (perte de surfactant) ;
4. un effet réflexe (dans les cas d'embolie pulmonaire et de traumatisme abdominal et thoracique).

● *Séméiologie :* Durant les premiers jours, le shunt droite-gauche, qui est dû à une augmentation relative de la perfusion dans la zone sous-aérée, est important mais tend à diminuer. Ainsi les signes d'hypoxie (hyperpnée, agitation, cyanose) s'estompent progressivement malgré la persistance de l'atélectasie. L'altération de la mécanique respiratoire ne survient que lorsque de grandes zones sont intéressées. La visualisation radiologique d'une atélectasie en est souvent le seul signe. On peut distinguer entre une atélectasie récente (bord droit ou bombé) et ancienne (bord concave).

● *Traitement* : La compression extrinsèque et intrinsèque, ou l'obstruction, seront levées, selon les cas, par des broncho-dilatateurs, une aspiration. Une intervention chirurgicale ne doit être envisagée que lorsque l'atélectasie persiste durant plusieurs mois ou si des bronchectasies infectées sont apparues. La bronchoscopie précédera toujours une telle intervention. Drainage de posture et percussion vigoureuse du thorax au niveau du lobe atélectasique sont une adjonction thérapeutique importante.

Bronchectasies

Les bronchectasies acquises (à l'encontre des formes congénitales) sont rares depuis que les infections aiguës des poumons sont traitées par les antibiotiques.

● *Etiologie* : Mucoviscidose, corps étrangers (les bronchectasies se développent dans les zones atélectasiques) et coqueluche. Certaines modifications pathologiques de la paroi bronchique semblent également être en cause (chaque malade ne développe pas des bronchectasies après une même agression broncho-pulmonaire). Une infection est toujours présente dans les zones bronchectasiques où les mécanismes locaux de défense sont déficients. Une hypo- ou une agammaglobulinémie facilite les complications infectieuses. La forme congénitale ou idiopathique et le syndrome de Kartagener sont dus à un défaut morphologique des cils vibratiles qui entraîne leur immobilité totale ou partielle.

● *Séméiologie* : Symptômes généraux d'infection chronique avec des épisodes aigus (fièvre, hémorragies et états toxiques). La fonction pulmonaire est indemne dans les cas très limités. Toux, avec des expectorations abondantes et muco-purulentes. L'examen clinique et la radiologie simple ne sont souvent pas suffisants. Tomographie, bronchographie et bronchoscopie sont les méthodes les plus utiles pour établir un diagnostic. L'immobilité ciliaire peut être prouvée par l'examen microscopique d'une biopsie de la muqueuse nasale et chez les mâles pubères par l'observation de spermatozoïdes immobiles.

● *Traitement* : Un succès thérapeutique complet est rarement possible.
a) Antibiotiques : donnés par voie parentérale, ils n'atteignent souvent pas le foyer d'infection. L'application locale par instillations endobronchiques ou par aérosol n'a que des effets limités.
b) Un drainage des voies aériennes est l'action thérapeutique la plus importante. Le drainage postural, les vibrations thoraciques (manuelles ou mécaniques) et les exercices respiratoires sont absolument nécessaires et doivent être réguliers.
c) Une bronchoscopie thérapeutique avec aspiration des sécrétions et lavage bronchique peut aussi être utile et permet en outre d'obtenir des échantillons pour l'examen bactériologique afin de mieux diriger l'antibiothérapie.

d) Des résections chirurgicales peuvent parfois être envisagées. La seule indication en est cependant la possibilité d'éliminer un foyer bien localisé afin de ne pas devoir réintervenir. En cas d'immobilité ciliaire, un traitement conservateur est préférable.

Mucoviscidose (fibrose kystique du pancréas)
(cf. pp. 279-282)

Les manifestations pulmonaires de la mucoviscidose constituent un des handicaps respiratoires chroniques les plus importants chez l'enfant. Cette maladie héréditaire (autosomique récessive) est assez fréquente et doit être suspectée chez tous les enfants qui présentent des symptômes respiratoires récidivants ou chroniques, qu'ils soient situés à l'étage supérieur ou inférieur du tractus. Les signes manifestes de cette affection peuvent apparaître dès la prime enfance mais aussi à n'importe quel âge. Les manifestations respiratoires sont dues essentiellement à une obstruction bronchique causée par l'accumulation de mucus et par une surinfection associée de staphylocoques dorés et de bacilles pyocyaniques (Pseudomonas). Dans les cas avancés de la maladie, une invasion mycosique, surtout par Aspergillus fumigatus, n'est pas rare.

● *Anatomopathologie* : Atélectasie, emphysème compensateur, bronchectasies, abcès et infiltrations parenchymateuses, bronchite, bronchiolite, péribronchite, bouchons muqueux, micro-abcès, fibrose interstitielle. Ces phénomènes pathologiques sont très variables quant à leur importance et à leur localisation ; cependant les premières lésions apparaissent probablement au niveau des petites bronches. Un pneumothorax spontané et des hémorragies répétées au niveau des bronchiectasies peuvent survenir chez les patients dont l'affection pulmonaire dure depuis longtemps.

● *Séméiologie* : La toux apparaît précocement. Ce symptôme, habituellement assez rare chez le nourrisson, doit éveiller la suspicion d'une mucoviscidose. La plupart des malades commencent à tousser avant l'âge de 2 ans. La toux est d'abord intermittente puis devient rapidement persistante avec des exacerbations paroxystiques (souvent émétisantes) et la production d'expectorations d'un mucus épais et, selon la nature de l'infection bactérienne, jaunâtre ou grisâtre. L'évolution, exprimée par l'intensité et la fréquence des accès de toux, est imprévisible. Des épisodes paroxystiques (avec une durée de quelques jours à 1 ou 2 semaines) s'observent plusieurs fois pendant l'année. Ils coïncident souvent avec des infections virales exogènes ou avec des variations du status immunitaire. *Auscultation pulmonaire* : râles et ronchi disséminés, sibilances à localisation très variable, influencée par les changements de position et la toux. *Fièvre* : accompagne généralement les épisodes paroxystiques. Une *difficulté respiratoire* s'installe progressivement. *Gaz sanguins* (pO_2 et pCO_2) : modifiés de manière très changeante. Un certain degré d'hypoxie est habituellement et précocement présent, mais une hypercapnie ne se manifeste que lors d'épisodes paroxystiques sévères. Un *thorax en tonneau* avec une augmentation du diamètre antéropostérieur est la résultante de l'emphysème pulmonaire. Un *hippocratisme digital* est fréquent, souvent très marqué. L'état de nutrition, l'appétit et la tolérance à l'exercice physique sont progressivement amoindris. On observe une *surcharge du cœur droit* avec parfois décompensation et cœur pulmonaire. *Sinusite et polypose nasale* apparaissent fréquemment.

● *Radiologie* : Les images sont très diverses avec de l'hyperaération, des lésions circulaires ou nodulaires, une trame linéaire augmentée, de petites atélectasies focales ou segmentaires, des adénopathies hilaires, des atélectasies disséminées, des consolidations parenchymateuses, plus tard des bronchectasies, voire des abcès.

● *Diagnostic* : Il n'est pas simplement soutenu par des symptômes et des signes pulmonaires et gastro-intestinaux (retard de croissance, stéatorrhée), mais par l'évidence d'un test à la sueur (sudogramme) anormal (Na, Cl > 60 mEq/l ou > 80 mEq/l chez le jeune adulte). Pendant les premiers jours de vie les électrolytes de la sueur sont plus élevés, même chez le sujet normal. A cet âge l'iléus méconial est un signe fidèle de mucoviscidose.

● *Traitement* : Il n'existe actuellement aucune thérapie spécifique pour la mucoviscidose, mais un traitement symptomatique bien conduit amène une survie appréciable. Pour obtenir ce résultat, un diagnostic précoce de la maladie est essentiel ; un dépistage systématique semblerait même justifié.

a) Antibiothérapie : la surinfection joue un rôle déterminant et un traitement antibiotique très précoce et permanent a une valeur préventive. Il sera intensifié lors des épisodes paroxystiques de la maladie. Les médicaments de choix contre le staphylocoque doré sont les pénicillines semi-synthétiques actives contre les souches résistantes et les céphalosporines. La lutte contre le bacille pyocyanique est moins facile (se guider d'après l'antibiogramme). Un nombre croissant d'antibiotiques (aminoglucosides, tétracyclines, sulfamidés, etc.) sont disponibles pour l'administration orale ou parentérale. Les bactéries développent néanmoins fréquemment une résistance contre beaucoup d'entre eux.

b) Thérapeutique symptomatique : son but est de maintenir une perméabilité bronchique optimale en aidant le mécanisme physiologique de la toilette bronchique.

c) Drainage postural avec vibrations thoraciques manuelles ou mécaniques, et physiothérapie respiratoire.

d) Les agents mucolytiques par aérosol ou exceptionnellement par lavage bronchique peuvent également être utilisés. Les lavages bronchiques proprement dits ne doivent être utilisés que pour une toilette bronchique limitée à certaines régions du poumon et ne seront pratiqués qu'en milieu hospitalier par une équipe spécialisée.

e) Humidification de l'air inspiré : action efficace sur les voies respiratoires supérieures. L'arbre bronchique lui-même ne peut être atteint que par inhalation directe au moyen d'un tube. L'usage de tentes s'est révélé plus désagréable qu'utile et a été abandonné.

f) L'oxygénothérapie, la digitalisation et une sédation modérée sont indiquées parfois lors d'épisodes critiques.

g) La ventilation assistée n'aide pas à prolonger la vie et ne devrait ainsi pas être mise en route au stade terminal.

h) Outre la correction du défaut enzymatique pancréatique, le maintien d'une nutrition optimale est important ; une malnutrition chronique amoindrit les défenses immunologiques anti-infectieuses.

● *Pronostic* : L'espérance moyenne de vie augmente mais le pronostic reste incertain pour chaque patient lors de chaque poussée aiguë de la maladie.

● *Conseil génétique* : Les parents d'un enfant atteint de mucoviscidose doivent être informés du fait que le risque, à chaque grossesse, d'avoir un autre enfant atteint est de 25 % (hétédité autosomique récessive). Les porteurs hétérozygotes sont asymptomatiques. A l'heure actuelle leur détection n'est toujours pas possible, donc il n'est pas possible de savoir si les frères et sœurs d'un enfant malade (homozygote) sont indemnes ou porteurs hétérozygotes de la maladie.

Fibrose pulmonaire interstitielle (syndrome d'Hamman-Rich) et pneumonies interstitielles

Affection rare chez le nourrisson et l'enfant.
● *Etiologie* : Incertaine ; on incrimine cependant un mécanisme d'hypersensibilité, des infections virales et certains agents chimiques.
● *Anatomopathologie* : Fibrose interstitielle progressive avec évolution plus ou moins rapide, modification intra-alvéolaire et endobronchique avec diminution de la compliance pulmonaire puis troubles de diffusion alvéolo-capillaire.
● *Séméiologie* : Début insidieux. Diminution de la tolérance à l'effort physique. Toux, douleurs thoraciques, hippocratisme digital. Parfois cœur pulmonaire. Les signes stéthacoustiques sont peu fidèles.
● *Radiologie* : Diminution du volume pulmonaire, signes disséminés de fibrose, ou infiltrats disséminés dans certaines formes de pneumonie interstitielle.
● *Traitement* :
a) Corticothérapie : ne fait que ralentir temporairement l'évolution de la maladie.
b) Antibiothérapie : indiquée lors de surinfection bactérienne ainsi qu'à titre prophylactique.

Hémosidérose pulmonaire

Des dépôts de fer peuvent se produire dans le poumon, chez le nourrisson comme chez l'enfant plus grand, à la suite d'hémorragies répétées ou chroniques intra-alvéolaires. L'hémosidérose pulmonaire peut être divisée en :
a) *Hémosidérose pulmonaire primaire* : isolée ; avec myocardite ; avec glomérulo-néphrite (syndrome de Goodpasture) ; associée à une hypersensibilité au lait de vache.
b) *Hémosidérose pulmonaire secondaire* : avec cardiopathie primitive ; avec collagénose vasculaire ou coagulopathie.
● *Séméiologie* : Difficultés respiratoires, toux, hémoptysie (ou hématémèse), anémie ferriprive.
● *Radiologie* : Infiltrats diffus périhilaires avec des images de foyers en flocons de neige, d'intensité et d'évolution très variables. Chez le jeune enfant l'infiltrat peut avoir un aspect miliaire.
● *Hématologie* : Reflète la tendance aiguë ou chronique des phénomènes hémorragiques. Des sidérocytes peuvent être trouvés dans les expectorations ou les produits de lavage gastrique.
● *Sérologie* : Dans la forme primaire, on peut détecter des précipitines anti-lait.

- *Anatomopathologie* : Le tissu pulmonaire obtenu par biopsie révèle des granulations d'hémosidérine dans les macrophages alvéolaires.
- *Traitement* : Dans les formes secondaires, l'affection de base doit être traitée pour son propre compte et de manière intensive.

a) Corticothérapie et ACTH utiles, particulièrement lors d'épisodes critiques.

b) Les chélateurs peuvent diminuer les dépôts ferriques.

c) Un régime alimentaire exempt de lait de vache s'impose en cas d'allergie prouvée et peut généralement améliorer la situation de manière générale.

d) Splénectomie : d'un bénéfice douteux, ou nul.

- *Pronostic* : Bien que la mortalité soit élevée, certains patients non seulement survivent mais deviennent asymptomatiques.

Protéinose alvéolaire pulmonaire

Cette maladie rare, d'origine inconnue, conduit à une insuffisance respiratoire sévère : les alvéoles sont périodiquement inondés d'un matériel riche en protéines et en lipides, produit vraisemblablement par les cellules alvéolaires épithéliales. Une fièvre peut initialement être un symptôme prodromique de l'affection. La radiographie révèle des opacités nodulaires, fines et diffuses, à tendance hilifuge. L'évolution est soit chronique, soit par épisodes critiques avec des périodes de rémission spontanée. L'insuffisance respiratoire amène souvent une issue fatale. Une thérapeutique spécifique est encore inconnue ; seuls les lavages bronchiques permettent transitoirement d'évacuer le matériel accumulé dans les alvéoles.

Emphysème

L'emphysème obstructif chronique de type adulte (par exemple chez les fumeurs) ne s'observe pas chez l'enfant. Cependant, une hyperinflation (voire une hyperaération pulmonaire) est visible au niveau des zones adjacentes à des atélectasies, en aval d'obstructions bronchiques ainsi qu'au niveau de régions parenchymateuses détruites (asthme, bronchiolite, mucoviscidose, pneumonie à staphylocoque, congestion passive). Le déficit en alpha-1-antitrypsine ne provoque habituellement pas d'emphysème chez l'enfant. Cette évolution peut cependant s'accélérer chez l'adolescent déficient devenu fumeur.

- *Séméiologie* : Auscultation et percussion : hyperrésonance, augmentation de l'index thoracique et signes spécifiques de l'affection pulmonaire de base. Tachypnée, diminution du volume courant s'observent surtout lorsque l'hyperinflation est importante. Une respiration difficultueuse et une rétraction respiratoire sont visibles simultanément ou non.
- *Traitement* : La cause sous-jacente de l'emphysème en dictera les modalités.

Asthme bronchique

Cf. pp. 578 ss.

Pneumothorax

L'accumulation d'air dans l'espace pleural est une conséquence de la rupture soit spontanée, soit traumatique de la paroi viscérale ou pariétale de la cavité thoracique. Le pneumothorax spontané est rare au-delà de la période néonatale. Des formations bulleuses ou des kystes aériques situés près de la surface pleurale peuvent éclater sous l'effet d'une pression négative (inspiration forcée, asthme, haute altitude et ventilation artificielle, qu'elle soit avec pression positive ou négative). Des affections pulmonaires destructives peuvent amener des perforations dans la cavité pleurale. Des traumatismes accidentels ou chirurgicaux (corps étrangers, plaies perforantes, thoracentèse, biopsie à l'aiguille, incidents postopératoires) produisent assez souvent un pneumothorax.

● *Séméiologie* : Les symptômes dépendent de la compression pulmonaire due à la pression de l'air dans le thorax. L'expansion pulmonaire et les réserves respiratoires sont alors réduites. Une pleurodynie peut encore amener une limitation des mouvements respiratoires. Une insuffisance respiratoire peut se développer, mais elle a tendance à s'amender lorsque la compression pulmonaire persiste après un ou deux jours. *Auscultation et percussion* : les bruits respiratoires sont diminués, voire absents ; le thorax est hypersonore à la percussion ; médiastin et cœur sont déplacés.

● *Radiologie* : Permet de visualiser aisément l'air dans le thorax avec des poumons partiellement, voire totalement collabés et déplacement médiastinal.

● *Traitement* :
a) Un pneumothorax sous tension doit être mis sous aspiration et gardé sous pression négative. Un pneumothorax non sous tension mais survenant au cours d'une affection pulmonaire importante (p. ex. mucoviscidose) impose également un drainage continu.
b) Le malade doit rester couché en décubitus latéral du côté de l'hémithorax indemne pour améliorer la perfusion de ce poumon.

Sarcoïdose

Cette affection survient avec la même fréquence chez l'enfant et l'adolescent que chez l'adulte, ainsi que l'ont montré des radiophotographies systématiques dans les écoles.

● *Etiologie* : Encore indéterminée.

● *Anatomopathologie* : Les lésions ressemblent fortement à celles de la tuberculose avec des granulomes qui se développent dans différents tissus de l'organisme. L'uvéite est une manifestation typique de la sarcoïdose.

● *Séméiologie* : Elle est souvent très discrète et non pathognomonique (toux et difficultés respiratoires). Le syndrome de Loefgren (adénopathies hilaires bilatérales, érythème noueux, arthralgies) est pathognomonique de la sarcoïdose.

● *Evolution* : Spontanément favorable dans 80 % des cas, mauvaise (fibrose pulmonaire progressive) dans 20 %. Autres complications : uvéites (20 %), névrites II et VII et méningites de la base.

● *Radiologie* : Adénopathies périhilaires, infiltrats diffus ou segmentaires, aspect fibrotique en fin d'évolution.

- *Examens de laboratoire* : Hyperglobulinémie, inversion du rapport albumine-globuline, hypercalcémie, augmentation des phosphatases alcalines sériques, leucopénie avec éosinophilie, test cutané selon Kveim positif (60-80 %), taux sérique de l'« angiotensin converting enzyme ».
- *Diagnostic* : Radiologie, biopsie par médiastinoscopie (100 % de rendement), lavage broncho-alvéolaire (augmentation des lymphocytes T et diminution des macrophages).
- *Traitement* : La corticothérapie n'est pas nécessaire dans les cas bénins. Stade I (adénopathies seulement) : ne pas traiter ; refaire un cliché de contrôle après 6 mois. Si les adénopathies ont diminué, ne pas traiter. Stade II (lésions parenchymateuses) : corticostéroïdes pendant 6 mois.

Tumeurs de l'appareil respiratoire

Elles sont d'origine et de nature très variées et la symptomatologie est due à des phénomènes de compression ou de gêne fonctionnelle ; une tumeur peut cependant rester muette assez longtemps. Ainsi toute symptomatologie pulmonaire persistante et inexpliquée doit entraîner une exploration organique et fonctionnelle, systématique et approfondie, afin de visualiser une éventuelle tumeur et préciser sa nature.

En ce qui concerne les *tumeurs médiastinales,* il est important de déterminer, sur une radiographie de profil, si elles sont situées dans le médiastin antérieur, moyen ou postérieur. En effet, dans le médiastin antérieur, on rencontre des thymomes, des kystes bronchiogènes, des tératomes et des lymphosarcomes. Dans le médiastin moyen on peut trouver des lymphomes (hiles pulmonaires), des tératomes et des kystes péricardiques. Tandis que dans le médiastin postérieur ou paravertébral se développent des neuroblastomes, des ganglioneuromes, des phéochromocytomes, des neurofibromes, des kystes bronchiogènes et entérogènes et parfois des méningocèles thoraciques. Les hygromes cystiques ont une prédilection pour le haut du médiastin soit antérieur, soit postérieur.
- *Traitement* : Surtout chirurgical et parfois radiothérapique et chimiothérapique.

Epistaxis

Les saignements de nez sont un symptôme fréquent chez l'enfant.
- *Etiologie* : Traumatique : lésions de grattage, corps étrangers, contusion, infections, affections hémorragipares, tumeurs, anomalies vasculaires, menstruations.
- *Traitement* :
a) *Hémorragies aiguës* : repos en position assise, méchage avec coton hémostatique et vaso-constricteur.
b) *Hémorragies rebelles et récidivantes* : une cautérisation locale avec du nitrate d'argent ou une électrocoagulation peuvent être utiles. Il faut cependant éliminer une affection hémorragipare.

Hypoacousie

Un trouble de l'audition peut être dépisté par des parents attentifs, même chez des enfants très jeunes, mais il peut également être méconnu et un dépistage systématique déjà à l'âge préscolaire est justifié. Une anamnèse d'allergie nasale, d'hypertrophie adénoïdienne ou amygdalienne, de polypose nasale et d'otite séreuse ou purulente itérative rend cette recherche impérative.

● *Séméiologie* : Le nourrisson répond mal aux sollicitations sonores. Chez l'enfant plus âgé, une hypoacousie méconnue entraîne des troubles du langage. Il est souvent difficile de distinguer une hypoacousie d'une arriération mentale ou d'un état psychotique.

● *Traitement* : Une surdité congénitale de perception est rarement curable. Une hypoacousie de conduction peut être traitée et les troubles secondaires du langage corrigés. Il ne faut pas hésiter à avoir recours très tôt aux services spécialisés et aux centres de rééducation auditive et de logopédie. Certaines pertes d'audition secondaires peuvent être traitées par la guérison de l'affection de base.

Complications respiratoires de diverses affections

Rhumatisme articulaire aigu

La fréquence des complications pulmonaires du rhumatisme articulaire aigu a diminué au cours des dernières décennies. Ces manifestations peuvent survenir avant, pendant ou parfois plusieurs mois après d'autres symptômes de la maladie. Le pronostic d'une participation du système respiratoire est grave, à la fois pour l'avenir de l'organe lui-même et pour la survie même du patient.

Le mécanisme physiopathologique est probablement celui d'une réaction vasculaire allergique avec des hémorragies alvéolaires, la formation de membranes hyalines, une prolifération fibroblastique mononucléaire et une réaction pleurale fibrineuse. La muqueuse bronchique et bronchiolaire est également atteinte.

● *Diagnostic* : Détresse respiratoire sévère, surtout en présence d'une atteinte cardiaque. Toux, hémoptysie, thoracalgie. Les tests rhumatismaux habituels (cf. p. 852) confirment le diagnostic.

● *Traitement* : Corticothérapie, médication symptomatique en cas de détresse respiratoire (oxygène, analgésiques, digitalisation).

Maladies du collagène

Une participation pulmonaire est assez fréquente en cas de dermatomyosite, de sclérodermie diffuse, de lupus érythémateux disséminé, de périartérite noueuse et de granulome de Wegener.

L'aspect et la symptomatologie de ces lésions ne sont pas spécifiques. Elles sont habituellement diffuses avec des infiltrats parenchymateux d'intensité variable, allant de lésions de type miliaire à des foyers plus importants avec réaction pleurale. L'affection de base détermine une partie de la réaction pulmonaire, l'autre étant due souvent à une surinfection secondaire. La symptomatologie pulmonaire est rarement une aide diagnostique, mais elle peut fortement modifier le tableau clinique et l'évolution de la maladie du collagène.

Cardiopathies

Une complication pulmonaire est habituellement en relation avec une insuffisance du cœur gauche (œdème pulmonaire) ou avec une hypertension pulmonaire artérielle (shunt gauche-droite). L'*œdème pulmonaire* survient avec une intensité variable, comprenant habituellement ce que l'on décrit sous le vocable de « congestion pulmonaire ». Il entraîne un déficit de diffusion, une diminution de la compliance pulmonaire et une obstruction des voies aériennes. A l'auscultation, on entend des râles humides et des sibilances ; on observe également des hémoptysies, une hypoxie et une insuffisance respiratoire. L'hypertension pulmonaire peut être aussi idiopathique et secondaire à une hypoxie chronique. Les symptômes respiratoires sont minimes, mis à part une hyperventilation disproportionnée à l'exercice physique.
● *Radiologie* : L'œdème pulmonaire cause une opacité diffuse, jusqu'à la périphérie. En cas d'hypertension pulmonaire les poumons peuvent apparaître normaux ou hyperclairs avec une relative proéminence du tronc de l'artère pulmonaire et de ses branches proximales.
● *Traitement* : Son succès dépend de l'affection cardiovasculaire de base et de la réponse thérapeutique.

Syndrome de Loeffler (pneumonie à éosinophiles)

Il se manifeste souvent par des infiltrats pulmonaires diffus et migrateurs, parfois découverts à la radiologie en l'absence de tout symptôme clinique. Une éosinophilie de 10 à 50 % est habituelle.
● *Etiologie* : Infestations par des nématodes (Ascaris, Toxocara, amibes, trichinose, filaires), aspergillose allergique pulmonaire ou candidase ; des médicaments divers ou des produits chimiques peuvent aussi être en cause. Le mécanisme physiopathologique est probablement celui d'une réaction d'hypersensibilité. Les larves de Toxocara peuvent s'enkyster dans le poumon sans rejoindre le tube digestif. Les larves d'Ascaris migrent de l'intestin vers le poumon à travers le diaphragme et rejoignent parfois le tube digestif en remontant les voies respiratoires et en redescendant dans l'œsophage. La trichinose survient par consommation de produits carnés contenant du porc cru.
● *Traitement* : Selon l'étiologie, certaines formes de la maladie ne nécessitent aucun traitement. D'autres imposent l'élimination de l'agent causal ou le traitement de l'affection de base. La corticothérapie est très utile pour l'aspergillose.

Accidents

Aspiration

Les causes d'une aspiration de liquide ou de substance semi-liquide, voire de poudres diverses, sont soit accidentelles (alimentation forcée d'un nourrisson qui pleure, inhalation par inadvertance, noyades), soit secondaires à une obstruction gastro-intestinale s'accompagnant de régurgitation ou de vomissements, surtout chez des nourrissons en mauvais état général ou chez des enfants comateux. Les matériaux les plus communément aspirés et causes de pneumonies par aspiration sont soit des aliments (lait, soupe, boissons), soit des médicaments (huile de

foie de morue, huile minérale, avec la production d'une pneumonie lipidique). Le kérosène et d'autres hydrocarbures peuvent causer une affection sévère mais heureusement d'évolution courte et relativement peu dangereuse. La poudre de stéarate de zinc ou de talc entraîne des irritations sévères avec inflammation.
● *Séméiologie* : Variable, dépend de la qualité et de la quantité du matériel inhalé. Elle peut ainsi se caractériser soit par une légère toux, soit par une insuffisance respiratoire sévère. Les symptômes (dyspnée) peuvent être retardés de plusieurs heures dans la pneumopathie par ingestion d'hydrocarbures. Il faut donc garder l'enfant en observation pendant au moins 24 heures.

On a récemment démontré que le reflux gastro-œsophagien était la cause de nombreuses « pneumonies récidivantes » ou « d'infections respiratoires itératives » chez les enfants de tout âge. Ces cas devraient être investigués par un transit baryté ou par l'ingestion et le scanning de lait marqué au technétium 99.
● *Traitement* : Les mesures préventives sont plus efficaces que le traitement. Il faut toujours parer à une éventuelle surinfection. Le traitement lui-même est symptomatique. Un lavage gastrique est contre-indiqué lorsque des hydrocarbures ont été ingérés plusieurs heures avant l'admission du patient (cf. p. 463).

Syndrome de la mort subite du nourrisson : voir p. 471

Corps étrangers
(cf. aussi pp. 425-426)

Tout objet assez petit pour passer la barrière laryngée peut être inhalé. Ce sont surtout : parties de jouets, billes, petites balles, piécettes de monnaie, aliments (noix, cacahuètes, graines, miettes), éléments de vêtements ou de literie (boutons, aiguille, boucle), dents. Une aspiration peut survenir à n'importe quel âge, mais elle est plus fréquente chez les nourrissons et les petits enfants. Ces accidents peuvent être prévenus par le choix approprié des jouets, des aliments et de l'habillement, en plus d'une surveillance convenable. Les enfants plus âgés doivent être avertis des dangers d'une éventuelle aspiration.
● *Diagnostic* : La possibilité de la présence d'un corps étranger dans les voies respiratoires doit être soulevée dans le diagnostic différentiel de toute affection du tractus respiratoire.
● *Anamnèse* : La notion précise d'une aspiration est rare (enfants trop jeunes, pas de témoins, sentiment de culpabilité et mémoire souvent déficiente).
● *Séméiologie* : Immédiatement après l'accident : toux, hoquet, stridor, raucité de la voix, hémoptysie, douleurs ; en cas d'obstruction laryngée ou trachéale : apnée, cyanose. On observe souvent une période asymptomatique après les réactions initiales. Certains corps étrangers, comme les cacahuètes, sont très irritants pour la muqueuse bronchique et causent un œdème important. *Signes indirects* : déplacement médiastinal à l'opposé du siège de l'obstruction totale ou partielle.
● *Investigations complémentaires* : Laryngoscopie, radioscopie sont les examens les plus utiles pour le dépistage et la localisation de corps étrangers radio-opaques. Une *bronchoscopie* est souvent le seul moyen de confirmer le diagnostic.

● *Traitement* : En phase aiguë, mise en position correcte du patient jusqu'à l'arrivée du secours ; il faut toujours essayer de retirer le corps étranger si cela est possible au-dessus du larynx. Si une intervention d'urgence s'impose, on peut essayer un sondage digital du pharynx, des chocs du dos et la manœuvre de Heimlich (cf. fig. 1, p. 425) dans l'ordre. Le dernier procédé (ou « empoignade de l'ours ») comporte certains risques mais s'avère souvent efficace. A défaut, ou en cas de danger de suffocation, on procédera à une trachéotomie d'urgence. L'élimination spontanée d'un corps étranger est assez rare et le risque de complications sérieuses est gros. Aussi, la meilleure mesure thérapeutique est celle de l'élimination par bronchoscopie. Cette dernière devra être faite par un spécialiste familier des nourrissons et des enfants. Antibiothérapie à titre prophylactique et parfois à titre thérapeutique si une surinfection s'est déclarée (trachéo-bronchite, abcès pulmonaire). Dans certains cas, une segmentectomie, voire une lobectomie, doit être envisagée.

Chapitre 12

Cardiologie

par A. Davignon et B. Friedli

Moyens d'investigation

Electrocardiogramme

Tracé normal

Localisation des dérivations précordiales
Cf. fig. 1

Calcul de l'axe moyen du QRS (plan frontal)
(cf. fig. 2)

Pour calculer l'axe moyen du complexe ventriculaire (QRS), on se souviendra que :
- le complexe QRS est *maximum* (positif) dans la dérivation vers laquelle l'axe se dirige ;
- le complexe QRS est *minimum* (négatif) dans la dérivation que l'axe fuit ;
- le complexe est *biphasique* dans la dérivation à laquelle l'axe est perpendiculaire ;
- si les complexes sont biphasiques dans la plupart des dérivations périphériques, l'axe est dit *indéterminé* ;
- il est utile de déterminer d'abord le quadrant dans lequel se trouve l'axe électrique en observant les déflections du QRS dans les dérivations de la coordonnée horizontale (D_1) et de la coordonnée verticale (aVF) : QRS positif en D_1 et aVF = axe entre 0° et 90° ; QRS négatif en D_1, positif en aVF = axe entre 90° et 120° (déviation axiale droite) ; QRS positif en D_1 et négatif en aVF = axe entre 0° et − 90° (déviation axiale gauche).

Fig. 1 : Localisation des dérivations précordiales

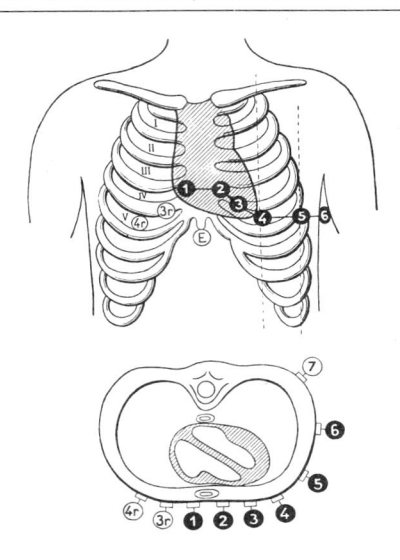

Fig. 2 : Calcul de l'axe moyen du QRS (plan frontal)

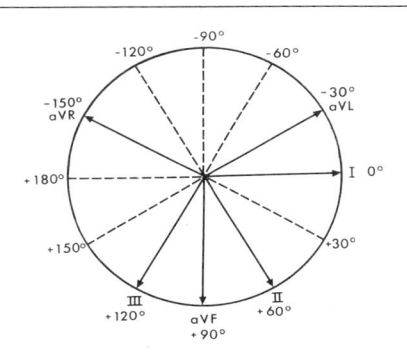

Valeurs normales de l'axe du QRS

Cet axe est à « droite » (> + 90°) chez le nouveau-né et se déplace progressivement vers la gauche avec l'âge. Les valeurs moyennes sont indiquées au tableau 1. Plus l'enfant est jeune, plus les écarts de part et d'autre de la moyenne sont grands.

Espace PR
(cf. tableau 2)

L'espace PR peut être :
- allongé : dans la cardite rhumatismale, l'intoxication digitalique, le canal atrio-ventriculaire commun, la maladie d'Ebstein, la transposition corrigée des gros vaisseaux ;
- raccourci (< 0,10 sec.) : chez le bébé (< 1 an) ; si le « pace maker » n'est pas le nœud sino-auriculaire ; dans le syndrome de Wolff-Parkinson-White ; dans la glycogénose cardio-musculaire ;
- variable : dans le bloc auriculo-ventriculaire complet.

Intervalle QT

Il est fonction de la fréquence cardiaque ; ses valeurs vont de 0,24 sec., lorsque le cœur est en tachycardie, à 0,48 sec., en présence de bradycar-

Tableau 1 : Valeurs moyennes de l'axe du QRS

Age	Axe QRS
0–24 heures	140°
1 jour–1 semaine	130°
1 semaine–1 mois	105°
1 mois–3 mois	75°
3 mois–6 mois	70°
6 mois–16 ans	60°–70°

Tableau 2 : Espace PR
Durée maximum en seconde (en fonction de l'âge)

Age	Rythme <71	71–90	91–110	111–130	131–150	>150
1 mois			0,11	0,11	0,11	0,11
1–9 mois			0,14	0,13	0,12	0,11
10–24 mois			0,15	0,14	0,14	0,10
3–5 ans		0,16	0,16	0,16	0,13	
6–13 ans	0,18	0,18	0,16	0,16		

D'après Alimurung et Massel

die. La valeur normale du QT pour une fréquence donnée peut être calculée par la formule :

$QT_c = 0,40 \times \sqrt{R\text{-}R} \text{ (sec.)}$

L'espace QT est raccourci dans l'imprégnation digitalique et l'hypercalcémie. Il est allongé dans l'hypokaliémie, l'hypocalcémie et les syndromes familiaux du QT long.

Tracé pathologique

Critères d'hypertrophie ventriculaire gauche

1. Onde R en V_6 plus grande que 20 mm chez l'enfant ou 25 mm chez l'adolescent.
2. Onde S en V_1 plus grande que 20 mm chez l'enfant et 25 mm chez l'adolescent ou onde S plus grande que R en V_1 ou V_3R en dessous de 1 an.
3. Onde Q plus grande que 4 mm en V_6.
4. Onde S en V_2 + onde R en V_5 plus grandes que 50 mm chez l'enfant ou 60 mm chez l'adolescent.

Critères d'hypertrophie ventriculaire droite

1. Présence d'un qR en V_1 à tout âge.
2. Onde R plus grande que 20 mm en V_1 à tout âge.
3. Onde T positive en V_1 après 72 h de vie et jusqu'à l'âge de 10 ans, à condition que la déflexion majeure du QRS soit positive dans cette dérivation et que l'onde T soit positive en V_5 et V_6.
4. Onde S en V_6 plus grande que 5 mm après 3 mois.
Pour le rapport R/S en V_1 on se souviendra qu'en général :
R > S de 0-1 an,
R = S de 1-3 ans,
R < S après 3 ans.
En présence de bloc de branche droit incomplet (rsR'), on admet une hypertrophie ventriculaire droite si R' en V_1 dépasse 15 mm (ou 20 mm si moins de 2 mois).

Critères d'hypertrophie biventriculaire

1. Signes électriques d'hypertrophie ventriculaire gauche et d'hypertrophie ventriculaire droite.
2. Voltage de R + S de V_2 à V_4 plus grand que 60 mm.

Dilatation auriculaire

1. Droite : onde P pointue de 3 mm ou plus, généralement en D_2 et V_1.
2. Gauche : onde P plus longue que 0,10 sec. et aspect bifide ; aspect biphasique de P en V_1.

Arythmies et troubles de conduction

● *Extrasystoles ou contractions prématurées* : Auriculaires (QRS d'aspect normal) ou ventriculaires (QRS élargi, déformé), en général bénignes, se voient aussi dans les cardiomyopathies, les myocardites, l'intoxication digitalique.
● *Blocs auriculo-ventriculaires : Premier degré* : l'espace PR est plus long que normal. *Deuxième degré* : un certain nombre d'ondes P($^1/_2$, $^1/_3$) ne sont pas suivies de QRS, ou l'espace PR se prolonge progressivement jusqu'à ce qu'un P ne soit plus suivi de QRS (périodes de Wenckebach). *Troisième degré* (ou bloc auriculo-ventriculaire complet) : il n'y a pas de relation entre les ondes P et les complexes QRS, la fréquence auriculaire étant plus grande que la fréquence ventriculaire.
● *Tachycardies. Supraventriculaires* : Fréquence très rapide, régulière, autour de 240 chez le nourrisson, plus de 150 chez le grand enfant ; associées souvent à un syndrome de Wolff-Parkinson-White. *Ventriculaires* : complexes QRS déformés, élargis : elles sont plus lentes et moins régulières que les tachycardies supraventriculaires.
● *Syndrome de Wolff-Parkinson-White ou syndrome de préexcitation ventriculaire* : Caractérisé par un intervalle PR court, un QRS élargi présentant un empâtement de la branche ascendante de l'onde R (onde delta) ; il se complique souvent de tachycardie paroxystique supraventriculaire.

Troubles électrolytiques et métaboliques

● *Hypercalcémie* : Diminution de l'espace QT ; bloc auriculo-ventriculaire.
● *Hypocalcémie* : Prolongation de l'espace QT.
● *Hyperkaliémie* : Ondes T étroites, hautes, pointues ; ondes P aplaties ; bloc auriculo-ventriculaire.
● *Hypokaliémie* : Prolongation apparente de l'espace QT par incorporation d'une onde U augmentée, abaissement du segment ST.
● *Hypothyroïdie* : Bradycardie, prolongation de l'espace PR, bas voltage des complexes QRS.

Altérations digitaliques

● *Signes d'imprégnation* : Raccourcissement de l'intervalle QT ; dépression en « cupule » du segment ST.
● *Signes d'intoxication* : PR prolongé, blocs auriculo-ventriculaires de tous degrés ; extrasystoles ventriculaires couplées (bigéminisme) ; tachycardie auriculaire avec bloc auriculo-ventriculaire partiel.

Radiographie cardio-pulmonaire
(cf. fig. 3)

L'opacification de l'œsophage par du baryum est un complément essentiel de l'investigation cardiaque : elle permet de mettre en évidence par exemple :
- la présence d'un anneau vasculaire ou d'une artère sous-clavière aberrante,
- une dilatation de l'oreillette gauche.

Sur le cliché, on doit noter :

a) *La forme et le volume du cœur* : Certains états pathologiques peuvent donner une silhouette cardiaque caractéristique ; cœur en sabot : tétralo-

---

Fig. 3 : Aspect de la silhouette cardiaque et localisation des différentes cavités

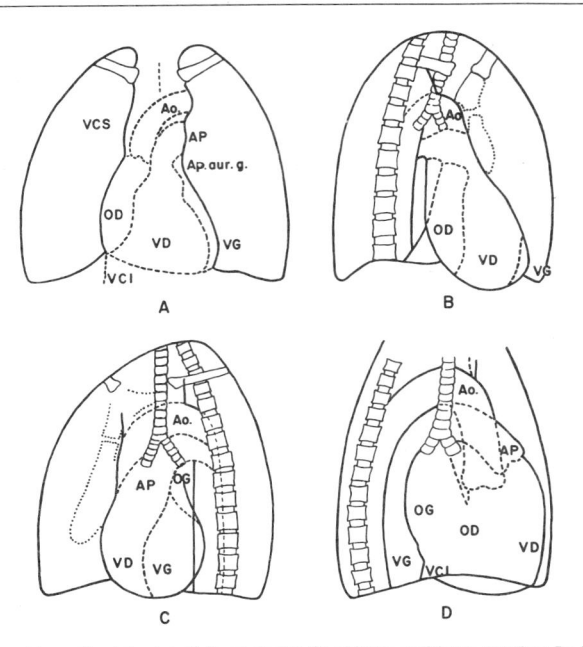

A : antéropostérieur ; B : oblique antérieure droite ; C : oblique antérieure gauche ; D : latéral.
Ao. : aorte ; Ap. aur. g. : appendice auriculaire gauche ; AP : artère pulmonaire ; OG : oreillette gauche ; VCI : veine cave inférieure ; VCS : veine cave supérieure ; VD : ventricule droit ; VG : ventricule gauche.

gie de Fallot ; cœur en œuf : transposition des gros vaisseaux ; cœur en bonhomme de neige ou en chiffre 8 : retour veineux pulmonaire totalement anormal ; cœur en carafe : péricardite. Le rapport cardiothoracique n'est valable que sur une téléradiographie, les poumons étant en inspiration profonde (8 côtes au-dessus du diaphragme) ; un rapport de plus de 50 % est considéré comme pathologique chez le grand enfant mais peut se voir chez le nourrisson normal.

b) *L'aspect de la vascularisation pulmonaire* : Elle peut être *augmentée*, dite « active », dans les cardiopathies avec débit pulmonaire élevé, indiquant une dilatation des artères pulmonaires ; ou « passive » (stase) dans la défaillance ventriculaire gauche, traduisant une augmentation de la pression veineuse pulmonaire. Elle peut aussi être « mixte ». Elle peut être *diminuée* dans les cardiopathies avec faible débit pulmonaire par shunt veino-artériel : tétralogie de Fallot, atrésie pulmonaire.

Echocardiographie

Définition

L'échocardiographie est une technique non invasive qui permet, en utilisant des ultra-sons pulsés et réfléchis, de visualiser les différentes structures cardiaques. On peut alors mesurer avec précision l'épaisseur des parois et la dimension des cavités cardiaques, étudier le mouvement des valves du cœur et déterminer les relations spatiales existant entre les différents segments cardiaques.

Principes physiques

La fréquence des ultra-sons utilisés varie de 2,25 à 5 mégahertz. Ces ultra-sons sont émis et captés par le même transducteur.

L'échocardiogramme est représenté le plus souvent selon le *mode M* (pour mouvement) avec l'aide d'un enregistreur photographique (cf. fig. 4). Le faisceau d'ultra-sons émis par le transducteur T appliqué à la surface du thorax (en général au niveau du 4e espace intercostal gauche) rencontre une succession d'interfaces acoustiques qui donnent sur un oscilloscope une série de points de brillance variable. Ces points, représentant des structures cardiaques, ont un mouvement de latéralité en rapport avec la contraction du cœur. Un papier photographique se déroulant devant ces points montrera une série de traits ondulés correspondant à la position relative et à l'épaisseur des différents éléments du cœur en fonction du cycle cardiaque.

Il sera facile de voir sur le papier le ventricule droit (VD), le septum interventriculaire (S), la valve mitrale avec son feuillet antérieur (MA) et son feuillet postérieur (MP), les 2 feuillets étant écartés en systole et rapprochés en diastole, et enfin la paroi postérieure du ventricule gauche (PP).

Si l'on oriente le transducteur en haut et à droite à partir de la valve mitrale, c'est-à-dire vers la racine de l'aorte, on verra apparaître les parois de celle-ci ainsi qu'à l'intérieur les feuillets de la valve aortique, ouverts en systole et fermés en diastole. Derrière l'aorte, l'oreillette gauche (OG) sera visible. Lorsque le mouvement complet du transducteur est enregistré de la pointe vers l'aorte ou vice versa, on obtient à la suite les différents segments du cœur selon leur relation spatiale. C'est un *balayage échocardiographique* particulièrement important dans l'étude

Fig. 4 : Représentation du mode M de l'échocardiogramme

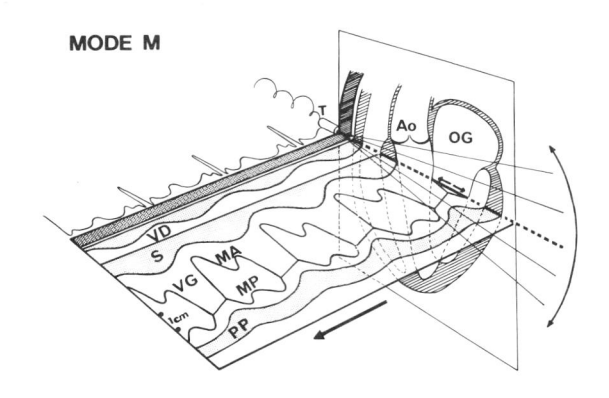

Fig. 5 : Echocardiogramme d'un nouveau-né normal

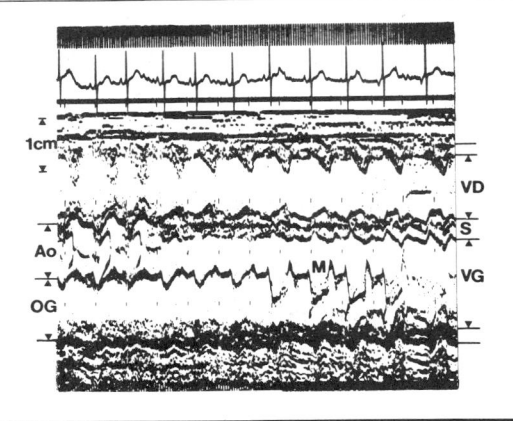

Fig. 6 : Echocardiographie bidimensionnelle ; positions du transducteur

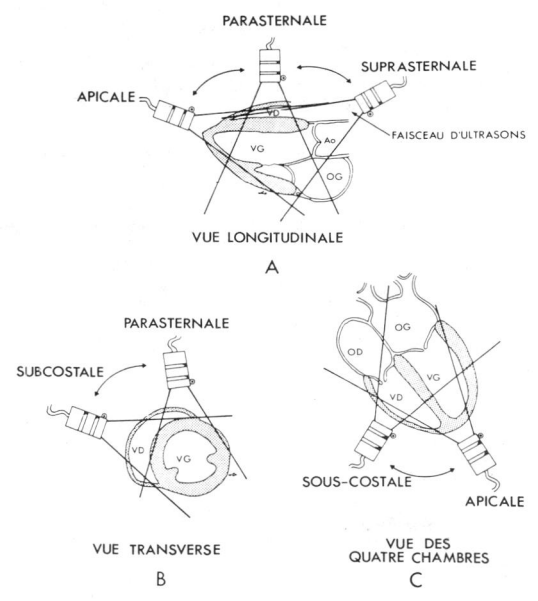

VUE LONGITUDINALE
A

VUE TRANSVERSE
B

VUE DES QUATRE CHAMBRES
C

D'après les recommandations de la Société américaine d'échocardiographie, *Circulation*, 62, p. 215, 1980.

---

des cardiopathies congénitales. A noter que des points sont inscrits sur le papier correspondant à une distance réelle de 1 cm ainsi d'ailleurs que d'autres variables, en particulier lignes de temps et électrocardiogramme.

En conjonction avec le mode M on utilise aussi l'*échocardiographie bidimensionnelle.* Dans cette technique le balayage est réalisé au niveau de la tête ultrasonique de façon mécanique ou électronique. Une véritable image du cœur en coupe et en mouvement est obtenue sur un écran oscilloscopique. Différentes sections du cœur peuvent être faites selon la position et l'orientation du transducteur. Cette technique donne des images très proches de la réalité anatomique et prend de plus en plus d'importance dans l'évaluation des enfants porteurs de cardiopathie.

Echocardiogramme normal

La figure 5 représente l'échocardiogramme en mode M d'un nouveau-né normal âgé de quelques jours. Les structures décrites plus haut y apparaissent nettement. Notons qu'à cet âge, le ventricule droit (VD) est plus dilaté que chez l'enfant plus grand. La valve aortique (Ao) apparaît comme une succession de parallélogrammes reliés en diastole par des traits obliques. La figure 6 donne une vue schématique des principaux plans de sections du cœur que l'on doit chercher à obtenir lors d'un examen échocardiographique bidimensionnel. A noter que la position sous-costale encore appelée position sous-xiphoïdienne est celle qui donne le meilleur résultat chez le nouveau-né et le nourrisson porteur de malformation congénitale du cœur.

Usage de l'échocardiogramme en cardiologie infantile

L'échocardiogramme est maintenant d'usage courant en cardiologie infantile et facilite grandement le diagnostic rapide des cardiopathies congénitales chez le nourrisson autant que chez l'enfant plus âgé. La plupart des malformations congénitales du cœur présentent des signes caractéristiques à l'échocardiogramme. Ces signes seront décrits plus loin dans le texte lors de l'étude des principales malformations cardiaques.

L'échocardiogramme renseigne aussi par l'étude des mouvements des parois du ventricule gauche et de la valve mitrale sur la *fonction cardiaque*.

Cathétérisme cardiaque et angiocardiographie

Indications

● *Chez le nouveau-né* : Toute cardiopathie mettant la vie de l'enfant en danger par anoxie ou par défaillance cardiaque et dont le diagnostic ne peut être précisé par d'autres moyens.
● *Chez l'enfant plus grand* : A cause des risques moindres, il peut être employé comme moyen courant de diagnostic.

Contre-indications

Infections cutanées ou respiratoires, fièvre inexpliquée.

Complications

Hémorragie locale, ischémie d'un membre, arythmie, perforation cardiaque, infection locale, septicémie, dépression respiratoire, acidose.

Données hémodynamiques normales

Pressions
Cf. fig. 7

Oxymétrie et shunts

La mesure des saturations en oxygène dans les différentes chambres cardiaques permet le dépistage de shunts et la mesure des débits. Dans le cœur gauche (oreillette gauche, ventricule gauche, aorte), on trouvera normalement du sang fortement saturé en O_2 (96 % à 100 %). Dans le cœur droit, on trouve généralement des valeurs entre 70 % et 80 %. La

---

Fig. 7 : Pressions (en millimètres de mercure)

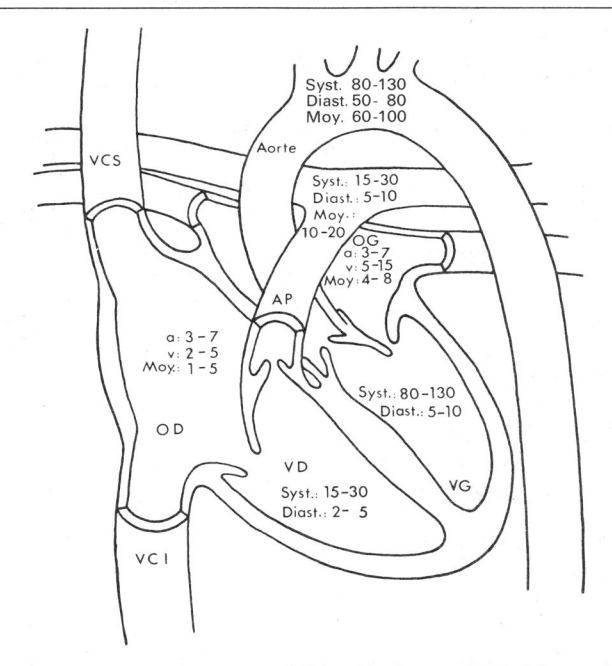

```
Aorte
 Syst. 80-130
 Diast. 50- 80
 Moy. 60-100

VCS

AP
 Syst.: 15-30
 Diast.: 5-10
 Moy.: 10-20

OG
 a: 3-7
 v: 5-15
 Moy: 4-8

OD
 a: 3-7
 v: 2-5
 Moy.: 1-5

VG
 Syst.: 80-130
 Diast.: 5-10

VD
 Syst.: 15-30
 Diast.: 2-5

VCI
```

L'onde «a» représente la contraction auriculaire. L'onde «v» est produite par le remplissage de l'oreillette. Dans l'oreillette droite l'onde «a» est dominante, tandis que l'onde «v» est plus élevée dans l'oreillette gauche. Chez le nouveau-né, les pressions peuvent être plus élevées dans le ventricule droit et l'artère pulmonaire.

saturation de la veine cave inférieure est plus élevée de 3 % à 6 % que celle de la veine cave supérieure. Le mélange se faisant dans l'oreillette droite et le ventricule droit, un bon échantillon de « sang veineux mêlé » peut être obtenu dans l'artère pulmonaire.

Un shunt gauche-droite (artério-veineux) est diagnostiqué lorsque la saturation dans une cavité droite est plus élevée que dans la cavité précédente (arrivée du sang artérialisé du cœur gauche). *Un shunt droite-gauche* (veino-artériel) est diagnostiqué lorsque la saturation est abaissée dans une cavité du cœur gauche ou dans l'aorte, en présence d'une saturation normale des veines pulmonaires.

Calcul du débit cardiaque (Q) par la méthode de Fick

● Débit pulmonaire (Qp) :

$$Qp = \frac{\text{Consommation en oxygène}}{(\text{Contenu en O}_2 \text{ veine pulm.}) - (\text{Contenu en O}_2 \text{ artère pulm.})}$$

● Débit systémique (Qs) :

$$Qs = \frac{\text{Consommation en oxygène}}{(\text{Contenu artère systémique}) - (\text{Contenu veine systémique})}$$

Le rapport Qp/Qs est utilisé pour l'appréciation de l'importance d'un shunt gauche-droite (entre 1 et 2, shunt faible, entre 2 et 3, shunt important, plus de 3, très gros shunt).

Résistances

Formule générale : $R = \dfrac{P}{Q}$

P = pression moyenne en mmHg,
R = résistance,
Q = débit.

● *Résistance pulmonaire totale en unités* :

$$Rp = \frac{\text{Pression moyenne AP (mmHg)}}{\text{Débit pulmonaire (l/min.)}}$$

● *Résistance artériolaire pulmonaire* :

$$Rap = \frac{\text{Pression moyenne AP (mmHg)} - \text{Pression capillaire moy. (mmHg)}}{\text{Débit pulmonaire (l/min.)}}$$

● *Résistance systémique en unités* :

$$Rs = \frac{\text{Pression moyenne aorte (mmHg)}}{\text{Débit systémique (l/min.)}}$$

Le rapport Rp/Rs est normalement de 0,15 à 0,20.

Urgences cardiaques

Défaillance cardiaque (décompensation)

Etiologie
Cardiopathies congénitales, surtout celles avec shunt gauche-droite ; cardiopathie rhumatismale ; myocardites, péricardites et endocardites de toute étiologie ; insuffisance rénale aiguë ou chronique ; hypertension, hypervolémie, thyrotoxicose, fistules artérioveineuses, arythmies variées.

Symptomatologie
La défaillance est la plupart du temps globale (cœur gauche et droit). Les symptômes principaux sont : dyspnée, tachypnée, tachycardie, diaphorèse exagérée, irritabilité, anorexie, retard pondéral, hépatomégalie ; les râles pulmonaires et l'œdème périphérique sont rares et tardifs chez le petit enfant.

Examens de laboratoire
Acidose mixte (métabolique et respiratoire) la plupart du temps. Hyponatrémie assez fréquente par hémodilution.

Electrocardiogramme
N'aide pas au diagnostic.

Radiographie du cœur
La cardiomégalie est quasi constante. La vascularisation pulmonaire est en général augmentée (mixte ou passive).

Traitement
Cf. tableau 3 pour la dose et les voies d'administration des médicaments mentionnés.

Repos : manipuler l'enfant le moins possible, éviter les examens inutiles. *Sédation* (jamais de morphine) : Valium® ou Phénergan®. *Digitale* : de préférence employer la Digoxine®. *Diurétiques* : furosémide, intraveineux si urgence extrême, ou par la bouche. *Oxygène* : en concentration suffisante pour rendre le malade confortable. Se souvenir que dans les gros shunts artério-veineux, l'oxygène abaisse la résistance pulmonaire et pourra aggraver la défaillance ventriculaire gauche. *Correction du déséquilibre acido-basique* : en phase aiguë, on peut administrer prudemment du bicarbonate et, dans les cas où l'on craint une surcharge en sodium, du THAM. Toujours faire un bilan de l'équilibre acide-base du patient au préalable. Les *solutés* par ailleurs doivent avoir une faible concentration en sodium et être administrés en quantité minimale dans les premières 24 à 48 h. Le *poids* est le meilleur guide du degré d'hydratation du malade. *Diète* : les laits sans sodium (Pennac®,

Tableau 3 : Principaux médicaments utilisés en cardiologie pédiatrique

	Médicaments	Voie d'administration	Dose
Sédatifs :	Diazépam (Valium®)	i.v., i.m., per os	0,05 à 0,2 mg/kg
	Phénobarbital	per os ou i.m.	2 mg/kg
	Prométhazine (Phénergan®)	per os ou i.m.	0,5 mg/kg
Diurétiques :	Spironolactone (Aldactone®)	per os	3 mg/kg/j
	Furosémide (Lasix®)	i.v. ou i.m. per os	1 mg/kg 1-2 mg/kg
	Hydrochlorothiazide (Esidrex®)	per os	2 mg/kg/j ad 50 à 100 mg/j
Digitale :	Digoxine	i.v., i.m. ou per os	*Digitalisation :* per os : < 2 ans : 0.06 mg/kg/24 h > 2 ans : 0,04 mg/kg/24 h (max. 0,5 mg/24 h) i.v. ou i.m. : 2/3 de la dose orale *Entretien :* 1/4 à 1/3 de la dose de digitalisation
Anti-arythmiques :	Quinidine	per os	10-30 mg/kg/j
	Propranolol	i.v.	0,05-0,1 mg/kg (max. 5 mg)
		per os	0,5-2 mg/kg/j
	Xylocaïne	i.v.	1 mg/kg (bolus) 15-30 µg/kg/min. (perfusion)
	Mexiletine	i.v. per os	1-3 mg/kg 10 mg/kg/j
	Procaïnamide	i.v. per os	5-8 mg/kg 30-50 mg/kg/j
	Verapamil	i.v. per os	0,05-0,1 mg/kg 3-5 mg/kg/j
Autres :	Bicarbonate de Na	i.v. lentement (en 12 h)	Concentration en bicarbonate désirée (p. ex. 23 mmol/l) moins conc. des bicarbonates trouvée × 0,6 × poids en kg = nombre de mmol de bicarbonate à administrer
		i.v. rapidement (en quelques min.)	2 mmol/kg
	Prednisone	per os	0,5 mg/kg

12. CARDIOLOGIE

Fréquence	Remarques
Répéter au besoin toutes les 6 ou 8 h	Eviter usage prolongé. Donne une excellente sédation chez l'enfant anxieux en défaillance cardiaque.
Répéter au besoin toutes les 8 h	Peut déprimer la respiration.
Répéter au besoin toutes les 8 h	
2 ou 3 doses par jour	
Répéter une fois, 2 fois par jour	Diurèse en 10-20 min. Diurèse en 1 h env. Alcalose métabolique si usage prolongé.
En 2 doses, tous les 2 ou 3 j	Pour traitement à long terme, donner supplément de potassium.
En 3 ou 4 doses à 2 h (si i.v.) ou à 6 h d'intervalle (si per os)	Nouveau-nés (0 à 2 sem.) prématurés et myocardite, utiliser des doses de 25 % à 30 % inférieures. Début de l'action : 20 min. (i.v.), 1-2 h (i.m. ou per os). Action max. : 2 h (i.v.), 5 à 8 h (i.m., per os).
En 2 doses par jour	
3-4 doses	Diminue l'excitabilité auriculaire et ventriculaire, conversion de la fibrillation auriculaire.
Répéter au besoin après 6-8 h	Bloque les récepteurs bêta-adrénergiques. Effet inotrope négatif. Effectif dans les arythmies auriculaires.
3-4 doses	
Bolus suivi de perfusion continue	Supprime rapidement les arythmies ventriculaires, si donné en excès : convulsions.
3-4 doses	Effet très voisin de la Xylocaïne. Effets secondaires sur le système nerveux central (vertiges-nausées).
3-4 doses	Diminue l'excitabilité auriculaire et ventriculaire, ralentit la conduction.
4 doses	Médicament de choix pour interrompre une tachycardie paroxystique ; action inotrope négative, ne pas utiliser si l'enfant est en défaillance cardiaque.
1 fois	Mesure d'urgence chez le nourrisson en attendant que le traitement étiologique puisse être entrepris. Danger de rétention d'eau, d'hypernatrémie et d'alcalose.
1 fois	Seulement si le patient est en acidose extrême. L'injection rapide pourra être suivie de l'administration lente du reste de la dose calculée.
Toutes les 6 h	Dans la myocardite virale ou la cardite rhumatismale : 2 mg/kg/j pour 2 à 3 sem., puis sevrage graduel en 5 à 6 sem.

Lonalac®) sont rarement indiqués. Il est préférable d'employer des laits « maternisés » à faible teneur en sodium. Lorsque ceux-ci ne sont pas disponibles, on peut utiliser du lait de vache coupé de moitié par du lait sans sodium. Le nouveau-né en défaillance tolérera beaucoup mieux l'alimentation à la cuillère qu'au biberon. On peut donner de nombreux petits repas de céréales, fruits et légumes, 6 ou 7 fois par jour plutôt que d'insister sur des biberons complets. *Stéroïdes* : sont indiqués dans les défaillances secondaires à la pancardite rhumatismale ou dans les myocardites et péricardites virales ou rhumatoïdes (prednisone ou méthyl-prednisolone).

La défaillance cardiaque est rarement une affaire de longue durée chez l'enfant. Il s'agit la plupart du temps d'un épisode aigu, et il ne sera en général pas nécessaire d'administrer une diète hyposodée ou des diurétiques à long terme. Le *traitement étiologique* est souvent de nature chirurgicale ; la cause de la défaillance doit donc être trouvée au plus tôt.

Pronostic

D'autant meilleur que l'enfant est plus âgé. La mortalité est très élevée chez le nouveau-né ; elle dépend beaucoup de la maladie sous-jacente.

Cyanose

Etiologie

Pour que la cyanose soit visible cliniquement, on accepte qu'il doit y avoir en circulation au moins 5 g/100 ml d'hémoglobine réduite. Du point de vue étiologique, on distingue deux types de *cyanose* :

a) Centrale : Le sang artériel est désaturé ; elle peut être causée par une mauvaise hématose pulmonaire (par ex. broncho-pneumonie), une malformation cardiaque congénitale comportant un shunt droite-gauche (par ex. tétralogie de Fallot).

b) Périphérique : La saturation artérielle est la plupart du temps normale mais il y a stase circulatoire périphérique et augmentation de l'extraction de l'oxygène par les tissus à cause d'un débit cardiaque bas.

La cyanose peut être aussi *différentielle.* Exemples :

● Moitié inférieure du corps cyanosée et partie supérieure du corps rose : coarctation de l'aorte avec canal artériel systémique, canal artériel persistant avec hypertension artérielle pulmonaire et shunt inversé.

● Tête rose et totalité du corps cyanosée : interruption de l'arc aortique avec artère sous-clavière aberrante droite.

● Partie supérieure du corps bleue et partie inférieure du corps rose : transposition des gros vaisseaux avec canal artériel et shunt inversé.

Chez le *nouveau-né,* la cyanose se voit *normalement* dans les conditions suivantes : *a)* au niveau palmo-plantaire dans la première semaine de vie ; *b)* lors d'un pleur vigoureux (shunt droite-gauche au niveau d'un foramen ovale non soudé).

Chez le *nouveau-né,* la cyanose peut être d'origine : *a) neurologique* : périodes d'apnée, signes d'atteinte du système nerveux central, Apgar diminué ; *b) pulmonaire* : détresse respiratoire, tirage, râles pulmonaires, amélioration marquée dans l'oxygène ; *c) cardiaque* : polypnée, mais sans détresse respiratoire, amélioration modérée ou nulle dans l'oxygène ; *d) métabolique* : méthémoglobinémie.

Crise d'anoxie ou de dyspnée paroxystique

Description
Elle se rencontre presque exclusivement chez les enfants porteurs de tétralogie de Fallot. Elle survient sans horaire fixe, souvent à la suite d'un effort, d'une défécation, d'un traumatisme ou d'une colère. Elle est caractérisée par des pleurs, de la tachypnée et une cyanose progressives allant jusqu'à la perte de conscience, de l'acidose métabolique si la crise se prolonge.

Mécanisme
Hypoxie cérébrale due à l'augmentation brutale du shunt droite-gauche probablement provoquée par un spasme de la chambre de chasse du ventricule droit. Cette crise peut être reproduite artificiellement en donnant des substances bêta-adrénergiques (isoprotérénol).

Traitement
Position genu-pectorale, oxygène, sédation (morphine 0,1 mg/kg) ; si la crise se prolonge : correction de l'acidose et administration de bêta-bloqueurs (propranolol 0,05-0,1 mg/kg). La crise d'anoxie est toujours grave et peut entraîner le décès ou des dommages cérébraux irréversibles.

Urgences cardiaques du nouveau-né (0-15 jours)

Principes généraux
1. L'absence de souffle cardiaque et un électrocardiogramme normal n'excluent pas une cardiopathie congénitale.
2. Une radiographie cardiaque qui semble négative doit être contrôlée à intervalles réguliers durant les premiers jours, si on a de fortes raisons de croire à une cardiopathie.
3. Dans le doute, une observation attentive de l'enfant à l'hôpital pendant plusieurs jours est essentielle.

Tableau 4 : Urgences cardiaques du nouveau-né

Symptôme majeur	Aspect radiologique		Diagnostic
Cyanose	Gros cœur	Vascularisation normale ou augmentée	Transposition des gros vaisseaux[1]
		Vascularisation diminuée	Atrésie pulmonaire avec septum interventriculaire intact[1]
			Sténose pulmonaire serrée[1]
			Maladie d'Ebstein[1]
	Cœur de volume normal	Vascularisation diminuée	Tétralogie de Fallot sévère (pseudo-tronc)[1]
			Atrésie tricuspidienne (avec sténose ou atrésie pulmonaire)[1]
			Syndrome d'asplénie avec atrésie pulmonaire ou aorte solitaire
Défaillance	Gros cœur	Vascularisation augmentée (active ou mixte)	Hypoplasie du cœur gauche
			Coarctation compliquée (CA, CIV)[1]
			Tronc commun (type 1, 11, 111)[1]
			Canal atrio-ventriculaire[1]
			Canal artériel[1]
		Vascularisation de type passif (œdème pulmonaire)	Sténose aortique extrême[1]
			Myocardite
			Tachycardie paroxystique
			Fistule artério-veineuse systémique[1]
	Cœur de volume normal	Vascularisation passive (œdème)	Anomalie du retour veineux avec obstruction[1]

N.B. :

1. Peu après la naissance, on aura parfois une cardiomégalie avec défaillance sans pathologie cardiaque intrinsèque. Elle peut être attribuée à une anoxie néo-natale, une hypoglycémie ou un syndrome d'hypervolémie.

2. La communication interventriculaire, la glycogénose cardio-musculaire, la fibroélastose et la coronaire gauche aberrante entraîneront en général une défaillance cardiaque après les premières semaines de vie ; pour cette raison, elles n'ont pas été incluses dans le tableau.

3. Ces critères ne s'appliquent qu'au nouveau-né de 0 à 15 jours.

4. L'échocardiographie, lorsque disponible, permet d'obtenir des renseignements précieux dans la plupart des malformations comportant des anomalies de structure du cœur (absence ou hypoplasie d'un ventricule, d'une valve ou d'un gros vaisseau) et vient souvent confirmer le diagnostic clinique.

Electrocardiogramme	Signes cliniques
Normal ou HVD	Souvent pas de souffle
HBV ou HVG seule. Axe 60°–80° ou à droite. Dilatation auriculaire droite	Souffle systolique parasternal gauche (origine pulmonaire ou tricuspidienne). Hépatomégalie
HVD. Dilatation auriculaire droite	Idem que atrésie pulmonaire
QRS crocheté en V_1 Dilatation auriculaire droite	Hépatomégalie
Normal à la naissance puis HVD	Souffle systolique court ou absence de souffle. Souffle continu si le CA est ouvert
DAG, HVG	
Non spécifique	Hétérotaxie abdominale Dextrocardie ou mésocardie Corps de Heinz et Howell-Jolly
HVD. Absence d'onde Q en V_6	Pouls absents aux 4 membres Cyanose lors des pleurs
HVD ou HBV	Pouls fémoraux absents. Souffle systolique dans le dos
HBV	«Click» d'éjection. Souffle systolique et souffle diastolique (insuffisance troncale). Parfois souffle continu; cyanose lors des pleurs
HVD ou HBV, DAG	Souffle systolique au 4e espace intercostal
HBV ou HVG	Pouls bondissants. Souffle continu ou systolique
HVG	Pouls périphériques diminués ou absents
Altérations de la phase terminale	Absence de souffle, rythme de galop
Fréquence > 240	Absence de souffle
Non spécifique	Souffle continu ailleurs dans l'organisme (tête, foie, rein) ou hémangiome
HVD	Absence de souffle. Coloration quasi normale au repos, souvent cyanose marquée à l'effort

Abréviations:

- HBV: Hypertrophie biventriculaire
- HVD: Hypertrophie ventriculaire droite
- DAG: Déviation axiale gauche
- HVG: Hypertrophie ventriculaire gauche
- CA: Canal artériel
- CIV: Communication interventriculaire

[1] Malformations pouvant être améliorées ou guéries par la chirurgie

4. Se souvenir que, dans bien des cas, la digitalisation ne donne qu'une amélioration temporaire dont il faut profiter pour préciser définitivement le diagnostic.
5. Tout nouveau-né en défaillance cardiaque ou en anoxie grave secondaire à une cardiopathie congénitale doit être considéré comme une urgence chirurgicale jusqu'à preuve du contraire.

Diagnostic étiologique

Les cardiopathies chez le nouveau-né, lorsqu'elles mettent la vie du malade en danger, se présentent sous deux formes cliniques différentes :
- une cyanose extrême avec anoxie et acidose ;
- une défaillance cardiaque globale ; la polypnée, l'hépatomégalie et la tachycardie dominent le tableau ; la cyanose est modérée, en général du type périphérique.

Le tableau 4, basé sur ces modes de présentation, permettra de poser cliniquement le diagnostic étiologique dans la plupart des cas.

L'échocardiogramme, lorsque disponible, est toujours d'une aide précieuse au diagnostic, et doit faire partie de l'évaluation de ces malades.

Cardiopathies congénitales

Fréquence et étiologie

La fréquence des malformations cardiaques congénitales est d'environ 0,8 % des naissances vivantes. Certaines sont plus fréquentes chez les garçons : la coarctation de l'aorte (coarct.), la sténose aortique (SA), la transposition des gros vaisseaux (TGV) et la communication interventriculaire (CIV). La communication interauriculaire (CIA) et le canal artériel (CA) sont plus fréquents chez les filles. Les facteurs héréditaires et familiaux jouent en général peu de rôle pour l'ensemble des malformations. Cependant certains grands syndromes, comportant des malformations congénitales du cœur comme l'une des principales manifestations, peuvent être de nature héréditaire ou encore associés à des malformations chromosomiques (cf. tableau 5). Les malformations congénitales du cœur peuvent aussi être associées à des anomalies des reins ou du tube digestif (atrésie de l'œsophage, atrésie duodénale). Lorsqu'une famille compte un enfant porteur de malformation congénitale du cœur, le risque pour les autres enfants est triplé et devient de l'ordre de 2 à 3 %. La plupart du temps, le questionnaire est négatif. Le seul virus connu comme agent étiologique des cardiopathies congénitales est le virus de la rubéole. Pour ce qui est des agents toxiques ou médicamenteux, on peut citer la thalidomide, l'alcool et le lithium.

Traitement

Le traitement des complications (défaillance cardiaque, infections) est médical, mais le traitement de la malformation est chirurgical. Il peut être palliatif ou curatif (cf. tableau 6) ; la plupart des malformations, lorsque cela est indiqué, seront opérées avant l'âge de 4 ou 5 ans. L'intervention se fait « à cœur fermé » ou « à cœur ouvert ». Cette dernière se pratique en général après l'âge de 2 ans et exige l'usage de la circulation extracorporelle. La tendance actuelle, cependant, est à la correction complète d'emblée quel que soit l'âge, lorsque la malformation est décompensée ; ceci cependant varie avec l'expérience de l'équipe chirurgicale.

Ligne de conduite générale

● *Activités physiques* : Il n'est pas nécessaire de restreindre les activités physiques spontanées du jeune enfant. Chez l'enfant plus âgé, il est préférable d'interdire les sports de compétition, surtout chez celui qui est porteur de lésions obstructives (sténose aortique ou pulmonaire).

● *Immunisations* : Les immunisations de routine doivent être données aux enfants porteurs de cardiopathies congénitales comme aux autres.

● *Infections des voies respiratoires* : Elles sont plus fréquentes chez les enfants porteurs de shunt et ont tendance à se compliquer ; elles peuvent même amener le décès dans un tableau de défaillance cardiorespiratoire ; elles doivent être traitées énergiquement dès leur début.

● *Prévention de l'endocardite bactérienne* : Il est préférable d'administrer aux enfants porteurs de cardiopathies congénitales des antibiotiques à l'occasion de toute extraction dentaire et de toute intervention chirurgicale majeure ou mineure (cf. p. 369). La prévention doit être poursuivie même après correction chirurgicale d'une cardiopathie ; sauf chez les patients porteurs de communication interauriculaire fermée par suture directe ou ceux ayant subi la ligature d'un canal artériel.

Tableau 5 : Associations des cardiopathies congénitales à certains

I. Héréditaires

Maladie ou syndrome	Malformation cardiaque
Ellis Van Creveld	Oreillette unique
Holt Oram	Communication interauriculaire
Ataxie de Friedreich	Cardiomyopathie, parfois obstructive
Sclérose tubéreuse de Bourneville	Rhabdomyome du myocarde
Maladie de Refsum	Troubles de conduction, bloc AV complet
Pompe (glycogénose type II) (cardio-musculaire)	Cardiomyopathie

II. Comportant des altérations chromosomiques

Maladie ou syndrome	Malformation cardiaque
Down (mongolisme)	CIV, canal atrio-ventriculaire, CIA
Trisomie D	CIV, artère ombilicale unique
Trisomie E	CIV, CA, artère ombilicale unique
Turner	Coarctation aorte

III. Probablement acquis

Syndrome	Malformation cardiaque
Gregg (postrubéole)	Sténoses pulmonaires périphériques, canal artériel
Hypercalcémie idiopathique	Sténose aortique supravalvulaire, sténoses pulmonaires périphériques
Phocomélie	CIV, canal atrio-ventriculaire

12. CARDIOLOGIE

syndromes

Manifestation extracardiaque	Mode de transmission
Chondrodystrophie, nanisme, polydactylie	Autosomique récessif
Anomalies du pouce (3 phalanges); hypoplasie ou absence des os de l'avant-bras ou du bras	Autosomique dominant, pénétrance incomplète
Absence de réflexes tendineux, ataxie, pieds creux, scoliose	Autosomique récessif
Adénomes sébacés, retard mental, épilepsie, taches café-au-lait ou dépigmentées	Autosomique dominant
Rétinite pigmentaire, polynévrite, ataxie, accumulation d'acide phytanique dans les tissus et le plasma	Autosomique récessif
Hypotonie, glossomégalie, faciès particulier, déficience en maltase acide	Autosomique récessif

Manifestation extracardiaque	Anomalie
Faciès particulier, pli palmaire unique, retard mental, etc.	Trisomie 21
Oreilles basses, polydactylie, fissure palatine, apnées, surdité	Trisomie 13-15
Occiput proéminent, déformation en flexion de l'index qui croise le 3e doigt, micrognathie	Trisomie 18
Petite taille, ptérygium colli, cubitus valgus, aménorrhée	XO

Manifestation extracardiaque	Etiologie
Retard mental, microcéphalie, surdité, cataracte	Rubéole
Faciès de lutin, retard mental, irritabilité	Hypersensibilité à la vitamine D
Hypoplasie des membres	Ingestion de thalidomide par la mère (pas tous les cas)

Tableau 6 : Chirurgie cardiaque congénitale
Principales malformations congénitales du cœur avec leur traitement

Malformation	Traitement chirurgical	
	Palliatif	Définitif
Canal artériel		Section
Canal atrio-ventriculaire complet		Correction[1]
Coarctation de l'aorte		Résection
Communication interauriculaire		Fermeture[1]
Communication interventriculaire	Cerclage de l'artère pulmonaire	Fermeture[1]
Cor triatriatum		Correction[1]
Fenêtre aorto-pulmonaire		Correction[1]
Retour veineux pulmonaire anormal, partiel ou total		Correction[1]
Sténose aortique		Correction[1]
Sténose pulmonaire	Valvulotomie transventriculaire (Brock)	Correction[1]
Tétralogie de Fallot	Blalock[2] ou Waterston[3]	Correction totale[1]
Transposition des gros vaisseaux	Résection cloison interauriculaire (septotomie au ballonnet de Rashkind)	Correction totale[1] [4]
Trilogie de Fallot		Correction[1]

[1] Exige circulation extracorporelle
[2] Blalock : anastomose entre artère sous-clavière et artère pulmonaire (peut se faire à droite ou à gauche)
[3] Waterston : anastomose entre artère pulmonaire droite et aorte
[4] Mustard : cloisonnement auriculaire

Fig. 8 : Communication interauriculaire (CIA)

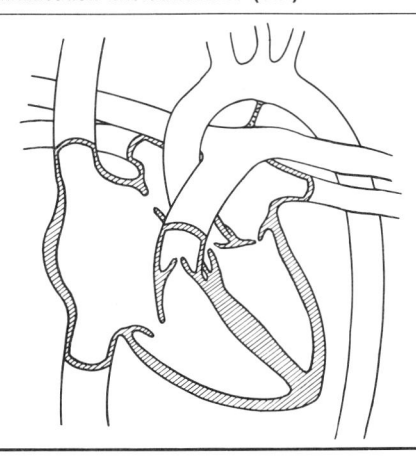

Cardiopathies avec shunt gauche-droite

Symptomatologie commune
Infections respiratoires fréquentes. Dyspnée et diaphorèse à l'effort. Retard pondéral.

Signes radiologiques communs
Augmentation de la vascularisation pulmonaire.

Communication interauriculaire (CIA)

Anatomie
(cf. fig. 8)

On distingue 3 types : a) communication haute et postérieure (dite du type « sinus venosus ») ; elle est accompagnée d'un retour veineux pulmonaire anormal partiel ; b) localisée à la partie moyenne du septum : ostium secundum, la plus fréquente ; c) localisée à la partie basse du septum : ostium primum (voir canal atrio-ventriculaire commun).

Signes cliniques
La symptomatologie est celle des shunts gauche-droite, mais les symptômes sont d'apparition tardive (âge scolaire, adolescence). Il existe un dédoublement fixe du deuxième bruit et un souffle doux d'éjection au foyer pulmonaire. Un souffle diastolique tricuspidien peut être entendu si le shunt est important.

Electrocardiogramme
Déviation axiale droite, bloc incomplet de la branche droite du faisceau de His. Hypertrophie ventriculaire droite, dilatation auriculaire droite. Dans le type « ostium primum », la déviation axiale gauche est de règle.

Examens radiologiques
La vascularisation pulmonaire est augmentée ; la cardiomégalie est modérée aux dépens du cœur droit avec saillie de l'arc moyen et de l'oreillette droite.

Echocardiogramme
- *En mode M* : On note une dilatation du ventricule droit et un mouvement septal plat ou paradoxal.
- *En mode bidimensionnel* : Il est la plupart du temps facile de voir la communication interauriculaire elle-même. Il faut faire attention de ne pas confondre une CIA avec un foramen ovale perméable.

Evolution

Une CIA « secundum » est souvent bien tolérée jusqu'à l'adolescence et même l'âge adulte. La décompensation dans la première enfance est rare. L'hypertension pulmonaire est une complication rare et tardive. Les symptômes apparaissent plus tôt en cas d'anomalie partielle du retour veineux pulmonaire.

Traitement

La chirurgie est recommandée vers 5 ans dans les cas non compliqués, plus tôt si l'enfant est très symptomatique. Le risque chirurgical doit être inférieur à 1 %. Lorsque le shunt artério-veineux est petit (rapport débit pulmonaire/débit systémique inférieur à 1,5), la chirurgie n'est pas nécessaire.

Communication interventriculaire (CIV)

Anatomie
(cf. fig. 9)

On distingue selon la localisation :
- CIV membraneuse : forme la plus fréquente, située haut dans le septum membraneux sous la valve aortique ;
- CIV musculaire : bas située, parfois multiple ;
- CIV supra-cristale.

Tableau 7 : Critères cliniques de classification des principaux types

	Clinique		
	Souffle systolique	Souffle diastolique pointe	P_2
I. Gros shunt artério-veineux. Résistance pulmonaire N ou légèrement augmentée	4e EIG	++	Augmenté
II. Shunt artério-veineux modéré. P° pulmonaire N ou légèrement augmentée	4e EIG	±	N
III. Shunt artério-veineux variable. Sténose pulmonaire	4e–2e EIG	±	N ou diminué
IV. Shunt artério-veineux faible ou inversé. Résistance pulmonaire élevée	0	0	Augmenté

HBV : hypertrophie biventriculaire
HVG : hypertrophie ventriculaire gauche
HVD : hypertrophie ventriculaire droite
EIG : espace intercostal gauche
N : normal

Signes cliniques

La symptomatologie est celle des shunts gauche-droite. Un frémissement précordial est présent dans 85 % des cas. Un souffle holosystolique est perçu au quatrième espace intercostal gauche, irradiant en rayons de roue. Le deuxième bruit pulmonaire est augmenté en cas d'hypertension pulmonaire. Lorsque le shunt est considérable, il y a un roulement diastolique mitral à la pointe.

Electrocardiogramme

Hypertrophie ventriculaire gauche prédominante ou biventriculaire. Dilatation auriculaire gauche. L'électrocardiogramme peut être normal dans les petites CIV. Une hypertrophie ventriculaire droite peut indiquer une réaction d'Eisenmenger ou le développement d'une sténose pulmonaire infundibulaire.

Examens radiologiques

La vascularisation pulmonaire est augmentée. La cardiomégalie est aux dépens du ventricule gauche ou des deux ventricules. Elle peut aussi être d'origine ventriculaire droite si la résistance pulmonaire est élevée ou s'il existe une sténose pulmonaire. L'oreillette gauche est souvent dilatée. La radiographie peut être normale si la CIV est petite.

Echocardiogramme

● *En mode M* : Le ventricule gauche et l'oreillette gauche sont dilatés si le shunt gauche-droit est suffisamment grand. En présence d'une réaction d'Eisenmenger les cavités gauches peuvent être de dimension normale, la paroi antérieure du ventricule droit est très épaisse, l'aspect

de communications interventriculaires

Radiologie						ECG
Tronc pulmonaire	Vaisseaux hilaires	Vaisseaux périphériques	Oreillette gauche	Ventricule droit	Volume cœur	
+ +	Gros et denses	+ +	+ +	N	+ +	HBV
+	Gros	+	+	N	+	HBV ou HVG
–	N	N	N	+	N ou augmenté	HBV ou HVD
+ +	Très gros	Petits	N	+	N	HVD

D'après Fouron J.C., Stanley P., Ethier M.F. et Davignon A.: *Communication interventriculaire avec défaillance cardiaque chez le nouveau-né et le nourrisson,* Can. Med. Ass. Jr., 91 : 694, 1964, avec la permission des auteurs et de l'éditeur.

Fig. 9 : Communication interventriculaire (CIV)

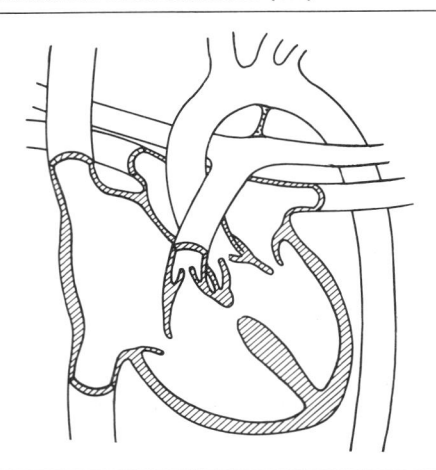

morphologique de la valve pulmonaire est modifiée et le rapport des intervalles de temps (période de pré-éjection/temps d'éjection) est élevé, presque toujours supérieur à 0,3.
● *En mode bidimensionnel* : Il est la plupart du temps facile de voir la communication interventriculaire si celle-ci a plus de 5 mm de diamètre et est située en position habituelle.

Evolution

Elle dépend de trois facteurs : 1. *la taille de la CIV* ; 2. *la réaction de la circulation pulmonaire* à l'augmentation de débit et de pression ; 3. *le développement d'une sténose pulmonaire infundibulaire* (cf. tableau 7).

Une petite CIV peut être bien tolérée et ne causer aucun symptôme durant toute la vie (maladie de Roger). une grande CIV peut entraîner une insuffisance cardiaque dès le premier âge. Environ 50 % des CIV se ferment spontanément durant les quatre premières années de vie. Plus la CIV est petite, plus elle a tendance à se fermer spontanément.

L'augmentation de la résistance vasculaire pulmonaire (maladie vasculaire pulmonaire obstructive) va diminuer le shunt gauche-droite et finalement le renverser ; l'hypertension pulmonaire est alors irréversible (réaction d'Eisenmenger). Cette complication assez rare survient généralement après 10 ans mais peut se voir chez l'enfant plus jeune.

L'endocardite lente peut survenir dans les CIV de toutes tailles, surtout à l'occasion d'une exérèse dentaire ou en présence de caries dentaires profondes.

Dans environ 10 % des cas, une CIV qui paraît « classique » chez un nourrisson se complique d'une sténose pulmonaire infundibulaire de sévérité variable. Le tableau clinique peut même devenir celui d'une tétralogie de Fallot.

Traitement

Si le patient présente une insuffisance cardiaque, résistant à un traitement médical adéquat, la fermeture chirurgicale peut se faire dès l'âge de 3 à 6 mois. Très rarement, chez l'enfant plus jeune, un rétrécissement (cerclage, « banding ») de l'artère pulmonaire peut être indiqué. Lorsqu'il n'y a pas de défaillance cardiaque, la correction a lieu vers l'âge de 4 ou 5 ans, à condition que le débit pulmonaire soit au moins le double du débit systémique. Dans les cas simples, le risque doit être inférieur à 2 %.

Canal atrio-ventriculaire commun persistant (CAV)

Anatomie
(cf. fig. 10)

Il s'agit d'un défaut du développement des « coussins endocardiques ». Les structures cardiaques prenant leur origine de ces coussins sont donc atteintes, à savoir : la partie basse du septum interauriculaire, la partie haute du septum interventriculaire et les valves mitrale (feuillet antérieur) et tricuspide (feuillet septal). Si ces 4 structures sont atteintes, on parle de canal atrio-ventriculaire commun complet. Si l'anomalie ne touche pas les 4 structures, on parle de canal atrio-ventriculaire commun partiel ; la forme partielle la plus fréquente est la CIA « primum » avec fente mitrale.

Le CAV se trouve fréquemment dans la Trisomie 21 (mongolisme).

Signes cliniques

La symptomatologie est celle des shunts gauche-droite ; elle apparaît tôt dans la forme complète (premiers mois de vie). En plus du souffle d'éjection pulmonaire, on perçoit un souffle pansystolique apical (insuffisance mitrale). Le deuxième bruit pulmonaire est souvent accentué (hypertension pulmonaire).

Electrocardiogramme

Déviation axiale gauche, hypertrophie ventriculaire droite, parfois hypertrophie biventriculaire.

Examens radiologiques

Cardiomégalie importante dans la forme complète, surtout aux dépens des cavités droites. Hypervascularisation pulmonaire.

Fig. 10 : Canal atrio-ventriculaire (CAV)

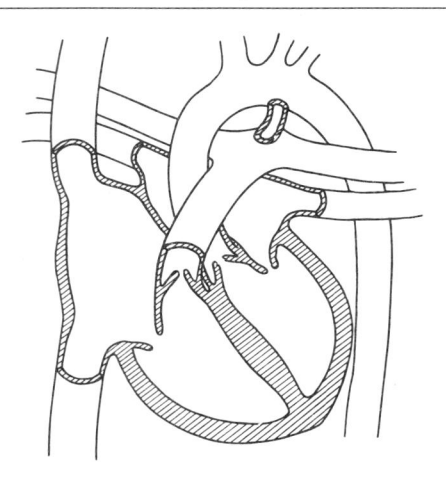

Echocardiogramme
- *En mode M* : Il montre un ventricule droit dilaté et une valve mitrale qui s'accole au septum en diastole (forme partielle) ou traverse complètement celui-ci (forme complète).
- *En mode bidimensionnel* : La CIA est basse, au niveau du plancher auriculo-ventriculaire ; le feuillet antérieur de la valve mitrale est divisé en deux et s'attache au septum. Dans la forme complète la CIV est bien visible.

Evolution
Dans la forme complète, la décompensation cardiaque survient le plus souvent dans les premiers mois de vie. L'hypertension pulmonaire se développe précocement, entraînant la cyanose.

La forme partielle, sans insuffisance mitrale significative, évolue comme une CIA.

Traitement
Dans la forme complète, une chirurgie réparatrice précoce est à envisager : elle peut se faire même dans la première année de vie. Un « banding » de l'artère pulmonaire donne rarement une palliation satisfaisante surtout si l'insuffisance mitrale ou le shunt ventricule gauche-oreillette droite sont importants.

Dans les formes partielles, chirurgie élective vers 4-5 ans.

Canal artériel (CA)

Anatomie
(cf. fig. 11)

Le canal artériel relie l'artère pulmonaire à l'aorte descendante, et il joue un rôle essentiel dans la circulation fœtale. Il se ferme normalement dans les heures qui suivent la naissance. Sa persistance est plus fréquente chez le prématuré que chez l'enfant né à terme.

Signes cliniques

La symptomatologie est celle des shunts gauche-droite. Les pouls périphériques sont bondissants. Un souffle continu systolo-diastolique [1] dans le deuxième espace intercostal gauche est caractéristique. Un roulement diastolique mitral est perçu si le shunt est important. Chez le nouveau-né, le souffle est en général systolique seulement.

Electrocardiogramme

Hypertrophie ventriculaire gauche et dilatation auriculaire gauche. Hypertrophie biventriculaire si le canal est plus gros et le shunt considérable. Electrocardiogramme normal si le shunt est faible.

Examens radiologiques

Vascularisation pulmonaire augmentée. Cardiomégalie aux dépens du cœur gauche ou volume normal si le shunt est faible ; saillie de l'arc moyen ; bouton aortique proéminent.

Echocardiogramme

- *En mode M* : On note des signes indirects de surcharge diastolique des cavités gauches : oreillette gauche et ventricule gauche dilatés.
- *En mode bidimensionnel* : Chez le nouveau-né, le canal artériel peut être vu directement s'il est suffisamment gros.

Evolution

Hypertension pulmonaire irréversible, si le canal est gros. Endartérite à l'occasion d'une exérèse dentaire.
Fermeture tardive possible, surtout dans la première année de vie.

Traitement

La ligature chirurgicale est indiquée dans tous les cas et peut se faire dès le premier âge si le patient est symptomatique.

---

[1] Citons, parmi les autres causes de souffle systolo-diastolique au niveau du précordium chez l'enfant : l'anévrisme rompu du sinus de Valsalva, la fenêtre aorto-pulmonaire, la CIV avec insuffisance aortique, la fistule artério-veineuse des coronaires, une anastomose de Blalock, les fistules artério-veineuses pulmonaires.

Fig. 11 : Canal artériel (CA)

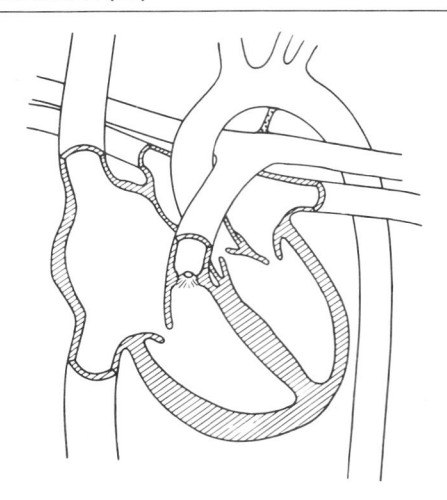

Cardiopathies comportant des lésions obstructives

Sténose aortique

Anatomie
(cf. fig. 12)

L'obstruction peut être au niveau *supravalvulaire* (familiale ou associée au syndrome d'hypercalcémie idiopathique), *valvulaire* ou *sous-valvulaire* (diaphragmatique ou musculaire hypertrophique ; dans ce dernier cas elle peut aussi être familiale). A moins d'indication contraire le texte ci-dessous concerne la sténose aortique valvulaire.

Signes cliniques

Parfois, chez le nouveau-né, l'évolution de la sténose valvulaire peut être très rapide, accompagnée d'absence de pouls périphériques et d'une cardiomégalie extrême. Le décès est alors précoce. En général, la maladie est relativement bien tolérée durant l'enfance. Le symptôme principal est une fatigabilité exagérée à l'effort. La syncope ou le décès

Fig. 12 : Sténose aortique valvulaire

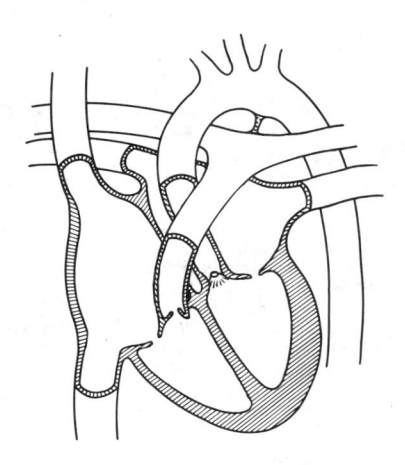

subit au cours d'un effort physique est rare. Il existe un souffle systolique d'éjection au foyer aortique. On entend souvent un click d'éjection le long du bord gauche du sternum ainsi qu'à la pointe. Chez l'enfant plus jeune ainsi que dans la sténose sous-aortique, le souffle peut s'entendre mieux le long du bord inférieur gauche du sternum. Les pouls périphériques sont la plupart du temps normaux ; ils seront faibles si la sténose est extrême. Dans la sténose supravalvulaire, le pouls huméral droit est souvent plus fort que le gauche et la pression artérielle systolique plus élevée à droite qu'à gauche.

Electrocardiogramme

Hypertrophie ventriculaire gauche avec ou sans surcharge, selon la gravité de la lésion. Si la sténose est légère ou modérée, l'électrocardiogramme peut être normal.

Examens radiologiques

L'hypertrophie étant concentrique, le volume cardiaque reste longtemps normal, même en présence d'une sténose sévère. S'il y a décompensation, le cœur peut alors augmenter brusquement de volume.

Echocardiogramme

● *En mode M* : On note au niveau de la valve aortique des traits multiples ; en diastole ils sont souvent excentriques (valve aortique

bicuspide), les feuillets s'ouvrent mal en systole, l'éjection est prolongée. La paroi ventriculaire gauche est épaissie si la sténose est sévère.
● *En mode bidimensionnel*: On voit bien la valve aortique et sa dynamique et il est possible de localiser avec précision l'obstacle (valvulaire, sous-valvulaire ou supra-valvulaire).

Evolution

Assez lente, augmentation progressive de l'intolérance à l'effort. Apparition de précordialgies, de syncopes ; endocardite bactérienne à l'occasion d'une exérèse dentaire.

Traitement

Chirurgie correctrice (commissurotomie s'il s'agit d'une sténose valvulaire) si l'enfant est symptomatique, si le gradient est supérieur à 80 mmHg, ou si l'électrocardiogramme montre des signes de surcharge gauche. Des bêta-bloqueurs sont indiqués dans la sténose musculaire sous-aortique hypertrophique. L'insuffisance aortique est fréquente comme complication postopératoire. Si l'enfant n'est pas opéré, l'activité physique sera permise en raison inverse de la gravité de la lésion.

Coarctation de l'aorte

Anatomie
(cf. fig. 13)

Dans presque tous les cas, la coarctation est légèrement distale à l'origine de l'artère sous-clavière gauche. Elle est dite *simple* s'il n'y a pas de lésion associée, ou *compliquée* s'il existe d'autres malformations associées qui sont : un canal artériel s'insérant en général vis-à-vis de la coarctation (coarctation dite *infantile*), une communication interventriculaire, une sténose valvulaire aortique (valve aortique bicuspide). Une hypoplasie de l'arc aortique accompagne généralement la coarctation infantile.

Signes cliniques

La coarctation compliquée entraîne souvent le décès en très bas âge dans un tableau de défaillance cardio-respiratoire. La coarctation simple (de type adulte) entraîne rarement des complications sérieuses en bas âges. Les signes principaux sont : des pouls fémoraux absents ou diminués, une hypertension artérielle relative aux membres supérieurs, un souffle systolique assez long, maximum dans le dos à la région paravertébrale gauche, des épistaxis (si hypertension) et de la faiblesse des membres inférieurs. Une cyanose différentielle (moitié inférieure du corps cyanosée) peut s'observer dans la coarctation du type infantile avec canal artériel systémique (irriguant la partie inférieure du corps). Une des complications à long terme de la coarctation aortique consiste en des anévrismes sacciformes des artères intracrâniennes (dus à l'hypertension).

Fig. 13 : Coarctation de l'aorte

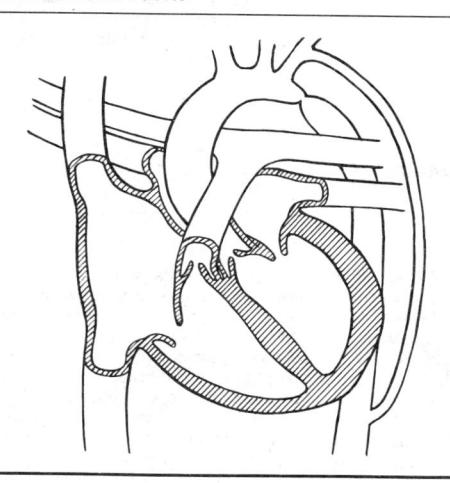

Electrocardiogramme

Tracé normal ou hypertrophie ventriculaire gauche selon la gravité dans la coarctation simple. Dans la coarctation compliquée, hypertrophie biventriculaire ou ventriculaire droite.

Examens radiologiques

La zone de rétrécissement aortique suivie d'une dilatation poststénotique est souvent visible chez l'enfant en dehors de la période néonatale. Les encoches costales sont rarement visibles avant l'âge de 4 ou 5 ans. Dans la coarctation compliquée avec défaillance, il y a cardiomégalie globale avec hypervascularisation pulmonaire de type mixte.

Echocardiogramme

L'échocardiogramme est relativement peu utile dans cette malformation. Le mode M ne montre que les manifestations indirectes de la coarctation (hypertrophie ventriculaire gauche, hypertrophie de la paroi du ventricule gauche) ou les lésions associées (valve aortique bicuspide). Chez le nouveau-né, le mode bidimensionnel permet assez souvent de voir l'hypoplasie de l'isthme aortique associée à une coarctation serrée.

Traitement

Dans une coarctation simple, il est préférable d'attendre l'âge de 4 à 6 ans pour la chirurgie correctrice. Dans la coarctation compliquée, il est mieux d'intervenir immédiatement si le patient ne répond pas adéquatement au traitement médical. L'endartérite, surtout à la suite d'extraction dentaire, est à craindre, même chez l'enfant. La tension artérielle se normalise presque toujours immédiatement après l'opération ; malheureusement, un certain nombre de ces patients deviendront finalement hypertendus.

Sténose pulmonaire

Anatomie
(cf. fig. 14)

Lorsque le septum interventriculaire est intact, la sténose pulmonaire est presque toujours localisée au niveau *valvulaire* ; il peut exister aussi une sténose infundibulaire secondaire. S'il existe un shunt droite-gauche à travers un foramen ovale ou une CIA, l'enfant est cyanosé et la maladie s'appelle trilogie de Fallot. La sténose pulmonaire peut aussi être *supravalvulaire* ; elle est alors dite périphérique multiple, segmentaire ou localisée (dans ces cas elle est souvent associée au syndrome postrubéole ou à l'hypercalcémie idiopathique). Parfois la valve pulmonaire est complètement imperforée, on dit qu'il y a *atrésie pulmonaire avec septum interventriculaire intact* ; le ventricule droit est alors le plus souvent hypoplasique.

Fig. 14 : Sténose pulmonaire

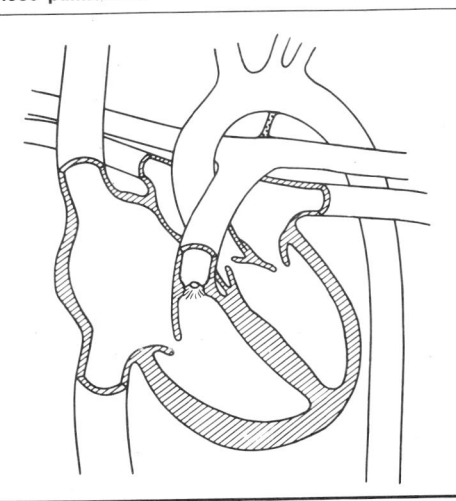

Signes cliniques

La sténose pulmonaire est assez bien compensée dans la plupart des cas ; présence d'un souffle systolique d'éjection au foyer pulmonaire, d'un « click » systolique disparaissant en inspiration et d'un deuxième bruit pulmonaire diminué et anormalement dédoublé. Les cas graves peuvent se décompenser à tout âge et présenter une défaillance ventriculaire droite. L'atrésie pulmonaire avec septum interventriculaire intact se manifeste par une cyanose profonde peu après la naissance (voir urgences cardiaques du nouveau-né).

Electrocardiogramme

Hypertrophie ventriculaire droite, sauf si le ventricule droit est hypoplasique ; dilatation auriculaire droite.

Examens radiologiques

Dans les cas extrêmes, cardiomégalie globale avec dilatation ventriculaire et auriculaire droite. En général, hypertrophie ventriculaire droite modérée. En l'absence de shunt droite-gauche, la vascularisation pulmonaire paraît normale. Lorsqu'il y a shunt veino-artériel, elle peut être diminuée. Plus l'enfant est grand, plus la dilatation poststénotique de l'artère pulmonaire est visible.

Echocardiogramme

- *En mode M* : Il donne surtout des signes indirects, tel un épaississement de la paroi antérieure du ventricule droit ; la morphologie de l'ouverture de la valve pulmonaire est parfois modifiée.
- *En mode bidimensionnel* : On peut la plupart du temps apercevoir la valve pulmonaire, dont les feuillets paraissent épaissis et bombent en systole.

Evolution

La plupart des cas évoluent très lentement et le gradient pulmonaire a peu de tendance à augmenter durant l'enfance. La défaillance ventriculaire droite et l'endocardite bactérienne sont les principales complications.

Traitement

Chirurgie correctrice à cœur ouvert si la malformation se décompense ou si le gradient est supérieur à 60 mmHg. Lorsque l'enfant est très jeune, on peut pratiquer une valvulotomie transventriculaire (opération de Brock) ou une anastomose aorto-pulmonaire de type Waterston ou Potts ; dans certains centres, on préfère la valvulotomie à cœur ouvert, même chez le nouveau-né.

Cardiopathies complexes

Localisation des chambres cardiaques

Dans le diagnostic des cardiopathies congénitales complexes, particulièrement des transpositions, dextrocardies et ventricules uniques, il est essentiel de déterminer la localisation des chambres cardiaques. La localisation des oreillettes peut être déterminée sur une simple radiographie, celle des ventricules et des gros vaisseaux demande une étude écho- ou angiocardiographique.

La localisation des *oreillettes* est tributaire de la localisation des viscères abdominaux (cf. fig. 15).

Ventricules. Le tube cardiaque primitif est central dans les stades précoces de la vie embryonnaire ; mais, lorsqu'il s'allonge, la partie ventriculaire se plie, en général vers la droite, pour former une boucle (cf. fig. 16) ; si la boucle se fait à gauche, il en résulte une inversion des ventricules.

On différencie le ventricule droit (VD) du ventricule gauche (VG) sur l'angiographie par les deux critères suivants : 1. le VD montre des trabéculations grossières ; le VG est plus lisse ; 2. le VD a une chambre de chasse allongée, appelée conus ou infundibulum, qui s'interpose entre le ventricule et le vaisseau qui en sort, normalement l'artère pulmonaire (l'aorte en cas de transposition).

Gros vaisseaux : cf. fig. 17.

Fig. 15 : Localisation des oreillettes

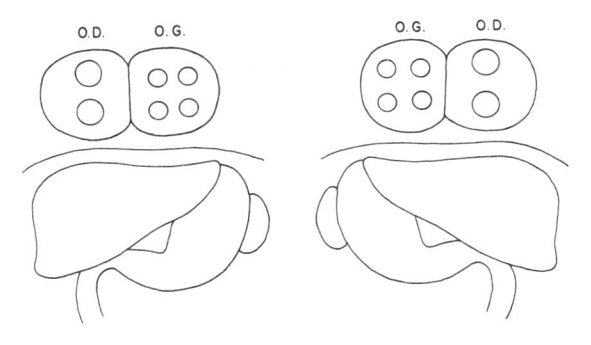

SITUS SOLITUS: normal
- Foie à droite
- Estomac et rate à gauche
- Localisation normale des oreillettes

SITUS INVERSUS
- Foie à gauche
- Estomac et rate à droite
- Localisation inversée des oreillettes

Fig. 16 : Localisation des ventricules

"Boucle D" normale

Tube primitif

"Boucle L" donne une inversion des ventricules

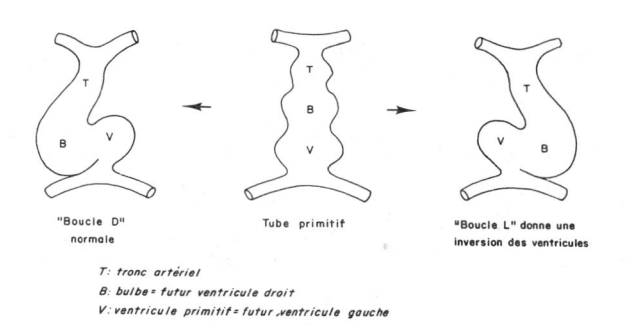

T : tronc artériel
B : bulbe = futur ventricule droit
V : ventricule primitif = futur ventricule gauche

Fig. 17 : Localisation des gros vaisseaux

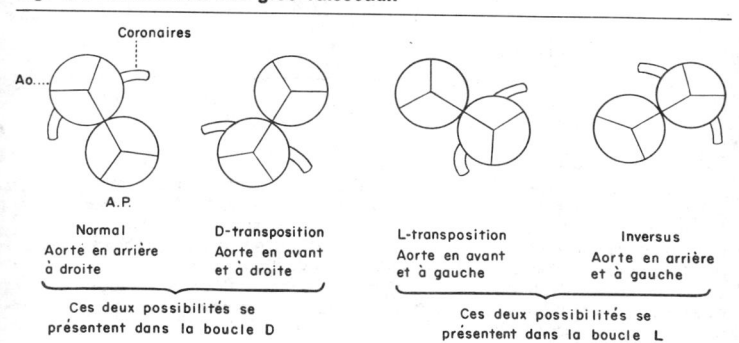

Normal	D-transposition	L-transposition	Inversus
Aorte en arrière à droite	Aorte en avant et à droite	Aorte en avant et à gauche	Aorte en arrière et à gauche

Ces deux possibilités se présentent dans la boucle D

Ces deux possibilités se présentent dans la boucle L

Tétralogie de Fallot (TF)

Anatomie

Les quatre anomalies anatomiques sont : sténose pulmonaire infundibulaire (et souvent valvulaire), CIV, hypertrophie ventriculaire droite, dextroposition de l'aorte (aorte « à cheval » sur le septum interventriculaire) (cf. fig. 18). Elles sont toutes la conséquence d'une seule lésion : l'hypodéveloppement du conus sous-pulmonaire. L'arc aortique est droit dans environ 25 % des cas.

Fig. 18 : Tétralogie de Fallot

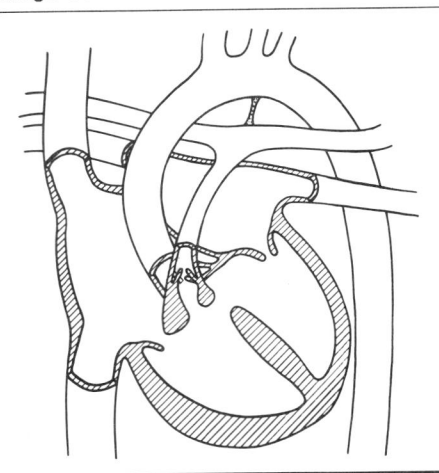

Signes cliniques

La cyanose est de règle et apparaît dans les six premiers mois, accompagnée plus tard d'hippocratisme digital. Les crises anoxiques (« spells ») sont caractérisées par une exacerbation subite de la cyanose avec polypnée et perte de connaissance. L'enfant s'accroupit fréquemment, spécialement après l'effort (« squatting »). Le deuxième bruit du cœur est en général unique. Un souffle d'éjection est perçu au bord gauche du sternum, maximum au troisième espace intercostal. L'absence de souffle peut indiquer une atrésie pulmonaire.

Electrocardiogramme

Déviation axiale droite et hypertrophie ventriculaire droite.

Examens radiologiques

Vascularisation pulmonaire diminuée. Cœur de volume normal ou légèrement augmenté. Le bouton aortique proéminent, l'arc moyen concave et l'élévation de l'apex donnent parfois à la silhouette l'aspect classique « en sabot ».

Echocardiogramme

● *En mode M* : Le principal signe est une discontinuité entre le septum interventriculaire et la paroi antérieure de l'aorte. L'aorte est dilatée et souvent la valve pulmonaire n'est pas visible.

● *En mode bidimensionnel* : La CIV et le chevauchement de l'aorte sont très faciles à voir et le diagnostic se fait d'emblée.

Evolution

Laissée à elle-même, la maladie conduit à la mort par anoxie avant l'âge de 20 ans ; elle peut être fatale chez le nourrisson déjà dans les cas sévères. Les complications graves sont les accidents cérébro-vasculaires, l'abcès cérébral et l'endocardite bactérienne.

Traitement

Chirurgical palliatif : Chez le nourrisson, une anastomose aorto-pulmonaire (Waterston) ou entre les artères sous-clavière et pulmonaire (Blalock) est indiquée s'il y a présence de crises anoxiques, cyanose sévère ou un hématocrite au-dessus de 60 %. La chirurgie correctrice élective peut être entreprise dès l'âge de 2 ans ; en cas de cyanose profonde ou de crises anoxiques répétées, la correction complète peut se faire même à un âge plus jeune. Dans les six premiers mois, on préférera cependant une chirurgie palliative.

Transposition des gros vaisseaux (TGV)

1. D-TGV (transposition « classique »)
(cf. fig. 17 et 19)

Anatomie

L'aorte prend naissance du ventricule droit alors que l'artère pulmonaire part du ventricule gauche. L'aorte se trouve transposée en avant et à *droite* de l'artère pulmonaire (d'où le nom de D-TGV). La grande et la petite circulation sont en parallèle, et la survie du malade dépend des communications entre les deux circuits. Les communications (CIV, CIA, CA) déterminent le degré de mélange ou « mixing » entre les deux circulations. Les malformations associées le plus fréquemment à la D-TGV sont la CIV, la CIA et la sténose pulmonaire.

Signes cliniques

L'anomalie est deux à quatre fois plus fréquente chez les garçons que chez les filles. Lorsqu'il y a peu ou pas de mixing, la D-TGV constitue une urgence néonatale. L'enfant est fortement cyanosé dès la naissance et meurt rapidement d'anoxie. La cyanose est moins nette et plus tardive en cas de CIV associée. L'insuffisance cardiaque apparaît plus tardivement. Le poids de naissance est souvent supérieur à la normale. L'auscultation n'est pas spécifique, elle dépend des malformations associées. Souvent, il n'y a pas de souffle.

Fig. 19 : D-Transposition des gros vaisseaux (D-TGV)

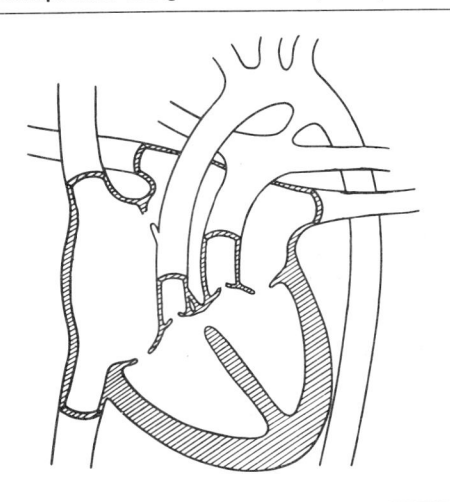

Electrocardiogramme

Il peut être normal à la naissance. Après une semaine apparaissent des signes d'hypertrophie ventriculaire droite dans la TGV avec un septum intact et des signes d'hypertrophie biventriculaire s'il y a une CIV associée ou une sténose pulmonaire.

Examens radiologiques

La vascularisation pulmonaire est normale ou augmentée. Le cœur est légèrement augmenté de volume chez le jeune bébé ; il peut être beaucoup plus gros chez l'enfant plus âgé. Le pédicule vasculaire est étroit et la silhouette cardiaque assume classiquement une forme d'œuf.

Echocardiogramme

● *En mode M* : On note que le gros vaisseau postérieur (artère pulmonaire) est situé à gauche du gros vaisseau antérieur (aorte), ce qui est l'inverse des relations normales.
● *En mode bidimensionnel* : Le diagnostic est facile, le vaisseau qui part du ventricule droit ayant les caractéristiques morphologiques de l'aorte et celui qui part du ventricule gauche les caractéristiques de l'artère pulmonaire. Contrairement à la normale ces gros vaisseaux ne se croisent pas et sont parallèles en vue transverse.

Evolution

Laissée à elle-même, la malformation entraîne la mort en bas âge ou dans la période néonatale, si aucune communication n'existe entre les deux circulations.

Traitement

● *Palliatif* : Dès que la malformation est reconnue, une communication interauriculaire doit être créée d'urgence pour permettre un mélange des sangs veineux pulmonaire et systémique. La septotomie par cathéter à ballon (Rashkind) est la procédure de choix. En cas d'échec, la septectomie chirurgicale est indiquée.

● *Correctif complet* : Il se fait par l'opération de Mustard ou de Senning, qui redirige le sang veineux pulmonaire vers le ventricule droit et le sang veineux systémique vers le ventricule gauche ; cette intervention se fait vers la fin de la première année de vie ou dans la deuxième année. En cas de nécessité, elle peut se faire dès l'âge de trois mois, sous hypothermie profonde. La reposition des gros vaisseaux est pratiquée dans quelques centres. Elle ne s'est pas actuellement imposée comme thérapie de choix.

2. L-TGV (transposition corrigée)

Anatomie
(cf. fig. 17)

Cette malformation plus rare est caractérisé par une inversion des ventricules (boucle L) qui vient s'ajouter à la transposition. L'aorte se trouve transposée en avant et à gauche, d'où le nom de L (lævotransposition). Par l'inversion des gros vaisseaux, cette forme est physiologiquement « corrigée ». Cependant, d'autres malformations sont souvent associées (surtout CIV et sténose pulmonaire).

Signes cliniques

Les malformations associées déterminent la symptomatologie. Le deuxième bruit est claqué à cause de l'antéposition de l'aorte.

Electrocardiogramme

Blocs auriculo-ventriculaires de tous degrés. Onde QS en V_1 et absence d'onde q en V_6.

Examens radiologiques

Le pédicule vasculaire est étroit et l'aorte ascendante forme le bord gauche supérieur de la silhouette cardiaque, effaçant les deux arcs normalement formés par le conus pulmonaire et le bouton aortique.

Echocardiogramme

● *En mode M* : Il est très difficile, à cause de son orientation, d'obtenir une bonne visualisation du septum interventriculaire. Il n'existe pas de continuité entre la valve auriculo-ventriculaire gauche et l'aorte.

● *Sur l'écho bidimensionnel* : Le diagnostic se fait d'emblée, l'aorte apparaît immédiatement antérieure et à gauche de l'artère pulmonaire et le ventricule situé à droite possède une valve de morphologie mitrale.

Evolution
Dans les cas non compliqués, la survie peut être longue ; mais souvent une insuffisance de la valve atrio-ventriculaire gauche et/ou un bloc atrio-ventriculaire viennent compliquer le tableau.

Traitement
La chirurgie peut être indiquée pour corriger une malformation associée, mais la mortalité opératoire est élevée à cause de la difficulté d'accès des cavités ventriculaires.

Anomalie d'Ebstein

Anatomie
(cf. fig. 20)

La valve tricuspide est déplacée à un degré variable vers l'intérieur du ventricule droit. La partie du ventricule droit se trouvant en amont est amincie (ventricule atrialisé) et forme une chambre commune avec l'oreillette. Le tissu valvulaire tricuspidien est redondant et adhérent à la paroi ventriculaire droite. Une CIA ou un foramen ovale perméable sont souvent présents. Environ 15 % des cas sont associés à une sténose pulmonaire. Il y a souvent une sténose et/ou une insuffisance tricuspidienne associée.

Signes cliniques
La cyanose est présente dans environ 70 % des cas chez le nouveau-né, beaucoup plus rarement chez l'enfant. Les accès de tachycardie paroxystique avec ou sans perte de conscience sont fréquents. La tolérance à l'effort est souvent bonne. Il existe un souffle systolique râpeux à la région présternale avec un souffle mésodiastolique. Ces deux souffles peuvent imiter un frottement péricardique. La présence d'un troisième et d'un quatrième bruits donne un rythme caractéristique dit « en cascade ».

Electrocardiogramme
Bloc de branche droit complet ou incomplet avec petits voltages en V_1. Onde P élevée et pointue. Parfois syndrome de Wolff-Parkinson-White.

Examens radiologiques
Vascularisation normale ou diminuée. Cardiomégalie globale avec évidence de dilatation auriculaire droite.

Fig. 20 : Anomalie d'Ebstein

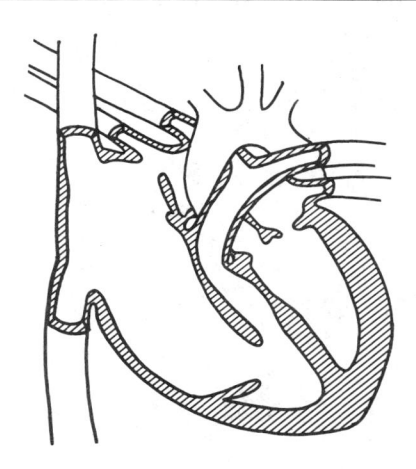

Echocardiogramme

- *En mode M* : Dilatation énorme du ventricule droit, mouvements très amples de la tricuspide et retard marqué de la fermeture de cette valve par rapport à la valve mitrale.
- *En mode bidimensionnel* : On voit très bien l'insertion basse du feuillet septal de la tricuspide et la partie « auricularisée » du ventricule droit.

Evolution

La mort (par syncope, anoxie ou défaillance cardiaque droite) survient généralement entre 30 et 50 ans. Les décès dans la période néonatale se produisent surtout lorsque la maladie est associée à une sténose ou une atrésie pulmonaire.

Traitement

Il n'y a pas de chirurgie correctrice satisfaisante. Dans les cas graves, la pose d'une prothèse valvulaire tricuspidienne associée à la plicature du ventricule atrialisé a donné de bons résultats ; la mortalité opératoire, cependant, reste élevée.

Fig. 21 : Atrésie tricuspidienne

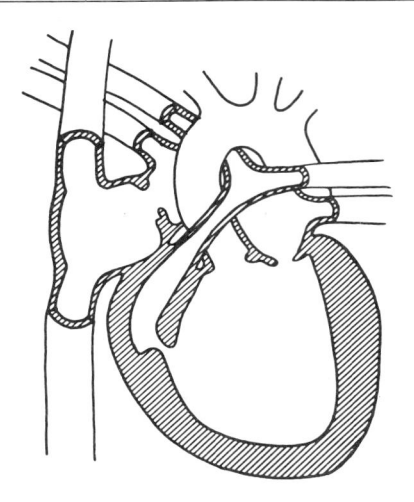

Atrésie tricuspidienne

Anatomie
(cf. fig. 21)

Il n'y a pas de communication entre l'oreillette droite et le ventricule droit. Tout le sang veineux systémique passe dans l'oreillette gauche par une CIA ou un foramen ovale perméable. Le ventricule gauche pompe le sang dans l'aorte et dans le ventricule droit, en général hypoplasique, à travers une CIV. Dans la forme la plus fréquente, une sténose pulmonaire est associée. Les gros vaisseaux sont souvent transposés.

Signes cliniques
La cyanose est constante et généralement marquée, accompagnée d'hippocratisme digital. Un souffle d'éjection est souvent perçu aux troisième et quatrième espaces intercostaux gauches.

Electrocardiogramme
Présence d'une déviation axiale gauche accompagnée de signes d'hypertrophie ventriculaire gauche.

Examens radiologiques

Vascularisation pulmonaire souvent diminuée. Le cœur est de volume normal ou augmenté ; souvent le bord droit de la silhouette cardiaque est rectiligne.

Echocardiogramme

En mode M et en mode bidimensionnel, le diagnostic se fait facilement. On visualise la petite cavité ventriculaire droite et la présence d'une seule valve auriculo-ventriculaire située à gauche.

Evolution

Environ la moitié des cas meurent dans les premiers six mois. Sans traitement, peu de patients atteignent la seconde décennie.

Traitement

Chirurgie palliative seulement : anastomose entre artères systémique et pulmonaire ou anastomose entre la veine cave supérieure et l'artère pulmonaire droite (opération de Glenn) ; l'anastomose de l'oreillette droite à l'artère pulmonaire avec ou sans interposition d'une hétérogreffe valvulaire (opération de Fontan) est faite chez les enfants plus âgés.

Ventricule unique (VU)

Anatomie
(cf. fig. 22)

Par définition, il y a deux oreillettes se jetant par leurs valves atrio-ventriculaires respectives dans un seul ventricule (« cor triloculare biatriatum »). Ce ventricule est morphologiquement gauche dans la forme la plus fréquente. Le ventricule droit est absent, mais l'infundibulum existe, appendu au ventricule unique sur la droite (boucle D) ou la gauche (boucle L). Cet infundibulum conduit vers l'aorte qui est transposée. Une sténose pulmonaire coexiste souvent ; son diamètre détermine le débit pulmonaire.

Signes cliniques

La cyanose est marquée en cas de sténose pulmonaire serrée. Les signes d'insuffisance cardiaque prédominent en absence de sténose pulmonaire et la cyanose est alors minime. L'auscultation n'est pas caractéristique.

Electrocardiogramme

Le tracé n'est pas spécifique et varie selon la « boucle » ventriculaire, c'est-à-dire la position du ventricule gauche.

Fig. 22 : Ventricule unique (VU)

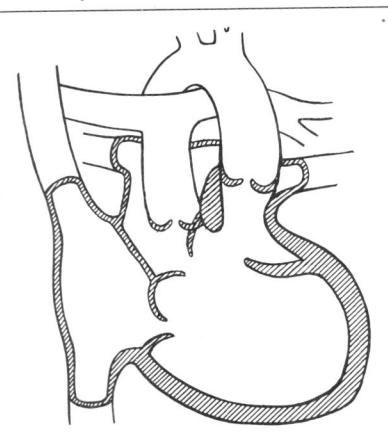

Examens radiologiques

Vascularisation pulmonaire diminuée en cas de sténose pulmonaire marquée, augmentée en absence de sténose pulmonaire. La cardiomégalie est d'habitude modérée.

Echocardiogramme

Le *mode M* montre l'absence de septum bien défini et la présence de deux valves auriculo-ventriculaires ouvrant dans une grande cavité.

Le *mode bidimensionnel* permet une définition anatomique presque complète de la cavité ventriculaire ainsi que de la position des gros vaisseaux.

Evolution

Une survie dans la deuxième décennie est possible en présence de sténose pulmonaire modérée (qui permet un débit pulmonaire suffisant mais non excessif).

Traitement

Une correction complète n'est pas possible actuellement. En cas de sténose pulmonaire serrée, une anastomose de Blalock est indiquée. S'il n'y a pas de sténose pulmonaire, un banding de l'artère pulmonaire est indiqué. On peut offrir à l'enfant plus âgé une opération du type Fontan, soit l'anastomose de l'artère pulmonaire à l'oreillette droite après fermeture de la tricuspide et ligature de l'artère pulmonaire principale.

Tronc artériel commun

Anatomie
(cf. fig. 23)

Une seule grande artère avec une seule valve semi-lunaire quitte la base du cœur. Les artères pulmonaires prennent le plus souvent leur origine :
- d'une artère pulmonaire commune courte, issue du tronc ;
- séparément, de la face postérieure ou latérale du tronc.

Signes cliniques
Des signes d'insuffisance cardiaque peuvent apparaître tôt chez le nourrisson. La cyanose est discrète. Présence d'un souffle systolique rude le long du bord gauche du sternum. Un clic systolique est fréquent. Le deuxième bruit est unique. On peut entendre un souffle protodiastolique (insuffisance de la valve troncale). Les pouls périphériques sont amples.

Electrocardiogramme
Hypertrophie biventriculaire à prédominance droite ou gauche.

Examens radiologiques
Présence d'un arc aortique droit (50 % des cas) ; vascularisation pulmonaire augmentée, cardiomégalie modérée. On peut observer un départ anormalement haut de l'artère pulmonaire gauche ou droite.

Fig. 23 : Tronc artériel commun

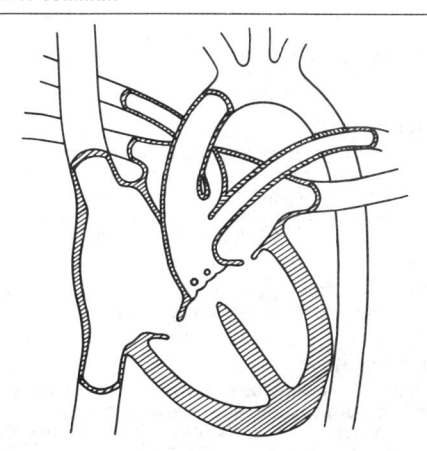

Echocardiogramme

- *En mode M* : Le tracé ressemble beaucoup à celui rencontré dans la tétralogie de Fallot.
- *En mode bidimensionnel* : Le diagnostic est d'emblée évident et l'on voit très facilement le gros tronc artériel chevauchant le septum interventriculaire et donnant naissance aux artères pulmonaires.

Evolution

La plupart des enfants meurent dans les premiers six mois de vie.

Traitement

La correction complète est possible par interposition d'un tube en Dacron muni d'une valve (homogreffe ou hétérogreffe) et reliant le ventricule droit à l'artère pulmonaire. Un cerclage des artères pulmonaires (« banding ») au cours des premiers mois de la vie peut améliorer les patients en défaillance cardiaque irréductible et prévenir le développement d'une vasculite pulmonaire.

Anomalie totale du retour veineux pulmonaire

Anatomie
(cf. fig. 24)

Les quatre veines pulmonaires s'unissent en une veine commune qui se jette dans une veine cave supérieure, le sinus coronaire ou une veine sous-diaphragmatique (veine porte, hépatique, VCI). Dans cette dernière variété, il y a toujours obstruction au retour veineux, mais ceci peut également se voir dans les autres formes.

Signes cliniques

S'il y a obstruction au retour veineux pulmonaire vers l'oreillette droite, la malformation constitue une urgence cardiaque du nouveau-né. Celui-ci se présentera en insuffisance cardiaque avec œdème pulmonaire et cyanose. S'il n'y a pas d'obstruction, les signes cliniques sont ceux d'un shunt gauche-droite avec une cyanose discrète en plus.

Electrocardiogramme

Hypertrophie ventriculaire droite, souvent qR en V_1.

Examens radiologiques

Pléthore pulmonaire allant jusqu'à l'œdème (« image en papillon ») dans la forme avec obstruction. L'image classique du « bonhomme de neige » se voit tardivement (dans la forme avec drainage dans la veine verticale gauche).

Fig. 24 : Anomalie totale du retour veineux pulmonaire

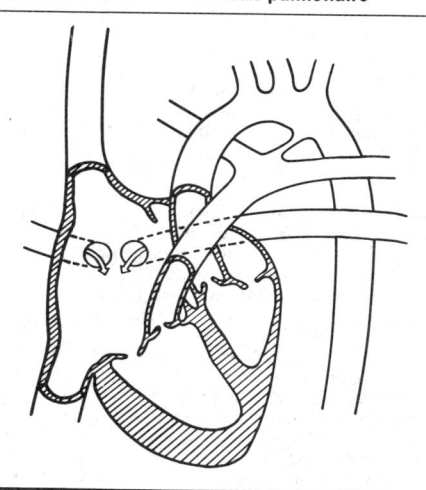

Echocardiogramme

- *En mode M* : On aperçoit souvent l'endroit de confluence des veines pulmonaires (veine pulmonaire commune, sinus coronaire) situé derrière l'oreillette gauche. Cette dernière est d'habitude petite et le ventricule droit et l'artère pulmonaire sont dilatés.
- *En mode bidimensionnel* : On ne voit aucune veine s'aboucher dans l'oreillette gauche ; l'oreillette droite est dilatée ainsi que le ventricule droit et l'artère pulmonaire.

Evolution

La forme avec obstruction entraîne la mort dans les premières semaines de vie. La forme sans obstruction permet une survie plus longue, rarement jusqu'à l'âge adulte.

Traitement

La correction complète peut se faire dès la naissance si l'enfant est gravement symptomatique.

Dextrocardie

Anatomie

Le terme de dextrocardie signifie que le cœur est situé dans l'hémithorax droit. Il ne dit rien sur la position relative des cavités cardiaques, qui dépend, elle, du situs viscéro-atrial (solitus ou inversus), de la « boucle » primitive (D ou L) et de la relation, normale ou transposée, des gros vaisseaux (cf. localisation des chambres cardiaques, fig. 15 et 16).

Pour les besoins de la clinique, la classification simplifiée suivante est proposée :
- *Dextrocardie isolée* (avec ou sans L-TGV) : Il y a situs abdominal solitus (estomac à gauche, foie à droite, VCI et OD à droite). Les ondes P sont normales (positives) en D_1. La dextrocardie isolée s'accompagne presque toujours de malformations cardiaques graves.
- *Dextrocardie avec image en miroir* ou dextrocardie avec situs inversus : Les ondes P sont négatives en D_1. Le cœur est presque toujours normal par ailleurs.
- *Dextroposition du cœur* : Le cœur est déplacé vers l'hémithorax droit secondairement à une pathologie des poumons ou du thorax (hypoplasie du poumon droit, hernie diaphragmatique). La dextroposition peut être associée à une cardiopathie congénitale, surtout s'il existe une malformation pulmonaire.

Il faut aussi mentionner que la grande majorité des cas d'*asplénie* (syndrome d'Ivemark) sont associés à une dextrocardie avec des malformations cardiaques complexes : valve auriculo-ventriculaire unique, ventricule unique, transposition des gros vaisseaux, atrésie pulmonaire, absence de veine cave inférieure. Les ondes P peuvent être inversées en D_1 ou en D_3, QVF. Le situs viscéral est incertain (hétérotaxie abdominale), le foie est médian. L'asplénie peut être diagnostiquée par la présence de corpuscules de Heinz ou de Howell-Jolly dans les globules rouges (frottis ordinaire).

Signes cliniques

Ils dépendent du type de dextrocardie et des malformations associées.

Electrocardiogramme

On reconnaît l'inversion des oreillettes (présente dans la dextrocardie avec image en miroir) par le fait que l'onde P est négative en D_1 et aVL et positive en aVR. La morphologie du complexe QRS dans les précordiales peut aider à localiser la position des cavités ventriculaires (qR dans les précordiales droites et absence de q dans les précordiales gauches suggèrent l'inversion ventriculaire).

Examens radiologiques

Par définition, la majeure partie du cœur se trouve dans l'hémithorax droit. L'inversion des oreillettes se reconnaît au fait que le foie se trouve à gauche, la bulle d'air gastrique à droite.

Fig. 25 : Syndrome d'hypoplasie du cœur gauche

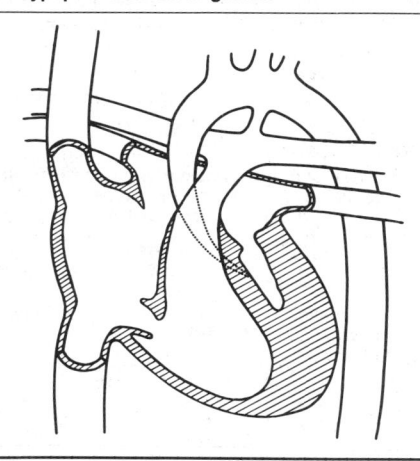

Echocardiogramme

Le mode bidimensionnel permet par l'étude de la position relative des différentes structures cardiaques de définir le type de dextrocardie ainsi que les malformations associées.

Evolution

Elle dépend exclusivement du type de dextrocardie et des malformations associées. Il en va de même pour le traitement.

Syndrome d'hypoplasie du cœur gauche

Anatomie
(cf. fig. 25)

Ce syndrome comporte une hypoplasie de l'une ou l'autre des structures du cœur gauche : hypoplasie de la cavité ventriculaire gauche, atrésie mitrale, atrésie valvulaire aortique, hypoplasie de l'aorte ascendante. Ce syndrome est associé souvent à une fibroélastose du ventricule gauche.

Signes cliniques

Ce syndrome est la première cause de décès par cardiopathie congénitale dans les 48 premières heures de vie. Teint gris, absence de pouls périphériques, défaillance cardiaque subite, hépatomégalie, polypnée et tachycardie.

Electrocardiogramme

Absence de potentiels ventriculaires gauches définis, absence d'onde q en V_5 et V_6 ; hypertrophie ventriculaire droite.

Examens radiologiques

Cardiomégalie globale avec hypervascularisation mixte.

Echocardiogramme

Le mode M et le mode bidimensionnel permettent de mettre en évidence le ventricule gauche très hypoplasique, la toute petite aorte ascendante et la forte dilatation des cavités droites et de l'artère pulmonaire.

Evolution

Décès très rapide, malformation considérée comme inopérable ; seul un traitement symptomatique est indiqué.

Maladies myocardiques primaires

Fibroélastose sous-endocardique

Pathologie

L'endocarde est épaissi par une couche de tissu blanc nacré recouvrant l'intérieur du ventricule gauche et, plus rarement, le ventricule droit et les oreillettes. On distingue : a) la *forme primaire ou isolée,* dans laquelle le cœur est dilaté et hypertrophié ; b) la *forme secondaire,* qui accompagne souvent l'hypoplasie du cœur gauche, la sténose aortique extrême, la coarctation de l'aorte. La couche nacrée est faite de fibres collagènes et élastiques ; le myocarde sous-endocardique peut être le siège de dégénérescence et d'infiltration lympho-monocytaire.

Signes cliniques

Les symptômes d'insuffisance cardiaque apparaissent dans la première année de vie et plus souvent avant l'âge de 6 mois. A l'auscultation : rythme de galop et parfois souffle d'insuffisance mitrale.

Electrocardiogramme

Hypertrophie ventriculaire gauche et inversion des ondes T en V_5 et V_6.

Examens radiologiques

Cœur augmenté de volume aux dépens des cavités gauches.

Evolution et traitement

Laissée à elle-même, la maladie entraîne la mort dans les premières 2 ou 3 années de vie. Une digitalisation précoce permet une survie prolongée et, semble-t-il, la régression complète de la maladie dans un certain nombre de cas.

Cardiomyopathies essentielles

On distingue deux formes principales :
- Les *cardiomyopathies hypertrophiques* (dites aussi restrictives), où le septum interventriculaire et la paroi ventriculaire gauche sont épaissis. Cet épaississement peut être *symétrique* ou *asymétrique* lorsque le septum est beaucoup plus hypertrophié que la paroi. Cette dernière forme est la plupart du temps familiale, en général transmise selon le mode dominant. Elle est dite aussi *obstructive* à cause de la tendance du myocarde hypertrophié à obstruer la voie d'éjection du ventricule gauche.
- Les *cardiomyopathies congestives,* où le cœur est dilaté et flasque, les parois plutôt minces avec des foyers de dégénérescence myocardique et remplacement des fibres musculaires par du tissu fibreux.

Signes cliniques

Les deux formes sont des maladies touchant plutôt le grand enfant :
1. *Forme hypertrophique* (*obstructive*) : Fatigue à l'effort, syncopes (par arythmie), angine de poitrine. A l'auscultation : souffle systolique parasternal gauche augmenté par la manœuvre de Valsalva.
2. *Forme congestive* : Dyspnée d'effort, signes d'insuffisance cardiaque globale. A l'auscultation : rythme de galop, parfois souffle d'insuffisance mitrale.

Electrocardiogramme

Hypertrophie ventriculaire gauche, inversion des ondes T, particulièrement dans les dérivations précordiales gauches.

Examens radiologiques

Hypertrophie ventriculaire gauche. Dilatation globale dans la forme congestive, avec stase pulmonaire.

Echocardiogramme

Dans la forme hypertrophique, le mode M et le mode bidimensionnel permettent facilement de voir l'hypertrophie de la paroi ventriculaire gauche et du septum interventriculaire et l'obstruction si elle existe. Dans la forme congestive, l'échocardiogramme (modes M et bidimensionnel) montre une dilatation des cavités gauches et une diminution importante de la contractilité du ventricule gauche.

Evolution et traitement

1. *Forme hypertrophique* : Peut rester longtemps asymptomatique. Quand les symptômes apparaissent, administration de bêta-bloqueurs. En cas d'échec, la chirurgie peut être envisagée. La mort subite peut survenir à tout stade de l'évolution.
2. *Forme congestive* : Le traitement digitalique donne de bons résultats au début ; peu à peu l'insuffisance cardiaque devient « réfractaire » à tout traitement. La mort survient après quelques mois ou quelques années.

Myocardite

Pathologie

On distingue :
- la *myocardite septique,* associée à une septicémie ; le myocarde est parsemé de micro-abcès ;
- la *myocardite rhumatismale* (cf. RAA, p. 851 ss) ;
- la *myocardite virale* : le myocarde est infiltré de lymphocytes et de plasmocytes ; le virus Coxsackie est souvent l'agent étiologique.

Signes cliniques

Des signes d'insuffisance cardiaque peuvent survenir brutalement dans l'espace de quelques heures ou plus progressivement. Un épisode infectieux banal précède souvent la maladie.

Electrocardiogramme

QRS de bas voltages (à l'opposé de la fibro-élastose). Inversion des ondes T dans les précordiales gauches.

Examens radiologiques

Cardiomégalie globale.

Evolution et traitement

Particulièrement chez le nouveau-né, la myocardite aiguë peut prendre un aspect fulminant résistant à tout traitement. Dans les formes moins aiguës, les rémissions complètes sont fréquentes. La digitale est indiquée contre l'insuffisance cardiaque. Il n'y a pas de traitement spécifique dans les formes virales ou à étiologie indéterminée. Les stéroïdes peuvent cependant être donnés dans les cas graves.

Péricardites

Péricardites aiguës

Etiologie
Rhumatismale : se présente chez des enfants de 5 ans et plus. D'autres signes de rhumatisme articulaire aigu sont présents. *Purulente* : se rencontre surtout chez l'enfant en dessous de 2 ans. Un foyer infectieux est généralement présent (pneumonie, empyème, ostéomyélite). *Tuberculeuse* : peut se voir à tout âge. Une lésion tuberculeuse (pulmonaire en général) est presque toujours présente. *Virale (péricardite aiguë bénigne)* : Coxsackie, oreillons, grippe, etc. *Formes plus rares* : péricardite rhumatoïde ; urémique.

Signes cliniques
La douleur précordiale est fréquente, mais souvent mal définie chez l'enfant. Le frottement péricardique est l'élément diagnostique. Il est présent en général dans la péricardite aiguë bénigne et la péricardite rhumatismale, mais rarement dans les péricardites tuberculeuses et purulentes. Le frottement disparaît en cas d'épanchement marqué.

Electrocardiogramme
Surélévation concave du segment ST. Onde T aplatie ou inversée dans les précordiales gauches. Petits voltages en cas d'épanchement.

Examens radiologiques
Augmentation du volume cardiaque, d'apparition subite. Cœur en forme de poire ou en carafe avec angles cardiophréniques émoussés.

Echocardiogramme
Le mode M et le mode bidimensionnel permettent de faire facilement le diagnostic de la maladie ainsi que d'évaluer le degré d'épanchement en montrant l'écartement des deux feuillets péricardiques.

Evolution et traitement
- La *péricardite septique* est d'un pronostic *grave* ; elle doit être traitée par des doses élevées de l'antibiotique approprié et par drainage.
- Dans les *formes tuberculeuses et rhumatismales,* le traitement est celui de la maladie sous-jacente.
- La *péricardite aiguë bénigne* répond bien aux stéroïdes (prednisone), qui doivent cependant être réservés aux cas les plus symptomatiques.

Péricardite chronique constrictive

Etiologie
Une péricardite tuberculeuse, septique ou même aiguë bénigne peut être le point de départ d'une péricardite constrictive ; souvent cependant l'étiologie reste obscure.

Signes cliniques
La symptomatologie est celle de l'insuffisance cardiaque droite. On observe souvent de l'ascite. Les veines jugulaires sont distendues constamment, ou se remplissent en inspiration (au lieu de se vider) = signe de Kussmaul. Le volume du pouls artériel diminue en inspiration (pouls paradoxal). A l'auscultation, présence d'un troisième bruit en début de diastole.

Electrocardiogramme
Diminution du voltage QRS. Inversion des ondes T dans les précordiales gauches.

Examens radiologiques
Le cœur est de volume normal, parfois légèrement augmenté. La calcification du péricarde est observée moins fréquemment chez l'enfant que chez l'adulte.

Traitement
La péricardectomie étendue est la thérapie de choix.

Endocardite bactérienne

Etiologie
Maladie plus rare chez l'enfant que chez l'adulte ; se greffe la plupart du temps sur une cardiopathie congénitale (CIV, canal artériel, valvule aortique bicuspide, tétralogie de Fallot) ou rhumatismale. A noter que la communication interauriculaire n'est presque jamais compliquée d'endocardite bactérienne. Assez souvent, une exérèse dentaire est à l'origine de la maladie. Le streptocoque viridans est responsable des deux tiers des cas ; viennent ensuite le staphylocoque doré et d'autres variétés de streptocoques.

Pathologie

Végétations friables se développant sur un endothélium déjà endommagé. Ces végétations sont composées de fibrine, plaquettes, leucocytes et bactéries. Présence de nombreuses embolies.

Signes cliniques

Fièvre, malaises, présence d'un souffle cardiaque, parfois apparition d'un nouveau souffle durant la maladie, splénomégalie, hématurie, pétéchies et autres signes d'embolie ; éventuellement défaillance cardiaque. Les nodules d'Osler sont extrêmement rares chez l'enfant. Au point de vue de laboratoire, on note de l'anémie, une leucocytose variable ; la sédimentation est élevée dans 75 % des cas.

Evolution

Selon que l'endocardite est aiguë ou lente, la maladie peut évoluer en quelques semaines ou quelques mois. Les complications emboliques ou la défaillance cardiaque sont les principales causes de décès. L'hémoculture (positive dans 80 % des cas) donne le diagnostic étiologique.

Traitement

Antibiothérapie par voie parentérale (i.v. de préférence) pour une durée de 6 semaines. Lorsque la maladie est aiguë, il est préférable d'employer d'emblée des agents résistant à la pénicillinase (méthicilline ou cloxacilline à la dose de 200 mg/kg/24 heures en 6 doses) associés à l'ampicilline (même dose) ou à la streptomycine (30 mg/kg/jour par voie i.m. en 2 doses). Si le tableau clinique est celui d'une endocardite subaiguë (streptocoque ou entérocoque), la pénicilline (4 à 10 millions d'U/jour en 4 doses par voie i.v.) et la streptomycine (i.m.) donneront de bons résultats. Dans le doute, il est toujours préférable de considérer l'endocardite comme étant secondaire à un staphylocoque résistant et de donner le traitement mentionné plus haut pour l'endocardite aiguë. Le traitement est d'autant plus efficace que l'évolution a été moins longue, et dans l'ensemble on peut s'attendre à 80 % de guérisons.

Prévention [1]

A. A l'occasion de *traitements dentaires de chirurgie buccale* ou de *bronchoscopies* chez les patients atteints de cardiopathies congénitale ou rhumatismale, on prescrira un des deux régimes suivants :

● 1. *Prévention par voie intramusculaire et orale* :

a) Enfants pesant moins de 30 kg : pénicilline cristalline 600 000 U et pénicilline procaïnée 600 000 U i.m. 30-60 minutes avant la chirurgie. Par la suite : pénicilline V (Phénoxyméthylpénicilline) 300 mg toutes les 6 heures, 8 doses par la bouche à partir du soir de l'intervention.

b) Enfants pesant plus de 30 kg et adultes : pénicilline cristalline 1 000 000 U et pénicilline procaïnée 600 000 U par voie i.m. 30-60 minutes avant la chirurgie, et par la suite pénicilline V (Phénoxyméthylpénicilline) par la bouche toutes les 6 heures, 8 doses à partir du soir de l'intervention.

---

[1] D'après les recommandations de l'American Heart Association, 1977.

● 2. *Prévention par voie orale*:
a) *Enfants pesant moins de 30 kg*: pénicilline V 900 mg par la bouche 30-60 minutes avant la chirurgie, suivie de pénicilline V 300 mg par la bouche toutes les 6 heures, 8 doses.
b) *Enfants de plus de 30 kg et adultes*: pénicilline V 1 800 mg par la bouche 30-60 minutes avant la chirurgie, et par la suite 600 mg par la bouche toutes les 6 heures, 8 doses. En cas d'*allergie à la pénicilline*, celle-ci peut être remplacée par de l'érythromycine par la bouche à la dose de 20 mg/kg 1 1/2-2 heures avant l'opération (dose maximale : 1 g). Par la suite : érythromycine par la bouche 50 mg/kg par 24 heures, divisée en 4 doses pour 48 heures (dose maximale : 2 g/24 heures).

B. Pour les *interventions portant sur le système gastro-intestinal et le système génito-urinaire*, on utilisera de préférence la prévention suivante : Ampicilline 50 mg/kg (i.m. ou i.v.) 30-60 minutes avant l'intervention (dose maximale : 1 g), puis la même dose 8 heures et 16 heures après l'intervention. A ceci *on ajoutera* la gentamycine 3 mg/kg (dose maximale : 80 mg) par voie i.m. ou i.v. 30-60 minutes avant la chirurgie ; cette dose sera répétée 8 heures et 16 heures après l'intervention. En cas d'*allergie à la pénicilline* (ou à l'ampicilline), on emploiera : vancomycine 20 mg/kg (i.v.) à donner lentement sur une période de 30-60 minutes (dose maximale : 1 g) ; cette dose sera répétée une fois, 12 heures après l'intervention.

Rhumatisme articulaire aigu (RAA)

(cf. aussi pp. 652 ss et 851 ss)

Etiologie

Infection à streptocoque bêta-hémolytique groupe A de Lancefield 2 ou 3 semaines avant l'apparition des symptômes. Il s'agit probablement d'un phénomène d'hypersensibilité au streptocoque, lequel possède un antigène capsulaire capable de provoquer la formation d'anticorps antimyocarde. La fréquence du rhumatisme articulaire aigu a considérablement diminué depuis quelques années (modification de la virulence du streptocoque (?), traitement antibiotique des infections pharyngées, meilleure résistance de l'hôte).

Pathologie

L'endocarde est atteint surtout au niveau des valves mitrales et aortiques ; présence de végétations sur les feuillets valvulaires avec épaississement des valves et des cordages ainsi que raccourcissement des cordages tendineux ; lésions inflammatoires dans le myocarde (nodules d'Aschoff) ainsi qu'au niveau du péricarde.

Signes cliniques

On se sert des critères de Jones modifiés dans l'établissement du diagnostic de RAA ; ce dernier peut être posé en présence de deux critères majeurs, ou d'un critère majeur et de deux critères mineurs. Les *critères majeurs* sont : la polyarthrite migratrice, la cardite (endo-, myo- ou péricardite), la chorée de Sydenham, l'érythème marginé et les nodules sous-cutanés. Les signes les plus importants de la cardite rhumatismale sont l'apparition d'un souffle d'insuffisance mitrale ou aortique ainsi que la cardiomégalie. Les *critères mineurs* sont : la fièvre, les arthralgies, une anamnèse antérieure de RAA, la prolongation de l'espace PR, l'élévation de la sédimentation globulaire, la leucocytose, la présence de protéines C-réactives. Il est essentiel aussi pour poser le diagnostic de RAA de mettre en évidence une infection streptococcique antérieure par la présence d'une culture de gorge positive ou encore d'anticorps anti-streptococciques. Les anticorps les plus fréquemment dosés sont les anti-streptolysines O (ASO), l'anti-hyaluronidase et l'anti-streptokinase.

Evolution

Une pancardite rhumatismale suraiguë peut amener la mort rapidement. Environ 30 % des malades atteints de RAA garderont des lésions valvulaires permanentes. Chez l'enfant, les plus fréquentes sont l'insuffisance mitrale et l'insuffisance aortique.

Traitement

Il n'est pas prouvé que les *salicylates* ou les *stéroïdes* préviennent les complications à long terme du RAA. Ils apportent cependant une remarquable disparition des signes inflammatoires. Le *repos* au lit n'est pas nécessaire au-delà de la régression des signes d'évolution cliniques (arthrite et myocardite active). Le *traitement immédiat de l'infection à streptocoque* est capital : benzathine-pénicilline, 1 200 000 U i.m., ou pénicilline procaïnée, 1 000 000 U i.m. une fois par jour pendant 10 jours, puis doses prophylactiques de pénicilline (cf. prévention, p. 372). En cas d'allergie à la pénicilline, lui substituer l'érythromycine (40 mg/kg/jour jusqu'à 250 mg 4 fois par jour) pendant 10 jours ; dans ces cas, on préfère, pour la prophylaxie à long terme, la sulfadiazine par la bouche à la dose quotidienne de 0,5 g (si poids < 30 kg) ou de 1 g (si poids > 30 kg). Les *salicylates* : l'acide acétyl-salicylique est le médicament de choix. Dose suggérée : 100-120 mg/kg/jour en 4 à 6 prises jusqu'à soulagement des symptômes et en suivant la salicylémie, puis 75 mg/kg/jour pour 2 à 3 mois selon l'évolution et la salicylémie. Avec cette dose, les signes de toxicité (nausées, vomissements, céphalées, bourdonnements d'oreilles, troubles visuels et polypnée) seront très rares. On essaie d'obtenir une salicylémie entre 250 et 350 mg/l. L'acide acétylsalicylique à enrobage entérique n'est indiqué que si le malade se plaint de symptômes gastro-intestinaux, ce qui est rare chez l'enfant. Certains médecins préfèrent réserver les corticostéroïdes aux malades avec une atteinte cardiaque certaine, à cause des difficultés inhérentes à leur emploi chez l'enfant. Ils sont cependant absolument indiqués en cas de cardite grave, car, en faisant régresser rapidement les phénomènes inflammatoires, ils peuvent sauver la vie du patient. Il vaut mieux employer un corticostéroïde ayant une action minéralo-corticoïde minime comme la prednisone. Nous préconisons une dose de 2 à 3 mg/kg/jour pour une période de 3 à 6 semaines, suivie d'une diminution graduelle, pour une durée qui dépendra de l'évolution clinique et de celle des signes biologiques tels que la vitesse de sédimentation et l'ECG. En même temps que la prednisone, on peut donner de l'acide acétylsalicylique, et, de toute façon, celui-ci devrait être commencé au moment de l'arrêt du stéroïde pour être continué pour une période de 2 à 3 mois de façon à éviter la réapparition des symptômes (« rebound »).

Prévention
● *Chez les malades ayant déjà fait une attaque de RAA* : benzathine-pénicilline, 1 200 000 U i.m. une fois par mois, ou pénicilline-G-potassium, 200 000 U per os 2 fois par jour. En cas d'allergie, donner de l'érythromycine à raison de 125 à 250 mg/24 heures per os, ou de la sulfadiazine à la dose de 0,5 g/jour per os pour un poids inférieur à 30 kg, et de 1,0 g/jour per os pour un poids supérieur à 30 kg. Le traitement préventif doit être continué indéfiniment.
● *Traitement des infections à streptocoque* dans la population en général : la méthode de choix est l'administration de benzathine-pénicilline en injection i.m. en une dose de 600 000 à 1 200 00 U selon l'âge.

Hypertension artérielle

Valeurs normales et techniques de mesure de la tension artérielle
Le tableau 8 représente les valeurs de la tension artérielle chez l'enfant en bonne santé à différents âges.
Causes d'erreur :
Une manchette qui ne recouvre pas les $^2/_3$ du bras est trop étroite et conduit à des lectures de pression trop élevées.

L'obésité est une cause d'erreur aussi (lectures trop élevées à cause de la difficulté à comprimer le manchon graisseux) et l'usage au bras d'une manchette à pression destinée à la cuisse, plus large et surtout plus longue, peut obvier à cet inconvénient.

Chez les enfants très jeunes, des lectures précises sont difficiles par la méthode stéthacoustique conventionnelle. On utilisera alors la méthode dite du « flush », qui donne une valeur voisine de la pression moyenne :
● Exprimer le sang hors de la main et de l'avant-bras en entourant ce dernier dans un bandage élastique serré, à partir de l'extrémité des doigts et en remontant jusqu'au coude.
● Appliquer, par la manchette attachée à ce même bras, une pression élevée.

Tableau 8 : Valeurs normales de la pression artérielle

Age	Pression systolique 50%	95%	Pression diastolique 50%	95%
0 à 6 mois	80	110	45	60
3 ans	95	112	64	80
5 ans	97	115	65	84
10 ans	110	130	70	92
15 ans	116	138	70	95

S. C. Mitchell et coll., *Pediatrics* 56: 3, 1975

Tableau 9 : Etiologie de l'hypertension artérielle

Rein :

- Glomérulo-néphrite aiguë ou chronique
- Pyélonéphrite chronique (avec ou sans malformations)
- Hydronéphrose
- Reins polykystiques
- Maladie du collagène avec composante rénale (lupus érythémateux disséminé, polyartérite noueuse)
- Thrombose veineuse ou artérielle, sténose ou compression artérielle

Médullo-surrénale :

- Phéochromocytome

Cortico-surrénale :

- Hyperplasie ou tumeur (hypercorticisme, syndrome de Cushing)
- Hyperplasie congénitale, forme hypertensive (bloc de la 11-β-hydroxylase)
- Aldostéronisme primaire (adénome surrénalien)

Vasculaire :

- Coarctation de l'aorte

Varia :

- Hypertension « essentielle »
- Neuroblastome
- Saturnisme
- Administration de corticostéroïdes
- Dysautonomie familiale

- Retirer le bandage élastique : le membre reste exsangue.
- Abaisser progressivement la pression du manomètre. Au moment où la pression systolique est atteinte, une vague de coloration (« flush ») s'observe au niveau du membre, le sang pénétrant de nouveau dans ce dernier. La vitesse de dégonflage de la manchette doit être de l'ordre de 5 mm de Hg par seconde. L'utilisation d'un appareil Doppler permet la mesure précise de la pression systolique et diastolique, même chez le nourrisson.

Etiologie

Les chances de trouver une cause *curable* à l'hypertension sont plus grandes chez l'enfant que chez l'adulte. Les causes rénales sont probablement les plus fréquentes. Comme la pression artérielle n'est pas

Tableau 10 : Examens complémentaires de l'hypertension artérielle

Détermination	Causes suggérées par un résultat anormal ou positif
● Analyse d'urine	Toute affection rénale, phéochromocytome, saturnisme
● Culture d'urine	Infection urinaire chronique
● Sang : Na, K, Cl, CO_2, azote non protéique, créatinine, Ca, P	Insuffisance rénale, aldostéronisme, déficience en 11-β-hydroxylase (surrénale)
● Sang : glucose, à jeun et postprandial (profil glycémique)	Syndrome de Cushing, phéochromocytome
● Radiographie du thorax	Anomalies cardio-vasculaires, neuroblastome, dysautonomie familiale
● Urographie intraveineuse	Atrophie rénale, malformations rénales, neuroblastome
● Sang : cortisol, cycle nycthéméral du cortisol	Syndrome de Cushing, déficience en 11-β-hydroxylase
● Sang : sécrétion d'aldostérone	Aldostéronisme
● Urine : excrétion de 24 h. des 17-hydroxycorticostéroïdes et 17-cétostéroïdes	Syndrome de Cushing, déficience en 11-β-hydroxylase
● Urine : excrétion de 24 h. des catécholamines, acide vanil-mandélique (VMA), dopamine, acide homo-vanilique (HVA)	Phéochromocytome, neuroblastome, dysautonomie familiale (rapport VMA/HVA anormal)
● Aortographie abdominale sélective (et branches)	Tumeur surrénalienne, lésions artérielles rénales, coarctation aorte abdominale
● Rénine plasmatique par cathétérisme des veines rénales via veine fémorale	Hypertension réno-vasculaire
● Sang : ponctuations basophiles des érythrocytes, plombémie	Saturnisme
● Test à la phentolamine (Régitine®)	Phéochromocytome

souvent mesurée chez l'enfant, surtout chez le petit enfant, la fréquence réelle de l'hypertension artérielle « idiopathique » n'est pas connue. Certains auteurs pensent que l'hypertension « essentielle » de l'adulte a souvent son début dans l'enfance. Les tableaux 9 et 10 énumèrent les principales causes de l'hypertension chez l'enfant et la façon de les diagnostiquer.

Traitement chirurgical

Une cure chirurgicale définitive peut être espérée dans les lésions vasculaires telles que la coarctation aortique, certaines lésions artérielles rénales, les tumeurs et hyperplasies surrénaliennes (sauf l'hyperplasie due à une déficience en 11-β-hydroxylase, dans laquelle le traitement est stéroïdien substitutif, naturellement), le phéochromocytome, certains neuroblastomes et certaines malformations rénales ou urinaires.

Traitement médicamenteux

La guérison n'est pas possible dans les formes avancées d'insuffisance rénale, dans les maladies du collagène et les artérites, dans les cas très chroniques de saturnisme, ainsi que dans la dysautonomie familiale.

Sans être guéris, les malades hypertendus peuvent avoir une survie prolongée grâce au traitement médical. Il est entendu qu'en cas d'infection urinaire chronique, on cherchera par tous les moyens à désinfecter les urines et que le neuroblastome sera traité par la chimiothérapie oncologique, etc. Nous ne mentionnons ci-dessous que les médicaments antihypertensifs.

L'hypertension artérielle peut conduire à l'insuffisance cardiaque, et dans certains cas on sera amené à utiliser la digitale et le régime sans sel, encore que ce dernier soit très mal accepté par les enfants. En ce qui concerne les médicaments hypotenseurs eux-mêmes, il faut en tirer les doses, en quelque sorte, en fonction de la réponse de la tension artérielle. L'administration du médicament doit donc être individualisée. Enfin, il faut se souvenir que les médicaments peuvent avoir des effets secondaires indésirables ; chez les malades recevant de l'hydralazine ou de la méthyldopa de façon prolongée, il est recommandé de demander tous les 6 mois au moins une formule sanguine et une détermination des anticorps antinucléaires, puisqu'un syndrome semblable au lupus érythémateux a été observé dans ces circonstances. De même, un test de Coombs est indiqué de temps en temps chez les malades recevant de la méthyldopa, parce qu'ils peuvent développer une anémie hémolytique auto-immune. Enfin, si des diurétiques sont administrés, on suivra de près l'évolution des électrolytes sanguins et de l'uricémie.

● *Diurétiques* : Il s'agit essentiellement de l'hydrochlorothiazide (Esidrex®), du furosémide (Lasix®), et du spironolactone (Aldactone®). L'effet hypotensif est secondaire à l'effet diurétique et à la diminution du volume circulant. Pour le traitement de l'hypertension, on commence volontiers par associer la réserpine et un thiazide. En cas d'insuffisance rénale avec œdème, cependant, le furosémide (Lasix®) est beaucoup plus efficace que le thiazide. La dose de furosémide est de 1-2 mg/kg 2 fois par jour. On surveillera l'évolution du poids, de la diurèse, de l'urée sanguine, des électrolytes, de l'uricémie : les diurétiques doivent être les premiers médicaments administrés en présence d'une hypertension légère ou modérée.

● *Propranolol* : Donne une réduction de la pression artérielle chez près de 90 % des hypertendus. Il agirait en provoquant un bloc bêta-adrénergique au niveau de l'appareil juxta-glomérulaire du rein et au niveau du centre vasomoteur. Il est contre-indiqué chez les enfants en défaillance cardiaque et chez ceux ayant une histoire d'asthme. On recommande une dose d'attaque de 0,5 mg à 1 mg/kg/24 heures. Avec l'hydralazine, il est un des médicaments de choix à employer lorsque l'hypertension ne répond pas aux diurétiques.

● *Réserpine (Serpasil®)* : C'est un médicament peu toxique, ne causant pas d'hypotension orthostatique, mais provoquant souvent une hypersécrétion nasale, ce qui n'est pas grave, sauf chez le petit nourrisson, qui ne sait pas respirer par la bouche. Chez l'adolescent, il peut provoquer un état dépressif assez grave allant jusqu'à la tentative de suicide. La réserpine peut être administrée soit oralement, et son effet est alors lent (plusieurs hours), soit en injections intramusculaires. Dose orale : 0,25-0,5 mg/jour. Dose i.m. : 0,02-0,05 mg/kg ; 0,5-1 mg en dose unique si

l'enfant pèse plus de 25 kg. Utilisé autrefois souvent en association avec l'hydralazine (Aprésoline®), on a tendance à le remplacer aujourd'hui par l'hydralazine seule ou associée à d'autres hypotenseurs (diurétiques et/ou propranolol).
● *Hydralazine (Aprésoline®)* : Médicament d'action rapide, même per os, et courte. Effets secondaires : tachycardie, vomissements, céphalées, développement d'anticorps antinucléaires et d'un syndrome ressemblant au lupus érythémateux disséminé. Cette dernière complication est rare chez l'enfant cependant. Peut être administrée sous forme intramusculaire (effet en 15 min.) ou oralement (effet en 1 heure, durée jusqu'à 4 heures). Utilisée seule : 1,0 à 3,5 mg/kg/jour, dose divisée en 4 à 6 prises (dose maximale : 200 mg). En combinaison avec la réserpine ou avec la méthyldopa : 0,15 mg/kg/dose pour commencer.
● *Méthyldopa (Aldomet®)* (L-α-méthyl-3-4-dihydroxyphénylalanine) : En principe, agit soit comme précurseur d'un faux transmetteur, l'alphaméthyl-norépinéphrine, soit en bloquant la synthèse de la dopamine et de la norépinéphrine, comme la réserpine et la guanéthidine ; en ce cas, la méthyldopa agirait comme un bloqueur des neurones adrénergiques. A part l'effet hypotenseur, qui apparaît en 4 à 6 heures et dure jusqu'à 16 heures, la méthyldopa a comme effet secondaire une action sédative (pas forcément indésirable) et dépressive, ainsi qu'une hypotension orthostatique désagréable. L'administration intraveineuse n'est pas recommandée, parce que peu efficace et produisant parfois un effet hypertensif paradoxal. Doses : 10 mg/kg/24 heures, à augmenter par paliers jusqu'à 65 mg/kg/24 heures, administrées de façon fractionnée toutes les 6 heures. Il ne sert à rien de dépasser 2 g/jour. La méthyldopa peut être associée à la réserpine ou à l'hydralazine. Autre effet secondaire : anémie hémolytique avec test de Coombs positif, qui cesse avec l'arrêt du traitement. Parfois granulocytopénie et thrombocytopénie, d'où la nécessité de vérifier régulièrement la formule sanguine.
● *Guanéthidine (Ismeline®)* : Interfère avec la synthèse des catécholamines et déprime la fonction de fibres nerveuses adrénergiques postganglionnaires. Ne s'administre qu'oralement et a une action prolongée (d'où une seule prise de 0,2 à 0,5 mg/jour). Tend à produire une forte hypotension posturale et des vertiges. Peu utilisé chez le jeune enfant. Réservé en général pour les hypertensions graves ne répondant pas aux autres médicaments.

Dans le traitement de l'hypertension chez l'enfant on recommande une *approche par étape* : commencer par un diurétique (par exemple hydrochlorothiazide ou Lasix®) puis ajouter un par un les médicaments suivants si la réponse n'est pas satisfaisante : propranolol, hydralazine, méthyldopa. Lorsque le niveau de tension voulu est obtenu, enlever graduellement les médicaments auxquels le patient n'a pas semblé répondre.

Chapitre 13

Néphrologie et équilibre hydrominéral
par E. Gautier

Développement de la fonction rénale

La formation de nouveaux néphrons cesse à la 35e semaine de la vie intra-utérine. Dès lors, la croissance normale, ou toute croissance compensatrice d'une perte de tissu rénal, se fait par l'agrandissement de chacun des néphrons. Les tubules, relativement moins développés à la naissance que les glomérules, sont le siège principal d'une hyperplasie et surtout d'une hypertrophie cellulaire qui se poursuivra jusqu'à l'âge adulte.

La fonction rénale croît avec l'âge gestationnel ; quel que soit le degré de maturité à la naissance, la fonction rénale augmente rapidement dès les premiers jours de vie. Rapportée à la surface corporelle, la filtration glomérulaire est à l'âge d'un mois le tiers environ de celle de l'adulte. Elle « devance » l'accroissement de la surface corporelle pour atteindre les valeurs de l'adulte dès l'âge de 2 ans. La faible capacité d'épuration rénale ne se manifeste d'aucune façon chez le nouveau-né ou le nourrisson normal, en état d'anabolisme, nourri au lait maternel ou avec des laits humanisés. Les indices de la relativement faible et hétérogène masse tubulaire, hyperaminoacidurie, glucosurie, disparaissent en quelques semaines, l'abaissement du seuil du bicarbonate persiste plus longtemps. La faible épuration rénale présente au cours des premières semaines de vie implique par contre une réduction du dosage des médicaments éliminés avant tout par la voie rénale, tels la plupart des antibiotiques et la digitale.

Maladies rénales

On peut les classer selon le siège de la lésion, l'étiologie, l'épidémiologie, l'ordre de fréquence ou la fréquence en fonction de l'âge.

La classification utilisée ici est arbitraire, tantôt morphologique, tantôt étiologique.

Glomérulopathies

Les circonstances et l'âge d'apparition, le tableau clinique, les caractères biologiques, le mode évolutif, la réponse au traitement et surtout la pathologie sous-jacente permettent de poser un diagnostic et un pronostic précis.

Anatomie pathologique

On distingue :
1. Les lésions minimes (« glomérules normaux en microscopie optique »).
2. Des lésions spécifiques caractéristiques de certaines maladies.
3. Des lésions non spécifiques, telles que prolifération cellulaire, modifications de la membrane basale, processus de sclérose, survenant isolément ou en association. La prolifération peut affecter isolément ou simultanément les cellules mésangiales, endothéliales ou épithéliales (cf. fig. 1). La membrane basale peut être épaissie ou déformée par des dépôts sous-endothéliaux, intramembraneux ou sous-épithéliaux (dits aussi extra-membraneux). Les lésions peuvent être diffuses, affectant tous les glomérules, focales lorsqu'elles n'atteignent qu'une partie des glomérules, segmentaires quand elles intéressent une portion seulement du glomérule. Les études en immunofluorescence, au moyen d'antiseras marqués à la fluorescéine capables de déceler spécifiquement et de localiser les différentes immunoglobulines, certaines composantes du système du complément et la fibrine, ont permis d'individualiser encore davantage les glomérulopathies et d'éclairer parfois leur pathogénie.

Vu l'importance diagnostique et pronostique de la morphologie de la lésion, la biopsie rénale est indiquée chaque fois qu'une évolution n'est pas favorable ou qu'une résistance au traitement survient.

Fig. 1 : Structure du glomérule

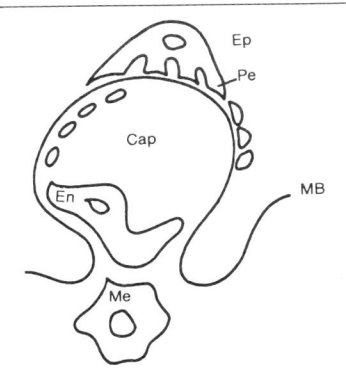

Ep	Cellule épithéliale avec pédicèle (Pe)
Cap	Capillaire
En	Cellule endothéliale
Me	Cellule mésangiale
MB	Membrane basale

Symptomatologie clinique

L'expression clinique des glomérulopathies peut aller d'un symptôme isolé de découverte fortuite à des manifestations cliniques majeures. Une *protéinurie* isolée, une *hématurie* ou l'association de ces deux symptômes peuvent être les seuls indices d'une lésion glomérulaire. La preuve en sera fournie par l'exclusion d'autres causes et par la biopsie rénale s'il y a lieu. En présence d'une **protéinurie** (excrétion supérieure à 4 mg/m² par heure), on exclura une protéinurie orthostatique sans gravité et on inclura dans le diagnostic différentiel à côté des glomérulopathies la thrombose des veines rénales, des néphrites interstitielles ou toxiques et certaines tubulopathies. En présence d'une **hématurie** (dépassant plusieurs milliers d'érythrocytes par minute), on cherchera à en établir l'origine rénale par la recherche de cylindres dans le sédiment, et on tiendra compte du diagnostic différentiel d'une hématurie au niveau du rein (maladie polykystique, tumeur de Wilms, traumatisme, tuberculose, thrombose des veines rénales, anémie à cellules falciformes, cystes, hydronéphrose, pyélonéphrite, médicaments, etc.).

Une hématurie macroscopique récidivante doit faire rechercher une maladie de Berger (glomérulonéphrite segmentaire et focale avec dépôts mésangiaux d'IgA et d'IgG), un syndrome d'Alport (néphropathie familiale avec surdité) et une hématurie familiale bénigne.

Syndrome néphrotique

Toute lésion glomérulaire provoquant une protéinurie importante (supérieure à 40 mg/m² par heure) peut, par la diminution de la pression oncotique plasmatique, l'hypovolémie et la rétention hydrosaline qui en résultent, se manifester par un syndrome néphrotique (œdèmes, hypoprotéinémie, protéinurie). Une hyperlipidémie est de règle. On peut diviser les syndromes néphrotiques en quatre groupes.

Groupe 1. Syndrome néphrotique congénital familial avec dilatation tubulaire microcystique très rare sauf dans l'ethnie finlandaise.

Groupe 2. Syndrome néphrotique du jeune enfant associé à des lésions glomérulaires minimes appelé encore néphrose lipoïdique. Le plus fréquent.

Groupe 3. Syndrome néphrotique dont la biopsie montre des lésions de sclérose glomérulaire focale débutant dans les glomérules situés dans la profondeur du cortex.

Groupe 4. Syndrome néphrotique traduisant des lésions glomérulaires diffuses (glomérulonéphrite extra-membraneuse, glomérulonéphrite membranoproliférative et autres) idiopathiques ou secondaires à des maladies généralisées. L'âge d'apparition est généralement plus avancé que dans le groupe 2.

Le syndrome néphrotique associé à des lésions minimes (groupe 2, néphrose lipoïdique) a un début insidieux, sans circonstances provocatrices évidentes. Les œdèmes et l'anasarque peuvent être massifs. Absence d'hypertension. Hématurie rare et temporaire. Protéinurie le plus souvent sélective. Pouvoir d'épuration conservé à moins que l'hypovolémie provoque une insuffisance rénale fonctionnelle. Evolution chronique avec alternance de périodes d'état, déclenchées par des infections banales, et de phases de rémission spontanées ou induites par le traitement. Les complications sont les états de choc, les thromboses artérielles ou veineuses, les infections, la dénutrition et les conséquences d'un traitement prolongé aux stéroïdes et/ou aux immunosuppresseurs. Le pronostic lointain est favorable.

Le syndrome néphrotique du groupe 3 peut se présenter initialement comme un syndrome néphrotique associé à des lésions minimes mais il montre fréquemment une résistance au traitement corticostéroïde, une hypertension, une hématurie permanente, une glucosurie, l'absence de rémission complète et évolue vers l'insuffisance rénale.

Dans les syndromes néphrotiques du groupe 4, la pathologie sous-jacente détermine la sévérité du pronostic. Hypertension, insuffisance rénale, hématurie persistante, protéinurie non sélective sont souvent présentes. En cas de glomérulonéphrite membranoproliférative, on observe dans un certain nombre de cas un abaissement permanent de la fraction C_3 du complément sérique.

Traitement du syndrome néphrotique à lésions minimes

Pendant la phase œdémateuse, apport de sel restreint à 2 g/24 heures, activité physique aussi normale que possible et traitement des infections intercurrentes (pneumocoques, coli, etc.). N'utiliser les diurétiques (hydrochlorothiazide 2 mg/kg par voie orale qu'en cas de symptômes graves dus à la rétention hydrosaline. Les diurétiques peuvent en effet aggraver l'hypovolémie. L'infusion d'albumine (0,5 à 1,0 g/kg) en 30 à 60 minutes, suivie de furosémide dans l'heure suivante, a un effet puissant mais fugace.

Traitement à la prednisone : 60 mg/m^2/24 heures, en 3 doses pendant 28 jours (la dose maximale ne doit pas excéder 80 mg/24 heures), suivi d'un traitement intermittent à raison de 40 mg/m^2 en une dose toutes les 48 heures, pendant une nouvelle période de 28 jours. La protéinurie est surveillée dans la première urine du matin. Plus de 90 % des patients voient leur protéinurie disparaître et entrent en rémission au cours des 8 semaines initiales de traitement, à la fin desquelles la prednisone est stoppée. On doit alors poursuivre les contrôles d'urine puisque les 2/3 des patients qui ont répondu au traitement initial rechutent. La rechute est soupçonnée lorsqu'apparaît une protéinurie de 2 + ou davantage pendant 3 jours consécutifs, et elle est confirmée par une mesure quantitative de la protéinurie dont le résultat dépasse 40 mg/m^2/heure.

Les patients qui présentent des rechutes peu fréquentes reçoivent lors de chaque récidive un traitement stéroïdien quotidien continu jusqu'à ce que disparaisse la protéinurie, puis un traitement intermittent pour 4 semaines encore. Si la rechute a été détectée précocement, la rémission survient le plus souvent dans les deux semaines et la toxicité stéroïdienne est faible. Chez des patients qui ont des rechutes fréquentes (2 rechutes ou davantage dans les 6 mois qui suivent le traitement initial) ou s'avèrent cortico-dépendants, les traitements stéroïdiens répétés ou prolongés font courir le risque d'une toxicité stéroïdienne sévère. De tels malades entrent assez régulièrement en rémission prolongée ou rechuteront moins fréquemment après une cure de cyclophosphamide à raison de 3 mg/24 heures/kg de poids idéal pendant 8 semaines. La complication la plus grave de ce traitement est une oligospermie prolongée et parfois irréversible, toutefois dans la majorité des cas sans infertilité.

En cas de varicelle survenant pendant un traitement aux stéroïdes, ceux-ci doivent être réduits à un dosage physiologique.

Dans les syndromes néphrotiques des groupes 1, 3 et 4, le traitement est symptomatique. Une résistance aux corticoïdes est fréquemment rencontrée.

A moins d'insuffisance rénale sévère, l'alimentation sera d'emblée riche en protéines.

Glomérulonéphrite à début aigu post-infectieux

Elle fait le plus souvent suite à une infection de la gorge ou de la peau par un streptocoque néphritigène (type 12 et autres) du groupe A. La réponse immunitaire du patient provoque la formation de complexes immuns qui sont arrêtés dans le filtre glomérulaire et y provoquent une réaction inflammatoire. L'aspect histologique le plus fréquent est une glomérulonéphrite proliférative endocapillaire diffuse avec présence de polynucléaires et des « humps » (petits dépôts extra-membraneux) et en immunofluorescence de dépôts granulaires d'IgG et de C_3. Le C_3 sérique est abaissé pendant 4-8 semaines.

Symptomatologie

Début brusque une à trois semaines après l'infection streptococcique avec hématurie, olgiurie, prise de poids, œdèmes, hypertension, exceptionnellement insuffisance cardiaque (galop) et encéphalopathie (convulsions, coma), atteinte variable de la filtration glomérulaire. L'un ou l'autre des symptômes peut manquer (rechercher les formes paucisymptomatiques dans l'entourage du patient). Evolution spontanément favorable dans plus de 90 % des cas. Persistance parfois de l'hématurie jusqu'à plus d'une année.

Traitement

Pénicilline à dose d'éradication des streptocoques. Un traitement continu prophylactique anti-streptococcique n'est pas indiqué. Traitement symptomatique : repos, restriction hydrosaline (apport d'eau inférieur aux pertes extra-rénales) ; furosémide et hypotenseurs si nécessaire (cf. pp. 372 ss, 398).

Glomérulopathies prolongées ou chroniques et glomérulonéphrite maligne à évolution rapidement progressive

Certaines de ces néphropathies ont un début aigu post-infectieux. D'autres se manifestent d'emblée par un syndrome néphrotique (groupe 4 de la p. 379). Hématurie, protéinurie persistante, syndrome néphrotique, insuffisance rénale progressive sont présents à des degrés divers. Il s'agit de glomérulonéphrite membrano-proliférative et dans les formes rapidement progressives de glomérulonéphrites prolifératives endo- et extra-capillaires avec croissants diffus et dépôts de fibrine.

Glomérulopathies de maladie générale

1. Purpura rhumatoïde. L'atteinte rénale est fréquente, initiale ou apparaît lors de nouvelles poussées de l'affection. Les symptômes vont de l'hématurie microscopique au syndrome néphrotique et parfois à une insuffisance rénale rapidement progressive. Il s'agit le plus souvent de glomérulonéphrite proliférative focale et segmentaire avec dépôts mésangiaux d'IgA. Les formes graves sont associées à des glomérulonéphrites diffuses prolifératives. La corticothérapie parfois utile pour calmer la symptomatologie abdominale ne modifie pas le cours de l'atteinte rénale, l'efficacité des immunosuppresseurs est controversée.

2. Lupus érythémateux disséminé. La symptomatologie clinique des manifestations rénales et leur substrat morphologique sont à nouveau très variables. Il s'agit d'une lésion par complexes immuns. La corticothérapie associée ou non aux immuno-suppresseurs à haute dose est proposée dans les formes sévères.

3. Périartérite noueuse : cf. p. 859.

4. Syndrome de Goodpasture. Lésions pulmonaires et rénales par des anticorps dirigés contre les membranes basales où ils peuvent être mis en évidence sous forme de dépôts linéaires.

5. Glomérulopathies des drainages ventriculo-atrials infectés (néphrite de shunt). Anémie, splénomégalie, hématurie et protéinurie, baisse du C_3 chez un porteur de drainage font poser le diagnostic. Guérison par excision du système de drainage infecté qui supprime l'antigène en cause, le plus souvent le staphylocoque blanc.

6. Autres maladies infectieuses. Endocardite bactérienne, malaria, syphilis, etc.

Syndrome hémolytique urémique

Il survient le plus fréquemment dans les deux premières années de vie. Après quelques jours de prodromes non spécifiques, apparition d'une anémie hémolytique non immune avec présence de fragmentocytes dans le frottis, d'une thrombocytopénie et d'une atteinte rénale caractérisée par une hématurie, une oligoanurie avec risque d'hyperhydratation, le plus souvent une rétention azotée et parfois une hypertension. Des manifestations neurologiques (convulsions focales, troubles de l'état de conscience) et digestives (melaena) peuvent compléter le tableau clinique. La lésion rénale est une microangiopathie thrombotique des anses capillaires des glomérules avec dépôts de thrombocytes et de fibrine au niveau desquels se produit la lésion mécanique des globules rouges. L'atteinte des artérioles provoque la forme la plus grave, la nécrose corticale. L'étiologie est peut-être virale, le traitement est symptomatique (voir « Insuffisance rénale aiguë »). Le traitement à l'héparine est probablement inefficace et n'est pas sans danger. L'évolution est variable, de la guérison ad integrum à l'insuffisance rénale irréversible. Une hypertension importante peut subsister ou apparaître tardivement comme seule séquelle.

Infection urinaire

Fréquente, elle risque d'être méconnue. Or il semble que les évolutions défavorables débutent lors d'un premier épisode d'infection urinaire non détecté, et de ce fait non traité de façon appropriée. L'infection urinaire devra donc être systématiquement recherchée en présence de symptômes qui résultent de l'infection elle-même ou en favorisent l'apparition. Chez le nouveau-né, septicémie, jaunisse. Chez le nourrisson, pâleur, fièvre inexpliquée, troubles digestifs, inappétence, soif, vomissements, méningisme, irritabilité, retard de croissance, tension des loges rénales, masse lombaire ou abdominale anormale, vessie percutable après miction, faiblesse du jet urinaire. Chez l'enfant, douleurs lombaires ou du bas-ventre, fièvre, vomissements, pollakiurie, dysurie, énurésie primaire ou secondaire, urines malodorantes, hypertension, retard staturo-pondéral. A tout âge, une infection urinaire se développe en cas de troubles d'innervation vésicale et lors de sondes à demeure dans les voies urinaires. Il faut noter que certains enfants atteints d'infection urinaire sont asymptomatiques.

Le diagnostic d'infection urinaire se fonde sur l'examen bactériologique des urines ; une pyurie n'est pas un critère fidèle d'infection, elle peut faire défaut et l'on connaît des pyuries sans infection. L'infection urinaire est démontrée par la découverte répétée (2-3 examens) d'une bactériurie « significative » ; la définition d'une bactériurie significative varie en fonction du mode de prélèvement des urines.

Mode de prélèvement

1. Enfant collaborant : urine du milieu du jet obtenue après lavage soigneux des organes génitaux (y compris irrigation d'un prépuce non rétractable).

Critères d'infection : première urine du matin, 100 000 germes/ml ou davantage (la présence de 10 000 à 100 000 germes/ml constitue une suspicion d'infection ; de moins de 10 000 germes/ml, une simple contamination). Lorsque l'urine est obtenue en cours de journée, le séjour dans la vessie aura été moins prolongé et des comptes entre 10 000 et 100 000 germes/ml peuvent être compatibles avec une réelle infection.

2. Nourrisson et enfant non collaborant : les urines sont obtenues dans un sachet stérile. Si la miction n'intervient pas rapidement, le sachet doit être changé. Cette technique livre fréquemment des résultats faussement positifs. C'est pourquoi on recourt à la ponction de vessie, rendue percutable par une surcharge d'eau.

Critères d'infection : lors de récolte au sac, comme ci-dessus ; en cas de ponction de vessie, la présence de germes, même très peu nombreux, est pathologique.

Une première indication sur le nombre de germes est donnée par l'examen au microscope d'une goutte d'urine fraîche et non centrifugée entre lame et lamelle. La présence dans chaque champ au fort grossissement d'un germe ou davantage indique qu'il y a environ 100 000 germes/ml. Pour une numération plus précise, l'urine récoltée stérilement est conservée à 4° jusqu'à l'inoculation quantitative des plaques ou mieux encore d'une lame enrobée de milieux de culture, plongée brièvement dans l'urine qui vient d'être récoltée. Après 24 heures d'incubation à la température ambiante, les colonies engendrées par chaque germe deviennent visibles, permettant la numération. Elles sont utilisées pour la caractérisation des germes de l'antibiogramme.

L'infection urinaire est chez le nouveau-né souvent hématogène ; sinon elle est d'origine ascendante. Le germe le plus fréquent est E-coli. L'infection urinaire atteint soit le parenchyme rénal et la totalité de l'arbre urinaire (pyélonéphrite), soit le tractus urinaire inférieur (cystite).

Il y a forte probabilité de pyélonéphrite en présence des faits suivants, associés ou isolés : symptômes généraux d'infection, douleurs lombaires, diminution du pouvoir de concentration, autre évidence d'une altération de la fonction rénale, évidence radiologique ou aux ultrasons de lésion ou de malformation du parenchyme rénal ou des voies urinaires, uropathie obstructive, reflux vésico-urétéral des degrés III et IV, montée d'anticorps circulants vis-à-vis du germe de l'infection, élévation de la protéine C-réactive.

Toute symptomatologie peut faire défaut, qu'il s'agisse d'infection haute ou basse des voies urinaires, et particulièrement lors de réinfection.

Traitement, examens complémentaires et contrôles

Le traitement vise à éviter la destruction du parenchyme rénal. Lors d'un premier épisode, on utilisera comme premier médicament un sulfamidé (cf. tableau 1). Si l'urine est devenue stérile au troisième jour de traitement, l'administration de ce sulfamidé, ou d'un autre médicament indiqué par l'antibiogramme, sera poursuivie pendant 7 à 10 jours au total, durée peut-être excessive pour guérir l'infection des voies basses, mais suffisante pour guérir la grande majorité des pyélonéphrites. Trois jours après l'arrêt du traitement, une culture d'urine sera faite pour juger de son efficacité. Une UIV et une CUM seront obtenues chez tous les patients, à l'exception des filles âgées de plus de 2 ans souffrant d'une épisode unique d'infection urinaire et ayant par ailleurs une anamnèse, une clinique et des examens paracliniques normaux. Les examens ultrasoniques et radiologiques seront pratiqués le plus tôt possible en cas de suspicion d'obstruction (sténose de la jonction pyélo-urétérale, valve uréthrale, etc.), car celle-ci aggrave considérablement le risque de destruction rénale et rend nécessaire une intervention chirurgicale aussi précoce que possible. Certains reflux, découverts lors d'examens précoces, sont secondaires à l'infection et disparaissent à la suite du traitement anti-infectieux.

Après le premier épisode d'infection urinaire, la tendance à des réinfections est élevée, surtout chez certaines fillettes (30 % de réinfections dans la première année suivant l'épisode initial, 50 % dans les 5 ans). Des lésions du parenchyme rénal surviennent chez une faible proportion de ces patientes. La fréquence de cicatrices rénales (amincissement du parenchyme en regard d'un calice altéré) est la plus élevée (10 à 20 %) chez les patientes asymptomatiques, découvertes lors de campagnes de recherche systématique d'infection urinaire. On pense que chez ces patientes les premiers épisodes d'infection urinaire ont échappé au diagnostic et au traitement.

La tendance aux réinfections sera combattue par une hygiène locale soigneuse et l'encouragement à des mictions fréquentes. Des cultures d'urine seront obtenues d'abord tous les mois, puis à intervalles plus espacés. Chaque nouvelle infection, même asymptomatique, sera traitée avec le médicament approprié en tenant compte des résistances bacté-

Tableau 1 : Agents anti-infectieux pour le traitement de l'infection urinaire

Médicament	Dose/24 h mg/	Voie	Nombre de prises/24 h	Effets secondaires	Contre-indications Manque de G-6-PD	Contre-indications Age	Contre-indications Fonction rénale
Sulfafurazole	100	o	4	1, 2, 3, 5	+	Enf. < 2 mois	
Triméthoprime-sulfaméthoxazole	6 + 30 2 + 10*	o o	2 1	1, 2, 3, 5	+	Enf. < 2 mois	
Nitrofurantoïne	3-5 1*	o o	4 1	1, 2, 3, 4, 6	+	Enf. < 1 an	Insuffisance rénale
Acide nalidixique	20	o	4	1, 2, 8		Enf. < 1 an	Insuffisance rénale
Ampicilline	50-100	o i.v.	4	1, 2			
Amoxycilline	25-50	o	3	1, 2			
Gentamicine	3	i.m.	3	5, 7			
Céphalexine	25	o	4	1, 2, 4		Enf. < 1 an	

* Traitement prophylactique

Toxicité :
1 = Réaction d'hypersensibilité (éruption, fièvre, vasculite)
2 = Intolérance digestive
3 = Atteinte des lignées sanguines
4 = Lésion hépatique
5 = Lésion rénale
6 = Atteinte du système nerveux
7 = Lésion vestibulaire et/ou auditive
8 = Hypertension intracrânienne

Tableau 2 : Intervalles entre les doses de médicaments pour le traitement de l'infection urinaire

Médicament	Dose usuelle mg/kg	Fonction rénale Normale heures	10-50 % heures	< 10 % heures	Remarques
Sulfaturazole	25	6	8-12	12-84	Eliminé lors d'hémodialyse ou de dialyse péritonéale
Triméthoprime-sulfaméthoxazole	3 + 15	12	18	24	Eliminé lors d'hémodialyse
Ampicilline	12,5-25	6	9	12-15	Eliminé lors d'hémodialyse
Amoxycilline	8-16	8	12	16	Eliminé lors d'hémodialyse
Gentamicine	1	8	12-24	48	Eliminé lors d'hémodialyse ou de dialyse péritonéale. Il est conseillé de vérifier les taux sanguins

riennes que des traitements antérieurs pourraient avoir causées. En cas de réinfections fréquentes, un traitement prophylactique sera administré en utilisant de préférence des agents (nitrofurantoïne, triméthoprime-sulfaméthoxazole) qui n'induisent pas de souches résistantes dans la flore fécale ou périuréthrale.

Un traitement prophylactique est d'emblée nécessaire en cas d'uropathie obstructive — tant qu'elle ne peut être corrigée chirurgicalement — ou en cas de reflux vésico-urétéral important (III et IV). Ce dernier accroît le risque de lésions du parenchyme rénal lors d'infections et d'autres circonstances favorisantes telles que des papilles permettant le reflux intra-rénal. Les patients seront strictement surveillés du point de vue de leur fonction rénale, de la croissance rénale et de l'apparition ou de l'aggravation de cicatrices rénales par des examens radiologiques et par des ultra-sons pratiqués à 6 mois d'intervalle la première année puis annuellement. Si l'évolution est défavorable, une opération anti-reflux sera envisagée. Au-delà de l'âge de 6 ans, on n'observe guère de progression des lésions rénales ou d'apparition de nouvelles cicatrices. La majorité des reflux disparaissent spontanément.

Chez le nouveau-né, l'infection urinaire sera traitée comme une septicémie tant que celle-ci n'aura pas été exclue. Les médicaments utilisés sont l'amoxycilline, l'ampicilline et la gentamicine.

En cas d'insuffisance rénale, le dosage des médicaments est réduit, le plus souvent, en utilisant une dose initiale et des doses ultérieures identiques à celles données à un sujet normal, mais en augmentant l'intervalle entre les doses (cf. tableau 2).

Si la toxicité potentielle du médicament est grande, on déterminera les taux sanguins. La réduction du dosage implique une efficacité moindre sur l'infection urinaire que l'on cherche à traiter.

Evolution et pronostic

Ils dépendent de la précocité et de l'efficacité du traitement médico-chirurgical et de l'importance des lésions au début du traitement. L'association pyélonéphrite-uropathies malformatives peut conduire à l'insuffisance rénale de l'adolescent ou du jeune adulte. Les infections urinaires limitées aux voies urinaires basses sont d'un pronostic le plus souvent bénin quant à l'intégrité de la fonction rénale.

Néphrocalcinose et lithiase rénale

L'hypercalciurie et l'oxalose sont les principales causes de néphrocalcinose.

Idiopathiques dans environ 50 % des cas, liées à des obstructions sur les voies excrétrices et/ou à l'infection dans 25 % des cas, d'origine métabolique (hypercalciurie, hyperoxalurie, cystinurie, hyperuricémie, etc.) dans les cas restants, les lithiases rénales prédominent chez le garçon. Par des examens appropriés, les causes métaboliques, anatomiques ou infectieuses seront systématiquement recherchées. L'hypercalciurie est définie par une excrétion calcique dépassant 8 mg/kg/24 heures. Instituer un traitement étiologique dans l'hypercalciurie causée par une acidose tubulaire distale, une intoxication à la vitamine D, une immobilisation. Prescrire hydrochlorothiazide et régime pauvre en NaCl dans l'hypercalciurie idiopathique. Il n'y a pas de traitement spécifique de l'oxalose. L'administration de Mg, d'orthophosphate et de pyridoxine peut être utile, à titre prophylactique, lors d'hyperoxalurie primaire.

Néphropathies interstitielles

Les néphrites interstitielles d'origine infectieuse (scarlatine, typhoïde, toxoplasmose, leptospirose ictéro-hémorragique) ou survenant lors de réactions d'hypersensibilité vis-à-vis de certains antibiotiques ou autres médicaments peuvent se manifester par un tableau d'insuffisance rénale aiguë.

On cherchera à prévenir la néphropathie hyperuricémique secondaire à la cytolyse dans les affections malignes par l'alcalinisation des urines et l'administration d'allopurinol.

La néphronophtise est une maladie héréditaire. Les premiers symptômes apparaissent entre 5 et 20 ans : polyurie, anémie, protéinurie modérée ; puis surviennent un syndrome de perte de sel et l'insuffisance rénale globale après 5 à 10 ans environ d'évolution. Parfois, il y a association avec des anomalies oculaires, nerveuses ou squelettiques. L'interstitium est le siège d'une infiltration inflammatoire et les tubules sont tantôt atrophiés tantôt hypertrophiés et ectasiés avec formation cystique d'où la dénomination parfois employée de « maladie des kystes médullaires ».

Lésions vasculaires

Sténose de l'artère rénale ou de l'une de ses branches

Cause peu fréquente d'hypertension, mais à reconnaître. Parfois souffle audible ; sédiment urinaire et créatinine sanguine le plus souvent normaux, potassium sérique parfois abaissé (hyperaldostéronisme secondaire à l'hyperréninémie).

Une pyélographie intraveineuse avec clichés précoces (1'-5'), le dosage comparatif de la rénine dans la veine cave inférieure et les deux veines rénales, le rénogramme isotopique et surtout l'aortographie ou l'artériographie rénale sélective permettent de poser le diagnostic.

Néphro-angiosclérose

Elle est la conséquence d'une hypertension prolongée : un rétrécissement hyperplasique des artères rénales cause une détérioration de la fonction, qui devient irréversible lorsqu'il s'ensuit une hyalinose glomérulaire. Importance dès lors d'une détection précoce et d'un traitement efficace de toute hypertension (cf. pp. 372 ss, 398).

Thrombose des veines rénales

Les nouveau-nés de mère diabétique, les nourrissons déshydratés ou atteints de septicémie y sont particulièrement enclins. Se manifeste par une hématurie le plus souvent macroscopique, une thrombocytopénie, un agrandissement palpable du rein, l'absence d'opacification à la pyélographie intraveineuse du côté atteint (il existe des formes uni- et bilatérales) et des degrés variables d'insuffisance rénale. Traitement de l'affection sous-jacente, symptomatique de l'insuffisance rénale, et éventuellement héparine dans la phase aiguë. Néphrectomie ultérieure du rein infarci si pyélonéphrite ou hypertension secondaires.

Tubulopathies

Il s'agit de l'insuffisance de l'une ou de plusieurs fonctions de transport transtubulaire (cf. tableau 3), alors que la fonction glomérulaire n'est pas primairement altérée. La nécrose tubulaire aiguë est traitée sous insuffisance rénale aiguë.

Dans la majorité des cas, l'origine est génétique : la mutation affecte le transport d'une substance ou d'un groupe de substances partageant un transporteur commun ou encore elle provoque l'accumulation de métabolites toxiques qui causent des lésions tubulaires multiples et progressives. Des substances toxiques exogènes peuvent être en cause (plomb, cadmium, amphotéricine B, tétracycline avariée). Le fonctionnement tubulaire distal peut encore être perturbé par un déficit potassique ou une hypercalciurie.

Symptomatologie

Une tubulopathie doit être recherchée en présence d'une anamnèse familiale suspecte et/ou de l'un ou l'autre des symptômes suivants : difficultés d'alimentation, soif, fièvre inexpliquée, déshydratation, retard staturo-pondéral, déformation squelettique et rachitisme en présence d'un apport adéquat de vitamine D, néphrocalcinose, lithiase, épisodes de faiblesse musculaire, déviation de l'équilibre acido-basique.

Acidose tubulaire proximale

La réabsorption proximale de bicarbonate est diminuée alors que l'acido- et l'ammoniogenèse distales sont, lors d'un stimulus adéquat, intactes. La conséquence en est une stabilisation du bicarbonate sanguin à une valeur inférieure à la norme. Amélioration avec larges doses (6-10 mmol/kg par jour) de bicarbonate ou de citrate de sodium et potassium. Atteint le nourrisson et tend à s'amender avec l'âge.

Tableau 3 : Tubulopathies

Substance en cause	Concentration Sang	Concentration Urine	Tubulopathie sélective Désignation	Hérédité	Tubulopathie non sélective TDF (AR)	Tubulopathie non sélective OCR (R lié à X)	Tubulopathie non sélective B (F)
Bicarbonate	D	A	Acidose tubulaire proximale		+		
Potassium	D	A			+		+
Glucose	N	A	Glucosurie rénale Type A (TmG D) Type B (TmG N)	AD AR AD	+	(+)	
Phosphate	D	A	Hypophosphatémie familiale (rachitisme vitamino D-résistant)	D lié à X	+	(+)	
	D	D	Pseudohypoparathyroïdisme	D lié à X			
Cystine, lysine, arginine, ornithine	A	A	«Cystinurie»	AR			
Lysine, ornithine, arginine	D N	A	Hyperaminoacidurie dibasique	AR AD			
Proline, hydroxyproline, glycine	N	A	Iminoglycinurie	AR AD			
Glycine, glucose	N	A	Glucoglycinurie	AD			
Tryptophane et divers	D	A	Maladie de Hartnup	AR			
Divers acides aminés	N	A			+	+	
Acides organiques	N	A				+	
Eau	D	A	Diabète insipide néphrogénique	R lié à X	+		+
Ions H	A	D	Acidose tubulaire distale	(AR) (AD)	+	+	
Sodium	D	A	Pseudohypoaldostéronisme	AR			

TDF Syndrome de Toni-Debré-Fanconi   D = Diminué
OCR Syndrome oculocérébrorénal de Lowe   A = Augmenté
B   Syndrome de Bartter

AD = Autosomal dominant
AR = Autosomal récessif
D lié à X = Dominant lié au chromosome X
R lié à X = Récessif lié au chromosome X
F = Cas familiaux

Rachitisme vitamino-résistant

(cf. p. 871 ss).

Il s'agit d'un trouble primaire de la réabsorption du phosphate. Le métabolisme de la vitamine D n'est pas perturbé. Le retard de taille et les déformations squelettiques deviennent manifestes dans la deuxième année. Le traitement le plus efficace allie un large apport oral de phosphate ($NaH_2PO_4 \cdot H_2O$, 18 g + $Na_2HPO_4 \cdot H_2O$ 145 g, eau ad 1 000, 100 ml par jour fractionnés) à un apport de vitamine D de l'ordre de 0,5 à 1 mg par 24 heures (20 000 à 40 000 UI par 24 heures).

Cystinurie

Une symptomatologie de lithiase la révèle. La présence dans l'urine de cristaux hexagonaux et d'une réaction de Brand Meyer positive (ajouter à 5 cc d'urine une goutte d'ammoniaque concentré et 2 cc de cyanure de sodium à 5 % (cave !), mélanger et attendre 10 minutes, puis ajouter goutte à goutte une solution de nitroprussiate de sodium à 5 % ; une coloration rouge pourprée indique la présence de cystine), une chromatographie caractéristique des acides aminés urinaires, des calculs radio-opaques de densité uniforme, moulant les calices et le bassinet, affirment le diagnostic. Traitement : maintenir la cystine en solution dans l'urine par un large apport d'eau (densité urinaire constamment inférieure à 1010) et de bicarbonate (pH urinaire supérieur à 7,5) et pénicillamine 1 à 2 g par jour en surveillant les indices de sa toxicité éventuelle. Le pronostic dépend des lésions rénales secondaires à la lithiase et aux infections surajoutées. Excision chirurgicale des calculs si nécessaire.

Glycinurie

Elle peut également entraîner la formation de calculs.

Maladie de Hartnup

L'absorption déficiente du tryptophane au niveau intestinal et tubulaire entraîne une déficience en cet acide aminé, avec épisodes d'ataxie et pellagre des téguments exposés à la lumière. Traitement : Nicotinamide.

Diabète insipide néphrogénique

Fièvre inexpliquée surtout matinale, vomissements, refus de solutions lactées trop concentrées, parfois absence de soif (diabète insipide « occulte »), densité urinaire trop basse pour le degré d'hyperélectrolytémie sérique, non-réponse à la vasopressine font poser le diagnostic chez le nourrisson. Méconnue, la déshydratation chronique provoque une débilité psychomotrice. Le traitement associe un apport nutritif générant une charge osmotique rénale aussi faible que possible (lait maternel ou analogue), un apport d'eau aussi large et fréquent que possible et un diurétique du type thiazidique qui, entraînant une contraction du volume circulant, et par là une réabsorption accrue dans le tubule proximal, diminue le volume urinaire. Permettre à l'enfant d'étancher jour et nuit une soif énorme. Les voies urinaires présentent une dilatation secondaire.

Acidose tubulaire distale

La sécrétion distale des ions H contre un gradient de concentration est perturbée. Le pH urinaire ne s'abaisse pas malgré une acidose métabolique. Il s'ensuit un gaspillage de cations (K, Ca), avec ostéoporose, chez l'enfant plus âgé rachitisme, néphrocalcinose, retard de croissance. Traitement par apport de bicarbonate ou de citrate de sodium et de potassium suffisant pour corriger l'acidose métabolique (2 mmol/kg par jour).

Pseudohypoaldostéronisme

Non-réponse à l'aldostérone ou au désoxycorticostérone, d'où déperdition sodée. Traitement substitutif. Evolution vers la guérison apparente, au prix d'une production augmentée de minéralocorticoïdes par la corticosurrénale.

Syndrome de de Toni-Debré-Fanconi (TDF)

Soit idiopathique, soit, plus fréquemment, secondaire à une cystinose, à une maladie de Wilson, à une intolérance au fructose ou à une tyrosinose. Dans la cystinose, la symptomatologie apparaît dans le deuxième trimestre de vie, la photophobie et le voile cornéen plus tardivement. L'évolution est inéluctable, en quelques années, vers l'insuffisance rénale globale avec diminution des manifestations tubulaires. Le diagnostic repose sur la démonstration de cristaux de cystine dans les tissus (moelle osseuse, rein, cornée). Traitement symptomatique, apport accru de vitamine D, supplément de potassium. La pénicillamine ne s'est pas avérée efficace, la transplantation rénale n'améliore pas les manifestations extra-rénales. Dans la maladie de Wilson et l'intolérance au fructose, le traitement spécifique fait disparaître le syndrome de TDF.

Syndrome oculocérébrorénal de Lowe (OCR)

Il associe chez le garçon une arriération mentale profonde d'emblée, une aréflexie tendineuse, des lésions oculaires (glaucome, cataracte), une proéminence des arcades orbitaires et une cryptorchidie à une tubulopathie complexe avec protéinurie, parfois glucosurie et hypophosphatémie, hyperaminoacidurie, excrétion augmentée d'acides organiques et acidose tubulaire distale.

Syndrome de Bartter (B)

Il est caractérisé par une hyperplasie de l'appareil juxtaglomérulaire, une hyperréninémie, une réponse pressive vis-à-vis de l'angiotensine diminuée, un hyperaldostéronisme, une hypokaliémie avec alcalose métabolique et une hyposthénurie secondaire au déficit potassique. Traitement avec fortes doses de KCl, éventuellement spironolactone. Certains cas évoluent vers l'insuffisance rénale. Les inhibiteurs de la synthèse des prostaglandines semblent avoir un effet bénéfique sur les pertes de K.

Insuffisances rénales et hypertension

Insuffisance rénale aiguë (IRA)

On en distingue 3 sortes, prérénale, rénale et postrénale.

1. IRA fonctionnelle ou prérénale

Lorsque la volémie ou la tension artérielle chutent, la résorption tubulaire de sodium croît. Une vasoconstriction réduit le flux sanguin cortical et par là la filtration glomérulaire. Le débit urinaire diminue, l'urine est généralement concentrée (densité > 1020) et pauvre en sodium (concentration de sodium < 20 mmol/l). L'oligoanurie et l'insuffisance d'épuration concomitante sont réversibles aussi longtemps que des lésions rénales ne se sont pas constituées ; une correction rapide et appropriée du choc ou de la déshydratation s'accompagneront d'une reprise de la diurèse. Si celle-ci tarde, malgré la restauration d'un état circulatoire satisfaisant, on peut encore essayer l'administration d'une dose de mannitol (solution à 20 %, 0,5 g/kg) et ultérieurement de furosémide (1 mg/kg). Si elle reste sans effet, il s'agit d'une IRA du type 2.

2. IRA d'origine rénale

Elle se traduit par une oligoanurie en présence d'un état circulatoire satisfaisant et d'un degré d'hydratation normal ou excessif. Elle peut survenir dans la glomérulonéphrite aiguë postinfectieuse, les glomérulopathies secondaires ou primaires, le syndrome hémolytique urémique, les atteintes néphrotoxiques (bismuth, mercure, or, éthylène glycol, tétrachlorure de carbone, etc.), les néphrites interstitielles infectieuses ou médicamenteuses, la thrombose des veines rénales, la néphropathie hyperuricémique, les pyélonéphrites. Enfin, elle peut résulter d'une lésion ischémique au cours du choc ou de la déshydratation (nécrose tubulaire aiguë, nécrose corticale dans les cas les plus graves). La densité urinaire est alors généralement inférieure à 1 015 et la concentration urinaire de sodium est élevée, 40 mmol/l et davantage. La gravité de la symptomatologie est influencée par la situation métabolique générale et l'apport alimentaire ou parentéral: l'ascension de l'urée, l'acidose métabolique, l'hyperpotassémie et leurs symptômes sont d'autant plus marqués que le catabolisme protidique est important (fièvre, infection, nécrose tissulaire). L'intoxication à l'eau, les œdèmes, l'hypertension résultent d'un apport excessif d'eau et/ou d'électrolytes. Ces perturbations conditionnent une symptomatologie neurologique (convulsions, coma), cardiaque ou pulmonaire. En cas d'évolution favorable, une phase polyurique fait parfois suite à l'oligoanurie. En même temps, l'organisme passe d'un état de catabolisme à un état d'anabolisme, avec des besoins de réparation très importants ; des perturbations de l'équilibre hydrominéral et les signes d'un manque relatif de K, P et Mg peuvent alors apparaître.

Traitement : symptomatique dans tous les cas, étiologique si possible.

● *Phase anurique* : Après restauration d'un état circulatoire et d'hydratation adéquat, l'apport de liquide sera limité aux besoins d'entretien extrarénal, soit environ 50 ml/100 calories/24 heures plus un volume équivalent au volume urinaire. La pesée du malade 2 fois par jour permet des ajustements d'apport qui rendront possible une perte régulière de poids (−0,5 % par jour). Stopper l'apport de potassium. Pour diminuer le catabolisme tissulaire et protidique, arrêt de tout apport protidique et apport calorique aussi large que possible sous forme d'hydrates de carbone (100 à 200 g/m^2/24 heures) et éventuellement de graisses et d'un mélange d'acides aminés essentiels. Si infection, la traiter en tenant compte de la clearance diminuée de certains antibiotiques et de leur contenu en électrolytes. Proscrire les cortico-stéroïdes (sauf dans le lupus).

Hyperkaliémie : Mesures immédiates si le K sérique dépasse 7 mmol/l et/ou qu'il y a des modifications de l'ECG. a) Nabic : 2,5 mmol/kg en 10-15 min i.v. b) Gluconate de calcium : 10 %, 0,5 ml/kg en 5-10 min. i.v. c) Glucose : 2 775 mmol/l (50 %), 1 ml/kg, suivie d'une infusion de glucose : 1 665 mmol/l (30 %). Si l'hyperkaliémie persiste, insuline : 0,5 unité/kg. Pour soustraire K à l'organisme, polystyrène-sulfonate calcique ou sodique : 1 g/kg en lavement (1 g/5 ml de sorbitol à 70 % ou d'eau), à répéter.

Hypertension : voir pp. 372 ss, 398.

On a avantage à recourir à l'épuration extra-rénale avant d'y être forcé par des indications absolues, telles que détérioration de l'état clinique, indices d'encéphalopathie, acidose marquée, hyperkaliémie dépassant 7,5 mmol/l malgré les mesures ci-dessus, intoxication à l'eau, hypertension rebelle ou surcharge circulatoire excessive.

Chez le nourrisson et le petit enfant, la dialyse péritonéale est la méthode de choix, chez l'enfant plus âgé l'hémodialyse.

La dialyse péritonéale permet de soutirer à l'organisme urée, acide urique, autres composés azotés, phosphate, sulfate, potassium et eau. Elle apporte du glucose et du lactate. Au choix, solution modérément hypertonique (350 mmol/l, dont 84 de glucose, 1,5 %) ou franchement hypertonique, pour soutirer de l'eau (511 mmol/l, dont 236 de glucose, 4,25 %). Composition ionique (mmol/l) : Na : 134 ; Ca : 1,75 ; Mg : 0,50 ; Cl : 103,5 ; lactate : 35 ; héparine : 500-1 000 unités/l dans le(s) premier(s) litre(s) de solution. Mise en place en asepsie stricte et anesthésie locale d'un drain souple introduit au 1/3 supérieur de la ligne ombilico-symphyse puis avancé dans une fosse iliaque. Introduire prudemment le liquide de dialyse, chauffé à température corporelle pour atteindre après quelques cycles un volume de 40-50 ml/kg PC. Introduction 5-10', échange péritonéal 40' environ, retrait par gravité : 10-15'. Cycles horaires pendant 24 à 36 heures, puis cycles moins fréquents (4-6/24 heures). Surveillance étroite du patient (entre autres K sérique, ajouter le cas échéant K au dialysat) et du liquide retiré qui est à mettre en culture toutes les 12 heures. Si une infection survient, ajouter au dialysat les antibiotiques appropriés en tenant compte de leur diffusion dans les liquides de l'organisme.

● *Phase polyurique* : Couvrir les besoins d'entretien et de réparation, se baser sur des contrôles fréquents de poids et de l'équilibre hydrominéral, plus que sur la composition de l'urine.

Pronostic : il est favorable dans la nécrose tubulaire, réservé dans la microangiopathie, mauvais dans la nécrose corticale et la glomérulonéphrite proliférative extra-capillaire avec croissants.

3. IRA postrénale

Elle est due à un obstacle sur les voies excrétrices, par des cristaux (sulfonamide, acide urique), par l'enclavement de calculs ou de caillots, par la compression de masses tumorales, ou par traumatisme. Procéder d'emblée à des examens radiologiques et uroradiologiques appropriés.

Insuffisance rénale chronique

Un à trois nouveaux cas d'insuffisance rénale chronique surviennent par an parmi les enfants de 0 à 15 ans d'une population d'un million d'habitants de pays occidentaux ou nord-américains. Ils se recrutent pour 1/4 environ parmi les néphropathies glomérulaires, pour 1/5 parmi les néphropathies héréditaires (néphronophtise, Alport, cystinose, oxalose), pour 1/5 parmi les hypo- et dysplasies rénales (hypoplasie oligoméganéphronique, hypoplasie avec dysplasie, maladie polykystique) et pour le restant parmi les uropathies malformatives. Les manifestations cliniques varient avec le degré de l'insuffisance rénale. Elles sont évidentes lorsque la filtration glomérulaire est inférieure à 20 ml/min/1,73 m^2.

Physiopathologie et symptomatologie

Quelle que soit l'étiologie, la fonction rénale résiduelle est caractérisée par un état de diurèse osmotique dans les néphrons encore fonctionnels, situation qui entraîne une déperdition obligatoire d'eau et d'électrolytes et une réduction de l'amplitude des ajustements homéostatiques possibles. Si les apports ne sont pas adéquats, il s'ensuivra pour l'organisme soit un état d'excès (surcharge hydrique, surcharge cardiaque, hypertension), soit un état de manque (déshydratation, hypovolémie, hypotension avec insuffisance rénale fonctionnelle surajoutée). L'acidose métabolique résulte d'une incapacité à éliminer les ions H générés par l'apport protidique alimentaire. L'ostéodystrophie rénale résulte de la diminution de l'absorption intestinale de calcium par manque d'hydroxylation en position 1 de la vitamine D$_3$, et de l'hyper-parathyroïdisme secondaire à l'hypocalcémie. Elle se manifeste cliniquement par des douleurs puis par des déformités et des lyses épiphysaires. L'arrêt de croissance est dû à une multiplicité de facteurs, anorexie, altérations métaboliques et endocriniennes, ostéodystrophie. L'anémie résulte d'une production diminuée d'érythropoïétine, de pertes digestives, d'un raccourcissement de la survie érythrocytaire. La fatigue, la léthargie, les troubles digestifs, les manifestations sensitives, puis motrices de névrite périphérique, la péricardite urémique sont une conséquence des toxines urémiques.

Des altérations de l'état de conscience et des crises convulsives surviennent lors de modifications brusques de l'équilibre acido-basique ou hydroélectrolytique ou dans le contexte d'une encéphalopathie hypertensive.

Traitement

L'insuffisance rénale chronique pose au patient et à son entourage des problèmes d'adaptation majeurs qui exigent du personnel soignant une disponibilité, une compréhension et une fermeté inébranlables.

Le régime alimentaire doit viser à couvrir les besoins caloriques et protidiques : l'apport protidique, abaissé au minimum permis pour atténuer l'acidose métabolique, l'hyperphosphorémie et le syndrome urémique, sera de l'ordre de 1-1,5 g/kg/24 heures, valeurs à adapter selon l'âge et le degré d'insuffisance rénale ; il sera fourni sous forme de protéines animales de haute valeur biologique. On prescrit un supplément d'acide folique, de vitamine B_6, éventuellement de vitamine C, mais pas de vitamine A. En ce qui concerne l'eau et les électrolytes, respecter la soif et les goûts de l'enfant, éviter toute modification brusque ou arbitraire de l'apport. Celui-ci doit être adapté à l'élimination urinaire.

Supplémentation de K en présence d'hypokaliémie, restriction d'apport et résines échangeuses d'ions par voie orale ou rectale en présence d'hyperkaliémie. En cas d'acidose métabolique sévère (excès de base négatif dépassant 10 mmol/l), essayer prudemment bicarbonate de Na ou solution de Shohl (70 g acide citrique, 50 g citrate de sodium ad 500, 1 mmol Na/ml, apporter 2-3 mmol/kg/24 heures). L'ostéodystrophie rénale sera combattue par l'administration d'hydroxide d'aluminium (60-100 mg/kg/24 heures, répartie pendant ou immédiatement après les repas) pour abaisser la phosphorémie à des valeurs haut-normales (2,4 mmol/l chez le nourrisson ; 2,0 mmol/l chez l'enfant de 1 à 10 ans), puis, cela obtenu, par un supplément de calcium de 500 à 1 000 mg/jour, sous forme de carbonate de calcium (40 % de calcium) et de vitamine D ou de ses dérivés. Le dihydrotachystérol, qui ne requiert pas d'hydroxylation en position 1, est prescrit initialement à la dose de 0,125 mg/jour, dose à modifier selon l'évolution de la calcémie. L'anémie est relativement bien tolérée jusqu'à 60 g/l d'Hb, au prix d'une diminution importante de la tolérance à l'effort. Les transfusions n'entraînent que très rarement une présensibilisation qui interdise une greffe. Au contraire, chez les sujets multi-transfusés avant d'être greffés, la survie du greffon est nettement prolongée.

En cas d'infection, utiliser les antibiotiques en tenant compte du retard de leur élimination dû à l'insuffisance rénale (cf. tableau 2). Les anticonvulsivants sont utilisés au dosage habituel.

L'épuration extra-rénale devient inéluctable lorsque la clearance de la créatinine s'abaisse au-dessous de 5 ml/min/1,73 m^2.

Associée à la poursuite du traitement médical, la mise en train de l'hémodialyse améliore l'état clinique et tend à normaliser les paramètres biochimiques, sans toutefois restaurer une capacité physique normale. L'anémie persiste, l'évolution de l'ostéodystrophie est variable. La croissance est le plus souvent inférieure à la norme. Par soustraction liquidienne, l'hémodialyse permet de contrôler l'hypertension dans la plupart des cas. Dans de rares cas résistants, la rénine est très élevée et l'HTA répond au captopril, un inhibiteur de l'enzyme de conversion. Les complications aiguës, syndrome de déséquilibre, fluctuations tensionnelles, infections et, à plus long terme, e.a. hépatites peuvent être évitées par une méthodologie irréprochable. Pour obtenir les meilleurs résultats, au moins trois séances hebdomadaires de 4-6 heures sont nécessaires. Cette servitude entrave la vie sociale, scolaire et professionnelle du patient. L'équipe soignante, polyvalente, doit être apte à maîtriser les difficultés d'ordre psychologique, familial, social et financier qui surgissent. L'hémodialyse à domicile permet d'alléger certaines difficultés pour le patient. Avec le développement de canules à demeure, la dialyse péritonéale chronique remplace l'hémodialyse pour certains patients. Une binéphrectomie est indiquée lorsqu'une hypertension ou une infection de l'arbre urinaire résiste à tous les traitements. L'anémie s'en trouvera aggravée et la restriction hydrique accrue.

L'épuration extra-rénale n'est chez l'enfant qu'une étape menant à la transplantation. Elle reste le seul mode de traitement après rejet réitéré ou lorsque aucun rein approprié ne peut être obtenu. La transplantation pose de nombreux problèmes : provenance et obtention des reins, sélection des receveurs, risque de réapparition de la maladie primaire dans le rein greffé, efficacité et complications du traitement immunosuppresseur, intégration sociale et professionnelle, pronostic lointain des enfants greffés.

Cinq ans après une première greffe, 40-45 % des reins de cadavre fonctionnent et 70 % des patients sont vivants. La réapparition de la maladie primaire a été observée chez des patients atteints de glomérulonéphrite membrano-proliférative, de glomérulo-sclérose focale, dans l'oxalose, sans entraîner nécessairement la perte de fonction du rein greffé. Les complications du traitement continu aux stéroïdes, qui sont atténuées par un traitement appliqué toutes les 48 heures, sont : la cataracte, la nécrose épiphysaire aseptique, l'hyperlipidémie, le freinage important de la croissance (celle-ci dépend encore de l'âge osseux lors de la transplantation) et les altérations cosmétiques qui peuvent entraîner l'abandon du traitement. Néanmoins, un nombre important d'enfants ont vu leur existence transformée par une greffe réussie, retrouvant leur vitalité et leur indépendance.

Hypertension artérielle (HTA) d'origine rénale

La constatation répétée de valeurs de tension artérielle systolique et/ou diastolique supérieures au P 95 pour l'âge, toute erreur méthodologique étant exclue, fait poser le diagnostic d'HTA. Plus élevée est la tension, plus jeune est l'enfant, plus grande est la probabilité que l'hypertension soit secondaire. Chez le grand enfant et l'adolescent, l'hypertension essentielle prédomine. Seule la mesure de la TA lors de tous les contrôles médicaux, dès la petite enfance, permettra de découvrir des sujets hypertendus avant qu'ils ne deviennent symptomatiques (maux de tête, vertiges, nausées, douleurs abdominales, troubles visuels, altération du FO, amaigrissement, ralentissement de la croissance, encéphalopathie hypertensive, décompensation cardiaque).

Tableau 4 : Médication hypotensive

Désignation	Dose (mg/kg/24 h.) initiale	maximale	Nombre de prises/24 h.	Voie	Délai entre changements de dose (jours)
Hydrochlorothiazide	1	2	2	o	14
Furosémide	0,5-1	2	2	o i.v.	14
Spironolactone	2	4	2	o	14
Méthyldopa	10	40	4	o	3-7
Hydralazine	1	5	4	o	3-4
Guanéthidine	0,2-0,5	1-2	1	o	12-14
Propranolol	0,5-1,0	2	3	o	3-6
Diazoxide	2-5mg/kg par dose Rapidement			i.v.	

A l'encontre de l'hydrochlorothiazide, le furosémide reste efficace même en présence d'une fonction rénale très diminuée. Mais les doses élevées qui sont nécessaires à cet effet peuvent être ototoxiques. Le spironolactone peut causer une hyperkaliémie dangereuse en présence d'insuffisance rénale. Celle-ci oblige à espacer les doses de méthyldopa, d'hydralazine, de guanéthidine et à diminuer le dosage du propranolol.

● **HTA des néphropathies aiguës** (glomérulonéphrite à début post-infectieux, autres glomérulonéphrites, syndrome hémolytique-urémique, insuffisance rénale aiguë surhydratée, rejet de greffe).

En cas d'hypertension sévère avec ou sans encéphalopathie, diazoxide par voie intraveineuse injecté aussi rapidement que possible pour éviter la liaison aux protéines sériques (5 mg/kg/dose). L'effet hypotenseur survient en quelques minutes. Si première dose inefficace, essayer de donner une deuxième dose après 15-20 min. (voir tableau 4). En dernier ressort, nitroprussiate de Na, captopril et éventuellement épuration extra-rénale avec extraction d'eau et de sel. Si HTA moins sévère, repos, restriction hydrique, l'apport étant inférieur à la somme des pertes extra-rénales et rénales, diurétique comme le furosémide (inefficace et éventuellement dangereux, ototoxicité, en cas d'anurie avérée) et vasodilata-teur tel que l'hydralazine (0,10-0,15 mg/kg i.v. ou i.m. toutes les 4-6 heures).

● **HTA des atteintes rénales bilatérales chroniques** (insuffisance rénale chronique de toute étiologie, séquelle d'un syndrome hémolytique-urémi-que ou d'une thrombose des veines rénales).

Mode et lieu d'action	Effets secondaires
Inhibe réabsorption du sodium, fin de l'anse ascendante et tubule contourné distal	Déplétion potassique. Hyperuricémie
Inhibe réabsorption du chlorure de sodium, anse ascendante	Déplétion volémique, déplétion potassique, hypocalcémie, hyperuricémie, surdité transitoire
Antagoniste de l'aldostérone	Hyperkaliémie, gynécomastie, irrégularités des menstruations, intolérance digestive
Terminaison adrénergique : compétition avec DOPA. Centre vasomoteur. Périphérie	Sédation, labilité émotionnelle, hypotension posturale, diarrhée, test de Coombs+, gynécomastie, anémie hémolytique
Hypothalamus, centre vasomoteur. Relaxant de la musculature lisse des artérioles	Tachycardie, maux de tête, nausées et vomissements, syndrome lupique ou rhumatoïde, troubles psychiques, névrite périphérique
Terminaison adrénergique : bloque la libération du neurotransmetteur. Périphérie	Hypotension orthostatique, syncope après l'effort, diarrhée, vomissements, tachycardie, ptose palpébrale, impotence, défaut d'éjaculation
Bloque les récepteurs bêta-adrénergiques. Centre vasomoteur. Périphérie. Inhibe synthèse de la rénine	Bradycardie, altération de la contractilité du myocarde, hypoglycémie, bronchospasme
Relaxant de la musculature lisse des artérioles utilisé lors de crise hypertensive	Nécrose si injecté hors du vaisseau, douleurs thoraciques et abdominales, vomissements, tachycardie, hyperuricémie, hyperglycémie, prise pondérale, pancréatite (hyperamylasémie), hypotension

Le traitement est généralement entrepris avec une restriction saline (3-4 g de NaCl/jour) souvent difficile à réaliser, et/ou un diurétique, hydrochlorothiazide, associé au spironolactone ou à l'amiloride si la compensation du déficit de K est malaisée. S'assurer que ce traitement n'aggrave pas la fonction rénale restante. Si les diurétiques ne suffisent pas à contrôler l'HTA, on ajoute soit un bêta-bloquant, soit un vasodilatateur. Dans les cas réfractaires, thérapie combinée, par exemple diurétique, bêta-bloquant, hydralazine et alpha-méthyldopa.

Quel que soit le schéma utilisé, commencer pour chaque médicament avec la dose minimale, augmenter par palier, en respectant les délais nécessaires, jusqu'à la dose maximale tolérable avant de modifier le schéma thérapeutique. Tenir constamment compte des effets secondaires et de la tolérance. Il n'est plus recommandé de prescrire un régime très pauvre en sodium ; s'assurer que d'autres médicaments n'antagonisent pas le traitement hypotenseur (contraceptifs, corticostéroïdes).

● **HTA potentiellement curable par une intervention chirurgicale**, l'atteinte étant unilatérale (atteinte parenchymateuse : dysplasie, traumatisme, compressions, tumeurs telles que Wilms ; atteinte rénovasculaire :

au niveau de l'artère rénale, dysplasie fibromusculaire, neurofibromatose, anévrisme, thrombose traumatique, compressions).

Dans ces groupes, les examens appropriés (cf. p. 374) décideront de l'indication opératoire à une résection partielle ou totale du rein lésé ou à une intervention vasculaire.

Malformations rénales

Leur dénomination et certaines de leurs caractéristiques figurent dans le tableau 5. Ces malformations posent des problèmes difficiles de diagnostic différentiel, avec les tumeurs ou les hydronéphroses dans les formes avec agrandissement de la masse rénale, avec les atrophies rénales secondaires dans les hypoplasies. Elles sont associées parfois à des malformations des voies excrétrices. Elles se compliquent souvent de pyélonéphrite. L'évolution clinique peut être progressive. L'enquête héréditaire est d'une grande importance. (Cf. aussi pp. 175-178).

Tableau 5 : Malformations rénales

	Unilatéral	Bilatéral	Hérédité	Volume rénal augmenté	Volume rénal diminué	Evolution progressive	Pyélonéphrite secondaire	Néphrocalcinose et lithiase	Insuffisance rénale chronique
Agénésie	+	+*							
Hypoplasie simple	+	+			+				
Hypoplasie + dysplasie	+	+			+				
Reins polykystiques :									
- forme infantile**		+	AR	+		+			+
- forme adulte		+	AD	+		+			(+)
Kyste multiloculaire	+			+					
Kyste simple	+			+					
Ectasie précalicielle des canalicules (rein médullaire en éponge)		+						+	+

AD = autosomique dominant
AR = autosomique récessif

* Syndrome de Potter : agénésie bilatérale des reins, oligamnios, faciès particulier, hypoplasie pulmonaire
** Atteinte kystique du foie et du pancréas. Souvent léthal
\+ Présent
(+) Variable

Tumeurs rénales

Le néphroblastome, ou tumeur de Wilms, est la tumeur rénale la plus fréquente chez l'enfant. Elle peut se manifester dès la naissance.

Symptomatologie

La découverte d'une importante masse envahissant l'une des moitiés de l'abdomen et palpable en arrière dans la loge rénale est le plus souvent le premier symptôme. Une hématurie est constatée dans 1/3 des cas, plus rarement une hypertension. La palpation favoriserait les métastases. Le diagnostic doit être posé d'urgence, par la pyélographie intraveineuse. Cet examen montre une élongation des calices ou du bassinet, distendus et refoulés par la tumeur, celle-ci pouvant débuter dans une partie quelconque du rein. Exceptionnellement, des calcifications sont visibles sur la radiographie à vide. La tumeur est bilatérale dans 2 à 10 % des cas. En cas de doute, les examens aux ultra-sons et l'aortographie permettent de distinguer entre des kystes et une tumeur. La tumeur peut progresser dans les ganglions du hile et le long de la veine rénale dans la veine cave, ou envahir la face inférieure du foie. Les métastases sont le plus souvent pulmonaires, solitaires ou multiples en «lâcher de ballons». Les récidives in situ sont fréquentes aussi.

Traitement

Il associe l'exérèse chirurgicale, l'irradiation, l'actinomycine D et la vincristine (cf. p. 545-547).

Définitions, valeurs normales et épreuves fonctionnelles

M = méthode ; N = normes.

Acide, surcharge

Mesures de la sécrétion rénale d'ions H dans une acidose métabolique provoquée. M : surcharge orale unique d'environ 5 g/m^2 (100 mEq/m^2) de NH$_4$Cl suivie de récolte fractionnée, horaire des urines pendant 6 heures. N (Edelmann et coll.) : à condition que le bicarbonate sanguin ait chuté 3-4 h. après la surcharge de 4-5 mEq/l en dessous du seuil normal, le pH urinaire s'abaisse au-dessous de 5,2. L'acidité titrable [µEq/min./1,73 m^2 (± 2 S)] atteint de 0-1 an les valeurs de 62 (43-111), au-delà d'un an de 52 (33-71). L'excrétion d'ammonium [µEq/min/1,73 m^2 (± 2 S)] atteint de 0-1 an 57 (42-79), au-delà d'un an 73 (46-100).

Addis, compte de

Mesure du débit urinaire d'hématies. M : rien per os dès 20 h. Récolte quantitative des urines de 7 h. à 10 h. le lendemain. Méthode standardisée de comptage. N : débit inférieur à 1 500 hématies/min.

Clearance

Pouvoir d'épuration rénale pour une substance donnée (s).

$$Cl_{(s)} = \frac{U_{(s)} \times V}{P_{(s)}}$$

où
Cl = ml plasma épurés/min
$U_{(S)}$ = concentration urinaire
$P_{(S)}$ = concentration plasmatique
V = débit urinaire

Clearance de la créatinine endogène

Mesure approximative de la filtration glomérulaire. M : remplacer viande par poissons et œufs, pendant les deux jours précédents et pendant les récoltes d'urine de 24 h., prise de sang à la fin d'une récolte d'urine de 24 h., détermination de la créatinine « vraie » par méthode de Hare ou l'auto-analyser. N (Winberg) : ml/min/1,73 m² (±2DS), nouveau-né 40 (25-52), 3 mois 70 (55-95), 12 mois 90 (70-130), 28 mois et davantage 110 (85-145).

Complément, système du

L'abaissement d'une de ses composantes est un indice d'un processus immunologique. La composante C_3 = globuline β-1-c. N : concentration de la globuline β-1-c ⩾ 80 mg/100 ml.

Concentration, épreuve de

Mesure du pouvoir rénal de concentration dans la privation d'eau. M : 0-2 ans (Winberg), 16 h., tannate de pitressine i.m. 0,5 U/6 kg de poids corporel. Dernier repas normal à 18 h. Aucun liquide jusqu'à environ 10 h. le lendemain. Obtenir entre 6 h. et 10 h. deux à trois échantillons d'urine pour densité et/ou osmolalité. Au-delà de 2 ans, repas du soir sans liquide, puis jeûne et soif jusqu'à 8 h. ou 12 h. le lendemain. Récolte fractionnée des urines pour volume, densité et/ou osmolalité. Mesure du poids corporel. N : en mOs/kg H_2O (± 2 DS) ; 3 mois 750 (460-1 050), 12 mois 1 000 (700-1 300), 2 ans et au-delà 1 050 (800-1 320). Au-delà de 2 ans, une densité supérieure à 1 025 est trouvée dans l'une des portions d'urine ; en cas de protéinurie et de glucosurie, ceci est un mauvais indice de concentration. Déterminer l'osmolalité des urines. Le tannate de pitressine n'est plus disponible en Suisse. Selon Aronson, l'administration intranasale de DDAVP (1-déamino-8-arginine vasopressine) à raison de 20 µg chez l'enfant et de 10 µg chez le nourrisson (avec prise d'eau ad lib. chez l'enfant et restriction de l'apport d'eau de moitié au cours des 2 repas suivant la DDAVP chez le nourrisson) résulte pendant les heures qui suivent dans la production d'urines aussi concentrées ou même davantage que celles obtenues dans l'épreuve de Winberg.

Dilution, épreuve de

Mesure de la capacité d'éliminer une surcharge d'eau. M : 800 ml H_2O/m^2 à jeun per os. Récolte horaire des urines pendant 4 h., mesure de leur volume, densité et/ou osmolalité et poids corporel. N : dépend de l'état d'hydratation préexistant. 80-120 % du volume ingéré est éliminé dans l'urine en 4 h. La densité s'abaisse à 1 002 et en dessous (80-50 mosm/kg H_2O) au faîte de la diurèse.

Osmolarité

Concentration en particules dissoutes exprimées en mosm/l de solution.

Osmolalité

Concentration en particules dissoutes exprimées en mosm/kg H_2O. N pour le sérum : 275-290 mOs/kg H_2O.

Vasopressine, épreuve à la

Permet de distinguer les diabètes insipides centraux pitressino-sensibles des diabètes insipides rénaux, non répondant à la pitressine. M : a) établissement d'une diurèse aqueuse par la surcharge d'eau, qui sera ensuite entretenue par une ingestion d'eau égale à la diurèse ; administration intranasale de DDAVP ; b) administration de 4 U/m^2/jour, pendant 4 jours, de tannate de pitressine i.m. N : a) diminution de la diurèse et augmentation de la densité et/ou de l'osmolalité dès l'administration de vasopressine ; selon le régime hydrique préalable, l'osmolalité urinaire atteint ou dépasse l'osmolalité sanguine ; b) les densités urinaires dépassent 1 015.

Phosphate, réabsorption tubulaire de

La quantité réabsorbée est exprimée en % de la quantité filtrée. Le pourcentage de réabsorption reflète l'activité de la glande parathyroïdienne et dépend de l'intégrité des mécanismes de transfert tubulaire. M : récolte d'urine de 24 h. et prise de sang pour phosphate et créatinine. Détermination effectuée sous régime riche, puis pauvre en phosphate.

Protéinurie orthostatique

Protéinurie apparaissant lors d'activité en position debout. M : le matin au réveil, miction couchée, puis déambulation pendant 2 h. et obtention d'un nouveau spécimen d'urine. N : absence de protéinurie orthostatique. La présence d'une protéinurie orthostatique est toutefois sans signification pathologique.

Protéinurie sélective

Protéinurie constituée de protéines à poids moléculaire bas. M : établir le rapport des clearances de l'IgG (PM 150 000) et de la transférine (PM 88 000) ou de l'albumine (PM 69 000). Une protéinurie est qualifiée de sélective si la clearance de l'IgG est moins de 20 % de la clearance de la transférine ou de l'albumine.

Seuil du bicarbonate

Concentration plasmatique de bicarbonate en dessus de laquelle il y a excrétion urinaire de bicarbonate. M : créer acidose métabolique, puis élever la concentration plasmatique de bicarbonate par l'infusion continue de bicarbonate de sodium isotonique. Récoltes fractionnées des urines en portions d'une $1/2$ h. N : mmol/l, 0-1 an 22, enfant et adulte 24-26.

Transport maximum (Tm)

Capacité maximale de transport transtubulaire pour une substance donnée.

$$Tm = [C_{cr} \cdot p_{(s)}] - [U_{(s)} \cdot V]$$

M : maintenir par une infusion un taux sanguin suffisamment élevé pour que $C_{cr} \cdot P_{(s)}$ excède le Tm.

N : (mg/min/1,73 m^2) PAH, nouveau-né 25, 3 mois 45, 12 mois 70, 24 mois 75, adulte 75. Glucose plus de 2 ans, 350.

Equilibre hydrominéral

Composition de l'organisme à l'état normal

L'âge, l'état de nutrition et le sexe influencent la teneur de l'organisme en eau et la quantité des liquides extracellulaire et intracellulaire (cf. tableau 6).

La différence radicale de composition des liquides extracellulaire et intracellulaire est apparente dans la fig. 2. Les concentrations ioniques y sont exprimées en mEq/l, la somme des anions égalant celle des cations. Cela permet de calculer la concentration de constituants non directement mesurés, tels que la somme des tampons (« Buffer base ») ou les anions résiduels. Le principal cation extracellulaire est le sodium. Sa concentration sérique est régie par la relation :

$$Na\ sérum = k \cdot \frac{Na_{échangeable} + K_{échangeable}}{H_2O\ totale}$$

Chacun des éléments de cette relation doit être pris en considération lorsqu'on cherche la cause d'une anomalie de la concentration sérique du Na. Dans des conditions normales, l'osmolalité sérique varie de 275 à 290 mosm/kg/H_2O, soit environ $2 \times Na_{sérum}$. Les valeurs normales des électrolytes sont données aux pp.   ss. Les éléments de l'équilibre acido-basique du sang sont liés par la relation :

$$H^+ = k \cdot \frac{pCO_2}{bases\text{-}tampons}$$

où pCO_2 est la composante respiratoire et les bases-tampons la composante métabolique.

Fig. 2 : Composition des liquides extracellulaire et intracellulaire

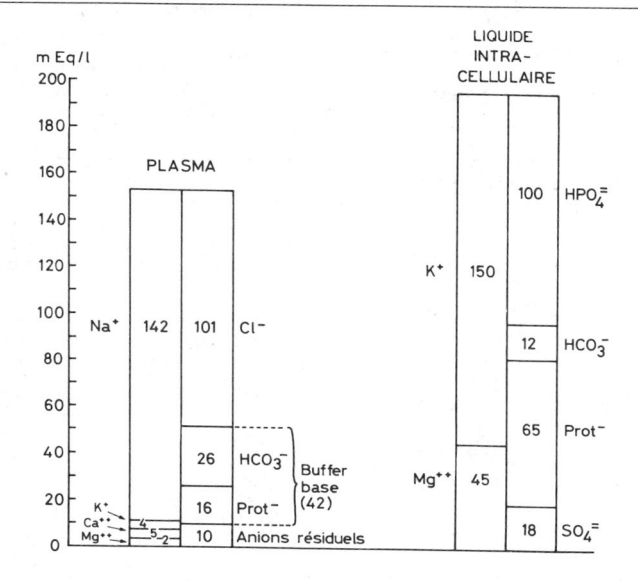

PLASMA (mEq/l) :
- Na⁺ 142 / Cl⁻ 101
- K⁺ 4, Ca⁺⁺ 5, Mg⁺⁺ 2
- HCO₃⁻ 26
- Prot⁻ 16
- Anions résiduels 10
- Buffer base (42)

LIQUIDE INTRACELLULAIRE :
- K⁺ 150
- Mg⁺⁺ 45
- HPO₄⁼ 100
- HCO₃⁻ 12
- Prot⁻ 65
- SO₄⁼ 18

Tableau 6 : Effet de l'âge et du sexe sur la composition de l'organisme

Age	Eau totale (ml/kg)	Liquide extra-cellulaire (ml/kg*)	Sodium échangeable (mmol/kg**)	Potassium échangeable (mmol/kg**)	Graisse (g/kg)	Plasma sanguin (ml/kg)
Naissance	760	440	70	41	120	48
6 mois	650	300	62	42	260	
1 an	600	250	60	43	230	45
10 ans	570	190	48	51	190	44
14 ans ♂	630		45	56	100	
14 ans ♀	550		40	45	230	
18 ans ♂	620	167	42	56	140	43
18 ans ♀	520		39	43	300	

* Espace déterminé par le thiosulfate
** Le sodium échangeable (Na_e) correspond au 70% du sodium total, le potassium échangeable (K_e) au 90% du potassium total

La composante respiratoire est soit mesurée par une électrode à pCO_2, soit lue sur le nomogramme d'Astrup (cf. fig. 3). Elle est exprimée en mm Hg. On parle d'hypercapnie lorsque la pCO_2 est supérieure à 40 mm Hg, d'hypocapnie lorsqu'elle est inférieure à 40 mm Hg (cf. fig. 3). La composante métabolique est lue sur le nomogramme d'Astrup ou sur celui de Siggaard-Andersen ; elle est exprimée en concentration de bases-tampons totales présentes dans le sang (BB, Buffer Base) ou en terme d'excès positif ou négatif par rapport à une concentration normale

Fig. 3 : Equilibre acido-basique

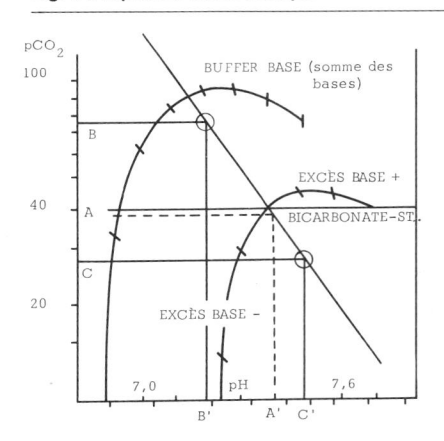

Les cercles sont définis par les mesures de pH B' et C' obtenues après équilibration aux pCO_2 connues B et C. On porte sur la droite reliant les 2 cercles la valeur mesurée du pH du sang artériel du patient. La pCO_2 du patient est lue alors sur l'ordonnée (A). L'excès de base, la somme des bases et le bicarbonate standard sont lus aux lieux d'intersection de la droite avec les lignes de ces paramètres.
Exemple d'un sujet normal.

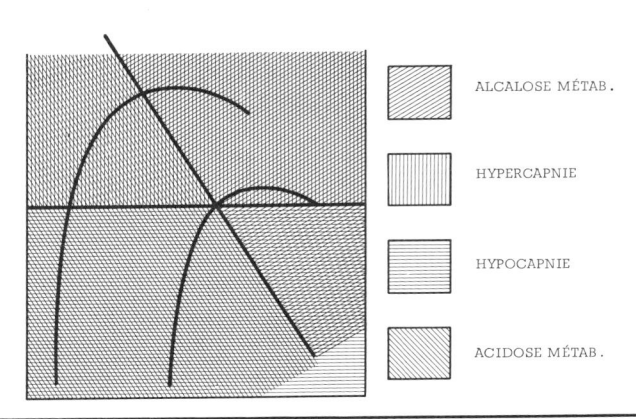

ALCALOSE MÉTAB.

HYPERCAPNIE

HYPOCAPNIE

ACIDOSE MÉTAB.

de bases-tampons. Dans le sang complet, celles-ci sont constituées par le bicarbonate, l'hémoglobine, les protéines et les phosphates. On parle d'alcalose métabolique lorsqu'il y a un excès de bases-tampons, d'acidose métabolique lorsqu'il y a un déficit de celles-ci (cf. fig. 3). Dans des conditions normales, le pH du sang varie de 7,35 à 7,40, la pCO_2 de 38 à 40 mm Hg, l'excès de base de -2 à 0 mEq/l ; la somme des tampons du sérum est de 40 à 42 mEq/l ; celle du sang avec 16 g d'Hb est de 48 mEq/l. Le bicarbonate standard du sang est de 23 mEq/l chez le nourrisson et de 26 mEq/l chez l'enfant et l'adulte.

Composition de l'organisme dans des conditions pathologiques

Le tableau 7 résume les altérations subies dans certaines situations cliniques avec déficit de l'un ou l'autre des composants des liquides de l'organisme et indique leurs conséquences sur le liquide extra-cellulaire.

Dans la plupart des états de déshydratation, les études de bilan ont montré qu'il y avait pertes, en quantité parfois égale, de cations extra- et intracellulaires. Du fait que les anions intracellulaires ne diffusent pas hors de la cellule et que l'électro-neutralité doit être préservée, du sodium vient remplacer le potassium perdu par la cellule. Le LEC perd ainsi du sodium non seulement vers l'extérieur, mais aussi au profit du LIC. Ainsi, seul le volume du LEC est sérieusement réduit, alors que le volume du LIC reste plus ou moins inchangé.

Selon que le déficit d'eau est supérieur, égal ou inférieur au déficit en électrolytes, la déshydratation est dite hyper-, normo- ou hypo-tonique (sodium sérique respectivement ≥ 150 mmol/l, entre 150 et 130 mmol/l,

Tableau 7 : Pertes probables et leurs conséquences sur le liquide extracellulaire

Conditions	Pertes				Modifications subies par le liquide extracellulaire	
	H_2O (ml)	Na (mmol/l)	K (mmol/l)	Cl (mmol/l)		
	par kilo de poids corporel				volume	composition
Jeûne et soif	100-120	5-7	1-2	4-6	D	OA AM
Déshydratation par diarrhées						
isotonique	100-120	8-10	8-10	8-10	DD	ON AM
hypertonique	100-120	2-4	0-4	1-3	D	OA AM
hypotonique	100-120	10-12	8-10	10-12	DDD	OD AM
Vomissements						
liquide gastrique	100-120	8-10	10-12	10-12	DD	OV ALM
Cétose diabétique	100-120	8-10	5-7	6-8	DD	OA Na_s : N, D ; AM

O = Osmolalité   N = Normale   A = Augmenté
AM = Acidose métabolique   V = Variable   D = Diminué
ALM = Alcalose métabolique Na_s = Na sérique

Se rapportant au volume extracellulaire, D signifie une faible diminution, DD une nette diminution, DDD une diminution très importante.

< 130 mmol/l). C'est dans la déshydratation hypotonique que le volume du LEC est le plus réduit.

Sauf dans les pertes de liquide gastrique et dans la très rare diarrhée chronique avec alcalose, il existe une acidose métabolique plus ou moins prononcée. Elle résulte de l'une ou de plusieurs des causes suivantes : accroissement de la production endogène d'acide (acides cétoniques dans le jeûne ou le défaut d'utilisation des hydrates de carbone, acide sulfurique par catabolisme protidique, acide lactique dans l'anoxie tissulaire), élimination rénale d'ions H diminuée (oligo-anurie), perte de cations excédant celle des anions.

Pour estimer l'importance et le type de la déshydratation, on se fonde sur l'anamnèse et le status clinique. On ne connaît en effet que rarement le poids immédiatement antérieur à l'épisode de déshydratation. Dans l'anamnèse, on s'efforcera de préciser le type, l'importance et la durée des déperditions anormales, la nature et la quantité des apports retenus par l'enfant, et l'apparition de symptômes, tels que soif, fièvre, modification de l'état mental, oligurie, etc.

Symptomatologie des états de déshydratation

Lorsque le déficit d'eau prédomine, la volémie n'est que tardivement compromise, puisque la perte d'eau est répartie sur l'eau totale. On observe de la fièvre, une sécheresse des muqueuses, une soif intense, des signes éventuels d'atteinte du système nerveux central. La déperdition d'électrolytes extra- et intracellulaires entraîne les symptômes suivants : la peau perd son élasticité, la fontanelle se déprime, les globes oculaires perdent leur tension et s'enfoncent dans les orbites ; pâleur, froideur des extrémités, tachycardie, chute de la tension artérielle, oligo-anurie, respiration profonde compensatrice de l'acidose métabolique, apathie et coma sont les manifestations d'un état de choc croissant, causé par la réduction du volume extra-cellulaire. D'autres symptômes peuvent résulter de l'excès ou du manque de l'un ou l'autre des électrolytes (potassium, magnésium, calcium, phosphate).

En cas de déshydratation normotonique, on admet que les signes cliniques apparaissent pour une perte de poids de 5 %, qu'ils deviennent importants pour un déficit de 10 % et gravissimes (danger de mort imminent) pour un déficit de 15 %. La symptomatologie due à l'hypovolémie sera d'autant plus précoce et grave que la perte d'électrolytes est proportionnellement importante.

Chez l'obèse, la perte de la turgescence de la peau survient plus tardivement, et le même pourcentage de perte de poids correspond à une déshydratation plus importante que chez le sujet maigre.

A l'admission, le type de déshydratation sera confirmé par le taux de la natrémie ; d'autres paramètres utiles à l'appréciation de la situation seront déterminés, kaliémie, équilibre acide-base, urée (dont l'élévation témoigne d'une insuffisance d'excrétion pré-rénale et du catabolisme), éventuellement hématocrite et protides totaux.

La réhydratation vise à corriger les déficits subis et à fournir les besoins d'entretien.

Besoins d'entretien normal

L'apport d'entretien est destiné, chez le sujet normal ou malade, à couvrir les dépenses obligatoires en eau et en électrolytes au niveau extrarénal (peau, poumons et tout autre émonctoire) et au niveau du rein.

L'index de référence le plus adéquat pour les besoins d'entretien est la production calorique de 24 heures ; celle-ci peut être calculée approximativement pour un enfant alité en utilisant les règles suivantes :

- 0-10 kg : 100 cal/kg,
- 10-20 kg : 1 000 cal + 50 cal/kg pour chaque kg en dessus de 10 kg,
- 20 kg et plus : 1 500 cal + 20 cal/kg pour chaque kg en dessus de 20 kg.

Exemples :

- 8 kg :   800 cal/24 h. ;
- 15 kg : 1 000 + 250 = 1 250 cal/24 h. ;
- 30 kg : 1 500 + 200 = 1 700 cal/24 h.

Le besoin extra-rénal d'eau est de 50 ml/100 cal/24 h. Il s'accroît de 12 % par degré de température au-dessus de 37°, il augmente dans l'hyperventilation, diminue dans l'hypothermie et la respiration d'air préchauffé et humidifié. L'apport d'eau prévu pour couvrir le besoin rénal doit permettre l'élimination de la charge osmotique urinaire, quelle que soit son importance, sans exiger du rein un travail de dilution ou de concentration excessif. Un volume de 70 ml/100 cal/24 h permet de réaliser ces conditions.

Le besoin total d'entretien pour l'eau sera donc de 120 ml/100 cal/24 h. De ces 120 ml, il suffit d'offrir au patient 100 ml, puisque la production endogène d'eau, lors de la production de 100 calories, se monte à environ 20 ml. Dans l'alimentation naturelle et dans l'alimentation artificielle usuelle du nourrisson, l'apport d'eau est plus large que le besoin d'entretien indiqué ici, le rein du nourrisson sain pouvant diluer jusqu'à des concentrations de 50 à 80 mosm/kg H_2O. Cet apport plus large garantit la couverture de besoins d'eau accrus, tels ceux rencontrés dans les pays chauds.

En ce qui concerne les électrolytes principaux, Na, Cl et K, le besoin d'entretien est de 1 à 3 mmol/100 cal/24 h.

Avec les solutions de réhydratation parentérale usuelles, le besoin calorique ne peut pas être couvert dans sa totalité. Les 20 % environ peuvent être fournis sous forme de glucose, ce qui réduit le catabolisme protidique et la charge osmotique rénale.

Besoins supplémentaires

Au cas où des déperditions anormales (sudation, diarrhées, vomissements, aspiration de sécrétions intestinales, diurèse osmotique) continuent de survenir après la mise en train du traitement, il est essentiel qu'elles soient compensées par un apport adapté. En ce qui concerne les diarrhées, elles peuvent représenter des volumes de 5 à 80 ml/kg/24 h. et leur composition ionique est d'environ 40 mmol/l pour chacun des ions principaux, sodium, potassium, chlore et bicarbonate.

Conduite de la réhydratation

Cf. chapitre 14.

Chapitre 14

Soins intensifs en pédiatrie
par G. Huault

Déshydratation aiguë du nourrisson

La déshydratation aiguë constitue une des urgences les plus impératives chez le nourrisson. Elle peut menacer son pronostic vital. En outre, des séquelles très lourdes peuvent résulter des désordres humoraux et du collapsus : elles intéressent en particulier le système nerveux central ou les reins.

Particularités du nourrisson

La fréquence et la gravité des déshydratations du nourrisson s'expliquent par sa vulnérabilité particulière. Le liquide extracellulaire correspond à 40 % du poids d'un nourrisson, alors que, pour l'adulte, il ne représente que 25 %. Par ailleurs, les mouvements d'eau sont différents pour le nourrisson et pour l'adulte. En effet, chez celui-ci, chaque jour les apports alimentaires renouvellent un septième du liquide extracellulaire. Pour le nourrisson, le renouvellement quotidien par les apports alimentaires concerne la moitié du stock extracellulaire. Ces données sont à confronter avec le fait que les besoins en eau d'un nourrisson sont, par kilo de poids et par jour, de 100 à 150 ml, alors que, pour l'adulte, ils ne sont que de 25 ml/kg/jour. Le nourrisson n'est pas autonome : il dépend complètement de son entourage pour ses approvisionnements. Enfin, avant l'âge de 18 mois, le nourrisson présente une fragilité cérébrale toute particulière à l'hyperthermie, à l'anoxie, à l'hyperosmolalité. Cette dernière peut entraîner des thromboses veineuses, rénales ou cérébrales.

Etiologie

- Les pertes sont le plus souvent digestives, qu'elles soient extériorisées lors d'une gastro-entérite ou d'une diarrhée, ou camouflées au cours d'une occlusion.
- D'autres sont d'origine rénale avec une polyurie paradoxale.
- Elles peuvent être liées à une fièvre importante et prolongée.

- Les *excès de pertes* représentent les principales causes de déshydratation.
- La déshydratation peut être due à un *défaut d'apports* chez des enfants négligés par exemple.
- Elle peut enfin être en rapport avec la *constitution du troisième secteur* d'une péritonite par exemple.

Signes

Les signes de la déshydratation sont faciles à mettre en évidence. En premier lieu, il faut mettre l'accent sur la *perte de poids.* Cela suppose que l'on pèse l'enfant et que son poids antérieur soit connu. Témoignent en faveur d'une *déshydratation de type extracellulaire* les signes suivants :
- Accentuation du pli cutané abdominal (la peau de l'abdomen plissée entre deux doigts ne revient que très lentement à sa position initiale) ; ce symptôme peut faire défaut chez l'enfant obèse dont la peau est gaufrée ;
- Fontanelle creuse ;
- Globes oculaires mous ;
- Hypotension artérielle.

Témoignent en faveur d'une *déshydratation intracellulaire* :
- Sécheresse de la muqueuse de la face interne des joues ;
- Soif ;
- Fièvre sine materia.

Degré de gravité

Devant toute déshydratation, il importe d'apprécier le niveau de sa gravité. Une perte de poids rapide de l'ordre de 5 à 6 % correspond à une déshydratation relativement mineure. Dès que la perte de poids dépasse 10 %, la situation est sérieuse et réclame l'hospitalisation et la mise en perfusion. A cette situation correspond le cas où il y a un pli cutané net, une fontanelle creuse ou une dessiccation de la face interne des joues. Toute déshydratation qui atteint ou dépasse 15 % du poids corporel d'un nourrisson (10 % d'un enfant plus grand) est très sévère, comme en témoigne en général l'existence de troubles de la conscience et d'un collapsus périphérique, voire central. Il faut ajouter à cela des facteurs aggravants comme l'hyperthermie, la détresse respiratoire, une infection sévère ou une dénutrition préalable.

Recherche d'une fuite rénale

Devant toute déshydratation sévère, il faut savoir comment est la diurèse. En effet, chez un enfant profondément déshydraté, la persistance d'une diurèse, surtout si elle est abondante, témoigne d'une fuite rénale.
- Une forte glycosurie oriente immédiatement vers un *diabète sucré* ; il faut savoir que la cétonurie peut être absente chez le petit nourrisson.
- *Une densité urinaire inférieure à 1006,* une osmolalité urinaire inférieure à l'osmolalité sanguine militent en faveur d'un *diabète insipide,* par défaut d'hormone antidiurétique ou par insensibilité tubulaire congénitale à cette hormone chez un garçon.
- Une forte natriurèse fait discuter soit une insuffisance tubulaire rénale, caractérisée par une faible osmolalité urinaire, soit une insuffisance surrénalienne marquée par une muqueuse buccale paradoxalement

humide et une forte hyperkaliémie. A cet âge, il s'agit presque toujours d'un bloc congénital ou plus rarement d'un pseudohypoaldostéronisme.

Traitement

Principes

Lorsqu'il existe des désordres très menaçants en rapport avec une importante hypovolémie, il est nécessaire en priorité de rétablir rapidement le niveau volémique pour sauvegarder, s'il en est encore temps, l'encéphale et le rein, et empêcher un collapsus irréversible. Eventuellement, il importe de supprimer une hyperthermie supérieure à 40°5 et de corriger une très importante acidose métabolique par la perfusion de tampon en *solution isotonique*. En second lieu, il est nécessaire de rétablir l'équilibre du milieu intérieur de manière *progressive,* tant pour le niveau d'hydratation que pour les ajustements électrolytiques. Toute modification brutale du milieu intérieur crée une pathologie secondaire qu'on peut qualifier de « pathologie des gradients ».

En pratique

Devant un nourrisson qui a une *déshydratation importante* avec *signes de collapsus,* a fortiori si la perte de poids atteint ou dépasse 15 %, il est nécessaire de mettre en place en priorité et en extrême urgence une voie d'abord vasculaire permettant une rapide expansion volémique (cf. tableau 1). Celle-ci est réalisée avec les moyens dont on dispose : le Plasmion® et le Rhéomacrodex® sont avantageux car ils ne réclament

---

Tableau 1 : Déshydratation avec collapsus circulatoire (nourrisson ayant perdu plus de 15 % de son poids)

1. Expansion volémique :
- *Moyens* : Rhéomacrodex®, Plasmion®, plasma, albumine à 5 %, ou sang frais complet en cas d'anémie sévère.
- *Quantité à infuser* : 1 ml/kg × le pourcentage de poids perdu.
  Exemple : Déshydratation à 15 % du poids corporel chez un nourrisson de 6 kg :
  1 ml × 6 (kg) × 15 % = 90 ml.
- *Vitesse de perfusion* : A passer en moins de 15 min.

2. Correction de l'acidose métabolique :
- *Moyen* : Solution bicarbonate de Na isotonique à 14 ‰.
- *Quantité* : 1 ml/kg × pourcentage de poids perdu.
  Exemple : 1 ml × 6 (kg) × 15 (%) = 90 ml.
- *Vitesse de perfusion* : A passer en 15 min.

3. Continuer le plan de réhydratation comme indiqué à la page 413.

aucune manipulation. L'albumine à 5 % ou le plasma sont conseillés quand il s'agit d'un enfant en état de dénutrition chronique. Le sang est utilisé quand il y a une anémie sévère. La quantité à perfuser est de 1 ml/kg × le pourcentage de perte de poids mesuré ou estimé (pour une perte de poids de 15 % : 15 ml/kg). Cette perfusion est passée le plus rapidement possible : en quelques minutes, si l'hémodynamique est désastreuse ; en moins de 20 minutes dans les autres cas. Les quantités perfusées sont majorées si cela ne suffit pas pour rétablir une hémodynamique valable.

Dans ces situations, s'il n'y a pas de veine rapidement accessible, il est nécessaire de savoir utiliser les voies d'abord d'urgence que sont la veine sous-clavière, la veine jugulaire interne, la veine fémorale, et chez le petit nourrisson, le sinus longitudinal supérieur.

Aussitôt après l'expansion volémique, compte tenu de l'existence constante d'une *acidose métabolique* grave dans ces situations, du sérum bicarbonaté isotonique à 14 ‰ est perfusé à raison de 1 ml/kg de poids et par pour-cent de perte de poids mesurée ou estimée. Cette quantité de tampon est à administrer en un quart d'heure environ. Au terme de ce traitement initial, une meilleure hémodynamique est en général restaurée.

Dès lors, la situation est moins périlleuse et *la deuxième phase du traitement peut être abordée.* Celle-ci *correspond à la phase initiale du traitement d'une déshydratation moins sévère* (pas de collapsus, au-dessous de 15 %). Désormais, dans ce contexte, un rapide examen du malade est nécessaire. Il comporte : *la pesée* ; un examen physique complet ; des prélèvements de sang pour effectuer un bilan initial de références (ionogramme, pH, PCO_2, glycémie, calcémie, urée, groupe sanguin). Il s'y ajoute la mise en place de manière réglée d'une perfusion par aiguille épicrânienne ou par cathéter transcutané, si ce n'est pas déjà fait ; le malade est soigneusement attaché et un dispositif de recueil d'urines est installé.

Si l'enfant a déjà éliminé des urines, il est nécessaire de les étudier. En effet, leur présence est paradoxale. Elles doivent faire rechercher une des causes de fuites rénales énumérées plus haut.

Plan de réhydratation

Il comporte deux phases :

1. Première étape, de trois heures, *au cours de laquelle l'objectif est de perfuser à l'enfant une quantité égale à la moitié de la perte de poids mesurée ou estimée (sans tenir compte du volume déjà perfusé en cas de collapsus circulatoire).* Pour cela, il est fait usage d'un mélange à parties égales de sérum glucosé à 5 % et de sérum physiologique, en ajoutant 1 ml de gluconate de calcium à 10 % par kg de poids (soit 0,25 mmol/kg). S'il n'y a pas de diurèse, mieux vaut s'abstenir d'apporter du potassium. Par contre, si le patient urine, la perfusion est supplémentée avec 1 mmol de potassium par kilo de poids pendant cette période. Au terme des trois heures, si le patient continue à avoir d'importantes pertes digestives ou urinaires, il est pesé à nouveau. S'il n'y a pas eu un début de reprise de poids, les apports ont été insuffisants et il faut les majorer dans le cours de la deuxième étape.

Si l'enfant n'a pas uriné, il reçoit 2 mg/kg de poids de furosémide (Lasix®). Si la diurèse s'est rétablie, elle est un élément rassurant témoignant du fonctionnement rénal. Dans tous les cas, les urines de la première miction sont examinées.

Lorsque le pH sanguin est abaissé, l'existence d'un pH urinaire supérieur à 5,5 sur des urines fraîches, et en l'absence d'apports récents de tampon bicarbonaté, témoigne d'une atteinte tubulaire ou d'un déficit cellulaire en potassium.

Pour un enfant déshydraté, une densité urinaire inférieure à 1006 et une osmolalité inférieure à celle du plasma témoignent d'une néphropathie ou d'un diabète insipide.

L'étude du rapport U/P de l'urée est précieuse. Si le rapport est supérieur ou égal à 10, le rein fonctionne bien. Si le rapport est entre 5 et 10, il y a une atteinte rénale qui est probablement fonctionnelle. Si le rapport est inférieur à 5, le rein est probablement lésé. Dans ces deux situations, il y a intérêt à administrer du furosémide et à contrôler à nouveau l'évolution du rapport U/P. Le rapport créatininurie/créatininémie, lorsqu'il est inférieur à 20, suggère une menace de lésion rénale.

Le taux de la natriurèse doit être confronté avec celui de la natrémie. Si le sujet est hyponatrémique, l'existence d'une natriurie supérieure à 40 mmol/l en l'absence d'injection récente massive de sodium témoigne d'une insuffisance surrénalienne (hyperkaliémie) ou d'un dysfonctionnement tubulaire. Si la glycémie dépasse 10 mmol/l (1,8 g/l), il est normal de trouver une glucosurie. L'existence d'une cétose témoigne soit d'un jeûne soit d'une acidose par diabète insulino-prive.

Si, sur la première miction, une protéinurie abondante est mise en évidence, et surtout s'il s'y associe une hématurie, une complication rénale vasculaire est possible.

2. La deuxième partie du programme intéresse les 21 heures suivantes :

Les apports liquidiens comprennent schématiquement :
* la compensation de l'autre moitié de la perte pondérale enregistrée initialement ;
* la ration liquidienne quotidienne (elle est de l'ordre de 100 ml/kg).

Les pertes supplémentaires éventuelles par vomissements, diarrhée, aspirations, polyurie doivent y être ajoutées.

Les apports d'eau sont assurés par un soluté glucosé à 5 % (pour éviter l'excès d'osmoles).

Les apports électrolytiques se font comme suit :
* *Sodium :* 5 à 7 mmol/kg ; s'il s'agit d'une insuffisance surrénalienne, cela est multiplié par trois ;
* *Potassium :* 3 à 4 mmol/kg ; s'il y a une hyperglycémie ou une hypernatrémie, l'apport est de 5 mmol/kg ;
* *Calcium :* 0,5 mmol/kg (soit 2 ml/kg de gluconate à 10 %).

L'état de l'enfant est surveillé tout au long de cette réhydratation. La diurèse, témoin du bon fonctionnement rénal, est régulièrement contrôlée. Une diurèse doit avoir été observée moins de 6 heures après la mise en route du traitement. Si ce n'est pas le cas, il faut s'assurer qu'il n'y a pas de globe vésical. D'autre part, le poids est contrôlé car s'il n'y a pas eu de reprise pondérale depuis le début du traitement, il s'agit d'un retard de compensation ; le rythme des perfusions doit alors être accéléré. L'apport de furosémide est entrepris ensuite. Si la prise de poids a été rapide, et si le furosémide est inopérant, il faut évoquer la possibilité d'une complication rénale et ralentir le rythme des perfusions de peur de voir survenir des accidents de surcharge volémique. Si au fil des heures les désordres électrolytiques s'accentuent, il pourra être nécessaire de décider une dialyse péritonéale [1].

L'enfant est pesé systématiquement à 12 h. et à 24 h. après le début du traitement de manière à pouvoir éventuellement corriger les apports liquidiens en fonction des variations de poids. Il est pesé aussi chaque fois que son état en fait sentir la nécessité.

Si l'enfant présente des signes d'hyperpnée manifestes ou de détresse respiratoire, le pH et la PCO_2 sont contrôlés. Si la PCO_2 est supérieure à 60 Torr, il y a indication à la mise sous ventilation artificielle. Si le pH est inférieur à 7,20 avec un BE supérieur à -10, du tampon est perfusé lentement sur la base de la formule empirique suivante :

Dose de bicarbonate en mmol = poids en kg × 0,2.

Complications possibles

Complications rénales

Elles sont d'autant plus à redouter que le collapsus a été plus intense et plus prolongé. Elles sont surtout fréquentes dans les premières semaines de la vie. L'attention est attirée par une oligo-anurie, par une hématurie ou par une protéinurie. Il s'agit là d'une nécrose corticale ou d'une thrombose des veines rénales. Celle-ci est évoquée quand, aux signes précédents, s'ajoute la découverte à la palpation d'un ou de deux gros reins. L'échographie est d'un appoint important pour le diagnostic : il n'y a pas d'image de kyste ou de dilatation des cavités ; le rein peut être hyperéchogène, la différenciation cortico-médullaire a disparu. La thrombose des veines rénales milite en faveur d'un traitement thrombolytique par urokinase.

Convulsions

Elles sont souvent en rapport avec une chute trop rapide de la natrémie. Elles sont traitées par une réduction des apports liquidiens ou par l'administration de chlorure de sodium à la seringue (10 à 40 mmol suivant le poids). Des convulsions peuvent être dues également à des apports insuffisants en calcium. Enfin, dans certains cas, elles témoignent de thromboses vasculaires cérébrales consécutives à une très forte hyperosmolalité. Cette hypothèse peut être retenue quand des anomalies sont découvertes au fond d'œil, quand le liquide céphalorachidien contient des hématies ou présente une augmentation des protéines.

Cas particuliers

Une déshydratation de moins de 6 à 7 % est justiciable de la seule réhydratation par voie digestive si l'enfant ne vomit pas, en surveillant soigneusement la courbe pondérale.

---

[1] *La décision de dialyse* dans ce contexte se fera sur les éléments suivants : surcharge liquidienne manifeste avec pression veineuse centrale supérieure à 15 cm d'eau et signes d'œdème pulmonaire ; acidose irréductible avec pH inférieur à 7,20 et BE inférieur à -15, hyponatrémie de dilution inférieure à 120 mmol/l dans un contexte de surcharge liquidienne manifeste ; azotémie supérieure à 40 mmol/l (2,50 g/l) ; hypernatrémie supérieure à 170 mmol/l en l'absence de diurèse.

Lorsque l'exercice de la médecine est pratiqué dans des conditions très difficiles, d'autres techniques de réhydratation peuvent être employées.

En l'absence de collapsus, quand il y a une diarrhée cholériforme en pays tropical, une perfusion continue dans l'estomac est administrée. *Le mélange utilisé est celui préconisé par l'OMS* :
- sucre : 20 g
- chlorure de sodium : 3,5 g
- chlorure de potassium : 2 g
- bicarbonate de sodium : 2,5 g
- eau bouillie : 1 litre

soit
- Na : 90 mmol
- Cl : 86 mmol
- K : 27 mmol
- HCO_3 : 30 mmol

En zone tempérée, la même technique peut être utilisée pour soigner nombre de déshydratations ; toutefois le mélange doit être un peu différent (moins concentré en sodium) :
- sucre : 20 g
- chlorure de sodium : 1,50 g
- chlorure de potassium : 2 g
- bicarbonate de sodium : 2 g
- eau : 1 litre

soit
- Na : 50 mmol
- Cl : 52 mmol
- K : 27 mmol
- HCO_3 : 24 mmol

La réhydratation peut aussi être effectuée à la rigueur par voie péritonéale en laissant s'y écouler pendant 2 heures 75 à 100 ml/kg de sérum physiologique.

Chez l'enfant très dénutri, la déshydratation est grevée d'une lourde mortalité. Quand l'enfant a des œdèmes, il conserve une polyurie avec fuite de sodium. Il en résulte une accentuation de la déshydratation et de l'hyponatrémie. Il est nécessaire d'apporter l'eau et les électrolytes qui manquent, en évitant toutefois l'excès, car il y a un risque de voir apparaître un œdème pulmonaire, surtout quand il y a une anémie prononcée. Il est important d'apporter des protides. Chaque fois que c'est possible, la voie veineuse est employée ; sinon elle est remplacée par un goutte-à-goutte gastrique.

Le premier jour, avec cette méthode, 1 g/kg de protides sont apportés en utilisant un lait sans lactose (AL 110®) dans une solution de glucose. Chaque jour, la ration protidique par voie digestive est augmentée de 1 g jusqu'à atteindre au total 4 g/kg/24 heures.

Acido-cétose diabétique

Dans l'acido-cétose diabétique, la réhydratation se conduit suivant le schéma général pour l'éventuelle compensation initiale d'une hypovolémie et pour les volumes liquidiens.

Au cours des trois premières heures, outre l'éventuel apport initial de grosses molécules en cas de collapsus, la perfusion est réalisée successivement par moitié, d'abord par du sérum bicarbonaté isotonique puis par du sérum physiologique auquel on ajoute 1 mmol/kg de potassium. Par la suite, et jusqu'à la 24ᵉ heure, la réhydratation est assurée par un mélange composé de la manière suivante :
- glucosé à 5 %, auquel sont ajoutés, *par litre* :
- sodium : 35 mmol sous forme de NaCl ;
- calcium : 2,5 mmol (par exemple 10 ml de gluconate à 10 %) ;
- sels de potassium : 40 mmol apportés par moitié sous forme de chlorure et par moitié sous forme de phosphate dipotassique.

L'insulinothérapie est menée conjointement. Dès le début, l'enfant reçoit une injection intraveineuse directe à la seringue de 0,5 unité par kg d'insuline ordinaire. Un relais est pris ensuite par une perfusion intraveineuse continue sur la base de 0,125 unité/kg/heure ajoutée au flacon de réhydratation dès qu'on ne passe plus de bicarbonate de sodium. Purger la tubulure de perfusion avec les 150 premiers millilitres de manière à en saturer les parois avec l'insuline. Garder la tubulure ou purger de la même manière toute tubulure neuve. Il est nécessaire de contrôler régulièrement le niveau glycémique par dextrostix. La glycémie doit être supérieure ou égale à 1,30 g (soit 7 mmol/l).

Insuffisance ou hyperplasie surrénalienne

En cas d'insuffisance surrénalienne ou d'hyperplasie surrénalienne (cf. pp. 744 ss) le traitement doit requérir une expansion volémique au départ. Le relais est pris par une perfusion de glucosé à 10 % auquel il faut ajouter du sodium sur la base de 15 mmol/kg/24 heures.

En cas d'hyperkaliémie menaçante (K ⩾ 7 mmol) avec complexes QRS élargis à l'électrocardiogramme, l'enfant reçoit par voie intraveineuse 2 à 10 ml de gluconate de calcium injecté lentement. Cela est complété par la perfusion intraveineuse de lactate molaire (ou, à défaut, de bicarbonate semi-molaire) jusqu'à disparition des anomalies électrocardiographiques. Ce traitement est complété par un lavement avec une résine échangeuse de cations, le Kayéxalate® sur la base de 1 g/kg.

Ce traitement est associé dès le début au *traitement hormonal*: hémisuccinate d'hydrocortisone intraveineux, 2 à 4 mg/kg toutes les 6 heures, auquel il faut ajouter obligatoirement, suivant l'âge, 25 à 50 mg d'acétate d'hydrocortisone intramusculaire. Parallèlement, une injection de DOCA est effectuée en intramusculaire sur la base de 1 à 4 mg/24 heures suivant l'âge.

Sténose du pylore, atrésie duodénale

En cas de sténose du pylore ou d'atrésie duodénale, les vomissements répétés occasionnent une déshydratation subaiguë parfois sévère et une déperdition d'acide chlorhydrique. Il en résulte une chlorémie inférieure à 80 mmol (un tel chiffre en l'absence d'insuffisance respiratoire sévère et prolongée doit évoquer une obstruction digestive haute). Il s'y associe une alcalose métabolique avec hypokaliémie, tandis que les urines sont paradoxalement acides (pH ⩽ 5,5). L'objectif de la rééquilibration est d'apporter l'eau et les électrolytes qui manquent, en particulier du chlore et du potassium.

La première perfusion de trois heures est assurée par du sérum physiologique auquel sont ajoutés 2 mmol/kg de potassium sous forme de chlorure et 0,25 mmol/kg de calcium sous forme de gluconate (1 ml de solution à 10 %). Le reste du programme de réhydratation est poursuivi avec du sérum glucosé à 5 % auquel sont ajoutés pour les 24 heures qui suivent 5 mmol/kg de Na, 5 mmol/kg de K (sous forme de chlorure) et 0,5 mmol/kg de calcium (2 ml/kg de gluconate à 10 %).

Déshydratation hyperosmolaire

En cas de déshydratation avec très forte hyperosmolalité (sodium ⩾ 170 mmol), la réhydratation doit être répartie sur au moins 48 heures. Les apports au cours de la première journée sont établis en ajoutant aux besoins de base la *moitié seulement* des pertes mesurées et évaluées. Le soluté est du *glucosé à 5 %* avec, par litre, 50 à 60 mmol de sodium, 30 à 40 mmol de potassium (après reprise de la diurèse) et 2,5 mmol de calcium, soit 10 ml de gluconate à 10 %.

Les apports doivent être très réguliers. La diminution de la natrémie doit être très lente, inférieure en tous cas à 1 mmol/heure. C'est ainsi que pourront être au mieux évitées les convulsions qui risquent de se produire dans une telle situation.

Brûlures

En cas de brûlures étendues, il existe une importante déperdition de liquide par suintement avec évaporation (et risque d'hyperosmolalité) et par le développement d'un œdème interstitiel. Il se produit aussi une importante fuite protéique. L'ensemble, s'il n'y a pas une rapide compensation, risque de conduire à un collapsus hypovolémique.

Il est nécessaire de procéder à une évaluation scrupuleuse de la surface brûlée en se reportant à des tables précises et en entrant dans tous les détails (cf. chapitre 15, pp. 473 ss).

Dès qu'une brûlure atteint une surface de 10 % (et même de 5 % si l'enfant a moins de un an), il est indispensable d'entreprendre la rééquilibration d'urgence par voie veineuse.

Lors de la première journée, le programme est le suivant :
A. *Au cours des 8 premières heures, successivement :*
- Bicarbonate iso-tonique à 14 ‰
Q = 0,5 ml × P (en kg) × % de surface brûlée.
- Grosses molécules (albumine à 5 % dans du glucosé à 5 % ou plasma frais congelé ou, à défaut, Plasmion®)
Q = 1,5 ml × P (en kg) × % de surface brûlée.

B. *Au cours des 16 heures suivantes :*
L'enfant reçoit 100 ml/kg d'un liquide ainsi composé :
- Glucose à 5 % dans lequel on ajoute, *par litre* :
- NaCl : 5 g (ou 90 mmol de sodium) ;
- KCl : 0,5 g (ou 5 mmol de potassium) ;
- gluconate de calcium : 1 g (ou 2,5 mmol de calcium).

Si la compensation est suffisante, la diurèse doit atteindre 1 à 1,5 ml/kg/heure. En cas de brûlures étendues, il peut être nécessaire de majorer les apports de macromolécules ou de liquides. Au cours de la deuxième journée, les apports sont réduits environ aux deux tiers de ce qu'ils étaient la veille. Le troisième jour, les apports liquidiens doivent être franchement diminués, car commence la résorption des œdèmes. Si on le peut, la voie digestive est utilisée, pour commencer l'administration d'importants apports caloriques.

Prophylaxie

Nombre de déshydratations sévères pourraient être évitées par une meilleure éducation des familles et des membres du corps sanitaire. *Tout enfant qui se déshydrate doit être régulièrement pesé.* Une perte de poids de plus de 50 g/kg/24 h. doit entraîner une consultation médicale. Toute perte de poids supérieure à 100 g/kg/jour impose l'hospitalisation et le recours à une perfusion.

Lorsque survient une diarrhée, il est nécessaire d'arrêter les apports de lait. En pays tropical, loin d'une formation hospitalière, il convient de maintenir l'allaitement au sein. Les cas les plus graves de déshydratations concernent les nouveau-nés, en particulier au moment de la sortie des maternités. Les principes suivants doivent être respectés :

● L'enfant ne doit pas quitter la maternité s'il n'a pas une courbe de poids ascendante ou s'il a de la diarrhée.

● Si malgré tout l'enfant sort dans ces conditions, il faut qu'il soit immédiatement pris en charge par un médecin ou par une équipe compétente car les variations hydriques sont redoutablement rapides à cet âge. Beaucoup de déshydratations en sortie de maternité sont dues à des erreurs de régimes. Il est nécessaire de toujours expliquer très soigneusement aux jeunes mères les modalités correctes de l'alimentation de leur nourrisson. L'alimentation au sein est indiscutablement la meilleure. Si un lait artificiel est utilisé, la confection des biberons doit être soigneusement expliquée et répétée en présence de la maman. Les ordonnances doivent être explicatives et rédigées très clairement et très lisiblement.

● Les diarrhées du nouveau-né ne relèvent pas de l'administration de soupe de carottes mais d'une solution type OMS adaptée au climat tropical ou tempéré (cf. p. 416).

● Les consultations de nourrissons doivent être fréquentes et l'enfant comme la mère doivent y être examinés attentivement.

Insuffisance respiratoire et thérapeutiques respiratoires

Définition

On dit qu'il y a insuffisance respiratoire chaque fois qu'un enfant est incapable d'assurer avec ses poumons l'équilibration de ses gaz du sang. On distingue :

● *L'insuffisance respiratoire aiguë* : Elle est caractérisée par une altération soudaine et non compensée des échanges pulmonaires. Le diagnostic clinique en est facile. Elle s'accompagne au plan biologique d'une baisse de la PaO_2, d'une augmentation de la PCO_2 au-dessus de 50 Torr et d'un abaissement du pH au-dessous de 7,30.

La forme extrême en est l'*asphyxie* : accident dramatique mettant en jeu le pronostic vital et réclamant des gestes de sauvetage immédiats. Elle associe toujours une cyanose à l'air ambiant et des signes d'hypercapnie. Ceux-ci sont caractérisés par la triade : tachycardie associée à une hypertension artérielle et à des sueurs. Celles-ci peuvent manquer chez le petit nourrisson. La cyanose peut faire défaut en cas d'anémie sévère. Enfin au stade ultime, caractérisé par une altération de la conscience et par des « gasps » (efforts inspiratoires spasmodiques), la pression artérielle s'effondre avec une bradycardie. L'arrêt circulatoire est alors imminent.

Avant que l'insuffisance respiratoire aiguë s'installe, l'organisme essaie de maintenir des échanges pulmonaires normaux au prix d'un surcroît de travail cardio-pulmonaire.

● *L'insuffisance respiratoire chronique* : la prolongation d'échanges pulmonaires insuffisants entraîne la mise en œuvre de mécanismes d'adaptation. Le pH est maintenu à un niveau proche de la normale au prix d'une augmentation des tampons par les reins. Des poussées peuvent survenir sur ce fond d'insuffisance chronique, débordant les possibilités d'adaptation.

Sur le plan pratique, il faut distinguer : la *dyspnée* : ventilation anormalement rapide ; la *bradypnée* : ventilation anormalement lente ; l'*hyperpnée* : ventilation plus importante que la normale ; l'*oligopnée* : ventilation insuffisante ; l'*apnée* : absence de toute ventilation. Le terme de polypnée est trop imprécis pour être retenu.

Mécanismes

L'insuffisance respiratoire peut relever de différents mécanismes éventuellement intriqués.

A. Entrave à la diffusion des gaz : Les gaz ne peuvent pas s'échanger entre les alvéoles et les capillaires. C'est le cas notamment au cours de l'œdème pulmonaire ou de la fibrose.

B. Pathologie restrictive : L'insuffisance respiratoire est due à une diminution du nombre d'alvéoles capables d'assurer les échanges gazeux.

1. Il peut s'agir d'une *diminution homogène de tous les volumes pulmonaires* ; c'est ce que l'on voit au cours des atélectasies lobaires ou segmentaires, au cours des foyers pneumoniques ou lorsque le parenchyme est refoulé par d'importants épanchements gazeux ou liquidiens.

2. Ce peut être un *déficit de la mécanique ventilatoire* lié soit à un problème musculaire ou pariétal, soit à une anomalie de la commande nerveuse.

3. Il peut s'agir d'une diminution prédominante du volume résiduel liée à un *défaut de surfactant*. Lors de l'expiration, se produit un collapsus alvéolaire, une rétraction pulmonaire excessive avec constitution de très nombreuses petites atélectasies. Cliniquement, ces détresses respiratoires sont caractérisées par une dyspnée pénible avec rétraction thoracique, par une hypoxie à l'air ambiant s'améliorant mal à l'administration d'oxygène à fortes concentrations et, dans les formes sévères, par une hypercapnie. Radiologiquement, une rétraction des parenchymes pulmonaires bilatérale s'associe à des signes d'atélectasies diffuses.

C. Pathologie obstructive : La détresse respiratoire est due à un obstacle à l'écoulement des gaz quelque part sur les voies aériennes. Le diagnostic est fait par la mise en évidence d'une dyspnée importante avec signes de lutte. La localisation de l'obstacle peut être aisément définie par les signes qu'on observe cliniquement (voir plus loin : Dyspnée obstructive).

Thérapeutique

Les principes

1. Les troubles de la diffusion sont traités par l'augmentation de la concentration de l'oxygène inhalé.

2. Dans la pathologie restrictive, le programme thérapeutique doit tenir compte des différents mécanismes possibles : l'*atélectasie* demande un traitement mécanique pour lever l'obstacle : kinésithérapie respiratoire, broncho-aspirations ; les *foyers pneumoniques* d'origine bactérienne appellent une antibiothérapie adaptée ; les *épanchements pleuraux compressifs* doivent être évacués soit par ponction, soit au besoin par drainage ; les *déficits de la mécanique* ventilatoire demandent l'application de la ventilation artificielle. Toutefois, lorsqu'il s'agit d'une intoxication morphinique, l'automatisme respiratoire peut être rétabli grâce à la Naloxone ou Narcan®, en sachant que son effet s'épuise. Les enfants qui viennent de subir une intervention chirurgicale, thoracique ou abdominale, ont des possibilités limitées de fournir un surcroît d'efforts respiratoires. La ventilation artificielle pendant une courte durée est alors souvent indiquée.

3. Lorsqu'il y a une insuffisance en surfactant, la détresse respiratoire relève d'une mise en pression permanente des voies aériennes, en général associée à une des modalités de ventilation artificielle.

4. En cas d'œdème interstitiel, l'oxygénation permet d'améliorer l'hématose, tandis que la mise en pression permanente des voies aériennes associée ou non à une ventilation artificielle permet de soulager l'effort musculaire du malade.

Les moyens

L'utilisation des thérapeutiques respiratoires repose sur la connaissance de notions simples en physiologie respiratoire, sur une observation attentive et sur un minimum de réflexion. Quand un corps étranger destiné au traitement est introduit dans les voies aériennes, il ne doit pas les contaminer. Une technique de soins aseptiques s'impose donc pour limiter les risques infectieux. Les antibiotiques administrés préventivement ont fait la preuve de leur inefficacité quand ce n'est pas de leur nocivité.

1. Position latérale de sécurité : Le sujet est en décubitus latéral, la tête en hyperextension. Elle doit être appliquée à tous les sujets comateux pour limiter les risques de fausses routes, notamment lors de vomissements. Elle doit être également utilisée lors des lavages gastriques.

2. A l'occasion d'une intoxication ou d'un coma, la **prévention des atélectasies** repose sur des changements de posture réguliers, au moins toutes les deux heures, pour assurer le drainage alternant des différents lobes et segments.

3. La kinésithérapie respiratoire a un rôle essentiel, réalisée essentiellement avec les mains, sans brutalité, par des manœuvres d'accélération du flux expiratoire, de percussion, de vibrations et de toux assistée.

4. Position du malade : Lorsqu'il y a une paralysie du diaphragme, le sujet doit être mis en position demi-assise ; pour une paralysie de la déglutition, l'enfant doit être placé la tête en bas, le thorax en léger proclive.

5. En cas de ballonnement abdominal : Les possibilités ventilatoires sont notablement améliorées en aspirant l'estomac, au besoin de manière continue.

6. Les **modalités de l'alimentation** doivent être modifiées dans certains cas : lors d'une paralysie de la déglutition, il faut s'abstenir de toute alimentation par voie buccale ; chez le nourrisson, la déglutition constitue un effort musculaire important ; il est épargné à l'enfant en l'alimentant par gavage. Dans certains cas, il y a lieu de recourir à l'alimentation duodénale : perfusion continue d'une alimentation fluide iso-osmotique. Les indications en sont : les paralysies de la déglutition, les pneumopathies avec toux émétisantes (coqueluche, nécessité de poursuivre une kinésithérapie respiratoire). Pour se mettre à l'abri des risques de vomissements, une sonde est mise en place dans l'estomac pour assurer la vidange gastrique régulière.

7. Techniques de désobstruction : Elles consistent à libérer les voies aériennes lorsqu'elles sont encombrées. Les aspirations doivent être douces, pour blesser le moins possible les muqueuses respiratoires. Elles doivent d'autre part être menées de manière strictement aseptique pour ne pas contaminer.
a) Nez et cavum sont désobstrués par des sondes en néoprène souples, calibre 10 ou 12 ; pour le nouveau-né, le tube de Warns peut convenir.
b) Dans la région pharyngée, l'aspiration peut être réalisée à proximité de la trachée en enfonçant par le nez une sonde de néoprène calibre 10 ou 12, d'une longueur égale à une fois et demie la distance qui sépare l'aile du nez du tragus. Il peut être nécessaire dans d'autres cas d'aspirer sous le contrôle d'un laryngoscope.
c) La désobstruction trachéale suppose l'exposition de la glotte avec un laryngoscope et le passage d'une sonde N° 10 ou N° 12 à travers les cordes vocales ; c'est notamment cette technique qu'il faut employer dans les inhalations méconiales ou dans les fausses routes.

8. Oxygénation : L'oxygène peut être apporté directement dans les voies aériennes d'un patient par plusieurs méthodes.
a) Sonde nasale : l'extrémité doit être placée à la face postérieure des fosses nasales. Pratiquement la sonde est enfoncée d'une longueur égale à celle qui sépare l'aile du nez du tragus. Il faut s'assurer que la sonde n'est pas bouchée. Cette technique ne permet pas d'assurer une FiO_2 supérieure à 50 %.
b) Mise de la tête du malade dans une cloche en plastique : l'oxygène étant plus lourd que l'air, il importe de fermer vers le bas cette enceinte de manière étanche. Un nourrisson peut être mis au fond d'une cuve qui réalise ainsi une véritable baignoire à oxygène.
c) L'oxygène peut être administré avec les différents matériels de ventilation artificielle : masque, intubation, trachéotomie.

Dans tous les cas, il est nécessaire d'humidifier l'oxygène sous peine de dessiccation des voies aériennes ; l'humidification met à l'abri des dangers de feu par électricité statique. Toutefois, il faut faire attention aux dispositifs d'humidification : ils ne doivent pas être distributeurs de microbes.

L'oxygène doit être administré avec discernement. Lorsqu'il y a une insuffisance respiratoire chronique, l'apport inconsidéré d'oxygène peut

14. SOINS INTENSIFS

conduire à une hypoventilation grave (le malade en hypercapnie persistante n'est plus stimulé au niveau bulbaire que par l'hypoxie).

Pour le *prématuré*, l'oxygène peut induire de redoutables *complications oculaires*, à partir d'une concentration de 25 %. En conséquence, l'oxygène ne peut être utilisé que si l'on contrôle la concentration, d'une part dans le gaz respiré et, d'autre part, dans le sang artériel (ou par l'intermédiaire d'une électrode transcutanée). L'utilisation prolongée pendant plusieurs jours de l'oxygène à des concentrations de plus de 60 % risque d'altérer les muqueuses bronchiques et les poumons.

Enfin, à partir d'une concentration de 30 %, l'oxygène peut déclencher de redoutables incendies.

9. Ventilation au masque : Elle permet de réaliser simplement une ventilation artificielle de brève durée. Pour être efficace, la ventilation exige les conditions suivantes : le masque doit être étanche, appliqué sur la face sans fuite ; la tête doit avoir une position correcte pour permettre le passage des gaz (tête défléchie en arrière, mâchoire inférieure luxée en avant) ; l'opérateur doit assurer une ventilation effective. Sa main appuie sur le ballon ou sur le soufflet de manière régulière avec la force suffisante pour soulever le thorax ; les gaz alimentant le ballon ou le soufflet doivent être délivrés au malade après être passés par un détendeur (sous peine de redoutables accidents de pneumothorax) ; l'appareil qui fournit les gaz doit être muni d'une sécurité de pression dont la valve est tarée à 30 cm d'eau, sous peine de déclencher des pneumothorax ; l'appareil doit être muni d'un dispositif séparant le circuit inspiratoire du circuit expiratoire ; l'estomac du malade doit être vidé régulièrement toutes les minutes par un appui doux mais ferme sur le creux épigastrique.

10. Intubation : Elle permet d'une part le désencombrement de la trachée et des bronches et, d'autre part, la ventilation artificielle. La trachéotomie assure les mêmes fonctions quand on ne peut effectuer ou prolonger l'intubation.

11. Indications de la ventilation artificielle : Quand il existe des apnées, une asphyxie ou une oligopnée sévère, après avoir recherché une éventuelle cause accessible à un traitement, telle qu'un obstacle sur les voies aériennes ou un épanchement pleural suffocant :
- chez tout enfant, et en particulier le nouveau-né, chaque fois qu'il donne cliniquement l'impression de s'épuiser à ventiler ;
- chaque fois que la PCO_2 se confirme être supérieure à 60 Torr ;
- chez le grand enfant, quand la PaO_2 est inférieure à 60 Torr sous 80 % de FiO_2 dans un contexte de détresse respiratoire et/ou d'hypercapnie ;
- chez le nouveau-né quand la PaO_2 est inférieure à 60 Torr sous une FiO_2 de 60 % ;
- quand il y a une détresse vitale sévère, afin de permettre au malade d'économiser l'oxygène, afin de le reposer et d'assurer sa sécurité ;
- lorsqu'il y a une hypertension intracrânienne confirmée ou probable, avec un coma de stade II profond.

Dyspnée obstructive

1. Le diagnostic de dyspnée obstructive chez l'enfant est facile devant une détresse respiratoire marquée par des signes de lutte intense pour surmonter un obstacle situé sur les voies respiratoires.

2. Le repérage du siège de l'obstacle est aisé par la seule clinique :
- Bradypnée inspiratoire + tirage + cornage = *dyspnée laryngée* ;
- Bradypnée inspiratoire + tirage + dysphagie = *obstacle pharyngé* ;
- Bradypnée expiratoire + ronchus et sibilances + distension thoracique = dyspnée bronchiolaire ou bronchique ;
- Dyspnée aux deux temps = *obstacle sur la trachée ou sur la carène*.

3. Les éléments de gravité sont les suivants, qu'ils soient isolés ou regroupés :
- dyspnée *permanente* depuis plus d'une heure ;
- pâleur intense des téguments ;
- irrégularité du rythme ventilatoire traduisant la fatigue ;
- signes d'asphyxie (cyanose + la triade classique : hypertension, tachycardie, sueurs).

Lorsqu'il existe des signes neurologiques, l'arrêt circulatoire est *imminent*.

Deux étiologies sont à retenir parmi les facteurs de gravité :
- l'épiglottite ;
- l'œdème de la glotte.

On pourrait ajouter le *très jeune âge de l'enfant*.

Epiglottite

C'est un abcès de l'épiglotte avec gonflement œdémateux des structures susglottiques voisines.

Elle est caractérisée par son profil évolutif et symptomatique. Elle débute par une dysphagie avec malaise général. Une fièvre élevée supérieure à 39° s'allume très vite et précède de peu la survenue à un moment précis d'une dyspnée laryngée avec voix étouffée. Très vite, cette dyspnée laryngée prend un caractère très inquiétant. L'aspect de l'enfant est très suggestif quand par chance on constate qu'il fait tout pour rester assis, la tête projetée en avant, bouche ouverte. Ce signe est présent près d'une fois sur deux. Il existe souvent une stase salivaire et des ganglions cervicaux douloureux. Ces seuls éléments anamnestiques et cliniques doivent suffire pour le diagnostic. Il ne faut sous aucun prétexte (examens, injections, prélèvements) essayer d'allonger sur le dos un enfant assis car cela peut déclencher un arrêt cardiaque anoxique. Il peut en être de même lors d'un examen trop minutieux de la gorge. L'enfant doit être transféré *de toute urgence* dans un service où l'on pourra aussitôt et à coup sûr rétablir le libre passage de l'air en court-circuitant l'abcès épiglottique qui évolue très rapidement. *Le service d'accueil doit être prévenu de l'arrivée de l'enfant* quel que soit le mode de transfert. L'intubation est licite à condition d'être exécutée par un médecin expérimenté avec auprès de lui le matériel et le personnel nécessaires à l'exécution éventuelle d'une trachéotomie d'extrême urgence. Sinon, il faut d'emblée trachéotomiser.

L'épiglottite est due à l'Hemophilus influenzae. On doit, une fois la sécurité ventilatoire assurée, faire une hémoculture, chercher un foyer pneumonique, une méningite suppurée qui y sont volontiers associés. On traite par 5 jours d'ampicilline-gentamycine. Au bout de 3 jours, après contrôle au laryngoscope, le malade peut être débarrassé de ses prothèses ventilatoires. Il est guéri définitivement.

Œdème de la glotte

L'œdème de la glotte survient brusquement après une piqûre d'hyménoptère, une injection de pénicilline ou d'un produit de contraste iodé. Il est caractérisé par une dyspnée laryngée brutale et rapidement sévère survenant sans fièvre avec un prurit des extrémités, un urticaire ou un œdème de Quincke. Parfois s'y associent des signes de bronchospasme. Il faut d'urgence couper court ce processus en injectant en sous-cutané une ampoule de 1 ml d'adrénaline au millième complétée par 2 à 4 mg de dexaméthasone. Si l'enfant étouffe dramatiquement, il est intubé ou trachéotomisé. Une fois le danger écarté, il faut prévenir le malade ou sa famille des risques de récidive après une exposition aux mêmes agents déclenchants, et leur donner les moyens de traiter en urgence.

Laryngite sous-glottique (faux-croup)

La laryngite sous-glottique est la plus fréquente des dyspnées obstructives chez l'enfant. Elle survient sur un fond de rhinopharyngite fébrile qui évolue depuis plusieurs jours. Il apparaît à un moment donné une dysphonie progressive, puis peu à peu se démasquent des signes de dyspnée laryngée. L'enfant est discrètement fébrile, aux alentours de 38°. La gorge est rouge, il n'y a pas de ganglions satellites douloureux, pas de signe de Koplick. Le traitement d'urgence s'impose. Il est constitué par la déxaméthasone (2 mg par injection, soit 1/2 ampoule). L'enfant s'il n'est pas rapidement, complètement et durablement soulagé, doit être hospitalisé. L'injection de déxaméthasone sera renouvelée à la demande si les signes de gravité s'installent ou s'amplifient.

Si malgré tout, rien ne s'améliore : *intubation* (ou, à défaut, *trachéotomie*).

Fig. 1 : Manœuvre de Heimlich

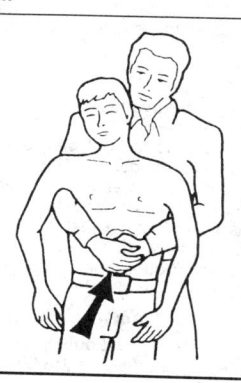

Corps étranger

Le corps étranger, quel que soit le siège de son impact, provoque une dyspnée obstructive bien particulière. Brusquement, en pleine santé, l'enfant qui avait à la bouche un aliment, un objet, est pris de très violentes secousses de toux pouvant parfois s'accompagner de sang. Il est la proie d'une dyspnée extrêmement sévère avec signes d'asphyxie, qui peuvent aller jusqu'à la syncope. Parfois, au moment d'examiner l'enfant, on ne trouve rien. Une telle situation *réclame toujours une endoscopie* : c'est le seul moyen de ne pas méconnaître un corps étranger, devenu muet. L'endoscopie doit intéresser aussi bien l'œsophage que l'arbre trachéobronchique.

Si un épisode asphyxique avec *aphonie* se produit en présence du médecin, celui-ci peut rendre un grand service au patient en lui appliquant la *manœuvre de Heimlich* (fig. 1).

L'injection de 2 mg de dexaméthasone est toujours bénéfique en diminuant le risque d'œdème. En présence d'une dyspnée laryngée irréductible et menaçant le pronostic vital, il peut être nécessaire de réaliser en catastrophe une trachéotomie avec des moyens de fortune.

Croup

Le croup, localisation laryngée de la diphtérie, est devenu fort rare. Le diagnostic en est facile lorsqu'il existe des fausses membranes typiques à l'examen de la gorge. Par contre, il risque d'être méconnu lorsqu'elles manquent. L'enfant présente une dyspnée laryngée d'installation progressive, voire intermittente, dans un climat de modification de la toux, de la voix, suivi de l'extinction de celle-ci.

La diphtérie peut être suspectée devant l'existence d'un contage, d'un coryza important avec présence de sang, le caractère relativement modeste de la fièvre, une pâleur intense s'accompagnant d'une tachycardie un peu excessive pour la température de l'enfant, une hépatomégalie, une protéinurie. Des ganglions cervicaux un peu fermes et douloureux sont découverts. A la laryngoscopie indirecte, des fausses membranes recouvrent les berges de la glotte et l'épiglotte. Une telle situation réclame d'urgence l'administration de 40 000 à 60 000 unités de sérum antidiphtérique et des antibiotiques. S'il y a des menaces d'asphyxie, une intubation, voire une trachéotomie sont décidées.

Laryngite striduleuse

Elle est caractérisée par la survenue dans un climat fébrile d'une toux et d'une voix rauques. Une dyspnée survient brièvement et de manière *intermittente* lors d'un accès de toux et peut être suivie d'une apnée de quelques secondes. Au décours de cet épisode, il ne persiste aucune dyspnée. Cela milite en faveur d'un spasme laryngé et fait rechercher les taches de Koplick conduisant au diagnostic d'une rougeole débutante. Cette dyspnée est sans gravité et ne justifie pas l'hospitalisation. A un stade plus tardif dans le cours de la rougeole, peuvent survenir des dyspnées laryngées sous-glottiques beaucoup plus sévères.

Ingestion d'un liquide bouillant ou caustique

Elle peut donner par œdème du vestibule laryngé une symptomatologie qui ressemble à celle de l'égiglottite. Le traitement en est identique.

Abcès rétropharyngien

La survenue progressive d'une dyspnée laryngée avec cornage et cri nasonné s'accompagnant d'une dysphagie intense avec rejet de la tête en arrière doit faire évoquer un abcès rétropharyngien. Celui-ci peut être visible au bout de l'abaisse-langue. Il est mis en évidence par une radiographie de profil de la région pharyngée (voussure convexe en avant du rachis). Le traitement consiste en une incision au bistouri avec aspiration.

Traumatismes laryngés

Fractures ou contusions, ou bien encore accidents de l'intubation ou de l'endoscopie qui justifient une injection de corticoïdes et, en cas d'aggravation, l'intubation ou la trachéotomie.

Angiome sous-glottique

La survenue d'une dyspnée laryngée chez un enfant de moins de 6 mois doit évoquer de parti pris l'existence d'un angiome sous-glottique, qu'il y ait ou non des angiomes cutanés. Le bébé développe une dyspnée après un intervalle libre de plusieurs jours à plusieurs semaines ; un tel angiome se rencontre préférentiellement chez la fille. Le traitement consiste à appliquer des corticoïdes et, si cela ne suffit pas, à procéder à une intubation d'une dizaine de jours en milieu spécialisé.

Papillomatose laryngée

Peut être responsable d'une dyspnée. Celle-ci est précédée pendant une longue période de dysphonie. Le traitement relève d'un service spécialisé.

Amygdalite obstructive

Des accidents dyspnéiques obstructifs surviennent lors de l'endormissement. A l'examen de la gorge, il existe de très grosses amygdales se rejoignant sur la ligne médiane. Le traitement consiste à mettre en place une canule de Mayo, à administrer des corticoïdes et à procéder à une amygdalectomie.

Tumeur

Toute dyspnée obstructive qui ne trouve pas d'explications doit conduire à une exploration complète comportant des investigations radiologiques et endoscopiques. Il peut s'agir d'une tumeur. Le traitement consiste, s'il s'agit de formation kystique, en une ponction-résection, et dans les autres cas, en des interventions chirurgicales.

Dyspnées obstructives expiratoires

Voir chapitre 18.

En général, toute dyspnée obstructive qui ne s'améliore pas franchement, complètement et durablement dans la demi-heure qui suit un traitement symptomatique, doit être hospitalisée d'urgence.

Insuffisance circulatoire

Définitions

Le *collapsus* est un symptôme. Il est défini par une insuffisance circulatoire objectivée à l'examen clinique.

Le *choc* correspond à un concept physiopathologique caractérisé par une insuffisance circulatoire profonde et durable qui ne permet pas de faire face aux besoins cellulaires du moment et entraîne un retentissement sur les grandes fonctions vitales. Ce concept intègre de manière dynamique le débit cardiaque, la volémie et la vasomotricité.

Le diagnostic de choc peut être facile lorsque le collapsus est manifeste avec un cortège de conséquences bruyantes : agitation, obscurcissement de la conscience, anurie, acidose métabolique. Dans d'autres cas, le diagnostic est difficile. Le change peut être donné par exemple par une tension artérielle voisine de la normale due à une forte vasoconstriction ou bien encore par des extrémités chaudes comme cela peut s'observer parfois dans des infections sévères ou dans certaines intoxications. S'il existe une dyspnée, il y a un risque d'évoquer par erreur une pneumopathie. Si l'enfant a des troubles du comportement, le danger est de s'y arrêter sans remonter à leur cause.

Dans tous les cas, il importe de donner toute leur valeur aux modifications du pouls, de la tension artérielle, à la présence de marbrures cutanées, en particulier au genou et au coude, à l'existence d'une oligoanurie. Il ne faut pas hésiter, en cas de doute, à poser une sonde dans la vessie pour s'en assurer.

Le *collapsus périphérique* est caractérisé par des extrémités froides et mal colorées et un temps de recoloration après expression des téguments supérieur à 3 secondes.

Le *collapsus central* est présent quand s'observent un affaiblissement ou une disparition du pouls sur les gros troncs artériels, une tachycardie (ou une bradycardie), un effondrement de la tension artérielle ou une diminution de celle-ci avec différentielle pincée.

Mécanisme

Devant une insuffisance circulatoire, il est essentiel d'en comprendre le mécanisme.

A. Le premier réflexe est de chercher des signes éventuels d'encombrement du secteur veineux :

- gros foie douloureux,
- grosses veines jugulaires,
- gros cœur à la radiographie,
- pression veineuse centrale supérieure à 10 cm d'eau.

Dans ces circonstances, il faut s'abstenir d'une expansion volémique qui serait catastrophique.

B. A l'inverse, il est des cas où l'hypovolémie est manifeste :
Les veines sont complètement plates, invisibles, le cœur est petit à la radiographie, la pression veineuse centrale est bien inférieure à 3 cm d'eau. Dans ces cas, la volémie efficace (c'est-à-dire le volume du contenu par rapport au volume effectif du contenant) est insuffisante pour faire face aux besoins

du patient. Une telle situation exige une expansion volémique importante, rapide, en contrôlant son efficacité.

C. Il se peut qu'il y ait une incertitude. Il est alors nécessaire de pratiquer un *test d'expansion volémique réglée* en contrôlant le niveau de la *pression veineuse centrale*. L'enfant est perfusé avec 125 ml/m^2 de grosses molécules en 10 mn. Si la pression veineuse centrale ne monte pas de plus de 5 cm d'eau et retourne en quelques minutes à son niveau initial à l'arrêt de la perfusion, il y a une hypovolémie sous-jacente et il convient de poursuivre l'expansion volémique.

A défaut de pression veineuse centrale, il est possible de surveiller l'aspect des jugulaires, de *contrôler la fréquence du pouls, qui doit ralentir*, d'ausculter le thorax à la recherche de râles crépitants.

Etiologie

Une inefficacité circulatoire ne peut être correctement traitée si sa cause n'est pas identifiée.

Hypovolémie (vraie ou efficace)

1. *Parfois la cause est évidente.* Il s'agit d'une *hémorragie extériorisée* ou d'une déshydratation supérieure à 10 % par pertes digestives, polyurie massive, transpiration excessive ou par des apports insuffisants.

2. *Parfois la cause est moins évidente.* Ce peut être le cas d'une hémorragie non extériorisée. Il ne faut pas trop se fier à l'hématocrite, car en période hémorragique, il reste normal pendant plusieurs heures. Une hémorragie digestive doit être évoquée et recherchée avec une sonde gastrique ou une sonde rectale. Un hémothorax ne doit pas échapper à l'examen clinique et radiologique. Cela conduit à la ponction. Il en est de même pour l'hémopéritoine. Un hématome rétro-péritonéal est dépisté par la palpation, par l'existence d'un iléus paralytique et par une opacité prérachidienne importante sur le cliché de profil.

- *L'hémorragie intracrânienne* chez le nourrisson est une cause possible d'hypovolémie. Le diagnostic en est fait par la tension de la fontanelle, le fond d'œil, la transillumination, la ponction lombaire et au besoin la ponction sous-durale.
- *Certaines hypovolémies* relèvent de la constitution d'un troisième secteur. C'est le cas des occlusions (volvulus), des péritonites (intérêt de la ponction), des pancréatites.
- *De grandes carences en albumine* peuvent être cause d'insuffisance circulatoire. C'est le cas des malnutritions, surtout s'il s'y ajoute une déshydratation ou une infection, et de certains syndromes néphrotiques.
- *Une dilatation excessive du lit vasculaire* (vasoplégie) peut s'observer au cours d'une intoxication barbiturique, de traumatismes médullaires, d'une infection sévère, en cas de choc anaphylactique par envenimation ou par l'effet d'un médicament ou d'un agent radio-opaque.

Encombrement du secteur veineux avec gros foie douloureux

1. *Ce peut être à cause d'un épanchement péricardique* abondant qui écrase le cœur. Sont évocateurs : une orthopnée, l'existence d'un pouls paradoxal, un assourdissement important des bruits du cœur, une image radiologique de gros cœur. A l'électrocardiogramme, l'attention peut être attirée par un microvoltage, un décalage de ST avec des ondes T aplaties dans toutes les dérivations, inversées, et une sous-dénivellation de PR dans toutes les dérivations sauf en AVR. Ce peut aussi être à cause d'un pneumomédiastin ou d'un pneumothorax suffocant qui gênent le fonctionnement cardiaque.

2. *La défaillance cardiaque* se diagnostique par l'existence d'un syndrome de rétention hydro-sodée et par l'auscultation. A la radiographie, le cœur est gros. A l'électrocardiogramme, dans certains cas, il existe des troubles de conduction. Un collapsus peut être évoqué dans de telles circonstances du fait d'une myocardite (rhumatisme post-streptococcique, typhoïde, diphtérie, botulisme, coxsackie). Le collapsus peut également être la conséquence d'un choc septique, de troubles de conduction isolés, d'une cardiopathie congénitale compliquée ou décompensée ou d'une intoxication.

Attitude thérapeutique

Dès que le mécanisme du collapsus a été analysé, il importe d'entreprendre un traitement symptomatique, de commencer à agir sur l'agent causal et de faire le bilan des répercussions de l'insuffisance circulatoire.

Mesures générales communes à toutes les éventualités

On met en place une et si possible deux voies d'abord veineuses. L'enfant est placé en position de sécurité sous oxygène. Son alimentation est arrêtée. Bien plus, l'estomac est vidé. Si la situation est critique, l'enfant est intubé et ventilé artificiellement. De toute façon, il est important de faire la détermination du groupe sanguin. Le meilleur moyen de contrôler la reprise d'une bonne circulation est de surveiller la diurèse. C'est la raison pour laquelle il est nécessaire de mettre en place une sonde vésicale à demeure dans de telles circonstances.

Mesures prises en fonction du mécanisme et de l'étiologie

1. Lorsque la volémie est insuffisante, il est possible, en première ligne, d'utiliser les manœuvres suivantes :
- tête surélevée à 15° ;
- membres inférieurs relevés à angle droit.

Cette dernière mesure permet d'attendre le traitement essentiel. Celui-ci repose sur une *perfusion rapide, efficace et contrôlée avec 15 à 20 ml/kg de solution macromoléculaire perfusés en 10 à 15 min.* Il est nécessaire d'avoir une voie d'abord de fort calibre et, souvent, de pousser à la seringue. L'efficacité de cette expansion volémique est surveillée par la fréquence du pouls (il doit se ralentir), l'amélioration de la tension artérielle et celle de la perfusion des extrémités. L'expansion volémique est poursuivie ensuite à la demande, en fonction du processus causal et des constatations cliniques.

- Les solutions macromoléculaires utilisées peuvent être l'albumine concentrée à 10 %, le dextran à faible poids moléculaire (Rhéomacrodex®) en faisant attention de ne pas perfuser plus d'un quart de masse sanguine en 24 heures avec ce produit. Il est également possible d'utiliser des gélatines tamponnées comme le Plasmion®.

- Lorsqu'il y a une hémorragie, on essaie d'assurer l'hémostase, par exemple, s'il s'agit de varices œsophagiennes, en mettant en place une sonde de Blackmore.
- En cas de fractures, il importe d'immobiliser et de réduire.
- Un hémothorax est évacué.
- Un hémopéritoine est mis en évidence ou confirmé par une dialyse exploratrice ; son identification conduit à une laparotomie.
- En cas de brûlures, on perfuse immédiatement en 8 heures successivement, par kg de poids et par pourcentage de surface corporelle brûlée : 0,5 ml de bicarbonate à 14‰, puis 1,5 ml de plasma ou de grosses molécules. Un apport de liquide de l'ordre de 100 ml/kg est ajouté pour les 16 heures qui suivent (voir pp. 418 et 473 ss). Le témoin de l'efficacité du traitement est une bonne diurèse.
- Les déshydratations sévères réclament d'abord une expansion volémique puis le rétablissement des volumes liquidiens et la compensation des désordres électrolytiques en surveillant le poids et la diurèse (voir pp. 413 ss).
- Un choc infectieux commande l'administration d'antibiotiques adaptés. A l'expansion volémique efficace doit s'ajouter l'utilisation de médicaments ayant un effet inotrope positif comme l'isoprénaline, ou la dobutamine. S'il existe un foyer chirurgical à la base d'un choc infectieux, il importe d'opérer. Si le malade est vu très tôt.
- En cas de choc anaphylactique, l'injection d'adrénaline sous-cutanée ou intraveineuse (0,25 à 1 mg) est complétée par de la dexaméthasone (2 à 5 mg/kg).

2. En cas de surcharge veineuse, il est illogique et dangereux de perfuser en abondance.
- S'il s'agit d'une compression aiguë du cœur par un épanchement, il doit être évacué d'urgence ; si la gêne hémodynamique est due à un épanchement gazeux intrathoracique sous pression, celui-ci doit également être évacué sur-le-chemp.
- En cas de choc cardiogénique, la ventilation artificielle est très utile, complétée par la correction d'une acidose et par l'utilisation d'isoprénaline ou de dobutamine.
- En cas de myocardite, la digoxine remplace ces produits, associée aux corticoïdes.

3. Un bilan est dressé tout en traitant le collapsus : il fait le point des répercussions éventuelles sur certaines fonctions essentielles :
- *Sur le plan rénal* : il y a une atteinte de cette fonction si le rapport créatinurie/créatininémie est supérieur à 20 ; si le rapport U/P de l'urée est inférieur à 10 ; si la natriurèse est supérieure à 40 mEq/l. Pour améliorer la diurèse, une éventuelle hypoprotidémie est corrigée. Du furosémide est injecté dès que la tension artérielle est rétablie et que le pH est voisin de la normale.
- *Une insuffisance de la perfusion cérébrale* peut entraîner un coma, et peut être cause de cécité corticale. Lorsqu'il y a une polyglobulie, elle peut être à l'origine d'une thrombose veineuse avec risque d'hémiplégie ou de convulsions.
- *Au plan pulmonaire,* tout collapsus sévère risque d'avoir des conséquences très fâcheuses avec constitution d'une hypoxie, tachypnée et présence de râles crépitants. La radio objective des images qui suggèrent l'existence d'un *œdème interstitiel.* Dans ces conditions, les perfusions doivent être apportées avec discernement en même temps qu'on admi-

nistre du furosémide. Le traitement est complété par le recours à la ventilation artificielle avec une pression de distension alvéolaire constante et un mélange enrichi en oxygène. En l'absence de moyens, en attendant, la pose du garrot aux quatre membres peut permettre de gagner du temps.
- *Des hémorragies digestives ou ulcères de stress* peuvent résulter d'un collapsus sévère. La prévention repose sur l'administration d'antiacides. S'il y a une hémorragie digestive très abondante et récidivante, il est nécessaire de pratiquer une laparotomie à la recherche d'un ulcère de la face postérieure du premier segment du duodénum afin d'en faire l'hémostase.
- Les collapsus peuvent être cause de *coagulopathies de consommation.* Leur traitement repose avant tout sur le traitement du collapsus.
- Enfin, tout collapsus sévère peut être à l'origine d'une *dépression immunitaire.* C'est la raison pour laquelle de tels malades doivent être abordés avec une technique de soins aseptiques effective.

Purpura fulminans

Peu d'urgences sont aussi foudroyantes et aussi dramatiques. La gravité en est telle qu'un principe absolu se dégage :
Tout purpura fébrile, en particulier s'il est nécrotique, doit être considéré, jusqu'à preuve du contraire, comme un purpura fulminans et faire décider une hospitalisation immédiate.
L'agent responsable en est pratiquement toujours le méningocoque (en général, du groupe B). Plus exceptionnellement, il s'agit d'un hémophilus influenzae ou chez l'immunodéprimé, d'un pneumocoque. Dans l'état actuel de nos connaissances, le seul élément qui puisse atténuer la gravité de son pronostic consiste à entreprendre le traitement très tôt. C'est dire combien il est important de faire immédiatement le diagnostic.

L'alerte

Dès l'appel téléphonique, les auxiliaires qui sont éventuellement chargés de le recevoir doivent être avertis et avoir la consigne expresse de faire passer en toute première urgence le cas d'un enfant sur lequel se développe un purpura dans un contexte fébrile. Si un médecin ne peut être joint rapidement, ils doivent conseiller l'hospitalisation immédiate.

Il est naturellement préférable si cela n'apporte pas de retard dans l'action thérapeutique, qu'un praticien aille aussitôt sur place confirmer le diagnostic évoqué et prendre les dispositions les mieux appropriées. Son intervention ne saurait souffrir aucun retard. Elle comporte trois éléments :
1. Comme il s'agit d'une infection bactérienne, la rapidité avec laquelle le traitement antibiotique est entrepris joue un rôle déterminant. C'est

pourquoi, pour une fois, il faut enfreindre les règles classiques et *procéder d'emblée à une injection intramusculaire d'ampicilline* sur la base de 25 à 50 mg/kg afin de stopper au plus vite la multiplication bactérienne. La preuve de l'étiologie pourra être fournie ultérieurement par la contre-immunoélectrophorèse 2 fois sur 3. Il paraît utile à ce stade précoce d'injecter aussitôt 2 à 5 mg/kg de dexaméthasone.

2. D'autre part, le transfert dans un centre hospitalier adapté aux urgences s'impose et doit être effectué aussitôt avec les moyens les plus rapides pour y parvenir. Mieux vaut emprunter un véhicule ordinaire que d'attendre une heure une ambulance spécialisée.

3. Dans tous les cas, il importe de *prévenir* tout de suite le centre hospitalier récepteur afin qu'il puisse préparer l'accueil de l'enfant. Un temps précieux est ainsi gagné.

Diagnostic et bilan initial de l'état circulatoire

Que ce soit lors de la visite initiale du praticien ou à l'arrivée en milieu hospitalier, les éléments du diagnostic sont les suivants :

● *Anamnèse* : Episode respiratoire ou angine dans la semaine qui a précédé (50 %) puis l'enfant est entré rapidement dans la maladie actuelle : soit par des *vomissements*, des *douleurs diffuses* (50 %) soit par un mouvement fébrile avec *asthénie, malaise général* (66 %), céphalées, soit par des convulsions (20 %). Dans tous les cas, l'*apparition d'un purpura* en moyenne une dizaine d'heures après, a inquiété à juste titre l'entourage et motivé le recours rapide à un médecin.

● *Examen clinique* : Il révèle en général un état franchement fébrile (l'absence de fièvre au moment de l'examen est un élément de pronostic plutôt défavorable). Il est rare qu'on découvre une raideur méningée. La gorge est rouge sans plus. Le diagnostic, dans ce contexte, repose sur la présence du *purpura*. Il faut voir l'enfant *totalement nu*. Il s'agit d'un purpura essentiellement cutané, particulièrement évocateur par la présence d'éléments nécrotiques et qui s'est *étendu rapidement*. Dans les formes sévères, il existe souvent de larges plaques violacées. Dans tous les cas, l'importance de la surface cutanée concernée est évaluée aussitôt comme on le ferait pour une brûlure. Chaque élément est cerné au plus près avec un crayon à bille de manière à pouvoir juger de l'évolutivité de ce purpura.

● *Diagnostic différentiel* : Il n'y en a pratiquement pas, compte tenu du contexte et du caractère nécrotique d'au moins quelques éléments du purpura. Certes, il peut s'agir d'une méningite à méningocoque quand il n'y a que quelques éléments cutanés. Mais en l'absence d'une franche raideur méningée, rien ne permet cliniquement de distinguer cette éventualité d'un purpura fulminans débutant. C'est la raison pour laquelle il faut jouer la sécurité et faire comme s'il s'agissait d'un purpura fulminans quitte à réviser l'attitude thérapeutique ultérieurement.

● *Etat hémodynamique* : Il doit toujours être apprécié soigneusement. Etat de la circulation périphérique (chaleur, couleur des extrémités et temps de recoloration cutanée) ; état de la circulation centrale (pouls, tension artérielle). S'il existe déjà un collapsus, cet élément pèse lourd sur le pronostic et réclame un traitement extrêmement rapide.

Protocole à l'arrivée en milieu hospitalier

1. *Immédiatement*, une perfusion est mise en place, si possible avec un vecteur de gros calibre. L'objectif est de perfuser le malade avec un soluté macro-moléculaire sur la base de 20 ml/kg. On utilise de préférence du Dextran à faible poids moléculaire (Rhéomacrodex®). A défaut, peuvent être employés le Plasmion®, le plasma ou l'albumine à 10 %. Si l'enfant est en collapsus, cette expansion volémique est réalisée en 10 à 20 min. ; s'il n'y a pas de collapsus avéré, la perfusion est administrée en environ 45 min. à une heure.

2. *Dès que l'expansion volémique a commencé*, différents échantillons de sang sont prélevés pour pratiquer au moins :
- une hémoculture,
- la détermination du groupe sanguin,
- un hémogramme avec compte de plaquettes,
- une étude de la crase sanguine.

Si l'état hémodynamique est satisfaisant, une *ponction lombaire* est faite.

- *Antibiothérapie* : sans plus tarder, sont injectés par voie veineuse 50 mg/kg d'ampicilline. Une telle dose est à renouveler toutes les 4 h.

- *Corticoïdes* : si ce n'est déjà fait, injecter 2 à 5 mg/kg de dexaméthasone.

- *Hyperthermie majeure et convulsions* : ces anomalies constituent, si elles existent, un facteur aggravant et réclament un traitement symptomatique immédiat.

Eléments du pronostic

Il faut regrouper les éléments du pronostic :
- *L'existence d'un collapsus*, surtout s'il est important et durable : lorsque le collapsus dure plus d'une heure, le pronostic est très sévèrement engagé.
- *L'étude de la surface cutanée intéressée* par le purpura ou par les plaques cyaniques. Une surface supérieure à 15 à 20 % de la surface corporelle totale constitue un élément de pronostic inquiétant.
- *Le jeune âge de l'enfant* : en particulier s'il a moins de 18 mois.
- *Une altération de la conscience.*
- *Un hémogramme avec moins de 10 000 GB.*
- *Un liquide céphalo-rachidien clair* avec moins de 10 éléments.

Programme complémentaire (immédiat)

- *Une deuxième voie d'abord* est installée permettant de mesurer si possible la *pression veineuse centrale* voire la pression capillaire pulmonaire. Il sera fait appel, s'il le faut, à un opérateur entraîné : chirurgien, réanimateur, anesthésiste. S'il s'agit d'un cas très sévère avec un collapsus persistant malgré la poursuite de l'expansion volémique, il est nécessaire de prendre une troisième, voire une quatrième voie d'abord.
- Beaucoup s'accordent pour injecter à ce moment au malade *1 mg/kg d'héparine* par voie veineuse en une fois pour enrayer une coagulopathie de consommation.
- Les formes très sévères sont justiciables d'une *exsanguinotransfusion précoce* de sang frais (≥ 1,5 masse sanguine).

● Si l'enfant est comateux, s'il convulse, s'il a un collapsus qui se prolonge ou se répète, il est *intubé* et mis sous *ventilation artificielle*. Dans ces formes réclamant une très forte expansion volémique, la ventilation artificielle avec mise en œuvre d'une pression de distension alvéolaire constante est très précieuse pour prévenir et combattre un œdème pulmonaire.

Contrôle du collapsus circulatoire

L'objectif numéro 1 du contrôle du collapsus circulatoire est de rétablir rapidement et de maintenir une pression artérielle systémique avec un maximum supérieur ou égal à 7 cm de mercure, une pression veineuse centrale se trouvant entre 3 et 10 cm d'eau, une diurèse horaire d'au moins de 0,66 ml/kg et si possible des extrémités chaudes, bien colorées avec un temps de recoloration inférieur à 3 sec. Pour rétablir ou maintenir l'hémodynamique, les moyens suivants sont disponibles :

Solutés macro-moléculaires

Le plus possible, il est fait appel au plasma frais congelé compatible. Il a l'avantage d'ajouter à son pouvoir d'expansion volémique un apport de très nombreuses substances bénéfiques (facteurs de coagulation, complément, etc.). On peut se servir de Dextran à faible poids moléculaire (à condition de ne pas dépasser plus d'un quart de volémie par 24 h avec ce produit), de Plasmion®, d'albumine diluée à 5 ou 10 %.

Médicaments accroissant le débit cardiaque

Chaque fois qu'un collapsus réclame une expansion volémique supérieure à 1/4 de masse sanguine dans la première demi-heure, chaque fois qu'il se prolonge ou se reproduit, il est nécessaire d'avoir recours à des médicaments ayant un effet inotrope positif.
● *La dobutamine* (Dobutrex®) augmente le débit cardiaque sans accroître les besoins en oxygène du myocarde. Elle augmente le flux dans les membres en y abaissant les résistances. Les doses usuelles sont de 7,5 à 15 mcg/kg/min. à la pompe.
● *La dopamine* augmente aussi le débit cardiaque. Elle accroît la volémie efficace par vasoconstriction veineuse. Elle augmente la perfusion rénale. Elle s'utilise associée à la dobutamine sur la base de 4 à 5 mcg/kg/min. à la pompe.

De toute manière, les doses de médicaments à effet inotrope positif sont modulées en fonction de la situation hémodynamique en les combinant à une expansion volémique raisonnée et contrôlée.

Diurétiques

Pour relancer rapidement la diurèse et pour diminuer l'importance de l'œdème pulmonaire, il est opportun d'apporter toutes les 3 à 4 h 1 à 2 mg/kg de *furosémide*, si possible à la pompe.
● *L'expansion volémique* nécessaire pour rétablir l'hémodynamique atteint parfois des volumes impressionnants (nombre de malades ont eu bien plus d'une masse sanguine dans les 24 premières heures). On comprend que dans ce contexte les apports liquidiens doivent être restreints à 20 ml/kg/24 h. pour éviter une surcharge tant aux niveaux pulmonaire, cérébral que périphérique.

- *Une hypocalcémie* est pratiquement constante dans les formes sévères, favorisée par les solutés à base de plasma. Elle joue un rôle probablement non négligeable au cours de certaines faillites hémodynamiques. Elle doit être recherchée et traitée par des apports suffisants dans les perfusions (2,5 ml de gluconate de calcium à 10 % en sus des apports habituels).
- *Si le malade est agité*, il est curarisé.

Plus de la moitié des malades sévèrement atteints se présentent avec une *ischémie* très intense des membres. Ceux-ci prennent un aspect marmoréen ou cyanique. Ils sont froids, avec diminution des pouls distaux à la palpation ou à l'appareil de Doppler. Dès que le collapsus est maîtrisé, cela relève de l'utilisation éventuelle de vasodilatateurs. On peut utiliser la *phentolamine* (Régitine®) à des doses progressivement croissantes allant de 2 à 20 µg/kg/min. à la pompe. Le *nitroprussiate de sodium* est un produit plus puissant mais difficile à utiliser (0,2 à 8 µg/kg/min. à la pompe). Ces médicaments réclament de façon impérieuse une expansion volémique complémentaire et une surveillance hémodynamique très étroite.

Si le membre paraît très tendu à la palpation au point que cela constitue une sorte de garrot, il faut *très vite* décider de pratiquer de très larges incisions de décharges de manière à sauver sa vitalité.

De toute manière, une prévention très attentive des ischémies distales doit être entreprise en évitant les moyens de contention qui serrent et les voies d'abord qui risquent de compromettre la bonne perfusion des extrémités.

Où pratiquer les soins ?

Il est évident que tout ce programme thérapeutique est très lourd. La rapidité de mise en œuvre des premières mesures et leur qualité jouent un rôle déterminant pour le pronostic. Si l'enfant se trouve dans un secteur géographique disposant à proximité d'une unité capable d'assurer les soins intensifs, il doit naturellement y être adressé d'emblée. Par contre, si une telle structure ne peut être atteinte avec un transport très rapide, l'enfant doit être hospitalisé à proximité pour recevoir les premiers soins. Il est très souhaitable qu'à l'admission, un nombre suffisant de médecins et d'infirmières soient mobilisés pour mettre en route la thérapeutique. Une liaison avec une unité de réanimation s'impose pour coordonner le traitement. S'il s'agit d'une forme sévère, il est nécessaire de transférer cet enfant secondairement en réanimation en faisant appel à un service de transport médicalisé. L'hôpital d'accueil, le service de transport et l'unité de réanimation doivent travailler en parfaite synchronisation. Le transport ne saurait être entrepris tant que l'enfant est en collapsus, que sa température dépasse 40° ou qu'il convulse.

Prévention

Le méningocoque est responsable d'infections qui peuvent revêtir un caractère épidémique. C'est la raison pour laquelle on a songé à utiliser une prévention vis-à-vis de ce germe par l'administration d'antibiotiques dans l'entourage. A la lumière de l'expérience européenne, l'antibiothérapie préventive n'est justifiée que pour les sujets en contact immédiat (enfants vivant sous le même toit ou au sein d'un pensionnat). Le choix se porte sur un antibiotique sélectif, la spiramycine administrée pendant 5 à 6 jours, ou la rifamycine pendant 3 jours. Pour les sujets qui ont eu un contact plus éloigné, il suffit d'assurer une surveillance clinique très étroite en se tenant prêt à intervenir dès qu'il apparaît un signe anormal. Mettre en culture des frottis de gorge est illusoire.

Il existe un vaccin contre les méningocoques de types A et C. Malheureusement il n'est pas encore au point pour le méningocoque de type B.

Coma

Le coma est caractérisé par une perte durable et plus ou moins profonde de la conscience et de la vie de relation. Il convient de séparer ce qui revient à la perceptivité, faisant appel à des mécanismes acquis d'origine corticale, et ce qui revient à la réactivité, faisant appel à des mécanismes primordiaux d'origine sous-corticale. Dans les formes graves, le coma s'accompagne de troubles végétatifs et/ou de troubles métaboliques.

Le sujet comateux a perdu plus ou moins son autonomie et sa fonction de sauvegarde. Il est alors en danger et il faut assurer sa sécurité.

Devant un coma, quatre problèmes peuvent se poser :
1. Parfois il existe des éléments de gravité immédiate qui exigent des gestes de sécurité ou des mesures de sauvetage.
2. Il convient de toute façon d'apprécier le niveau de profondeur et l'importance des désordres induits par le coma.
3. Il faut rechercher des signes neurologiques d'orientation.
4. On doit enfin rechercher l'étiologie quand elle n'est pas évidente d'emblée.

Dépistage des éléments de gravité immédiate

● *L'asphyxie* : le malade peut ne presque plus respirer, être en apnée ou extrêmement encombré. Le diagnostic est fait sur l'association d'une cyanose et de la triade : tachycardie + hypertension + sueurs.
● *Il y a collapsus* périphérique lorsque les extrémités sont mal colorées avec un temps de recoloration allongé. Il y a collapsus central quand on

Tableau 2 : Appréciation du niveau de profondeur du coma

Niveau	Contact	Comportement	Réactivité	Tonus	Réflexe ostéotendineux
I	±	somnolent agité	+	+	+
II	0	inerte	visuelle = 0 auditive diminuée nociceptive = +	variable	variables
III (carus)	0	inerte	0 décérébration	0	variables
IV (coma dépassé)	0	inerte	0	0	0

perçoit mal le pouls et quand la tension artérielle est anormalement basse.
- *Il peut y avoir une hyperthermie sévère,* dangereuse si elle dépasse 40°5.
- *Le malade peut convulser* de manière subintrante.

Toutes ces situations réclament aussitôt un traitement symptomatique efficace.

Appréciation du niveau de profondeur du coma
(cf. tableau 2)

On peut également utiliser un système d'évaluation du fonctionnement global de l'encéphale fondé sur les critères dits de Glasgow (cf. tableau 3). Le niveau de réactivité du patient est coté selon un système précis de points. Si la réponse est asymétrique, on retient la meilleure réponse. A partir d'un total de 8, le patient est dans le coma. Plus le coma est profond, plus le score est bas. Un score de 5 correspond à un patient « décortiqué », celui de 4 à un patient décérébré.

Une cotation a un intérêt pour suivre l'évolution (fig. 2). Elle doit être complétée par la recherche de signes d'atteinte du tronc cérébral : réactivité pupillaire notamment.

On recherchera toujours aussi des signes de latéralisation neurologique comme indiqué ci-dessous.

Recherche de signes particuliers sur le plan neurologique

Signes de latéralisation
- Mydriase unilatérale,
- déviation conjuguée de la tête et des deux yeux,

Réflexes oculaires					
cligne-ment	photo-moteur	cornéen *	Contrôle sphinctérien	Troubles neuro-végétatifs	Electro-encéphalogramme
+	+	+	±	0	dépression réactivité +
0	+	±	miction automatique	encombrement	ondes thêta et delta périodicité *réactivité*
0	±	0	0	troubles respiratoires et hémodynamiques	ondes delta réactivité = 0
0	0	0	0	ventilation = 0 thermorégulation = 0	tracé nul en permanence **

* Doit être recherché par l'instillation d'une goutte de collyre stérile.
** Il faut distinguer le coma dépassé du coma avec sidération végétative, qui est réversible (en particulier, réapparition d'ondes électriques à l'électro-encéphalogramme).

Tableau 3 : Echelle de coma de Glasgow

Réponse oculaire (ouverture des yeux)	spontanée	4 points
	à l'appel	3 points
	à la douleur	2 points
	aucune	1 point
Réponse verbale	orientée	5 points
	confuse	4 points
	mots inappropriés	3 points
	sons inarticulés	2 points
	aucune	1 point
Réponse motrice (réponse motrice des membres supérieurs aux ordres ou à la stimulation douloureuse)	ordres exécutés	6 points
	dirigée	5 points
	en flexion simple	4 points
	en flexion stéréotypée (décortication)	3 points
	en extension stéréotypée (décérébration)	2 points
	aucune	1 point

Si la réponse est asymétrique, c'est la meilleure réponse qui est considérée.

- paralysie ou hypotonie localisées,
- signe de Babinski unilatéral,
- réflexe cornéen ou des cils asymétrique,
- convulsions unilatérales,
- foyer constant à l'électro-encéphalogramme.

De tels signes orientent sur une souffrance localisée d'un côté de l'encéphale.

Fig. 2 : Surveillance d'une encéphalite par l'échelle de Glasgow

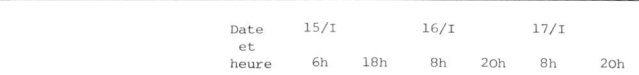

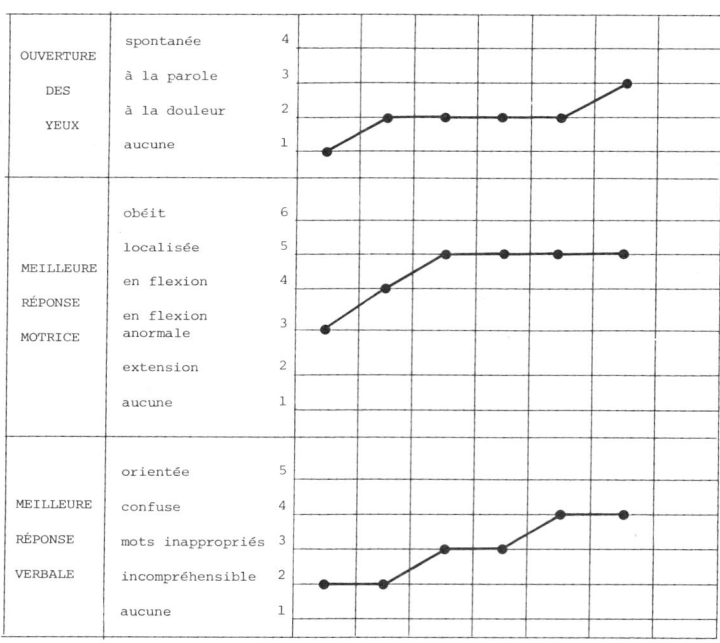

			15/I		16/I		17/I	
		Date et heure	6h	18h	8h	20h	8h	20h
OUVERTURE DES YEUX	spontanée	4						
	à la parole	3						
	à la douleur	2						
	aucune	1						
MEILLEURE RÉPONSE MOTRICE	obéit	6						
	localisée	5						
	en flexion	4						
	en flexion anormale	3						
	extension	2						
	aucune	1						
MEILLEURE RÉPONSE VERBALE	orientée	5						
	confuse	4						
	mots inappropriés	3						
	incompréhensible	2						
	aucune	1						

Analyse d'une rigidité

On distingue la rigidité de *décortication*, où les membres supérieurs sont fléchis, et la rigidité de *décérébration*, où tous les membres sont en extension.

L'œil

Le réflexe photomoteur est conservé dans les comas métaboliques jusqu'au stade III le plus avancé. Il faut savoir regarder avec attention longtemps et au besoin avec une loupe.

Les troubles du rythme respiratoire

Une respiration de Cheynes Stockes est en faveur d'une atteinte hémisphérique profonde ou d'un engagement diencéphalique. Une respiration irrégulière est une menace d'engagement ; une hyperventilation peut témoigner d'une atteinte pédonculaire.

Recherche de l'étiologie

1. Parfois, la cause est évidente, comme lors d'un traumatisme crânien. Il importe dans cette éventualité de dégager les indications neurochirurgicales :
● notion d'intervalle libre ou d'aggravation secondaire,
● signes de localisation.

Le diagnostic est évident également lorsqu'il s'agit d'une déshydratation très sévère. Le coma souligne sa gravité et l'urgence de la thérapeutique.

2. Quand la cause n'est pas évidente, cinq étiologies doivent être de parti pris évoquées :
● *Hypoglycémie* : L'attention est attirée s'il existe des convulsions, un trismus, des sueurs, un signe de Babinski bilatéral. L'hypoglycémie se recherche et se confirme très vite par un Dextrostix®. Quand la glycémie remonte très vite, le diagnostic peut être fait dans les heures qui suivent par la constatation d'une hypoglycorachie.
● *Méningite* : L'orientation est donnée par l'existence d'un contexte infectieux, l'anamnèse, la tension de la fontanelle et la raideur rachidienne. La raideur isolée de la nuque peut traduire un engagement amygdalien. C'est pourquoi il faut attacher de la valeur à la présence d'un signe de Kernig et, chaque fois qu'on le peut, procéder à un examen du fond d'œil à la recherche d'une stase. Le diagnostic de méningite est fait par la ponction lombaire. Quel que soit l'aspect du liquide retiré, il doit être mis en culture.
● Des *convulsions* peuvent être cause de coma. Par la palpation, on s'attache à rechercher des secousses cloniques même très discrètes, lors d'un coma inexpliqué. Enfin, un coma succède souvent à une crise un peu sévère. De tels comas doivent faire rechercher de parti pris une méningite, une encéphalite, une néphropathie, une intoxication.
● L'*hématome sous-dural* doit être évoqué de parti pris chez le nourrisson comateux surtout s'il y a eu des apnées ou des convulsions. Le crâne est palpé, la tension de la fontanelle appréciée, le périmètre crânien mesuré. Le fond d'œil est très précieux lorsqu'il montre des flaques hémorragiques. A la transillumination, il existe un halo anormalement large. L'électroencéphalogramme objective une zone de silence électrique. Le diagnostic est confirmé par la ponction à l'angle de la fontanelle.
● Une *intoxication* doit également être systématiquement recherchée en exploitant l'anamnèse et les informations cliniques. Du sang, des urines et du liquide gastrique sont prélevés. Parmi les causes les plus fréquentes, on note les salicylés, l'alcool, l'oxyde de carbone, les barbituriques, les antidépresseurs.

Lésions expansives : L'existence de signes en foyer conduit à des examens neuroradiologiques, en particulier à la tomodensitométrie. C'est ainsi que pourra être mise en évidence une néoformation intracrânienne. Très souvent il s'agit d'une tumeur dans un contexte infectieux ; il peut également s'agir d'un foyer septique (abcès). Chez un cardiaque, en cas de troubles du rythme, de maladie d'Osler ou de myocardiopathie, il peut également s'agir d'une embolie vasculaire. Au cours d'une cardiopathie cyanogène non réparée, il faut penser à un abcès.

Comas métaboliques : Ils sont en général faciles à identifier :
- *Diabète :* déshydratation avec polyurie, hyperglycémie, cétose et acidose ;
- *Coma hépatique :* l'enfant est plus ou moins ictérique avec un fœtor, un flapping, des signes extrapyramidaux et un syndrome hémorragique. Il existe une hyperammoniémie. Le syndrome de Reye réalise un coma avec hyperammoniémie.
- L'*hypercapnie* s'accompagne de signes respiratoires liés à une acidose gazeuse avec une forte élévation du base-excess quand il s'agit d'une poussée chez un insuffisant respiratoire chronique.
- Le *coma urémique* s'accompagne d'une pâleur, d'un myosis, d'une acidose métabolique et d'une forte élévation de l'urée sanguine.

Coma inexpliqué : Lorsqu'un coma reste inexpliqué, il est utile de pratiquer un examen tomodensitométrique qui pourra révéler l'existence inattendue d'une néoformation ou d'une collection notamment dans la fosse postérieure.

Mesures thérapeutiques générales

Tout coma, surtout s'il est profond, s'accompagne d'une perte de la fonction de sauvegarde. Le sujet est en danger. Il faut donc le mettre en sécurité.

- *Sur le plan respiratoire :* Pour lui éviter les risques d'encombrement ou de fausses routes, l'enfant est mis en position latérale de sécurité. On peut en outre lui installer une canule de Mayo. L'estomac est vidé. Toute alimentation en gavage gastrique est suspendue (à la rigueur on peut utiliser un gavage duodénal). Des aspirations propres et atraumatiques du cavum sont faites si c'est nécessaire. De l'oxygène est administré (sans oublier de l'humidifier). Le recours à la ventilation artificielle s'impose chaque fois qu'il y a insuffisance respiratoire ou qu'il existe un encombrement, ou un œdème pulmonaire. Elle est indiquée lorsqu'on redoute ou lorsqu'il existe une hypertension intracrânienne ou encore en cas de coma postanoxique de stade supérieur ou égal à II.
- *Sur le plan circulatoire :* S'il y a un collapsus, sans signes d'hypertension veineuse, une expansion volémique contrôlée est entreprise. S'il y a un œdème pulmonaire, les perfusions sont diminuées ; du lasilix est administré.
- *Sur le plan hydroélectrolytique et nutritionnel :* Les apports permettant le maintien de l'homéostase doivent être assurés par des perfusions adaptées et en contrôlant l'équilibre humoral.
- *Equilibration thermique :* Il faut éviter à la fois l'hyperthermie et l'hypothermie.
- *Prévention de troubles trophiques : au niveau de la peau,* les escarres sont évitées par les changements de postures et par des massages ; *au niveau oculaire,* l'œil doit rester fermé en permanence, au besoin par tarsorraphie.
- *Eviter les surinfections :* en supprimant l'encombrement respiratoire ; en levant une éventuelle atélectasie ; en assurant une vidange correcte de la vessie.

L'antibiothérapie préventive est à proscrire ; par contre, la technique des soins aseptiques s'impose.

Œdème cérébral

Un certain nombre de situations aiguës, en dépit d'un sauvetage spectaculaire ou de guérison du processus causal, évoluent néanmoins de manière désastreuse sur le plan neurologique ou même vital à cause d'un œdème cérébral. Ce désordre est d'autant plus redoutable que la clinique pour le signaler n'est souvent pas fiable dans de tels contextes. Le gonflement cérébral qui caractérise l'œdème cérébral se produit d'abord au détriment du volume occupé par le liquide céphalo-rachidien ou par celui du sang intracrânien. Ces mécanismes d'adaptation peuvent se trouver rapidement débordés. L'augmentation du volume dans la boîte crânienne aboutit à une augmentation de la pression qui y règne avec retentissement sur le débit sanguin cérébral suivant la formule :

$$Q' = \frac{PA - PIC}{R}$$

Q' = débit sanguin cérébral
PA = pression artérielle systémique moyenne
PIC = pression intracrânienne moyenne
R = résistances vasculaires cérébrales

Il faut en particulier connaître PA et PIC. Cette dernière pression peut être appréhendée chez le nourrisson, lorsque sa fontanelle est largement perméable. Par contre, chez l'enfant plus grand, il est nécessaire de forer un trou dans la boîte crânienne pour la mesurer. Outre l'ischémie cérébrale, un second danger menace : la possibilité d'un engagement du tissu nerveux, en particulier au niveau du trou occipital.

Sur le plan pratique, il importe de savoir dépister les situations au cours desquelles on est en droit de suspecter la survenue d'un œdème cérébral, pour le prévenir, l'identifier et le traiter.
1. *Les suites d'une anoxie sévère et prolongée* : Le meilleur exemple en est l'arrêt circulatoire, lorsque sa sévérité est attestée par l'absence de reprise de la conscience dans la demi-heure qui suit l'accident. On y rattache certaines anoxies très sévères de la naissance ; un collapsus sévère et prolongé durant plus d'une demi-heure ; la noyade ; la strangulation ; l'électrocution ; l'hyperthermie majeure, surtout si elle est associée à d'importantes convulsions, à un collapsus ou à une hypoxie.
2. *Les traumatismes crâniens.*
3. *Certaines méningites aiguës,* certaines encéphalites, qu'elles soient nécrosantes ou même périveineuses.
4. *Certaines intoxications* (oxyde de carbone, métaux lourds, étain, phénol, éthylène-glycol).
5. *L'insuffisance hépatique aiguë* : C'est le cas au cours des hépatites virales, au cours de certaines hépatites toxiques (amanite phalloïde). On y rattache également les malades atteints du syndrome de Reye.

Dans toutes ces éventualités, il est justifié de craindre la survenue d'un œdème cérébral lorsque le malade est dans un coma de stade supérieur ou égal au stade II. Il est alors opportun de le transférer le plus vite possible dans un centre spécialisé afin de permettre la mise en place d'un capteur de pression intracrânien. Le gonflement cérébral peut détruire certaines structures nerveuses de manière irréversible en quelques minutes, en particulier s'il se produit un *engagement*. En effet, la pression intracrânienne peut monter de manière catastrophique, très rapidement

— en quelques minutes — spontanément ou du fait de stimulations (agitation, asphyxie, encombrement, montée thermique) qu'il importe d'éviter et de combattre.

Traitement de l'œdème cérébral

Le traitement comporte les éléments suivants :
- surélever la tête à 20° ;
- rétablir ou maintenir une excellente hémodynamique centrale ;
- mettre sous ventilation artificielle de manière à obtenir une $PaCO_2$ entre 25 et 30 mmHg (3,25 à 4 K Pa) et à traiter tout encombrement ;
- pour éviter les à-coups d'hypertension intracrânienne à l'occasion de l'agitation ou des gestes de soins, mettre sous traitement sédatif, voire sous curare (Pavulon®, 0,1 mg/kg/h en perfusion continue) ;
- restreindre les apports liquidiens aux deux tiers de la ration habituelle, sous contrôle de la pression veineuse centrale, en vérifiant l'osmolalité sanguine, qui doit rester inférieure à 320 mOsm ;
- administrer du furosémide ;
- s'il n'y a pas de contre-indication métabolique (hyperammoniémie), administrer de fortes doses de déxaméthasone (1,5 mg/kg/24 h) ;
- pansement gastrique systématique ;
- si la pression intracrânienne moyenne dépasse 30 cm d'eau (ou si PA − PIC est inférieur à 50 mmHg), on peut avoir recours à une perfusion de mannitol à 20 % sur la base de 0,5 g/kg, perfusé en moins de 10 min. Ces doses peuvent être renouvelées à la demande, sans pour autant dépasser une osmolalité sanguine de plus de 330 mOsm.

Si malgré tous ces traitements, l'hypertension intracrânienne persiste, si la pression intracrânienne reste au-dessus de 20 cm d'eau, on peut avoir recours encore aux moyens suivants :
- refroidissement entre 30 et 32° en s'aidant au besoin de chlorpromazine et d'application de vessie de glace ;
- perfusion continue de penthotal à 2,5 % sur la base de 2 à 3 mg/kg/h après une dose de charge de 3 à 5 mg/kg (coma barbiturique thérapeutique).

Tous ces traitements sont mis en route et maintenus le temps nécessaire. Ils seront supprimés très progressivement en contrôlant si possible toujours la pression intracrânienne.

Traumatismes cranio-cérébraux

Suivant les cas, les conséquences en seront :
1. *Des lésions neurologiques* liées directement au traumatisme. Il est nécessaire de dépister une lésion localisée susceptible d'être traitée chirurgicalement afin d'éviter une détérioration neurologique.
2. *Une hypertension intracrânienne* qui doit être prévenue, dépistée, surveillée et traitée s'il y a lieu (voir plus haut).

14. SOINS INTENSIFS

3. *Une anoxie* ou un *collapsus* qu'il importe d'éviter et de traiter au plus vite.
4. Enfin, plus rarement, une *infection* liée à un foyer ouvert.

De nouveaux moyens de surveillance et de diagnostic ont été introduits : la tomodensitométrie du crâne ; des techniques permettant de surveiller la pression intracrânienne et ainsi de la traiter de manière adaptée.

Le pédiatre doit savoir :
● reconnaître parmi les très nombreuses situations rencontrées en pratique courante celles qui doivent conduire à une hospitalisation ;
● décider quand il faut imposer un transfert rapide en neurochirurgie avec une équipe de transport médicalisée après avoir pris les premières mesures thérapeutiques nécessaires ;
● comment, à l'hôpital, s'il n'y a pas une indication opératoire immédiate, doivent se mener la surveillance et le traitement ;
● comment se comporter devant un traumatisme apparemment mineur.

La rapidité des décisions thérapeutiques et de la mise en route des mesures préventives est le meilleur garant du pronostic.

Examen

Tout traumatisme crânien, même le plus bénin, réclame un examen approfondi. Parfois des situations en apparence peu inquiétantes peuvent évoluer défavorablement si une attention suffisante n'a pas été prêtée à certains indices.

Anamnèse : Elle précise l'heure et les modalités de l'accident en s'informant auprès du blessé s'il peut répondre, sinon en s'adressant dans toute la mesure du possible à des témoins oculaires. Elle est à la *recherche des tout premiers signes.* En particulier, il faut savoir s'il y a eu ou non une perte de conscience immédiate et quelle a été sa durée, s'il y a eu des convulsions — en particulier focales — s'il y a eu des signes de localisation, des vomissements ou une altération progressive du niveau de la conscience.

Examen du rachis cervical : Devant tout traumatisme sévère du crâne ou chez un polytraumatisé, l'examen doit être effectué avec de grandes précautions. En effet, on doit faire comme s'il y avait une fracture du rachis cervical et s'abstenir de toute manœuvre qui risquerait de transformer ce blessé en un quadriplégique. Le plus vite possible, il faut obtenir une radiographie du rachis cervical de face et *de profil* pour éliminer cette éventualité.

Examen du crâne et de la face : Recherche avec le plus grand soin des plaies, des ecchymoses (une ecchymose en lunettes est en faveur d'une fracture des os propres du nez ou de la partie antérieure de la base de crâne, une ecchymose mastoïdienne en faveur d'une fracture du rocher). Les hématomes sous le cuir chevelu peuvent à la palpation faire penser à une embarrure (fracture avec enfoncement). Un trait de fracture peut être palpé sous le doigt ou identifié par une douleur linéaire que déclenche une palpation appuyée. Tout soupçon de fracture doit conduire à demander des radiographies du crâne. Chez le nourrisson, la tension de la fontanelle est appréciée.

Dans tous les cas, l'examen recherche un éventuel écoulement de sang ou de liquide céphalo-rachidien par le nez ou par l'oreille ; les oreilles sont examinées avec un spéculum pour voir s'il existe une brèche au niveau du conduit auditif externe ou un hémo-tympan en faveur d'une fracture du rocher.

On effectue un fond d'œil *sans dilatation* pour rechercher des hémorragies rétiniennes.

Chez l'enfant en bas âge, la transillumination peut être utile. L'existence d'un halo supérieur à 3 cm est en faveur d'un épanchement sous-dural.

Dépistage de signes de localisation : Il constitue un des temps principaux de l'examen :
- *Déviation conjuguée de la tête et des yeux.*
- *Crises convulsives latéralisées* : ce symptôme, chez un nourrisson, n'a de valeur que s'il s'y associe un ou plusieurs des signes suivants : choc, coma, tension de la fontanelle.
- *Déficit moteur sensitif ou réflexe localisés* : cela peut ne se traduire que par une diminution du tonus au niveau d'un membre, par une paralysie faciale ou par un signe de Babinski unilatéral.
- *Une hémianopsie* se révèle par un défaut de clignement à la menace d'un côté, si le sujet est assez conscient.
- *Une mydriase unilatérale* est un signe de grande valeur en l'absence de mydriatiques ou d'un traumatisme oculaire : elle fait craindre l'imminence possible d'un engagement.

Exploration du niveau de la conscience : Si l'enfant est conscient, sa capacité à se souvenir de ce qui s'est passé aussitôt avant et après l'accident est testée. Pour l'évaluation des différents niveaux de conscience, voir plus haut, « Coma ».

Atteintes des principales fonctions vitales : L'examen fait en outre le bilan des désordres éventuels des principales fonctions vitales :
- *Respiration* : encombrement ; mauvaise ventilation, voire apnées ; l'importance des désordres respiratoires est telle que lorsqu'ils sont présents ou lorsque l'enfant a un coma de stade II ou davantage, il est systématiquement intubé avec de grandes précautions pour le rachis cervical, si on n'a pas écarté une lésion à ce niveau. De plus, l'enfant est ventilé artificiellement en ayant recours s'il le faut à une curarisation.
- *Circulation* : on note s'il existe une hypertension ou un collapsus. Tout collapsus hypovolémique réclame la perfusion de grosses molécules. C'est fréquent chez le nourrisson. En cas de tension de la fontanelle, cela évoque un saignement intracérébral. En dehors de ces cas, l'existence d'un collapsus doit amener à faire rechercher une cause extracrânienne (abdomen, thorax, rachis).
- *Troubles de la thermo-régulation, troubles vasomoteurs.*

Hypertension intracrânienne : Particulièrement redoutée dans ce contexte, elle peut survenir précocement du fait d'une contusion cérébrale ou de la constitution rapide d'un saignement compressif ou secondairement par anoxie, ischémie ou par le développement différé d'un foyer hémorragique ou d'un œdème péri-lésionnel. Il y a un danger dans tous les cas de voir se développer un engagement ou un arrêt de la perfusion cérébrale. On pense à l'hypertension intracrânienne s'il y a des vomissements, une paralysie du III ou devant la triade : *respiration ralentie ou irrégulière + bradycardie + hypertension*. Très souvent il y a une mauvaise corrélation entre les signes cliniques et l'hypertension intracrânienne. Toutefois, chez le nourrisson, une tension exagérée de la fontanelle a une signification certaine. Parfois, des signes évoquent déjà la possibilité d'un engagement :

- Soit un engagement unilatéral, sous la faux du cerveau : mydriase ipsilatérale, paralysie du membre inférieur contro-latéral, rigidité de décortication ou de décérébration mêlée à des troubles de la conscience ou de la respiration.
- Soit une hernie bilatérale se traduisant par un myosis, une paralysis du regard vers le haut, une hypertonie, une décortication. A un stade plus avancé, on constate un déréglement thermique, un diabète insipide, une mydriase bilatérale, et des mouvements de décérébration.
- Lorsque l'œdème siège dans la fosse postérieure, l'engagement vers le haut se traduit par une paralysie du regard vers le haut et par une mydriase. Lorsque l'engagement se fait à travers le trou occipital, l'attention est attirée par une raideur de la nuque, par une inclinaison de la tête, par une paralysie des dernières paires crâniennes.

Ces symptômes doivent être dépistés avant que ne se produise brusquement, après quelques irrégularités respiratoires, le passage en coma dépassé.

En raison de ce contexte d'hypertension intracrânienne, une ponction lombaire n'est à entreprendre que s'il y a une arrière-pensée d'infection méningée au décours d'une fracture de la base du crâne ou après une plaie pénétrante.

Dans tous les cas, **un examen complet s'impose devant tout traumatisme sévère**. Il est en effet plus urgent de pratiquer une laparotomie lors d'un saignement intrapéritonéal que d'envoyer au tomodensitomètre un sujet porteur d'une contusion cérébrale.

Chez un enfant jeune, il ne faut jamais oublier la possibilité de sévices (voir p. 470).

Principales décisions à prendre

- Tout traumatisme crânien entraîne la mise de la tête en surélévation de 15 à 20°.
- **Il importe de repérer les cas qui réclament une hospitalisation** (cf. tableau 4). La décision d'hospitalisation se recoupe en général avec la nécessité de pratiquer une radiographie du crâne, de face et de profil, complétée par une incidence de Worms et au besoin par des clichés tangentiels. L'existence d'un épanchement d'air dans le crâne ou d'un hématosinus est en faveur d'une fracture de la base avec un risque infectieux. La présence d'un ou plusieurs simples traits de fracture de la voûte sans embarrure n'a pas d'incidence pronostique particulière.
- **Certains blessés nécessitent d'urgence un passage en milieu neurochirurgical**. Les indications en sont les suivantes :

1. Quand il y a la notion d'un *coma en deux temps* : au moment de l'accident, l'enfant a une perte de conscience passagère, puis récupère un excellent niveau de vigilance. Secondairement, il sombre à nouveau dans le coma. Cette séquence est suggestive d'un *hématome extradural*. C'est une extrême urgence. Elle est rarement rencontrée chez l'enfant (cf. tableau 5).

2. L'existence de *signes de localisation* (mydriase, convulsions focales, déficit moteur sensitif ou sensoriel latéral) suggère la possibilité d'un foyer à traiter chirurgicalement.

Tableau 4 : Traumatismes cranio-cérébraux : indications d'hospitalisation

Données d'anamnèse
- Pertes de conscience de plus de 5 min. lors de l'accident
- Amnésie rétrograde de plus de 5 min.
- Vomissements
- Notion de signes de localisation (convulsions focales en particulier)
- Notion de perte de conscience « en deux temps »

Données d'examen
- Coup de feu ou pénétration possible par un objet pointu
- Fracture décelée par l'examen (a fortiori, si elle est ouverte)
- Ecoulement de sang ou de liquide céphalo-rachidien par le nez ou par l'oreille
- Hémato-tympan au spéculum
- Hématome en lunette ou hématome de la mastoïde
- Altération de la conscience, surtout si elle est évolutive
- Anisocorie
- Signes en foyers
- Signe de Babinski
- Anomalies d'une paire crânienne
- Signes d'engagement
- Irrégularités respiratoires

Tableau 5 : Traumatismes cranio-cérébraux : diagnostic d'un épanchement traumatique sustentoriel

	Hématome extra-dural	Hématome sous-dural
Fréquence	rare (1 %)	fréquents (10 %)
Fracture du crâne	75 % (temporale)	30 %
Sources	artère : 3/4 veine : 1/4	veine
Mode de constitution	choc sur le crâne	choc sur le crâne (contusions associées ++) ou secousses de la tête (mouvements de fléau)
Rapidité d'installation	rapide, voire très rapide	peut s'installer lentement
Age	supérieur à 2 ans	inférieur à 1 an (maximum 6 ms)
Topographie	unilatérale	souvent bilatérale (75 %)
Intervalle libre	manque souvent	
Convulsions	moins de 25 %	75 %
Hémorragie au fond d'œil	moins de 25 %	> 75 %
Tomodensitométrie	Images en lentilles biconvexes	Images en croissant
Pronostic	Mortalité 25 % Peu de séquelles	Beaucoup de séquelles

3. *L'aggravation progressive* du niveau de la conscience.
4. L'apparition après un *traumatisme occipital* de vomissements, d'une ataxie, de signes méningés, de troubles de la conscience et troubles respiratoires oriente vers la constitution d'un épanchement de la fosse postérieure.
5. *Les fractures ouvertes* ou la possible pénétration d'un corps étranger.
6. *Une importante embarrure.*

- Le transfert des malades dans le coma présentant un signe de localisation doit dans toute la mesure du possible être effectué par une *équipe médicalisée* qui place le malade sous ventilation artificielle et lui perfuse en quelques minutes 1 g/kg de mannitol à 20 %.

- **Chaque fois qu'il y a des signes focaux,** qu'il y a *persistance ou aggravation de la situation neurologique* avec en particulier dégradation du niveau de la conscience, il faut si possible pratiquer une **tomodensitométrie** en prenant *tous les plans de coupe.* Elle est exécutée avant puis après injection de produit de contraste. En effet, sans produit de contraste, l'examen peut être pris en défaut en cas de saignement. Une isodensité entre l'épanchement et le tissu nerveux peut s'observer quelques jours après la survenue du traumatisme.

- Lorsqu'un blessé se présente avec un coma sévère comportant des signes de *décérébration* et une *mydriase bilatérale* (en dehors d'un traumatisme grave des yeux ou du chiasma), ou lorsqu'il y a un *coma dépassé,* les possibilités de neurochirurgie sont nulles.

- **Doivent être confiés à une unité de réanimation,** pour surveillance étroite et traitement symptomatique, tous les malades qui ont subi une intervention neurochirurgicale, ainsi que tous ceux dont le coma est à un stade supérieur à II (tableau 2). Les risques liés aux désordres des principales fonctions vitales, la possibilité de voir se développer une hypertension intracrânienne justifient une telle attitude.

- Pour surveiller et prévenir le cours évolutif d'une éventuelle *hypertension intracrânienne,* il est possible d'installer un capteur à travers la voûte crânienne permettant un contrôle permanent. Le risque d'hypertension intracrânienne est considérablement majoré s'il se produit des convulsions, une montée de la température, de l'agitation, de l'encombrement, des poussées hypertensives. Tous ces désordres doivent être soigneusement prévenus et combattus. Voir traitement de l'œdème cérébral, pp. 444 ss.

- Si, au cours de la surveillance d'un traumatisme crânien, apparaissent *secondairement* des signes de localisation ou une dégradation du niveau de la conscience, si la surveillance de la pression intracrânienne permet de constater l'apparition ou une ascension inexpliquée de celle-ci, le malade doit être examiné au *tomodensitomètre* à la recherche d'une lésion expansive.

- *Lorsqu'il y a une plaie du cuir chevelu,* il faut raser de près les cheveux sur au moins deux centimètres de part et d'autre ; nettoyer la peau. Sous anesthésie locale, la plaie doit être doucement et minutieusement explorée en faisant au besoin l'hémostase d'une artériole. S'il n'y a pas de fracture, la plaie est suturée solidement. En cas de doute pour une fracture, faire pratiquer des clichés du crâne.

- Les fractures de la base du crâne, les plaies pénétrantes réclament une *antibiothérapie* efficace (ampicilline ou chloramphénicol) pendant plusieurs jours.

- Chez un nourrisson, un *hématome sous-dural* est traité facilement par une ponction à l'angle de la fontanelle.

Tout traumatisme crânien, même mineur, doit être surveillé.

Conclusion

L'amélioration des conditions de ramassage des blessés, des soins de réanimation, des moyens de lutter contre l'hypertension intracrânienne a grandement amélioré le pronostic des traumatismes du crâne. Beaucoup d'enfants recouvrent la conscience et un état neurologique normal en moins de 48 heures. Par contre, certains autres restent dans un état critique pendant de longs jours. Il y a lieu de ne pas désespérer trop vite car des améliorations se sont produites très lentement avec des délais pouvant aller jusqu'à 2 ou 3 ans.

Hyperthermie majeure

La tradition populaire redoute à juste titre les fortes élévations de la température des jeunes enfants. Elle a remarqué en particulier que des convulsions pouvaient survenir à cette occasion. En outre, l'expérience médicale a montré que lorsqu'un enfant de moins de 2 ans et demi atteignait une température supérieure à 40°5, il courait de grands dangers à la fois sur le plan vital et pour son avenir neurologique. C'est ce qu'on appelle l'*hyperthermie majeure du nourrisson*.

Il importe donc de prévenir une telle éventualité et de mettre en œuvre un traitement rapidement efficace si cela survient. L'hyperthermie majeure conduit à une anoxie par excès de consommation au niveau cérébral. En effet, avec l'hyperthermie, les besoins cellulaires sont considérablement augmentés. Le risque est encore accru par l'existence quasi constante de convulsions (95 %), par la fréquence d'un collapsus (80 %) ou d'une anoxie associés.

Diagnostic

Le diagnostic peut être évident devant un enfant pâle, très tachycardique, et pour lequel on note une température supérieure à 40°5 ; certains enfants atteignent même 42°... Mais les signes présentés par l'enfant peuvent être trompeurs. En effet, du fait du collapsus périphérique, les extrémités peuvent être froides. Bien plus, en prenant la température rectale à la marge de l'anus, des chiffres faussement rassurants peuvent être recueillis. Il suffit alors de poser la main sur le front pour percevoir l'hyperthermie et d'enfoncer le thermomètre de 10 à 20 mm plus avant dans le rectum pour prendre conscience du niveau réel et dangereux de la fièvre.

Conduite à tenir

Devant toute température supérieure à 40° chez un nourrisson, il faut agir très vite :
- *Dès l'appel téléphonique*, il est possible de conseiller de déshabiller l'enfant, de lui administrer un suppositoire comportant 5 cg/kg d'acide acétyl-salicylique associé ou non à du phénobarbital, ou encore 5 mg/kg de paracétamol. Si la température ne baisse pas rapidement, il faudra faire donner un bain à 37° pendant 10 min.
- *Si la température reste supérieure à 40°* malgré toutes ces mesures, à fortiori si elle dépasse le seuil de 41°, il est urgent d'hospitaliser l'enfant. Le transfert doit se faire avec les moyens les plus rapides possible ; mieux vaut un véhicule particulier qu'une ambulance arrivant une demi-heure plus tard. Le service hospitalier récepteur *doit être prévenu*, pour permettre la préparation de l'accueil de l'enfant, tant les minutes comptent. Pendant ce transport, l'enfant ne doit pas être couvert.

Dans un contexte fortement médicalisé (service de transport médicalisé ou hôpital), le protocole d'action est le suivant :
1. Refroidir l'enfant par un bain à 37°.
2. Si la situation est très inquiétante (coma, collapsus, convulsions), il est nécessaire d'intuber et de ventiler artificiellement immédiatement.
3. Dans tous les cas, deux voies d'abord sont mises en place, dont l'une est si possible centrale. Grâce à cela, il est possible d'exécuter un certain nombre de gestes ou de traitements :
- S'il y a un collapsus, il est traité immédiatement par la perfusion de 20 ml/kg de grosses molécules en 15 à 20 min. Si c'est nécessaire, l'apport sera complété jusqu'à ce que la tension artérielle atteigne une maxima de 7.
- Si l'enfant convulse, il reçoit par voie veineuse 0,5 mg/kg de diazépam.
- De l'acide acétyl-salicylique est injecté sur la base de 25 mg/kg, sous forme d'Aspégic® ou l'Ivépirine®.
- Quelques prélèvements sont effectués pour des examens : hémocultures ; crase sanguine (une coagulopathie de consommation est présente dans 30 % des cas) ; hémogramme ; pH, PCO_2 ; ionogramme ; groupe sanguin ; transaminases, créatine, phosphokinase.
- S'il y a une importante acidose métabolique, l'enfant reçoit en perfusion 20 ml/kg de bicarbonate à 14 ‰.
- Pour combattre une éventuelle coagulopathie de consommation, il est procédé à une injection intraveineuse de 1 mg/kg d'héparine.

4. D'une manière systématique, il est prudent d'administrer par voie intraveineuse de 10 mg/kg de phénobarbital.
5. L'enfant est couvert de linges humides ou entouré de vessies de glace protégées, pour être refroidi.
6. Une hémorragie digestive est prévenue par l'administration de cimétidine (Tagamet®), sur la base de 10 à 25 mg/kg/24 heures en 4 fois par voie intraveineuse.
7. Si l'enfant est dans le coma, il est logique de mettre en route un traitement contre l'œdème cérébral avec, en particulier, recours à la ventilation artificielle. Au besoin la pression intracrânienne est contrôlée par un capteur approprié.
8. Si malgré les mesures prises, la température ne descend pas rapidement au-dessous de 40°5, il est nécessaire de recourir à des moyens plus radicaux : un mélange d'« *hibernation* » est injecté très *lentement* par voie intraveineuse. Il est composé de la manière suivante :

Prométhazine : 0,5 mg/kg
Péthidine : 0,5 mg/kg
Chlorpromazine intraveineux : 0,5 mg/kg.
Pour exécuter ce traitement il faut :
- Disposer de moyens pour contrôler l'hémodynamique (tension artérielle et si possible pression veineuse) ; en effet, ces drogues provoquent une importante vasoplégie et il est pratiquement obligatoire d'y associer une expansion volémique sur la base de 10 à 15 ml/kg, voire davantage.
- Découvrir l'enfant et appliquer sur son corps des linges humides ou des vessies de glace protégées. Cette thérapeutique doit être rapidement efficace en s'aidant de la perfusion lente en 3 heures du même mélange d'« hibernation » précédemment décrit, dilué dans du sérum glucosé ou du sérum physiologique.
- Si c'est possible, l'enfant est surveillé par un enregistrement électro-encéphalographique continu.

Recherche de la cause

De façon générale, *la cause d'un tel épisode doit être recherchée*. Une méningite ne risque pas d'être négligée si on pratique une ponction lombaire. L'hémoculture, la radio du thorax font partie de l'enquête systématique. Un paludisme ne sera pas oublié si on pense à le chercher (goutte épaisse + frottis). Une déshydratation très sévère peut jouer un rôle déterminant ou au moins aggravant.

Le plus souvent, la cause n'est pas évidente d'emblée. Il peut s'agir d'une virose, d'une encéphalite.

A distance de l'épisode, il est prudent de faire effectuer chez l'enfant un dosage de la créatine-phosphokinase. Si le taux en est élevé, il faut étudier le reste de la famille.

Prévention

Le meilleur traitement est préventif. Il appartient aux médecins d'éduquer les familles. En effet, celles-ci doivent être prévenues de l'inutilité et même du danger de trop chauffer, de trop couvrir un enfant. Les familles doivent savoir également que lorsqu'un enfant est fébrile ou exposé à une vague de chaleur, il doit recevoir un supplément de ration d'eau. Il est prudent également de donner à la famille les moyens de combattre une fièvre sévère, par exemple une ordonnance rédigée à l'avance où est inscrit un fébrifuge adapté à l'enfant, expliquant en outre comment administrer un bain à 37°. Il est possible également de prescrire du diazépam à administrer par voie rectale en cas de convulsions avec fièvre à 39° (microclystères à 5 ou 10 mg selon l'âge).

Chapitre 15

Intoxications et accidents
par L. Chicoine, A. J. Antaki, P. Gaudreault, M. Weber, A. Cuendet et M. Parent

Intoxications

Mesures d'urgence

Agir rapidement : identifier la substance, évaluer la dose, le poids de l'enfant et le temps écoulé depuis l'ingestion. Donner des conseils par téléphone, et consulter le centre anti-poison en cas de doute.

Prévenir l'absorption

1. Intoxication par voie orale

● Il n'y a aucune contre-indication à *administrer de l'eau* pour diluer l'agent toxique et favoriser les vomissements. L'antidote universel n'est pas utile.

● *Vomissements provoqués* : Méthode plus rapide et plus efficace que le lavage gastrique, à utiliser jusqu'à 4 heures après l'ingestion. Peut être conseillé par téléphone. Si l'enfant a plus d'un an, la méthode préférée est le *sirop d'Ipeca*, à la dose de 15 à 30 ml [1]. Faire boire ensuite de l'eau ou du jus (pas de lait). Agit en 10 à 20 minutes chez la plupart des enfants. En cas d'échec, donner une deuxième dose. Si cette deuxième dose est inefficace, ou si l'enfant est âgé de moins d'un an, faire un lavage gastrique. Ne pas donner de charbon de bois activé avant la fin des vomissements, car celui-ci inactive l'Ipeca. La stimulation mécanique du pharynx est une autre méthode. Les vomissements provoqués sont *contre-indiqués* lors de l'ingestion de substances corrosives, de produits moussants (shampooing, etc.), s'il y a coma on convulsions. L'ingestion d'hydrocarbures est une contre-indication relative et contestée.

● *Lavage gastrique* : Placer le patient en décubitus latéral gauche et en position déclive. Utiliser un tube du plus gros calibre possible. Employer

---

[1] Sirupus Emeticus Ph. M. VI 0,11 % ; Sirup. Ipecac. USP 0,14 %.

une solution de NaCl à 0,45 ou 0,9 %. *Contre-indiqué* dans les ingestions de corrosifs. S'il y a des convulsions ou un coma, une intubation trachéale préalable doit être pratiquée. Dans les ingestions d'hydrocarbures, un lavage gastrique devrait être effectué si l'hydrocarbure sert de véhicule à un agent plus toxique, ou si une grande quantité a été ingérée (plus de 1 ml/kg).

● *Cathartiques* : Ils auraient une efficacité limitée dans certaines intoxications. Utiliser de préférence du sulfate de sodium. Ils sont contre-indiqués dans les ingestions de cathartiques ou de corrosifs.

● *Charbon de bois activé* : A administrer *après* les vomissements. Adsorbe efficacement les *alcools*, les *amphétamines*, les *antidépresseurs tricycliques*, l'*atropine*, les *barbituriques*, les *benzodiazépines*, le *camphre*, la *digitale*, l'*ethchlorvynol*, le *glutéthimide*, l'*Ipeca*, le *méprobamate*, les *narcotiques*, la *nicotine*, le *parathion*, les *phénols*, les *phénothiazines*, le *propoxyphène*, la *quinine*, les *salicylates*, la *strychnine*, les *sulfamides*, etc. Peut aussi être utilisé si la substance ingérée est inconnue. La dose idéale est de 5 à 10 fois la quantité de poison ingéré. On peut administrer 7,5 g de la poudre (1 c. à soupe rase de poudre = 3,5 g) chez le jeune enfant et 20 à 50 g chez le grand enfant et l'adulte, par exemple sous forme d'une solution à 10 % aromatisée à l'orange. On peut aussi l'injecter par le tube gastrique en terminant un lavage. Les substances toxiques absorbées par le charbon ne sont pas relâchées dans le tube digestif ; il n'est donc pas nécessaire de procéder à un relavage de l'estomac après avoir donné le charbon activé.

2. Intoxication par voie sous-cutanée ou intramusculaire

Mettre un garrot à la racine du membre et le relâcher 1 minute toutes les 15 minutes. (Efficace si effectué moins de quelques minutes après l'injection.) Appliquer localement de la glace.

3. Intoxication par voie rectale

Donner un lavement évacuant.

4. Intoxication par inhalation

Amener à l'air pur, donner de l'oxygène et veiller à la liberté des voies aériennes.

5. *Intoxication par voie transcutanée* (à redouter particulièrement avec certains insecticides)

Enlever immédiatement les vêtements contaminés, laver rapidement à grande eau. Ne pas utiliser d'antidote chimique.

6. Contact avec les yeux

Irriguer abondamment l'œil avec une solution isotonique (glucose 5 %, NaCl 0,9 %) ou de l'eau. Ne pas utiliser d'antidote chimique.

Remarques

● Essayer d'obtenir le contenant et le contenu pour identifier l'agent toxique de façon précise.

- Si l'agent toxique est inconnu, conserver un échantillon du vomitus et du liquide du lavage gastrique, pour identification ultérieure.
- En cas de doute au sujet de l'agent toxique ou de la dose, il vaut mieux être trop prudent que pas assez.

Traitement général

Le traitement général et symptomatique est suffisant dans la plupart des cas. Surveiller étroitement les fonctions vitales, et traiter de la façon habituelle les problèmes respiratoires, les convulsions, le choc, les arythmies cardiaques, les troubles électrolytiques, ainsi que l'insuffisance hépatique, l'insuffisance rénale et le coma.

Examen physique

L'examen physique est important ; non seulement, il permet d'évaluer l'état de l'enfant, mais il oriente souvent aussi sur la nature de l'intoxication :
- *Cyanose* : Penser à une méthémoglobinémie (nitrites, aniline, chlorate de potassium).
- *Rougeur cutanée* : Atropine, antihistaminiques (visage congestionné).
- *Traces d'injections sur la peau, ou abcès multiples* : Toxicomanie.
- *Bouche sèche* : Atropine (belladone), antihistaminiques.
- *Mydriase* : Atropine (belladone), nicotine, cocaïne, éphédrine, amphétamine, antihistaminiques, LSD.
- *Miosis* : Opiacés, parathion et autres phosphates organiques, muscarine (champignons), barbituriques.
- *Ulcérations buccales* : Caustiques (alcalis, acides).
- *Bradycardie* : Digitale, muscarine (champignons).
- *Tachycardie* : Atropine (belladone).
- *Spasmes musculaires, dystonie* : Phénothiazines.
- *Respiration profonde et ample* : Salicylés, amphétamine.
- *Haleine* : Odeur de camphre (antimites), térébenthine et autres hydrocarbures, alcool, acétone (diabète).
- *Convulsions* : Toute intoxication par stimulants du système nerveux central, ou par des substances entraînant une anoxie cérébrale.

Intoxications spécifiques

Acétaminophène : voir Paracétamol

Acétone

Utilisé comme solvant, notamment pour des colles, dissolvants pour vernis à ongles, etc. La dose fatale pour un adulte serait d'environ 60 ml — et pour un enfant de 1 à 2 ml/kg. L'intoxication est similaire à celle causée par l'alcool éthylique. Voir **Alcool éthylique**.

Adrénaline et autres agents sympathicomimétiques : voir Epinéphrine

Alcool éthylique (éthanol)

La dose fatale est faible chez l'enfant (3 à 6 ml d'alcool pur par kg).
La bière contient 4 à 6 % d'alcool, le vin 10 à 13 %, les boissons fortes 40 à 50 %, et les parfums jusqu'à 70 %.
- *Principales manifestations* : Ataxie, dysarthrie, troubles visuels, incoordination, somnolence, agitation, dépression respiratoire et circulatoire, convulsions, hypothermie. Chez le jeune enfant, il y a risque élevé d'hypoglycémie. Une *acidose métabolique* peut survenir.
- *Traitement* : Evacuation gastrique, administration de charbon de bois activé, prévention, détection et traitement de l'hypoglycémie et de l'acidose métabolique ; en outre, traitement symptomatique habituel. Si possible, déterminer l'éthanolémie : il y a *intoxication légère* de 10,8 à 32,5 mmol/litre (50 à 150 mg/100 ml), *modérée* de 32,5 à 65 mmol/litre (150 à 300 mg/100 ml) et *grave* de 65 à 109 mmol/litre (300 à 500 mg/100 ml).
L'hémodialyse, la dialyse péritonéale ou l'hémoperfusion est indiquée dans les cas graves.

Alcool isopropylique

Souvent utilisé comme alcool à frictions. Deux fois plus toxique que l'alcool éthylique. Voir **Alcool éthylique.**

Alcool méthylique (méthanol, alcool de bois, etc.)

Utilisé comme combustible ou comme antigel, cet alcool est très toxique. La dose fatale serait de 60 à 250 ml chez l'adulte, et de 2 ml/kg environ chez l'enfant. On peut observer, parfois après une période de latence qui peut dépasser 12 heures, les *manifestations* suivantes : céphalées, nausées, vomissements, mydriase, anomalies du fond de l'œil, troubles visuels pouvant aller jusqu'à la *cécité* permanente, coma, œdème cérébral, *acidose métabolique, hypoglycémie*, dépression des fonctions vitales.

Le *traitement*, outre l'évacuation gastrique, le charbon de bois activé et les mesures de support habituelles, inclut les moyens suivants :
● Administration d'éthanol en perfusion continue, sous forme d'une solution à 5 %, ou par voie orale, mélangé avec un jus de fruit. La dose d'attaque est de 1 ml d'alcool pur par kg, et la dose d'entretien de 0,5 ml/kg toutes les 4 heures pendant 4 jours. La dose doit être ajustée pour maintenir une éthanolémie de 21,6 à 32,5 mmol/litre (100 à 150 mg/100 ml). On doit continuer jusqu'à ce que la méthanolémie soit inférieure à 3,1 mmol/litre (10 mg/100 ml).
● Prévenir ou corriger l'hypoglycémie au moyen d'une perfusion contenant 5 à 10 % de glucose.
● Corriger l'acidose au moyen d'une perfusion continue de bicarbonate de sodium.
● Maintenir une diurèse satisfaisante.
● Pratiquer précocement une hémodialyse ou une dialyse péritonéale chez tout patient ayant ingéré une dose potentiellement fatale, gravement malade, ou ayant une méthanolémie supérieure à 15,6 mmol/litre (50 mg/100 ml).

Aminophylline (et autres dérivés de la théophylline)

La dose thérapeutique habituelle est de 5 mg/kg/dose de théophylline anhydre ou son équivalent, 3 à 4 fois par jour. Le taux sérique thérapeutique est de 55,55 à 111 µmol/litre (10 à 20 µg/ml). La dose toxique peut être proche de la dose thérapeutique (sensibilité individuelle variable). Lorsque la théophyllinémie est supérieure à 138,8 µmol/litre (25 µg/ml), 80 % des patients sont symptomatiques.
● *Manifestations cliniques* : Agitation, coma, convulsions, nausées, vomissements, *hématémèse*, tachycardie, collapsus, arythmies, hypertension artérielle, dépression respiratoire, hyperthermie, *déshydratation*.
● *Traitement* : Evacuation gastrique, puis charbon de bois activé. Détermination de la théophyllinémie, de préférence 2 heures après l'ingestion. Diazépam si convulsions. Traitement symptomatique habituel. La diurèse forcée est inefficace, et les sympathicomimétiques doivent être évités. Dans les cas graves (arythmies ou convulsions réfractaires, taux sérique supérieur à 444 µmol/litre (80 µg/ml), etc.) hémoperfusion sur charbon de bois.

Antidépresseurs tricycliques (amitryptiline, désipramine, imipramine, nortriptyline et autres)

La toxicité est variable : des survies ont été rapportées avec 70 mg/kg et des décès avec 20 mg/kg.
● *Manifestations cliniques* : Coma, convulsions, alternance d'excitation et de somnolence, dépression respiratoire, *arythmies cardiaques*, hypo-

tension artérielle, signes anticholinergiques (hyperthermie, érythème cutané, mydriase, tachycardie, sécheresse de la bouche, rétention vésicale, etc.).
- *Traitement* : Evacuation gastrique, puis charbon de bois activé. Traitement symptomatique habituel. Eviter la surcharge hydrique. Surveillance continue et prolongée de l'électrocardiogramme. Si des symptômes graves apparaissent, utiliser l'antidote : le *salicylate de physostigmine*, à raison de 0,03 mg/kg/dose (0,5 à 2 mg selon l'âge), par voie intraveineuse, en 3 à 5 minutes. Si nécessaire, cette dose peut être répétée à 3 ou 4 reprises à 5 à 10 minutes d'intervalle. La physostigmine est contre-indiquée si de l'asthme ou une cardiopathie coexiste, et son antidote est l'atropine à dose égale. Si les arythmies cardiaques ne répondent pas à la physostigmine, donner du bicarbonate de sodium à raison de 1 à 2 mEq/kg par voie intraveineuse. Dans les arythmies réfractaires, d'autres approches doivent parfois être utilisées : xylocaïne, propranolol, « pacemaker », etc. Donner du diazépam s'il y a des convulsions. L'hémoperfusion sur charbon de bois et l'hémodialyse seraient peu utiles.

Anovulants

Pas dangereux en une seule dose.

Antihistaminiques (chlorphéniramine, cyproheptadine, dimenhydrinate et autres)

Se retrouvent dans de très nombreux médicaments anti-allergiques, pour le rhume, le mal des transports, etc. La dose fatale de la plupart de ces substances est de 25 à 250 mg/kg.
- *Manifestations cliniques* : Elles varient selon la susceptibilité du patient, la dose ingérée et le type d'antihistaminique. On peut observer, seuls ou en combinaison, une stimulation ou une dépression du système nerveux central, des effets anticholinergiques, et des manifestations extrapyramidales, surtout avec les dérivés des phénothiazines, tels que la prométhazine. Les signes et symptômes suivants peuvent donc survenir : vertiges, ataxie, somnolence, irritabilité, nystagmus, céphalées, tremblements, hallucinations, mouvements extra-pyramidaux, désorientation, coma, convulsions, mydriase, tachycardie, sécheresse de la bouche, rétention vésicale, hyperthermie, « flushing » cutané, nausées, vomissements, arrêt respiratoire, collapsus cardiovasculaire. Il y a une possibilité d'atteinte hépatique et rénale.
- *Traitement* : Il est essentiellement symptomatique. Evacuer l'estomac et donner du charbon de bois activé. Diazépam si convulsions. Physostigmine si effets anticholinergiques importants (voir **Antidépresseurs tricycliques**). Si manifestations extrapyramidales (voir **Phénothiazines**). La diurèse forcée est inefficace, mais l'exsanguino-transfusion et la dialyse pourraient être utiles dans les cas graves.

Aspirine : voir Salicylates

Atropine (anticholinergique, alcaloïde de la belladone et de Datura stramonium)

Se retrouve dans plusieurs préparations utilisées pour des troubles digestifs, ainsi que dans des préparations topiques pour les yeux. La dose fatale est de 0,1 g chez l'adulte et de 0,01 g chez l'enfant. Chez le jeune enfant, des gouttes ophtalmiques ont provoqué des intoxications.
- *Manifestations cliniques* : Mydriase, trouble de la vision, sécheresse des muqueuses, hyperthermie, « flushing » cutané, rétention urinaire, tachycardie ou autres arythmies, excitation, confusion, délire, hallucinations, coma, convulsions, dépression respiratoire et circulatoire.
- *Traitement* : Evacuation gastrique, charbon de bois activé, refroidissement de surface si nécessaire, traitement symptomatique. Cathétérisme vésical si rétention urinaire. S'il y a une excitation importante ou des convulsions, administrer prudemment du diazépam ou du phénobarbital. En cas de symptomatologie importante, utiliser l'antidote, le salicylate de physostigmine (voir **Antidépresseurs tricycliques**).

Barbituriques

La dose toxique moyenne est 5 fois la dose hypnotique.
- *Manifestations cliniques* : Dépression de l'état de conscience, de la respiration et de la circulation, hypothermie.
- *Traitement* (la majorité des patients guérissent avec le seul traitement symptomatique) : Evacuation gastrique, puis charbon de bois activé. Augmenter la diurèse (perfusion à 2 fois les besoins d'entretien normaux), mannitol. La dialyse péritonéale ou, mieux, l'hémodialyse ou l'hémoperfusion sur charbon de bois devrait être utilisée s'il y a eu ingestion d'une dose potentiellement fatale d'un barbiturique à longue action, si le taux sérique est dans la zone correspondant à une intoxication fatale, s'il y a détérioration progressive malgré le traitement symptomatique, s'il y a un coma prolongé ou une insuffisance hépatique ou rénale. L'administration répétée de charbon de bois raccourcit la durée du coma.

Camphre

La dose fatale pour un enfant de 1 an serait de 1 g (l'huile camphrée contient 20 % de camphre).
- *Manifestations cliniques* : Odeur de camphre caractéristique, irritation buccale, douleurs épigastriques, nausées, vomissements, *convulsions* très précoces, dépression du système nerveux central.
- *Traitement* : Evacuation gastrique, charbon de bois activé, cathartiques salins, diazépam ou barbituriques si convulsions. Traitement symptomatique habituel. Serait dialysable, surtout par dialyse lipidique.

Champignons

La plupart des champignons toxiques donnent des *vomissements* et de la *diarrhée*. Selon les espèces, on peut aussi observer les *manifestations cliniques* suivantes :
1. *Effet de type amanitine* (ex. : Amanita phalloides) : Latence de 12 à 24 heures. Très dangereux (50 % de mortalité). Hémorragies digestives, hépatomégalie, oligurie ou anurie, ictère, œdème pulmonaire, céphalées, confusion, coma, convulsions.
2. *Effet de type gyromitrine* (ex. : Gyromitra) : Moins dangereux (2 à 4 % de mortalité). Coma, convulsions, hémolyse.
3. *Effet muscarinique* (ex. : Inocybe) : Rarement fatal. Bradycardie, hypotension, myosis, bronchospasme, salivation, arythmies.
4. *Effet anticholinergique* (ex. : Amanita muscaria) : Latence de 1 à 12 heures. Excitation, délire, salivation, bronchospasme, bradycardie, mydriase ou myosis. Rarement fatal.
5. *Irritants digestifs* (ex. : Boletus) : Rarement fatal. Les symptômes digestifs peuvent durer jusqu'à une semaine.
6. *Effet disulfirame* (Antabuse) (ex. : Coprinus) : Sensibilité à l'alcool pouvant se prolonger plusieurs jours. Rarement fatal.
7. *Effet hallucinogène* (ex. : Psilocybe) : Mydriase, ataxie, faiblesse, désorientation, douleur abdominale, hyperthermie, convulsions. Rarement fatal.
● *Conduite à tenir* : Surveiller étroitement la *glycémie*, les transaminases, la bilirubine, la créatinine et l'azote uréique, surtout pour les champignons à toxicité cellulaire (ex. : amanitine).
● *Traitement général* : Evacuer l'estomac. Veiller à un apport satisfaisant d'eau, d'électrolytes et de glucose. Traiter de la façon habituelle les convulsions, l'insuffisance hépatique ou rénale.
● *Traitement spécifique* :
1. *Amanitine* : L'administration d'acide thioctique demeure sujette à controverse, de même que l'emploi de la cortisone et de la pénicilline G qui déplacerait les toxines des sites récepteurs. *L'hémodialyse et l'hémoperfusion sur charbon de bois* semblent efficaces.
2. *Effet muscarinique* : Administrer de l'atropine (voir **Insecticides**).
3. *Effet anticholinergique* : Donner du salicylate de physostigmine si symptômes importants (voir **Antidépresseurs tricycliques**).

Corrosifs

(Divers produits acides ou alcalins pour déboucher les éviers, acides ou bases concentrées, permanganate de potassium, comprimés Clinitest, etc.) Les acides et les bases fortes entraînent des brûlures caustiques de l'œsophage, qui peuvent être suivies de sténose cicatricielle. Des lésions gastriques ou intestinales peuvent aussi s'observer, surtout lors de l'ingestion d'acides. **Ne pas faire vomir.** Il faut faire précocement une *œsophagoscopie* dans tous les cas, qu'il y ait ou qu'il n'y ait pas de lésions buccales. Si l'endoscopie révèle des lésions importantes (plus qu'une simple hyperémie de la muqueuse), donner de la *prednisone* à raison de 2 mg/kg/24 heures en 2 doses, par voie orale pendant 3 semaines, puis cesser progressivement ce traitement. Traitement symptomatique habituel dans les cas graves. 3 à 4 semaines après l'ingestion, faire

une cinéradiographie de l'œsophage, ou, parfois, une œsophagoscopie de contrôle. Lorsqu'il y a une évolution vers la sténose cicatricielle, des dilatations œsophagiennes et, parfois, un remplacement œsophagien peuvent être nécessaires.
● *N. B.* : L'hypochlorite de sodium (eau de Javel), aux concentrations domestiques habituelles (moins de 8 %), ne cause pas de brûlures graves.

Digitale

La dose unique létale serait d'environ 20 à 50 fois la dose d'entretien quotidienne. Le taux sérique toxique de digoxine serait de 5,12 μmol/litre (4 μg/ml) chez le nourrisson, de 3,2 μmol/litre (2,5 μg/ml) chez l'enfant plus âgé, et de 1,92 μmol/litre (1,5 μg/ml) chez l'adulte.
● *Manifestations cliniques* : Anorexie, nausées, vomissements, diarrhée, somnolence, confusion, douleurs abdominales, convulsions, coma, bradycardie, extrasystoles, tachycardie ventriculaire, blocs de conduction, fibrillation auriculaire ou ventriculaire, hyperkaliémie.
● *Traitement* : Evacuation gastrique, charbon de bois activé, surveillance continue de l'électrocardiogramme, surveillance des électrolytes (l'hypokaliémie accentue les effets toxiques de la digitale), traitement habituel de l'hypo- ou de l'hyperkaliémie. S'il y a des arythmies, utiliser une des médications suivantes en collaboration avec un cardiologue :
Phénytoïne (diphénylhydantoïne), à raison de 3 à 5 mg/kg intraveineux en 5 à 10 minutes, à répéter si nécessaire toutes les 8 heures, puis à raison de 4 à 5 mg/kg/24 heures par voie orale, en 2 à 3 doses.
Xylocaïne en perfusion continue.
Propranolol : 0,025 à 0,05 mg/kg intraveineux en 10 minutes, toutes les 6 à 8 heures (maximum 10 mg/24 heures). Contre-indiqué si défaillance cardiaque, bloc de conduction significatif, ou asthme. En cas d'échec, d'autres mesures peuvent être envisagées : ex. : « pacemaker » si bradycardie qui ne répond pas à l'atropine (dose = 0,01 mg/kg i.v. ou s.c. toutes les 4 heures).
Les fragments Fab d'anticorps antidigoxine semblent prometteurs dans le traitement.

Epinéphrine

(Adrénaline et autres agents sympathicomimétiques tels que les amphétamines, l'éphédrine, le méthylphénidate, etc. utilisés comme bronchodilatateurs, anorexigènes, ainsi que dans l'hyperactivité.)
● *Manifestations cliniques* : Convulsions, vomissements, tachycardie, céphalées, pâleur, anxiété, tremblements, mydriase, hypertension artérielle, arythmies, hyperthermie, difficultés respiratoires, collapsus.
● *Traitement* : Voie orale : évacuation gastrique et charbon de bois activé.
Injection sous-cutanée ou intramusculaire : voir plus haut : Mesures d'urgence.
Traitement symptomatique habituel. Diazépam si convulsions.
Phentolamine : Si intoxication par injection sous-cutanée ou intramusculaire, infiltrer le site d'injection avec 5 mg. Si hypertension artérielle, 1 à 2 mg chez le jeune enfant et 5 mg chez le grand enfant et l'adulte en

injection intraveineuse lente. Le propranolol (0,025 à 0,05 mg/kg en injection intraveineuse très lente) peut être utile s'il y a une tachycardie importante.

Ethanol : voir Alcool éthylique

Ethylène glycol

Est surtout utilisé comme antigel. Très toxique : une dose de 1,4 ml/kg (100 ml chez l'adulte) peut être fatale. Au début, l'intoxication peut ressembler à celle causée par l'alcool éthylique.
- Les *manifestations cliniques* suivantes peuvent ensuite apparaître : vomissements, coma, convulsions, dépression respiratoire, insuffisance rénale avec dépôt de cristaux d'oxalate de calcium dans les tubules rénaux, *acidose métabolique profonde* avec hyperventilation, hypoglycémie, hypocalcémie, hyperkaliémie, hémolyse, hyperleucocytose importante.
- *Traitement* : Evacuation gastrique, puis administration immédiate d'alcool éthylique (voir Alcool méthylique) pendant 4 jours environ. Prévenir ou traiter l'hypoglycémie, l'hypocalcémie et l'acidose métabolique. Traitement de support habituel. Diurèse forcée s'il n'y a pas d'insuffisance rénale. Dans les cas graves, recourir précocement à l'hémodialyse ou à la dialyse péritonéale, surtout s'il y a une insuffisance rénale associée.

Fer

La dose toxique est voisine de 30 mg/kg de fer élémentaire, et la dose fatale de 180 mg/kg. (Le sulfate ferreux par exemple contient 20 % de fer élémentaire.) Les comprimés de fer sont parfois visibles radiologiquement.
- Les *manifestations cliniques* peuvent apparaître d'une façon biphasique. La phase initiale est caractérisée par des vomissements, de la diarrhée, de la léthargie, des hémorragies digestives, une hyperglycémie, un état de choc, une acidose métabolique, de la fièvre, et une hyperleucocytose. Après une accalmie pouvant durer jusqu'à 48 heures, l'enfant peut présenter un collapsus, un coma, de l'œdème pulmonaire, des convulsions, une anurie, et une insuffisance hépatique.

La diarrhée, les vomissements, une leucocytose et une hyperglycémie sont de bons critères pour diagnostiquer un taux de fer à 300 µg/ml. Tout patient asymptomatique durant 6 heures présente très peu de risque.
- *Traitement* : Evacuation gastrique et traitement symptomatique habituel. Surveiller l'hémoglobine, le fer sérique, la glycémie et les électrolytes. Se préparer à transfuser. Si le fer sérique déterminé moins de 6 heures après l'ingestion est inférieur à 53,8 µmol/litre (300 µg/100 ml), une intoxication grave est improbable, et le traitement symptomatique peut être suffisant. S'il est supérieur à cette valeur, utiliser la *desféroxamine* : 20 à 40 mg/kg/dose (maximum 1 000 mg) par voie intramusculaire

toutes les 6 heures, jusqu'à ce que l'urine ait perdu sa couleur saumonée caractéristique, ou que le fer sérique soit redevenu inférieur à la capacité totale de saturation. La déféroxamine peut aussi être utilisée en perfusion intraveineuse très lente (ne pas dépasser 10-15 mg/kg/heure) : il y a un danger d'hypotension artérielle. Il se peut que l'hémodialyse, la dialyse péritonéale ou l'*exsanguino-transfusion* puisse aider dans les cas graves, mais cela est controversé. Après la phase aiguë, surveiller la fonction hépatique et l'apparition d'une sténose pylorique ou duodénale.

Hydrocarbures

(Dérivés de la distillation du pétrole : essence, benzine, kérosène, etc.) Le problème principal est une *pneumonie chimique*. De fortes doses peuvent aussi entraîner une encéphalopathie.
● *Traitement* : Ne pas évacuer l'estomac, sauf si une quantité importante (plus de 1 ml/kg) a été avalée ; dans ce cas faire vomir si l'enfant est conscient, sinon aspirer le contenu gastrique après intubation trachéale. Radiographie pulmonaire au moment de la consultation et 12 à 24 heures plus tard. Traitement symptomatique de la pneumonie : oxygène, hydratation, etc. Les corticostéroïdes ne sont pas utiles, et les antibiotiques ne sont indiqués que si une surinfection bactérienne secondaire apparaît.

Hypnotiques

Voir, selon le cas : Barbituriques ou Sédatifs et hypnotiques non barbituriques.

Insecticides

Les deux types principaux d'insecticides sont :
1. Les **organo-chlorés** (exemple : DDT) très toxiques et très bien absorbés par la peau.
● *Manifestations cliniques* : Hyperexcitabilité, tremblements, faiblesse musculaire, convulsions.
● *Traitement* : Evacuer l'estomac et donner du charbon de bois activé. S'il y a eu un contact cutané, enlever rapidement les vêtements et laver à grande eau. Traitement de support habituel. S'il y a des convulsions, utiliser le diazépam et le phénobarbital. Dans les convulsions réfractaires, les myorelaxants et la ventilation mécanique peuvent être indiqués. Eviter l'adrénaline (peut induire une fibrillation ventriculaire). Le gluconate de calcium pourrait être utile.
2. Les **organo-phosphorés** sont des inhibiteurs de la cholinestérase. Ils sont très toxiques. (Exemples : malathion, parathion.)
● *Manifestations cliniques* (apparaissent 30 à 60 minutes après l'exposition, et atteignent leur maximum après 2 à 8 heures) : Nausées, vomissements, céphalées, tremblements, anxiété, faiblesse musculaire, troubles visuels, incoordination, *myosis*, sudations, *hypersalivation* et *hypersécrétion bronchique, fasciculations musculaires*, douleurs abdominales, bra-

dycardie, diarrhée, paralysie et détresse respiratoire, œdème pulmonaire, coma, choc, convulsions, blocs de la conduction cardiaque.
● *Traitement* : Evacuation gastrique. Si contact avec la peau, enlever rapidement les vêtements et laver à grande eau. Traitement symptomatique habituel, et particulièrement support ventilatoire si nécessaire. S'il y a des symptômes, utiliser conjointement :
a) Atropine : 0,5 à 2,0 mg intraveineux ou intramusculaire, à répéter toutes les 3 à 8 minutes jusqu'à apparition de signes d'atropinisation. Répéter les doses d'atropine pour maintenir ces signes pendant 24 à 48 heures.
b) Pralidoxime (réactivateur de la cholinestérase) : Donner 50 mg/kg (maximum 2 g) en solution à 5 %, par voie intraveineuse et lentement. Une deuxième dose peut être donnée une demi-heure plus tard si nécessaire, puis toutes les 12 à 24 heures. Eviter l'aminophylline, la morphine, les barbituriques, les phénothiazines et l'adrénaline. Traiter les convulsions de la façon habituelle. Les 4 à 6 premières heures sont les plus critiques.

Métaldéhyde (« méta »)

Très utilisé sous forme de tablettes comme combustible solide et léger, pour pique-nique, camping, etc. Aussi utilisé pour tuer les escargots dans les jardins. Se transforme en acétaldéhyde dans l'estomac sous l'effet de l'acidité, et probablement encore en d'autres substances toxiques.
● *Manifestations cliniques* : Gastrite hémorragique, nausées, vomissements. Puis stimulation du système nerveux central, crampes musculaires, puis trismus, convulsions, arrêt respiratoire. Signes de Trousseau et de Chvostek peuvent être positifs. Hyperthermie.
● *Traitement* : Ipéca et lavage gastrique (cf. Mesures d'urgence, p. 453). Cette substance étant liposoluble, *ne pas* essayer de la neutraliser (gastrite) en faisant boire du lait (augmente l'absorption).
Forcer les liquides i.v. (diurèse) et contrôler l'acidose.
Anticonvulsivants si nécessaire : phénobarbital, diazépam.
Contrôle de la respiration, éventuellement intubation et respirateur.
Exsanguino-transfusion.

Méthanol : voir Alcool méthylique

Naphtalène (naphtaline)

Utilisé surtout comme agent antimite.
La dose dangereuse est de 2 à 15 g, beaucoup plus faible chez les déficients en glucose-6-phosphate-déshydrogénase.
● *Manifestations cliniques* : Vomissements, diarrhée, convulsions, coma, hémolyse avec ictère, hémoglobinurie ou anurie.
● *Traitement* : Evacuer l'estomac, surveiller l'hémoglobine et la bilirubine, transfuser au besoin, maintenir une diurère normale. Il se peut que les corticostéroïdes soient utiles dans les cas graves.

Narcotiques

(Morphine, codéine, mépéridine, héroïne, propoxyphène, pentazocine, etc. Certains agents antidiarrhéiques comme le diphenoxylate. Sirops pour la toux contenant de la codéine.)

● *Manifestations cliniques* principales : *Myosis, dépression respiratoire, coma flasque, dépression circulatoire*. Possibilité d'œdème pulmonaire.

● *Traitement* : Evacuation gastrique et charbon de bois activé. Support ventilatoire et circulatoire habituel. La *naloxone* (0,005 et 0,01 mg/kg/dose intraveineuse, intramusculaire ou sous-cutanée) est un antidote très efficace. La dose ci-dessus peut être répétée à 2-3 reprises si nécessaire toutes les 2 à 3 minutes. La dose adulte est de 0,4 à 0,8 mg. L'action de cet antidote est courte ; le patient doit être surveillé de très près et peut nécessiter des injections périodiques de naloxone.

Opiacés : voir Narcotiques

Paracétamol (acétaminophène)

Cet agent antipyrétique et analgésique entraîne surtout, après une phase initiale caractérisée par des symptômes digestifs, une *hépatite toxique*, qui peut apparaître plusieurs jours après l'ingestion, et dont la mortalité est élevée. La dose toxique chez l'adulte serait de 7,5 g et chez l'enfant de 150 mg/kg environ.

Fig. 1 : Taux plasmatique de l'acétaminophène en fonction du temps

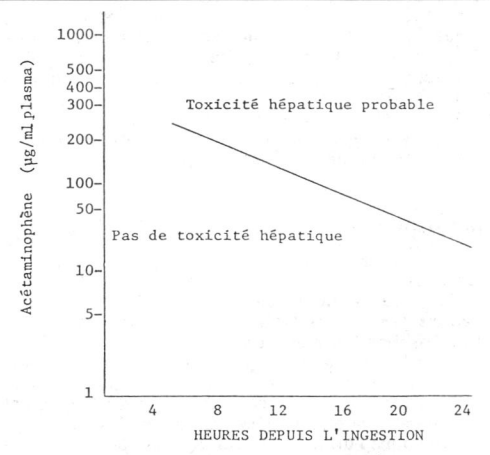

D'après Rumack BH Matthew H., Acetaminophen poisoning and toxicity, *Pediatrics* 55 : 871, 1975.

● *Traitement* : Evacuer l'estomac de la façon habituelle. Ne pas utiliser le charbon de bois activé si on envisage d'utiliser l'antidote. Si la dose ingérée est inconnue ou potentiellement toxique, mesurer si possible le taux sérique d'acétaminophène au plus tôt 4 heures après l'ingestion, et consulter le nomogramme de Rumack (fig. 1). Si le taux sérique est dans la zone de toxicité hépatique probable, ou si le dosage n'est pas possible, hospitaliser l'enfant et commencer le plus tôt possible l'administration de l'*antidote*, la *N-acétyl-cystéine* par voie orale. La solution à 20 % (200 mg/ml) doit être mélangée à raison d'une partie pour deux parties de « Coca-Cola » ou de jus de fruit. Donner 140 mg/kg comme dose d'attaque, puis 70 mg/kg toutes les 4 heures, pour atteindre un total de 17 doses d'entretien ou 68 heures de traitement. La N-acétyl-cystéine peut être donnée i.v. aux mêmes doses et à la même fréquence que *per os*. Employer une concentration de 5 % ou moins (au plus 5 g/100 ml) dans du soluté glucosé à 5 % et passer en 15 minutes au minimum.

Surveiller les transaminases, la bilirubine, la glycémie, et le temps de prothrombine. Traiter l'insuffisance hépatique de la façon habituelle. Dans les cas très graves, l'hémoperfusion sur charbon de bois pourrait être utile, si elle est effectuée très précocement.

Phénothiazines (et substances analogues)

(Nombreux agents antipsychotiques, antiémétiques et antihistaminiques, tels que la chlorpromazine, l'halopéridol, la prométhazine, la thiopropérazine, etc.)

● *Manifestations cliniques* : Dépression du système nerveux central pouvant aller jusqu'au coma, dépression respiratoire et circulatoire, *syndrome extrapyramidal*, possibilité de convulsions, de manifestations anticholinergiques et d'arythmies cardiaques.

● *Traitement* : Evacuation gastrique, charbon de bois activé, traitement symptomatique habituel. Si manifestations extrapyramidales graves : *diphénhydramine* 0,5 à 1,0 mg/kg/dose (maximum 25 à 50 mg) i.v., à répéter au besoin. Peut aussi être donnée par voie orale à la dose de 5 mg/kg/24 heures en 4 doses. La *benztropine* est une alternative possible (1 mg par voie intraveineuse, à répéter au besoin). Si manifestations anticholinergiques graves, donner de la physostigmine (voir Antidépresseurs tricycliques). La dialyse ne semble pas utile.

Plomb (saturnisme)

● *Sources* : Céramiques artisanales (vernis).
Peintures diverses.
Vapeurs de Pb (essence, combustion de batteries électriques).

● *Manifestations gastro-intestinales* : Anorexie, vomissements. Douleurs abdominales. Constipation. Sang dans les selles.

● *Manifestations sanguines* : Pâleur, anémie hypochrome : blocage de la synthèse de l'hémoglobine par inhibition enzymatique et diminution de la survie des globules rouges ; le blocage de la synthèse explique l'uro- et la corpoporphyrinurie ainsi que la présence de grandes quantités d'acide δ-aminolévulinique dans l'urine. Le fer sérique est normal. Taux sanguin de Pb élevé : 30-80 μg/100 ml : manifestations métaboliques ; > 80 μg/100 ml : symptomatique, anémie.

- *Manifestations rénales* : Glycosurie, protéinurie, hématurie. Hypertension artérielle. Plomburie élevée (son élévation encore plus grande après le début du traitement aux chélateurs est diagnostique).
- *Manifestations neurologiques* : Irritabilité. Faiblesse, fatigue, paralysies. Signes d'hypertension intracrânienne : œdème papillaire, vomissements, convulsions, élévation de la pression du liquide céphalo-rachidien avec pléiocytose et augmentation de la protéinorachie.
- *Manifestations osseuses (radiologiques)* : Lignes de Pb denses au niveau des métaphyses des os longs. Taches radio-opaques au niveau de l'intestin grêle (intoxication aiguë).
- *Traitement* : Ipéca, lavage gastrique si ingestion unique, récente, connue. Mais en général, il s'agit d'une *intoxication chronique* :
Chercher la source de Pb afin de l'éloigner.
Eliminer le Pb de l'organisme à l'aide de *chélateurs* :
a) Combiner le calcium-disodium-versénate (CaNa$_2$EDTA) et le *dimercaprol* (BAL). Première dose : 4 mg/kg de BAL, i.m. Puis, toutes les 4 heures, même dose de dimercaprol associée à 12,5 mg/kg de CaNa$_2$EDTA, i.m. Cela pendant 5 jours. Malheureusement, le BAL et le CaNa$_2$EDTA en injections i.m. sont très douloureux, et, donné i.v., le CaNa$_2$EDTA cause des thromboses.
b) On peut avec profit (bonne excrétion urinaire de Pb) utiliser la *pénicillamine* (β-β-diméthyl-cystéine), *per os*. Doses : 30 à 40 mg/kg/jour ad 750 mg/24 h. Peut être administrée sans difficulté pendant des mois, pour désaturer l'organisme de son Pb.
Traitement de l'*encéphalopathie saturnine*, des *convulsions* : Phénobarbital, hydrate de chloral. Corticostéroïdes, urée, mannitol pour l'œdème cérébral.

Salicylates (aspirine et dérivés)

La dose toxique (dose unique) est de 120 à 150 mg/kg.
- *Manifestations cliniques* : Stimulation de centre respiratoire avec hyperventilation, alcalose respiratoire, et augmentation des pertes insensibles d'eau. Stimulation du métabolisme avec hyperthermie paradoxale, aggravation des pertes insensibles d'eau, et épuisement rapide des réserves caloriques. *Surtout chez le jeune enfant*, une *acidose métabolique* (corps cétoniques) peut s'installer. On observe aussi des nausées, des vomissements, des céphalées, des bourdonnements d'oreille, de l'agitation, des convulsions, un coma, une hypoglycémie, un allongement du temps de prothrombine. En résumé, l'enfant se présente avec une hyperventilation et une déshydratation. Selon que l'acidose métabolique ou l'alcalose respiratoire prédomine, le pH peut être normal, augmenté ou diminué.
- *Traitement* : Evacuation gastrique, charbon de bois activé. Evaluer la gravité en fonction de la salicylémie, selon le *nomogramme de Done* (fig. 2), qui n'est utilisable que pour une intoxication par une dose unique. Surveiller les électrolytes, l'équilibre acido-basique et la glycémie. Pour induire une bonne diurèse et corriger la déshydratation souvent présente, il est nécessaire d'administrer une perfusion à raison de 150 à 300 % des besoins d'entretien, selon le degré d'hyperthermie, d'hyperventilation et de déshydratation. Le liquide perfusé devrait contenir environ 5 % de glucose, 50 mEq/l de sodium, et, si la diurèse est normale, 40 mEq/l de

Fig. 2 : Nomogramme de Done

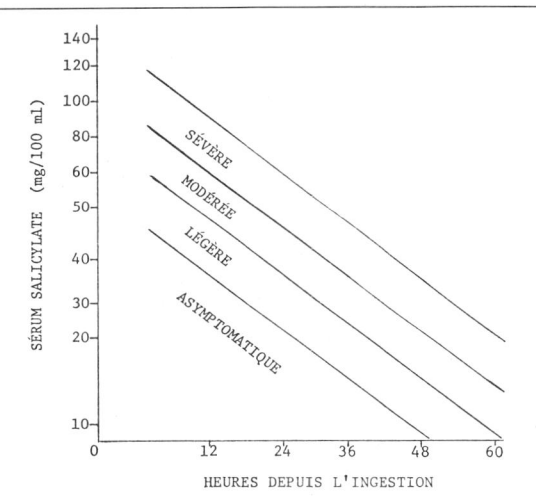

Ce nomogramme met en relation la salicylémie et la sévérité probable de l'intoxication après une dose unique de salicylates.
Done, A.K., Pediatrics 26 : 800, 1960.

potassium. L'alcalinisation continue est utile, car l'alcalinisation des urines augmente l'excrétion rénale, et l'alcalinisation du sang permet aux salicylates de demeurer surtout sous la forme ionisée, qui pénètre peu dans les cellules. Il y a cependant danger d'alcalémie, puisque l'hyperventilation va persister pendant le traitement. En pratique, ajouter, si le patient est acidémique, 5, 10 ou 15 mEq de bicarbonate par 100 ml de soluté et surveiller étroitement l'équilibre acido-basique. Si troubles de la coagulation, donner de la vitamine K. Chez les patients gravement intoxiqués, l'hémodialyse ou la dialyse péritonéale doit être instituée.

Le *nomogramme de Done* (fig. 2) ne peut être utilisé :
a) moins de 6 heures après l'ingestion ;
b) s'il y a une maladie intercurrente ;
c) si l'intoxication est causée par des doses multiples.

Sédatifs et hypnotiques non barbituriques

Ces substances, très similaires aux barbituriques, sont très répandues. Les *benzodiazépines* (diazépam, chlordiazepoxide, oxazépam, nitrazépam, clonazépam, flurazépam, lorazépam, triazolam, etc.) sont peu dangereuses. D'autres agents comme l'*ethchlorvynol*, le *gluthétimide*, le méprobamate, la méthaqualone et le méthyprylone, sont plus dangereux.

- Les *manifestations cliniques* principales sont très similaires à celles produites par les barbituriques (voir Barbituriques).
- *Traitement* : Vomissements induits, charbon de bois activé. Le *traitement symptomatique*, et particulièrement le support ventilatoire, est essentiel, et suffisant dans 99 % des cas. L'*hémoperfusion sur charbon de bois* est très efficace dans les intoxications graves au méprobamate, à la méthaqualone et au méthyprylone.

Térébenthine

- *Dose fatale* : 15 ml chez le jeune enfant, 120 à 180 ml chez l'adulte. Peut donner des symptômes pulmonaires, digestifs, une atteinte rénale et une atteinte du système nerveux central.
- *Traitement* : Donner immédiatement de l'eau, puis évacuer l'estomac et administrer un cathartique. Traitement symptomatique habituel. Surveiller la fonction rénale. Dans les cas graves faire une exsanguino-transfusion. Eviter les narcotiques.

Théophylline : voir Aminophylline

Tranquillisants : voir Sédatifs et hypnotiques non barbituriques

Vitamines

B, C, D, K, : aucun danger avec une dose unique.
Vitamine A : une dose unique de plus de 200 000 à 400 000 unités peut donner des signes d'hypertension intracrânienne, surtout chez le nourrisson.
- *Traitement* : Evacuation gastrique, traitement symptomatique, cesser l'administration quotidienne de vitamines pendant quelques semaines.

Substances non toxiques ou très peu toxiques

Additifs pour aquarium
Allumettes
Anneaux de dentition
Balles de golf (centre liquide)
Cendre de cigarettes
Chandelles
Colle à papier
Craie
Crayons, crayons feutres
Dentifrice
Déshumidificateurs (sachet ou capsule)
Détergents (sauf pour laveuse à vaisselle automatique)
Eau de toilette
Edulcorant (saccharine, cyclamate)
Encre à crayons à bille
Mercure de thermomètre

Nettoyeurs à tapis
Nourriture pour animaux domestiques : chien, chat, serin, etc.
Pâte à modeler
Pétards pour fusil-jouet
Piles sèches (sauf alcaline)
Plasticine
Polaroïd (enduit liquide)
Polis pour argenterie
Pommades et huiles pour cheveux
Rouge à lèvres
Savon à bulles, savon de toilette et à vaisselle
Shampooing

Accidents

Syndrome de l'enfant maltraité

Ce syndrome se définit par toute situation où des sévices corporels, psychologiques ou sexuels, ou des privations sont infligés à un ou une enfant.

Le médecin aura un rôle essentiel dans le dépistage des cas, la protection immédiate de l'enfant, le traitement des blessures et des carences. Il doit contribuer également à la prévention du phénomène dans sa communauté.

Les sévices et la négligence sont plus fréquents qu'on ne pense et constituent une cause importante de mortalité et d'infirmité physique ou psychologique chez l'enfant. Ils peuvent être observés dans tous les milieux, riches ou pauvres, instruits aussi bien que frustes, mais se retrouvent avec une grande fréquence dans les milieux désorganisés ou socialement défavorisés.

Le syndrome de l'enfant « maltraité » est souvent méconnu, parce que le médecin n'a pas ce diagnostic toujours présent à l'esprit ; et les récidives fréquentes peuvent entraîner la mort, des encéphalopathies ou des conséquences psycho-affectives néfastes.

Diagnostic

● *Age* : Il peut s'agir d'enfants de tout âge mais le nourrisson et l'enfant d'âge préscolaire sont le plus souvent touchés.
● *Présence de blessures* : Les ecchymoses, les hématomes anciens ou récents, les brûlures, les fractures, l'hématome sous-dural peuvent constituer des signes d'appel qui doivent solliciter l'attention du médecin, qui s'orientera vers le diagnostic en fonction d'indices associés.
● *Apparence de l'enfant* : Il est triste ou irritable ; ou il peut présenter un appétit vorace.

- *Comportement des parents* : Ils paraissent hostiles à l'enfant, peu intéressés, ne participent pas aux soins requis et offrent des versions peu plausibles ou contradictoires quant à la cause des blessures ou de l'état de l'enfant.
- L'*état de malnutrition, les retards de développement* sont fréquemment associés.
- L'*étude radiologique* du squelette est quasi diagnostique, lorsqu'il existe des signes de fracture récente ou ancienne au niveau des os longs, du crâne, ou des signes d'arrachement épiphysaires souvent accompagnés de soulèvements périostés.
- La *crase sanguine* en présence d'ecchymoses est normale.

Traitement et attitudes

Il ne faut pas hésiter à admettre l'enfant à l'hôpital afin de le protéger et permettre une évaluation médico-psycho-sociale en collaboration avec les autres travailleurs de la santé.

Un soin particulier sera accordé à l'évaluation et à la surveillance de la croissance, de la nutrition et du niveau de développement de l'enfant.

La législation concernant ce problème varie beaucoup d'un pays à l'autre. Il faut donc s'y référer pour protéger l'enfant et aider la famille.

Une attitude de neutralité et d'empathie est recommandée dans les communications avec les parents, leur coopération demeurant essentielle dans la plupart des cas.

Le pronostic varie avec le degré des dommages subis et avec la qualité des mesures appliquées auprès de l'enfant et de la famille.

Syndrome de la mort subite du nourrisson

Cette entité constitue la cause la plus fréquente de décès entre le premier et le douzième mois de vie dans les sociétés développées. Son incidence moyenne se situe entre 2 et 3 pour 1 000 naissances vivantes. Le pic de fréquence se situe entre 2 et 4 mois de vie. De façon caractéristique, le nourrisson, jusque-là en bonne santé apparente, est retrouvé mort dans son berceau, le matin, et l'autopsie conventionnelle ne permet pas d'identifier la cause du décès. De nombreux facteurs de risque ont été décrits : sexe masculin, prématurité, séjour dans une unité de soins intensifs néonataux, hiver, milieu défavorisé, etc. Malgré ces observations, les victimes potentielles ne peuvent encore être identifiées d'avance. L'allaitement maternel ne semble pas protéger. De nombreuses hypothèses étiologiques ont été formulées, et il est probable que les causes soient multiples.

Récemment, l'idée que la majorité des victimes soient décédées en raison d'une régulation déficiente de la respiration a progressé. D'une part il semble que ces enfants ont un comportement anormal *avant* leur décès, et d'autre part plusieurs évidences anatomo-pathologiques, et notamment l'hyperplasie de la musculature des artérioles pulmonaires, suggèrent un état d'*hypoxémie chronique* préexistante. Si l'enfant meurt, les parents nécessitent souvent de l'aide, notamment en raison du développement de sentiments de culpabilité. Chez les quelques survivants, le diagnostic différentiel doit inclure notamment l'hypoglycémie et les autres troubles métaboliques, les infections, l'anémie, les convulsions, les troubles de la conduction cardiaque, le reflux gastro-œsophagien, le botulisme du nourrisson, etc. L'utilisation à domicile des moniteurs d'apnée chez les survivants est à l'étude. Lors d'une grossesse subséquente, les risques sont au moins 4 fois plus élevés que dans la population normale.

Morsures de serpents

Le danger est variable selon le type de serpent [1] et la quantité de venin injecté, le site de la morsure, l'âge de l'enfant et la précocité du traitement. Les venins contiennent des neurotoxines, des hémolysines, des fibrinolysines et des cytolysines.

Localement, on peut reconnaître les marques des dents, et un œdème important se développe en moins de 10 minutes ; cet œdème est tendu et froid. On observe aussi de la cyanose et des taches purpuriques locales.

Les *manifestations systémiques* suivantes peuvent s'observer : choc hypovolémique ou cardiogénique, anémie hémolytique, hémorragies, paresthésies, paralysies, dysphagie et convulsions.

● *Traitement* : Immobiliser le membre atteint en position horizontale et transporter à l'hôpital. Placer un garrot en amont de la morsure. Après une épreuve intradermique, injecter l'antisérum spécifique par voie intraveineuse (jamais intramusculaire). Etre préparé à traiter les réactions : adrénaline, corticostéroïdes, antihistaminiques. Administrer l'anatoxine tétanique ou la gamma-globuline antitétanique. Traiter le choc, transfuser si nécessaire, traiter les convulsions et la douleur de la façon habituelle.

Noyade avortée

Les facteurs principaux conditionnant la survie et sa qualité sont la durée de la submersion, la température de l'eau (l'hypothermie est un élément protecteur), la précocité et l'efficacité de la ressuscitation au site de l'accident. Bien que de nombreux problèmes tels que l'hypervolémie, l'hypoélectrolytémie et l'hémolyse dans le cas de la noyade en eau douce, et l'hémoconcentration dans le cas de l'eau de mer, aient été décrits, ils sont habituellement transitoires ou même absents chez les survivants qui arrivent à l'hôpital. Chez eux, les problèmes se résument à l'*atteinte cérébrale anoxique* et à l'*atteinte pulmonaire* qui peut se développer tardivement. Les survivants doivent donc être surveillés étroitement à l'hôpital pendant au moins 24 à 48 heures. Le traitement est celui de l'insuffisance respiratoire (intubation, ventilation mécanique, oxygène, pression positive en fin d'expiration, etc.). Les diurétiques et la restriction des apports liquidiens sont utiles. Les corticostéroïdes semblent inutiles, de même que les antibiotiques, qui ne devraient être utilisés qu'en cas d'infection bactérienne secondaire. Le rôle d'une « ressuscitation cérébrale » aggressive (corticostéroïdes, diurétiques, hyperventilation mécanique, coma barbiturique, curarisation, hypothermie, monitoring de la pression intracrânienne, etc.) demeure à préciser. Les mesures préventives au niveau individuel et collectif sont essentielles.

---

[1] Les morsures de vipères, en Europe, ne sont pas mortelles. Par contre le médecin doit toujours s'occuper de l'affolement et de la panique qu'elles suscitent dans l'entourage de la personne mordue.

Brûlures

Les brûlures peuvent être causées par des agents chimiques (phosphore, fluor, acides et bases inorganiques), thermiques (liquides, flammes) ou électriques, et, enfin, être la conséquence d'une photosensibilisation (sulfamidés, butazolidine, hydantoïnes) : syndrome de Lyell.

La brûlure cause une thrombose vasculaire qui, par anoxie, conduit à des destructions tissulaires. On distingue trois degrés :
- 1er degré : brûlure superficielle qui n'atteint pas la membrane basale (érythème) ;

Fig. 3 : Brûlures

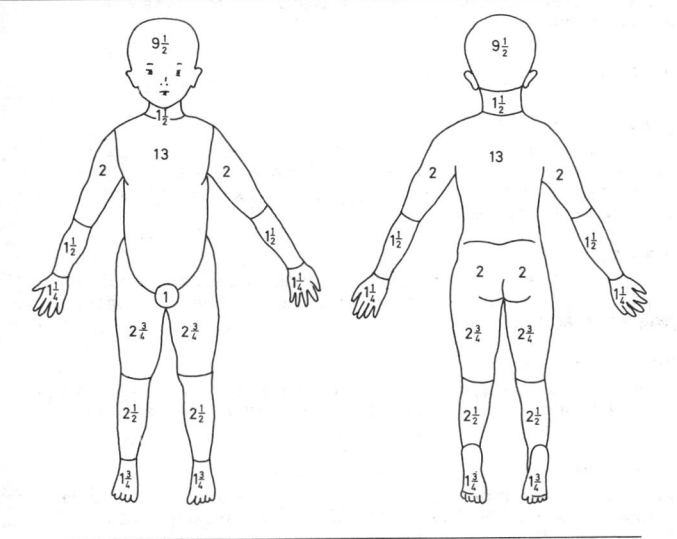

Pourcentage de la surface totale du corps représentée par chaque région	Age (années)					
	0	1	5	10	15	Adulte
Tête	19	17	13	11	9	7
Tronc	26	26	26	26	26	26
Bras	7	7	7	7	7	7
Cuisse	5½	6½	8½	8½	9½	9½
Jambe	5	5	5	6	6	7

Selon Berkov

- 2e degré : atteint la membrane basale (phlyctène) et la partie superficielle du derme, mais des îlots d'épiderme permettent la régénérescence « sur place » ;
- 3e degré : destruction plus profonde (insensibilité de la plaie) ; la régénération ne peut se faire que depuis les bords de la plaie.

La gravité de la brûlure est fonction de la surface brûlée (cf. fig. 3) et de la profondeur de la brûlure. L'importance de la brûlure dépend de l'agent brûlant, de son temps d'application et de la région atteinte (épaisseur de la peau et vascularisation).

Au niveau de la surface brûlée, on observe une perte de liquide et de plasma, et, dans les tissus avoisinants, une extravasation de liquide (œdème) par modification de la perméabilité capillaire. L'hypovolémie consécutive est responsable du choc et de la mortalité immédiate. Les complications secondaires sont liées à l'infection des plaies et à leur cicatrisation. Enfin, les brûlures peuvent laisser des séquelles fonctionnelles ou esthétiques.

Traitement

Brûlures légères

Brûlures de moins de 10 % avant un an et 15 % après deux ans. Traitement local uniquement. Donner à boire en suffisance. Hospitalisation dans les 2e et 3e degrés, si le traitement ambulatoire est impossible pour des raisons sociales.

Brûlures chimiques

Brûlures par phosphore : appliquer une solution de sulfate de cuivre à 2 %. Fluor : lactate de calcium. Acide inorganique : lavage. Bases inorganiques : acide acétique.

Brûlures thermiques

Les brûlures du visage sont laissées exposées à l'air. L'antibiothérapie par voie générale n'est pas nécessaire. Vaccination antitétanique ou injection de rappel (0,5 ml anatoxal i.m.).

Brûlures graves

Tout enfant souffrant de brûlures de plus de 10 % avant un an ou de 15 % après deux ans doit être hospitalisé le plus rapidement possible. Déshabiller l'enfant, le placer dans un drap propre pour le transport. A l'arrivée à l'hôpital, noter l'heure de la brûlure et l'heure du début du traitement, apprécier l'étendue de la brûlure (cf. fig. 3), puis commencer immédiatement la réanimation : donner des calmants (éventuellement anesthésie légère), mise en place d'un cathéter dans une grosse veine et le pousser si possible dans l'oreillette droite (veine basilique, veine jugulaire) ou dans la veine cave (crosse de la saphène) afin d'avoir une pression veineuse centrale. Mise en place d'une sonde vésicale (diurèse horaire).

- *Réanimation* : voir chapitre 14, p. 418.

Une fois la réanimation commencée, on peut envisager le traitement des plaies, qui doit se faire en salle d'opération : nettoyage, parage, pansement. Le traitement local doit tenir compte du risque d'infection par les saprophytes cutanés et par les germes hospitaliers.

- *Traitement local* : Application locale d'une crème à base de sels d'argent et de Sulfadiazine (Flammazine®) directement sur la peau en couche de 2 à 3 mm ou sur une gaze (pansement fermé). Bain journalier et nouvelle application de crème (calmants ou anesthésie générale).
- *Greffes précoces* : Après excision tangentielle, les brûlures du 3e degré peuvent être couvertes par des auto- ou homogreffes au 4e jour après la brûlure.
- *Greffes tardives* : 3e semaine, mais résultat cosmétique moins bon (chéloïdes).

Une fois la phase aiguë dépassée, il faut penser à la nutrition et à l'apport calorique. La perte de chaleur par évaporation exige de grandes quantités de calories. Il faut compter, *en plus* des besoins habituels, 220 cal $\times$ % de surface cutanée brûlée $\times$ m^2 de surface corporelle pour 24 h. Par exemple, pour un enfant de 1 m^2 avec 10 % de surface brûlée : 220 cal $\times$ 10 $\times$ 1 = 2 200 calories supplémentaires pour 24 h.

Brûlures électriques

Généralement petite plaie cutanée, mais souvent importantes lésions profondes. Ne jamais exciser une plaie par brûlure électrique dans les premiers jours. Désinfection. Pansement avec tulle gras. Les brûlures aux mains laissent souvent des séquelles fonctionnelles.

Traitement des séquelles de brûlures

Celles-ci sont marquées par l'existence de chéloïdes hypertrophiques, d'aspect très inesthétique, et qui limitent les mouvements des articulations (gêne fonctionnelle). L'application de vêtements compressifs (type Jobst) jour et nuit pendant 1 à 2 ans permet d'éviter l'apparition des chéloïdes ou de les faire disparaître ; traitement chirurgical (plasties en Z) pour les brides fixant les articulations.

Gelures

On distingue trois stades : 1. stade anémique (récupération rapide) ; 2. hyperémie et œdèmes (bulle hémorragique) ; 3. nécrose avec gangrène (sillon de démarcation).

Traitement

Réchauffement (eau à la température de la chambre). Vaso-dilatateur, anticoagulants. Anesthésie du sympathique. Amputation, greffes. Antibiotiques.

Corps étrangers

Ils peuvent être soit aspirés, soit déglutis. Ils sont pris par l'enfant ou donnés par un frère ou une sœur.

Aspiration

Il s'agit souvent de corps non radio-opaques (cacahuètes, noix, morceaux de plastique). Ils déclenchent de la toux, de la cyanose, des signes de bronchite asthmatiforme. Radiographie du thorax : signes d'atélectasie, plus souvent localisés à droite.

Traitement postural, physiothérapie, insufflation d'isoprotérénol. Si l'enfant n'expectore pas le corps étranger, faire alors une trachéobronchoscopie sous anesthésie générale.

Déglutition

Les objets les plus divers peuvent être avalés. Ils peuvent se bloquer à différents niveaux du tube digestif : œsophage (pièces de monnaie), pylore, 2e duodénum (épingles, aiguilles) et valvule de Bauhin. Faire une radiographie du thorax et de l'abdomen. Les corps étrangers de l'œsophage doivent être retirés sous contrôle scopique et en anesthésie générale. Les corps étrangers de l'estomac peuvent être retirés par sonde aimantée ou évacués en donnant une alimentation permettant d'enrober le corps étranger (asperges, coton trempé dans du lait). Intervention chirurgicale s'il n'y a pas de progression pendant plus de 48 heures.

Traumatismes crâniens

Le crâne de l'enfant est plus souple que celui de l'adulte ; le cerveau est donc soumis à des pressions moins grandes lors d'un traumatisme crânien.

Les traumatismes crâniens ne doivent pas tous être hospitalisés. Si le coup est faible, s'il n'y a pas de perte de connaissance, et s'il n'y a pas de troubles neurologiques, ni de lésions cutanées, et si on peut faire confiance aux parents, l'enfant peut être laissé à domicile.

Les vomissements et une légère somnolence sont fréquents. Si la somnolence est progressive, craindre une complication. Les hématomes sous-cutanés ou sous-périostés donnent à la palpation l'impression d'un enfoncement que seule une radiographie permet d'affirmer.

Les signes de choc doivent faire suspecter un traumatisme d'un autre organe (thoracique, abdominal, pelvien). Il faut toujours s'assurer de la liberté des voies aériennes (aspiration, intubation si nécessaire). L'examen neurologique et les renseignements sur l'état de conscience après l'accident sont capitaux, car c'est leur évolution qui va fixer les décisions thérapeutiques.

Signes d'une compression cérébrale : 1. changement du niveau de conscience ; 2. apparition d'une hémiparésie ; 3. mydriase (du côté de la compression) ; 4. augmentation de la pression artérielle ; 5. bradycardie ; 6. bradypnée. On ne doit jamais attendre les signes 4, 5 et 6 pour appeler le neurochirurgien. Cf. aussi chapitre 14, p. 444 ss.

Plaies du cuir chevelu

Raser les cheveux sur deux centimètres. Nettoyer la peau. Anesthésie locale. Exploration minutieuse. Fermeture de la galea et de la peau.

Fractures du crâne

1. Ouverte : appeler le neurochirurgien.
2. Fermée : surveiller l'enfant en milieu hospitalier. Tête surélevée (15° à 20°).

Antibiotiques : lésions crânio-cérébrales ouvertes.

Complications des traumatismes crâniens

1. Hématome sous-dural aigu (3 premiers jours après l'accident).
2. Hématome épidural (lésion de la méningée moyenne).
3. Hématome sous-dural chronique (symptôme apparaissant au moins une semaine après l'accident).
4. Hématome intracérébral.
5. Œdème cérébral.
6. Hydrocéphalie.

Le diagnostic et le traitement de ces complications doivent être faits en milieu neurochirurgical. L'observation et l'examen systématique des traumatisés permettent seulement de les suspecter.

Traitement de l'œdème cérébral : cf. chapitre 14, p. 444.

Chapitre 16

Hématologie

par J. H. Githens, J. R. Humbert, M. Wyss

Il existe des variations importantes avec l'âge de toutes les valeurs normales du sang périphérique. Les limites de la normale sont énumérées dans le tableau 1. La connaissance de ces valeurs est essentielle pour le diagnostic des maladies du sang dans l'enfance.

Globules rouges : anémies

La classification des anémies est l'objet du tableau 2. Le schéma suivant est utile pour leur diagnostic :
● *L'anamnèse détaillée* en ce qui concerne la durée des symptômes, le régime alimentaire, le rythme de la croissance, un passé d'hémorragie aiguë ou chronique, d'ictère, une anamnèse familiale d'anémie, d'ictère ou de maladie vésiculaire.
● *La détermination de l'hémoglobine, de l'hématocrite, de la concentration moyenne de l'hémoglobine corpusculaire, du volume corpusculaire moyen (VCM), de l'hémoglobine corpusculaire moyenne (HCM) (cf. tableau 1) et l'examen du frottis sanguin.*

Si l'hémoglobine, l'hématocrite, la CHCM, le VCM, l'HCM et le frottis révèlent *une microcytose et une hypochromie*, une anémie par manque de fer doit être recherchée. Les études additionnelles comportent le fer sérique, la capacité totale de fixation du fer, la ferritine sérique, le taux des protoporphyrines libres érythrocytaires, les protéines sériques, les recherches de sang dans les selles et l'examen de la moelle osseuse.

Si l'hémoglobine, l'hématocrite, la CHCM, le VCM, l'HCM et le frottis révèlent une *normochromie*, la numération réticulocytaire est essentielle :

a) *Nombre des réticulocytes abaissé* ; cause : un défaut dans la production médullaire des globules rouges. Test de laboratoire : examen de la moelle.

b) Nombre des réticulocytes élevé ; cause : anémie hémolytique ou hémorragie aiguë. Tests de laboratoire : frottis sanguin, bilirubine sérique, haptoglobine, urobilinogène urinaire, test de Coombs, test de fragilité osmotique des globules rouges et autohémolyse. Electrophorèse de l'hémoglobine et hémoglobine fœtale. Etude de la glycolyse des érythrocytes et étude enzymatique si le test d'autohémolyse est anormal.

Anémies dues à une production déficitaire des globules rouges

Anémie physiologique du nouveau-né et anémie de la prématurité

L'âge maximum de l'anémie est à 2 ou 3 mois avec une hémoglobine de 10 à 12 g/dl. Les cellules sont normochromes et légèrement microcytaires. Cette anémie ne répond pas à l'administration de fer, d'acide folique ou à celle d'autres médicaments. L'anémie physiologique du nouveau-né se produit sous une forme plus sévère chez l'enfant prématuré. Elle est due avant tout à une insuffisance de production des érythrocytes par la moelle, aggravée par l'expansion rapide du système vasculaire due à la croissance de l'enfant. La production d'érythropoïétine est diminuée à cet âge. Chez l'enfant à terme, un traitement n'est pas nécessaire mais peut être indiqué chez le prématuré si l'hémoglobine descend en dessous de 7 ou 8 g/dl et si l'on observe une fatigue importante. Le seul traitement efficace est la transfusion sanguine, qui devra être donnée sous la forme de globules concentrés à raison de 5 à 10 ml par kg.

Anémies mégaloblastiques

Anémie mégaloblastique par carence en acide folique

Une anémie mégaloblastique de la petite enfance peut se voir pendant les premiers mois de la vie et elle est due soit à une carence pure en acide folique soit à une carence mixte en acide folique et en acide ascorbique. Presque tous les types de lait employés pour nourrir les enfants contiennent une quantité suffisante d'acide folique, sauf le lait de chèvre qui en est particulièrement dépourvu et est la cause la plus fréquente des anémies mégaloblastiques pendant cette période de la vie. Une anémie mégaloblastique par carence en acide folique peut également survenir chez les enfants plus âgés souffrant de carences alimentaires graves ou lors de malabsorptions graves telles que dans la maladie cœliaque. Les symptômes principaux dans le premier âge sont la faiblesse, la pâleur et le manque d'appétit. La glossite (langue rouge dépapillée et douloureuse) est parfois observée ; les manifestations neurologiques de l'anémie pernicieuse ne sont pas au premier plan.

Tableau 1 : Valeurs normales du sang périphérique à différents âges

	1er jour	2e jour	6e jour	2 sem.	1 mois	2 mois
Erythrocytes						
millions/mm^3	5,9 (4,1-7,5)	6 (4-7,3)	5,4 (3,9-6,8)	5 (4,5-5,5)	4,7 (4,2-5,2)	4,1 (3,5-4,6)
10^{12}/l	5,9	6	5,4	5	4,7	4,1
Hémoglobine						
g/dl	19 (14-24)	18 (13-23)	18 (13-23)	16,5 (15-20)	14 (11-17)	12 (11-14)
Hématocrite						
%	54±10	51	51	50	40	
l	0,54	0,51	0,51	0,5	0,4	
Leucocytes						
par mm^3	17 000 (8-38)	13 500 (6-17)	13 500 (6-17)	12 000	11 500	11 000
10^9/l	17	13,5	13,5	12	11,5	11
Neutrophiles						
%	57	55	50	34	34	33
l	0,57	0,55	0,5	0,34	0,34	0,33
Eosinophiles						
total par mm^3	20-1 000				150-1 150	
10^9/l	0,02-1				0,15-1,15	
Lymphocytes						
%	20	20	37	55	56	56
l	0,2	0,2	0,37	0,55	0,56	0,56
Monocytes						
%	10	15	9	8	7	7
l	0,1	0,15	0,09	0,08	0,07	0,07
Leucocytes jeunes						
%	10	5	0-1	0	0	0
l	0,1	0,05	0-0,01	0	0	0
Plaquettes						
par mm^3	350 000		325 000	300 000		
10^9/l	350		325	300		
Erythroblastes						
par 100 leucocytes	0-10		0-0,3	0	0	0
Réticulocytes						
‰	30 (20-80)	30 (20-100)	10 (5-50)	4 (0-20)	2 (0-5)	5 (2-20)
l	0,03 (0,02-0,08)	0,03 (0,02-0,1)	0,01 (0,005-0,05)	0,04 (0-0,02)	0,02 (0-0,005)	0,005 (0,002-0,02)
Volume corpusculaire moyen						
microns cubes	85-125		89-101	94-102	90	
fl	85-125		89-101	94-102	90	
Concentration d'hémoglobine corpusculaire moyenne						
%	36		35	34		
l	0,36		0,35	0,34		

16. HÉMATOLOGIE

						Adultes	
3 mois	6 mois	1 an	2 ans	5 ans	8-12 ans	Hommes	Femmes
4 (3,5-4,5) 4	4,5 (4-5) 4,5	4,6 (4,1-5,1) 4,6	4,7 (4,2-5,2) 4,7	4,7 (4,2-5,2) 4,7	5 (4,5-5,4) 5	5,4 (4,6-6,2) 5,4	4,8 (4,2-5,4) 4,8
11 (10-13)	1,5 (10,5-14,5)	12 (11-15)	13 (12-15)	13,5 (12,5-15)	14 (13-15,5)	16 (13-18)	14 (11-16)
35 0,35	35 0,35	36 0,36	37 0,37	38 0,38	40 0,4	40-54 0,4-0,54	37-47 0,37-0,47
10 500 10,5	10 500 10,5	10 000 10	9 500 9,5	8 000 8	8 000 8	7 000 (5-10) 7	7 000 (5-10) 7
33 0,33	36 0,36	39 0,39	42 0,42	55 0,55	60 0,6	57-68 0,57-0,68	57-68 0,57-0,68
70-550 0,07-0,55	70-550 0,07-0,55					100-400 0,1-0,4	100-400 0,1-0,4
57 0,57	55 0,55	53 0,53	49 0,49	36 0,36	31 0,31	25-33 0,25-0,33	25-33 0,25-0,33
7 0,07	6 0,06	6 0,06	7 0,07	7 0,07	7 0,07	3-7 0,03-0,07	3-7 0,03-0,07
0 0	0 0	0 0	0 0	0 0	0 0	0 0	0 0
260 000 260			260 000 260		260 000 260	260 000 260	260 000 260
0	0	0	0	0	0	0	0
20 (5-40) 0,02 (0,005-0,04)	8 (2-150) 0,008 (0,002-0,15)	10 (4-18) 0,01 (0,004-0,018)	10 (4-18) 0,01 (0,004-0,018)	10 (4-18) 0,01 (0,004-0,018)	10 (4-18) 0,01 (0,004-0,018)	10 (5-20) 0,01 (0,005-0,02)	10 (5-20) 0,01 (0,005-0,02)
80 80	78 78	78 78	80 80	80 80	82 82	89-92 89-92	89-92 89-92
	33 0,33	32 0,32		34 0,34	34 0,34	34 0,34	34 0,34

Tableau 2 : Classification des anémies

A. Anémies dues à une production déficitaire des globules rouges

1. Anémie du nouveau-né et du prématuré
2. Anémies mégaloblastiques
   - Anémie par carence en acide folique
   - Anémie mégaloblastique congénitale
   - Syndromes d'anémies pernicieuses juvéniles et carence en vitamine B_{12}
3. Anémies hypochromes ferriprives
4. Anémies hypochromes « sidéro-achrestiques »
5. Anémies aplastiques et hypoplastiques
   - Anémie congénitale idiopathique hypoplastique (Blackfan-Diamond)
   - Erythroblastopénie transitoire de l'enfance
   - Anémies aplastiques acquises
   - Anémie aplastique congénitale avec malformations multiples (Fanconi)
6. Autres anémies dues à une insuffisance de production des érythrocytes
7. Anémie des maladies chroniques

B. Anémies hémolytiques

1. Anémie avec défaut de la membrane érythrocytaire
   - Sphérocytose héréditaire
   - Ovalocytose
   - Acanthocytose
   - Desiccytose
   - Stomatocytose
   - Pyropoïkilocytose
2. Anémies dues à une déficience enzymatique affectant la glycolyse érythrocytaire : anémies héréditaires non sphérocytaires
   - Anémie associée à une déficience en G-6-PD
   - Anémie associée à une déficience en pyruvate-kinase
3. Anémies associées à une hémoglobinopathie
   - Anémie falciforme, forme homozygote
   - Anémie falciforme, forme hétérozygote
   - Hémoglobine C, S-C, D, E, etc.
   - Thalassémie bêta associée à l'hémoglobine S
   - Hémoglobines thermolabiles (instables)
   - Hémoglobinopathies avec affinité anormale pour l'oxygène
4. Thalassémies
   - Thalassémies bêta, mineure et majeure
   - Thalassémies alpha et variantes
5. Anémies hémolytiques acquises
   - Anémie hémolytique auto-immune
   - Anémies hémolytiques non auto-immunes
   - Pycnocytose
   - Anémie hémolytique par déficience en vitamine E
   - Hémolyse dans les affections hépatiques
   - Hémolyse de l'insuffisance rénale
   - Hémolyse dans la CID
   - Syndrome hémolytique urémique

● *Examens de laboratoire : Sang* : anémie fréquemment sévère avec des taux d'hémoglobine au-dessous de 4 g/dl. Frottis sanguin : macrocytes, anisocytose et poïkilocytose avec normochromie ou hyperchromie. Leucopénie avec neutropénie et thrombocytopénie. Neutrophiles agrandis et hypersegmentés. Compte réticulocytaire abaissé. *Moelle* : son examen permet le diagnostic ; délai de maturation et présence de formes mégaloblastiques typiques dans les cellules rouges nucléées. Un gigantisme des métamyélocytes et des mégacaryocytes, et une hypersegmentation des métamyélocytes sont souvent présents. *Autres tests de laboratoire* : valeur d'acide folique abaissée dans le sérum et dans les érythrocytes ; taux normal de la vitamine B_{12}. *Test de Schilling* [1] : aide à différencier la carence en acide folique de la malabsorption de la vitamine B_{12} qui, elle, caractérise l'anémie pernicieuse (cf. ci-dessous).

● *Traitement* : L'anémie mégaloblastique due à la carence en acide folique répond rapidement à l'administration orale ou parentérale d'acide folique à une dose quotidienne de 5 mg pendant 2 à 3 semaines. Des rechutes ne devraient pas survenir, à moins que des déficiences diététiques ou des problèmes d'absorption ne persistent. Le traitement parentéral est indiqué dans les anémies dues à une malabsorption.

Anémie mégaloblastique congénitale

Une anémie mégaloblastique rare existe dans la première enfance, associée à un taux élevé d'acide orotique urinaire. Elle est due à un blocage métabolique congénital du métabolisme des pyrimidines. L'anémie se corrige avec un traitement d'uridine, mais ne répond pas à l'acide folique ou la vitamine B_{12}.

Syndromes d'anémies pernicieuses juvéniles et carence en vitamine B_{12}

Les syndromes d'*anémie pernicieuse* de l'enfance sont tous dus à la malabsorption de la vitamine B_{12}. Bien que l'anémie pernicieuse soit rare chez les enfants, plusieurs variantes en ont été décrites. L'une d'elles dépend de la déficience congénitale en facteur intrinsèque, avec symptomatologie précoce chez le nourrisson. D'autres variantes de la déficience en facteur intrinsèque ont été isolées dans la pré-adolescence et l'adolescence ; l'une est associée à la présence d'anticorps contre les cellules pariétales et contre le facteur intrinsèque, tout comme dans la forme adulte de la maladie. Une autre variante ne comporte pas d'anticorps, et une troisième est associée à diverses endocrinopathies.

Le taux sanguin de vitamine B_{12} est abaissé, et la malabsorption de la vitamine B_{12} peut exister, malgré l'existence de facteur intrinsèque normal, dans les lésions acquises de l'intestin avec malabsorption intestinale généralisée, et dans une affection familiale du premier âge caractérisée par la malabsorption sélective de la vitamine B_{12}.

La malabsorption de la vitamine B_{12} est diagnostiquée par le test de Schilling, et le traitement consiste en vitamine B_{12} parentérale. La dose initiale est de 15 à 30 μg 3 fois par semaine pendant 4 semaines chez le nourrisson, et jusqu'à 100 μg 3 fois par semaine chez l'adolescent. Après correction de l'anémie, la dose mensuelle d'entretien est de 100 μg.

---

[1] Epreuve utilisant comme traceur la vitamine B_{12} marquée au cobalt radioactif ; la vitamine B_{12} se combine avec le facteur intrinsèque gastrique et est résorbée au niveau de l'iléon ; l'administration parentérale d'une grande quantité de vitamine B_{12} non marquée chasse la vitamine B_{12} marquée de ses liaisons avec les protéines sanguines, et elle apparaît en grande quantité dans les urines. Le malade atteint d'un trouble de la résorption de la vitamine B_{12} (anémie pernicieuse) n'excrète presque pas de vitamine B_{12} marquée dans ses urines.

Une *carence nutritionnelle en vitamine B_{12}* peut se produire en association avec une carence en acide folique. L'anémie mégaloblastique par carence en acide folique ou en vitamine B_{12} a été également décrite dans les maladies hépatiques, lors d'infections parasitaires (bothriocéphale), chez des malades traités avec des anticonvulsivants (diphénylhydantoïne et primidone) et elle peut compliquer certains cas d'anémie hémolytique grave dans lesquels on peut avoir un manque relatif d'acide folique et de vitamine B_{12}. L'anémie pernicieuse peut aussi survenir à la suite d'un apport alimentaire insuffisant de vitamine B_{12} chez le nourrisson recevant du lait d'une mère végétarienne stricte, ou d'une mère souffrant elle-même d'anémie pernicieuse non traitée.

Anémies hypochromes ferriprives

L'anémie par manque de fer est en général d'origine nutritionnelle et se produit le plus souvent entre 6 mois et 2 ans. Elle est rare en dessous de 3 mois et au-delà de 3 ans, mais se retrouve à l'âge de l'adolescence. L'anémie ferriprive s'accompagne d'anomalies de la muqueuse intestinale qui entraînent des pertes de protéines sériques ainsi que des hémorragies intestinales chroniques. De ce fait, l'entéropathie contribue à aggraver la perte de fer. D'autres affections, telles que l'allergie au lait de vache, peuvent également causer des entéropathies exsudatives et une perte de fer. L'anémie ferriprive se produit également lors d'hémorragies chroniques. Dans les zones où elles sont endémiques, les infections parasitaires (ankylostomes) devraient être considérées en cas de perte chronique de sang dans le tractus digestif. Le tableau clinique de l'anémie ferriprive comprend : pâleur, fatigue, irritabilité et retard du développement moteur. L'enfant est fréquemment obèse, avec un tonus musculaire diminué, y compris celui du muscle myocardique (dilatation et souffle systolique dit « anémique »).
- *Examens de laboratoire* : Hémoglobine basse, jusqu'à 4 ou 3 g/dl. Nombre des globules rouges et hématocrite proportionnellement plus élevés, produisant un VCM diminué (à moins de 70 fl), une HCM abaissée (à moins de 25) et une CHCM considérablement abaissée (moins de 0,30). Globules rouges microcytaires et hypochromiques. Réticulocytes normaux ou légèrement élevés à 30 ou 40 ‰ dans les cas graves. Fer sérique bas, souvent au-dessous de 5,4 µmol/l (30 µg/dl), normalement 16,2 à 26,9 µmol/l (90 à 150 µg/dl). Capacité totale de fixation du fer élevée, de 53 à 90 µmol/l (350 à 500 µg/dl), normalement 44,8 à 63 µmol/l (250 à 350 µg/dl). Examen de la moelle : pas de dépôt de fer sous forme d'hémosidérine. Ferritine sérique basse, au-dessous de 20 µg/l, normalement 20 à 200 µg/l. Le taux des protoporphyrines libres érythrocytaires est légèrement élevé.
- *Diagnostic différentiel* : L'anémie par manque de fer doit être différenciée de plusieurs autres types d'anémies hypochromes microcytaires causées par une infection ou par une incorporation défectueuse de fer dans les molécules d'hémoglobine : thalassémie mineure, empoisonnement au plomb, anémie par manque relatif de pyridoxine et autres anémies sidéroblastiques. Les épreuves permettant le diagnostic spécifique de ces anémies sont énumérées au tableau 3.
- *Traitement* : La dose thérapeutique orale recommandée est de 1,5 à 2 mg/kg de fer élémentaire trois fois par jour entre les repas (4,5 à

Tableau 3 : Diagnostic des anémies hypochromes

Type d'anémie	Fer sérique	Capacité de fixation du fer	Dépôts de fer dans la moelle	Ferritine sérique	Protoporphyrines libres érythrocytaires	Traitement
1. Anémie « nutritionnelle » ou de croissance [1]	↓	↑	↓	↓	↑	Fer
2. Allergie au lait (avec entéropathie exsudative) [1]	↓	↑	↓	↓	↑	Fer, régime sans lait
3. Hémorragie chronique [1]	↓	↑	↓	↓	↑	Traitement causal de l'hémorragie, fer
4. Thalassémie mineure	↑	↑	↑ Sidéroblastes [2]	↑	N	Pas de fer
5. Dépendance en pyridoxine (vitamine B_6)	↑	↑	↑ Sidéroblastes	↑	?	Vitamine B_6 en très grandes quantités
6. Intoxication au plomb	↑	↑	↑ Sidéroblastes	N ou ↑	très ↑	EDTA, BAL, pénicillamine
7. Inflammations chroniques, infections	↓	↓	N	N	↑	Traiter l'infection

[1] Anémie ferriprive
[2] Sidéroblaste : normoblaste nucléé contenant des inclusions de fer

6 mg/kg/jour). Bien que l'absorption du fer soit meilleure entre les repas, le fer peut être administré avec la nourriture ou mélangé au lait. Le traitement doit être continué pendant 2 mois après la normalisation de l'hémoglobine pour rétablir les réserves en fer. La dose recommandée pour la protection contre l'anémie ferriprive est de 0,8 à 1,5 mg par kg et par jour de fer élémentaire (0,5 mg/kg/jour est une dose probablement suffisante).

Un complexe fer-dextran intramusculaire (Imferdex®, 50 mg de fer élémentaire par ml) peut être utilisé s'il existe une intolérance orale ou une malabsorption, ou s'il existe un doute quant à la prise régulière des médicaments. La dose peut être calculée d'après la formule suivante :

$$\text{mg de fer} = \frac{(\text{Hgb désirée} - \text{Hgb initiale}) \times 80 \times \text{poids (kg)} \times 3,4}{100}$$

30 % de plus devraient être donnés pour le remplacement des réserves en fer déprimées. La dose quotidienne devrait être limitée à 1 ml (50 mg) chez les petits enfants et 2 ml chez les enfants très jeunes. Le fer intramusculaire devrait être administré avec un mouvement en Z de l'aiguille pour prévenir le tatouage de la peau par reflux. Acide ascorbique : de hautes doses d'acide ascorbique augmentent l'absorption du fer à partir de la nourriture mais n'affectent pas l'efficacité de la médication orale par le fer.

Le traitement par transfusion est réservé aux enfants très anémiques qui sont à la limite de l'insuffisance cardiaque ou avec des infections aiguës gravissimes. Des globules concentrés devraient être employés et administrés lentement à une dose inférieure à 10 ml/kg.

Le traitement martial produira une guérison rapide et complète si l'anémie est d'origine alimentaire. Si une hémorragie chronique est en cause, l'origine de l'hémorragie doit être recherchée et traitée.

L'anémie ferriprive par carence alimentaire chez le nourrisson peut être aisément prévenue. Elle est rare chez l'enfant nourri au sein du fait de la forte absorption du fer présent dans le lait maternel (50 % d'absorption, comparée à 10 % pour le fer présent dans le lait de vache). Si l'enfant n'est pas allaité, un lait synthétique fortifié en fer est recommandé pendant la première année. On peut aussi offrir des bouillies ou d'autres aliments solides riches en fer à partir de 4 à 6 mois.

Anémies hypochromes résistant au fer (anémies « sidéro-achrestiques »)

Quelques-unes des anémies hypochromes qui résistent au traitement par le fer sont causées par des défauts dans la production de l'hémoglobine. Elles sont généralement associées à un fer sérique élevé et à la présence de sidéroblastes (normoblastes contenant du fer) dans la moelle. La thalassémie mineure est le type le plus commun de ces anémies (cf. p. 502) ; l'empoisonnement par le plomb (le plomb bloque la synthèse de l'hémoglobine) et l'anémie par dépendance à la pyridoxine (vitamine B_6) peuvent produire un tableau similaire. D'autres anémies « sidéro-achrestiques » que l'on trouve chez l'adulte se produisent rarement chez les enfants. L'anémie hypochrome avec un fer sérique abaissé et une capacité de fixation de fer abaissée est caractéristique de l'anémie des inflammations chroniques (par exemple dans la polyarthrite chronique évolutive) ou des infections.

Le diagnostic différentiel des anémies hypochromes et leurs examens de laboratoire sont résumés au tableau 3.

Anémies aplastiques et hypoplastiques

Anémie congénitale idiopathique hypoplastique

L'anémie congénitale hypoplastique idiopathique (anémie de Blackfan-Diamond, anémie arégénérative congénitale, hypoplasie érythroïde primaire) commence dans la première année de la vie et souvent immédiatement après la naissance. Elle est caractérisée par une défaillance de l'érythropoïèse, avec production normale des globules blancs et des plaquettes sanguines. Elle semble être causée par un arrêt dans la maturation de la série érythroïde au niveau de la cellule souche ou au niveau des érythroblastes jeunes. Un thymome n'est pas présent dans la forme congénitale, bien qu'il soit fréquemment observé chez les adultes avec une anémie portant seulement sur les cellules rouges. Pâleur, fatigue et faiblesse progressant depuis la petite enfance sont produites par l'anémie. Un retard de croissance avec petite taille est caractéristique même en l'absence de traitement par les corticostéroïdes.

● *Examens de laboratoire* : Anémie macrocytaire (VCM > 90 fl) et normochromique avec une hémoglobine souvent en dessous de 5 g/dl. Compte réticulocytaire très abaissé et généralement à zéro. Plaquettes, leucocytes et répartition des globules blancs : normaux. Moelle osseuse, dont l'examen est diagnostique : absence presque totale de la série érythroïde, autrement normale. L'hémoglobine fœtale est légèrement élevée dans la plupart des cas.

● *Traitement* :

a) *Hormones cortico-surrénaliennes* : dans la majorité des cas, l'anémie répond à 1 ou 2 mg/kg de prednisone par jour. Après rémission, la dose d'entretien la plus basse possible devrait être trouvée et de préférence administrée tous les 2 jours, en une seule dose, le matin. Le traitement par les hormones cortico-surrénaliennes cause une inhibition considérable de la croissance et une ostéoporose.

b) *Androgènes* : l'addition d'androgènes tels que la testostérone ou l'oxymétholone peut parfois être utile dans les cas réfractaires.

c) *Transfusions sanguines* : elles ne doivent être employées qu'en cas d'anémie sévère et comme mesure de soutien chez l'enfant qui ne répond pas au traitement par les corticostéroïdes. Des érythrocytes concentrés doivent alors être administrés (10 ml/kg) toutes les 3 à 4 semaines pour garder l'hémoglobine au-dessus de 11 g/dl. Complications secondaires : des transfusions de sang répétées peuvent entraîner une hémosidérose généralisée qui progresse parfois jusqu'à une hémochromatose fatale, à moins qu'un programme de chélation ne soit instauré après quelques années de transfusions (voir la section sur les thalassémies pour les détails du traitement chélateur par la déféroxamine).

Erythroblastopénie transitoire de l'enfance

Il s'agit d'un désordre acquis temporaire de l'érythropoïèse que l'on observe occasionnellement dans le premier âge. Il est caractérisé par une anémie, une diminution des réticulocytes et la carence médullaire en précurseurs des globules rouges. L'étiologie est obscure, mais le pronostic excellent pour une rémission spontanée. On différencie cette affection de l'anémie congénitale idiopathique hypoplastique grâce à la présence d'un volume corpusculaire moyen (VCM) normal des érythrocytes et d'un taux normal d'hémoglobine fœtale, contrastant avec l'élévation légère de l'hémoglobine fœtale et du VCM érythrocytaire de l'anémie congénitale idiopathique hypoplastique. Le traitement par les corticostéroïdes n'est pas indiqué dans l'érythroblastopénie transitoire de l'enfance.

Anémies aplastiques acquises

Ce genre d'anémie aplastique se caractérise par une dépression générale de toutes les cellules de la moelle. Dans au moins la moitié des cas se produisant dans l'enfance, il n'est pas possible de trouver un agent étiologique ou une cause congénitale spécifique, mais cette anémie peut se produire comme réaction toxique à un grand nombre de produits chimiques ou médicamenteux. Le chloramphénicol est responsable de la majorité des cas d'origine toxique dans l'enfance. Le benzène, la phénylbutazone, la méthylphényléthyl-hydantoïne, les sulfamides, les antibiotiques, certains insecticides (DDT) et les métaux lourds ont été incriminés. L'irradiation à haute dose et les doses élevées de médicaments cytotoxiques tels que les moutardes azotées et les antagonistes de l'acide folique peuvent également produire une aplasie grave. Une forme particulièrement grave d'anémie aplastique accompagne occasionnellement l'hépatite aiguë. Faiblesse, fatigue et pâleur sont associées avec l'anémie : un purpura et des hémorragies se produisent souvent du fait de la thrombocytopénie ; des infections graves résultent fréquemment de la neutropénie.

● *Examens de laboratoire* : Anémie normochrome, avec souvent une légère microcytose. Réticulocytes en général très abaissés. Leucocytes d'ordinaire en dessous de $2,0 \times 10^9/l$ ($2000/\mu l$), avec neutropénie prononcée. Plaquettes souvent en dessous de $0,05 \times 10^{12}/l$ ($50000/\mu l$). Moelle osseuse pratiquement vide d'éléments normaux médullaires, remplacés par de la graisse. Une biopsie de la moelle est indiquée pour poser un diagnostic certain. Il est important de différencier l'anémie aplastique acquise de l'anémie de Fanconi (cf. p. 489) par un examen physique méticuleux, pour détecter d'éventuelles anomalies congénitales associées, et par la prise d'une anamnèse familiale soigneuse, souvent positive dans l'anémie aplastique de Fanconi. L'élévation de l'hémoglobine fœtale et les fractures chromosomiques suggèrent que l'anémie aplastique est plutôt de type congénital (Fanconi) que de type acquis.

● *Traitement* :
a) *Mesures générales* : l'isolation protectrice et les antibiotiques doivent être employés en cas d'infection. Des transfusions avec des globules rouges concentrés à une dose de 10 à 20 ml/kg sont employées pour le traitement de l'anémie, des concentrés plaquettaires et du sang frais complet en cas d'hémorragie. Pour les infections graves résistant aux

antibiotiques, des concentrés de globules blancs contenant un nombre élevé de leucocytes peuvent être essayés, bien que ce traitement risque d'augmenter la fréquence de réaction lors d'une transfusion ultérieure en favorisant l'apparition de leuco-agglutinines. Ceci peut être évité en transfusant des granulocytes HLA compatibles.

b) *Traitement médicamenteux spécifique* : les stéroïdes androgènes produisent parfois des rémissions dans les cas d'anémie aplastique toxique ou idiopathique de l'enfance. Fréquemment, la rémission n'apparaît pas avant un ou deux mois de traitement. Une fois la rémission obtenue, le dosage le plus faible possible des médicaments doit être déterminé par une réduction graduelle de la dose. Le traitement par les hormones androgènes comme l'oxymétholone est suivi parfois de toxicité hépatique et de carcinomes hépatiques. Il est recommandé de ce fait d'employer comme traitement de choix un androgène non méthylé comme le déconate de nandrolone (1 à 1,5 mg/kg i.m.) ; de tels produits ne causent pas de complications hépatiques.

c) *Traitement d'immunosuppression* : les corticostéroïdes sont inefficaces. Par contre, jusqu'à 50 % des malades répondent au traitement par la globuline antilymphocytaire (GAL) ou antithymique (GAT). La cyclophosphamide entraîne aussi une occasionnelle rémission. Ces données suggèrent que le défaut de base réside dans l'hyperactivité de l'action inhibitrice des lymphocytes T, avec dépression de la production médullaire dans certains cas d'anémie aplastique.

d) *Transplantation de moelle* : certains auteurs ont obtenu de bons résultats avec un traitement de greffe de moelle osseuse homologue. Il est nécessaire d'employer à cet effet un membre de la fratrie du malade avec un groupe tissulaire HL-A identique. Dans ces conditions, 50 à 80 % environ des transplantations sont suivies de résultats satisfaisants.

Une transplantation de moelle immédiate (avant toute transfusion) est recommandée comme traitement de choix par la plupart des hématologues lorsqu'il existe un donneur fraternel de groupe HL-A identique, et si l'aplasie est gravissime : neutrophiles $< 5 \times 10^9/l$ (5 000/μl), plaquettes $< 0,05 \times 10^{12}/l$ (50 000/μl), réticulocytes $0,05 \times 10^{12}/l$ (50 000/μl, cellularité médullaire $< 0,25$ sur biopsie. Les résultats les plus satisfaisants sont obtenus par greffe de moelle à partir d'un jumeau identique.

● *Pronostic* : Il est extrêmement pauvre dans la forme acquise ou idiopathique de l'anémie aplastique quand la moelle osseuse est complètement vide et entraînant une pancytopénie complète et s'il n'existe pas de donneur de moelle compatible ou si le traitement de support par GAL ou GAT échoue. En dépit des mesures d'appui, ces malades meurent généralement d'infections ou d'hémorragies en quelques mois. Très peu d'entre eux répondent au traitement par les androgènes. Si quelques éléments de moelle persistent toutefois, des rémissions, soit spontanées soit induites par la testostérone, peuvent se produire.

Anémie aplastique congénitale avec malformations multiples (anémie de Fanconi)

Il s'agit d'une anémie familiale dans laquelle on observe une hypoplasie ou aplasie médullaire associée avec un certain nombre d'autres anomalies congénitales. Les défauts les plus communs sont squelettiques et incluent une hypoplasie ou une absence du pouce et de l'éminence thénar ou une absence du radius. D'autres anomalies squelettiques peuvent comprendre une syndactylie, une luxation congénitale de la hanche et des anomalies des os longs. On observe parfois des taches pigmentaires brunes de la peau, un hypogonadisme, une microcéphalie, une petite taille, un strabisme, une ptose palpébrale, un nystagmus, des anomalies des oreilles et un retard mental. La maladie peut se produire chez des frères et sœurs et est probablement transmise selon le mode autosomique récessif.

Les manifestations hématologiques sont rarement présentes avant l'âge de 1 an et peuvent apparaître à n'importe quel moment entre 1 et 12 ans. La thrombocytopénie est d'ordinaire la première anomalie observée, suivie plus tard par la neutropénie et l'anémie. La maladie se caractérise par l'élévation de l'hémoglobine fœtale et par un nombre élevé de cassures chromosomiques. Ces particularités précèdent la pancytopénie et peuvent contribuer à son diagnostic précoce. L'anémie est fréquemment macrocytaire.

Les hétérozygotes présentent également les anomalies chromosomiques. Les malades ainsi que les hétérozygotes asymptomatiques courent un risque élevé d'affection maligne (leucémies et tumeurs).

Le désordre hématologique est lentement progressif et, dans la plupart des cas, une aplasie sévère se développe. La mort par infection ou hémorragie peut survenir si un traitement n'est pas institué.

Le traitement par la testostérone est indiqué puisque la majorité de ces malades répondent à ce médicament. Toutefois, des rechutes se produisent lorsque le traitement est interrompu et, dans la plupart des cas, il doit être continué toute la vie ou, du moins, de manière intermittente (cf. p. 489 pour les détails du traitement). Les transfusions doivent être employées chez les malades qui ne répondent ni à la testostérone ni à la combinaison testostérone-prednisone. La transplantation de moelle est à considérer dans les cas réfractaires au traitement si un donneur histocompatible est disponible.

Autres anémies de l'enfance dues à des insuffisances de production des érythrocytes

L'anémie de l'*insuffisance rénale* est due à une diminution de la production de l'érythropoïétine par le rein. Il peut se produire une hémolyse qui aggrave l'anémie lorsque l'urémie progresse. Une anémie normochrome ou macrocytaire hypoplastique peut accompagner l'*hypothyroïdie*. Les *anémies myélophtisiques* peuvent être le résultat d'infiltration de la moelle par des cellules tumorales ou leucémiques, par des histiocytes (maladie de Letterer-Siwe) ou par des cellules de thésaurismose (maladie de Gaucher ou de Nieman-Pick). La *myélofibrose* (métaplasie myéloïde agnogénique) est rare chez l'enfant sauf dans l'ostéopétrose (maladie d'Albers-Schönberg). Les *anémies dysérythropoïétiques* sont associées avec une érythropoïèse anormale en plus de l'hémolyse intramédullaire. L'*hépatite infectieuse* peut occasionnellement causer une anémie aplastique.

Anémie des maladies chroniques

Cette anémie s'observe lors d'infections chroniques (tuberculose, ostéomyélite), de maladies inflammatoires (arthrite rhumatoïde, entérite régionale) et de néoplasies. L'anémie est légère (8 à 11 g/dl) avec une diminution du VCM et du compte réticulocytaire. Il coexiste une diminution de production de l'érythropoïétine et un blocage du transport du fer au niveau du système réticulo-endothélial.

Anémies hémolytiques

Défaut de la membrane des érythrocytes

Sphérocytose héréditaire (microsphérocytose héréditaire, maladie de Minkowski-Chauffard)

Cette maladie se caractérise par une anémie hémolytique chronique, légère à modérée, aggravée par des crises occasionnelles de rapide hémolyse et de jaunisse. Des crises hypoplastiques se produisent aussi avec une production diminuée des cellules érythroïdes par la moelle osseuse.

La sphérocytose héréditaire peut se présenter comme une hyperbilirubinémie de la période néonatale ; chez d'autres enfants, le diagnostic est fait à un âge plus tardif par la découverte, lors d'un examen physique de routine, d'une splénomégalie modérée. Dans les cas plus graves, on observe des crises aplastiques pendant la petite enfance ; dans d'autres cas ces crises ne se présentent pas avant l'âge adulte. Des calculs vésiculaires (composés principalement de pigments biliaires) se produisent chez un grand nombre de jeunes adultes (jusqu'à 85 %) souffrant de cette maladie et peuvent même survenir au début de l'adolescence si la splénectomie n'est pas effectuée pendant l'enfance. La sphérocytose héréditaire est probablement due à un défaut de la membrane du globule rouge résultant en une perméabilité accrue au sodium. Une glycolyse augmentée est nécessaire pour prévenir l'accumulation intracellulaire du sodium. La sphérocytose et la diminution de survie des globules rouges se produisent quand la cellule est privée d'un apport suffisant de glucose. Les cellules défectueuses sont séquestrées et détruites dans la rate. La maladie est transmise selon le mode autosomique dominant et des anomalies peuvent être détectées chez un des parents, même s'il est asymptomatique. Les symptômes comprennent un ictère dans la période néonatale, une splénomégalie, une fatigue chronique et des douleurs abdominales. Tous ces symptômes augmentent pendant les crises hémolytiques ou aplastiques et peuvent s'accompagner de fièvre.

● *Examens de laboratoire* : L'hémoglobine varie d'ordinaire entre 9 et 11 g/dl, mais elle peut être normale chez quelques malades bien compensés. Les globules rouges sont microcytaires et hyperchromes (VCM = 70 à 80 fl, soit 70 à 80 microns cubes ; CHCM = 0,36 à 0,40, soit 36 à 40 %). Les sphérocytes sont détectés aisément sur le frottis mais ne comprennent souvent pas plus de 10 % des globules rouges avant la splénectomie. Compte réticulocytaire élevé. Leucocytes et plaquettes normaux. Le frottis aide à différencier cette maladie de l'ovalocytose qui est habituellement bénigne et où l'on voit des cellules rouges de forme ovale sur le frottis sanguin. La moelle osseuse montre l'hyperplasie érythroïde typique de l'anémie hémolytique, sauf pendant les crises hypoplastiques où l'on peut observer une réduction marquée de l'érythropoïèse. La fragilité osmotique est toujours augmentée, particulièrement après incubation à 37° pendant 24 heures. L'autohémolyse du sang incubé pendant 48 heures est grandement augmentée. L'incubation avec du glucose ou de l'ATP ramène le degré d'hémolyse à des valeurs normales. La bilirubine sérique peut montrer une élévation de la portion non conjuguée. L'urobilinogène dans les selles et dans l'urine est élevé. Le test de Coombs est négatif et l'électrophorèse de l'hémoglobine est normale.

• *Traitement* : Pour l'hyperbilirubinémie de la période néonatale, une exsanguino-transfusion doit être entreprise. Les crises sont fréquemment précipitées par des processus infectieux qui doivent être traités avec une antibiothérapie appropriée. La transfusion avec des cellules concentrées est indiquée en cas de crise et est particulièrement importante dans une crise aplastique. La splénectomie est le traitement de choix et devrait être effectuée chez tous les enfants atteints de cette maladie. Sauf dans les cas particulièrement graves, cette opération devrait être retardée jusqu'à ce que l'enfant ait au moins 3 ou 4 ans, en raison du risque augmenté d'infection avant cet âge. Le moment optimal pour la splénectomie se situe entre 5 et 10 ans. La splénectomie abolit tous les signes et symptômes de la maladie : la survie des globules rouges retourne à la normale, l'apparition de la lithiase vésiculaire est également prévenue. Toutefois, la morphologie anormale des globules rouges, la fragilité osmotique augmentée et le test d'autohémolyse anormal persistent après l'opération. La pénicilline prophylactique est recommandée à la suite de la splénectomie chez tous les enfants opérés avant l'âge de 2 ans. Elle doit être continuée jusqu'à l'adolescence. De plus, la vaccination antipneumococcique doit être administrée si l'enfant a plus de 2 ans.

Ovalocytose

Cette anomalie se caractérise par la présence de nombreux érythrocytes ovales au frottis sanguin. Il s'agit d'une affection habituellement asymptomatique, bien qu'une légère hémolyse avec réticulocytose puisse exister. La transmission héréditaire se fait selon le mode autosomique dominant.

Acanthocytose (a-bêta-lipoprotéinémie)

En plus de la présence caractéristique d'acanthocytes (érythrocytes « en roulettes d'éperon » ou crénelés) dans le sang, on retrouve dans cette affection une ataxie progressive, une rétinite pigmentaire, et un syndrome de malabsorption avec absence de bêta-lipoprotéines sanguines. Malgré le degré prononcé d'anomalies des globules rouges, l'hémolyse est légère et compensée. Il s'agit d'un désordre héréditaire rare, autosomique récessif, qui est décrit plus en détail au chapitre 22, pp. 823-824.

Desiccytose (érythrocytes hypokaliémiques)

Dans cette anémie hémolytique congénitale grave, on trouve des érythrocytes contractés, hérissés de spicules, et où l'hémoglobine est rassemblée d'un côté de la cellule. L'hépato-splénomégalie est également présente. Cette affection est causée par un défaut de la membrane érythrocytaire, qui entraîne une perte d'eau et de potassium excessive en comparaison de l'apport en sodium intracellulaire. La splénectomie est inutile.

Stomatocytose

Cette forme rare d'anémie hémolytique congénitale modérée s'exprime morphologiquement par des érythrocytes caractéristiques en forme de « tasses » ou de « bouches ». Le compte réticulocytaire est élevé, comme aussi la fragilité osmotique et l'autohémolyse. Cette condition est améliorée par la splénectomie.

Pyropoïkilocytose

Cette anémie hémolytique héréditaire (autosomique récessive) affecte surtout les sujets de race noire. Elle est probablement due à une anomalie de la spectrine des membranes érythrocytaires. L'hémolyse (légère) commence à la naissance. Le frottis sanguin montre une poïkilocytose extrême, avec « bourgeonnement » des globules, fragmentation, sphérocytose, elliptocytose et autres altérations morphologiques bizarres. Le VCM est très bas (25 à 55 fl). La fragilité osmotique est très augmentée et les érythrocytes démontrent une hypersensibilité thermique. La splénectomie améliore considérablement l'hémolyse.

Défauts enzymatiques des globules rouges
(anémies hémolytiques héréditaires non sphérocytaires)

Les anémies héréditaires non sphérocytaires sont dues à des déficiences enzymatiques affectant le métabolisme du glucose dans les globules rouges. Les plus fréquentes d'entre elles sont la déficience en pyruvate-kinase et la déficience en glucose-6-phosphate-déshydrogénase, qui seront discutées séparément plus loin. D'autres défauts enzymatiques ont été décrits. Ils comprennent la déficience en triosephosphate-isomérase, en adénosine triphosphatase, en 2,3-diphosphoglycérate-mutase, en glutathion-réductase et la déficience en glutathion.

Deux classifications générales des anémies hémolytiques non sphérocytaires ont été décrites par Dacie. Dans le type 1, on trouve une fragilité globulaire normale et un test à l'autohémolyse normal ou légèrement augmenté, et qui est corrigé par le glucose. Les malades atteints d'une déficience grave en glucose-6-phosphate-déshydrogénase appartiennent à ce type 1. Les cas du type 2 sont caractérisés par une fragilité osmotique normale ou légèrement augmentée mais ont une autohémolyse très augmentée qui n'est pas corrigée par le glucose ou seulement partiellement corrigée. La déficience en pyruvate-kinase est caractéristique de ce dernier groupe. Les résultats du test de l'autohémolyse sont résumés au tableau 4.

Tous les malades atteints d'anémie héréditaire non sphérocytaire présentent une hémolyse dès la naissance avec anémie modérée et une réticulocytose. Le diagnostic est suspecté d'après les résultats du test d'autohémolyse et le test de Coombs négatif. Le diagnostic spécifique doit être confirmé par des études enzymatiques. Il n'existe pas de traitement satisfaisant, sauf dans la déficience en pyruvate-kinase où la splénectomie est parfois d'une certaine valeur.

Déficience en glucose-6-phosphate-déshydrogénase (G-6-PD) (anémie hémolytique sensible aux médicaments, anémie hémolytique sensible à la primaquine)

(cf. p. 30)

L'anémie hémolytique causée par des médicaments est presque invariablement associée à une déficience des globules rouges en G-6-PD. Dans sa forme la plus grave, cette maladie cause une anémie hémolytique non sphérocytaire héréditaire chronique, mais la majorité des personnes atteintes de ce défaut enzymatique ne présentent de l'hémolyse qu'après avoir été exposées à certaines substances, médicamenteuses entre autres. La maladie est transmise selon le mode lié-au-sexe. L'expression complète se produit chez les garçons et dans de rares cas chez les filles homozygotes, alors que l'expression intermédiaire se présente chez certaines filles hétérozygotes porteuses de la maladie. Cette maladie est très répandue chez les Grecs et les Italiens, les Noirs, les Arabes, les Chinois et les Juifs séfardiques. Le défaut exact enzymatique n'est pas identique quantitativement et qualitativement dans ces divers groupes ethniques.

Les symptômes se produisent d'ordinaire seulement après ingestion de fèves ou de certains médicaments, bien que, dans la période néonatale, on puisse trouver une hyperbilirubinémie spontanée dans certains groupes raciaux (Grecs, Italiens et Chinois). Les agents hémolytiques rencontrés le plus fréquemment comportent les antimalariques, les sulfonamides, la nitrofurantoïne, les antipyrétiques, les analgésiques, les sulfones, la vitamine K synthétique et certaines fèves crues. Le tableau clinique (déglobulisation, hémoglobinurie et ictère) représente un épisode hémolytique aigu à la suite de l'ingestion d'une de ces substances. L'anémie est normochrome et la formation de corps de Heinz est caractéristique. Un nombre réticulocytaire élevé apparaît après quelques jours. Comme la susceptibilité à l'hémolyse affecte seulement les érythrocytes âgés, la maladie se limite d'elle-même lorsqu'une population d'érythrocytes plus jeunes apparaît en réponse au processus hémolytique. Le diagnostic peut être confirmé par l'un des examens de laboratoire suivants : le test de stabilité au glutathion, le test de réduction colorimétrique employant le bleu de crésyl, le test de réduction de la méthémoglobine ou un test colorimétrique disponible commercialement. Le traitement consiste à transfuser le malade et à interrompre les médicaments responsables de l'hémolyse.

Anémie hémolytique par déficience en pyruvate-kinase

Bien qu'il s'agisse d'une maladie rare, c'est tout de même l'anémie hémolytique héréditaire non sphérocytaire que l'on rencontre le plus fréquemment après la déficience en G-6-PD. Elle est transmise comme une maladie autosomique récessive et elle ne s'observe fréquemment que dans certaines communautés à consanguinité élevée. Elle se présente comme une anémie hémolytique grave à début néonatal. L'hyperbi-

Tableau 4 : Tests d'autohémolyse

Anémie	Sans adjonction	Avec glucose	Avec ATP	Défaut érythrocytaire
Non sphérocytaire (type 1)	Normal ou légèrement augmenté	Correction partielle	Correction partielle	Déficience en G-6-PD ou autres enzymes sauf pyruvate-kinase (PK) ou triose-phosphate-isomérase (TPI)
Non sphérocytaire (type 2)	Fortement augmenté	Correction minime	Correction complète	Déficience en pyruvate-kinase (PK)
Non sphérocytaire (type 3) et sphérocytaire	Modérément augmenté	Correction complète	Correction complète	Déficience en triose-phosphate-isomérase (TPI), sphérocytose, acanthose
Hémolytique acquise	Normal ou modérément augmenté	Pas de correction	Pas de correction	Anticorps ou toxines antimembrane

lirubinémie chez le nouveau-né est assez grave pour nécessiter une exsanguino-transfusion. La splénomégalie est le seul signe clinique découvert avec constance. L'examen du sang révèle une anémie normochrome avec une augmentation marquée des réticulocytes. Le frottis sanguin montre quelques microcytes et quelques sphérocytes, et le test d'autohémolyse est très anormal, ce qui rend le diagnostic différentiel d'avec la sphérocytose héréditaire difficile. Cependant l'addition de glucose ne corrige que partiellement le test d'autohémolyse alors qu'elle le corrige complètement dans la sphérocytose (cf. tableau 4). Pour affirmer absolument le diagnostic de cette maladie, l'examen de la glycolyse des érythrocytes et les examens spécifiques des taux enzymatiques pour la pyruvate-kinase doivent être entrepris. La splénectomie est indiquée et améliore souvent la situation, sans qu'on ait toutefois une cure complète. Avant la splénectomie, les transfusions sont d'ordinaire nécessaires toutes les 4 à 8 semaines. Aucun médicament ni aucune autre méthode de traitement ne sont efficaces.

Hémoglobinopathies

La molécule d'hémoglobine (Hb) est faite de 4 dimères, chacun étant constitué d'une chaîne polypeptidique et d'un groupe d'hème. L'hémoglobine de l'adulte normal est composée pour la plus grande part d'HbA, et pour une petite part d'HbA$_2$ (0,025, soit 2,5 %). Conventionnellement, les quatre polypeptides présents dans la molécule d'HbA sont exprimés graphiquement de la manière suivante : HbA = $\alpha_2\beta_2$, ce qui indique qu'il y a 2 chaînes polypeptidiques α et 2 chaînes polypeptidiques β. Les autres molécules d'Hb, physiologiques et pathologiques, sont exprimées de

Tableau 5 : Les différentes molécules d'hémoglobine humaine

Hb embryonnaire (Gower) : $\alpha_2 \varepsilon_2$

Hb fœtale (F) : $\alpha_2 \gamma_2$

Hb adulte A : $\alpha_2 \beta_2$

Hb adulte A_2 : $\alpha_2 \delta_2$

Hb S : $\alpha_2^A \beta_2^{6val}$ (ou $\alpha_2^A \beta_2^S$)

(dans la chaîne β le sixième acide aminé, normalement l'acide glutamique, est remplacé par la valine)

Hb C : $\alpha_2^A \beta_2^{6lys}$ (ou $\alpha_2^A \beta_2^C$)

Fig. 1 : Le développement des chaînes d'hémoglobine humaine, chez l'embryon, le fœtus, puis l'enfant

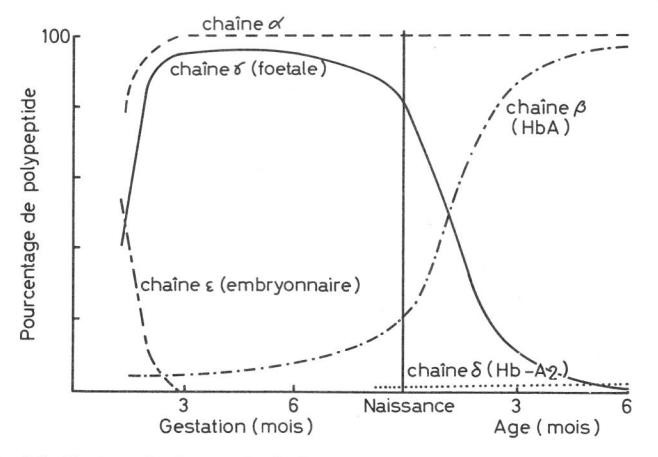

D'après E.R. Huehns, N. Dance, F. Hecht et A.G. Motulsky, *Cold Spring Harbor Symp. Quant. Biol.* 29 : 327, 1964.

façon semblable, comme le montre le tableau 5. La chaîne α est composée de 141 acides aminés, et les chaînes β, γ et δ, de 146. Le développement progressif, chez l'embryon, puis le fœtus, puis le nouveau-né, des différentes chaînes d'Hb est exprimé graphiquement par la fig. 1.

Toutes les hémoglobinopathies majeures résultent d'une mutation génétique qui substitue un acide aminé dans une des chaînes polypeptidiques. Les hémoglobines anormales communes (S, C, D, E) proviennent toutes de substitutions dans les chaînes β. Elles peuvent être diagnostiquées par le laboratoire à la naissance (et souvent chez le fœtus également, par l'analyse de l'ADN obtenu par amniocentèse), mais ne se manifestent cliniquement qu'après l'âge de 3 à 6 mois.

Anémie falciforme, forme homozygote

L'anémie falciforme, appelée aussi drépanocytose ou sicklémie, est due à un gène dominant, mais qui ne donne lieu à des troubles sérieux qu'à l'état homozygote. Elle prédomine dans la race noire [1], mais existe également dans certains groupes originaires d'Italie, de Sicile, de Grèce, de Turquie, d'Arabie séoudite et de l'Inde.

Le malade atteint d'anémie falciforme franche est incapable de produire de l'hémoglobine A ; il a seulement de l'hémoglobine S et F (fœtale). L'hémoglobine S provient d'une substitution au niveau du 6e acide aminé de la chaîne β (valine à la place d'acide glutamique, cf. tableau 5). Cela entraîne la polymérisation en gel de l'hémoglobine lors de la désoxygénation. Le processus de falciformation est souvent initié par l'abaissement de la tension d'oxygène et par l'acidose. Les cellules falciformes se déplacent lentement à travers les capillaires, entraînant des thromboses fréquentes. Les thromboses sont probablement responsables des douleurs abdominales, des douleurs dans les membres et de la diminution progressive de la taille de la rate.

En l'absence de crises falciformes, il y a une anémie modérée, de la fatigue et de l'ictère des sclérotiques. Les crises sont fréquentes et sont caractérisées par des douleurs dans les os, dans les articulations ou dans l'abdomen (thromboses). Un état ressemblant à un abdomen aigu peut se produire. La fièvre est d'ordinaire présente. Une anémie sévère avec grande faiblesse et recrudescence de jaunisse peut accompagner la crise. La croissance est légèrement retardée et les enfants sont souvent d'aspect chétif. L'enfant plus âgé montre un élargissement des os de la face et du crâne et peut développer un crâne en forme de tour (turricéphalie). Les symptômes débutent entre 6 et 12 mois. Avant l'âge de 5 ans, il existe un risque extraordinairement élevé de septicémie ou de méningite bactérienne (pneumocoque, hémophilus) ; ces infections foudroyantes, dues surtout à l'hypofonction splénique progressive, sont la cause principale des décès pendant l'enfance. Des crises d'anémie soudaines peuvent aussi survenir à cet âge, à la suite de séquestration splénique ou hépatique aiguë. La mortalité combinée de ces deux complications atteint 15 à 25 %.

Les complications primaires dans l'enfance sont associées aux thromboses vasculaires. Les thromboses et infarctus pulmonaires se produisent en particulier chez les jeunes enfants alors que les ulcères des jambes et les nécroses aseptiques de la tête fémorale sont communs chez l'enfant plus âgé et l'adolescent. La tendance à l'ostéomyélite à Salmonella et aux infections à pneumocoques est bien connue. Chez l'adolescent, l'agrandissement cardiaque et même l'insuffisance cardiaque peuvent se produire en association avec l'anémie grave prolongée et l'ischémie cardiaque. La cholélithiase, rare dans l'enfance, est fréquente après 10 ans. Des crises hypoplastiques peuvent se produire, entraînant l'apparition d'un état anémique très grave et prolongé.

---

[1] La fréquence de l'état homozygote varie de 0,2 % chez les Noirs américains à 6 % dans certaines régions d'Afrique.

● *Examens de laboratoire* : Anémie modérément grave (en l'absence de crise) avec une hémoglobine entre 7 et 9 g/dl. Réticulocytes et cellules nucléées fortement augmentés. Anémie normocytaire et normochrome, avec des anomalies de la taille et de la forme des érythrocytes, y compris des cellules en cible. La formation d'érythrocytes en faucille n'est pas extensive sur le frottis sanguin ordinaire, sauf au moment des crises, mais le test de falciformation montre 100 % de cellules anormales. Cependant, ce dernier test ne permet pas de différencier l'état homozygote SS de l'état de porteur hétérozygote ou d'autres hémoglobinopathies falciformatives graves ; les tests de dépistage fondés sur l'insolubilité de l'hémoglobine S présentent les mêmes restrictions. L'électrophorèse de l'hémoglobine montre uniquement de l'hémoglobine S et F. (Les hémoglobines non pathogènes D et G migrent avec l'hémoglobine S en milieu alcalin, et doivent être distinguées de cette dernière par l'électrophorèse complémentaire en milieu acide.) La proportion d'hémoglobine fœtale varie entre 0,02 et 0,2 (2 et 20 %). La bilirubine sérique montre d'ordinaire une légère élévation de la portion non conjuguée (indirecte). La densité urinaire devient fixée à environ 1010 pendant l'enfance et l'adolescence (diabète insipide tubulopathique) et on peut voir à la fois de l'hémosidérinurie et de l'hématurie. La moelle osseuse montre une hyperplasie érythroïde considérable. Les radiographies du crâne et de la colonne révèlent un amincissement du cortex, un élargissement des espaces médullaires et des tracés trabéculaires augmentés.

● *Traitement* : Le traitement est institué avant tout pour les crises. Il n'existe pas de méthode efficace pour réduire le taux d'hémolyse chronique ou pour prévenir les crises. Les crises hémolytiques tout autant que les crises hypoplastiques doivent être traitées avec des transfusions. On préférera le sang complet, bien que les cellules concentrées puissent être employées chez l'enfant gravement anémié. L'emploi de l'oxygène, le maintien d'une bonne hydratation et la correction de l'acidose sont les mesures les plus importantes pour le traitement de la crise. Le repos, les analgésiques et les calmants suffisent parfois dans les cas légers. L'emploi des corticostéroïdes semble se justifier dans le traitement des arthrites douloureuses des mains et des pieds (prednisone, 1-2 mg/kg/jour). La splénectomie peut être utile chez l'enfant qui a occasionnellement une splénomégalie persistante et qui nécessite des transfusions fréquentes. Comme il y a une tendance naturelle à l'autosplénectomie par thromboses, l'intervention chirurgicale n'est en général pas nécessaire. La mortalité pendant la première enfance à la suite d'infections ou de crises d'anémie foudroyantes peut être diminuée par le diagnostic précoce (de préférence à la naissance) ; on encouragera aussi les parents à obtenir un traitement immédiat lors d'affections fébriles ou lors d'aggravations de l'anémie et on recommandera également la vaccination antipneumococcique après l'âge d'un an. Quelques enfants meurent lors d'accidents cérébraux vasculaires ou d'épisodes d'insuffisance cardiaque. Beaucoup de malades toutefois survivent jusqu'à l'âge adulte. Une insuffisance rénale progressive et irréversible se produit, et la mort survient soit par urémie, soit par défaillance cardiaque. Le traitement prophylactique par la pénicilline est indiqué dès la naissance et jusque vers l'âge de 10 ans (selon le taux d'anticorps antipneumoccique) pour prévenir les infections graves à pneumocoque. Les transfusions de globules concentrés sont indiquées lors d'épisodes d'anémie aiguë et permettent aussi de mettre un terme aux crises douloureuses chez certains malades. L'exsanguino-transfusion est nécessaire dans les cas graves d'infarctus pulmonaires ou cérébraux, et pré-opérativement pour diminuer la proportion des drépanocytes à moins de 25 %. Un programme de transfusions chroniques est indispensable pour prévenir les récidives d'ictus ou autres complications gravissimes. Plusieurs agents pharmacologiques anti-drépanocytaires sont à l'étude, mais sans utilité clinique à l'heure actuelle.

● *Conseil génétique* : Les parents d'un enfant atteint de façon homozygote (SS) doivent être informés du fait qu'à chaque nouvelle grossesse le risque d'avoir un autre enfant atteint (SS) est de 25 %.

Anémie falciforme, forme hétérozygote

La forme hétérozygote de l'anémie falciforme existe chez 12 % environ des Noirs américains et affecte jusqu'à 50 % de la population de certaines zones d'Afrique. Elle est généralement asymptomatique. L'anémie, la réticulocytose, les modifications morphologiques des érythrocytes et les crises douloureuses ne sont généralement pas observées, mais, par contre, le test de falciformation est positif. L'électrophorèse de l'hémoglobine montre de l'hémoglobine A et S. L'hématurie est la complication la plus fréquente et se présente dans 3 à 4 % des cas, avec une atteinte progressive de la capacité rénale de concentration et d'acidification. Des infarctus, en particulier dans les poumons et dans la rate, peuvent se produire si la concentration atmosphérique d'oxygène est abaissée, par exemple à des altitudes de plus de 3 000 m en montagne ou lors de vols dans des avions mal pressurisés. En dehors de ces circonstances exceptionnelles, le pronostic est excellent.

Anémie associée à l'hémoglobine C

L'hémoglobine C s'observe surtout dans la race noire. Les individus affectés de façon hétérozygote sont asymptomatiques. Le frottis toutefois révèle la présence d'un grand nombre de cellules en cible. L'hématurie rénale a été occasionnellement rapportée. Le trait se produit dans approximativement 2 % de la population noire américaine, mais est beaucoup plus élevé dans la population de l'Afrique centrale et occidentale. Les malades homozygotes pour l'hémoglobine C démontrent d'ordinaire une anémie hémolytique légère, asymptomatique, avec une numération réticulocytaire élevée. La morphologie des érythrocytes est caractérisée par la présence à presque 100 % de cellules en cible ; ces cellules sont d'ordinaire normocytaires et normochromes. La fragilité osmotique est diminuée. On fait le diagnostic par l'électrophorèse de l'hémoglobine, qui révèle seulement de l'hémoglobine C. Sauf dans les rares cas d'anémie plus grave où la splénectomie est indiquée, aucun traitement n'est nécessaire.

Anémie associée à l'hémoglobine S-C

La maladie par hémoglobine S-C est causée par l'état doublement hétérozygote pour les hémoglobines S et C. Elle se produit avec une fréquence de 1 sur 1500 dans la population noire américaine. Les symptômes sont semblables à ceux de l'anémie falciforme homozygote mais sont beaucoup moins marqués. Il existe une splénomégalie dans la majorité des cas. Les cellules en cible sont nombreuses et une anémie légère est généralement présente avec une réticulocytose persistante. Le diagnostic est confirmé par l'électrophorèse de l'hémoglobine et par le test de falciformation, de même que par l'évaluation des autres membres de la famille. Les complications possibles et leur traitement sont les mêmes que dans l'anémie falciforme ; cependant, la plupart des malades n'ont pas besoin de traitement. La rétinopathie proliférante drépanocytaire est présente chez au moins 30 % des adultes et débute dès l'âge de 10 ans, à partir duquel un examen annuel du fond d'œil par l'ophtalmologue est donc impératif ; le traitement judicieux de cette rétinopathie par cryothérapie ou par rayon-laser permet de prévenir la cécité. La nécrose aseptique de la tête fémorale ou humérale est également commune. En général le pronostic est bien meilleur que dans la drépanocytose homozygote.

Thalassémie bêta associée à l'hémoglobine S

Cette affection résulte de l'interaction d'un gène pour l'hémoglobine S et d'un pour la thalassémie bêta. Chez les Noirs, le gène thalassémique correspond au type relativement bénin β^+. La symptomatologie est alors beaucoup moins grave que celle de la drépanocytose homozygote SS : anémie modérée (10 à 12 g/dl d'hémoglobine) et crises douloureuses rares. La drépanocytose associée à la thalassémie β^0 est presque aussi grave que la forme homozygote SS. Dans la thalassémie β^+-S, l'électrophorèse de l'hémoglobine révèle une trace d'hémoglobine A_1 de 0,15 à 0,25 (15 à 25 %) avec 0,6 à 0,8 (60-80 %) d'hémoglobine S, alors que l'hémoglobine A_1 est absente dans la thalassémie β^0-S. Dans les deux formes, la microcytose est prononcée, avec augmentation des hémoglobines A_2 et F.

Autres hémoglobines anormales

D'autres hémoglobines, telles que les hémoglobines D et E, sont rares dans le monde occidental, mais se présentent avec une fréquence élevée dans d'autres parties du monde. L'hémoglobine D a été retrouvée en Inde (Punjab), en Turquie et en Afrique, et également, mais plus rarement, chez les Noirs et les Indiens américains. Sa présence ne cause pas de symptômes, sauf lorsqu'elle est associée avec une autre hémoglobine telle que l'hémoglobine S. L'hémoglobinose E se produit particulièrement en Asie du Sud-Est et est d'ordinaire asymptomatique. Toutefois, une anémie hémolytique se produit en association avec d'autres hémoglobinopathies en particulier dans le cas de la thalassémie-hémoglobinose E. La majorité des autres hémoglobines anormales qui ont été décrites se produisent seulement dans la forme hétérozygote et sont asymptomatiques. L'hémoglobine M sera discutée au paragraphe concernant la méthémoglobinémie (cf. p. 509). Les hémoglobines thermolabiles sont associées avec une anémie hémolytique légère et une urine foncée. Les hémoglobines anormales peuvent apparaître sur un tracé électrophorétique ; le diagnostic est confirmé en démontrant leur instabilité (précipitation) lorsqu'on les chauffe à 50 °C pendant une heure. Le pigment foncé dans l'urine est une mésobilifuscine.

● *Persistance héréditaire de l'hémoglobine fœtale :* La persistance héréditaire de l'hémoglobine fœtale ou incapacité de produire de l'hémoglobine à chaîne bêta (A) à la place de chaîne gamma (F) a été rapportée dans des familles noires, grecques et suisses. Elle est d'ordinaire trouvée sous sa forme hétérozygote et n'est pas associée à des symptômes cliniques. Le taux d'hémoglobine fœtale est d'environ 0,2 (20 %).

Hémoglobines thermolabiles (instables)

Certaines hémoglobines anormalement thermolabiles entraînent une anémie hémolytique modérée, avec ictère des sclérotiques et urine brun foncé, ponctuée d'aggravations intermittentes de l'hémolyse. La splénomégalie est habituelle et l'affection est transmise selon le mode héréditaire autosomique dominant.

Le compte réticulocytaire est élevé, comme aussi le taux de bilirubine indirecte, tandis que l'haptoglobine est à zéro. Le frottis sanguin montre parfois une ponctuation basophile prononcée. La fragilité osmotique est augmentée ou diminuée ; le test d'auto-hémolyse est normal. Les tests spécifiques comprennent la mise en évidence, dans les érythrocytes, des inclusions de Heinz après incubation à 37° C pendant 48 heures, et d'une hémoglobine anormale dans certains cas ; celle-ci migre toujours plus lentement que l'hémoglobine A_1 à pH alcalin (8,5), soit 0,05 à 0,1 (5 à 10 %) de l'hémoglobine totale. Toutes les hémoglobines thermolabiles forment un précipité après chauffage d'un hémolysat à 50° C pendant une heure. Le pigment brun de l'urine se compose de mésobilifuscine.

Au moins 50 hémoglobines instables ont été identifiées (Scott, Zurich, Köln, Ubi-I, Summersmith, Dacie, Seattle, etc.). Le diagnostic différentiel est aisé, du fait de la transmission héréditaire dominante, partagée seulement avec la sphérocytose. Le diagnostic final repose sur la démonstration d'une hémoglobine thermolabile et sur la présence dans l'urine de mésobilifuscine. Le pronostic est excellent dans la majorité des cas ; il n'y a pas de traitement.

Hémoglobinopathies avec affinité anormale pour l'oxygène

De nombreuses hémoglobinopathies ont été décrites dans lesquelles le signe clinique principal est la polycythémie. Ces désordres sont habituellement transmis selon le mode autosomique dominant et les individus affectés sont hétérozygotes pour l'hémoglobine anormale. Ces hémoglobines ont une affinité augmentée pour l'oxygène, qui entraîne une oxygénation tissulaire diminuée et une érythrocytose compensatoire. La plupart des sujets atteints sont asymptomatiques à part la pléthore. Les hémoglobines les plus fréquemment rencontrées sont les hémoglobines Chesapeake, Malmö, Yakima et Rainier.

Au moins trois hémoglobines différentes ont été décrites avec une affinité diminuée pour l'oxygène. Les sujets affectés présentent une anémie (hémoglobine Seattle) ou une cyanose (hémoglobine Kansas)...

Thalassémies

Les thalassémies sont dues à une diminution de la production des chaînes polypeptidiques de l'hémoglobine. La production anormale peut affecter les chaînes β ou α (plus rarement, les chaînes γ ou δ). Les thalassémies α découlent d'ordinaire de délétions de matériel génétique, alors que les thalassémies β résultent habituellement de gènes dysfonctionnels. Deux gènes contrôlent la synthèse des deux chaînes β, tandis que quatre gènes gouvernent la production des deux chaînes α.

Thalassémie bêta mineure (thalassémie hétérozygote, maladie de Cooley hétérozygote)

Le malade avec thalassémie bêta mineure est hétérozygote pour le gène en question. Le trait est transmis comme une maladie autosomique dominante. Il se rencontre avant tout dans les groupes ethniques de la zone méditerranéenne (Italiens et Grecs), dans l'Asie du Sud-Est et chez les sujets noirs, et est une cause relativement commune d'anémie hypochrome légère dans ces populations. L'anémie est fréquemment confondue avec une anémie par manque de fer nutritionnel dans l'enfance et devrait être suspectée quand le nourrisson ne répond pas au traitement par le fer. L'anémie de la thalassémie bêta mineure est moins marquée dans les populations noires que dans les populations méditerranéennes.

● *Examens de laboratoire :* Anémie légère, rarement au-dessous de 9 g/dl d'Hb ; l'hémoglobine pouvant être dans les limites normales. Erythrocytes petits et hypochromes avec une CHMC diminuée. Cellules en cible et occasionnellement cellules à ponctuations basophiles. Variations fréquentes de la forme et de la taille des érythrocytes. Réticulocytes pouvant être légèrement augmentés, mais fréquemment dans les limites normales. Fragilité osmotique considérablement diminuée.

Dans la thalassémie bêta mineure, le diagnostic est confirmé par la trouvaille d'une élévation de l'hémoglobine A_2 avec un taux d'hémoglobine fœtale normal. Dans la thalassémie alpha, l'hémoglobine A_2 est normale. Le fer sérique et la capacité de fixation du fer sont normaux ou augmentés et la moelle osseuse peut montrer des dépôts excessifs de fer chez l'enfant plus âgé.

● *Traitement :* Il n'y a pas de traitement disponible. Le fer ne doit pas être administré puisqu'il peut conduire à une aggravation de la tendance existante à l'hémosidérose.

Thalassémie bêta majeure (anémie de Cooley, anémie méditerranéenne)

La thalassémie bêta majeure apparaît chez les individus qui sont homozygotes pour le gène, et les études familiales révèlent l'état de porteur chez les deux parents. On la trouve avant tout chez des personnes d'origine méditerranéenne, africaine et de l'Asie du Sud, et plus fréquemment que la thalassémie alpha. La maladie est due à un défaut quantitatif de la production des chaînes β de l'hémoglobine A. De ce fait, la maladie ne se manifeste pas cliniquement jusqu'à l'âge d'un an environ, à cause de l'effet protecteur de l'hémoglobine fœtale normale. Toutefois, la splénomégalie et une anémie légère sont notées dès 6 mois. A 2 ans, il y a d'ordinaire une splénomégalie massive et une hépatomégalie importante. La croissance physique est gravement diminuée. Quand l'enfant atteint de thalassémie majeure approche de la période scolaire, l'élargissement des os plats du visage et du crâne associé à l'hématopoïèse active à ce niveau inhabituel donne à son visage un aspect pseudo-mongoloïde caractéristique. L'anémie est grave et, après l'âge d'un an, nécessite des transfusions fréquentes. L'ictère est fréquent.

La thalassémie bêta majeure entraîne des complications multiples. La susceptibilité aux infections est augmentée, même avant la splénectomie. La péricardite aiguë bénigne non spécifique est un problème commun. Les fractures récurrentes sont en rapport avec l'amincissement des os corticaux. La nécessité de transfusions multiples est associée à la longue avec des réactions de transfusion et l'apparition d'anticorps antileucocytaires. La croissance physique est diminuée et le développement des caractères sexuels secondaires à l'adolescence est retardé. La cholélithiase et la cholécystite sont presque toujours présentes chez l'adolescent ou le jeune adulte. Les complications majeures toutefois consistent dans le développement de l'hémochromatose secondaire à l'absorption excessive de fer par voie digestive et aux transfusions de fer chez ces malades. Le résultat en est la cirrhose et l'insuffisance cardiaque avec la mort survenant dans la deuxième ou troisième décennie. Le traitement actuel par les agents chélateurs devrait minimiser ou prévenir complètement l'hémochromatose.

● *Examens de laboratoire :* Frottis sanguin : anémie microcytaire hypochrome grave avec cellules en cible, anisocytose marquée et poïkilocytose. Nombreuses cellules nucléées. Hémoglobine entre 5 et 6 g/dl. Augmentation du nombre des réticulocytes, des plaquettes sanguines et des leucocytes. Bilirubine sérique élevée. Le diagnostic est confirmé par l'électrophorèse de l'hémoglobine, qui ne montre pas d'hémoglobine anormale mais une augmentation considérable de l'hémoglobine fœtale entre 0,2 et 0,9 (20 et 90 %). La fragilité osmotique est considérablement diminuée. La moelle osseuse montre une hyperplasie érythroïde marquée avec augmentation des dépôts de fer. La radiographie osseuse est très caractéristique et révèle une augmentation de la zone médullaire avec amincissement du cortex ; le crâne a une apparence de « coiffure en brosse ».

● *Traitement :*
a) La *transfusion de globules concentrés* représente la mesure thérapeutique de base. On s'applique actuellement à garder l'hémoglobine au-dessus de 11 g/dl, pour permettre une croissance normale, un meilleur état général et une diminution des complications. Suite à ce régime, qui nécessite des transfusions mensuelles, l'absorption du fer diminue au niveau intestinal.
b) Les *agents chélateurs* font partie intégrale du traitement transfusionnel. La desféroxamine (Desféral®), aux doses relativement faibles de 2 à 3 g par jour, permet de maintenir un bilan de fer négatif chez les enfants en surcharge ferrique. La desféroxamine est donnée par voie sous-cutanée, à l'aide d'une pompe portative à piles électriques, pendant des périodes de 8 à 12 heures la nuit, trois à six fois par semaine.
c) Les *infections* et l'*insuffisance cardiaque* doivent être traitées promptement par les antibiotiques, la digitale et autres thérapeutiques appropriées.
d) Une *déficience relative en acide folique* peut survenir en raison de l'hyperproduction relative de la moelle ; l'acide folique oral à une dose de 1 à 5 mg par jour est donc souvent indiqué.
e) La *splénectomie* est utile chez l'enfant plus âgé, lorsque les transfusions deviennent de plus en plus rapprochées. L'opération modifie

l'intensité de l'hémolyse et élimine l'hypersplénisme qui raccourcit encore la survie érythrocytaire. Le risque d'une infection gravissime est grand après la splénectomie, et la pénicilline prophylactique est nécessaire, au moins deux ans après la splénectomie.

● *Conseil génétique :* Les parents d'un enfant atteint de thalassémie bêta majeure doivent être informés du fait qu'à chaque nouvelle grossesse le risque d'avoir un autre enfant atteint de cette maladie est de 25 %.

Thalassémies alpha

Les défauts de production des chaînes polypeptidiques α entraînent également l'anémie. Il existe plusieurs formes de thalassémies alpha, principalement chez les sujets de race noire ou originaires de l'Asie du Sud-Est. Le degré de l'anémie est directement proportionnel au nombre de délétions affectant les quatre gènes responsables de la synthèse des chaînes α.

« Porteurs » de thalassémie alpha

Le « porteur » qui possède trois des quatre gènes ne souffre d'aucun problème clinique ou hématologique. Celui qui n'a que deux gènes présente une microcytose prononcée, une hypochromie légère, et quelques cellules en cible au frottis sanguin. L'électrophorèse de l'hémoglobine est normale après la période néonatale, pendant laquelle on peut démontrer la présence de petites quantités d'hémoglobine de Bart (tétramère de 4 chaînes γ). Cet état thalassémique bénin existe chez 5 à 7 % des Noirs américains.

Hémoglobinopathie H

Cette affection est due à la délétion de trois des quatre gènes α. Les malades présentent souvent une splénomégalie et une anémie chronique microcytaire qui ressemble à celle de la thalassémie bêta mineure. L'électrophorèse au pH 8,5 révèle une hémoglobine anormale (H), à vitesse de migration supérieure à celle de l'hémoglobine A_1, et qui se compose de quatre chaînes β. Des inclusions érythrocytaires caractéristiques sont mises en évidence, après incubation des cellules, par la technique de frottis pour réticulocytes. Il n'existe pas de thérapeutique efficace.

Le traitement martial est proscrit dans toutes les formes de thalassémie alpha.

Hydrops fœtalis

La forme la plus grave de thalassémie alpha accompagne la délétion des quatre gènes et est uniformément fatale à la naissance. Les nouveau-nés affectés meurent d'anémie gravissime avec hydrops généralisé, car ils ne peuvent produire que de l'hémoglobine de Bart. Le diagnostic intra-utérin des différentes formes de thalassémie alpha est maintenant possible dans quelques grands centres.

Variantes de la thalassémie

L'état d'hétérozygote double de la thalassémie avec d'autres hémoglobinopathies telles que l'hémoglobine C, S et E est assez fréquent dans certaines parties du monde et se manifeste cliniquement comme des formes légères de la thalassémie bêta majeure. Le diagnostic est posé par l'électrophorèse de l'hémoglobine F et d'autres hémoglobines anormales. Les études familiales révèlent qu'un parent est porteur de la thalassémie et que l'autre est porteur de l'hémoglobine C, S ou E.

La plus fréquente de ces variantes est la drépanocytose-thalassémie. Les symptômes sont semblables à ceux de la drépanocytose, mais moins graves, et comprennent des attaques douloureuses de vaso-occlusion. L'anémie est d'ordinaire légère (10-12 g/dl d'hémoglobine). Chez les sujets de race noire, l'électrophorèse de l'hémoglobine montre d'ordinaire les hémoglobines A$_1$ et S, avec un taux d'hémoglobine S supérieur à 0,5, soit 50 % (d'ordinaire 0,6-0,8, soit 60-80 %). Les hémoglobines A$_2$ et fœtale sont d'ordinaire augmentées. Quelques sujets porteurs du gène de thalassémie bêta méditerranéenne ne présentent que les hémoglobines S, F et A$_2$, ce qui rend difficile le diagnostic différentiel d'avec la drépanocytose homozygote ; l'étude des membres de la famille est alors nécessaire pour confirmer le diagnostic.

Le pronostic vital de ces variantes est probablement normal. Les attaques vaso-occlusives sont traitées comme celles de la drépanocytose homozygote.

La thalassémie delta β^0 se rencontre surtout chez les sujets grecs. Les porteurs bêta hétérozygotes présentent la microcytose et l'anémie légère propre à la thalassémie bêta mineure ; l'hémoglobine A$_2$ est normale ou diminuée, l'hémoglobine fœtale augmentée. La forme homozygote de cette affection ressemble à une thalassémie bêta majeure mais n'est pas aussi grave.

Anémies hémolytiques acquises

Anémie hémolytique auto-immune

L'anémie hémolytique auto-immune (AHA) acquise est causée par des anticorps qui recouvrent les érythrocytes et qui sont responsables du test de Coombs direct positif. La plupart des cas sont probablement causés par des modifications de l'antigénicité des cellules rouges en association avec des lésions de la membrane cellulaire par l'infection ou l'apparition d'un nouvel antigène formé par la combinaison de l'agent infectieux et de l'érythrocyte. La maladie se produit en association avec une infection connue telle que l'hépatite, une pneumonie virale ou la mononucléose infectieuse. Elle peut être la manifestation d'une maladie auto-immune généralisée telle que le lupus érythémateux, ou bien associée avec des affections malignes telles que la maladie de Hodgkin ou la leucémie lymphatique chronique. La maladie hémolytique auto-immune commence d'ordinaire de manière aiguë avec faiblesse, pâleur, fatigue et hémoglobinurie. La jaunisse et la splénomégalie sont souvent présentes. Certains cas sont chroniques et insidieux dans leur début. Les signes cliniques d'une maladie primaire telle qu'une infection ou le lupus érythémateux peuvent être d'emblée évidents. Les anticorps sont soit du type IgM « froids », soit du type IgG « chauds ».

● *Examens de laboratoire :* Anémie normochrome et normocytaire pouvant être modérée ou grave avec 3 à 4 g/dl d'hémoglobine. Sphérocytose. Apparition dans les 24 heures de cellules nucléées et de réticulocytes dans le sang périphérique. Leucocytose importante et thrombocytose fréquente. Moelle osseuse : hyperplasie érythroïde marquée. Tests de Coombs direct et indirect positifs. Des auto-agglutinines sont fréquemment présentes et, de ce fait, le malade peut être incorrectement désigné par la banque du sang comme étant AB Rhésus +. La bilirubine indirecte est élevée et l'urobilinogène dans les selles et l'urine est augmentée.

● *Traitement :*
a) La transfusion est nécessaire pendant la phase aiguë de la maladie et parfois est une mesure d'urgence. Il y a d'ordinaire des difficultés lors de l'établissement du groupe sanguin (auto-agglutinines !). Une recherche doit être faite pour le sang qui donne la meilleure compatibilité croisée ; les cellules concentrées et lavées sont souvent les plus compatibles. La transfusion doit être parfois donnée malgré des tests d'agglutination positifs ou malgré un Coombs positif lors de la détermination de la compatibilité du groupe principal.
b) Pour bloquer le processus immunologique, le traitement par les *corticostéroïdes* est indiqué. On donne de l'hydrocortisone intraveineuse à forte dose ou de la prednisone orale (2 mg/kg/jour), initialement avec une réponse favorable dans la majorité des cas. Si l'on observe une réponse, la dose est diminuée à intervalles hebdomadaires jusqu'à la dose la plus basse qui maintient le malade en rémission. D'autres médicaments immuno-suppresseurs tels que les moutardes azotées, la 6-mercaptopurine ou l'azathioprine peuvent être essayés, seuls ou en conjonction avec les corticostéroïdes.
c) Le traitement par l'héparine est utile dans les formes d'hémolyse causées par les anticorps IgM, de par son action anticomplémentaire. L'héparine permet aussi de prévenir la coagulation intravasculaire et les lésions rénales qui en résultent.
d) Par la plasmaphérèse ou l'exsanguino-transfusion, on peut évacuer temporairement les anticorps et freiner ainsi l'hémolyse dans les cas gravissimes.
e) La *splénectomie* peut être d'un certain bénéfice dans les cas où le traitement médical n'a pas abouti. Environ 50 % des cas résistants répondent à cette opération, qui semble la plus utile dans les cas dus à des anticorps IgG.
f) Le *traitement médical* de la maladie primaire est naturellement des plus importants. Dans la majorité des cas idiopathiques de l'enfant, la maladie peut aboutir à une guérison spontanée.

Anémies hémolytiques acquises non auto-immunes

Une variété considérable de mécanismes extracorpusculaires peuvent aussi produire l'hémolyse. Certains produits chimiques et certains médicaments tels que l'arsenic et le benzène, le contact avec des agents physiques tels que la chaleur ou le froid extrême, et les brûlures graves peuvent causer l'hémolyse. De nombreuses infections bactériennes causées par des organismes hémolytiques s'accompagnent d'hémolyse et, dans la période néonatale, l'anémie hémolytique est une complication courante de n'importe quelle septicémie bactérienne ou virale. Le nom d'« anémie de Lederer » a été donné à l'anémie hémolytique aiguë à Coombs négatif, accompagnant une infection. Le venin de certains serpents (vipères) et araignées peut causer l'hémolyse. Le traitement de la majorité des anémies hémolytiques toxiques acquises dépend de la mise en évidence de l'agent étiologique et de son traitement. La transfusion est indispensable dans les cas les plus graves. L'hémolyse après chirurgie cardiaque à cœur ouvert se produit après des remplacements par des valves de synthèse et avec des prothèses en téflon qui produisent des destructions mécaniques des globules rouges.

Pycnocytose

Une anémie hémolytique transitoire est décrite chez le nouveau-né, associée à un degré élevé de pycnocytose des érythrocytes. Les pycnocytes ressemblent aux acanthocytes ou aux cellules crénelées. On en trouve quelques-uns chez tous les nouveau-nés prématurés ou à terme, mais dans les cas associés à l'hémolyse, la moitié environ des érythrocytes sont des pycnocytes. L'étiologie est inconnue. Le syndrome se caractérise par une hémolyse avec jaunisse pendant la première semaine postnatale, une anémie, une réticulocytose et une splénomégalie. L'anémie atteint son maximum pendant la troisième semaine postnatale et la guérison est spontanée.

Le diagnostic repose sur la présence de pycnocytes en grand nombre (plus de 6 %), en association avec une anémie hémolytique au test de Coombs négatif.

L'exsanguino-transfusion est parfois nécessaire pour l'hyperbilirubinémie pendant la première semaine. Par la suite, de petites transfusions sont indiquées en cas d'aggravation de l'anémie.

Anémie hémolytique par déficience en vitamine E

La déficience en vitamine E peut causer une hémolyse avec présence d'érythrocytes « en éperons ». Le diagnostic différentiel d'avec la pycnocytose se fait *in vitro* par la démonstration d'une hémolyse augmentée en présence de peroxyde, et *in vivo* par la réponse favorable à l'administration parentérale de vitamine E.

Cette affection survient principalement chez les prématurés après la quatrième semaine postnatale et est due à la malabsorption de la vitamine E. Elle est aggravée par l'administration orale de préparations de fer. Elle peut être prévenue par l'administration quotidienne de 25 unités de vitamine E par voie orale dès la naissance.

Hémolyse dans les affections hépatiques

Des altérations de la membrane érythrocytaire peuvent survenir dans les affections hépatiques et entraîner une anémie hémolytique importante.

L'anomalie de la membrane provient des altérations des lipides sériques et membranaires portant sur le rapport cholestérol/phospholipides. La forme la plus prononcée, observée d'ordinaire dans les maladies hépato-cellulaires, se caractérise par la présence de cellules crénelées. Dans la forme moins grave et plus commune, on remarque surtout des cellules en cible.

Hémolyse de l'insuffisance rénale

Une anémie hémolytique profonde peut se produire secondairement à l'élévation de l'urée et d'autres métabolites dans l'urémie grave. Les cellules crénelées sont fréquemment présentes. L'hémodialyse corrige la tendance hémolytique et les altérations morphologiques des érythrocytes.

Hémolyse dans la coagulation intravasculaire disséminée (CID)

Une anémie hémolytique micro-angiopathique avec cellules fragmentées et cellules « en éperons » est caractéristique de ce syndrome. La CID est décrite en détail dans une autre partie de ce chapitre (cf. p. 525).

Syndrome hémolytique urémique (syndrome de fragmentation des érythrocytes)

Ce syndrome est caractérisé par une hémolyse et une thrombocytopénie chez des nourrissons et des enfants atteints d'une maladie rénale aiguë. Dans la majorité des cas, la maladie rénale progresse jusqu'à la nécrose corticale bilatérale grave, bien que, dans d'autres cas, elle ressemble à une glomérulonéphrite aiguë. L'hémolyse a souvent un rôle important dans ce syndrome. Le sang périphérique est caractérisé par la présence d'un grand nombre de cellules anormales et fragmentées (cellules triangulaires, cellules en casque, acanthocytes). La thrombocytopénie peut être grave. Le test de Coombs est négatif. L'anémie est traitée par des transfusions. L'étiologie de cette affection n'est pas claire ; il s'agit peut-être de la manifestation d'une maladie virale dans laquelle une réaction de Schwartzman s'est produite avec coagulation intravasculaire localisée aux reins et nécrose corticale rénale consécutive. Le pronostic est variable : les cas les moins graves progressent vers la guérison totale, tandis que beaucoup d'autres évoluent jusqu'à l'insuffisance rénale complète et fatale due à la nécrose corticale bilatérale. Le traitement comporte les mesures habituelles pour le traitement de l'insuffisance rénale (cf. pp. 382 et 394) ; l'héparinisation est rarement utile.

Globules rouges : polycythémies et méthémoglobinémies

Erythrocytose primaire et polycythémie vraie

Le type le plus commun de polycythémie primaire de l'enfance est l'érythrocytose ou la polycythémie familiale bénigne ; il est différent de la polycythémie vraie en ce qu'il affecte seulement la série érythroïde. Les leucocytes et les plaquettes sont normaux. La maladie se produit fréquemment sur base familiale et il n'y a d'habitude pas de signes physiques anormaux à part la pléthore et la splénomégalie. Aucun traitement n'est indiqué à moins qu'il n'y ait des symptômes de céphalée et de léthargie considérables. La phlébotomie répétée est alors le traitement de choix.

La polycythémie vraie (maladie de Vaquez) est extrêmement rare dans l'enfance. En plus de l'augmentation des érythrocytes, tous les malades présentent une augmentation des leucocytes et des plaquettes à un moment donné de leur évolution. Les phénomènes hémorragiques et thrombo-emboliques sont communs. Le volume sanguin est augmenté de manière considérable Chez l'adulte, la maladie est chronique et progressive. La phlébotomie reste le traitement de choix.

Polycythémie secondaire (polycythémie compensatrice)

La polycythémie secondaire se produit en réponse à l'hypoxie dans n'importe quelle condition qui résulte en un abaissement de la tension de saturation en oxygène du sang. La cause la plus commune de la polycythémie secondaire est la cardiopathie congénitale cyanogène. La polycythémie se produit également dans les maladies pulmonaires chroniques telles que la mucoviscidose et dans les shunts pulmonaires artério-veineux. Les personnes qui habitent à une altitude élevée ainsi que celles avec une méthémoglobinémie et une sulfhémoglobinémie développent une polycythémie. A de rares occasions, une polycythémie secondaire a été décrite en l'absence d'hypoxie, en association avec des tumeurs rénales, des tumeurs du cerveau, la maladie de Cushing, l'hydronéphrose et en association avec le traitement par le cobalt. Il existe une polycythémie physiologique dans la période néonatale qui est particulièrement exagérée chez les nourrissons petits pour leur âge gestationnel. Une polycythémie a été décrite comme une manifestation de mongolisme chez le nouveau-né et comme une complication du syndrome adréno-génital congénital. Le traitement idéal de la polycythémie secondaire dépend avant tout de la correction de la maladie primaire. Quand cela n'est pas possible, les symptômes secondaires à la polycythémie seront améliorés par la phlébotomie avec remplacement du sang par du plasma. Ce traitement est indiqué avant d'opérer les cardiopathies cyanogènes pour prévenir les thromboses postopératoires ainsi que l'hémorragie secondaire aux troubles de la coagulation dus au manque de plasma.

La polycythémie secondaire aux hémoglobines anormales est décrite au paragraphe des hémoglobinopathies, pp. 495 ss.

Méthémoglobinémie

Méthémoglobinémie congénitale associée à l'hémoglobine M

La méthémoglobinémie congénitale et familiale associée avec une molécule anormale d'hémoglobine (hémoglobine M) est une affection autosomique dominante. Ces malades sont cyanosés mais asymptomatiques. Ils ne répondent à aucun traitement. Le diagnostic se fait par l'électrophorèse de l'hémoglobine.

Méthémoglobinémie congénitale due à des déficiences enzymatiques

La méthémoglobinémie congénitale est le plus fréquemment causée par une absence congénitale d'un facteur réducteur dans les érythrocytes, facteur normalement responsable de la conversion de la méthémoglobine en hémoglobine. La majorité des malades atteints de cette maladie souffrent d'une déficience en diaphorase-1 (coenzyme facteur 1). C'est une maladie transmise selon le mode récessif. Les malades ont souvent jusqu'à 40 % de méthémoglobine, mais, d'ordinaire, n'ont pas de symptômes, bien qu'il existe une légère polycythémie compensatrice. Les malades avec méthémoglobinémie associée avec une déficience de la diaphorase-1 répondent rapidement au traitement avec l'acide ascorbique et avec le bleu de méthylène (cf. ci-dessous). Toutefois, comme ils sont asymptomatiques, le traitement n'est d'ordinaire pas indiqué.

Méthémoglobinémie due à des médicaments

Un certain nombre de substances activent l'oxydation de l'hémoglobine de l'état ferreux à l'état ferrique, résultant en formation de méthémoglobine. Ces substances comprennent les nitrates, les chlorates et les quinones. Les médicaments communs dans ce groupe sont les colorants aniliques, les sulfamidés, l'acétanilide, la phénacétine, le sous-nitrate de bismuth et le chlorure de potassium. L'empoisonnement avec un médicament ou un produit chimique contenant une de ces substances doit être soupçonné chez tout enfant qui présente une cyanose soudaine. Les taux de méthémoglobine dans les cas d'empoisonnement peuvent être extrêmement élevés et peuvent produire une anoxie sévère et une dyspnée avec perte de la conscience, insuffisance circulatoire et mort. Les malades avec la forme acquise de la maladie répondent favorablement au bleu de méthylène à la dose de 1-2 mg/kg, donné par injection intraveineuse. L'acide ascorbique oral ou intraveineux permet également la réduction de la méthémoglobine mais agit plus lentement.

Globules blancs : leucopathies

Leucopénie (neutropénie) et agranulocytose

Les leucopénies de l'enfance font partie d'une grande variété de syndromes et relèvent d'un grand nombre d'étiologies. La classification suivante énumère les principales causes et aussi les principales associations :

1. Médicaments : anticonvulsivants, tranquillisants, antibiotiques (chloramphénicol), antithyroïdiens, antihistaminiques, aminopyrine, phénylbutazone, sulfamidés, antimétabolites, agents alcoylants.
2. Irradiations.
3. Infections, soit virales soit bactériennes.
4. Neutropénie par auto-immunisation, ou neutropénie dite idiopathique.
5. Neutropénie par iso-immunisation (nourrissons, polytransfusés).
6. Agranulocytose congénitale familiale.
7. Neutropénie hypoplastique chronique.
8. Granulocytopénie chronique bénigne.
9. Neutropénie associée aux états d'immunodéficience congénitaux.
10. Neutropénie avec insuffisance pancréatique et dysfonction médullaire (syndrome de Shwachman).
11. Neutropénie cyclique.

Les neutropénies congénitales (héréditaires) sont dues soit à des cellules-souches incapables de produire des colonies granulocytaires, soit à une malproduction du « facteur de stimulation des colonies » (= granulopoïétine), soit encore à des inhibiteurs. L'étude de la cinétique des neutrophiles par cultures de cellules médullaires permet de mieux comprendre et classifier ces maladies.

● *Symptômes des neutropénies* : Ce sont des signes infectieux qui ne se manifestent que si la neutropénie est sévère : frissons, fièvre, ulcérations des muqueuses, staphylococcie cutanée chronique ou récidivante, infection généralisée. Le diagnostic est confirmé par la formule sanguine qui montre des neutrophiles absents ou très diminués. Dans les 25 % des cas de neutropénie ou d'agranulocytose, il s'agit de formes pures. Ni les monocytes, ni les plaquettes, ni les érythrocytes ne sont touchés. *Moelle* : Forme bénigne : moelle normale. Forme sévère : réduction marquée de la série myéloïde ou retard de maturation. La série érythroïde et les mégacaryocytes sont normaux.

● *Traitement* : Supprimer l'agent causal s'il a pu être détecté. Traitement spécifique des infections. La stimulation médullaire avec la testostérone seule ou associée à de la prednisone est à tenter dans les cas chroniques, mais est peu efficace (dosage : cf. anémies aplastiques, pp. 487 ss). Le plasma frais congelé et les gammaglobulines ont produit quelques rémissions dans des cas de neutropénie associés aux déficiences en immunoglobulines.

Maladie granulomateuse chronique

Cette malade est transmise surtout selon le mode récessif lié-au-sexe, donc affecte les garçons. Il s'agit d'un défaut congénital de la fonction granulocytaire affectant la lyse bactérienne alors que la phagocytose est conservée. Il est associé à une déficience du métabolisme intracellulaire d'oxydation, probablement par défaut de NADPH-oxydase. Les réponses immunologiques spécifiques (réaction d'hypersensibilité retardée et formation d'anticorps) sont par contre normales. Le diagnostic est confirmé par le test au NBT : manque de réduction du nitrobleu de tétrazolium, qui normalement apparaît bleu foncé dans les granulocytes. Des valeurs de réduction intermédiaires s'observent chez les porteurs hétérozygotes. La maladie se manifeste avant la première année déjà par l'apparition d'adénopathies, suppurations, hépato-splénomégalie, ostéomyélite. L'infection est généralement due au staphylocoque, y compris les espèces considérées non pathogènes, et aux entéro-bactéries (aerobacter et serratia) ; les microbes sont phagocytés mais non tués.

● *Traitement* : On traite l'infection avec des antibiotiques qui pénètrent la membrane cellulaire, par exemple le chloramphénicol, mais il est souvent difficile de « nettoyer » complètement les lésions. Drainage des lésions suppuratives. Traitement de l'état général. Le pronostic est très mauvais dans les formes sévères (mort avant 5 ans). Autre possibilité de traitement : Greffe de moelle s'il existe un donneur histocompatible.

Autres dysfonctions des neutrophiles : cf. pp. 566 ss.

Réactions leucémoïdes

Réaction leucémoïde granulocytaire

Neutrophilie au-dessus de 40 000. Fréquente dans les infections à pyogènes ; relativement fréquente dans la maladie de Still, la maladie de Hodgkin et l'histiocytose X. Le diagnostic différentiel avec la leucémie myéloïde se fait par l'examen de la moelle et le dosage des phosphatases alcalines leucocytaires qui sont abaissées dans la leucémie myéloïde chronique et augmentées dans les réactions leucémoïdes granulocytaires.

Réaction leucémoïde lymphocytaire

Observée dans la mononucléose infectieuse, la coqueluche, la lymphocytose aiguë bénigne et dans quelques autres affections virales. Dans ces cas, la moelle osseuse est normale et, dans le sang périphérique, on trouve des lymphocytes mûrs ou stimulés mais jamais de formes blastiques.

Lymphocytose infectieuse aiguë (Carl Smith)

Entité spécifique caractérisée par une lymphocytose importante, variant entre 15,0 et 200,0 × 10^9/l (15 000 et 200 000 par µl). La plupart des lymphocytes sont de type petits lymphocytes mûrs.

L'étiologie est vraisemblablement virale, quoique l'agent spécifique n'ait jamais été isolé. Parfois l'infection est de nature épidémique. Dans la majorité des cas, la maladie est asymptomatique et découverte au hasard d'une formule sanguine. Dans quelques cas, surtout épidémiques, on note des infections des voies respiratoires supérieures, des éruptions cutanées, des douleurs abdominales, des diarrhées et des signes méningés ou encéphalitiques. Le diagnostic différentiel, du point de vue hématologique, se pose avec la mononucléose infectieuse, la leucémie aiguë, la lymphocytose de la coqueluche.

L'évolution est bénigne. Le traitement est symptomatique.

Leucémie

Cf. pp. 529 ss.

Syndromes myéloprolifératifs

Métaplasie myéloïde (myélofibrose, myélosclérose, métaplasie myéloïde agnogène)

La métaplasie myéloïde est une affection myéloproliférative associée à une splénomégalie et à un tableau de réaction leucémoïde granulocytaire. Dans l'enfance il s'agit le plus souvent d'une forme secondaire associée au remplacement de la moelle normale par du tissu tumoral, thésaurismique, ou ostéosclérotique (dans le cas de l'ostéopétrose). La forme primaire, associée à la myélofibrose idiopathique (métaplasie myéloïde agnogène), est extrêmement rare.

On observe dans le sang périphérique non seulement une augmentation notoire des granulocytes avec de nombreuses formes jeunes à tous les niveaux de maturation, mais aussi un nombre important d'érythrocytes nucléés et de grosses plaquettes immatures. La présence de cellules hématopoïétiques immatures dans le sang s'explique par l'hématopoïèse extramédullaire intense qui prend place dans la rate et dans le foie.

Le traitement est dirigé contre l'affection primaire. L'emploi de médicaments androgènes (cf. anémies aplastiques, pp. 487 ss) peut s'avérer utile en stimulant l'hématopoïèse dans la moelle.

Syndrome myéloprolifératif avec absence d'un chromosome du groupe C

Plusieurs observateurs ont décrit un syndrome myéloprolifératif associé à l'absence d'un chromosome du groupe C (probablement un chromosome 7) dans les cultures de moelle.

Le caryotype des lymphocytes et des fibroblastes est normal. Il existe une hépatosplénomégalie massive (avec hématopoïèse extramédullaire), une leucocytose (avec présence de granulocytes jeunes), une anémie et une thrombopénie. Les sujets affectés évoluent d'ordinaire vers une leucémie granulocytaire ou myélomonocytaire aiguë, et la phase myéloproliférative doit être considérée comme une pré-leucémie.

Désordre myéloprolifératif congénital du syndrome de Down

Un désordre myéloprolifératif grave qui affecte les granulocytes, les érythrocytes, les plaquettes, soit de manière isolée soit en combinaison, peut être présent à la naissance chez certains nourrissons atteints du syndrome de Down. Le tableau le plus commun est celui de l'hyperplasie granulocytaire avec présence de cellules jeunes dans le sang et a été confondu dans le passé avec la leucémie granulocytaire aiguë ou subaiguë. Cette affection guérit spontanément et ne doit pas être traitée par la chimiothérapie antileucémique. La morbidité et la mortalité par hémorragie ou infection sont importantes dans les premières semaines avant que la moelle puisse progresser vers une maturation normale spontanée.

Diathèses hémorragiques

L'hémostase dépend : d'un nombre et d'une fonction plaquettaire normaux, de l'intégrité vasculaire et de taux normaux de facteurs de la coagulation.

Le tableau 6 résume les différents examens explorant l'hémostase.

Purpura thrombocytopénique idiopathique (maladie de Werlhof)

Chez l'enfant, le purpura thrombocytopénique aigu, dit idiopathique, est souvent associé ou fait suite à une infection virale comme la varicelle, la rougeole, la rubéole ou une infection virale respiratoire. La majorité des cas s'améliorent spontanément en quelques mois et une guérison complète se produit après 6 mois à 1 an dans 90 % des cas environ. Dans la plupart des cas, la maladie serait due à un mécanisme immunologique, bien que des anticorps antiplaquettaires ne soient pas toujours démontrés. Les plaquettes altérées sont détruites en grande partie dans la rate. Le début est généralement aigu, avec apparences d'ecchymoses multiples. Les épistaxis sont très fréquentes. Parmi les complications à redouter : hémorragies externes sévères, hémorragies dans un organe vital ou hémorragies intracérébrales (rares). Par ailleurs, l'examen physique est normal, il n'y a pas de splénomégalie.

● *Examens de laboratoire* : Numération plaquettaire diminuée (en général moins de 50 000 par mm^3). Nombre et répartition des leucocytes normaux. Parfois lymphocytose. Anémie : seulement en cas d'hémorragies importantes. *Moelle osseuse* : Présence d'un nombre normal ou augmenté de mégacaryocytes, souvent d'aspect immature avec peu ou pas d'évidence de formation plaquettaire. Eosinophiles parfois augmentés dans la moelle. Séries blanche et érythrocytaire normales. Temps de saignement prolongé, signe du lacet positif. Rétraction du caillot anormale. Temps partiel de thromboplastine et temps de prothrombine normaux. Consommation de la prothrombine diminuée. Présence d'anticorps anti-plaquettes (IgG).

● *Traitement* : Généralement guérison spontanée ; éviter tout traumatisme. Ne transfuser avec du sang frais ou des plaquettes que sous protection de stéroïdes intraveineux. Si la tendance hémorragique est importante ou si les thrombocytes sont en dessous de 20 000/mm^3, donner d'emblée une corticothérapie (prednisone 2 mg/kg par jour pendant 2 à 3 semaines, jusqu'à élévation des plaquettes ou tout au moins normalisation des symptômes). Diminuer alors progressivement la dose et arrêter toute corticothérapie après 6 semaines. En cas de récidive des hémorragies, essayer une dose plus faible de 5 à 10 mg par jour pour contrôler les symptômes. Des immunoglobulines non spécifiques données par voie veineuse semblent corriger transitoirement les thrombopénies auto-immunes. On évite de donner des immunosuppresseurs chez l'enfant. Une splénectomie doit être tentée après un an d'évolution au moins et sera suivie de succès dans environ 60 % des cas chroniques.

Tableau 6 : Examens de la crase sanguine

	Valeurs normales	
	Enfant	Nouveau-né
A. Fonctions plaquettaires et vasculaires		
1. Temps de saignement : Méthode d'Ivy (incision de 2 mm avec un stylet, sur l'avant-bras, en maintenant une pression de 40 mm Hg)	2-6 min.	2-6 min.
2. Signe du lacet : Maintenir une pression entre la systolique et la diastolique pendant 5 min.	Rares pétéchies	Rares pétéchies
3. Numération plaquettaire	200 000 à 400 000	200 000 à 400 000
4. Evaluation de la fonction plaquettaire : Rétraction du caillot Adhésivité plaquettaire Agrégation plaquettaire Facteur III (Doit être pratiquée si les trois premiers tests sont anormaux)		
B. Tests de coagulation		
1. Temps de coagulation sur sang veineux complet :		
a) Méthode des trois tubes selon Lee and White	10-15 min.	8-18 min.
b) Un seul tube à 37°	5-10 min.	3-10 min.
2. P.T.T. (Partial thromboplastin time) (temps partiel de thromboplastine) : Mesure tous les facteurs sauf facteur III plaquettaire et facteur VII (méthode sur Kaolin)	35-50 sec. (varie selon les méthodes)	40-70 sec.
3. Temps de prothrombine (Quick) : Mesure facteur II, IV, VII, X et les déficiences sévères du fibrinogène	12-14 sec. (70-120%)	12-18 sec. (25-75%)
4. Temps de thrombine : Mesure la conversion du fibrinogène en fibrine et est prolongé par les antithrombines et l'héparine ainsi que les produits de dégradation du fibrinogène	7-9 sec.	8-18 sec.
5. Fibrinogène	190-420 mg/100 ml (5,51-12,18 µmol/l)	180-300 mg/100 ml (5,22-8,70 µmol/l)
6. Produits de dégradation de la fibrine	Traces	Présents en petite quantité
7. Dosage spécifique des facteurs : Si suspicion de défaut congénital de la coagulation	70-130%	Facteurs II, VII, IX, X diminués à 25-65%

Remarque : Un «screening» de l'hémostase doit comporter :

- Formule sanguine
- Numération plaquettaire
- Temps de saignement (si numération plaquettaire normale)
- Signe du lacet
- Temps de prothrombine
- Fibrinogène

Il est recommandé de vacciner le patient contre le pneumocoque et de donner de la pénicilline prophylactique après splénectomie. En l'absence de réponse à la splénectomie, vincristine, cyclophosphamide ou azathioprine. On a également proposé un traitement avec de grandes doses de gamma-globulines i.v. pour tenter d'éviter la splénectomie.

Thrombocytopénies induites par des médicaments ou des produits chimiques

Bien que ces cas soient rares chez l'enfant, il ne faut pas qualifier un purpura d'« idiopathique » avant d'avoir obtenu une anamnèse méticuleuse quant aux sources possibles de sensibilisation. En effet, tout nouveau contact avec la substance en cause causera une rechute qui peut être fatale.

Thrombocytopénie du nouveau-né

C'est la cause la plus fréquente de purpura chez le nouveau-né. Elle peut être due ou associée à :
1) une iso-immunisation plaquettaire ;
2) un purpura thrombopénique idiopathique de la mère ;
3) une absence congénitale des mégacaryocytes (associée le plus souvent à une aplasie radiale) ;
4) une infection sévère, virale ou bactérienne (septicémie !) ;
5) un hémangiome géant ;
6) une coagulation intravasculaire disséminée (cf. p. 525) ;
7) une prise médicamenteuse chez la mère.

Purpura thrombotique thrombopénique (thrombocytopénie thrombotique)

Il s'agit d'un désordre hémorragique caractérisé par un purpura sévère, une anémie hémolytique, des douleurs musculaires et des signes neurologiques variés tels que paresthésies, hémiplégie, convulsions. Le test de Coombs peut être positif et les globules rouges présenter des formes bizarres, fragmentées. Le test du lacet, positif, accompagne la thrombocytopénie, et les mégacaryocytes sont généralement normaux. Une coagulation intravasculaire diffuse est la cause de ces manifestations pathologiques si variées. Il s'agit peut-être d'un syndrome d'hypersensibilité, avec lésions capillaires et thromboses secondaires. L'évolution est rapidement progressive et fatale. La présence d'albuminurie et de cylindrurie signe l'atteinte rénale.
● *Traitement* : Héparinisation efficace seulement si le traitement est précoce, et encore (cf. syndrome hémolytique urémique, p. 508). Corticostéroïdes, splénectomie, exsanguino-transfusion ou plasmaphérèse ont parfois amélioré l'évolution.

Syndrome de Wiskott-Aldrich

Il s'agit d'une maladie familiale récessive, liée-au-sexe, comportant :
- un eczéma ;
- un purpura thrombopénique avec souvent diarrhée sanglante ;
- une tendance aux infections récidivantes.

La thrombopénie est modérée à sévère, entraînant : ecchymoses, épistaxis et melæna. Les infections sont dues à un déficit immunitaire humoral et cellulaire. Elles sont graves et responsables de l'issue fatale. Les examens biologiques démontrent une moelle osseuse normale avec mégacaryocytes adéquats. Survie et fonction plaquettaire anormales. Défauts immunologiques : diminution des immunoglobulines A et M et isohémaglutinines abaissées. Pas de réponse aux antigènes de type polysaccharide. Défaut de la réaction d'hypersensitivité retardée.
- *Traitement* : Il n'existe pas de traitement spécifique. Antibiotiques et transfusions de plaquettes. La splénectomie peut corriger la thrombopénie, mais augmente le risque d'infections. Elle doit être suivie d'une prophylaxie antibiotique pour la vie.

Anomalies de la fonction plaquettaire (thrombasthénies ou thrombopathies)

Quelques syndromes hémorragiques héréditaires sont causés par ou associés à une dysfonction plaquettaire. La plupart n'entraînent qu'une tendance hémorragique modérée et sont révélés lors d'une extraction dentaire ou d'une intervention chirurgicale (cf. tableau 7). La maladie de von Willebrand et le syndrome de Wiskott-Aldrich comportent aussi une dysfonction plaquettaire (cf. description de ces affections). Les thrombasthénies acquises avec un temps de saignement prolongé et une adhésivité plaquettaire anormale se rencontrent dans l'urémie, le scorbut, et peuvent être induites par les salicylés, même à doses très faibles.

Maladie de von Willebrand

Il s'agit d'une altération de l'adhésivité plaquettaire, associée à une diminution du taux de la globuline antihémophilique ou facteur VIII. La tendance hémorragique est habituellement peu marquée, mais les épistaxis peuvent être sévères ainsi que les hémorragies chez les adolescents.
- *Tests diagnostiques et traitement* : Temps de saignement prolongé. Adhésivité plaquettaire diminuée. L'agrégation plaquettaire par la ristocétine est très diminuée mais se normalise après lavage plaquettaire en sérum physiologique. Un facteur plasmatique est donc responsable du défaut d'agrégation par la ristocétine. La diminution de la molécule antigénique de facteur VIII et de son activité procoagulante produit un allongement du PTT (temps partiel de thromboplastine). La maladie de von Willebrand et ses variantes sont dues à des anomalies moléculaires au sein du facteur VIII. Dans la forme classique on a une diminution de la fraction coagulante et une diminution de la fraction antigénique, laquelle

Tableau 7 : Thrombopathies héréditaires

Maladie	Temps de saignement	Nombre de plaquettes	Rétraction du caillot	Adhésivité	Agrégation plaquettaire	Facteur plaquettaire	Survie plaquettaire	Morphologie	Transmission génétique	Autres manifestations
Thrombasthénie de Glanzmann	Allongé	Normal	Diminuée	Diminuée	Diminuée avec ADP, collagène, thrombine, épinéphrine	Diminué	Normale	Fibrinogène adsorbé diminué	Autosomique récessif	Aucune
Thrombopathie par défaut d'excrétion d'ADP	Allongé	Normal	Normale	Diminuée ou normale	Diminuée avec collagène, épinéphrine, ADP	Diminué ou normal	Normale ou augmentée	Plaquettes parfois petites	Variable, autosomique dominant?	Aucune
Thrombopathie par défaut en facteur III	Normal	Normal	Normale	Normale ou diminuée	Normale	Diminué		Plaquettes normales ou grandes	Autosomique dominant?	Aucune
Maladie de von Willebrand	Allongé	Normal	Normale	Diminuée	Diminuée avec ristocétine, mais normalisée si plaquettes lavées	Normal	Normale	Plaquettes normales	Autosomique dominant (parfois récessif)	Diminution du facteur VIII
Thrombopathie macro-thrombocytaire	Allongé	Diminué	Normale	Diminuée ou normale	Normale	Diminué	Diminuée	Plaquettes géantes	Autosomique dominant	Aucune
Syndrome de Wiskott-Aldrich	Augmenté	Diminué	Diminuée	Diminuée	Diminuée avec ADP, collagène, épinéphrine	Normal ou diminué	Diminuée	Organelles diminuées, tubules nombreux	Récessif lié-au-sexe	Eczéma, défauts immunologiques, infection
Thrombopathie avec défauts plaquettaires intrinsèques	Allongé	Diminué	Normale	Normale	Normale avec ADP	Normal	Diminuée	Normale	Autosomique dominant	Aucune

Tableau adapté de Hathaway, W.E., *Amer. J. Dis. Child* 121 : 127, 1971.

ADP = Adénosine di-phosphate

est responsable de l'agrégation des plaquettes par la ristocétine. Tortuosité des capillaires augmentée ; facteur antihémophilique diminué à 40 % au moins : il semble s'agir d'un défaut d'activation du facteur VIII plutôt que d'une absence de ce facteur, car l'injection de plasma d'hémophile ou de sérum, tous deux dépourvus de facteur VIII coagulant, mais riches en facteur VIII antigénique, induisent une élévation de la globuline antihémophilique chez les patients atteints de la maladie de von Willebrand ; de plus la demi-survie du facteur VIII est beaucoup plus longue que dans l'hémophilie vraie. Cette observation satisfait également l'aspect génétique du problème, car il est connu que la synthèse du facteur VIII dépend d'un gène lié-au-sexe, c'est-à-dire transmis différemment de celui de la maladie de von Willebrand. La diminution du facteur VIII est corrigée par du plasma frais congelé ou par des fractions plasmatiques riches en facteur VIII. Dans certains cas, l'adhésivité plaquettaire et le temps de saignement sont corrigés après l'administration de globuline antihémophilique (facteur VIII). Dans les cas d'hémorragies sévères, des transfusions de plaquettes sont nécessaires.

● *Mode de transmission* : Autosomique dominant dans les cas bénins, mais autosomique récessif dans les formes les plus sévères.

Coagulopathies héréditaires

Les défauts des facteurs de la coagulation peuvent être congénitaux ou acquis. La fig. 2 représente les interactions des facteurs connus de la coagulation. Une diminution de chaque facteur, sauf celle du facteur Hageman (XII), peut entraîner une diathèse hémorragique spécifique.

Hémophilie A

Il s'agit d'un défaut de la coagulation par manque de globuline antihémophilique ou facteur VIII, transmis selon le mode récessif lié-au-sexe. Le degré de sévérité de la maladie varie selon le taux de facteur VIII.

L'hémophilie sévère est caractérisée par des saignements fréquents spontanés, au niveau de la peau, des muqueuses, des viscères et des articulations. Les hémarthroses ont tendance à récidiver et à passer à la chronicité, surtout au niveau des genoux et des coudes, cela entraînant des rétractions articulaires et musculaires. La complication majeure est le développement d'un anticorps antiglobuline antihémophilique (10-20 % des patients). Parmi les autres complications, on observe le développement de pseudo-tumeurs résultant d'hémorragies répétées au même endroit, et des hépatites chroniques dues à la présence de virus dans les produits transfusés. Les formes moins sévères (taux de facteur VIII de plus de 5 %) ne présentent des hémorragies que lors de traumatismes importants ou d'interventions chirurgicales.

● *Epreuves diagnostiques* : Tous les tests mesurant la formation de thromboplastine plasmatique : temps de coagulation sur sang total, temps de recalcification plasmatique, temps de thromboplastine partiel,

Fig. 2 : Schéma de la coagulation du sang

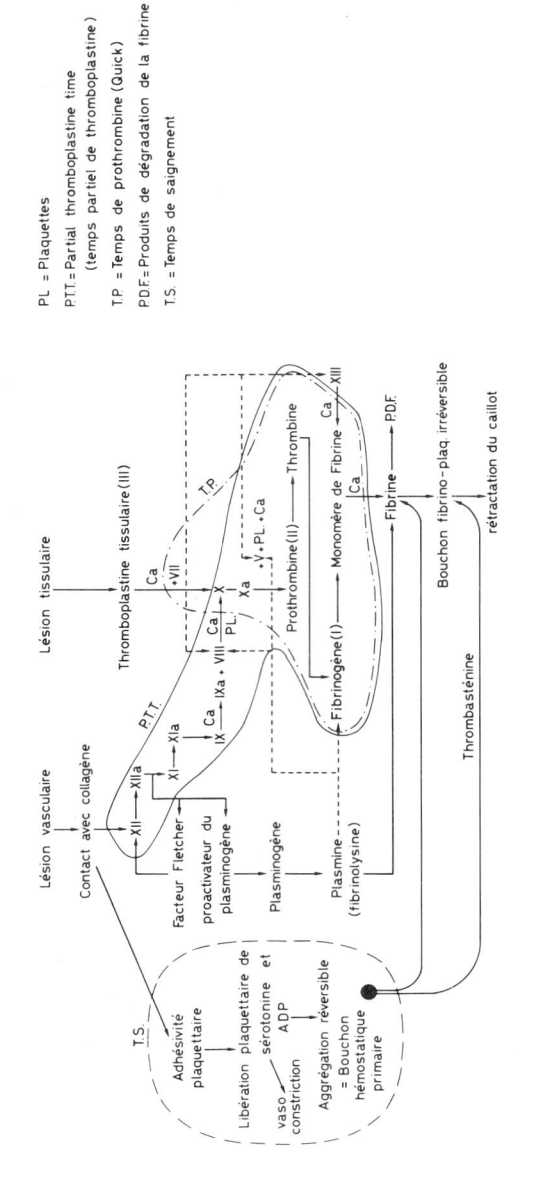

PL = Plaquettes
PTT = Partial thromboplastin time (temps partiel de thromboplastine)
TP = Temps de prothrombine (Quick)
P.D.F. = Produits de dégradation de la fibrine
T.S. = Temps de saignement

Les parties encerclées indiquent quelles phases de la coagulation sont explorées par les différentes épreuves.

D'après H.S. Strauss, *Diagnosis and treatment of inherited bleeding disorders*. Dans: *Pediat. Clinics N. Amer.* 19: 1009-1028, W.B. Saunders and Co, Philadelphie, 1972.

temps de génération de la thromboplastine et consommation de la prothrombine ; tous ces temps sont prolongés. Le temps de saignement et le Quick sont normaux. Des taux abaissés de facteur VIII sont trouvés chez 70 % des femmes porteuses, qui peuvent avoir une symptomatologie discrète.

● *Traitement* : Administration du facteur VIII sous forme de plasma frais, de plasma frais congelé ou de globulines concentrées. Des niveaux adéquats sont obtenus plus facilement avec les produits concentrés tels que le cryoprécipité ou le précipité par la glycine. Le mode d'administration et les taux à atteindre sont indiqués dans le tableau 8.

● *Autres traitements* : Les antifibrinolytiques tels que l'acide epsilon-amino-caproïque (AEAC) ou les extraits de cacahuètes ont une certaine valeur après extraction dentaire ou lésions de la muqueuse buccale : donner d'abord des globulines antihémophiliques puis maintenir l'hémostase par des substances antifibrinolytiques (acide epsilon-amino-caproïque, 100 mg/kg per os toutes les 6 h. ou Cyklokapron®, 10 mg/kg per os toutes les 6 h.) jusqu'à guérison de la blessure. Ils sont contre-indiqués en cas d'hématurie. Les corticoïdes sont indiqués s'il se développe une réaction allergique au complexe facteur VIII-fibrinogène

Tableau 8 : Taux de facteur VIII à atteindre pour obtenir une hémostase satisfaisante

Clinique	Taux de facteur VIII[1]		Durée du traitement
	Dose initiale	Doses consécutives	
Hémarthroses, hématomes musculaires	40%	—	1-2 jours (1 dose/jour)
Hémorragies orales, extractions dentaires	40%	—	Une seule dose suivie de 5 jours de traitement oral d'acide epsilon-aminocaproïque (dose de charge : 200 mg/kg, puis 100 mg/kg/ 8 heures).
Hémorragies graves, lacérations, blessures, fractures, petite chirurgie	60%	45%	Une dose journalière jusqu'à guérison **complète** des blessures et ablation des sutures.
Grande chirurgie	100% (jour opératoire)	75% (jour post-opératoire)	Après les premières 48 heures post-opératoires, continuer le traitement comme pour la petite chirurgie.

[1] Pour atteindre les taux de facteur VIII indiqués, transfuser le nombre d'unités de facteur VIII correspondant à la formule :

Nombre d'unités à transfuser = Poids (kg) × 0,5 × taux désiré

1 unité de facteur VIII correspond à la quantité de facteur VIII contenue dans 1 ml de plasma normal.

La quantité de facteur VIII dans les cryoprécipités varie de 75 à 150 unités; dans les nouveaux produits concentrés elle est en moyenne de 250 unités.

ou si l'on note la présence d'un inhibiteur. En cas d'apparition d'un inhibiteur du facteur VIII, déterminer son intensité. Un taux faible pourra être saturé temporairement par des doses massives de globulines antihémophiliques. Si le taux est élevé, des concentrés de facteur prothrombinique (prothrombine-proconvertine facteur X, Stuart-facteur IX ou B) peuvent être efficaces, en court-circuitant l'étape de thromboplastinoformation requérant le facteur VIII, grâce à la présence de facteurs activés (surtout le X). Les porteurs d'inhibiteurs ne doivent recevoir des fractions coagulantes qu'en cas de nécessité absolue. Ces facteurs améliorent parfois les hémorragies rénales et les hémarthroses. On utilise aussi les hémostatiques locaux, tels que pansements compressifs, mousse de fibrine imprégnée de thrombine, etc. On ne transfuse qu'en cas de déperdition sanguine importante. Les soins orthopédiques constants des articulations touchées sont importants. On veillera à l'ajustement émotionnel, éducatif et social. On s'efforcera de protéger l'enfant contre les traumatismes, accidents, etc. On enseignera dès que possible aux parents et à l'enfant à pratiquer eux-mêmes les injections.

Hémophilie B (Christmas disease)

Défaut de facteur IX ou PTC. Le mode de transmission et les caractéristiques cliniques sont identiques à la déficience en facteur VIII. Cette affection représente 20 % des hémophilies.
- *Diagnostic spécifique* : Pas de correction des PTT ou TGT faits avec des sérums déficients en facteur IX, par l'adjonction du plasma du patient. N.B. : Le facteur IX est stable et n'est pas entièrement consommé pendant la coagulation.
- *Traitement* : Administration de facteur IX : plasma de moins de 3 semaines conservé à 4° C. Plasma frais congelé, plasma lyophilisé. En cas d'accidents hémorragiques sévères : fraction plasmatique contenant du facteur IX concentré = PPSP (PPSP = prothrombine, proconvertine, facteur Stuart, facteur IX). Les taux de facteur IX à atteindre pour assurer une bonne hémostase peuvent être calculés d'après le tableau 8. La dose calculée doit être doublée, à cause de la diffusion extravasculaire très rapide du facteur IX. Sa demi-vie métabolique plus longue (20 à 22 h.) permet des transfusions moins fréquentes que pour l'hémophilie A.

Hémophilie C

Déficit en facteur XI ou PTA. Diathèse hémorragique peu sévère, transmise selon le mode autosomique récessif. Hémorragies spontanées possibles (ecchymoses, épistaxis), mais surtout saignements secondaires à des traumatismes. Rares hémarthroses spontanées. Le déficit en facteur XI peut être discret et un test sensible (PTT ou TGT) est nécessaire pour le dépister. Traitement nécessaire seulement en cas d'intervention chirurgicale ou traumatique sévère. Le PTA est un facteur stable et se trouve à un niveau suffisant dans le plasma conservé à 4° C pendant plusieurs semaines ; donc même traitement que pour le déficit en facteur IX. Il n'existe pas de fraction concentrée.

Déficience en facteur stabilisateur de la fibrine (facteur XIII)

Le manque de facteur XIII, stabilisateur du caillot de fibrine, entraîne une diathèse hémorragique héréditaire, transmise sur le mode autosomal récessif. Cette tendance hémorragique est modérée, révélée souvent dès la naissance par une hémorragie du cordon, puis par des ecchymoses, hématomes, hémarthroses et saignements prolongés après traumatisme, d'apparition immédiate ou retardée (12 à 36 h. après). Les tests usuels de l'hémostase sont normaux, dans de rares cas le fibrinogène est abaissé et la fragilité capillaire augmentée. Le test diagnostique est l'instabilité du caillot de fibrine dans une solution d'urée 5M.

La demi-vie du facteur XIII est de 3 à 6 jours et son déficit aisément corrigé par des transfusions de plasma (2 à 3 ml/kg) ou de cryoprécipité.

Autres déficiences héréditaires de la coagulation

D'autres anomalies de la coagulation ont été décrites, correspondant chacune à un des facteurs de la coagulation. La plupart sont transmises selon le mode autosomique récessif et la tendance hémorragique est très variable. Le traitement se fait habituellement avec du plasma frais ou frais congelé, bien qu'il existe des concentrés de fibrinogène et du PPSP contenant les facteurs II, VII et IX.

Coagulopathies acquises

(cf. tableau 9)

Maladie hémorragique du nouveau-né

La maladie hémorragique du nouveau-né est le principal exemple des coagulopathies non héréditaires. C'est une diathèse hémorragique généralisée se produisant chez le nouveau-né gravement déficient en facteurs vitamine K-dépendants (PTC-prothrombine-proconvertine-Stuart-facteur IX). Les signes hémorragiques (ecchymoses, hémorragies du tractus digestif, hématurie et hémorragies cérébrales) se produisent entre le 2e et le 4e jour de la vie, mais peuvent être présents dès la naissance. Le temps de prothrombine est en dessous de 20 %. Le PTT est allongé. Les plaquettes et la formule sanguine sont normales. Les nouveau-nés de mères traitées aux hydantoïnes ou à la warfarine sont particulièrement susceptibles de présenter une déficience en vitamine K.

Le diagnostic est confirmé par la réponse au traitement spécifique. Une seule injection intramusculaire de vitamine K (1 à 2 mg) prévient ou fait cesser le syndrome hémorragique en 6 à 12 heures, alors que le temps de Quick se normalise en 12 à 14 heures. En cas d'hémorragies sévères, transfuser avec du plasma frais (10 ml/kg) ou du sang frais. Les prématurés, ainsi que les nouveau-nés à terme malades, ont une dépression de tous les facteurs, sauf le facteur VIII. Dans ces cas, on observe une mauvaise réponse à la vitamine K, qui ne peut être métabolisée à cause de l'immaturité hépatique, cela étant aggravé par l'hypoxie, l'acidose et l'hypoglycémie.

Tableau 9 : Examens de laboratoire dans les affections hémorragiques acquises

Affection	Tests de dépistage (screening)				Examens spécifiques			
	Plaquettes	Quick (sec.)	PTT (sec.)	Temps de thrombine (sec.)	Fibrinogène (facteur I) (mg/100 ml)	Facteur V (%)	Facteur VIII (%)	Produits de dégradation du fibrinogène (split products)
Enfant normal[1]	200 000-400 000	12-14	35-50	7-10	200-420 (5,80-12,18 µmol/l)	70-150 (4,35-10,75 µmol/l)	60-150	Absents
Nouveau-né normal[1]	200 000-400 000	12-18	40-70	8-18	150-370	60-140	60-150	Absents
Thrombocytopénie	Diminuées	Normal	Normal	Normal	Normal	Normal	Normal	Absents
Déficience en vitamine K	Normales	Augmenté	Augmenté	Normal	Normal	Normal	Normal	Absents
Affections hépatiques	Normales ou diminuées	Augmenté	Augmenté	Augmenté	Diminué	Diminué	Normal	Légèrement augmentés
Coagulation intravasculaire disséminée	Diminuées	Augmenté	Augmenté	Augmenté	Diminué	Diminué	Diminué	Très augmentés

[1] Les valeurs normales varient selon les méthodes employées. Les valeurs du P.T.T. sont données pour la méthode utilisant le kaolin.

Déficience en vitamine K chez les enfants plus âgés

Une déficience en vitamine K est rare après la période néonatale. Elle est alors secondaire à une diarrhée chronique, un syndrome de malabsorption ou un défaut de synthèse dû à une antibiothérapie prolongée. Les signes cliniques et biologiques sont identiques à ceux de la maladie hémorragique du nouveau-né. Traitement : vitamine K, 5 à 10 mg i.v. ou i.m.

Insuffisance hépatique

Les insuffisances hépatiques sévères (cirrhose terminale ou nécrose hépatique) peuvent s'accompagner d'un syndrome hémorragique. Tous les facteurs sont anormaux, sauf le facteur VIII, qui n'est pas synthétisé dans le foie. Le PTT et le temps de prothrombine sont très prolongés. Le traitement consiste à administrer du plasma frais ou concentré contenant les facteurs II, VII, IX et X.

Coagulation intravasculaire disséminée

Le phénomène de coagulation intravasculaire disséminée s'observe associé à certaines maladies de l'enfant : purpura fulminans, sepsis (méningocoques - E. coli), infection virale, rickettsiose ou hémangiome géant et thrombocytopénie thrombopathique. La coagulation intravasculaire peut être déclenchée par un mécanisme apparenté au phénomène de Schwarzmann ou par une décharge de thromboplastine tissulaire, et aboutit au dépôt généralisé de fibrine dans les poumons et les reins, à la fibrinolyse et à la consommation des facteurs de coagulation qui induit une diathèse hémorragique secondaire.

Les examens de laboratoire révèlent une diminution des plaquettes, du taux de fibrinogène, de la proaccélérine, du facteur antihémophilique et de la prothrombine (facteurs consommés pendant la coagulation). Les autres facteurs sont habituellement normaux. Les enzymes fibrinolytiques sont d'abord augmentés ; plus tard, leur activité peut être abaissée ou élevée. La dégradation de la fibrine produit une accumulation de produits de lyse de la fibrine dans le sang ; ceux-ci agissent comme un anticoagulant et prolongent le temps de thrombine.

● *Traitement* : Héparine 100 à 200 U/kg/4-6 h. en infusion continue i.v. après une dose initiale de charge. Maintenir l'héparinémie entre 0,1-0,3 U/ml. Remplacer les facteurs si déplétion marquée (plaquettes, plasma frais). Le traitement de choix de la coagulation intravasculaire disséminée du nouveau-né est l'exsanguino-transfusion avec du sang frais.

Anticoagulants circulants

Les anticoagulants circulants acquis peuvent provoquer une diathèse hémorragique diffuse. Ces inhibiteurs de la coagulation sont souvent associés aux collagénoses, tel le lupus érythémateux.

L'apparition d'inhibiteurs spécifiques des facteurs antihémophiliques VIII et IX peut entraîner des hémorragies sévères et incoercibles chez les hémophiles.

Ces anticoagulants acquis sont dirigés spécifiquement contre l'un des facteurs de la coagulation. Ils peuvent être décelés par le test de recalcification, le PTT ou le temps de prothrombine. Ces tests, pratiqués à partir d'un plasma déficient en l'un des facteurs incriminés, ne seront pas corrigés par l'adjonction d'un plasma normal. Des agents immunosuppresseurs (prednisone, azathioprine, cyclophosphamide) peuvent diminuer la formation de ces anticorps.

L'héparine et les dicoumarines sont des anticoagulants thérapeutiques puissants. L'héparine par son action antithrombique (décelable par le temps de coagulation global, le PTT et le temps de thrombine), les dicoumarines en inhibant la synthèse des facteurs dépendant de la vitamine K, ce qui provoque un allongement du temps de prothrombine.

Les fibrinolysines

Les syndromes de défibrination secondaires à l'augmentation de la fibrinolyse sont rares chez l'enfant. La libération des activateurs de la fibrinolyse peut survenir lors d'interventions chirurgicales majeures (surtout avec utilisation d'une circulation extracorporelle), lors d'atteinte hépatique sévère, de cancer ou de leucémie, ou secondairement à une coagulation intravasculaire disséminée. Le test de lyse des euglobulines (observation du temps de lyse du caillot obtenu après précipitation des euglobulines par l'acide acétique glacial puis coagulation par l'adjonction de thrombine) met en évidence une augmentation du processus fibrinolytique. Une lyse normale ne débute pas avant 2 heures.

Les inhibiteurs de la fibrinolyse (Cyklokapron® ou acide tranexamique, acide epsilon-amino-caproïque et aprotinine - Trasylol® -) peuvent enrayer une fibrinolyse aiguë ou subaiguë. Ces substances ne doivent pas être utilisées dans les situations de coagulation intravasculaire disséminée, qui doivent être traitées par l'héparine.

Diathèses hémorragiques associées à des anomalies vasculaires

Purpura de Schönlein-Henoch (purpura anaphylactoïde)

Cette affection est caractérisée par une éruption purpurique ou urticarienne et purpurique, associée souvent à des arthrites fugaces, une gastro-entérite et une glomérulonéphrite. Tous ces éléments ne sont pas toujours associés au rash qui signe le diagnostic.

Les saignements des muqueuses digestives sont fréquents, une néphrite se produit dans 50 % des cas. L'éruption cutanée est caractérisée par des zones purpuriques petites, de quelques millimètres de diamètre, qui peuvent confluer en placards hémorragiques. Les manifestations cutanées débutent le plus fréquemment au niveau des extrémités inférieures mais peuvent atteindre le corps entier. Des éruptions œdémateuses et urticariennes accompagnent souvent l'hémorragie. Chez le jeune enfant, un œdème des pieds, des chevilles et des poignets est fréquent. Les principales complications sont : la glomérulonéphrite (cf.

pp. 382 ss.) et l'invagination intestinale. Il s'agirait d'une réponse vasculaire allergique à un facteur causal inconnu. Des toxines bactériennes, le streptocoque bêta-hémolytique type A, certains aliments, des piqûres d'insectes et des sérums de cheval ont été incriminés.

● *Examens de laboratoire* : Nombre et fonction plaquettaire normaux. Temps de saignement et signe du lacet normaux ainsi que les examens de coagulation. Hématurie et albuminurie fréquentes. Recherche de sang occulte dans les selles souvent positive, même en l'absence de melæna. Titre des antistreptolysines 0 (ALSO) souvent élevé. Recherche du streptocoque bêta-hémolytique souvent positive.

● *Traitement* : Aucun traitement satisfaisant. Les corticostéroïdes améliorent les symptômes abdominaux. Pénicilline pendant 10 jours si la recherche des streptocoques bêta-hémolytiques A est positive, ou si le titre des ALSO est élevé. En général, la maladie évolue favorablement pendant plusieurs mois ou semaines et le traitement est uniquement symptomatique. L'évolution de la néphrite, si elle existe, conditionne le pronostic.

La rate

Splénomégalie

La découverte d'une splénomégalie isolée chez l'enfant pose souvent un problème diagnostique difficile.

Une splénomégalie chronique suggère une rate congestive, une infection chronique, une affection maligne (leucémie, lymphome, réticuloendothéliose), une thésaurismose.

Les investigations diagnostiques préliminaires comportent une formule sanguine complète, une recherche d'infection ou de parasitose, des tests hépatiques, un examen de la moelle osseuse, et une scintigraphie splénique et hépatique.

Hypersplénisme

L'augmentation de volume de la rate peut entraîner une pancytopénie par destruction exagérée des éléments figurés du sang séquestrés dans la pulpe splénique (hypersplénisme). La pancytopénie peut être aggravée par un effet inhibiteur d'un facteur splénique sur la mise en circulation du pool médullaire. La destruction périphérique et le blocage central provoquent une hyperplasie médullaire compensatrice.

La splénomégalie congestive secondaire à l'hypertension portale est discutée en détail au chapitre 10.

Absence congénitale de la rate

L'asplénie congénitale est généralement associée à un situs inversus et à une cardiopathie congénitale. Cette triade entraîne la mort en quelques semaines.

Au niveau hématologique, l'asplénie entraîne l'apparition d'érythroblastes, d'inclusions érythrocytaires tels les corps de Howell-Jolly et les corpuscules de Heinz. Une légère réticulocytose ainsi qu'une sidérocytose peuvent être présentes. La vaccination contre le pneumocoque et l'administration prophylactique de pénicilline sont recommandées.

Infections après splénectomie

Les jeunes enfants, après ablation de la rate, peuvent présenter des infections bactériennes plus sévères que leurs contemporains non splénectomisés. Les germes responsables sont surtout les pneumocoques et les hémophilus. Le risque est le plus grand chez les enfants de moins de 4 ans ou atteints de maladie diffuse du système réticuloendothélial.

La gravité des infections est probablement secondaire à une diminution de la phagocytose et de la synthèse rapide d'anticorps au niveau de la rate. Il faut donc si possible éviter de splénectomiser un enfant avant 4 ans et administrer une antibiothérapie prophylactique au moins jusqu'à l'âge adulte. Une vaccination anti-pneumococcique est également indiquée.

Chapitre 17

Néoplasmes, affections malignes
par M. Wyss

Les affections malignes, leucémies incluses, sont après les accidents la principale cause de mort chez l'enfant.
Les plus fréquentes sont (cf. tableau 1) :
- les leucémies,
- les lymphomes,
- les tumeurs du système nerveux central,
- les tumeurs du système nerveux sympathique,
- les tumeurs rénales,
- les sarcomes des tissus mous.

Un grand nombre de tumeurs de l'enfant sont d'origine embryonnaire :
— *malignes* : tératomes, tumeur de Wilms, neuroblastome, sarcomes ;
— *bénignes* : hémangiomes, lymphangiomes et nævi pigmentés.

Seules les néoplasies les plus fréquentes et leur traitement seront abordés dans ce chapitre. Pour les tumeurs cérébrales, se référer au chapitre 25 (Neurologie).

Leucémies

Affections malignes les plus fréquentes chez l'enfant.

Classification

- Leucémie lymphoblastique aiguë   78 %
- Leucémie aiguë non lymphoblastique   20 %
- Leucémie myéloïde chronique
  forme juvénile et forme adulte   2 %

Tableau 1 : Fréquence des affections malignes chez l'enfant

Age (années)	Leucémies	Lymphomes	Yeux et SNC	Neuro-blastome	Tumeur de Wilms	Sarcomes des tissus mous	Os	Autres	Total
0-4	37% (49%)	5% (20%)	25% (44%)	13% (84%)	11% (81%)	5% (40%)	(5%)	4% (31%)	100%
5-9	36% (30%)	14% (38%)	27% (30%)	3% (11%)	(18%)	7% (34%)	3% (27%)	6% (32%)	100%
10-14	29% (21%)	18% (42%)	27% (26%)	1% (5%)	(1%)	6% (26%)	10% (68%)	9% (37%)	100%
Total	35% (100%)	11% (100%)	25% (100%)	7% (100%)	6% (100%)	6% (100%)	4% (100%)	6% (100%)	

D'après P.G. Jones et P.E. Campbell, *Tumors of Infancy and Childhood*, Blackwell Scientific Publications, Oxford, 1976.

Les pourcentages indiqués représentent la fréquence d'une tumeur donnée dans un groupe d'âge.

( ) = pourcentage de chaque néoplasie pour chaque catégorie d'âge.

Leucémie lymphoblastique aiguë

La leucémie lymphoblastique aiguë de l'enfant consiste en un groupe hétérogène exprimant la transformation maligne de sous-populations lymphocytaires spécifiques. Les différents types de lymphoblastes sont caractérisés par leur cytomorphologie (classification FAB), leurs réactions histochimiques et leurs marqueurs immunologiques et enzymatiques.

Cytomorphologie

La classification « French-American-British » (FAB) définit 3 groupes de lymphoblastes :
- L_1, petites cellules à noyau homogène régulier avec nucléoles peu visibles, cytoplasme peu abondant légèrement basophile. Correspond à la plupart des leucémies lymphoblastiques de l'enfant.
- L_2, cellules plus grandes et de forme variable, avec un noyau irrégulier parfois convoluté, à chromatine inhomogène, de grands nucléoles et un cytoplasme assez abondant et basophile. Correspond à une forme très indifférenciée et parfois au lymphoblaste de type T.
- L_3, cellules grandes avec noyau régulier à chromatine fine, un ou plusieurs nucléoles proéminents et un cytoplasme très basophile. Correspond au lymphoblaste de type B, rare chez l'enfant, et porteur d'immunoglobulines de surface.

Marqueurs immunologiques

15 à 20 % des leucémies lymphoblastiques aiguës possèdent certaines caractéristiques des thymocytes, notamment la propriété de former spontanément des rosettes avec les érythrocytes de mouton (récepteur E) et de réagir avec un sérum antithymique. Ces leucémies à cellules T touchent surtout les garçons (âge moyen = 10 ans), s'accompagnent d'une masse médiastinale, d'une leucocytose très élevée et d'une hépatosplénomégalie importante. Elles sont de mauvais pronostic.

Dans la majorité des leucémies lymphoblastiques aiguës de l'enfant, on ne décèle pas de marqueurs B ni T. 75 % de ces blastes portent cependant un antigène de surface réagissant avec un antisérum de lapin (CALLA = Common Acute Leukemia Antigen), dont l'influence pronostique est favorable.

L'âge moyen des leucémies lymphoblastiques aiguës de type non B-non T est de 4 ans, le « sexe ratio » est de 1/1. La masse leucémique est peu importante, l'hépatosplénomégalie et la leucocytose sont modérées, les adénopathies médiastinales sont rares. Il s'agit de formes à risque standard de meilleur pronostic. 25 % des LLA non B-non T, dites « nulles », ne portent aucun marqueur. Elles ont un moins bon pronostic.

Leucémie aiguë non lymphoblastique

Elle comporte des leucémies d'origine myéloïde (granulations positives pour la réaction des peroxydases et au noir soudan) et d'origine monocytaire (estérases non spécifiques positives). Il existe des formes très immatures, les myéloblastiques M_1, difficiles à distinguer des leucémies lymphoblastiques aiguës.

Les leucémies myéloblastiques M_2 montrent une maturation au stade promyélocytaire, les M_3 sont des promyélocytes hypergranulaires responsables de complications hémorragiques (CID) par libération de thromboplastine tissulaire à partir des granulations.

Les types myélomonocytaires M_4 et monocytaires M_5, rares chez l'enfant, s'accompagnent d'une hypertrophie gingivale et d'une augmentation de la muramidase (lysozyme) sérique et urinaire. Plus rares encore sont les érythroleucémies M_6 et les leucémies à éosinophiles.

Les leucémies congénitales sont dans plus de 80 % des cas de type myéloblastique. Elles peuvent être associées à une anomalie chromosomique, trisomie D, syndrome de Turner, trisomie mosaïque 9 ou trisomie 21. Dans le cas du mongolisme, dès l'âge de 2 ans, la leucémie sera plutôt de type lymphoblastique. Le syndrome de Bloom et l'anémie de Fanconi, à fragilité chromosomique exagérée, ont un risque élevé de développer des leucémies myéloblastiques ou myélomonocytaires.

Signes cliniques

Les modes de présentation des différentes formes de leucémies aiguës, conséquence de la dépression médullaire et des infiltrations extramédullaires, se ressemblent. Le début peut être insidieux ou abrupt et les symptômes révélateurs sont : la fièvre, la pâleur, un syndrome hémorragique, de la fatigue, des douleurs abdominales, osseuses ou articulaires, des adénopathies, une hépatosplénomégalie, une perte de poids, une hypertrophie gingivale dans les formes monoblastiques.

La leucémie myéloblastique aiguë peut présenter une masse tumorale intra-osseuse (chlorome) plus particulièrement dans l'orbite ou les vertèbres.

L'agranulocytose conduit à des complications septiques sévères.

Diagnostic différentiel

Réaction leucémoïde, mononucléose infectieuse ou infection à cytomégalovirus, lymphocytose aiguë du nourrisson, coqueluche, purpura thrombopénique idiopathique, anémie aplastique, neuroblastome, affection rhumatoïde.

Leucémie myéloïde chronique

Représente environ 2 % des leucémies de l'enfant.

Il en existe deux formes :

● *Le type LMC adulte,* le plus fréquent, touche l'enfant plus âgé (préadolescence). Signes cliniques : hépatosplénomégalie, adénopathies, tumeurs extramédullaires, nodules cutanés, arthrites, rétinopathie, priapisme. Signes hématologiques : leucocytose à plus de 100 000 GB/mm^3 ; cellules myéloïdes à tous les stades de maturation. Thrombocytose ou parfois thrombopénie, anémie.

Moelle hypercellulaire, augmentation du rapport M/E. Présence du chromosome de Philadelphie (transposition du long bras du chromosome 22 sur le long bras 9). Augmentation de la vitamine B_{12} secondaire à l'augmentation de la transcobalamine I. Phosphatases alcalines leucocytaires élevées. Survie moyenne de 30 mois, poussée blastique terminale malgré le traitement classique de busulfan (Myleran®).

● *Le type juvénile* touche le jeune enfant (moins de 1 an) et s'accompagne d'adénopathies et de lésions cutanées importantes (eczématoïdes).

Leucocytose moins élevée avec prédominance de formes monocytaires. Thrombopénie et anémie importantes. Augmentation de l'hémoglobine fœtale. Absence du chromosome de Philadelphie. Survie moyenne de 6 mois.

Traitement des leucémies aiguës

La mise au point de nouveaux anti-mitotiques et de leur application, l'amélioration des traitements de support (sang-plaquettes-granulocytes, antibiotiques), la meilleure connaissance de l'évolution de la maladie et notamment la nécessité de prévenir les atteintes du système nerveux central ont permis d'obtenir de longues rémissions assimilées à des guérisons si prolongées au-delà de 5 ans.

La conduite du traitement comporte l'induction visant à la rémission (moins de 5 % de blastes dans la moelle), la prophylaxie des méningoses leucémiques et le traitement d'entretien, entrecoupé de réinductions. L'immunothérapie n'est pas encore bien définie. Si un donneur HLA compatible est à disposition, la greffe de moelle se fait pour leucémies myéloblastiques aiguës en première rémission et les leucémies lymphoblastiques aiguës en deuxième rémission. Malgré le risque de complications majeures, infections, pneumopathies interstitielles, rejet et réactions greffe contre hôte, les résultats sont encourageants.

Les anti-mitotiques utilisés dans les leucoses aiguës sont décrits dans le tableau 2. Une association thérapeutique est plus efficace qu'un médicament donné seul. Les modes de traitement sont constamment réévalués et modifiés, et aucun protocole n'est définitif. De plus on distingue actuellement les cas à risque standard (âgés de plus de 2 ans et de moins de 8 ans, avec moins de 30 000 leucocytes/mm^3 et une hépatosplénomégalie peu marquée) et les cas à risque élevé (âgés de moins de 2 ans et plus de 10 ans, avec masse leucémique importante, souvent des adénopathies médiastinales, une leucocytose élevée et parfois une infiltration du SNC). Les protocoles diffèrent pour chaque catégorie.

Pour la forme à risque standard, une rémission est facilement obtenue par l'association vincristine-prednisone (cf. tableau 3), puis l'irradiation du système nerveux central est pratiquée à titre préventif avec injections d'améthoptérine (Méthotrexate®) par voie rachidienne. Le traitement d'entretien comporte une association mercaptoturine-améthoptérine et des réinductions de vincristine-prednisone, données 1 fois par mois.

Pour les formes à risque élevé, administration d'un traitement cyclique de polychimiothérapie ainsi que radiothérapie du système nerveux central plus injections intra-thécales d'améthoptérine. Un traitement intra-rachidien plus intensif est parfois préféré à l'irradiation (cf. tableau 3).

De l'allopurinol (inhibiteur de la xanthine oxydase) ainsi qu'une alcanisation des urines doivent être utilisés pendant l'induction, période de destruction cellulaire massive, pour éviter les complications rénales secondaires à l'hyperuricémie.

Des rémissions sont obtenues dans plus de 90 % des cas pour les leucémies lymphoblastiques aiguës et indifférenciées, et environ 50 % des cas ont des survies de plus de 5 ans. Une rechute nécessite un traitement par de nouvelles associations (cytosine-arabinoside-L-asparaginase, VM26, anthracyclines ou améthoptérine à doses élevées avec

Tableau 2 : Chimiothérapie des affections malignes

Médicaments	Indication	Dosage habituel* et voie d'administration	Toxicité
Corticostéroïdes			
Prednisone (Ultracortène®)	Leucémie aiguë, lymphomes, histiocytoses X	40 mg/m²/j. pendant 4-5 semaines ou 40 mg/m²/j. pendant 5 jours (en traitement combiné)	Hypertension, obésité, rétention hydrique, diabète, convulsions
Enzymes			
L-asparaginase (Crasnitine®)	Leucémie aiguë, lymphomes non hodgkiniens	6 000 U/m²/j. pendant 10 jours	Sensibilisation, toxicité hépatique, pancréatique, nausées, vomissements, SNC
Erwinia	Leucémie aiguë, lymphomes non hodgkiniens	6 000 U/m²/j. pendant 10 jours	Sensibilisation, toxicité hépatique, pancréatique, nausées, vomissements, SNC
Agents alcoylants			
Moutarde à l'azote (Mustargen®)	Lymphomes, neuroblastome, sarcomes	0,2 mg/kg i.v., dose unique ou fractionnée. Peut être répété 4 à 6 semaines plus tard	Dépression médullaire, nausées, vomissements
Cyclophosphamide (Endoxan-Cytoxan®)	Leucémie aiguë, lymphomes, neuroblastome, rétinoblastome, hépatome, sarcomes	3 mg/kg/j. en traitement continu ou 100 à 200 mg/m²/j. pendant 5 jours p.o. ou i.v. A répéter toutes les 2 à 3 semaines. 600 à 1 200 mg/m² (dose unique)	Dépression médullaire, nausées, vomissements, alopécie, cystite hémorragique
Chlorambucil (Leukeran®)	Lymphomes, tératomes malins, tumeurs testiculaires et ovariennes	0,2 mg/kg/j. p.o. Cure de 4 à 6 semaines. Repos de 1 à 3 semaines	Dépression médullaire
Triéthylène-mélamine (TEM®)	Rétinoblastome	0,1 mg/kg par infusion intra-artérielle 24 à 48 h. avant la radiothérapie	Dépression médullaire
Busulphan (Myleran®)	Leucémie myéloïde chronique	0,5 à 4 mg/j. en traitement continu, p.o.	Dépression médullaire, fibrose pulmonaire

Antimétaboliques

a) Antifolique

Améthoptérine (Méthotrexate®)	Leucémie aiguë, lymphomes, histiocytoses X, tératomes malins, tumeurs testiculaires et ovariennes, tumeurs cérébrales	0,1 mg/kg/j. p.o. ou 1 ou 2 doses hebdomadaires p.o., i.m. ou i.v. Intrathécal 8 à 10 mg/m² (4 à 6 doses) à titre préventif	Déficience en acide folique, dépression médullaire, ulcérations des muqueuses digestives, diarrhées, hépatotoxicité
	Ostéosarcome, rhabdomyosarcome, sarcome d'Ewing	Doses plus élevées avec protection par l'acide folinique	

b) Antipurines

6-mercaptopurine (Purinéthol®)	Leucémie aiguë, histiocytoses X	2,5 mg/kg/j. en traitement continu ou 200-300 mg/m²/j. pendant 3 à 5 jours. Dégradation inhibée par l'allopurinol (Zyloric®) si donné simultanément; réduire la 6-mercaptopurine de moitié	Dépression médullaire, hépatotoxicité (rare)
6-thioguanine (Lanvis®)	Leucémie aiguë	2,5 mg/kg/j. en traitement continu	Dépression médullaire

c) Antipyrimidines

Cytosine Arabinoside (Alexan, Cysosar®)	Leucémie aiguë, Lymphomes	3 mg/kg/j. i.v. ou sous-cutané en cures de 10 à 12 jours ou 100 à 200 mg/m²/j. pendant 5 à 7 jours	Dépression médullaire, stomatite, nausées, vomissements, hépatotoxicité
5-fluorouracil (5FU®)	Tumeurs testiculaires, ostéosarcome, carcinome hépatique et intestinal	3 mg/kg/24 h.	Dépression médullaire, stomatite, nausées, vomissements, hépatotoxicité
5-fluorodéoxyuridine	Tumeurs testiculaires, ostéosarcome, carcinome hépatique et intestinal	3 mg/kg/24 h.	Dépression médullaire, stomatite, nausées, vomissements, hépatotoxicité

Suite au verso

Tableau 2 (suite) : Chimiothérapie des affections malignes

Médicaments	Indication	Dosage habituel et voie d'administration	Toxicité
Antibiotiques			
Actinomycine D (Dactinomycine® Cosmegen®)	Tumeur de Wilms, sarcomes, tumeurs testiculaires et ovariennes	15 mcg/kg/j. i.v. pendant 5 jours en cure itérative toutes les 8 à 12 semaines	Dépression médullaire, stomatite, alopécie
Daunorubicine (Rubidomycine®)	Leucémie aiguë, lymphomes, neuroblastome	30 à 45 mg/m^2/j. i.v. 1 cure de 3 doses par semaine répétée 1 fois par mois. Ou 45 mg/m^{2}j. toutes les 3 semaines. La dose totale ne doit pas dépasser 600 mg/m^2.	Dépression médullaire, cardiotoxicité, alopécie
Doxorubicine (Adriamycine®)	Leucémie aiguë, lymphomes, neuroblastome, tumeur de Wilms, sarcomes	15 à 20 mg/m^2/j. pendant 3 jours. A répéter éventuellement 1 fois par mois. Ou 1 mg/kg/j. i.v. toutes les trois semaines. La dose totale ne doit pas dépasser 500 mg/m^2	Dépression médullaire, cardiotoxicité, alopécie
Bléomycine	Lymphomes, papillomatoses	0,2 mg/kg/j. pendant 10 jours. Peut être répété 1 fois par mois Ou 20 mg/m^2/semaine i.v. pendant 6 semaines	Fibrose pulmonaire, pigmentation cutanée et hyperkératose, ulcérations des muqueuses
Cis-Diammine-dichloroplatinum (Cis-Platinum®)	Tumeurs solides	50 à 75 mg/m^2 toutes les 3 semaines	Rénale, nerf auditif
Alcaloïdes de la pervenche			
Vincristine (Oncovine®)	Leucémie aiguë, lymphomes, histiocytoses X, neuroblastome, tumeurs de Wilms, sarcomes, hépatome	0,05 mg/kg ou 1,5 mg/m^2/semaine. A répéter pendant 4 à 6 semaines ou toutes les deux semaines pour cure prolongée	Neurotoxicité : neuropathie périphérique, iléus paralytique, alopécie, dépression médullaire peu marquée
Vinblastine (Velban® Velbe®)	Lymphomes, histiocytoses X	0,1 à 0,3 mg/kg/semaine (dose progressive)	Dépression médullaire, alopécie, neurotoxicité faible, psychose, dépression nerveuse

Dérivés de la Méthylhydrazine

Procarbazine (Natulan®)	Lymphomes, tumeurs cérébrales	4-5 mg/kg p.o. Cure de 2 à 6 semaines	Nausées, vomissements, dépression médullaire tardive, alopécie Déprime SNC : éviter l'association avec barbituriques, narcotiques, antihistaminiques, réserpine et hydralazine
Dacarbazine (DTIC®)	Neuroblastome, mélanome	2 à 4,5 mg/kg/j, pendant 10 jours. Peut être répété après 4 semaines	Dépression médullaire, etc. (cf. procarbazine)

Nitrosurées

1,3 bis (2-chloréthyl)-1-nitrosurée (BCNU)	Lymphomes, mélanome, tumeurs cérébrales	60 mg/m² (dose unique)	Dépression médullaire, nausées, vomissements, hépatotoxicité
1-(2-chloroéthyl)-3-cyclohexyl-1-nitrosurée (CCNU)	Lymphomes, mélanome, tumeurs cérébrales	80 mg/m² toutes les 6 semaines	Dépression médullaire, nausées, vomissements, hépatotoxicité

Extraits de podophyllotoxine

VM 26 (Vumon®)	Lymphomes, leucémie lymphoblastique aiguë, tumeurs cérébrales	20 à 30 mg/m²/j, pendant 5 jours	Dépression médullaire, nausées, vomissements
VP 16-213 (Vepesid®)	Lymphomes, leucémie myéloblastique aiguë, leucémie myélomonocytaire	50 à 100 mg/m²/j, pendant 5 jours	Dépression médullaire, hypotension

* Dosages à modifier selon tolérance du patient.

Tableau 3 : Exemple de schéma thérapeutique des leucémies lymphoblastiques aiguës à risque standard

Induction	Consolidation	Prévention de l'atteinte du SNC	Entretien	Réinduction
1. Prednisone p.o. 40 mg/m²/jour × 28	L-asparaginase i.v. 6000 U/m²/jour × 10 ou Cyclophosphamide i.v. 400 mg/m² = 1 dose et Vincristine 1,5 mg/m² = 1 dose et Cytosine arabinoside 100 mg/m²/jour × 4	**Irradiation 1 800 ads** sur la boite crânienne et simultanément améthoptérine intrathécal 12 mg/m²/semaine × 5	1. 6-mercaptopurine 75 mg/m²/jour	1. Prednisone p.o. 40 mg/m²/jour × 5 1 fois par mois
et			et	et
2. Vincristine i.v. 1,5 mg/m²/semaine × 4			2. Améthoptérine i.v. ou p.o. 20 mg/m²/semaine jusqu'au 30ᵉ mois	2. Vincristine i.v. 1,5 mg/m²/mois jusqu'au 12ᵉ mois

citrovorum factor). Une seconde rémission est facilement obtenue, mais le plus souvent elle sera moins longue que la première et les rechutes suivantes seront de plus en plus difficiles à contrôler.

Traitement de la leucémie myéloblastique

La meilleure association comporte la cytosine-arabinoside et la rubidomycine, qui permet une rémission complète dans 70 % des cas. D'autres associations, cytosine-arabinoside et thioguanine, ou cyclophosphamide-prednisone-vincristine-améthoptérine, ou thioguanine, cytosine-arabinoside et prednisone-rubidomycine peuvent être efficaces.

En règle générale, une rémission ne sera obtenue qu'après une hypoplasie médullaire sévère et prolongée, période de haut risque qui nécessite un traitement de support de qualité.

Le traitement d'entretien influence peu la durée de rémission. Des cures de cytosine-arabinoside associée alternativement à de la rubidomycine, de la cyclophosphamide, de la thioguanine, du CCNU (cf. tableau 2) sont données toutes les 3 à 4 semaines.

De longues rémissions (12 à 24 mois) ont été obtenues. Lors de la rechute, une seconde rémission est difficile à obtenir et de courte durée. Les résultats actuels avec l'immunothérapie ne prouvent pas qu'elle soit efficace.

Lymphomes malins

Les tumeurs malignes du système réticulo-endothélial représentent environ 10 % des affections malignes de l'enfant. On distingue les lymphomes non hodgkiniens (7 %) et les lymphomes hodgkiniens ou maladie de Hodgkin (3 %).

Lymphomes malins non hodgkiniens

La plupart sont indifférenciés ou histiocytaires diffus. Rares sont les formes nodulaires chez l'enfant.

Classification la mieux appropriée (Rappaport, modifié selon Murphy) :
- Lymphome à cellules B, indifférenciées, tumeur de Burkitt et Burkitt-like
- Lymphome à cellules T, convolutées
- Lymphome à cellules non B ou non T (nulles)
  — indifférenciées
  — peu différenciées
  — bien différenciées
- Lymphome à grandes cellules basophiles (immunoblastes)
- Lymphome mixte
- Lymphome histiocytaire.

Signes cliniques

Dépendent de la localisation et de l'extension de la tumeur. Les ganglions cervicaux, médiastinaux et mésentériques sont fréquemment atteints. La formule sanguine, l'examen médullaire, la biopsie et les investigations radiologiques incluant une lymphographie et une scintigraphie osseuse permettront de définir le stade dont dépendront traitements et pronostic. Même si la résection chirurgicale est possible dans les rares formes localisées (notamment digestives), elle doit être suivie de radiothérapie et de chimiothérapie. Celle-ci sera donnée selon des protocoles comparables à ceux appliqués pour les leucémies lymphoblastiques aiguës à haut risque (polychimiothérapie) ; environ 30 % de ces lymphomes évoluent vers une forme leucémique. Environ 80 % des lymphomes à cellules T évoluent vers la transformation leucémique. La plupart présentent une tumeur médiastinale.

La tumeur de Burkitt est un lymphome lymphoblastique à lymphocytes B d'un type particulier, décrit chez l'enfant âgé de plus d'un an (fréquence maxima entre 4 et 8 ans) dans les régions tropicales de l'Afrique, du Brésil, de la Nouvelle-Guinée et de la Malaisie.

Il s'agit d'une tumeur de croissance rapide à localisation principalement abdominale (ganglionnaire ou rétro-péritonéale, parapancréatique, ou bilatérale rénale, ou ovarienne), osseuse avec prédilection pour les os de la face et de la mandibule, extra- ou intradurale avec signes de compression médullaire spinale. Une atteinte du système nerveux central apparaît dans 60 % des cas et un envahissement de la moelle osseuse dans 15 % des cas. La forme abdominale avec infiltration médullaire mais sans atteinte osseuse (mâchoire) est plus fréquente en Occident.

Histologie : La chromatine très fine du noyau et la basophilie intense du cytoplasme riche en immuno-globulines la distinguent du lymphome malin indifférencié à chromatine plus grossière et cytoplasme moins basophile. La démonstration de particules du virus Epstein-Barr et d'un taux élevé d'anticorps suggère fortement une étiologie virale. Une anomalie chromosomique, la translocation 8/14, est caractéristique du lymphome à cellules B.

Pronostic : Malgré les réponses dramatiques au traitement initial, les rechutes sont fréquentes. Survie prolongée seulement dans 30 à 40 % des cas.

Maladie de Hodgkin

Représente 25 à 30 % des lymphomes malins de l'enfant. Sa fréquence (rare avant 4 ans) augmente progressivement avec l'âge pour atteindre un premier pic dans la 2e décennie, puis un deuxième pic entre 50 et 60 ans. Prédominance masculine de 3/1.

Etiologie

Des facteurs ethniques, raciaux et socio-économiques sont incriminés. Lymphome le plus fréquent dans les pays du Moyen-Orient, où le type à cellularité mixte prédomine. Une origine infectieuse est suspectée (plusieurs cas apparus dans une famille ou une collectivité) dans un temps rapproché. De nombreux cas ont fait suite à une mononucléose infectieuse. L'association à des défauts immunitaires est connue.

Histologie

Le tissu hodgkinien est caractérisé d'une part par des cellules tumorales, c'est-à-dire les cellules de Sternberg, d'origine histiocytaire ou lymphocytaire (lymphocyte T ?), grandes cellules avec un noyau en miroir ou plusieurs noyaux contenant un gros nucléole violacé, et les cellules de Hodgkin, mononucléaires hyperbasophiles d'aspect néoplasique. Il comporte d'autre part des éléments réactionnels, lymphocytes à différents stades, plasmocytes, histiocytes, éosinophiles et fibroblastes. Le degré d'activité de la maladie est fonction du nombre de ces éléments et 4 groupes histologiques sont définis :

1) *Prédominance lymphocytaire :* plages de lymphocytes avec quelques grandes cellules réticulaires à grand noyau nucléolé, rares éosinophiles et rares cellules de Sternberg ; forme la plus souvent associée au stade I.
2) *Sclérose nodulaire :* tissu lymphoïde anormal contenant quelques cellules de Sternberg et de Hodgkin, et entouré de tissu fibreux ; forme à prédominance médiastinale.
3) *Cellularité mixte :* dans laquelle on trouve beaucoup de cellules de Sternberg, beaucoup d'éosinophiles et de nombreuses grandes cellules mononucléaires et histiocytaires, et des zones de nécrose et de fibrose irrégulières.
4) *Déplétion lymphocytaire :* (rare chez l'enfant) caractérisée par une fibrose diffuse avec de rares lymphocytes et de nombreuses cellules de Sternberg.

Le pronostic s'aggrave de la forme 1) à 4).

Signes cliniques

La maladie commence dans un groupe ganglionnaire et se propage aux territoires ganglionnaires voisins puis distants, ainsi qu'au foie et à la rate. Il y a dissémination hématogène dans les phases tardives. Les symptômes sont fonction des atteintes ganglionnaires. Des signes systémiques tels qu'amaigrissement, anorexie, faiblesse, transpiration nocturne, fièvre et prurit peuvent être présents. La formule sanguine révèle une leucocytose à prédominance granulocytaire, une lymphopénie et éosinophilie, une anémie. Une déficience de l'immunité cellulaire est associée.

L'évaluation du stade clinique par les examens radiologiques incluant la lymphographie et la laparotomie exploratrice avec splénectomie et biopsie hépatique et ganglionnaire (sauf chez les enfants de moins de 5 ans) est indispensable à l'indication thérapeutique.

Stade I : Maladie limitée à un groupe ganglionnaire ou à un tissu non lymphatique, par exemple le foie.
Stade II : Maladie limitée à un côté du diaphragme, mais touchant deux ou plusieurs aires ganglionnaires ou tissu non lymphatique.
Stade III : Maladie de part et d'autre du diaphragme avec lésions ganglionnaires et extra-ganglionnaires incluant des lésions viscérales. Un stade III occulte a été décelé par laparotomie exploratrice dans 30 à 40 % des stades I et II.

Chaque stade peut être accompagné ou non de symptômes systémiques.

Traitement

Radiothérapie intensive (de 3 000 à 4 000 rads en 3 à 4 semaines) de la région ganglionnaire atteinte et de toutes les aires du même côté du diaphragme (soit en mantelet au-dessus du diaphragme et en Y renversé au-dessous du diaphragme avec extension de part et d'autre en cas de localisation médiastinale ou para-aortique) ou autre agent alcoylant (moutarde à l'azote, chlorambucil).

Chimiothérapie comportant des cures de cyclophosphamide ou autre agent alcoylant (moutarde à l'azote, chlorambucil), vinblastine, procarbazine et prednisone :
— à tous les stades pour les formes de cellularité mixte et déplétion lymphocytaire ;
— à tous les stades si signes systémiques ;
— dès le stade III pour les autres formes.

Pronostic

Plus de 80 % de survie de cinq ans ou plus pour tous les stades. 90 % de survie de plus de cinq ans pour les stades I et II.

Les séquelles du traitement peuvent porter sur la croissance du tronc (irradiation de l'ensemble du rachis), la fonction respiratoire (fibrose pulmonaire), les fonctions thyroïdiennes et gonadiques. Des cas de seconde tumeur ou leucémie myéloblastique ont été décrits.

Tumeurs mésenchymateuses (des tissus mous)

Il s'agit de tumeurs d'origine mésodermique touchant tous les tissus conjonctifs sauf le tissu réticulo-endothélial, l'os et le tissu glial. Elles sont classées selon leur provenance tissulaire (cf. tableau 4).

Tumeurs mésenchymateuses bénignes les plus fréquentes

● Fibromatoses

Fibrome (en général hamartomes contenant du tissu fibreux), fibrome récurrent, fibrome juvénile aponévrotique, fibromatose plantaire ou palmaire, fibromatose du sterno-cléido-mastoïdien attribuée à un traumatisme périnatal, chéloïde, fibromatose desmoïde (néoplasie fibreuse souvent localisée dans la paroi abdominale antérieure et localement invasive, difficile à distinguer histologiquement d'un fibrosarcome peu prolifératif).

● Lipomes

Masse molle sous-cutanée bien circonscrite. La lipomatose généralisée est rare.

Tableau 4 : Tumeurs mésenchymateuses

Origine	Tumeur bénigne	Tumeur maligne
Muscle strié	(Rhabdomyome?)	Rhabdomyosarcome
Tissu fibreux	Fibromatoses	Fibrosarcome
Tissu synovial	Synoviome	Synoviosarcome
Nerfs périphériques	Schwannome	Schwannome malin
	Neurofibrome	Neurofibrosarcome
Muscle lisse	Léiomyome	Léiomyosarcome
Tissu adipeux	Lipome	Liposarcome
	Lipoblastomatose	
Mésenchyme	Mésenchymome	Mésenchymome malin
Vaisseaux sanguins	Hémangiomes	Hémangio-endothéliosarcomes
Vaisseaux lymphatiques	Lymphangiomes	Lymphangio-endothéliomes
Origine incertaine		
Tumeur à cellules granuleuses		Sarcome alvéolaire des tissus mous
Progonome mélanotique		Sarcome de Kaposi

● Epulis
Tuméfaction pédiculée ou sessile de la gencive ; consiste en tissu fibreux, contenant des cellules géantes, multinuclées.

Traitement

Toute tuméfaction suspecte des tissus mous doit être excisée. Une radiothérapie d'appoint peut être nécessaire pour une fibromatose desmoïde récidivante.

Tumeurs mésenchymateuses malignes

Représentent 5 à 6 % des tumeurs malignes de l'enfant.

Rhabdomyosarcome

Tumeur mésenchymateuse maligne la plus fréquente touche ; surtout le jeune enfant de moins de 4 ans. Prédisposition génétique vraisemblable ; plusieurs cas dans une même fratrie ou la concentration de cette tumeur dans une même famille ont été décrits. On distingue quatre types histologiques :
● *Type embryonnaire :* c'est-à-dire la forme la plus indifférenciée, localisée surtout au niveau de la tête (orbite et nasopharynx), du cou extrémités.

Une variante de la forme embryonnaire est le *sarcome botryoïde* : tumeur polypoïde, avec arrangement en grappes. Se trouve dans les structures cavitaires telles que le vagin, la vessie, le nasopharynx et l'oreille. Les cellules sont aussi de type embryonnaire, mais éparses dans une matrice myxomateuse. De rares striations transversales dans le cytoplasme éosinophile peuvent être mises en évidence au microscope électronique.

- *Type alvéolaire* : tumeur formée de petites cellules foncées, arrangées le long des septa fibro-vasculaires. Affecte le plus souvent les membres et le tronc.
- *Type pléomorphique* : tumeur composée de cellules fusiformes à cytoplasme éosinophile abondant avec striations musculaires caractéristiques. Se trouve dans le muscle strié. Rare chez l'enfant.

Traitement : Excision large de la tumeur, souvent mal délimitée, avec résection des ganglions satellites. Irradiation du lit tumoral et des ganglions régionaux. Irradiation préopératoire si la tumeur est massive. Pas de radiothérapie si résection en tissu sain. Chimiothérapie de consolidation avec une association d'actinomycine D, de cyclophosphamide et d'Adriamycine ® pendant 1 à 2 ans selon le stade.

Evolution : Les principaux facteurs de pronostic sont la localisation et l'extension de la tumeur, sa dissémination et son type histologique. Les formes embryonnaires et botryoïdes sont plus favorables, les alvéolaires très malignes. 90 % de chances de guérison définitive pour les stades I (tumeur localisée et réséquée dans sa totalité) et II (tumeur localisée mais résidus malins microscopiques laissés in situ) ; 60 % de chances pour le stade III (tumeur laissée en place et mal délimitée).

Fibrosarcome

Peu fréquent chez l'enfant. Degré variable de malignité. Localisé surtout dans les tissus sous-cutanés des membres, mais peut apparaître partout où il y a du tissu fibroblastique. Croissance lente, tendance à la récidive locale, métastases rares et tardives. Il existe une forme congénitale (fibrosarcome juvénile), de croissance rapide.

Traitement : Résection large et éventuellement amputation. Irradiation si le type histologique est agressif ou si l'excision est incomplète. Chimiothérapie seulement s'il y a des métastases.

Neurofibrosarcome
(neurilemmome malin ou schwannome malin)

Représente en général la dégénérescence maligne d'un neurofibrome.

Tératomes

Les tératomes ou dysembryomes contiennent différents types tissulaires plus ou moins différenciés, qui ne sont pas normalement présents au lieu d'origine de la tumeur. Ils peuvent contenir les trois types de tissu embryonnaire : ectodermique (peau, dents et nerfs), mésodermique (tissu conjonctif et vasculaire) et endodermique (tractus respiratoire et digestif). Les localisations les plus fréquentes sont sacrococcygiennes (presque exclusivement chez les filles et le plus souvent décelables à la naissance), puis ovariennes et testiculaires. Les autres localisations possibles sont : rétropéritonéales, médiastinales, thyroïdiennes, à la base du crâne, au niveau du palais, des fosses nasales et de la glande pinéale. La dégénérescence maligne est fonction de la richesse en tissu embryonnaire, elle est pour ainsi dire inexistante avant l'âge de 3 mois et rare avant un an. Les tératomes très malins sont les carcinomes embryonnaires ou épithéliomas d'origine ectodermique, les tumeurs du sac vitellin (Yolk sack tumors) sécrétant de l'alpha-fœto-protéine et les choriocarcinomes sécrétant des gonadotrophines chorioniques, responsables des pubertés précoces, d'origine endodermique.

Traitement

Exérèse chirurgicale précoce (avant l'âge d'un an) et complète. En cas de malignité, une radiothérapie ainsi qu'une polychimiothérapie seront nécessaires. Les antimitotiques actifs sont le méthotrexate, l'actinomycine D, la cyclophosphamide, l'adriamycine, la bléomycine, le Cis-Platinum, la vincristine et le velbe.

Hamartomes

Les hamartomes sont faits de tissus normaux. Ils produisent des déformations d'apparence tumorale dues à la croissance excessive de certains éléments tissulaires (p. ex. hémangiomes). Contrairement aux embryomes (tumeur de Wilms) et aux tératomes, ils ne sont pas néoplasiques dans le sens pathologique et se développent selon un mécanisme normal de croissance. Les adénomes du foie et les rhabdomyomes du cœur sont des exemples de ce groupe de tumeurs.

Tumeur de Wilms

(néphroblastome, adénosarcome embryonnaire du rein)

La tumeur de Wilms est à la fois la tumeur rénale et la tumeur maligne abdominale la plus fréquente chez l'enfant. Elle vient au cinquième rang des affections néoplasiques de l'enfant après les leucémies et les lymphomes, les tumeurs cérébrales et le neuroblastome. Elle peut être présente à la naissance, elle est rare après 8 ans. Sa fréquence la plus élevée se situe entre 1 an et 5 ans ; bilatérale d'emblée dans 5 à 6 % der cas. Sa fréquence est plus grande chez les enfants porteurs d'anomalie congénitale du tractus uro-génital (hypospadias et cryptorchidie, duplication rénale, rein en fer à cheval, etc.), ainsi que chez ceux atteints d'asymétrie corporelle (hémihypertrophie et aniridie). Il n'y a pas de prédominance de sexe.

Signes cliniques

Une tumeur abdominale cliniquement évidente est presque constante. D'abord lombaire, elle se développe rapidement en avant, dans l'hypochondre, simulant parfois une hépato- ou une splénomégalie. La tumeur peut être découverte par hasard ou se manifester par des douleurs abdominales, de la fatigue, de la fièvre, ou, dans 20 % des cas, par une hématurie macroscopique. Une hypertension artérielle modérée à importante est parfois présente, secondaire à une hypersécrétion de rénine.

Diagnostic différentiel

Neuroblastome, kystes rénaux multiples, kyste solitaire du rein, hydronéphrose.

Examens complémentaires

L'urographie montre une image caractéristique d'étirement et d'écartement des calices avec conservation de la fonction excrétrice, alors que dans l'hydronéphrose, l'excrétion est souvent retardée ou nulle. L'échographie permet le diagnostic différentiel avec les hydronéphroses et les kystes multiloculaires. L'aortographie et l'artériographie rénale sélective assurent le diagnostic avec plus de précision, démontrant l'origine des vaisseaux tumoraux. La tomodensitométrie, rarement nécessaire, précise l'étendue et les rapports anatomiques de la tumeur. La présence de calcifications ou de métastases osseuses suggère le neuroblastome plutôt que le néphroblastome. Des métastases pulmonaires et hépatiques sont présentes au moment du diagnostic dans 10 à 15 % des cas, donc il faut procéder d'emblée à une radiographie du thorax et à une scintigraphie hépatique.

Traitement

Si la tumeur est massive, on recommande soit une radiothérapie, soit de préférence une chimiothérapie pré-opératoire.

Le traitement est actuellement codifié en fonction de l'extension de la tumeur et de son degré de malignité. Les formes sarcomateuses ont un mauvais pronostic. Si la tumeur a été enlevée dans sa totalité, une chimiothérapie (actinomycine D et vincristine) de quelques mois environ suffit. S'il y a eu effraction de la capsule et suspicion de tumeur résiduelle, la radiothérapie doit être donnée sur le lit tumoral, suivie d'une chimiothérapie prolongée (actinomycine D et vincristine pendant 12 mois environ). Une rupture intra-péritonéale nécessite une irradiation de toute la cavité abdominale et du pelvis, associée à une chimiothérapie agressive (actinomycine D, vincristine, Adriamycine ®).

Pronostic

Est fonction de l'âge (meilleur avant 2 ans, excellent si moins de 1 ans), du stade et de la forme histologique. On parle de guérison s'il n'y a pas de récidive ou de métastases deux ans après l'arrêt du traitement. Cette guérison est obtenue dans plus de 90 % des cas de stades I (tumeur localisée, qui n'a pas envahi la capsule du rein), II (invasion de la capsule) et III (extension extra-rénale) à forme histologique favorable. Une survie de plus de deux ans est obtenue dans 25 % des cas au stade IV (maladie disséminée).

Neuroblastome

Tumeur très maligne, représentant 7 % des tumeurs de l'enfant. Elle prend son origine dans la crête neurale embryonnaire, peut donc se trouver partout où il y a du tissu sympathique. Les cellules embryonnaires, dites sympathogonies, peuvent se différencier soit en tissu ganglionnaire sympathique, soit en tissu chromaffine. La différenciation normale n'est pas terminée à la naissance et se continue jusque vers l'âge de 2 ou 3 ans. Le neuroblastome est formé de sympathogonies continuant à se multiplier comme pendant la période embryonnaire. Il peut montrer des ébauches de différenciation soit en rosettes et cellules ganglionnaires, soit en cellules chromaffines immatures. Le ganglioneurome est constitué de cellules ganglionnaires mûres et de fibres nerveuses ; et le phéochromocytome, de phéochromocytes mûrs. Il n'existe pas plus d'anomalies congénitales associées que dans la population générale, hormis l'association à la maladie de Recklinghausen.

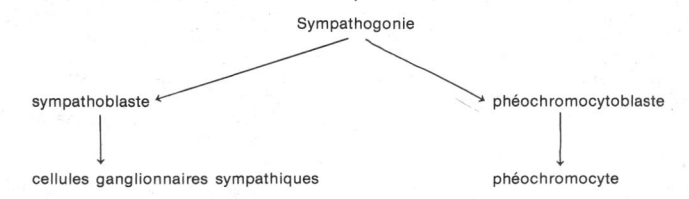

```
                        Sympathogonie
                       /            \
                      /              \
    sympathoblaste  <-                -> phéochromocytoblaste
         |                                      |
         |                                      |
cellules ganglionnaires sympathiques      phéochromocyte
```

Localisation

Rétro-péritonéale dans 70 % des cas (dont les 2/3 surrénaliens), puis thoracique dans 15 % des cas, chaîne sympathique cervicale dans 10 % des cas, chaîne sympathique pelvienne dans 5 % des cas.

Age

Tumeur typique du jeune enfant, le neuroblastome peut être congénital, même avec des métastases placentaires. 50 % des cas se produisent avant 2 ans et 75 % avant 4 ans. Très rare après 14 ans. Légère prédominance chez le garçon. Le ganglioneurome se voit plus souvent chez le grand enfant, ainsi que le phéochromocytome. Une tendance familiale est connue, de même que pour le phéochromocytome ou en association avec le phéochromocytome, bien qu'un caractère héréditaire ne soit pas démontré.

Mode de présentation

Atteinte de l'état général avec perte pondérale, masse abdominale souvent volumineuse, lassitude, irritabilité, pâleur due à un degré variable d'anémie, fièvre irrégulière, transpiration, diarrhées, douleurs osseuses avec ecchymoses périorbitaires, nodules sous-cutanés et proptose oculaire signant la métastase orbitaire.

Examens complémentaires

- *Radiologiques :* Urographie intraveineuse et artériographie qui montreront un déplacement latéral et un abaissement du rein et des uretères. Calcifications souvent apparentes. Tomodensitométrie qui définit avec précision l'extension et les rapports anatomiques de la tumeur ; tend à remplacer l'artériographie. Radiographie et scintigraphie du squelette et du foie pour déceler les métastases. Examen du sang et de la moelle osseuse (infiltration médullaire initiale dans 60 à 70 % des cas). Dosage des catécholamines urinaires.
- *Biologiques :* Les tumeurs du système nerveux sympathique peuvent sécréter des catécholamines (cf. fig. 1) :
— l'adrénaline et la noradrénaline et leurs métabolites : l'acide vanilmandélique (VMA) et le vanilglycol (VG) ;
— la dopa et son dérivé : l'acide vanillactique (VLA) ;
— la dopamine et ses dérivés : l'acide homovanilique (HVA) et l'acide catécholacétique (CAA).

Les métabolites des catécholamines sont retrouvés dans 90 % des cas dans l'urine. L'excrétion est très variable d'une tumeur à l'autre ; le degré de malignité peut en être déduit. La présence des acides vanillactique et catécholacétique est de mauvais pronostic. Le rapport acide vanilmandélique/acide homovanilique (normal : 1/1) serait de bon pronostic si augmenté, ce qui est le cas chez les jeunes enfants.

D'autres substances peuvent être décelées, telles la cystathionine et une substance vaso-active intestinale, responsable de diarrhées chroniques.

Traitement

Dépend du stade de la tumeur :

Stade I : un organe ou un tissu atteint.
Stade II : extension par continuité au-delà de l'organe ou du tissu atteint, sans traverser la ligne médiane.
Stade III : extension par continuité au-delà de la ligne médiane. Atteinte des ganglions régionaux bilatérale possible.

17. NÉOPLASIES

Fig. 1 : Métabolisme des catécholamines

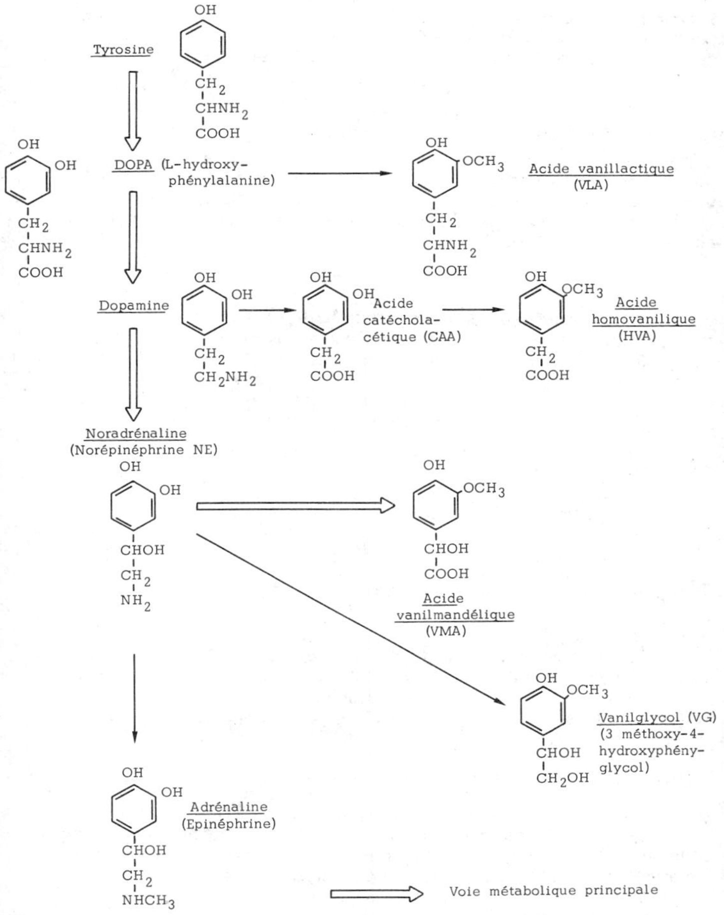

Tyrosine

DOPA (L-hydroxy-phénylalanine) → Acide vanillactique (VLA)

Dopamine → Acide catéchola-cétique (CAA) → Acide homovanilique (HVA)

Noradrénaline (Norépinéphrine NE) → Acide vanilmandélique (VMA)

→ Vanilglycol (VG) (3 méthoxy-4-hydroxyphény-glycol)

Adrénaline (Epinéphrine)

⟹ Voie métabolique principale

⟶ Voie métabolique accessoire

Stade IV : dissémination avec métastases squelettiques, autres organes, tissus mous, ganglions à distance.
Stade V : stades I et II plus métastases hépatiques, spléniques ou médullaires et des atteintes osseuses.

● *Chirurgie :* L'exérèse chirurgicale complète est rarement possible, sauf pour les localisations médiastinales. La chirurgie peut être reconsidérée après réduction de la masse tumorale par radio- et chimiothérapie.

● *Irradiation :* Tumeur radio-sensible ; selon le stade, l'irradiation de 2 500 à 3 000 rads sera curative ou palliative. Irradiation des métastases selon la localisation.

● *Chimiothérapie :* Anti-mitotiques efficaces. Vincristine-cyclophosphamide, Adriamycine ®, rubidomycine-dacarbazine, améthoptérine, cis-platinum, VM 26. Sera donnée selon le stade de la tumeur et l'âge de l'enfant. La radiothérapie sera si possible évitée avant l'âge d'un an et la chimiothérapie sera réduite.

Pronostic

Bon chez le nourrisson de moins d'un an, probablement à cause de la régression spontanée de la tumeur. Encore relativement bon jusqu'à 2 ans (80 % de survie) et très défavorable chez les enfants plus âgés, sauf pour les neuroblastomes médiastinaux et les rares cas où la tumeur a été réséquée en totalité. Une guérison « spontanée » peut se produire par maturation du neuroblastome en ganglioneurome.

Tumeurs osseuses

Les signes et symptômes des tumeurs osseuses, soit bénignes, soit malignes, sont généralement non spécifiques et consistent essentiellement en douleurs et tuméfactions. Beaucoup de lésions osseuses sont trouvées par hasard sur des radiographies prises pour d'autres raisons.

Tumeurs osseuses bénignes

Elles comportent l'ostéome, le kyste solitaire osseux, le fibrome non ostéogénique, l'ostéome ostéoïde, le chondroblastome bénin (tumeur de Codman) et l'ostéochondrome bénin (maladie d'Ollier). Le *diagnostic* de ces affections se pose par la radiographie et la biopsie. Le *traitement* se fait par curetage si les tumeurs sont symptomatiques.

Tumeurs osseuses malignes

Les plus fréquentes sont le sarcome ostéogénique et le sarcome d'Ewing.

Sarcome ostéogénique

Tumeur très maligne due à la production anarchique de tissu osseux et de substance ostéoïde, à partir du mésenchyme primitif ostéoformateur.

Fréquence de 1,5/million/an avant 15 ans, 5,8/million/an entre 10 et 20 ans. Le sarcome ostéogénique, un peu plus fréquent chez les garçons que les filles, survient à la période de croissance osseuse maximale entre 10 et 20 ans. Les 90 % des sarcomes ostéogéniques sont localisés dans un os long et la majorité se trouvent dans les métaphyses inférieures du fémur, supérieures du tibia et, moins fréquemment, dans la partie supérieure de l'humérus.

Le sarcome ostéogénique se manifeste *cliniquement* par des douleurs osseuses et une tuméfaction. *Radiologiquement,* il se présente comme une zone de destruction osseuse irrégulière, avec des quantités variables de néo-formation osseuse, donnant un aspect en rayon de soleil ou flammèches (« sunburst appearance »). L'étendue de la tumeur est mieux estimée par l'artériographie et la xérographie.

D'éventuelles métastases osseuses ou pulmonaires seront recherchées. Une biopsie est indispensable pour confirmer le diagnostic. L'histologie peut être polymorphe avec des plages ostéoblastiques, fibro- ou chondroblastiques.

● *Traitement :* Amputation impliquant la résection totale de l'os atteint avec une éventuelle désarticulation. Une chimiothérapie préventive agressive, comportant des cures alternées d'adriamycine, de cyclophosphamide, de vincristine ou d'améthoptérine (Méthotrexate ®) à haute dose associées à du citrovorum factor (acide follinique) sera administrée.

● *Pronostic :* 20 % de survie à 5 ans sans chimiothérapie adjuvante. Serait amélioré à 40 % ou 50 % à 5 ans par la chimiothérapie actuelle.

Sarcome d'Ewing (endothéliome malin de l'os)

Sarcome à point de départ réticulo-endothélial, localisé dans l'os. Il est formé de tissu indifférencié à petites cellules rondes, souvent difficile à distinguer d'un neuroblastome.

Le sarcome d'Ewing survient entre 5 et 20 ans, rarement au-dessous de 5 ans, contrairement au neuroblastome. 50 % entre 10 et 20 ans, 70 % avant 20 ans. 1,5 fois plus fréquent chez l'homme que la femme. Très rare chez les Noirs. Sa localisation est fréquente dans les diaphyses des os longs, mais se trouve aussi dans les os plats, clavicule, bassin, vertèbres, côtes. Les lésions peuvent être multicentriques d'emblée.

● *Signes cliniques :* Douleurs osseuses persistantes, tuméfaction souvent d'aspect inflammatoire, état fébrile, leucocytose avec anémie, vitesse de sédimentation accélérée, le tout simulant une ostéomyélite.

● *Signes radiologiques :* On remarque une combinaison de destruction osseuse d'aspect mité et de sclérose entourée par de multiples appositions laminaires périostées (image en pelure d'oignon). Au niveau des os plats, les lésions sont moins spécifiques, plus difficiles à différencier d'une ostéomyélite, du réticulosarcome, de l'histiocytose X ou des métastases du neuroblastome. Aucun aspect radiologique n'est pathognomonique.

● *Diagnostic :* Seule la biopsie permet d'établir le diagnostic. L'histologie montre des petites cellules rondes, anaplasiques, riches en glycogène. *Diagnostic différentiel :* Lymphome non hodgkinien, neuroblastome et rhabdomyosarcome. Des métastases osseuses et pulmonaires doivent être recherchées d'emblée par l'examen radiologique. Le dosage des

catécholamines urinaires permet d'éliminer un neuroblastome métastatique. Le taux sérique des phosphatases alcalines exprime l'importance du remaniement osseux.
- *Traitement :* Chimiothérapie initiale (associations vincristine-actinomycine D, cyclophosphamide ou adriamycine) pour réduire la masse tumorale. Exérèse si elle est possible fonctionnellement. Radiothérapie dont la dose sera fonction de la tumeur résiduelle, suivie d'une reprise de la polychimiothérapie.
- *Pronostic :* Le risque de dissémination est grand, principalement au niveau des os, de la moelle osseuse, des poumons, du cerveau. 10 à 30 % de métastases au moment du diagnostic. Actuellement les chances de survie à 5 ans sont de 30 à 40 %.

Chondrosarcome

Rare chez l'enfant ; c'est une tumeur de grande taille qui histologiquement est semblable à certains ostéosarcomes. Evolue lentement. Métastases tardives.

Réticulosarcome de l'os (lymphome malin de l'os)

Peut se produire chez l'enfant. Localisations semblables à celles du sarcome d'Ewing. Cette tumeur a un pronostic meilleur que les autres tumeurs osseuses malignes, c'est-à-dire survie à 5 ans de 40 % après l'irradiation.

Autres tumeurs

Lymphangiomes

Ils surviennent habituellement chez le nourrisson ou le petit enfant et sont formés d'espaces lymphatiques apparents, disposés dans un stroma de tissu conjonctif. Ils se développent lentement in situ. Localisations habituelles : nuque, aisselle, médiastin, abdomen, ou extrémités.

Pas de propagation métastatique mais extension locale. Une variété commune du lymphangiome est l'*hygrome kystique,* qui habituellement est localisé dans la région cervicale chez le jeune enfant (hygroma coli). L'extension de la tumeur, l'infection et l'hémorragie peuvent créer une menace quo ad vitam.

Ces tumeurs peuvent grandir très rapidement et doivent être traitées vigoureusement dès que le diagnostic est posé. La lymphangiectasie est un lymphangiome déformant, croissant lentement, localisé à la face ou aux extrémités. Apparaît comme un réseau fin et diffus, sans formation kystique. Cette lésion est considérée comme une malformation plutôt que comme une tumeur vraie.

Traitement

Aussi précoce que possible, c'est-à-dire excision chirurgicale la plus complète possible. Les rechutes sont fréquentes si la tumeur n'est pas complètement réséquée. Ni la radiothérapie, ni la chimiothérapie ne sont très efficaces.

Rétinoblastome

Le rétinoblastome est une *tumeur congénitale* de la rétine qui survient avec une fréquence approximative de 1/20 000 naissances, sans prédilection de sexe ou de race. Le diagnostic ne se fait en général que vers 1 an 1/2 à 2 ans, et, dans 25 % des cas, la tumeur est bilatérale. Dans 4 % des cas il existe un ou plusieurs autres cas dans la famille, ce qui indique la présence d'un facteur héréditaire. En fait, l'analyse génétique a démontré une hérédité autosomique dominante avec une pénétrance de 80 %, c'est-à-dire que pour une raison inconnue le 20 % des porteurs hétérozygotes ne manifestent pas la maladie. Une partie des cas sporadiques, et notamment tous les cas bilatéraux, sont dus à une mutation nouvelle, héréditaire elle aussi. Donc, une personne ayant eu un rétinoblastome (guéri) devrait recevoir le conseil de ne pas avoir d'enfant. Le risque pour la descendance du frère ou de la sœur (indemne) d'une personne atteinte de façon sporadique est par contre extrêmement bas.

Signes cliniques

- Reflet gris jaunâtre derrière la pupille.
- Strabisme.
- Mydriase unilatérale.

La présence de l'un ou de plusieurs de ces signes requiert un examen ophtalmologique méticuleux des deux yeux.

La tumeur se propage en direction du cerveau en suivant le nerf optique et donne des métastases hématogènes dans les os, la moelle épinière et les viscères.

Traitement

Enucléation si un seul œil est atteint. Si les deux yeux sont atteints, on énucléé l'un des yeux et l'on applique à l'autre irradiation et triéthylène-mélanine (TEM) intra-artériel. Ce traitement combiné a donné d'excellents résultats dans les cas bilatéraux, et des taux de 90 % de guérison ont été observés, sans avoir recours à la chirurgie. La cyclophosphamide et la vincristine sont efficaces également.

Tumeurs du foie

Les tumeurs primitives du foie se présentent en général comme une hépatomégalie asymptomatique. On fait le diagnostic par biopsie après exclusion des autres causes d'hépatomégalie.

Tumeurs bénignes du foie

L'hémangiome et l'hémangio-endothéliome hépatique se rencontrent chez le jeune enfant. Ces tumeurs sont histologiquement bénignes, mais peuvent causer des hémorragies graves ou une décompensation cardiaque. Les hamartomes mésenchymateux, les kystes non parasitaires et les hyperplasies focales nodulaires sont des tumeurs bénignes dont la nature néoplasique est douteuse. On obtient parfois une guérison apparente par l'excision chirurgicale, mais le pronostic est mauvais lorsque la lésion est extensive.

Tumeurs malignes du foie

Le carcinome hépatique (hépatome, hépatoblastome) peut se rencontrer à tout âge. Le tableau clinique comprend une hépatomégalie importante, des hépatalgies (hémorragies, nécrose dans la tumeur), de la fièvre, une leucocytose et, tardivement, un ictère et de l'ascite. L'hépatome peut être multicentrique et métastasier à d'autres organes. Le pronostic est sombre, il n'existe pas de traitement satisfaisant. Occasionnellement et chez le garçon seulement, l'hépatoblastome est producteur d'hormones gonadotropes, d'où résultent une stimulation gonadique et une puberté précoce. En outre, les cellules sont souvent suffisamment dédifférenciées pour produire des quantités appréciables et mesurées dans le plasma d'alpha-fétoprotéine (fétuine).

Polypes intestinaux

Le *polype adénomateux du côlon* est de loin la tumeur la plus fréquente de l'intestin. En général unique, il se manifeste soit par des saignements non douloureux, soit plus rarement par une invagination. Il peut se produire dans l'intestin grêle, mais le plus souvent dans le côlon. La transformation maligne d'un polype intestinal isolé n'a jamais été décrite avant la puberté. Cependant, vu la tendance à la dégénérescence maligne par la suite, on recommande l'excision large ou la cautérisation de ces polypes. Leur saignement peut d'ailleurs produire une anémie importante.

Polypose multiple du côlon

Peut être sporadique ou familiale (hérédité dominante). S'il y a plus de 10 à 15 polypes, des contrôles fréquents doivent être pratiqués pour détecter une dégénérescence carcinomateuse qui peut se produire dans la deuxième décennie déjà. En cas de polypose massive, une colectomie subtotale est généralement nécessaire. Ces patients ne présentent pas de taches mélaniques sur les muqueuses (cf. ci-dessous).

Syndrome de Peutz-Jeghers

Syndrome héréditaire *autosomique dominant* comportant :
● Une polypose multiple de l'intestin grêle, moins souvent du côlon, et occasionnellement de l'œsophage ou du tractus urinaire.
● Des taches pigmentées (mélanine) de la face et des muqueuses buccales, des mains et des pieds ; ces taches sont nombreuses et mesurent de 1 à 5 mm de diamètre.

La dégénérescence maligne des polyposes est très rare dans le syndrome de Peutz-Jeghers.

Tumeurs des glandes salivaires

La *tumeur mixte de la parotide* est une tumeur de l'adulte. Cependant elle peut se voir chez l'enfant et le nourrisson, sous la forme d'une tuméfaction non douloureuse de la parotide. Ces néoplasmes sont peu malins mais ont tendance à *récidiver in situ* après excision. Les autres tumeurs des glandes salivaires, comme le carcinome muco-épidermoïde et la tumeur de Warthin (adénome kystique papillaire lymphomateux), sont rares chez l'enfant.

Angiofibrome nasal juvénile

Tumeur du grand enfant, en général après 15 ans. Consiste en un fibrome œdémateux, très vascularisé. Forte tendance hémorragique et à la surinfection. Peut devenir volumineux et provoquer des troubles respiratoires. Est souvent pris pour des polypes nasaux. Parfois diminution spontanée à la puberté.

Traitement

Exérèse chirurgicale. Testotérone.

Tumeurs de l'ovaire

La tumeur la plus fréquente est le tératome, qui peut être bénin ou malin. Il est découvert souvent après infarcissement par torsion du pédicule, ou peut rester une masse asymptomatique. Chez la fillette, les kystes folliculaires de l'ovaire peuvent devenir assez grands pour être palpés à travers la paroi abdominale.

La *tumeur à cellules granuleuses* (granulosa) est une tumeur ovarienne solide, sécrétante, provoquant une puberté précoce (cf. pp. 769 ss). La tumeur masculinisante de l'ovaire *(arrhénoblastome)* n'a pas été observée chez les fillettes prépubères.

Tumeurs testiculaires

Le *carcinome embryonnaire du testicule* peut se produire dans l'enfance et se présente habituellement comme une tuméfaction asymptomatique du scrotum. Croissance rapide. Exérèse chirurgicale précoce indispensable. Le *tératome testiculaire* se présente comme une tuméfaction testiculaire unilatérale et asymptomatique. Il est le plus souvent malin.

Tumeurs du tractus génito-urinaire

Les tumeurs de la vessie, de la prostate, du cervix et du vagin ont chez l'enfant le même aspect histologique et évolutif que chez l'adulte. Il s'agit de sarcomes *mésodermiques mixtes*. Des adénocarcinomes du vagin ont été observés chez des adolescentes et des jeunes femmes dont la mère avait été traitée par du diéthylstilbestrol pendant le premier trimestre de la grossesse (traitement conservateur de la grossesse).

Histiocytoses ou réticulo-endothéliomes

Groupe de maladies dont la pathologie de base est une infiltration du tissu normal par des histiocytes plus ou moins atypiques.
On distingue 4 formes principales.

Réticulose histiocytaire médullaire

(histiocytose maligne)
Caractérisée par de la fièvre, des adénopathies, une hépatosplénomégalie, une pancytopénie, une anémie hémolytique à Coombs négatif. Survient chez le grand enfant, l'adulte jeune.
Histologie : Prolifération d'histiocytes peu différenciés dans la zone « médullaire » des ganglions, ainsi qu'une infiltration de la moelle osseuse, du foie et de la rate.
Mauvaise réponse à la chimiothérapie. Survie moyenne de 6 mois.

Lymphohistiocytose érythrophagocytaire familiale

Symptômes initiaux d'apparition brutale, fièvre, pâleur, vomissements, diarrhées, anorexie, adénopathies et hépatosplénomégalie modérées, pancytopénie progressive, dysfonction hépatique. Autosomal récessif, touche les nourrissons (moins de 6 mois).
Histologie : Infiltration lympho-histiocytaire diffuse avec érythrophagocytose et même panphagocytose.
Evolution rapidement fatale (survie moyenne : 6 semaines).

Réticulohistiocytose avec hypergammaglobulinémie récessive liée au sexe

Caractérisée par de la fièvre, une hépatosplénomégalie, des adénopathies, un purpura, un ictère, une hypergammaglobulinémie.
Histologie : Infiltration diffuse par des cellules mononuclées bizarres et par des plasmocytes mûrs.
Evolution rapidement fatale.

Histiocytoses X

Variante d'une même entité dont la caractéristique histologique est une infiltration dense par de grands histiocytes pâles d'aspect relativement bénin et uniforme. Lésions d'autant plus bénignes que l'infiltrat prend une forme de granulome et contient des éosinophiles. En microscopie électronique, on trouve dans l'histiocyte le corpuscule de Langerhans (corps X) : structures allongées à rôle métabolique que l'on retrouve dans les cellules de Langerhans de l'épiderme normal.

L'aspect souvent spumeux dans la maladie de Hand-Schüller-Christian est secondaire à la phagocytose de lipides (cholestérol et ses esthers) à partir du plasma et des tissus plutôt qu'à un désordre du métabolisme lipidique.

Il existe des variantes cliniques classiques de l'histiocytose X :

Granulome éosinophile des os

Il est considéré comme la forme la plus bénigne des histiocytoses X. Les lésions osseuses, uniques ou multiples, sont de type lytique. Elles touchent surtout le crâne, les côtes, les chevilles et les vertèbres. Les lésions sont bien délimitées, souvent douloureuses. La biopsie révèle un granulome riche en éosinophiles. Il n'y a que rarement un développement des lésions ailleurs ou d'autres lacunes osseuses.

Maladie de Hand-Schüller-Christian

Il s'agit d'un syndrome associant otite moyenne, éruptions cutanées de type séborrhéique et lésions osseuses. L'atteinte viscérale du tissu lymphoïde et hépatosplénique est fréquente. La biopsie révèle des histiocytes de type spumeux. La triade classique (lacunes osseuses avec exophtalmie et diabète insipide) est rare ; cependant, le diabète insipide est une complication fréquente.

Maladie de Letterer-Siwe

Elle touche le jeune enfant. Elle est disséminée d'emblée, avec atteinte cutanée (rash pétéchial ou maculaire), polyadénopathies, hépato-splénomégalie, lésions osseuses et pulmonaires ; l'envahissement de la moelle osseuse entraîne une anémie et une thrombopénie secondaires. Plus rarement, infiltrat sous-endocardique, infiltration intestinale, oculaire, vaginale ou vulvaire, méningée et cérébrale. Cette forme d'histiocytose est généralement fatale.

Traitement et pronostic des histiocytoses X

Les lésions osseuses isolées sont le mieux traitées par curetage et radiothérapie locale. Les lésions multiples osseuses et viscérales répondent souvent bien à la prednisone, vincristine et vinblastine données soit en cures répétées, soit en traitement continu jusqu'à guérison des lésions. Le diabète insipide peut être contrôlé par la pitressine (cf. p. 760).

Le pronostic est souvent imprévisible. Parfois guérison complète de lésions multiples et viscérales. En général, la sévérité du pronostic est fonction de l'âge et de l'extension des lésions.

Chapitre 18

Immunopathies, allergie
par J. R. Humbert et H. S. Varonier

Immunopathies

Les mécanismes de résistance contre l'infection dépendent de l'intégrité de facteurs non spécifiques et spécifiques (anticorps humoraux et cellulaires).

Facteurs non spécifiques de protection contre l'infection

- *Barrières anatomiques*: A l'action protectrice purement physique de la peau et des muqueuses s'ajoutent les propriétés biologiques bactéricides de ces couvertures : pH acide dû à l'acide lactique de la sueur, acides gras non saturés à longue chaîne des glandes sébacées. Certaines mucoprotéines des sécrétions muqueuses inhibent aussi la pénétration virale intracellulaire. La flore bactérienne normale protège aussi contre l'invasion des germes pathogènes. La perfusion vasculaire d'une part, le drainage des sécrétions d'autre part, sont d'autres éléments essentiels à l'équilibre immunologique local.
- *Interféron* : Cette protéine de poids moléculaire bas est produite en quelques heures par presque toutes les cellules de l'organisme lorsque celles-ci sont envahies par un virus. L'interféron inhibe alors la croissance du virus infectant, ainsi que de tout autre virus se présentant ultérieurement.
- *Muraminidase (lysozyme)* : Tous les tissus et humeurs contiennent des quantités appréciables de cet enzyme, sauf l'urine, le liquide céphalorachidien et la sueur. Il interrompt la liaison entre l'acide N-acétyl-muramique et la N-acétyl-glucosamine, dans les parois des bactéries. Cette action bactéricide est particulièrement efficace en présence d'anticorps et de complément, qui altèrent la structure de la membrane bactérienne de manière à révéler les sites attaquables par la muraminidase.
- *Complément* : Les différentes fractions du complément réagissent entre elles et avec les anticorps spécifiques pour : **1)** lyser les bactéries, **2)** favoriser leur phagocytose, **3)** activer le chimiotactisme des phagocytes (neutrophiles et monocytes) vers les bactéries (ces deux dernières fonctions dépendent surtout de C'3 et C'5), et **4)** augmenter la perfusion des tissus infectés par dilatation capillaire.

● *Tuftsine* : Ce tétrapeptide synthétisé dans la rate est transporté dans l'organisme par une molécule d'IgG et stimule la phagocytose des bactéries par les neutrophiles. Cette action requiert la présence sur la membrane des neutrophiles de la leucokininase, un enzyme qui sépare la tuftsine de sa molécule porteuse.

● *Développement des fonctions immunitaires non spécifiques* : A la naissance, il existe un déficit notable de la muramidase de certaines sécrétions, une diminution relative de la capacité de produire de l'interféron, ainsi qu'une dysfonction de C′5 qui entraîne une déficience humorale du chimiotactisme et de la phagocytose par les neutrophiles.

Immunité humorale spécifique

● *Nature et fonction des anticorps humoraux* : Les anticorps humoraux sont répartis dans les cinq classes d'immunoglobulines, IgG, IgA, IgM, IgD et IgE et sont produits principalement par les « cellules B » du système lymphocytaire. Ces gamma-globulines se composent de molécules de glycoprotéines où l'on trouve deux sortes de chaînes polypeptides différentes, appelées chaînes H (= Heavy, lourdes) et L (= Light, légères) selon leur poids moléculaire. Les chaînes L sont de deux variétés, kappa (κ) et lambda (λ). Les chaînes H représentent la partie caractéristique de chaque classe d'immunoglobulines. Les IgM sont des anticorps actifs surtout contre les entérobactéries Gram négatives. Les IgG sont particulièrement actives à l'égard des bactéries Gram positives. G_1 est, des quatre sous-classes d'IgG, la plus utile à la défense contre l'infection. Les IgG et IgM provoquent la lyse bactérienne de concert avec le complément et favorisent aussi la phagocytose des micro-organismes (opsonisation) par les différents phagocytes. Les IgA (sous-classes : A_1, A_2), qui sont présentes dans le sérum et forment la majeure partie des immunoglobulines des sécrétions naturelles (salive, larmes, sécrétions muqueuses de l'arbre bronchique, voies urinaires, tractus digestif), ont surtout une action antivirale. Elles ne possèdent pas d'action bactériolytique et n'interagissent pas avec le complément, mais provoquent cependant l'agglutination de nombreuses bactéries. Le rôle des IgD est encore mal connu. Le taux des IgE est élevé dans l'allergie.

● *Développement de l'immunité humorale* : Les IgG et les IgM peuvent être produites par le fœtus dès la 12ᵉ semaine de vie intra-utérine. Le début de la synthèse in utero des autres immunoglobulines est mal connu. Pratiquement, comme le fœtus est protégé de toute stimulation antigénique, le nouveau-né à terme ne possède que des IgG d'origine maternelle. Les autres immunoglobulines ne traversent pas le placenta. Dès la naissance, sous l'influence des multiples antigènes extérieurs, le nouveau-né produit ses propres immunoglobulines. Le taux sérique adulte est atteint vers 9 mois pour les IgM, vers 3 ans pour les IgG et à la puberté seulement pour les IgA. Les IgA sécrétoires sont virtuellement absentes à la naissance, et apparaissent vers 1 à 3 semaines.

Immunité cellulaire spécifique

L'immunité cellulaire, appelée aussi hypersensibilité retardée, dépend avant tout de l'existence des cellules T (T pour Thymus) du système lymphocytaire. Son modèle est la réaction tuberculinique, le rejet de greffe et la réaction greffe-contre-hôte. La guérison finale de la plupart des infections virales et fongiques dépend également de l'immunité cellulaire.

Au contraire de l'immunité humorale, l'immunité cellulaire est relativement bien développée à la naissance.

Immunité cellulaire non spécifique : système phagocytaire

On entend par « phagocyte » toute cellule capable d'ingérer et de tuer une bactérie. Les phagocytes les plus importants sont, pour les circulants, les polymorphonucléaires neutrophiles et les monocytes, et, pour les non circulants, les macrophages tissulaires du système réticuloendothélial (rate, foie, poumons). Pour bien accomplir leur action bactéricide, les phagocytes doivent être capables d'assurer convenablement cinq fonctions principales :
- *Adhésivité* : Capacité de se fixer à l'endothélium vasculaire avant de traverser le vaisseau pour se diriger vers un foyer d'infection.
- *Migration extravasculaire* : Diapédèse entre deux cellules endothéliales capillaires et sortie hors des vaisseaux par des mouvements indépendants de l'attraction chimiotactique.
- *Chimiotactisme* : Capacité de se diriger vers un gradient de concentration moléculaire déterminé, par exemple vers une augmentation de complément aux alentours d'un foyer d'infection.
- *Phagocytose* : Ingestion du micro-organisme à l'intérieur d'une vacuole du phagocyte.
- *Pouvoir bactéricide* : But ultime de la fonction des phagocytes, soit la destruction bactérienne sous l'action de diverses substances antibactériennes. Dans le neutrophile, où ces substances sont le mieux étudiées, celles-ci comprennent la muraminidase, des polypeptides basiques, la phagocytine, la leukine, ainsi qu'un triple système bactéricide, où interviennent un halogène (iode ou chlore), de la myéloperoxydase et du peroxyde ; ce dernier est généré à partir de superoxyde produit au niveau des membranes cellulaires et vacuolaires par une NADPH-oxydase. La plupart de ces substances bactéricides sont contenues dans les granules, d'où elles se déversent dans les vacuoles phagocytaires après ingestion des bactéries.

Le nouveau-né présente des déficiences modérées du chimiotactisme, de la migration extravasculaire et de la phagocytose par les neutrophiles. Le pouvoir bactéricide est considérablement diminué pendant les premières 24 heures ou en cas de stress par certains processus pathologiques (détresse respiratoire, infection, choc). Ces deux dernières dysfonctions semblent déterminées par l'hyperactivité du métabolisme oxydatif des neutrophiles, qui entraîne une auto-oxydation excessive des membranes phagocytaires.

Examens des mécanismes immunitaires

L'anamnèse et l'examen physique, très importants, permettent de découvrir les anomalies physiques ou anatomiques qui sont à la source de la majorité des infections à répétition.

Avant l'âge de 2 mois, on rencontre surtout des déficiences en complément, des dysfonctions des cellules T et des phagocytes. Les anticorps maternels retardent jusqu'à 3 à 6 mois l'apparition des symptômes chez l'enfant hypogammaglobulinémique.

Immunité humorale

● *Détermination quantitative des immunoglobulines* : Cette méthode est à préférer à la mesure des gamma-globulines totales, qui ne peut pas démontrer une déficience isolée d'une des classes d'immunoglobulines. L'immuno-électrophorèse est souvent utile comme test de dépistage d'une absence en IgA, IgG ou IgM, mais n'est que semi-quantitative et de ce fait difficilement interprétable chez l'enfant.

● *Immunisation par des antigènes spécifiques* : Seuls des antigènes bactériens ou viraux tués doivent être employés. Le régime recommandé consiste à donner le vaccin DTP commercial à raison de 0,5 ml i.m. chaque semaine jusqu'à concurrence de trois doses. Les taux d'anticorps sont mesurés avant l'immunisation et 14 jours après la troisième injection. Le vaccin antipoliomyélite tué (Salk) peut être utilisé, à raison de 3 doses de 1,0 ml, injectées i.m. à deux semaines d'intervalle. Le taux d'anticorps est mesuré 14 jours après la dernière injection. D'autres antigènes inoffensifs et potentiellement utiles peuvent être aussi utilisés : polysaccharides du pneumocoque, du méningocoque, de l'*Hemophilus influenzae,* antigène Vi du colibacille.

● *Mesure des isohémagglutinines* : Les isohémagglutinines des groupes sanguins A, B et O sont présentes uniformément après l'âge de 24 mois. Comme elles appartiennent surtout à la classe des IgM, leur absence suggère fortement une déficience de cette immunoglobuline.

● *Recherche des plasmocytes dans la moelle osseuse* : La recherche des plasmocytes producteurs d'immunoglobulines (cellules B-B pour Bourse de Fabricius) se fait le plus aisément dans la moelle osseuse. Il existe toutefois très peu de plasmocytes dans la moelle des enfants âgés de moins de 2 ans.

● *Biopsie d'un ganglion lymphatique* : Elle doit se faire après stimulation antigénique locale. On injecte l'antigène, d'ordinaire une dose de vaccin DT, à la face interne de la cuisse et l'on procède 7 jours plus tard à l'ablation d'un ganglion inguinal ipso-latéral, pour examen histologique. L'histologie permet d'évaluer la zone paracorticale dépendant du thymus, ainsi que le nombre de plasmocytes et les centres germinatifs-corticaux dont l'existence reflète la présence d'un système immunitaire humoral intact.

● *Test de Schick* : On injecte 0,1 ml de toxine diphtérique intradermique ; si l'on soupçonne un défaut d'immunité humorale, il convient d'employer d'abord 1/10 de cette dose. Après immunisation complète, les enfants normaux présentent tous un test négatif. La présence d'une réaction de nécrose cutanée à la suite d'une immunisation correcte suggère une déficience de l'immunité humorale. L'antigène de Schick, malheureusement, est quasi impossible à obtenir.

Immunité cellulaire spécifique

● *Tests cutanés* : Leur interprétation repose sur la notion que la plupart des individus ont été exposés à des antigènes communs tels que le Candida albicans, le trichophyton, le streptocoque, la tuberculose et les oreillons. Les tests cutanés appropriés contenant les antigènes sont appliqués en intradermique et lus à 24 et 48 heures en mesurant le diamètre de l'érythème et de l'induration. Les sujets anergiques ou les enfants de moins de 18 mois doivent subir un test de transformation lymphocytaire par la phytohémagglutinine (il existe une méthode de dépistage aisée par sang complet). En cas de réponse lymphocytaire anormale, le diagnostic différentiel inclut la lymphopénie (moins de 2 000/cu mm), les anticorps antilymphocytaires et les défauts intrinsèques des cellules T.

● *Tests de transformation lymphocytaire* : La réponse lymphoblastique des lymphocytes est évaluée après stimulation par la phytohémagglutinine, par des lymphocytes de groupe tissulaire incompatible, ou par des antigènes spécifiques auxquels le sujet à étudier a été exposé antérieurement. Il est également important de compter le nombre absolu de petits lymphocytes, qui doivent normalement excéder 1 000/mm^3 à tout âge.

● *Sensibilisation par le dinitrochlorobenzène* : Ce test, qui produit des brûlures chimiques, s'emploie pour confirmer les défauts graves de l'immunité cellulaire. On sensibilise d'abord avec une première dose du produit ; puis, 21 jours plus tard, on vérifie qu'une sensibilité cellulaire s'est constituée en l'appliquant une seconde fois, en petite quantité. La réaction est positive s'il y a rougeur et induration.

Tests de la fonction des phagocytes

Comme l'exécution de ces tests appartient aux laboratoires spécialisés, seuls leurs principes généraux seront décrits ici :

L'*adhésivité* des phagocytes se mesure en faisant passer le sang du malade à travers une colonne de laine de verre ou de nylon. La *migration extravasculaire* s'évalue d'après les modifications quantitatives du test de Rebuck, où l'on applique sur la peau abrasée une chambre en matière plastique remplie de sérum du malade pour y compter ensuite le nombre de neutrophiles migrés. Le *chimiotactisme* est déterminé dans une chambre de Boyden. Cette chambre consiste en deux compartiments séparés par un filtre percé de trous microscopiques. Les phagocytes, en suspension dans le compartiment supérieur, doivent passer, grâce à leurs mouvements actifs, à travers ces trous vers le compartiment inférieur où se trouve une substance chimiotactique. Il existe une multitude de manières d'évaluer la *phagocytose*, en faisant interagir des particules diverses (bactéries, latex, etc.) avec des phagocytes. On mesure soit le pourcentage de phagocytes contenant des particules, soit le nombre moyen de particules par phagocyte ou encore la quantité absolue de certaines substances radioactives ou de densité optique connue. Pour évaluer le *pouvoir bactéricide,* on peut étudier directement l'interaction de bactéries vivantes avec les phagocytes, ou indirectement mesurer les différents index biologiques dont dépend cette fonction : stimulation par la phagocytose du shunt des pentoses et du métabolisme oxydatif par exemple. Cette dernière fonction se mesure aisément dans le test de réduction du nitrobleu de tétrazolium (NBT). Le NBT a en effet la propriété de se réduire en une forme bleue aisément détectable sous l'effet du superoxyde produit durant la phagocytose par exemple. Il existe des variantes histochimiques et quantitatives (spectrophotométriques) de ce test. On peut aussi mesurer directement le superoxyde, ou la réaction de chemiluminescence qui accompagne sa production. L'examen du frottis sanguin permet d'exclure la neutropénie et les défauts morphologiques des granules des leucocytes. Un test histochimique simple permet d'évaluer la myéloperoxydase des neutrophiles.

Affections caractérisées par une réaction immunitaire pathologique

Insuffisance quantitative en immunoglobulines

Agammaglobulinémie congénitale (maladie de Bruton)

Cette affection se transmet le plus souvent selon le mode héréditaire récessif lié-au-sexe ; une forme autosomique récessive existe aussi.
- *Aspect clinique* : Les symptômes commencent rarement avant 6 mois, du fait de la protection conférée par les IgG maternelles. Les malades montrent ensuite une tendance anormalement élevée à développer des infections pyogènes à streptocoques, pneumocoques, staphylocoques et *Hemophilus influenzae*, ainsi que parfois des pneumonies à *Pneumocystis carinii*. En revanche, les infections virales et les vaccinations avec des virus vivants sont bien supportées. Certains symptômes encore mal expliqués se rencontrent fréquemment dans cette maladie : syndrome de malabsorption avec stéatorrhée, arthrite rhumatoïde.
- *Diagnostic* : La mesure quantitative des immunoglobulines révèle des taux très bas ou nuls des cinq classes d'immunoglobulines. Les isohémagglutinines sont absentes. Après vaccination correcte par le DTP ou par d'autres antigènes, les taux d'anticorps circulants restent très bas, et le test de Schick reste positif. L'examen histologique d'un ganglion excisé après stimulation antigénique locale montre l'absence caractéristique de follicules germinatifs et de plasmocytes.

Hypogammaglobulinémie physiologique et transitoire

- *Aspect clinique* : Pour les raisons exposées plus haut, le nourrisson présente à 3 mois ses taux les plus bas de gamma-globulines. C'est l'« hypogammaglobulinémie physiologique », période pendant laquelle le nourrisson est plus sensible aux infections bactériennes. Chez quelques enfants, cette particularité peut se prolonger jusqu'au 24e mois et s'appelle alors l'« hypogammaglobulinémie transitoire ». Le mécanisme précis de ce phénomène est inconnu.
- *Diagnostic* : Les tests anormaux sont les mêmes que ceux de l'agammaglobulinémie congénitale, à l'exception de la biopsie ganglionnaire lymphatique, qui montre souvent des lymphocytes plasmacytoïdes après stimulation antigénique locale. Ces tests redeviennent spontanément normaux lors de la croissance de l'enfant.

Hypogammaglobulinémie secondaire acquise

Cette forme d'hypogammaglobulinémie se produit chez des malades souffrant d'un défaut de synthèse protéinique ou de perte de protéines : entéropathie exsudative, syndrome néphrotique, dermatite exfoliative, malnutrition, tumeur lymphoréticulaire.

Hypogammaglobulinémie liée au sexe, avec production d'IgM

Les garçons affectés produisent des IgM médiocrement spécifiques, de par un défaut d'immunorégulation. Au spectre des infections semblables à celles de la maladie de Bruton s'ajoutent les infections à Candida et à Pneumocystis carinii. La splénomégalie et la lymphadénopathie sont fréquentes, comme aussi la neutropénie et la thrombopénie. La fonction des cellules T est diminuée.

Syndromes d'hypogammaglobulinémie variés

Cette catégorie de défauts immunologiques (acquis ou congénitaux) est la plus fréquemment rencontrée après la déficience sélective en IgA. Les formes cliniques et les examens de laboratoire sont extraordinairement variables, et s'accompagnent de degrés divers d'anomalies des cellules T, et de formation d'auto-anticorps.

Déficit sélectif en IgA

Transmise selon le mode dominant ou autosomique récessif, cette affection est très fréquente : 1 : 500 chez les sujets d'origine caucasienne. Beaucoup de sujets sont asymptomatiques ; d'autres présentent des diarrhées récidivantes, des infections respiratoires, des allergies ou des maladies auto-immunes. La formation d'anticorps spécifiques IgG et IgM et la fonction des cellules T sont normales. Il n'existe pas de traitement spécifique.

Insuffisance en facteurs humoraux non spécifiques

Déficience en tuftsine

Comme la tuftsine est synthétisée par la rate, les malades splénectomisés ou présentant une asplénie fonctionnelle (anémie falciforme) souffrent d'une déficience totale en tuftsine, avec pour conséquence une diminution de la phagocytose bactérienne et une tendance aux infections. On a décrit aussi quelques cas de déficience congénitale en tuftsine, transmise héréditairement selon le mode autosomique dominant.

Déficience en complément

Des déficiences congénitales existent pour chacune des onze différentes fractions du complément ; elles sont toutes rares, et s'accompagnent de collagénoses, de néphrites, ou d'infections à répétition (voir tableau 1).
● *Œdème angioneurotique héréditaire* : Cette affection est transmise selon le mode autosomique récessif. Les sujets homozygotes souffrent d'un excès d'activation de C_1, dû à l'absence d'inhibiteur de la C_1-estérase. En conséquence, ils présentent des attaques intermittentes d'œdème angioneurotique qui affecte la peau et les muqueuses, y compris celles du tractus digestif ou respiratoire. Des coliques abdominales graves peuvent survenir, avec diarrhée profuse. La manifestation la plus dangereuse est l'apparition rapide d'œdème pharyngé conduisant à l'asphyxie, réversible seulement par l'intubation ou la trachéotomie. Le

Tableau 1 : Déficiences congénitales des fractions du complément

Fraction déficiente	Signes cliniques
C_{1q}	Infections bactériennes, mycotiques
C_{1r}	Glomérulonéphrite chronique, lupus disséminé
C_{1s}, C_4	Lupus disséminé
C_2	Lupus disséminé, lupus discoïde, glomérulonéphrite membrano-proliférative, purpura de Schönlein-Henoch, dermatomyosite, arthrite rhumatismale, septicémie à pneumocoque
C_3	Infections pyogènes
C_5	Infections pyogènes, lupus disséminé
C_5 (dysfonction)	Pyodermie, septicémie, maladie de Leiner
C_6	Infections pyogènes
C_7	Phénomène de Raynaud, lupus disséminé, infections pyogènes
C_8	Lupus disséminé, infections pyogènes
C_9	Asymptomatique
C_1-estérase inhibiteur	Œdème angio-neurotique héréditaire, lupus disséminé
C_{3b}-inactivateur	Infections pyogènes

danazole, un androgène de synthèse, augmente le taux d'inhibition du C_1 et permet une prophylaxie effective des crises d'œdème.

● Dans l'*eczéma séborrhéique gravissime de Leiner,* une dysfonction de la 5e fraction du complément a été décrite comme étant la cause des infections cutanées et systémiques de ces nourrissons. Cette dysfonction de C'_5 entraîne une opsonisation insuffisante des bactéries, qui sont mal phagocytées, et la formation anormale de médiateur chimiotactique dans le plasma des malades. Les germes en cause sont des entérobactéries et le staphylocoque doré. Le diagnostic se fait en constatant la présence de taux quantitativement normaux de C'_5, mais dont la fonction est altérée (phagocytose diminuée des particules de levure). La maladie est transmise selon le mode autosomique récessif ou dominant.

Insuffisance de l'immunité cellulaire spécifique

Immunodéficience combinée grave et variantes

Dans la forme classique de cette maladie (alymphoplasie thymique) transmise selon le mode autosomique récessif ou lié au sexe, il existe une déficience combinée de l'immunité humorale et cellulaire. Cliniquement, les enfants atteints présentent dès la naissance des infections graves à agents bactériens, viraux ou fongiques multiples, où prédominent le muguet oral, les diarrhées réfractaires et les infections pulmonaires progressives. L'immunisation par vaccins vivants a souvent des conséquences fatales : vaccine progressive, infection généralisée à BCG. Les tests d'immunité humorale et cellulaire sont tous anormaux, et il existe en plus une lymphopénie variable. Les lymphocytes T sont absents, mais il existe quelques lymphocytes B (avec marqueurs de surface pour IgM). Les ganglions lymphatiques biopsiés sont hypotrophiques et déficients en plasmocytes et lymphocytes. Le thymus est rudimentaire, déshabité et dépourvu de corpuscules de Hassal. L'infection aiguë ou chronique par le Pneumocystis carinii est fréquente ; elle peut être prévenue par l'administration régulière de triméthoprime-sulfadiazine.

● *Variante A : déficience en adénosine déaminase* : L'adénosine déaminase, dont le locus structurel se situe au niveau du chromosome 20, transforme l'adénosine et la désoxy-adénosine en inosine et désoxyinosine ; il en résulte une inhibition de la ribonucléotide-réductase avec incapacité de division des lymphocytes T. Les sujets homozygotes pour le gène déficitaire totalisent au moins 20 % de tous les cas d'immunodéficience combinée grave ; ils perdent leur immunité cellulaire peu après la naissance, et leur immunité humorale quelques mois plus tard. S'il n'existe pas de donneur approprié pour une transplantation de moelle curative, on peut tenter le remplacement enzymatique par des transfusions de globules rouges normaux, riches en adénosine déaminase.

● *Variante B : immunodéficience combinée grave avec production d'immunoglobulines (Syndrome de Nézelof)* : L'atteinte de l'immunité cellulaire est gravissime. Les sujets synthétisent des quantités variables d'IgM, mais sont incapables de former des anticorps spécifiques actifs. L'affection est transmise selon le mode autosomique récessif ou lié au sexe, et évolue cliniquement comme les autres types d'immunodéficience combinée grave.

● *Variante C : immunodéficience combinée grave avec neutropénie (dysgénésie réticulaire)* : Les malades présentent une combinaison d'anémie aplasique et d'immunodéficience combinée grave. Ils sont donc neutropéniques, lymphopéniques, agammaglobulinémiques et souvent aussi thrombopéniques et anémiques.

Autres affections associées avec une déficience de l'immunité cellulaire spécifique

Aplasie congénitale du thymus et des parathyroïdes (syndrome de Di George)

Les enfants atteints de cette maladie naissent sans thymus ni parathyroïdes, ces glandes dérivant toutes des troisième et quatrième poches entobranchiales. La maladie résulte donc d'un trouble de l'embryogenèse de ces poches. On trouve aussi parfois des anomalies des gros vaisseaux sanguins de la même région : persistance d'un arc aortique droit par exemple. L'affection entraîne une tétanie néo-natale persistante, tenace, avec hypocalcémie, et une tendance anormale aux infections. Son origine n'est pas connue ; il ne semble pas y avoir de tendance héréditaire.

L'immunité humorale est normale, alors qu'il existe une altération profonde de l'immunité cellulaire. La biopsie du ganglion lymphatique, après stimulation antigénique locale, montre des centres germinatifs et des cordons médullaires normaux, mais une déplétion importante des régions paracorticales profondes.

Syndrome de Wiskott-Aldrich

Cette maladie, transmise selon le mode récessif lié au sexe, comporte une thrombocytopénie, un eczéma et des infections à répétition. La moelle osseuse est normale et contient notamment des mégacaryocytes en nombres normaux. La survie des plaquettes est diminuée et leur fonction anormale, avec de profondes anomalies morphologiques (microthrombocytes) et métaboliques. Les IgM sont diminuées, les IgG normales, les IgA et IgE sont souvent augmentées. La formation d'anticorps spécifiques comme des antigènes polysaccharidiens est anormale, y compris la synthèse des isohémagglutinines. La dysfonction des cellules T survient tardivement dans l'évolution. Des infections à germes pyogènes commencent dès la première année. La plupart des malades meurent d'infection ou d'hémorragie avant la 10e année.

Ataxie-télangiectasie (maladie de Louis Bar) (cf. p. 934)

Cette maladie (mode de transmission : autosomique récessif) s'accompagne d'une ataxie progressive par dégénérescence cérébelleuse, de télangiectasies cutanées faciales et d'infections bactériennes et virales des voies respiratoires.

Dans environ la moitié des cas, on observe une diminution des IgA ou des IgE. Les cellules T ne répondent que de façon minime à la stimulation par divers antigènes, malgré l'existence d'un thymus histologiquement normal. On trouve presque universellement des altérations du chromosome 14 et un nombre élevé de cassures et remaniements chromosomiques. Ces malades développent souvent des tumeurs malignes du système réticulo-endothélial.

Infection mucocutanée chronique à Candida

Le défaut immunitaire de base n'est pas complètement élucidé dans cette affection, bien que l'on soupçonne avant tout une anomalie, encore indéfinie, des cellules T. Les tests cutanés sont négatifs, mais la transformation lymphocytaire in vitro après stimulation par le Candida est normale, comme l'est aussi l'immunité humorale. Certains malades présentent un dérangement de la motilité et de l'activité bactéricide des neutrophiles. Cette affection s'accompagne souvent d'endocrinopathies variées. Les infections à Candida de la peau, des muqueuses et des ongles sont améliorées par les antibiotiques antifongiques et par la correction de l'anémie ferriprive très fréquente.

Déficiences transitoires

L'immunité cellulaire spécifique est déprimée transitoirement après de nombreuses *maladies virales* (rougeole, mononucléose infectieuse) ; on retrouve une telle déficience dans les syndromes lympho-prolifératifs, la *lèpre*, la *sarcoïdose*, et chez les malades rendus immunopéniques par pertes de lymphocytes ou d'immunoglobulines dans les reins, le tube digestif ou la peau (lymphangiectasies, syndrome néphrotique, brûlures).

Les *agents immunosuppresseurs* (corticostéroïdes, azathioprine, cyclophosphamide, méthotrexate, globulines antilymphocytaires, etc.) dépriment l'immunité cellulaire.

Insuffisance de la fonction des neutrophiles

Les syndromes neutropéniques ont été décrits à la p. 511. Seuls les plus importants des syndromes dysfonctionnels des neutrophiles seront cités ici.

Déficiences de l'adhésivité des neutrophiles

Dans la granulocytasthénie familiale, transmise héréditairement selon le mode autosomique récessif, les malades présentent des infections respiratoires bactériennes graves, des adénopathies multiples, des infections cutanées et gingivales non purulentes. Il existe une leucocytose extrême avec neutrocytose. Les tests fonctionnels des neutrophiles démontrent une adhésivité anormale ainsi qu'une migration extravasculaire et un chimiotactisme altérés.

Une diminution secondaire de l'adhésivité accompagne la prise de certains médicaments : corticostéroïdes, colchicine, vinblastine, vincristine. On observe le même phénomène dans le lupus érythémateux disséminé et la leucémie myéloïde chronique.

Déficiences de la migration extravasculaire des neutrophiles

● *Syndrome de Job* : Cette maladie atteint des fillettes à la peau claire et aux cheveux roux, qui présentent dès la naissance un eczéma suintant accompagné d'infections multiples, et surtout d'abcès froids cutanés ou ganglionnaires. Le staphylocoque doré prédomine dans ces abcès où l'on ne trouve pas de neutrophiles. Ce syndrome semble dû à un défaut isolé de la migration extravasculaire des neutrophiles.

● *Syndrome de Chediak-Higashi-Steinbrick* : Maladie autosomique récessive. Infections graves pulmonaires ou septicémies, à évolution le plus souvent fatale avant l'âge de 10 ans. Un albinisme partiel, une photophobie, un nystagmus, des fièvres inexplicables et une hépatosplénomégalie se retrouvent chez tous les malades. Les neutrophiles contiennent des granules géants caractéristiques. La neutropénie est attribuée à la destruction intramédullaire des neutrophiles, et aussi à un défaut de mobilisation de ces leucocytes à partir de la moelle. En plus de l'altération de la migration extravasculaire, il existe une déficience du chimiotactisme et du pouvoir bactéricide des neutrophiles.

● *Syndrome du leucocyte paresseux* : Altération primaire de la motilité des neutrophiles. Les enfants atteints souffrent de fièvre récurrente, de stomatogingivites et d'otites. On remarque une neutropénie marquée, inchangée après l'administration de pyrogène. La migration extravasculaire et le chimiotactisme sont diminués.

● *Autres affections* : Dans le diabète sucré mal contrôlé, on retrouve les mêmes dysfonctions des neutrophiles que dans la maladie de Chediak-Higashi-Steinbrick : diminution de la migration extravasculaire, du chimiotactisme et du pouvoir bactéricide. La migration extravasculaire des neutrophiles est également diminuée dans la leucémie granulocytaire aiguë, les leucémies lymphocytaire et granulocytaire chroniques, l'anémie aplastique, les réactions leucémoïdes, la maladie de Hodgkin et le choc médical. L'intoxication alcoolique aiguë et le traitement par les corticostéroïdes (à l'exception de la déxaméthasone) inhibent la migration extravasculaire des neutrophiles.

Déficiences du chimiotactisme des neutrophiles

Les déficiences cliniquement importantes sont avant tout secondaires. On constate de tels déficits lors de la prise de vincristine, de vinblastine, de colchicine, de corticostéroïdes, de caféine et d'alcool ainsi que dans l'arthrite rhumatoïde, l'urémie et certaines infections aiguës. Chez le nouveau-né, il existe un déficit humoral et cellulaire du chimiotactisme des neutrophiles et des monocytes.

Déficiences de la phagocytose des neutrophiles

La phagocytose est anormale dans le lupus érythémateux disséminé et dans l'insuffisance rénale urémique, dans le diabète sucré et dans la dépranocytose. Parmi les médicaments susceptibles d'inhiber la phagocytose, signalons les solutions de dextran, les corticostéroïdes, la vincristine et certains antibiotiques (surtout les sulfamidés).

Déficiences du pouvoir bactéricide des neutrophiles

● *La maladie chronique granulomateuse familiale* est discutée à la p. 511.
● Dans la *déficience congénitale en myéloperoxydase* des neutrophiles, les leucocytes sont incapables d'éliminer normalement le *Candida albicans*. Il s'ensuit, chez deux des malades décrits (qui étaient de plus diabétiques), une tendance accrue à l'infection systémique par cet agent mycotique. Les autres malades n'ont jamais eu d'infections. L'anomalie se transmet selon le mode autosomique récessif et le diagnostic se fait en notant l'absence de myéloperoxydase dans les granules des neutrophiles après coloration d'un frottis sanguin pour la peroxydase.
● Des altérations variables du pouvoir bactéricide des neutrophiles ont été décrites chez les malades atteints de leucémie ou de tumeur maligne, chez les sujets ayant subi de graves brûlures, des traumatismes ou des opérations importantes, ainsi que dans la malnutrition et l'anémie par manque de fer ou par déficience en acide folique. Dans l'infection grave (bactérienne ou virale), une altération marquée du pouvoir bactéricide des neutrophiles survient transitoirement et peut aggraver le tableau clinique. Les sulfonamides diminuent l'activité bactéricide (et surtout candidacide) des neutrophiles.

Principes de traitement

Gamma-globulines

Le traitement par les gamma-globulines s'impose dans les syndromes agammaglobulinémiques congénitaux, transitoires ou acquis. Il est inutile, cependant, de traiter les sujets dont le taux d'IgG dépasse 3 g/l (300 mg/100 ml). Comme les gamma-globulines commerciales ne contiennent virtuellement que des IgG, leur administration est inutile dans les déficiences en immunoglobulines autres qu'en IgG. La plupart des préparations commerciales de gamma-globulines sont disponibles en solutions de 16,5 %, pour usage i.m. seulement. La dose initiale dans l'agammaglobulinémie totale est de 1,6 ml/kg, suivie de doses de maintien de 0,7 ml/kg chaque mois. Les adolescents reçoivent au plus 10 ml par semaine. On préfère souvent administrer une préparation de gamma-globulines humaines, pour usage i.v. une fois toutes les 3 à 4 semaines (100 mg/kg). A diluer dans du sérum physiologique (ex. : 20 ml de gamma-globulines à 6 % dans 200 ml de NaCl à 9 ‰).

Les gamma-globulines commerciales contiennent 2 à 3 % de tuftsine. Le traitement de la déficience congénitale en tuftsine consiste à administrer 5-10 ml de gamma-globulines tous les 1 à 4 mois, selon l'âge et la réponse clinique. L'application de ce traitement pour la prophylaxie anti-infectieuse des enfants splénectomisés est à l'étude. En cas de réaction allergique aux gamma-globulines intramusculaires, il faut passer au mode d'administration intraveineux et administrer, avant l'injection, des anti-histamines et des corticostéroïdes.

Complément

Le traitement des déficiences congénitales en complément consiste en injection de plasma frais (moins de 24 heures) citraté, à raison de 5 ml/kg une à trois fois par semaine. Les mêmes doses sont recommandées pour le traitement des infections graves du nouveau-né et doivent alors être administrées tous les 2 jours jusqu'à guérison de l'infection.

Reconstitution immunologique

Dans les syndromes de déficience cellulaire, la greffe de cellules souches d'origine médullaire, à partir d'un donneur histocompatible, a donné des résultats encourageants dans plusieurs cas de dysplasie et dans l'alymphoplasie thymique. Ce traitement expérimental ne peut être effectué qu'en milieu spécialisé, et le risque de rejet fatal du receveur par réaction greffe-contre-hôte est élevé.

Des cas de syndrome de Di George ont pu être guéris par des transplantations de fragments de thymus fœtal ; la guérison rapide suggère une action hormonale des extraits de thymus (thymosine).

La moitié des malades atteints du syndrome de Wiskott-Aldrich bénéficient d'injections de facteur de transfert, qui améliore aussi de nombreux malades souffrant d'infection mucocutanée chronique à Candida.

Transfusion de leucocytes

Ces transfusions, qui nécessitent un appareillage de séparation leucocytaire coûteux, doivent être répétées à raison de 1 à 3 × 10^{10} neutrophiles/m²/jour pendant 4 jours au moins chez les malades infectés dont le nombre de neutrophiles sanguins n'atteint pas 500/mm³, quand l'antibiothérapie n'arrive pas à elle seule à enrayer l'infection. Leur succès dans le traitement des dysfonctions des neutrophiles est moins évident. Les sujets neutropéniques ou affligés de dysfonctions des neutrophiles bénéficient du traitement à long terme par la triméthoprime-sulfadiazine.

Chez les malades atteints d'une déficience cellulaire *spécifique*, toute transfusion contenant des leucocytes est à proscrire, à cause du risque fatal de réaction greffe-contre-hôte. Pour la même raison, tout produit sanguin (érythrocytes, plasma, plaquettes) utilisé pour des transfusions ordinaires dans ces conditions doit être soigneusement irradié.

Prévention des complications

L'immunisation par des vaccins vivants atténués peut entraîner des complications fatales chez les sujets atteints de déficits immunitaires cellulaires. Il faut donc n'utiliser que des vaccins tués chez ces malades, à l'exception du vaccin antivaricelleux développé spécialement à cet effet ; en cas de contact accidentel avec certains virus (rougeole, varicelle, variole, hépatite), il faut avoir recours à la protection par immunoglobulines spécifiques ou sérums convalescents irradiés. Ces deux produits sont aussi indiqués dans des circonstances analogues affectant des sujets agammaglobulinémiques (voir p. 563).
● La *réaction de greffe-contre-hôte* peut survenir chez tout malade atteint d'immunodéficience cellulaire grave, lors de transfusion d'un produit sanguin non histocompatible. Ce syndrome débute par une éruption cutanée, suivie de diarrhée, d'hépatite, de pneumonie interstitielle, d'aplasie auto-immune de la moelle avec hémolyse (test de Coombs positif). La biopsie cutanée établit le diagnostic. Malgré les résultats encourageants du traitement par corticostéroïdes à hautes doses, la mortalité reste élevée. Il est essentiel, dans tous les cas soupçonnés d'une immunodéficience quelconque, de n'administrer que des produits sanguins irradiés à 1 000-3 000 rads (érythrocytes, plaquettes, leucocytes, plasma et cryoprécipités).

Allergie

L'allergie se définit par un état d'hypersensibilité cellulaire et tissulaire dont les mécanismes sont surtout immunologiques, mais peuvent aussi être de nature enzymatique (pseudo-allergiques), neurovégétative et psychosomatique.

L'atopie est un terme synonyme de l'allergie ; c'est un état d'hypersensibilité propre à l'homme, caractérisé par un facteur héréditaire, une réaction de type anaphylactique avec la présence d'anticorps sériques réaginiques, et des manifestations cliniques surtout cutanées et/ou respiratoires.

L'antigène est une substance étrangère qui, introduite dans l'organisme, est capable de provoquer une réponse immunologique en stimulant la production d'anticorps spécifiques (immunogénicité). Lorsqu'il est à l'origine de symptômes allergiques, il devient un allergène.

Aliments, substances chimiques et médicamenteuses, poussières de maison, plumes, squames et fientes d'animaux, pollens et spores de moisissures sont les principaux allergènes actuellement reconnus. Ils

Tableau 2 : IgE sériques en fonction de l'âge

	Valeurs extrêmes UI/ml	Moyennes ± écart type UI/ml
Naissance	0-2	0,40 ± 0,50
1-3 mois	1-10	2 ± 2
3-6 mois	1-15	4 ± 5
6-9 mois	1-20	4 ± 6
1 an	1-20	5 ± 4
2 ans	1-30	8 ± 6
3 ans	1-30	14 ± 7
4 ans	1-45	20 ± 12
4-6 ans	1-50	19 ± 13
6-8 ans	1-100	25 ± 11
10-14 ans	1-100	32 ± 22
Adulte	1-100	35 ± 28

D'après Kjellman, Dutau et Michel.

peuvent être d'emblée des antigènes complets ou, s'ils sont de nature chimique simple, agir en tant qu'haptène lié *in vivo* à un support protéique. Les allergènes atmosphériques (pollens et spores de moisissures) sont souvent responsables de manifestations allergiques, surtout respiratoires, dont l'incidence saisonnière est caractéristique. Le diagnostic de l'affection correspondant à ces symptômes dépend alors de la corrélation des manifestations cliniques avec la présence saisonnière des pollens et/ou des spores de moisissures dans un climat et une contrée déterminés. Ces allergènes atmosphériques doivent donc être par définition anémophiles, disséminés en grande quantité, et ils doivent contenir une substance allergisante. On peut déterminer la quantité d'aéroallergène présente dans l'air en un milieu et un temps donnés. On obtient ainsi un calendrier pollinique et fongique qui est le reflet des conditions de pollinisation et de sporulation.

Chaque allergène est à l'origine d'un *anticorps réaginique spécifique*. *Les réagines appartiennent surtout à la classe d'immunoglobuline IgE*, plus rarement à la sous-classe des IgG4. Le taux normal d'IgE sérique varie avec l'âge (cf. tableau 2). La mesure du taux d'IgE se fait par une méthode radio-immunologique (PRIST).

La synthèse des IgE se fait au niveau de lymphocytes B immunostimulés par un allergène et transformés en plasmocytes. Cette réaction est encore modulée par d'autres éléments cellulaires, les lymphocytes T, dont certains la stimulent et d'autres l'inhibent. L'étape suivante du mécanisme de l'hypersensibilité réaginique est la liaison de molécules d'IgE avec les récepteurs de la membrane des cellules pouvant être sensibilisées (homocytotropie).

Classification des réactions allergiques et leurs manifestations cliniques

Selon Gell et Coombs (cf. fig. 1), on peut actuellement distinguer quatre types de réaction allergique chez l'homme :
1. *Réaction de type anaphylactique ou immédiat* : Elle est provoquée par réaction d'un antigène (ou allergène) avec son anticorps spécifique fixé préalablement sur la cellule ainsi sensibilisée (mastocyte, leucocyte, etc.). Cette liaison antigène-anticorps se fait par un mécanisme de pontage entre les portions Fab de deux molécules d'IgE. Ce « bridging » active alors toute une séquence d'événements intracellulaires qui aboutit à la

Fig. 1 : Réaction de type anaphylactique ou immédiat

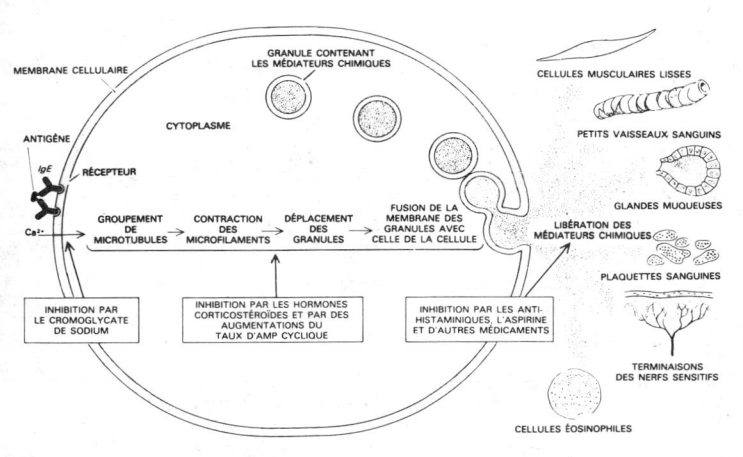

La dégranulation a les effets suivants : les ions calcium qui pénètrent dans le cytoplasme modulent l'activité des enzymes qui agissent sur les microfilaments ; ces derniers servent à faire migrer les granules vers la membrane cellulaire, à faire fusionner leur membrane avec la membrane cellulaire et à libérer leur contenu à l'extérieur du cytoplasme. Les granules contiennent des médiateurs chimiques (histamine, sérotonine, amines vaso-actives), responsables des réactions allergiques car ils agissent sur les cellules et les tissus cibles. Les médiateurs contractent les cellules des muscles lisses, dilatent les petits vaisseaux sanguins en les rendant perméables, augmentent la sécrétion des glandes muqueuses, activent les plaquettes sanguines, stimulent les nerfs cutanés et attirent les éosinophiles. On peut interférer avec la réaction anaphylactique avec des médicaments à différents stades : on peut par exemple bloquer l'entrée des ions calcium par du cromoglycate de sodium, inhiber le mouvement des granules par des hormones corticostéroïdes ou par des agents qui augmentent la concentration cytoplasmique en adénosine monophosphate cyclique (AMP cyclique). Lorsque les médiateurs sont libérés, on arrive parfois à les neutraliser grâce à divers médicaments comme les anti-histaminiques et l'aspirine ; on peut aussi s'opposer à leur action avec de l'adrénaline.

(Figure empruntée à P. Buisseret, *Pour la Science* N° 60, 1982)

Fig. 2 : Evénements se produisant au niveau de la membrane des mastocytes au cours de la réaction anaphylactique

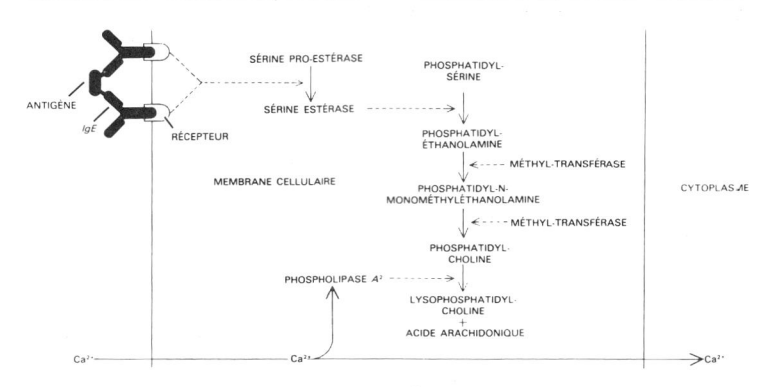

L'activation des mastocytes débute lorsqu'une molécule d'antigène se fixe sur deux molécules d'IgE portées par un mastocyte ; cet événement provoque la transformation de la sérine-pro-estérase en sérine-estérase, une enzyme qui convertit la phosphatidylsérine en phosphatidyléthanolamine. Par double méthylation (fixation de deux groupements méthyle), cette molécule est transformée en phosphatidylcholine. Les modifications permettent le passage accru d'ions calcium Ca^{++} vers le cytoplasme de la cellule. Les ions calcium activent alors les enzymes phospholipase A_2 qui dégradent la phosphatidylcholine pour former de la lysophosphatidylcholine et de l'acide arachidonique. D'autres ions calcium pénètrent dans la cellule et catalysent la dégranulation.

(Figure empruntée à P. Buisseret, *Pour la Science* N° 60, 1982)

libération de médiateurs préformés (histamine, sérotonine, ECF-A, néoformés (leucotriènes, désignés globalement par le terme de « slow reacting substance of anaphylaxis » ou SRS-A, « platelet activating factor » ou PAF, prostaglandines, etc.) et responsables de la symptomatologie (cf. fig. 1 à 3). Les principales manifestations cliniques dues à cette réaction sont : le choc anaphylactique, l'urticaire, la rhinite allergique, l'asthme bronchique. Les tests cutanés ou de provocation par inhalation d'allergène relèvent également de ce même type de réaction immédiate. Il en est de même pour les tests de laboratoire tels que la détermination de la libération d'histamine leucocytaire et les épreuves de sensibilisation passive. Cette réaction est donc la plus fréquemment en cause dans les manifestations cliniques de l'atopie chez l'homme.

2. *Réaction de type cytolytique ou cytotoxique* : Elle est provoquée par des anticorps (IgG, IgM) réagissant : *a)* soit avec un constituant antigénique cellulaire : *b)* soit avec un antigène ou un haptène intimement lié à la cellule. Elle entraîne une lésion cellulaire. Le complément (C') participe à cette réaction. Les manifestations cliniques de ce type de réaction sont surtout les accidents post-transfusionnels, certaines anémies hémolytiques, certaines maladies auto-immunes (exemple : thyroïdite).

18. IMMUNOPATHIES, ALLERGIE   575

Fig. 3 : Suite des événements membranaires : transformation de l'acide arachidonique

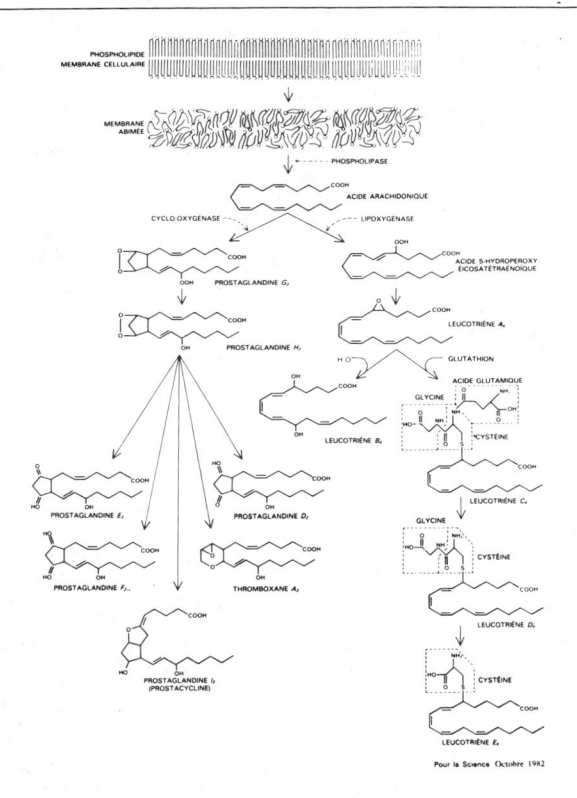

Pour la Science Octobre 1982

Les prostaglandines et les leucotriènes sont des médiateurs de l'allergie qui ne sont pas stockés dans les mastocytes. Ils sont principalement fabriqués par divers leucocytes (globules blancs) après que la membrane cellulaire s'est rompue et que de l'acide arachidonique s'est formé, à la suite d'un traumatisme, d'une infection, d'un stimulus hormonal ou de divers événements associés à la réponse allergique : l'enzyme phospholipase transforme en effet les phospholipides de la membrane cellulaire en acide arachidonique. A partir de cet acide, deux voies biochimiques distinctes permettent la synthèse des prostaglandines et des leucotriènes. L'enzyme cyclo-oxygénase (dont on peut inhiber l'activité avec de l'aspirine ou l'un de ses dérivés) agit au début de la voie de synthèse des prostaglandines (à gauche), tandis que l'enzyme lipoxygénase catalyse la première réaction de la voie des leucotriènes (à droite). Le mélange des leucotriènes C_4, D_4 et E_4, constitue le SRS-A qui contracte les petites bronchioles de façon lente et durable.

(Figure empruntée à P. Buisseret, *Pour la Science* N° 60, 1982)

3. *Réaction du type Arthus et maladie sérique* : Elle est due à une réaction antigène-anticorps, en présence d'excès d'antigène. La formation de complexes antigène-anticorps solubles cytotoxiques entraîne des lésions surtout vasculaires. Le complément participe probablement aussi à ce type de réaction. Les manifestations cliniques sont ici tout d'abord celles de la maladie sérique après injection de sérum hétérologue et de certains médicaments (antibiotiques ou chimiothérapiques) : fièvre, exanthème urticarien, arthralgies, voire polyarthrite. Certaines maladies systémiques, inflammatoires, comme les collagénoses, pourraient également relever de ce processus physiopathologique.

4. *Réaction retardée du type tuberculinique* : Elle est induite essentiellement par la réaction de lymphocytes T sensibilisés et capables de provoquer une agression tissulaire par contact direct ou par l'intermédiaire de plusieurs médiateurs solubles (lymphokines). Ce type d'hypersensibilité peut être l'objet d'un transfert passif (cellules ou « transfer factor ») à un autre sujet. Les manifestations cliniques se traduisent par des intradermoréactions positives à certains antigènes microbiens (tuberculine, bactéries diverses) et fongiques (Monilia, Trichophyton, etc.), par les eczémas de contact, les maladies auto-immunes et en particulier le rejet des greffes tissulaires.

Maladie allergique (atopie)

Etiopathogénie

Des études génétiques, épidémiologiques et physiologiques, conduites parallèlement parmi des individus allergiques et normaux, indiquent que les premiers semblent posséder : *a)* une aptitude particulière à former des anticorps réaginiques au contact de substances allergéniques, les anticorps réaginiques se fixant électivement au niveau des organes situés à la porte d'entrée de l'allergène (muqueuse conjonctivale, respiratoire, digestive, peau) ; *b)* un seuil ou un mode de réactivité tissulaire (surtout vasculaire), atypique lorsqu'on les expose à des stimuli pharmacologiques et/ou physiques variés ; ainsi des variations thermiques et barométriques peuvent induire la symptomatologie ; le seuil de réactivité aux médiateurs chimiques libérés par la réaction allergique est abaissé et peut être déterminé expérimentalement (p. ex. épreuves de bronchomotricité) ; *c)* une « homéostase » également atypique de leur système nerveux autonome ; cette particularité serait due à un défaut enzymatique intracellulaire (ex. : blocage partiel des récepteurs bêta-adrénergiques bronchiques) au niveau de la régulation de l'AMP cyclique.

● *Prévention* : Eviction précoce des allergènes responsables (surtout alimentaires et pneumallergéniques domestiques) durant le premier âge. Un taux d'IgE du sang du cordon supérieur à 10-15 U/ml chez le nouveau-né est plus fréquemment associé au développement d'une atopie.

L'allaitement maternel durant le premier semestre de vie semble pouvoir inhiber ou retarder significativement la stimulation antigénique.

Manifestations cliniques majeures

Chez l'enfant, elles sont essentiellement respiratoires (asthme bronchique, rhinite avec ou sans participation sinusienne), cutanées (eczéma atopique, urticaire, œdème angioneurotique, strophulus), oculaires (conjonctivite, blépharite) et digestives (diarrhées, vomissements, retard de croissance). Les réactions au niveau d'autres organes (cerveau et génito-urinaire) sont moins fréquentes mais peuvent parfois être méconnues.

La prévalence de l'asthme chez l'enfant est selon différents auteurs d'Europe occidentale de 1 à 3 %. Dans une étude faite à Genève en 1981, le taux était de 1,99 % chez des enfants âgés de 5 à 6 ans et de 2,83 % chez des jeunes gens de 15 ans. On a toujours pu constater une nette prédominance du sexe mâle (2 à 4 contre 1). La plupart des enfants voient leur asthme débuter avant l'âge de 5 ans et bon nombre (20-30 %) vers l'âge de 2 ans. Dans l'étude précitée, plus de la moitié des asthmatiques âgés de 15 ans étaient devenus asymptomatiques et 25 % d'entre eux avaient eu ou avaient encore un eczéma atopique. Cet eczéma est une autre manifestation clinique de la maladie allergique, souvent associée au phénomène respiratoire. On peut parler d'un syndrome dermorespiratoire. Fréquemment, la symptomatologie respiratoire prend le relais des manifestations cutanées, qui ont alors tendance à s'estomper (rémission). Plus de la moitié des probants ont des antécédents héréditaires atopiques.

Le taux de prévalence de la rhinite allergique saisonnière est, selon l'étude citée, de 1,13 % chez les enfants et de 6,15 % chez les adolescents.

Eléments du diagnostic
(inventaire allergologique, cf. tableau 3)

L'anamnèse dirigée est capitale. L'évolution, le contexte physique (habitat, climat, etc.) et le contexte psychique (climat familial, scolaire, professionnel, social) doivent être soigneusement évalués. Il faut se rappeler que la maladie allergique a souvent une composante psychoso-

---

Tableau 3 : Eléments de l'inventaire allergologique

- Eosinophilie { nasale / bronchique / sanguine
- Taux sérique IgE + réagines spécifiques (RAST)
- Précipitines sériques spécifiques
- Tests d'hémagglutination
- Tests d'immuno-cyto-adhérence
- Test de stimulation lymphocytaire

- Réagines cutanées spécifiques aux :
  pneumallergènes { domestiques / fongiques / polliniques
  allergènes alimentaires
  allergènes médicamenteux
- Test de provocation (conjonctives, nez, bronches, tube digestif)
- Tests d'hypersensibilité retardée cellulaire (TBC, bactéries, mycoses)

matique. Le bilan clinique d'un enfant allergique sera à la fois morphologique (examen somatique, radiologie, cytologie des sécrétions nasales et/ou bronchiques) et fonctionnel (fonctions pulmonaires, perméabilité des voies respiratoires supérieures, activité cardiaque, audiologie, etc.). L'inventaire immunologique aura essentiellement pour but de préciser les mécanismes dont la responsabilité est suspectée. A cet effet, on utilise soit des tests in vivo (test cutané : test de grattage — « scratch test » — ou intradermoréaction, inhalation bronchique, tests épimuqueux au niveau conjonctival ou nasal), soit des tests in vitro sérologiques (radio-allergosorbent-test = RAST) et libération de l'histamine leucocytaire) ou cellulaires (immunoadhérence et/ou inhibition de la migration leucocytaire, stimulation lymphocytaire, etc.).

Asthme bronchique

Physiopathologie

L'asthme est un syndrome d'obstruction bronchique intermittente et réversible, à trois composantes majeures : bronchospasme, œdème de la muqueuse et hypersécrétion de mucus. L'obstruction bronchique est réversible et elle a rarement une répercussion cardiaque chez l'enfant. Elle produit une augmentation de la résistance des voies aériennes qui se traduit par une diminution des performances ventilatoires (volume expiratoire maximum par seconde ou V.E.M.S., rapport de Tiffeneau ou V.E.M.S./C.V., ventilation maximum par minute ou V.M.M. et débits expiratoires). Le rapport des volumes pulmonaires se modifie également. La capacité vitale (C.V.) diminue avec une augmentation du volume résiduel (V.R.) et la capacité résiduelle fonctionnelle (C.R.F.) s'élève. Ces derniers changements sont les témoins de l'hyperinflation ou distension pulmonaires. La compliance pulmonaire dynamique est diminuée secondairement à l'hyperinflation et aux troubles de la ventilation ; ainsi une élévation de la résistance du poumon à l'expansion s'ajoute à l'augmentation des résistances au flux aérien. Le travail pulmonaire, c'est-à-dire la quantité d'énergie dépensée par litre ventilé, est alors considérablement augmenté. Pour certains, cette diminution de la compliance serait même le principal élément responsable de l'hypoxémie (cf. chapitre 11, tableau 1). Les modifications initiales de la bronchoréactivité se situent au niveau des bronches de petit calibre et peuvent être cliniquement silencieuses. Leur dépistage précoce est possible par la détermination des variations des débits aériens à ce niveau de l'arbre bronchique. L'analyse des courbes débit-volume, volume de fermeture, etc. permettent actuellement ces constats diagnostiques.

Comparativement à l'adulte, il ne semble pas que les bronches de petit calibre, en particulier les bronchioles, dont le diamètre est de 1 mm au moins, soient plus petites chez l'enfant. L'espace mort anatomique, soit la somme du volume des conduits aériens, représente normalement moins de 30 % du volume courant. Chez le nourrisson, il peut atteindre 40 %, voire dépasser 70 % en cas de détresse respiratoire. Chez un enfant entre 1 et 5 ans, la fréquence respiratoire normale au repos varie entre 20 et 30/minute. La réduction de la dimension des voies aériennes entraîne une augmentation de cette fréquence. Afin de compenser le manque de temps nécessaire à une ventilation alvéolaire efficace, l'amplitude respiratoire doit augmenter. Il en résulte rapidement un travail respiratoire excessif et épuisant pour un enfant.

Tableau clinique

L'obstruction bronchique se traduit par une gêne respiratoire, surtout expiratoire ; une dyspnée importante s'installe parfois très rapidement. Les ampliations thoraciques sont diminuées et les muscles accessoires mis à contribution. A l'auscultation, des sibilances sont audibles aux deux temps et peuvent s'accompagner de râles humides, révélateurs de l'accumulation d'un mucus encore relativement fluide. Lorsque la dyspnée s'aggrave avec l'apparition de cyanose, on peut parler d'état de mal, qui s'est installé en dépit de la thérapeutique instituée. Certains facteurs iatrogènes aggravants sont connus : soit une surmédication surtout sédative et xanthique, soit une sous-médication, surtout dans l'emploi des corticoïdes. A ce stade, l'enfant est anxieux et agité. La cyanose est évidente, malgré des téguments congestionnés et moites. La dyspnée s'accroît encore, avec une prolongation marquée de l'expiration ; les bruits adventices diminuent d'intensité. Le pouls est rapide et la tension artérielle s'élève. Une situation d'insuffisance respiratoire peut alors se développer dans un délai très court. La déshydratation des téguments est nette et la cyanose persiste malgré l'O₂. La pO₂ sanguine est basse et la pCO₂ s'élève. A l'extrême, l'enfant devient stuporeux, puis sombre dans le coma. Il est en acidose respiratoire et hypercapnie. L'hypoxie entraîne également une acidose métabolique qui aide à abaisser le pH sanguin. Les mécanismes de compensation rénaux avec excrétion des ions hydrogène et réabsorption d'acide carbonique sont rapidement insuffi-

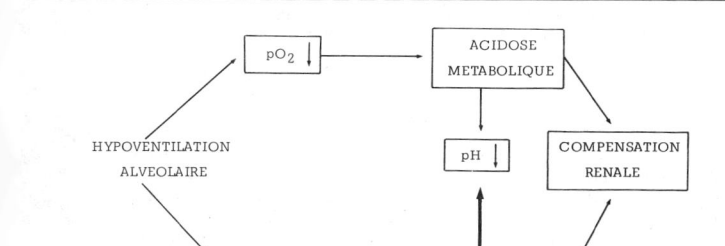

Fig. 4 : Hypoventilation alvéolaire et équilibre acido-basique

Tableau 4 : Score d'évaluation clinique

Signes	Score 0	Score 1	Score 2
pO_2 (mmHg)	70-100 (air)	70 (air)	70 (avec 40% O_2)
ou cyanose	aucune	à l'air	avec 40% O_2
Bruits inspiratoires	N	Inégaux	Diminués ou absents
Action muscles accessoires	O	Modérée	Maximale
Sibilances expiratoires	O	Modérées	Fortes
Etat de conscience	N	Apathie ou agitation	Coma

Un score de 5 ou plus = danger d'insuffisance respiratoire
Un score de 7 ou plus (avec $pCO_2 > 65$ mmHg) = insuffisance respiratoire

sants (cf. fig. 4). Un score d'évaluation clinique permet de suivre l'évolution et d'adapter les mesures thérapeutiques (cf. tableau 4).

Dans la très grande majorité des cas cependant, l'évolution d'un état de mal asthmatique est favorable, même en présence d'une défaillance respiratoire, l'obstruction bronchique étant un événement heureusement réversible. En dehors des crises, l'exploration fonctionnelle pulmonaire révèle cependant souvent la persistance d'une obstruction bronchique surtout périphérique, qui peut alors s'exacerber à l'effort ou après provocation médicamenteuse (acétylcholine, histamine) ou antigénique (pneumallergènes) et confirmer une bronchomotricité anormale. Le diagnostic d'*emphysème pulmonaire* ne peut être posé chez un enfant par une seule investigation radiologique. Des signes même importants d'hyperinflation ne permettent pas de parler d'emphysème. Ce diagnostic *anatomique* peut cependant être évoqué si, entre les épisodes critiques, la fonction pulmonaire ne se normalise pas, en particulier si le volume résiduel et la capacité fonctionnelle résiduelle restent élevés, même après broncho-dilatation médicamenteuse. Le thorax se déforme alors en « tonneau » avec des ampliations respiratoires fortement diminuées.

Traitement (cf. fig. 5)

Bronchodilatation, mucolyse et ventilation

Une broncholyse efficace dépend des mécanismes qui régissent la motricité de l'arbre bronchique. La biologie moléculaire nous apprend que l'un des maîtres du terrain est l'AMP cyclique dont l'augmentation du niveau intracellulaire concourt à la relaxation de la fibre musculaire lisse, donc à la bronchodilatation. Deux enzymes contrôlent ce niveau : *a)* l'adénylcyclase, sur laquelle agissent les adrénergiques en élevant son activité, et *b)* la phosphodiestérase, sur laquelle agissent les méthylxanthines en l'inhibant. Substances sympathicomimétiques et xanthiques représentent ainsi les deux sources principales de nos médicaments bronchodilatateurs.

A. Sympathicomimétiques

L'étude des récepteurs adrénergiques et leur distribution tissulaire ont permis de comprendre le mode d'action des sympathicomimétiques employés actuellement en thérapeutique. Elle a entraîné la mise au point de différents dérivés de l'épinéphrine dont l'action sélective β-2-adrénergique en fait des bronchodilatateurs particulièrement efficaces et pratiquement bien tolérés. Les substances β-2-agonistes dont l'utilité thérapeutique est actuellement reconnue sont : le salbutamol (Ventolin®), la terbutaline (Bricanyl®) et le fénotérol (Berotec®). Elles peuvent être administrées par voie orale, parentérale, et par inhalation. La posologie recommandée doit être respectée, car une dose excessive augmente alors de manière significative l'action β-1-adrénergique au niveau cardiaque.

La voie d'administration par aérosol, en particulier au moyen d'un spray doseur, doit être techniquement maîtrisée par le patient.

L'*adrénaline* (L, solut. 1:1000 ; 0,1-0,5 mg/dose) ne possède pas la sélectivité de ses nouveaux dérivés, car son activité pharmacologique s'exerce aussi bien au niveau des récepteurs α que β. Son mode d'action plus étendu lui fait cependant garder une place de choix dans le traitement du choc anaphylactique.

B. Parasympathicolytiques

Ces substances, dérivées de l'*atropine*, baissent le tonus bronchique exercé par le parasympathique par l'intermédiaire de l'acétylcholine. Cette action anticholinergique porte essentiellement sur les grosses bronches et antagonise partiellement l'effet bronchoconstricteur de l'histamine.

Ses incidences secondaires (effet atropinique, en particulier diminution de l'activité muco-ciliaire) en ont longtemps limité l'utilisation

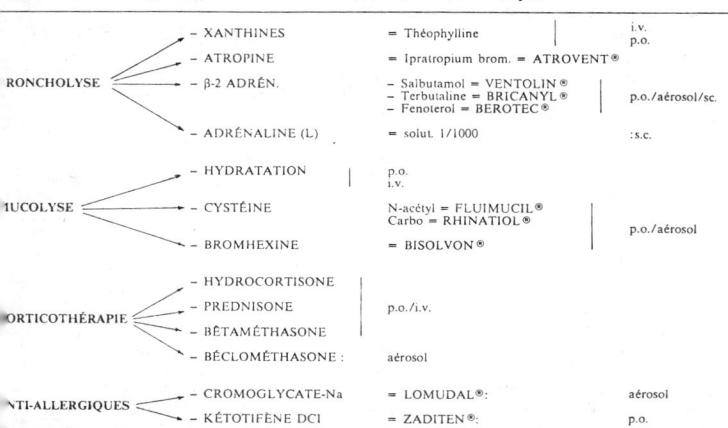

Fig. 5 : Traitement médicamenteux de l'asthme bronchique

BRONCHOLYSE	– XANTHINES	= Théophylline	i.v. / p.o.
	– ATROPINE	= Ipratropium brom. = ATROVENT®	
	– β-2 ADRÉN.	– Salbutamol = VENTOLIN® – Terbutaline = BRICANYL® – Fenoterol = BEROTEC®	p.o./aérosol/sc.
	– ADRÉNALINE (L)	= solut. 1/1000	: s.c.
MUCOLYSE	– HYDRATATION	p.o. / i.v.	
	– CYSTÉINE	N-acétyl = FLUIMUCIL® Carbo = RHINATIOL®	p.o./aérosol
	– BROMHEXINE	= BISOLVON®	
CORTICOTHÉRAPIE	– HYDROCORTISONE		
	– PREDNISONE	p.o./i.v.	
	– BÊTAMÉTHASONE		
	– BÉCLOMÉTHASONE :	aérosol	
ANTI-ALLERGIQUES	– CROMOGLYCATE-Na	= LOMUDAL®:	aérosol
	– KÉTOTIFÈNE DCI	= ZADITEN®:	p.o.

thérapeutique. Un dérivé atropinique récent, l'ipratropium bromatum (Atrovent) s'est cependant révélé utile sans effet secondaire appréciable aux doses prescrites (par inhalations en spray doseur de 0,02 mg/dose 3 à 4 fois par jour ou par aérosolisation d'une solution à 0,25 mg/ml pour obtenir une dose journalière équivalente).

C. Xanthines

La 1-3-diméthylxanthine ou *théophylline* possède une action bronchodilatatrice remarquable due à son effet inhibiteur de la phospho-diestérase. La théophylline a également d'autres activités pharmacologiques, en particulier cardio-tonique et diurétique. Cette dernière action peut expliquer une déshydratation intempestive. La théophylline et ses dérivés, en particulier l'aminophylline, qui est une éthylène-diamine-théophylline, sont rapidement absorbés après leur administration orale ou parentérale. Leur biodisponibilité peut être très différente d'un sujet à un autre avec des posologies cependant identiques. La demi-vie plasmatique de la théophylline est d'environ 4 heures après l'injection intraveineuse. La concentration sérique optimale pour un effet thérapeutique suffisant se situe entre 10 et 20 mcg/ml.

La théophylline a des effets nettement toxiques lorsque cette concentration sérique dépasse 20 mcg/ml et, là encore, le seuil de toxicité est individuellement variable. L'effet toxique de la substance est surtout dû à une stimulation excessive du système nerveux central et de l'appareil cardiovasculaire. Céphalées, palpitations, agitations, vertiges, nausées, puis vomissements, convulsions et collapsus vasculaire sont les principaux signes cliniques d'une telle intoxication.

Une surveillance médicale régulière et des dosages répétés de la théophyllinémie permettent d'éviter le surdosage.

Les dosages recommandés de théophylline sont les suivants :
- *Voie veineuse :*
Dose d'attaque : 3-6 mg/kg.
Dose d'entretien initiale : Enfant de 1 à 9 ans : 0,8 mg/kg par heure. Enfant de plus de 9 ans : 0,6 mg/kg par heure.
- *Voie orale* : Chez l'enfant, une dose de 5 à 6 mg par kg toutes les 6 à 8 heures est en général suffisante. Outre la réponse clinique, le contrôle périodique de la théophyllinémie permet de moduler individuellement cette posologie. C'est en fait le *contenu effectif* des préparations théophylliniques *en théophylline pure* qui doit conditionner la thérapeutique.

Les formes retard (Theolair SR®, Xantivent®, Phyllotemp®) de théophylline permettent une prise biquotidienne (10-12 mg/kg/24 h) qui améliore la compliance thérapeutique.

D. Mucolyse

Une bonne *hydratation* est l'un des meilleurs mucolytiques à notre disposition. Il faut donc la surveiller et, si l'état clinique l'impose, la voie intraveineuse doit suppléer à un apport oral insuffisant.

Cette voie d'administration est alors également le support de traitements plus spécifiques (correction d'une acidose, antibiotique, etc.). Une mucolyse médicamenteuse peut parfois être utile, bien qu'elle soit actuellement très controversée. Les substances réputées mucolytiques sont surtout représentées par la *bromhexine* (Bisolvon) et les dérivés de la *cystéine* (N-acétyl = Fluimicil®, carbométhyl = Rhinatiol®). Les dérivés du *guaiacol* sont à la base de nombreuses préparations à vocation expectorante mais leur efficacité reste également sujette à caution.

Une *physiothérapie respiratoire* est également indiquée pour obtenir à court terme un bon drainage des mucosités et à plus long terme le maintien d'une compliance thoracique adéquate et un bon contrôle ventilatoire.

En cas d'insuffisance respiratoire aiguë, une *ventilation assistée* avec intubation naso-trachéale ou trachéale s'impose en plus de l'*oxygénothérapie*. Il faut se rappeler ici que la bronchodilatation médicamenteuse peut aggraver l'hypoxie ; la PO_2 sanguine doit être surveillée et l'apport d'oxygène, approprié.

La présence d'une acidose grave exige une correction par un *alcalinisant* (bicarbonate de sodium).

Corticothérapie

L'intensité et la fréquence des symptômes nécessitent parfois l'institution d'une corticothérapie orale, soit en cure brève, soit à plus long terme. Son emploi est pratiquement sans inconvénient dans la mesure où les cures sont occasionnelles, courtes et rapidement dégressives, mais la dose initiale doit être suffisante, de l'ordre de 2 mg/kg de prednisone par jour. Lorsqu'un asthme sévère nécessite des traitements prolongés en attendant que les facteurs saisonniers, climatiques et un résultat bénéfique d'une médication spécifique puissent permettre de s'en passer, il faut alors trouver une dose minimale efficace et essayer de mettre en place un traitement alterné, avec une prise journalière unique et matinale, un jour sur deux. En cas de cortico-dépendance, ce schéma posologique n'est cependant pas toujours efficace, bien qu'il permette une activité surrénalienne normale. L'équivalent quotidien de 5 mg de prednisone peut déjà ralentir la croissance et entraîner bien entendu une inhibition surrénalienne, en plus des autres effets bien connus des corticoïdes. Lors du choix d'un corticostéroïde, la préférence doit aller à une substance dont la demi-vie plasmatique est la plus courte et c'est le cas pour l'*hydrocortisone*, la *prednisone* et la *betaméthasone*. Pour un état de mal, on recourt à la *dexaméthasone*, dont la demi-vie est plus longue, car dans cette situation, heureusement transitoire, le souci d'efficacité l'emporte sur d'éventuels effets secondaires.

Actuellement le recours à la corticothérapie est plus facile par la possibilité d'utiliser le dipropionate de béclométhasone par voie topique (aérosol-doseur, Rotahaler®, nébulisation). Ce corticoïde ne semble pas avoir d'effets systémiques aux doses recommandées de 200 à 600 mcg par jour en 2 à 4 prises. Mais, là encore, la technique d'utilisation doit être adaptée individuellement et contrôlée.

Il ne semble pas indispensable actuellement d'associer antibiotiques et antifongiques dans les traitements corticoïdes à dose normale, ni dans les traitements prolongés à dose faible. L'antibiothérapie reste donc réservée aux cas de surinfection microbienne, si possible bactériologiquement prouvée, et en particulier dans les situations d'état de mal asthmatique.

Traitement anti-allergique

L'arsenal thérapeutique médicamenteux de l'asthme comprend également une médication déjà spécifique puisqu'elle essaye de neutraliser les effets de la réaction allergique anaphylactique souvent en cause. Ainsi le *cromoglycate de sodium* s'est révélé être un bronchoprotecteur efficace, surtout lorsque le facteur réaginique est important, et pratiquement sans effet secondaire. La substance, sous forme de poudre ou d'un soluté, est administrée par voie d'aérosol à raison de 2 à 6 prises journalières de 20 mg. Un effet bénéfique particulièrement apprécié est celui d'une nette protection contre l'asthme d'effort. Des inhalations de cromoglycate de sodium permettent souvent la pratique d'un sport (natation, football, basket-ball) sans l'apparition précoce d'une dyspnée. Un nouvel antihistaminique semble avoir des propriétés inhibitrices de l'histamino-libération : le *kétotifène*, administré par voie orale à la dose bi-quotidienne de 1 à 2 mg.

La revue des moyens actuellement à disposition pour le traitement de l'asthme bronchique chez l'enfant ne serait pas complète si l'on ne mentionnait pas la *médication spécifique*, c'est-à-dire étiologique. Cette démarche thérapeutique peut être la suite logique d'un inventaire allergologique détaillé. La mise en cause anamnestique, clinique et biologique d'un ou plusieurs allergènes permet en premier lieu des *mesures de suppression des sources reconnues d'allergènes* et l'obtention et le maintien d'un micro-climat domestique optimal. Ces directives, pour autant qu'elles soient suivies, sont déjà susceptibles d'entraîner une amélioration appréciable, parfois même d'amender la symptomatologie lorsque le degré d'hypersensibilisation n'est pas trop élevé. Lorsque les possibilités d'éviction sont illusoires, l'indication d'une *hyposensibilisation* ou *immunothérapie* spécifique est indiquée. Lorsque celle-ci a été posée correctement et que la conduite du traitement se fait dans de bonnes conditions, en particulier suffisamment longtemps, 2 à 3 ans, les résultats sont généralement très satisfaisants, et permettent ainsi progressivement une réduction substantielle de la médication symptomatique, qui reste alors réservée à des accidents occasionnels.

Mesures adjuvantes

La *climatothérapie*, surtout en altitude, associée ou non à une cure thermale, en tant que mesure adjuvante dont le bénéfice à long terme est souvent intéressant. Les effets de l'altitude, un éloignement temporaire du milieu familial et un encadrement médical dans des centres spécialisés expliquent certainement les succès de cette démarche.

L'asthme comporte souvent un élément psychosomatique. Lorsque la composante psycho-affective se révèle importante, une médication sédative voire neuroleptique peut être utile mais doit être maniée avec prudence. Une évaluation spécialisée psycho-pédagogique peut parfois même s'imposer avec la mise en route d'une *psychothérapie* ou plus simplement d'une *relaxation*. Les exercices de relaxation peuvent agir sur les facteurs psychologiques qui favorisent l'apparition des crises, en particulier le sentiment d'angoisse, et même sur la composante organique, essentiellement le bronchospasme. Elle peut donc être une thérapeutique préventive ; mais l'âge de l'enfant et son niveau de développement psychomoteur conditionnent cette approche.

Pneumopathies (alvéolites) allergiques

Un tableau clinique de bronchite asthmatiforme avec toux, fièvre récidivante, frissons et épisodes de dyspnée paroxystique doit faire penser à la possibilité d'une pneumopathie allergique. Elle est due à une sensibilisation à des produits d'origine animale, fongique et probablement aussi chimique, avec une réaction allergique mixte de type immédiat et de type semi-retardé. Le malade peut se présenter assez rapidement comme un grand insuffisant respiratoire par fibrose pulmonaire. C'est ce que l'on décrit sous le terme de poumon de fermier, d'éleveur de pigeons, etc. Ainsi les excréments de pigeons sont un agent sensibilisateur fréquent. La présence de précipitines (IgG) sériques spécifiques est pathognomonique. Les enfants vivent en général en milieu rural ou proviennent d'une famille dont les parents élèvent ces volatiles pour leur plaisir. L'éviction suffisamment précoce amène heureusement une guérison définitive.

Rhinite allergique

La muqueuse nasale est la première au contact de l'air inhalé et des allergènes atmosphériques, des agents pathogènes bactériens ou viraux et des polluants. La réaction allergique déclenche à ce niveau une rhinite spasmodique avec prurit nasal, éternuements en salve, obstruction et rhinorrhée séreuse intermittente. L'aspect de la muqueuse est assez caractéristique : œdème pâle, parfois polypoïde. Le mucus est visqueux et contient (frottis) de nombreux éosinophiles. Il s'ajoute souvent une participation sinusienne : seule la radiologie permet de mettre en évidence l'épaississement de la muqueuse au niveau maxillaire et parfois ethmoïdien. Une surinfection bactérienne est possible.

Rhinite allergique saisonnière

Elle est principalement due à une sensibilisation pollinique (pollinose) et fongique. Une conjonctivite et parfois une réaction cutanée urticarienne ou eczémateuse s'associent à la symptomatologie nasale. Une médication antihistaminique et vaso-constrictive est en général efficace. On préférera un antihistaminique réputé non sédatif (par ex. laterfénadine). Des insufflations nasales de cromoglycate disodique (Intal® nasal ou Lomusol®) et de corticoïdes à action essentiellement topique (béclométhasone, flunisolide) peuvent également être utiles. Une immunothérapie spécifique, en général présaisonnière, permet d'obtenir une hyposensibilisation significative dans plus de 80 % des cas.

Rhinite allergique perannuelle

Elle persiste tout au long de l'année avec des phases successives d'accalmie et d'exacerbation. Une participation laryngo-trachéale peut entraîner une toux de caractère spasmodique à prédominance nocturne. Les principaux pneumallergènes mis en cause sont domestiques (poussières, plumes, moisissures, animaux, etc.). Des facteurs physiques peuvent également être observés (changements de temps, de température, facteurs irritants, etc.). Une rhinite allergique perannuelle est très souvent associée à l'asthme bronchique et n'est alors qu'un élément d'une allergie à laquelle participe tout l'arbre respiratoire. La thérapeutique est donc sensiblement la même que celle décrite pour l'asthme, avec cependant un point d'impact surtout local. L'éphédrine et les nasoconstricteurs adrénergiques ont ici leur place. L'éphédrine, la pseudo-éphédrine et la phényléphrine sont utilisés par voie orale et locale, alors que l'oxymétazoline (Nasivin®) et la xylométazoline (Otrivine®) ne sont utilisés que localement. *Per os*, l'association vasoconstricteur + anti-histaminique (ex. carbionoxamine + phényléphrine = Rhinopront®) est souvent satisfaisante. Les corticoïdes topiques (béclométhasone et flunisolide) sont également très utiles.

La présence de polypes nécessite leur ablation chirurgicale.

A part une médication symptomatique, une immunothérapie spécifique peut être utile si un ou plusieurs allergènes ont pu être rendus responsables de la symptomatologie ; mais il faut reconnaître que le bénéfice de cette thérapeutique est ici nettement moindre que celui obtenu par le traitement d'une rhinite allergique saisonnière.

Une participation sinusienne persistante associée à des bronchectasies doit faire suspecter un syndrome des cils immobiles (cf. p. 300).

Une rhinite polypeuse avec ou sans asthme chez l'adolescent peut s'associer à un syndrome d'intolérance à l'aspirine et à d'autres substances anti-inflammatoires, voire à des additifs ou des colorants alimentaires (réactions pseudo-allergiques).

Eczéma atopique

Cette manifestation cutanée de l'atopie est caractérisée par des lésions d'abord érythémateuses, puis vésiculeuses et enfin squameuses, évoluant par poussées successives, avec des localisations préférentielles (visage, cou, plis de flexion des membres). La dermatose peut cependant s'étendre au reste du corps avec une érythrodermie généralisée. Au stade vésiculeux, l'aspect inflammatoire et exsudatif prédomine. Au stade squameux, l'élément hyperkérastosique s'accompagne d'une desquamation qui fait progressivement place à une peau sèche, lichénifiée. Entre les poussées, les téguments peuvent redevenir parfaitement propres, mais la peau garde un aspect xérotique, avec une fine desquamation. Les lésions apparaissent souvent à la fin du premier trimestre de vie et, après une évolution floride durant la première année, elles ont tendance à s'estomper, avec une rémission souvent complète dès la fin de la deuxième année. C'est alors que les manifestations respiratoires de l'atopie peuvent prendre le relais de la symptomatologie cutanée.

● *Etiologie* : Probablement multifactorielle. Parfois une sensibilisation à certains pneumallergènes peut être mise en évidence par la présence d'anticorps réaginiques spécifiques, mais des facteurs non spécifiques, cellulaires, vasculaires, etc., sont certainement aussi en cause.

● *Diagnostic différentiel* : Distinguer principalement l'eczéma séborrhéique (cf. p. 891), dont l'évolution naturelle, l'aspect des lésions et la

réponse au traitement local sont différents (voir aussi p. 567 : syndrome de Wiskott-Aldrich).
● *Traitement* : Il demeure essentiellement local et les dérivés corticoïdes se révèlent très efficaces mais n'empêchent pas les récidives. Les goudrons minéraux et végétaux ainsi que des agents kératolytiques (en particulier l'acide salicylique) sont parfois utiles, surtout pour amender l'élément hyperkératosique. Il faut penser à la surinfection microbienne et la traiter. En plus de la médication topique, il faut recommander d'éviter tout irritant (laine, savon ordinaire, parfum, etc.). Le prurit qui accompagne les poussées nécessite souvent une sédation (antihistaminiques, hydroxyzine, sirop de chloral).

Urticaire

Les lésions sont caractérisées par des placards cutanés surélevés (papules ou macules), dont les dimensions sont très variables, de même que la localisation. Elles évoluent par poussées assez rapides et prédominent en général sur le tronc et les membres. Une libération locale d'amines vaso-actives (histamine, etc.) est responsable de cet œdème aigu, dont le siège est sous-épidermique. L'épiderme reste intact. L'œdème est parfois important et amène une déformation des extrémités et de la face (lèvres, pavillons de l'oreille, etc.) On le qualifie alors d'œdème angioneurotique ou œdème de Quincke.
● *Etiologie* : Réactions allergiques de type immédiat, l'urticaire et l'œdème angioneurotique peuvent être déclenchés par divers allergènes, surtout alimentaires et médicamenteux. Ces derniers provoquent parfois un tableau clinique de maladie sérique, avec, en plus de l'élément cutané, une fièvre, des arthralgies et des adénopathies. Médicaments et piqûres d'insectes, surtout hyménoptères (abeilles, guêpes), sont des causes assez fréquentes et parfois redoutables d'urticaire avec œdème angioneurotique. Des causes physiques (froid, lumière solaire et exercice physique) sont parfois responsables d'un urticaire, qui peut alors être qualifié de cryogénique, cholinergique, etc. La dermatose peut également être induite par un facteur psychique. Une anomalie du système du complément, soit un déficit en inhibiteur de la C'1-estérase, est responsable de l'œdème angioneurotique héréditaire et familial (cf. p. 564).
● *Traitement* :
1. Eviction, si possible, de l'élément causal (ex. : aliment, médicament).
2. Anti-histaminiques ; adrénaline et cortisone si participation laryngée. L'hydroxyzine (Atarax®) s'est révélée un bon antiprurigineux, en plus de ses propriétés antihistaminiques et relaxantes et son action est efficace dans l'urticaire cholinergique. La cyproheptadine (Périactine®) s'impose dans l'urticaire au froid.

Allergie aux venins d'hyménoptères

Des piqûres successives de venins d'hyménoptères (abeille et guêpe) peuvent sensibiliser certains sujets et provoquer des réactions locales et systémiques parfois sévères (choc anaphylactique). Anamnèse et mise en évidence de réagines spécifiques (tests cutanés et RAST) posent l'indication d'une immunothérapie spécifique.

On mettra également à disposition une trousse d'urgence avec antihistaminiques et adrénaline injectable.

Chapitre 19

Maladies infectieuses et parasitaires

par J. Joncas, J. R. Lapointe, L. Chicoine,
L. Lafleur et P. Viens

Maladies infectieuses virales

Les principaux virus ou groupes de virus pathogènes pour l'homme sont énumérés au tableau 1. Les virus sont des micro-organismes constitués d'un élément d'information génétique de nature ADN (acide désoxyribonucléique) ou ARN (acide ribonucléique) recouvert d'une capside formée d'unités protéiniques disposées symétriquement, soit directement sur la spirale d'acide nucléique (virus à nucléocapside hélicoïdale), soit en formant autour de l'acide nucléique une structure polyédrique (icosaèdre d'ordinaire) de 32 à 252 capsomères (virus à nucléocapside cubique). L'un ou l'autre de ces deux types de virus peut être recouvert ou non d'une enveloppe additionnelle de nature glycolipoprotéinique, certains virus (poxvirus) sont de structure complexe. Le diamètre des virus varie de 20 à 300 nanomètres. Ils ne peuvent se reproduire qu'à l'intérieur de cellules vivantes, non par fission binaire comme les bactéries, mais en produisant en pièces détachées, ensuite assemblées, les éléments de structure et les enzymes nécessaires à leur reproduction. La cellule ainsi parasitée peut être détruite (virus cytolytique : entérovirus par exemple) ; c'est le phénomène le mieux connu. Elle peut aussi ne pas l'être nécessairement (virus « tempéré ») : infection persistante par les virus du groupe herpès ou par le virus de la rougeole. La cellule peut même être amenée à proliférer d'une façon désordonnée (virus oncogène : papillomavirus responsable des verrues par exemple). Dans ces deux dernières éventualités, la destruction des cellules parasitées dépend probablement de la valeur et de l'efficacité des mécanismes de surveillance immunologique (immunité cellulaire). La maladie représente probablement au niveau de l'hôte entier le résultat cliniquement apparent de ces différents phénomènes, lorsqu'ils dépassent le seuil homéostatique.

Tableau 1 : Classification des principaux groupes de virus pathogènes pour l'homme

Constitution génétique	Famille virale ou groupe de virus	Virus, lésion ou maladie
ADN	● *Poxviridae*	Variole ; vaccine ; Molluscum contagiosum.
	● *Papovaviridae*	Verrues vulgaires ; leuco-encéphalite multifocale.
	● *Adenoviridae*	Conjonctivite ; fièvre ; infection des voies respiratoires supérieures ; pneumonie.
	● *Herpesviridae*	Herpès simplex. Cytomégalovirus : maladie à inclusions cytomégaliques. Virus V-Z : varicelle, zona (herpès zoster). Herpès « B » : encéphalite. Virus EB (Epstein-Barr) : mononucléose infectieuse. Herpès simplex : stomatite, dermatite vésiculeuse, encéphalite.
	● Virus de l'hépatite B	Hépatite B - Hépatome.
ARN	● *Orthomyxoviridae*	Influenza A, B, C.
	● *Paramyxoviridae*	Para-influenza 1 à 4 ; oreillons ; rougeole ; virus respiratoire syncytial (RS) ; bronchiolite, pneumonie, infection des voies respiratoires supérieures.
	● *Rhabdoviridae*	Rage.
	● *Picornaviridae* — Entérovirus	Poliovirus types 1, 2, 3 : poliomyélite ; Coxsackie A et B, ECHO : fièvre ; méningite lymphocytaire ; méningo-encéphalite ; exanthèmes ; infections respiratoires ; Coxsackie A : herpangine ; Coxsackie B : myocardites, péricardites ; pleurodynie. Virus de l'hépatite A (entérovirus probable).
	— Rhinovirus	Rhume banal.
	● *Reoviridae* — Orthoréovirus	Infections respiratoires et entérites.
	— Rotavirus	Gastro-entérite.
	● *Coronaviridae*	Infections respiratoires (bronchite, broncho-pneumonie).
	● *Togaviridae* du groupe A — Alphavirus	Encéphalite équine de l'Ouest et de l'Est (« western and eastern equine encephalitis »), encéphalites diverses, fièvre hémorragique.
	Togaviridae du groupe B — Flavivirus	Encéphalite type Saint-Louis ; dengue ; fièvre jaune ; encéphalite russe printanière ; encéphalite d'Europe centrale.
	Autres togaviridae — Rubivirus	Rubéole.
	● *Arenaviridae*	Chloroméningite lymphocytaire.
Origine virale Probable	● V. de la roséole	Roséole.
	● V. de l'érythème infectieux	Erythème infectieux.
	● Agents des mal. chron. du système nerveux	Maladies à évolution lente du système nerveux central.

Suite à droite

Principes de diagnostic des infections virales

Le diagnostic d'une infection virale repose d'une part sur l'isolement du virus et d'autre part sur la démonstration en cours de maladie d'une séroconversion (absence d'anticorps spécifique dans le premier sérum et présence d'anticorps au moins dans les deux premières dilutions du 2e sérum) ou d'une augmentation d'au moins deux dilutions (« 4-fold ») du titre des anticorps. Le diagnostic n'est que présomptif en l'absence de l'isolement du virus ou de la preuve sérologique, étant donné l'existence de porteurs sains pour des périodes relativement prolongées après la maladie d'une part et la possibilité de réponse sérologique hétérotypique d'autre part (entre oreillons et para-influenza et même polio par exemple).

Distinction infection-maladie

L'isolement d'un virus accompagné d'une séroconversion à ce virus indique une infection par ce virus ; cependant, parce que cette infection peut être inapparente et coïncider avec une autre infection, celle-là apparente et se traduisant par une maladie clinique sans relation avec le virus isolé, la corrélation virus-maladie dans un cas pris individuellement est toujours aléatoire. La constatation d'une association statistiquement significative infection-maladie d'un même type (Coxsackie B-myocardite par exemple) dans un grand nombre de cas a cependant permis de reconnaître des relations étiologiques sûres entre certains syndromes cliniques et différents types de virus.

Corrélation avec le syndrome clinique

Dans les cas où le diagnostic ne s'appuie que sur l'isolement d'un virus ou la sérologie, l'interprétation des résultats peut être facilitée par l'analyse du tableau clinique associé, compatible ou non, et par le site d'isolement du virus ; ainsi la corrélation d'un syndrome de méningite aseptique avec un entérovirus est beaucoup plus sûre si celui-ci a été isolé du liquide céphalo-rachidien que des selles.

Prélèvement et transport des échantillons

● *Nature des échantillons* : D'ordinaire : prélèvements naso-pharyngés et selles ; sérums aigu et convalescent à 10 ou 15 jours d'intervalle. Au besoin : liquide céphalo-rachidien, liquide de vésicule, urine, épanchements pleuraux et péricardiques, sang, organes prélevés à l'autopsie.

Tableau 1 (suite)

Origine non virale		
	● *Chlamydia psittaci, trachomatis*	Psittacose (pneumonie). Trachome ; lymphogranulome vénérien (maladie de Nicolas et Favre), conjonctivite et pneumonie chez le nourrisson.
	● *Mycoplasma pneumoniae*	(Syn. : agent de Eaton, PPLO ou pleuropneumonia-like organism) : pneumonie primaire atypique (mycoplasma pneumoniae).

Tableau 2 : Virus ADN

Agent étiologique	Isolement du virus – Prélèvements cliniques – Cultures de tissu	Souriceau – Œuf embryonné	Sérums aigus et convalescent	Autres méthodes de détection du virus – Microscope électronique	Immunofluorescence ou coloration hémalun-éosine
Variole: virus pox, ADN 250×300 nm, structure complexe	Liquide de vésicule C.P.E. sur rein de lapin et autres. Syncytium, inclusions nucléaires	Petites lésions (pocks) sur membrane C.A. Inclusions cytoplasmiques éosinophiles (Cowdry)	Anticorps neutralisants, fixant le complément et inhibant l'hémagglutination spécifique pour variole-vaccine	Virus groupe pox de vésicule	Fluorescence spécifique sur frottis de base de vésicule
Vaccine: id.	Liquide de vésicule C.P.E. rapide sur rein de singe et lignées cellulaires humaines	Grandes lésions (pocks) sur membrane C.A. Inclusions cytoplasmiques éosinophiles			
Herpès simplex: virus groupe herpès ADN, enveloppé 150 à 200 nm, NC: symétrie cubique 100 nm, 162 capsomères	Liquide de vésicule, écouvillon pharyngé, selles C.P.E. sur rein de lapin et autres. Syncytium, inclusions nucléaires	Encéphalite chez souriceau. Inclusions nucléaires; cellules nerveuses (souriceau) ou dans cellules de membrane C.A.	Anticorps neutralisants spécifiques et fixant le complément	Virus groupe herpès dans liquide de vésicule	Non utilisée sauf dans encéphalite herpétique sur biopsie cérébrale
Varicelle zoster: id.	Liquide de vésicule C.P.E. léger sur lignées cellulaires Wi 38 – fibroblastiques humaines embryonnaires – transmissibles par cellules infectées seulement. Syncytium, inclusions nucléaires	Nil	Anticorps fixant le complément spécifique. Réaction croisée légère avec herpès simplex Anticorps FAMA plus sensible pour détermination de l'immunité	Virus groupe herpès dans liquide de vésicule	
Cytomégalovirus: 1. congénital 2. postnatal	Selles, urine: 1 an et plus dans congénital (gorge, globules blancs du sang) C.P.E. (voir varicelle zoster) Inclusions nucléaires dans les cellules du culot urinaire (cellules «en œil de hibou»)	Nil	Voir varicelle zoster Dans congénital: anémie, thrombocytopénie, hyperbilirubinémie directe et indirecte. IgM augmenté, titre anticorps, IgM spécifique élevé	Virus groupe herpès dans culot urinaire (ultracentrifugation) («replica plating»)	Fluorescence sur culture inoculée pour identification rapide

C.A.: Chorio-allantoïque   C.P.E.: Effet cytopathique   L.C.R.: Liquide céphalo-rachidien   NC: Nucléocapside

FAMA: fluorescent antibody to membrane antigen

● *Modalités de prélèvement et de transport* : Echantillonnage précoce, transport rapide dans un milieu liquide (avec sels, protéines et antibiotiques) réfrigéré (4° C) de préférence, ou congelé (−70° C). Surtout ne pas mettre les échantillons à l'étuve à 37° !

Isolement du virus, séro-identification et sérodiagnostic

Le laboratoire de virologie procédera à l'isolement du virus, soit en cultures de tissu (la majorité des virus), soit dans l'œuf embryonné : cavité amniotique et allantoïdienne (influenza), membrane chorio-allantoïdienne (variole-vaccine, herpès), soit encore chez le souriceau nouveau-né (Coxsackie A, arbovirus, virus de chorio-méningite lymphocytaire). Des techniques plus spécialisées pourront être employées dans certains cas : anticorps fluorescents sur coupes de cerveaux (rage) ou sur frottis de base de vésicules (variole-vaccine), microscope électronique sur liquides de vésicules (variole-vaccine, herpès). Les souches virales isolées seront identifiées à l'aide d'antisérums spécifiques commerciaux ou autres (*séro-identification*). Enfin, dans les sérums prélevés à la phase aiguë et à la phase de convalescence, le laboratoire recherchera la présence et l'augmentation significative du titre d'anticorps spécifiques permettant la confirmation de l'infection par le virus isolé ou, en l'absence d'isolement, l'établissement d'un diagnostic sérologique présomptif d'infection virale (*sérodiagnostic*). Le sérodiagnostic est fait à l'aide des épreuves de fixation du complément surtout, de neutralisation, d'inhibition de l'hémagglutination ou de l'hémadsorption.

Variole

Cette maladie virale a été éradiquée de la surface du globe depuis octobre 1978.

Vaccine

Le virus de la vaccine, à l'origine un virus de variole bovine, utilisé pour la vaccination contre la variole, ne doit plus être employé comme vaccin de routine chez les enfants. Tous les pays, les uns après les autres, ont cessé d'exiger des voyageurs un certificat de vaccination antivariolique.
Même la vaccination du personnel douanier, médical et militaire est remise en question.

Vaccination

Matériel : vaccin vivant frais ou lyophilisé, à inoculer à la surface de l'épiderme par pressions multiples sans faire saigner. Résultat : réaction de primo-vaccination : maximum 8 à 10 jours (pustule ombiliquée au site de la vaccination). Réaction accélérée ou immune : maximum 8 à 72 heures (papule ou nil).

Complications

- *Hétéro-inoculation* : Vésicules puis pustules ombiliquées à distance du site de vaccination.
- *Eczéma vaccinatum* : A la suite d'une vaccination de l'individu affecté d'eczéma ou dans son entourage (dissémination par voie externe). Prophylaxie-thérapie : gamma-globuline hyperimmune vaccinale provenant de donneurs récemment immunisés et méthisazone.
- *Vaccine généralisée* : S'il y a retard dans l'apparition des anticorps circulants spécifiques (dissémination par voie sanguine). Lésions cutanées à des stades variables, de papules prurigineuses à pustules ombiliquées. Prophylaxie-thérapie : comme pour eczéma vaccinatum. Pronostic bon.
- *Vaccine gangréneuse localisée* : Survient apparemment chez des individus affectés d'immunodéficience cellulaire spécifique, mais immunologiquement normaux par ailleurs. Aussi chez les agammaglobulinémiques (« swiss type ») et les malades atteints de leucémie, de maladie de Hodgkin, etc. Pronostic sombre.
- *Encéphalite postvaccinale* : 10-13 jours après la vaccination primaire. Céphalées, vomissements, somnolence, paralysies des nerfs crâniens, puis coma. Pléiocytose du liquide céphalo-rachidien et hyperprotéinorachie sont souvent observées. Pronostic très mauvais. Mortalité 30 à 40 %. Séquelles neurologiques chez les survivants.

Spectre infectieux des virus herpès simplex 1 et 2 et cytomégalovirus

Herpès hominis (simplex)

Formes cliniques

- *Cutanée simple ou récidivante* : Bouquet de vésicules localisé d'ordinaire au pourtour des lèvres.
- *Eczéma herpeticum (Kaposi)* : Eruption vésiculeuse généralisée s'implantant sur une peau eczémateuse ou altérée d'autre façon.
- *Inflammation des muqueuses* : Stomatite ou gingivo-stomatite herpétique (type 1) : maladie fébrile aiguë, d'ordinaire bénigne, d'une durée d'environ 7 jours, dont le traitement est uniquement symptomatique. Acyclovir prometteur (voir antiviraux p. 617).
- *Herpès génital (type 2)* : Urétrite, vulvo-vaginite, balanoposthite transmises par contact vénérien. Importance clinique mineure, sauf pour le nouveau-né d'une mère affectée (cf. plus bas). Traitement : Acyclovir prometteur (voir antiviraux p. 617).
- *Kératite herpétique, dendritique* : De pronostic meilleur depuis le traitement à l'iododéoxyuridine (IDU) en gouttes ophtalmiques (Herplex®, Dendry®). Dose : 1 goutte toutes les heures le jour, toutes les 2 heures la nuit. Vira A si résistance à IDU. Trifluorothymidine ou Acyclovir prometteur, surtout si infection plus profonde de l'œil.

● *Méningite aseptique bénigne* : Infection cytolytique avec virus dans le liquide céphalo-rachidien, d'ordinaire de type 2.
● *Encéphalite herpétique grave avec coma, convulsions généralisées ou localisées avec foyer temporal* : Traitement possible avec médicaments antiviraux Ara A, Acyclovir (en investigation). Etiologie : en général type 2 à la période néonatale, type 1 en dehors de la période néonatale.
● *Infection néonatale généralisée* à type 2 (1) : Débute d'ordinaire quelques jours après la naissance. De sévérité variable, avec ou sans vésicules cutanées ; tableau clinique souvent semblable à une septicémie ou une méningite néonatale : hépato-splénomégalie, ictère, dyspnée et signes de défaillance cardiaque, syndrome neurologique et hémorragique (coagulation intravasculaire disséminée). Prévention : césarienne si la mère est affectée d'une infection génitale herpétique. Traitement symptomatique (cf. encéphalite herpétique, traitement spécifique).

Cytomégalovirus

Etiologie

Virus du groupe herpès. Transmission transplacentaire, orale, post-perfusionnelle et vénérienne.

Formes cliniques

● *Infection congénitale* : Le syndrome d'infection cytomégalique caractéristique comprend les symptômes et signes suivants chez un nouveau-né : poids inférieur à la normale dans 60 % des cas (< 2 500 g) ; hépato-splénomégalie (70 %) ; ictère (65 %) ; purpura ou pétéchies avec thrombopénie (65 %) ; pneumonie interstitielle (35 %) ; chorio-rétinite (15 %) ; anémie (50 %). Séquelles : microcéphalie, calcifications périventriculaires, troubles neurologiques, retard psychomoteur.
● *Infection postnatale acquise* : Inapparente dans la majorité des cas. Syndrome ressemblant à la mononucléose infectieuse sans pharyngite exsudative et avec réaction de Paul Bunnel-Davidsohn négative. Ce syndrome peut survenir après transfusion de sang (syndrome post-perfusionnel). Infection vénérienne d'ordinaire subclinique.
● *Infection réactivée adulte généralisée* avec prédominance de pneumonie interstitielle par suite d'immunodéficience acquise ou iatrogène (médicaments lymphotoxiques, corticostéroïdes, etc.) ; fréquente (jusqu'à 100 % des cas) chez les transplantés rénaux par suite de l'immunosuppression iatrogène.

Diagnostic

Le diagnostic d'une infection cytomégalique est confirmé par l'isolement du virus des urines surtout, ou encore de la gorge, des selles, des sécrétions prostatiques ou du col utérin. Le sédiment cellulaire du culot urinaire peut montrer des inclusions intranucléaires en œil de hibou. Des particules virales caractéristiques peuvent être vues au microscope électronique à partir du sédiment urinaire. Dans la forme congénitale, le virus peut persister dans les urines pour plus d'un an.

Des anticorps fixant le complément (les plus couramment utilisés) ou encore fluorescents et neutralisants apparaissent en cours de maladie.

Une augmentation de deux dilutions (4 fold) est significative et suggère le diagnostic. La mise en évidence d'anticorps CMV-IgM est très utile pour confirmer l'infection, surtout congénitale.

Diagnostic différentiel

Mononucléose infectieuse, toxoplasmose.
De la forme congénitale : rubéole et syphilis congénitale, toxoplasmose, infection herpétique et à Coxsackie du nouveau-né.

Traitement

Symptomatique.

Varicelle zoster

Lésions cutanées caractéristiques : vésicules superficielles petites (2 mm), non ombiliquées, à distribution surtout centrale (tête et tronc). Eruption aussi sur les muqueuses buccales et vaginales.

Etiologie : cf. tableau 2.

Tableau clinique

Varicelle

Après une période d'incubation de 2 à 3 semaines, survient une éruption rapidement vésiculeuse d'une durée de 2 à 5 jours, souvent sans fièvre préalable. Elle touche surtout le tronc et la tête, les muqueuses buccales et vaginales. A l'encontre de la variole, l'éruption de la varicelle ne touche pas les paumes des mains et la plante des pieds. L'adénopathie est généralisée ; le prurit peut être considérable et favoriser l'infection secondaire des lésions. Celles-ci sèchent et se recouvrent d'une croûte qui tombe 2 à 3 semaines après le début de la maladie, ne laissant pas de cicatrices, sauf s'il y a eu surinfection importante des vésicules. La contagiosité est extrême durant toute la durée de l'éruption. En présence d'immunodéficience congénitale ou acquise (leucémie, lymphome) ou iatrogénique (antimétabolites, radiation, stéroïdes), la varicelle peut être sévère avec thrombocytopénie et lésions hémorragiques. Le pronostic est alors plus mauvais et nécessite l'utilisation de γ-globuline de préférence hyperimmune (0,1 à 0,4 ml/kg) (ZIG, zoster immune globulin), en prophylaxie si disponible localement, et même de substances antivirales en thérapie, telles que l'interféron, l'Acyclovir ou l'arabinoside d'adénine, par voie intraveineuse (sous investigation). Les stéroïdes doivent être réduits à la dose physiologique. En l'absence de ZIG, du plasma de convalescent de zoster ZIP (10 ml/kg) peut être utilisé i.v. en prophylaxie dès qu'il y a notion de contact si l'immunocompromis n'est pas immun. Vaccin vivant atténué sous investigation.

Zoster ou zona

Eruption de vésicules à distribution unilatérale limitée à la surface d'un ou de plusieurs dermatomes survenant chez un enfant ou un adulte ayant déjà fait une varicelle. Chez certains enfants affectés de zoster, on ne retrace qu'une histoire de varicelle dans la famille au moment où ces enfants avaient moins de 6 mois ; ils avaient probablement fait alors une varicelle subclinique. Le zoster peut parfois se généraliser, probablement si le titre et la vitesse d'apparition des anticorps n'ont pas été suffisants pour prévenir une virémie, ou en présence d'immunodéficience. Le zoster est rarement douloureux chez l'enfant, contrairement à ce qui se passe chez l'adulte.

Diagnostic de laboratoire : cf. tableau 2.

Complications

Elles sont rares : surinfections bactériennes locales et systémiques ; pneumonie virale, varicelle hémorragique et généralisée, ordinairement en présence d'immunodéficience ; encéphalite postinfectieuse, plus bénigne que celle de la rougeole, se présentant souvent sous forme d'ataxie cérébelleuse, avec 80 % de guérison sans séquelle. Le traitement local, antiprurétique surtout : lotion calamine, badigeon blanc, antihistaminique, Aspirine.

Spectre infectieux des entérovirus

(cf. tableau 3)

Etiologie

Il existe 3 sérotypes de virus polio, 24 sérotypes de virus Coxsackie A, 6 sérotypes de virus Coxsackie B et 34 sérotypes de l'Echovirus, totalisant 67 entérovirus. Il n'y en a en réalité que 64, 3 de ces virus ayant changé de groupe depuis leur classification originale. Enfin, les distinctions faites antérieurement entre les différents groupes d'entérovirus n'étant plus aussi claires, on classifie maintenant les nouveaux sérotypes comme entérovirus seulement. Quatre nouveaux entérovirus se sont ainsi ajoutés à la liste : entérovirus 68 à 71.

La transmission est de mode fécal-oral et probablement interhumaine, directe ou par l'intermédiaire d'eaux ou d'aliments contaminés. Aucun réservoir naturel animal n'a été retrouvé. Ces infections sont prévalentes durant l'été et l'automne dans les zones tempérées.

Formes cliniques

Très variées, infections asymptomatiques fréquentes (50 à 90 % ou plus).
- *Syndrome fébrile non différencié* : Tous les entérovirus.
- *Herpangine* : syndrome fébrile avec angine microvésiculeuse : Coxsackie A 1 à 10, 16, 22 ou lymphonodulaire A 10. Coxsackie B et ECHO occasionnellement.

Tableau 3 : Entérovirus

Agent étiologique	Isolement du virus		Sérologie et autres
	Prélèvements cliniques cultures de tissu	Effet de l'inoculation à l'animal	Sérums aigus et convalescent
ECHO: virus ARN, NC: symétrie cubique, 30 nm, 32 capsomères	Ecouvillon naso-pharyngé, selles, L.C.R. E.C.P. sur rein de singe		Anticorps neutralisants spécifiques
Coxsackie A: idem	Ecouvillon naso-pharyngé, selles, L.C.R. E.C.P. sur rein de singe (A9-16 et quelques autres)	Souriceau Dégénérescence, muscles striés	Anticorps neutralisants spécifiques
Coxsackie B: idem	Ecouvillon naso-pharyngé, selles, L.C.R. E.C.P. sur rein de singe (tous les virus B)	Souriceau Dégénérescence, graisse brune Corne d'Ammon	Anticorps neutralisants spécifiques
Poliomyélite: idem	Selles de préférence, écouvillon naso-pharyngé, L.C.R. E.C.P. sur rein de singe		Anticorps neutralisants spécifiques (inhibition de l'E.C.P.) Fixation du complément (moins bon)

E.C.P. : Effet cytopathique   L.C.R. : Liquide céphalo-rachidien   NC : Nucléocapside

● *Infection respiratoire supérieure* : surtout Coxsackie A 21, 24, B 1 à 5, ECHO 2, 20.
● *Infection bronchopulmonaire* : Coxsackie A 9, 16 et autres, B 1 à 5. Plusieurs ECHO.
● *Syndrome entérique* : Coxsackie A surtout, et ECHO ; ECHO 18 associé à une épidémie chez le nourrisson ; ECHO 11, 14, 22 et autres.
● *Eruption cutanée* : Plusieurs entérovirus :
— ECHO 4, 9 : éruption érythémato-papuleuse généralisée, occasionnellement vésiculeuse, incluant mains et pieds ; pétéchies à l'occasion, rappelant une méningococcémie.
— ECHO 16 : éruption érythémato-maculeuse généralisée.
— Coxsackie A 9 : éruption érythémato-maculeuse à distribution centrale (tête et tronc) ; petites vésicules fugaces à l'occasion. « Hand, foot and mouth disease » rarement.
— Coxsackie A 16 (« hand, foot and mouth disease ») : éruption vésiculeuse affectant les extrémités et la muqueuse buccale.
— Coxsackie B 5 : éruption érythémato-maculeuse ou papuleuse type rubéole. Entérovirus 71 : « Hand, foot and mouth disease » et autres formes d'éruption.
● *Syndrome de méningite aseptique ou de méningo-encéphalite à liquide céphalo-rachidien clair. Etiologie* : Tous les entérovirus : virus Coxsackie B 1 à 6, A 7, 9, 23 ; virus ECHO 4, 6, 16, 30 et autres, virus

polio 1, 2, 3. Autres virus : oreillons, herpès simplex, varicelle zoster. Virus de la chorio-méningite lymphocytaire, de l'hépatite infectieuse, de la mononucléose et de la lymphocytose infectieuses. *Diagnostic différentiel* : méningite bactérienne au début, ou partiellement traitée, ou à Mycobacterium tuberculosis, à Treponema pallidum, à leptospires, à Cryptococcus ; à Toxoplasma gondii ; à Trichinella spiralis ; postinfectieuse ; postvaccinale (cf. diagnostic différentiel de la rage, p. 605) ; allergique (maladie du sérum) ; toxique (plomb, arsenic, toxines bactériennes ; Shigella dysenteriae ; autres) ; méningite irritative (abcès, hématomes, thromboses, tumeurs contiguës aux méninges) ; méningite à éosinophiles.
● *Myocardite ou péricardite isolée* : D'ordinaire bénigne, parfois grave (Coxsackie B surtout), occasionnellement Coxsackie A 4, 9, ECHO 6.
● *Pleurodynie ou maladie de Bornholm ou myalgie épidémique avec douleur pleurale variable et bon pronostic* : Coxsackie B, surtout 3 et 5, ECHO 1, 6.
● *Infection néonatale généralisée à Coxsackie B 3 ou 4* : D'ordinaire contractée de la mère à la période péri- ou néonatale. L'infection est généralisée avec lésions encéphalitiques, myocardiques, hépatiques et pancréatiques ; le tableau clinique est cependant dominé par la myocardite avec défaillance cardiaque accompagnée de dilatation et d'hypertrophie du cœur à la radiographie ; parfois précédée d'un prodrome respiratoire et entérique. Le pronostic est mauvais, avec mortalité dans 50 % des cas ou plus. Le traitement est symptomatique. Beaucoup d'autres entérovirus peuvent causer des infections et des maladies à la période néonatale.
● *Syndromes plus rares* : Parotidite, conjonctivite hémorragique ou bénigne, orchite (Coxsackie B surtout), arthrite et myosite, parésie ou paralysie légère, transitoire d'ordinaire, à Coxsackie A 7 surtout, ou ECHO.
● Il faut enfin souligner que les différentes manifestations d'infections à entérovirus peuvent assez fréquemment être associées chez le même patient.

Poliomyélite antérieure aiguë paralytique

La poliomyélite est devenue très rare depuis l'avènement du vaccin Salk et Sabin. Les seuls cas que l'on rencontre surviennent par suite de complications rares du vaccin Sabin (1 sur 1 million de vaccinés environ) ou encore chez les membres de certaines sectes religieuses qui refusent la vaccination. La maladie survient après une période d'incubation de 7 à 14 jours, et est causée par les virus poliomyélitiques 1 et 3 surtout, rarement 2. Elle est caractérisée par un prodrome fébrile avec symptômes et signes méningés, suivi de paralysies flasques de localisation variée par suite de l'atteinte de la corne antérieure de la moelle à différents niveaux. Ces paralysies ne sont pas symétriques ; elles s'accompagnent de douleurs musculaires, de la perte des réflexes tendineux (après une brève période d'hyperréflexie) et des réflexes cutanés, sans disparition des sensations tactiles et de la sensibilité à la douleur. Parfois, lorsque les noyaux du bulbe ou de la protubérance sont atteints, on peut observer une paralysie faciale, laryngée ou du palais mou (généralement unilatérale, contrairement à l'atteinte diphtérique). L'atteinte de l'innervation motrice des muscles de la respiration nécessite en général l'utilisation d'un respirateur (avec trachéostomie), surtout s'il y a arrêt respiratoire par suite de l'atteinte des centres du bulbe. La maladie peut se compliquer d'hypertension, et l'atteinte des centres cardiaques et vasomoteurs rend le pronostic très sombre. Les formes graves se rencontrent surtout chez l'adulte et la femme enceinte. Chez le nourrisson, il n'est pas rare d'observer des formes frustes suivies de paralysies inattendues. Le diagnostic peut être posé, surtout en périodes épidémiques, par le tableau clinique ; la ponction lombaire montre un liquide clair avec lymphocytose relative, sauf au tout début, et une glycorachie normale. Le virus peut rarement être isolé du liquide céphalo-rachidien (ou de la gorge) mais peut l'être facilement des selles, constituant une source d'infection pour au moins une semaine et parfois des mois après la maladie. Le pronostic est imprévisible mais certainement amélioré par la physiothérapie. Une régression progressive des paralysies peut s'observer pendant des mois et même des années.

Prophylaxie

Vaccin vivant atténué (Sabin) ou vaccin Salk inactivé si contre-indications au vaccin vivant (cf. p. 720).

Traitement

Repos au lit, méthode Kenny (coussins caloriques), analgésiques, respirateur et trachéostomie au besoin, physiothérapie en convalescence.

Groupe des myxovirus

Oreillons (cf. tableau 4)

Etiologie

Paramyxovirus : de 90 à 340 nm. Nucléocapside : 18 nm de diamètre, recouvert d'une enveloppe.

Tableau clinique

Après une période d'incubation de 14 à 21 jours apparaît chez 60 % à 70 % des enfants infectés une fièvre avec parotidite unilatérale ou bilatérale. Les glandes sous-maxillaires peuvent aussi être touchées et devenir palpables et sensibles. Le passage du virus dans le liquide céphalo-rachidien survient dans la presque totalité des cas avec ou sans syndrome franc de méningite aseptique, souvent même sans atteinte parotidienne. *C'était la méningite aseptique la plus fréquente chez l'enfant avant l'avènement de la vaccination antiourlienne.*

La maladie peut se compliquer de pancréatite bénigne ou sévère (douleur épigastrique avec vomissement et état de choc) et d'orchite ou d'ovarite, surtout après la puberté. Atteinte de la 8e paire : surdité ou hypoacousie, en général unilatérale. Myocardite, arthrite et hépatite sont rarissimes.

Diagnostic

L'amylase sérique est élevée dans 75 % des cas et le liquide céphalo-rachidien montre une pléiocytose variable avec lymphocytose (jusqu'à 500 à 1 000 cellules/ml). Protéinorachie augmentée, glycorachie pouvant être modérément diminuée.

Le virus peut être isolé de la gorge, de l'urine et du liquide céphalo-rachidien, surtout en présence des signes de méningite aseptique. Les anticorps fixant le complément en présence de l'antigène soluble du virus s'élèvent tôt au cours de la maladie, suivis de l'augmentation du titre des anticorps correspondant à l'antigène viral, qui, eux, persistent contrairement aux précédents. Une épreuve cutanée d'hypersensibilité de type retardé devient positive tôt en cours de maladie et persiste par la suite. La maladie, d'une durée d'environ une semaine, est bénigne, et les séquelles, sauf dans de rares cas de surdité postencéphalitique, sont virtuellement inexistantes, surtout chez les enfants. Le nombre des infections inapparentes mais immunisantes est considérable.

Traitement

Il est symptomatique et l'immunité semble permanente. Il existe un vaccin vivant atténué contre les oreillons, qui est également disponible sous forme de vaccin trivalent vivant atténué, rougeole, rubéole, oreillons. Une gamma-globuline hyperimmune est disponible (Cutter), mais son efficacité prophylactique n'a pas été prouvée.

Rougeole (cf. tableau 4)

Lésions cutanées caractéristiques : éruption érythémato-papuleuse généralisée avec espaces de peau saine. Enanthème avec taches de Koplik.

Tableau clinique et complications

Après une période d'incubation de 9 à 12 jours, les symptômes de fièvre élevée, coryza, conjonctivite et toux sont suivis d'un énanthème avec taches de Koplik ; celles-ci sont constituées de multiples papules érythémateuses recouvertes d'un exsudat fin blanchâtre à la face intérieure des joues en regard des molaires. Ensuite, l'éruption caractéristique érythémato-papuleuse avec espaces de peau saine apparaît à la figure pour ensuite s'étendre au tronc et aux membres, accompagnée d'une adénopathie généralisée. La formule sanguine montre une leucopénie marquée avec lymphocytose relative. Les surinfections bactériennes avec otites, sinusites et pneumonies représentent les complications les plus fréquentes et doivent être traitées par antibiothérapie spécifique. Les complications de pneumonie à cellules géantes surviennent d'ordinaire en l'absence d'éruption chez les enfants qui ne développent pas d'anticorps spécifiques. Les thrombocytopénies, relativement fréquentes, se traduisent souvent par une éruption qui devient purpurique. La rougeole est rarement suraiguë avec phénomènes hémorragiques généralisés. Depuis l'avènement du vaccin vivant atténué en prophylaxie de la rougeole, une forme de rougeole modifiée, plus bénigne, ressemblant à celle qui survient lorsqu'on donne une dose de gamma-globuline pour atténuer la maladie chez un contact non vacciné de rougeole, peut être rencontrée

Tableau 4 : Rougeole, rubéole, oreillons

Syndrome clinique	Etiologie	Diagnostic Isolement	Sérologie et autres	Traitement	Prévention
Oreillons	Paramyxovirus ARN enveloppé 90-340 nm très pléomorphique	Ecouvillon naso-pharyngé, urine (pendant longtemps), sang Culture sur rein de singe, amnios humain, embryon de poulet	FC, IH, NT, AF Intradermoréaction : avec du virus tué par la formaline et la chaleur ; la réaction ne devient positive que tardivement	Analgésique antipyrétique Orchite : corticostéroïdes ?	Vaccin vivant atténué (souche Jeryl-Lynn) Gamma-globulines efficacité douteuse
Rougeole	Paramyxovirus ARN enveloppé 100-300 nm NC : symétrie hélicoïdale : 18 nm de diamètre	Ecouvillon naso-pharyngé, conjonctival, urine prélevés avant l'éruption ou quelques jours après Sang prélevé avant éruption Culture sur cellules humaines ou simiennes	FC, IH, NT Cellules multinucléées avec inclusions intranucléaires et cytoplasmiques acidophiles dans frottis nasal ou cultures de tissu	Analgésique antipyrétique Pénicilline ou selon antibiogramme si surinfections bactériennes otiques ou pulmonaires	Vaccin vivant atténué et γ-globuline (cf. pp. 601 et 604)
Rubéole	Virus enveloppé de morphologie semblable aux arbovirus du groupe A ou togaviridae (rubivirus) ARN	Ecouvillon naso-pharyngé, selles, urine (pendant un an et plus dans congénitale), sang Culture sur VERO, SIRC, BHK21, RK13, rein de singe primaire Détection du virus par CPE ou interférence	IH, FC, AF, NT Dans congénitale : anémie hémolytique et réticulocytose Thrombocytopénie Hyperbilirubinémie (directe et indirecte), IgM augmentée, IgG, IgA diminuée Titre anticorps IgM spécifique augmenté Signes radiologiques : os longs, cœur	Antipyrétique, sang et plaquettes au besoin dans congénitale	Vaccin vivant atténué et γ-globuline (cf. pp. 601 et 608) (avortement thérapeutique)

FC : Anticorps fixant le complément
IH : Anticorps inhibant l'hémagglutination ou l'hémadsorption
NT : Anticorps neutralisants
AF : + Anticorps fluorescents

VERO : Cellules de rein de cercopithèque, en lignée continue
SIRC : Cellules de cornée de lapin en lignée continue
BHK21 : Cellules de rein de hamster nouveau-né en lignée continue
RK13 : Cellules de rein de lapin en lignée continue

de plus en plus fréquemment. Enfin une forme de rougeole atypique est observée régulièrement depuis 1968 (date à laquelle le vaccin rougeole inactivé a été retiré du marché) chez les individus qui ont reçu ce vaccin et qui sont venus en contact avec la rougeole 2 ans ou plus après cette vaccination. La maladie se présente alors sous forme d'une éruption souvent purpurique, débutant à la partie distale des extrémités pour remonter vers le tronc. Elle s'accompagne de pneumonie et d'hyperesthésie cutanée, de fièvre élevée et souvent d'hépatosplénomégalie. La maladie dure 2 semaines ou plus. Le virus n'est pas isolé mais les anticorps IH et CF spécifiques subissent une augmentation du titre de < 5 à > 1280.

● *L'encéphalomyélite postmorbilleuse* précoce survient dans environ un cas sur 1 000 vers la fin de l'éruption. Elle laisse des séquelles neurologiques graves dans environ 25 % des cas et aboutit à la mort dans 15 % des cas.

● *La panencéphalite subaiguë sclérosante tardive de Dawson ou de Van Bogaert (SSPE)*, qui serait une complication tardive de la rougeole, apparaît en moyenne 7 ans après une rougeole. Elle survient d'ordinaire chez des enfants qui ont contracté la rougeole avant l'âge de 2 ans (incidence $1/10^5$). Elle est d'ordinaire fatale en moins de 6 mois à un an. On trouve un taux élevé d'anticorps antirougeole dans le liquide céphalorachidien de ces malades. L'incidence du SSPE après vaccin rougeole semble être de $1/10^6$ et survient en moyenne 3,3 ans après la vaccination.

Etiologie, diagnostic, traitement
Cf. tableau 4.

Rubéole

Eruption érythémato-maculeuse ou papuleuse généralisée, moins marquée que celle de la rougeole. Pas d'énanthème, ganglions occipitaux douloureux. Anamnèse de contact avec un patient similaire 2 à 3 semaines auparavant.

Etiologie, diagnostic, prophylaxie, traitement
Cf. tableau 4 et pp. 56-59, 723.

Epidémiologie
Incidence saisonnière : fin de l'hiver, printemps. Période de contagion : 7 jours avant jusqu'à 7 jours après l'éruption ; elle peut durer des mois à partir de nouveau-nés chroniquement infectés, présentant ou non des malformations congénitales.

Physiopathologie
Le virus a la propriété d'inhiber les mitoses cellulaires de certains tissus ; cette propriété constitue la base physiopathologique probable des malformations congénitales et du retard de croissance *in utero*.

Tableau clinique et complications

Après une période d'incubation de 2 à 3 semaines apparaît progressivement une lymphadénopathie surtout occipitale (douloureuse), suivie de fièvre, de rougeur de la gorge et des conjonctives, puis d'une éruption maculo-papuleuse légère ; celle-ci disparaît après 2 à 3 jours. Les complications sont rares : thrombocytopénie (1/3 000) avec purpura occasionnellement ; méningo-encéphalite postinfectieuse (1/5 000) et arthrite (20 à 75 % proportionnellement à l'âge).

Syndrome de la rubéole congénitale

Le syndrome de la rubéole congénitale caractéristique est généralement constitué des symptômes et signes suivants, chez un nouveau-né de poids sensiblement inférieur à la normale (< 2 500 g) : hépatosplénomégalie, ictère, purpura ou pétéchies avec thrombocytopénie, cardiopathie, cataractes (occasionnellement microphtalmie, glaucome et rétinite), surdité, pneumonie interstitielle, lésions osseuses métaphysaires et anémie, encéphalite (panencéphalite de type SSPE chez de rares patients à l'adolescence).
* *Signes distinctifs* : Cardiopathie, cataractes (cf. pp. 56 ss. et p. 124).

Diagnostic différentiel

Toxoplasmose, syphilis et infection cytomégalique congénitale.

Diagnostic de laboratoire et traitement
Cf. tableau 4.

Prophylaxie

Gamma-globulines chez la femme enceinte, pas plus de 72 heures après contact avec la rubéole ; les gamma-globulines ordinaires transforment la maladie en infection subclinique, beaucoup plus rarement associé au syndrome de rubéole congénitale. Dose de gamma-globuline ordinaire : 10 à 30 ml i.m. Interruption de grossesse : solution controversée à n'envisager qu'avec preuve d'infection rubéoleuse. Vaccin vivant atténué (cf. p. 723).

Roséole
(exanthème subit, « fièvre de trois jours »)

Eruption érythémato-maculeuse fugace à distribution centrale survenant chez des nourrissons de moins de 2 ans, au moment de la terminaison d'un épisode de fièvre très élevée (40-40,5°) ayant duré 3 jours. L'apparition de l'exanthème coïncide avec la chute de la fièvre. Le nourrisson peut avoir des convulsions fébriles pendant la période de haute température, mais il n'y a pas de méningo-encéphalite (L.C.R. normal) et pas de séquelles. L'exanthème est de très courte durée (24-

48 heures). La maladie est bénigne, sans complications autres que les éventuelles convulsions fébriles. Le ou les virus responsables sont probablement ubiquitaires et transmis par les enfants plus âgés et les adultes qui ont acquis dans la première enfance leur immunité permanente. Plusieurs entérovirus (en particulier ECHO 16) et adénovirus ont été associés à la roséole, et il se peut qu'il s'agisse d'un syndrome survenant à la suite d'une variété d'infections virales chez le nourrisson.

Erythème infectieux (5e maladie)

Eruption érythémato-papuleuse de l'enfant caractérisée par un érythème intense de la figure, puis des surfaces externes des membres : érythème en lacets, ou géographique. Cet exanthème peut varier, s'effacer et revenir ; il peut être prurigineux. La fièvre est peu élevée s'il y en a. On suppose que l'affection a une étiologie virale.

Rage

La rage est causée par un virus ARN ayant la forme d'un suppositoire ; elle se manifeste essentiellement par une encéphalite. Une anamnèse de morsure, de l'hyperesthésie et des paresthésies à l'endroit de la morsure, ainsi qu'une hydrophobie en relation avec des spasmes des muscles de la déglutition, permettent d'ordinaire de distinguer la rage des encéphalites d'autre étiologie. La période d'incubation est variable (10 jours à plusieurs mois), d'autant plus longue semble-t-il que la distance séparant anatomiquement la morsure du cerveau est plus grande et que la dose de virus inoculée est plus faible.

Le liquide céphalo-rachidien est souvent normal, et le sang périphérique montre une leucocytose modérée. Le virus peut être isolé de la salive par inoculation à la souris, mais le plus souvent il n'est isolé que *post mortem* du cerveau ou des glandes salivaires. En pratique, le diagnostic *ante mortem* dépend de la découverte de corps de Negri (histologie) ou d'antigène spécifique rabique (immunofluorescence) dans les coupes de cerveau de l'animal suspect. La maladie (rage clinique) est mortelle dans tous les cas sauf rarissimes exceptions.

Diagnostic différentiel

Autres encéphalites virales : arbovirus, herpès simplex, varicelle zoster, cytomégalovirus, herpès B simien, oreillons, entérovirus ; encéphalites postinfectieuses ; encéphalites postrougeole précoce et tardive (panencéphalite subaiguë sclérosante, SSPE, Van Bogaert), postvaricelle, postrubéole, postvaccinale (vaccine) ; encéphalite dégénérative démyélinisante.

Prophylaxie primaire

Dans les régions endémiques, tous les animaux domestiques (chiens, chats, bétail) doivent être vaccinés. Les personnes s'occupant d'animaux (vétérinaires, personnel d'abattoirs, de chenils, de parcs zoologiques, etc.) et les chasseurs doivent être vaccinés prophylactiquement. Un vaccin inactivé préparé sur cultures de cellules diploïdes humaines est disponible. Le nombre d'injections nécessaires, avec ce vaccin, est peu élevé (5, cf. ci-dessous).

Prophylaxie après morsure
(Cf. tableau 5)

- *Traitement local de la morsure* : Lavage au savon, ou antiseptique (alcool, iode, chlorure de benzalkonium, Zephiran®). Bien rincer avant d'utiliser le Zephiran® si l'on veut éviter qu'il soit neutralisé par le savon.
- *Anatoxine tétanique* si le patient a déjà été vacciné, sinon sérum antitétanique humain (cf. pp. 725-726).
- *Vaccin et sérum antirabique* : A la suite de morsure par animal suspect sauvage : putois, renard, loup, chauve-souris ; domestique : chien, chat, bovidés. Observation des chiens et chats : 10 jours ; si asymptomatique après 5 jours, considérer comme non rabique.
- *Indications du vaccin* (individualisées dans chaque région selon l'incidence de la rage localement et la présence ou non d'un réservoir sauvage) : morsure ou contact avec peau excoriée de salive d'un animal suspect ou rabique ; en l'absence de signes de rage chez le chien ou le chat suspect en observation après 5 jours ou si l'immunofluorescence sur les coupes de cerveaux de l'animal suspect est négative, interrompre la vaccination.
- *Dose* : **1.** Vaccin préparé sur embryon de canard (0,5 ml chaque jour pendant 14 jours, sous-cutané à des sites différents sur l'abdomen). Rappel 10 et 20 jours après la dernière dose. Davantage de doses sont nécessaires si l'antisérum humain (gammaglobuline hyperimmune rabi-

---

Tableau 5 : Guide de la prophylaxie antirabique

Espèce animale	État de l'animal au moment de la morsure	Traitement
Sauvage :		
Putois, renard, coyote, raton laveur, chauve-souris	• Considérer comme enragé	• Vaccin[1] + sérum
Domestique :		
Chien, chat	• En santé[3]	• Pas de traitement[2]
	• Inconnu (en fuite)	• Vaccin + sérum
	• Enragé ou suspect[3]	• Vaccin + sérum[1]
Autre	• Considérer individuellement	• Voir texte

[1] Discontinuer le vaccin si le résultat de l'épreuve à la fluorescence sur le cerveau ce l'animal mordeur est négatif.

[2] Commencer le sérum et le vaccin au premier signe de rage chez le chat ou le chien durant la période d'observation de 10 jours.

[3] A évaluer dans chaque situation. Un animal non provoqué qui mord doit être considéré comme suspect. Être même plus prudent dans les régions hyperendémiques. Faire examiner par un vétérinaire en vue de déterminer si l'animal est « en santé » ou « suspect ».

que humaine) est utilisé (21 doses en 21 jours ou double dose pour la première semaine).
2. Vaccin préparé sur cellules diploïdes humaines (1 ml i.m. aux jours 0, 3, 7, 14 et 28).

● *Complications de la vaccination antirabique* (avec vaccin 1 surtout) : *a)* hypersensibilité locale : traitement antihistaminique ; *b)* encéphalite postvaccinale : arrêt du vaccin, corticostéroïdes.

● *Indication du sérum* : Morsure grave (tête, cou et doigts) ou léchage des muqueuses par animal rabique ou fortement suspect, sauvage surtout ou domestique disparu ; dose 40 U/kg i.m. et localement dans la plaie après épreuve de sensibilité (cf. pp. 725-726). Utiliser de préférence le sérum humain si disponible (20 U/kg). La moitié de la dose doit être injectée par infiltration dans et autour de la plaie. Lorsque le sérum humain est disponible, il doit être utilisé chaque fois que le vaccin est utilisé. Les indications du sérum sont alors les mêmes que celles du vaccin.

Traitement

Silence et demi-obscurité. Suppositoire pentobarbital : 6 mg/kg toutes les 6 heures ou solution de tribromoéthanol (avertine ou paraldéhyde) rectal. Trachéostomie si difficultés respiratoires nécessitant des aspirations fréquentes. Décontamination des mains ou autres parties de la peau souillées par le patient (salive surtout). Immunisation active (et passive si nécessaire) des personnes dont la peau excoriée a été contaminée par la salive du patient.

Mononucléose infectieuse

Etiologie

La maladie a été reliée à une infection par un virus du groupe herpès, le virus EB (Epstein-Barr, avec épreuve Paul-Bunnell-Davidsohn positive et négative). Un syndrome de mononucléose infectieuse a été associé à une infection cytomégalique ou toxoplasmique (avec épreuve Paul-Bunnell-Davidsohn toujours négative) et, au Japon, à une infection par une rickettsie (Rickettsia sennettsui) (avec épreuve Paul-Bunnell-Davidsohn positive et négative).

Epidémiologie

La contagion est faible, la transmission s'effectuant probablement par baisers prolongés. Un autre mode de transmission est nécessaire pour expliquer la présence de la maladie, à l'occasion, chez les jeunes enfants. La salive de 75 % ou plus des patients atteints de mononucléose et de 10 à 20 % des individus en santé contient l'agent infectieux, apparemment le virus EB, capable de transformer les leucocytes du cordon ombilical en lignées lymphoblastiques permanentes dans lesquelles on retrouve le virus EB. Le virus persiste de plus dans les leucocytes circulants d'un grand nombre d'enfants et d'adultes après l'infection par le virus EB.

La période d'incubation de la maladie est probablement de 30 à 45 jours. Certains auteurs ont noté une recrudescence de cas en février mais, en général, l'incidence semble à peu près la même tous les mois de l'année. L'incidence générale de la maladie, pour 100 000 individus et par année, est de 45 dans l'ensemble des USA, de 66 pour le groupe d'âge 10 à 14 ans, de 343 pour celui de 15 à 19 ans, et de 123 pour celui de 20 à 24 ans. Elle est de 316 à 2 200 dans différentes universités américaines et de 100 à 200 dans les forces armées canadiennes. L'incidence de la maladie semble donc varier selon la proportion d'individus de 17 à 25 ans dans la population de référence.

Pathologie

Dans les ganglions et la rate on retrouve une réaction inflammatoire non spécifique avec hyperplasie des cellules du système réticulo-endothélial et prédominance de lymphocytes normaux et atypiques.

Le foie peut présenter une nécrose du parenchyme hépatique au pourtour immédiat des espaces portes qui sont distendus par un exsudat inflammatoire constitué surtout de lymphocytes normaux et atypiques. L'image hépatique est parfois difficile à distinguer de celle d'une leucémie lymphoïde.

Tableau clinique

La mononucléose infectieuse est une maladie fébrile aiguë touchant de préférence les jeunes adultes de 17 à 25 ans et caractérisée par la triade séméiologique suivante : fièvre, pharyngite exsudative et adénopathie-splénomégalie. Selon la prédominance de l'un ou de l'autre symptôme, on a pu décrire des formes fébriles, angineuses ou ganglionnaires de la maladie. Les autres symptômes moins constants de la maladie sont l'œdème des paupières (12 % des cas environ), une éruption maculo-papuleuse rubéoliforme (10 à 15 % des cas), un subictère (5 % des cas). Des manifestations plus rares peuvent être rencontrées : oculaires (conjonctivite, kératite, uvéite et névrite optique) ; méningo-encéphalitiques (1 % des cas) ; hématologiques (anémie hémolytique, purpura thrombocytopénique) ; pulmonaires et rénales (rarissimes).

Diagnostic

La formule sanguine caractéristique est constituée de plus de 50 % de lymphocytes et monocytes. Le pourcentage des lymphocytes atypiques excède 15 %. Les épreuves de la fonction hépatique sont anormales dans presque 100 % des cas. Le taux des transaminases dépasse rarement 300 unités, alors que dans l'hépatite infectieuse il atteint souvent 1 000 unités et plus. Des agglutinines hétérophiles antiglobules rouges de cheval et de mouton décelables par épreuves d'agglutination sur lame (Monotest, Monospot, Monosticon) et en tubes apparaissent en cours de maladie (épreuve de Paul-Bunnell-Davidsohn) ; titre minimum diagnostic 1/28, 1/7 après adsorption sur rein de cobaye, 0 après adsorption sur hématies de bœuf. Le titre agglutinant ne doit pas baisser de plus de 3 dilutions après adsorption sur rein de cobaye, mais chuter de quatre dilutions ou plus après adsorption sur hématies de bœuf bouillies. Si on utilise des globules rouges de cheval (préférables parce que plus sensibles), le test sans adsorption n'est pas nécessaire ; le titre après adsorption sur rein de cobaye doit excéder d'au moins une dilution le titre après adsorption sur hématies de bœuf bouillies.

Le diagnostic de la mononucléose infectieuse peut être confirmé dans l'immense majorité des cas par la recherche d'agglutinines hétérophiles. Dans environ 10 % des cas cependant, surtout chez les enfants, il faut recourir aux épreuves spécifiques (EBV, CMV...) pour confirmer l'étiologie de la maladie. La mise en évidence du virus (salive, sang) ne se fait pas aux fins de diagnostic, car le virus persiste chez un certain pourcentage d'individus normaux. La sérologie EBV (par immunofluorescence) ne se fait que dans de rares laboratoires spécialisés.

La confirmation du diagnostic d'infection EBV (avec ou sans mononucléose infectieuse, car il y a beaucoup d'infections EBV inapparentes sans maladie) repose, si un seul sérum est disponible, sur la présence d'anticorps EBV-VCA (dirigé contre la capside virale) apparaissant dès le début de la maladie, combinée à l'absence d'anticorps EBNA (dirigé contre un antigène nucléaire des cellules infectées par EBV), cet anticorps apparaissant tardivement chez plus de 90 % des individus infectés, ou encore sur la présence d'anticorps VCA-IgM. Lorsque deux sérums sont disponibles à 15 jours ou plus d'intervalle, le diagnostic est confirmé par une séroconversion EBNA ou une augmentation de deux dilutions ou plus du titre des anticorps EBNA (VCA exceptionnellement).

Complications et pronostic

Les complications sont rares : rupture de la rate, œdème de la glotte, syndrome de Guillain-Barré. Quelques décès sont imputables à ces complications. Le pronostic est très bon malgré la persistance d'une certaine activité de la maladie pour des périodes variant de 1 à 10 mois.

Traitement

Symptomatique : les stéroïdes ont été recommandés avec précaution dans les syndromes de Guillain-Barré, anémie hémolytique et purpura thrombocytopénique. Ils peuvent être utiles pour 1 à 3 jours en présence d'œdème pharyngé ou glottique important. *L'ampicilline est contre-indiquée, produisant des éruptions cutanées graves.* Les surinfections bactériennes nécessitant une antibiothérapie sont rares.

Infections virales respiratoires

Les virus dits respiratoires, c'est-à-dire associés à des symptômes respiratoires, sont les suivants : adénovirus, myxovirus - influenza, para-influenza, syncytial respiratoire (RS) - coronavirus, rhino- et entérovirus.

Etiologie

Beaucoup d'infections virales peuvent se manifester par des symptômes respiratoires : pharyngite et conjonctivite (adénovirus surtout et virus de la rougeole) ; pharyngo-conjonctivite fébrile (adénovirus type 3 surtout) ; conjonctivite folliculaire isolée ou kérato-conjonctivite (adénovirus type 8 surtout) ; infection respiratoire supérieure (adéno 1 à 7, 14,

21 ; rhinovirus, plus de 100 types ; coronavirus ; virus para-influenza 1 à 3 ; RS ; influenza A, B ; Coxsackie A 21, B 2 à 5) ; pneumonie interstitielle sévère (adéno 7 et autres), cytomégalovirus et virus varicelle-zoster chez l'immunocompromis ; éruption rubéoliforme (adéno 3 et autres), herpangine ou pharyngite microvésiculaire (Coxsackie A 2 à 6, 8) ; pharyngite lymphonodulaire (Coxsackie A 10) ; otite moyenne (RS ; adénovirus ; autres) ; laryngite striduleuse et bronchite (virus para-influenza 1 à 3 ; influenza A, B ; RS ; adénovirus) ; bronchiolite (RS ; para-influenza 1, 3 ; influenza A) ; pneumonie et bronchopneumonie (RS ; para-influenza 1 à 3 ; influenza A ; adéno 3, 4, 7, 14, 21 ; rougeole ; varicelle).

Diagnostic
Cf. pp. 591-593.

Pronostic

Les infections virales respiratoires sont en général aiguës, mais bénignes, sauf chez le très jeune enfant (adéno 7 et pneumonie interstitielle sévère, virus syncytial respiratoire et bronchiolite chez le nourrisson) ; elles sont graves aussi en présence d'une immunodéficience naturelle ou acquise (corticothérapie, médicaments immunosuppresseurs, lymphomes, leucémie).

Traitement

Le traitement est en général purement symptomatique ; on utilisera cependant un ou des antibiotiques pour lutter contre les surinfections bactériennes dès qu'elles sont soupçonnées (formule leucocytaire, radiographies pulmonaires et cultures bactériologiques du nez et de la gorge). On prescrira un antibiotique (pénicilline ou ampicilline) d'autant plus facilement que l'enfant est plus jeune.

Prophylaxie

Vaccin anti-influenza ; peu d'indications en pédiatrie sauf pour les enfants atteints de maladies chroniques cardio-respiratoires, métaboliques, neuromusculaires, etc. Utiliser de préférence le vaccin sous-unitaire purifié (Split vaccine). Amantadine (Symmetrel® : Dupont de Nemours) comme prophylaxie de l'influenza A en périodes épidémiques pour les enfants atteints de maladies cardio-respiratoires chroniques. Dose : 1 à 9 ans : 4 à 8 mg/kg/24 h., toutes les 8 à 12 heures, *per os*, maximum 150 mg/24 h. ; 9 à 12 ans : 100 mg toutes les 12 heures, *per os*.

Arbovirus (Arthropod borne virus)

Les arbovirus (virus transmis par des arthropodes) représentent un groupe hétérogène de virus animaux comprenant plus de 350 types différents. Plusieurs arbovirus ont maintenant été caractérisés du point de vue physico-chimique et sont classés selon des critères taxonomiques reconnus de virologie en : Togaviridae (virus ARN enveloppé), soit alphavirus (ex. : encéphalite équine Est et Ouest du Venezuela), soit flavivirus (ex : encéphalite St-Louis USA, encéphalite de la piqûre de tique d'Europe, fièvre jaune), soit encore orbivirus (ex. : fièvre de la tique du Colorado et d'autres régions du globe) ; bunyaviridae ; arenaviridae (ex. : fièvre hémorragique de Lassa et autres) ; rhabdoviridae.

D'autres ne sont pas classifiés ou restent classifiés selon l'ancienne classification sérologique en groupes A, B, C, et autres.

La transmission entre humains et autres hôtes vertébrés est assurée par des insectes hématophages chez lesquels ces virus se multiplient. La survivance de ces virus, qui sont sensibles à l'éther et à de multiples autres facteurs physiques et chimiques (température, pH, etc.), ne peut être assurée que par la présence d'insectes et d'animaux sauvages chez lesquels ils se reproduisent à titre élevé, sans produire de maladie apparente mortelle, ce qui permet la perpétuation du cycle biologique. La maladie humaine par arbovirus constitue un aspect mineur dans ce cycle biologique, et la transmission à l'humain ne représente souvent qu'un accident en rapport avec les déplacements respectifs des insectes et des humains. C'est pourquoi, d'ailleurs, l'éradication de l'insecte vecteur supplante souvent la vaccination comme mesure de contrôle de la maladie. Les insectes vecteurs et les cycles biologiques de ces virus, à l'exception de ceux qui sont responsables de quelques maladies d'importance médicale ou vétérinaire, sont très mal connus.

Tableau clinique

Les syndromes cliniques dus à ces virus antigéniquement souvent voisins sont limités. Le syndrome fébrile avec ou sans manifestations hémorragiques cutanées (et systémiques) secondaires à la multiplication du virus dans l'endothélium vasculaire, qui constitue le site de multiplication primaire du virus, et à des troubles de coagulation sanguine (coagulation intravasculaire disséminée) constitue le syndrome le plus fréquent. Le syndrome méningo-encéphalitique représente un autre tableau clinique fréquent. L'hépatite avec ictère est une manifestation limitée presque exclusivement à la fièvre jaune.

Diagnostic

L'isolement des arbovirus nécessite en général l'inoculation au souriceau nouveau-né et parfois à l'œuf embryonné et est rarement effectué. Les épreuves sérologiques de fixation du complément et d'inhibition de l'hémagglutination sont fondées sur la disponibilité d'antigènes produits commercialement à partir de cerveaux ou d'autres organes de souris infectées. Les relations antigéniques qui existent entre plusieurs des arbovirus compliquent passablement l'interprétation des résultats du diagnostic sérologique à cause de réactions hétérologues croisées. La confirmation du diagnostic se fait cependant d'ordinaire par ces deux tests sérologiques.

Pronostic

Le pronostic des maladies à arbovirus est variable mais en général mauvais.

Exemples de maladies à arbovirus

Encéphalite équine Ouest (arbo A, alphavirus)
- *Etiologie* : Alphavirus : 50 nanomètres avec enveloppe. Vecteur : Culex tarsalis, et autres espèces de moustiques. Réservoir : oiseaux sauvages, écureuil, souris, cheval.
- *Pathologie* : Œdème, manchon inflammatoire périvasculaire, thrombose.
- *Tableau clinique* : Encéphalite aiguë chez le jeune enfant, avec coma, fièvre, convulsions et décès rapide (3 à 15 %) ou guérison avec séquelles (retard mental, épilepsie).
- *Prophylaxie* : Vaccination des chevaux, contrôle des moustiques. Pas de vaccin humain.
- *Diagnostic* : Isolement du virus du sang ou des organes à l'autopsie sur fibroblastes d'embryon de poulet, souriceau ou œuf embryonné. Confirmation sérologique de la maladie par épreuve de fixation du complément.

Fièvre jaune (arbo B, flavivirus)

Type urbain : cycle interhumain par « Aedes aegypti ». Type sauvage : cycle interanimal (singe) par moustiques de jungle avec atteinte humaine occasionnelle.
- *Etiologie* : Flavivirus, 40 nanomètres. Virus ARN possédant deux antigènes fixant le complément et deux hémagglutinines. Réservoir : homme et singe.
- *Pathologie* : Nécrose préférentielle du tiers moyen du lobule hépatique. Masses de débris nécrotiques agglomérés acidophiles : corps de Councillman. Nécrose vasculaire avec hémorragies diverses : néphrose aiguë du néphron distal.
- *Tableau clinique* : Incubation de 3 à 6 jours. Maladie fébrile aiguë biphasique. Première phase : fièvre, bradycardie, ictère modéré, manifestations hémorragiques digestives, nasales, rénales avec oligurie.
- *Pronostic* : Variable : 1. maladie inapparente ou légère surtout chez les vaccinés ; 2. maladie foudroyante avec symptômes méningo-encéphalitiques à la première phase ; 3 : maladie grave fatale avec coma et mort à la seconde phase avec augmentation rapide de la bilirubine, du temps de prothrombine et de l'urée sanguine.
- *Diagnostic* : Facile au cours d'épidémies par l'allure clinique seule. 1. Isolement du virus du sang sur culture de tissus ou chez la souris. 2. Sérologie : fixation du complément, inhibition d'hémagglutination et neutralisation ; les réactions croisées avec d'autres virus du groupe B rendent l'interprétation difficile. 3. Examen histologique du foie.
- *Prophylaxie* : 1. Eradication de « Aedes aegypti », le moustique domestique. 2. Vaccination : vaccin vivant atténué, inoculé par injection sous-cutanée. Complication occasionnelle de la vaccination : encéphalite virale.

Hépatite infectieuse et sérique

L'hépatite infectieuse type A ou épidémique et l'hépatite sérique type B sont d'origine virale et représentent, du point de vue épidémiologique, deux des maladies infectieuses les plus répandues.

Etiologie

Les virus présumés responsables de ces deux maladies n'ont pas encore été isolés et identifiés en cultures de tissus de façon définitive ; cependant, le virus de l'hépatite A a la morphologie d'un picornavirus. Celui de l'hépatite B a été concentré du sang humain et caractérisé comme un virus ADN de 42 nm de diamètre (particule de Dane). Des hépatites à virus non A, non B ont aussi été rapportées. Elles représentent maintenant 85 % des hépatites post-transfusionnelles, depuis que l'on fait le dépistage de HBs.

Hépatite A (HA)

Le virus de l'hépatite A a été vu dans les selles des malades à l'aide du microscope électronique par immunoélectromicroscopie, en utilisant du sérum immun pour faciliter l'agrégation des particules de 28 nanomètres de diamètre. On a récemment rapporté son isolement en culture de tissu.

Hépatite B (HB)

On a observé dans le sang de 30 à 60 % des malades atteints d'hépatite sérique la présence d'un antigène Au (Australie) ou HAA (« hepatitis associated antigen »), maintenant appelé HBs, décelable (entre autres) par RIA, immunodiffusion ou fixation du complément à l'aide de l'anticorps correspondant présent dans le sang des personnes polytransfusées. Cet anticorps apparaît très tardivement à la suite d'une infection, et surtout d'infections répétées, par le virus de l'hépatite ; il est présent longtemps cependant, sous forme de complexes Ag-Ac circulants ». On le décèle par marquage radioactif (RIA, « Radio immunoassay »), une épreuve de compétition immunologique utilisant un anticorps spécifique radioactif et l'antigène HBs. Certains lots de sang incriminés dans la transmission d'hépatite par transfusion se sont avérés positifs pour cet antigène, et on a pu retrouver à l'aide de cet antigène des porteurs de l'agent de l'hépatite sérique ayant été responsables de la transmission de l'infection pendant des périodes allant jusqu'à 25 ans. Les préparations de l'antigène possèdent les propriétés physico-chimiques décrites pour l'agent de l'hépatite type B, telles qu'elles ont été déterminées par les études chez les volontaires. Elles contiennent des particules d'environ 20 nm (nanomètres) de diamètre, visibles au microscope électronique (HBs). Les particules de Dane de 42 nanomètres semblent être les particules infectieuses contenant l'ADN viral et la polymérase ADN virale. On a maintenant décrit plusieurs antigènes différents du virus de l'hépatite B (HBs, HBc, HBe, polymérase ADN). L'antigène de surface HBs peut être de quatre sous-types selon la nature des antigènes mineurs, d, y, w, et r soit adw, ayw, adr et ayr. Les types adw et ayw sont les plus fréquemment rencontrés dans les pays occidentaux ; HBc et HBe sont des antigènes internes ou « core antigen ». Il semble y avoir une corrélation entre la présence de HBe dans le sérum et l'hépatite chronique, de même qu'une certaine corrélation entre cet antigène et l'infectivité ou la contagiosité de l'infection HB persistante.

Tableau clinique

La durée d'incubation de l'hépatite type A est de 18 à 36 jours, alors qu'elle est de 50 à 130 jours ou même plus pour l'hépatite B. Du point de vue clinique, les deux maladies se manifestent par les mêmes symptômes, aigus dans l'hépatite A et insidieux dans l'hépatite B : fièvre (A), céphalée, perte d'appétit, asthénie, nausées, vomissements et douleurs abdominales. L'ictère peut être complètement absent, léger et transitoire, ou au contraire persistant, parfois même jusqu'à la mort par coma hépatique survenant dans 0,1 à 0,2 % des cas (adultes surtout). Le foie est d'ordinaire augmenté de volume et sensible à la palpation. Selon l'intensité de l'ictère, les selles deviennent plus ou moins incolores et l'urine plus ou moins brune avec présence de bile.

Critères de diagnostic

Frottis sanguin, lymphocytose, lymphocytes atypiques, urobilinogène dans urine, épreuves de fonction hépatique anormales. Transaminase glutamique pyruvique et glutamique oxalo-acétique excédant généralement 1 000 unités. Biopsie hépatique : nécrose à départ centrolobulaire.
HA : détection des particules dans les selles et identification par immunoélectromicroscopie ou RIA (Radio-immunoassay).
HB : détection des antigènes HBs et HBe et des anticorps HBs, HBe et HBc dans le sang des malades par RIA et immunodiffusion.

Diagnostic différentiel

Hépatites d'origine différente : herpès, Coxsackie, cytomégalovirus (d'ordinaire à la période néonatale), fièvre jaune, Treponema pallidum, Leptospira ictero-hemorragica, etc. (cf. p. 675).

Prophylaxie

● *Hépatite infectieuse type A* : Interruption du circuit entérique par des mesures hygiéniques. La gamma-globuline (IG 0,02 ml/kg i.m.) atténue la maladie en hépatite anictérique chez les contacts familiaux ou sexuels. Pour voyage en zones endémiques : IG 0,06 ml/kg tous les 5 mois.
● *Hépatite infectieuse type B* :
1. Prophylaxie lors de piqûres accidentelles par du sang HBs ag positif : gamma-globuline hyperimmune (HBIG 0,06 ml/kg), de préférence avant 24 heures et 1 mois plus tard.
2. Si la nature infectieuse du sang n'est pas connue : IG 0,06 ml/kg sur le moment (et après 1 mois). Si la source de contamination est connue, que le dépistage HBs est fait par la suite en moins d'une semaine et qu'il s'avère positif : HBIG 0,06 ml/kg à ce moment et 1 mois plus tard, en plus de IG donnée au départ.
3. Prophylaxie chez le nouveau-né d'une mère HBs ag positive, surtout si elle est HBe ag positive : HBIG 0,5 ml moins de 24 heures après la naissance, à 3 mois et à 6 mois.

4. Prophylaxie chez le personnel des unités d'hémodialyse : IG 0,05 à 0,07 ml/kg tous les 4 mois.
- *Prophylaxie de l'hépatite non A, non B* : IG 0,02 à 0,06 ml/kg.

Vaccin

Un vaccin inactivé préparé à partir de l'antigène de surface (HBs) de l'hépatite B est désormais disponible. A utiliser surtout chez les personnes à risque élevé (personnel hospitalier manipulant du sang, personnel de laboratoire, patients dialysés, etc.).

Autres mesures

Stérilisation adéquate des aiguilles et du matériel d'injection ou utilisation de matériel que l'on doit jeter après usage (matériel à usage unique). Faire des « pools » limités de sang (2 donneurs) et/ou filtrer les donneurs sur la base des taux de transaminases et de l'antigène HBs ou, mieux, HBe et des anticorps HBc. Si on tolère un taux de transaminases de 100 unités, la transfusion causera une hépatite au moins 1 fois sur 47, alors que si on ne tolère qu'un maximum de 40 unités, la fréquence tombe à 1 sur 173. Les donneurs HBs et HBe positifs et anti-HBc positifs doivent être éliminés.

Traitement

Symptomatique (cf. p. 246).

Complications tardives

L'hépatite chronique *persistante* ou *active* peut suivre l'infection par le virus B ou le virus non-A non-B dans environ 10 % des cas (7 % *persistante*, 3 % *active*). La cirrhose peut également compliquer l'infection. L'hépatome, une tumeur maligne du foie, a été relié d'une façon convaincante au virus de l'hépatite B.

Gastro-entérite virale

(cf. chapitre 10, p. 219)

Etiologie

Les rotavirus, des virus à double capside d'environ 75 nm de diamètre, qui ne peuvent pas encore être cultivés en cultures de tissu mais peuvent être décelés au microscope électronique à partir d'une suspension de selles, sont la cause la plus fréquente de gastro-entérite chez les enfants en hiver et au printemps. Les adénovirus surtout 3 et 7, l'agent de Norwalk, apparemment un parvovirus, chez l'adulte d'ordinaire, et d'autres virus peuvent aussi être associés à des gastro-entérites. Le traitement est symptomatique.

Infections urinaires virales

Les virus les plus fréquemment isolés de l'urine sont : le virus des oreillons au cours des infections ourliennes avec ou sans orchite, les entérovirus, Coxsackie B, surtout B 4, et ECHO 6, 9 avec glomérulo-néphrite, Coxsackie A, B et ECHO avec syndrome hémolytique-urémique, les adénovirus 11 et 21 avec cystite hémorragique, le CMV dans l'infection congénitale ou chez l'hôte immunocompromis, le virus de la rubéole dans l'infection congénitale.

Infections virales transmises sexuellement

Les infections virales dont le mode de transmission le mieux connu est par relations sexuelles sont : herpès type 2, cytomégalovirus, hépatite A et B.

Maladie des griffes de chat
(lymphoréticulose bénigne d'inoculation)

Etiologie
On pense que l'agent infectieux s'apparente aux « virus » du groupe psittacose-lymphogranulome vénérien. Cet agent n'a pas pu être isolé de cas de maladie des griffes de chat, mais la maladie a pu être transmise à des singes et à des volontaires humains.

Epidémiologie
En général, l'enfant affecté a été en contact avec un chat mais pas nécessairement griffé par celui-ci, et l'animal n'est pas malade ; il ne semble être qu'un porteur de l'agent infectieux. La maladie n'est pas rare et a été observée dans le monde entier. Les adultes sont aussi susceptibles de la contracter.

Tableau clinique
La principale manifestation de la maladie est une ou plusieurs adénopathies drainant l'endroit d'inoculation, qui peut être encore visible sous forme d'une sorte de piqûre d'insecte ou de petite croûte au centre d'une petite zone érythémateuse. Souvent la lésion dite primaire a déjà disparu lorsque le malade est amené chez le médecin ; on trouve une ou plusieurs adénopathies (inguinales, axillaires, cervicales ou sous-maxillaires), avec ou sans rougeur de la peau sus-jacente ; ces adénopathies peuvent être volumineuses et fermes, mais elles tendent à évoluer vers le ramollisse-

ment fluctuant. La ponction ramène un pus d'aspect banal. Les signes généraux sont discrets : fièvre peu élevée, céphalées, léger malaise. Bon état général. Rarement : érythème multiforme ou purpurique, méningite lymphocytaire bénigne, signes encéphalitiques. Durée probable de l'incubation après le contact avec le chat : 10 à 30 jours. Fluctuation de l'adénopathie : au 20e jour environ.

Diagnostic

Leucocytose modérée. Intradermoréaction de type Frei avec un antigène préparé avec le pus ganglionnaire d'un malade déjà diagnostiqué. 0,1 ml de l'antigène est injecté intracutané, la lecture de la réaction se faisant à 48 et 72 heures. Réaction positive : induration rouge de plus de 5 mm de diamètre ; demeure positive pendant des années. La réaction de fixation du complément avec l'antigène lymphogranulome-psittacose peut être positive. L'aspect histopathologique du ganglion est souvent caractéristique.

Diagnostic différentiel

Adénite bactérienne banale ou tuberculeuse, lymphome, Hodgkin, peste bubonique.

Pronostic

Bon. Guérison spontanée, même après fistulisation.

Traitement

Ponction du pus. Les antibiotiques ne sont pas efficaces.

Prévention

Impossible pour le moment (les chats infectés ne réagissent pas à l'antigène et ne sont pas malades).

Médicaments antiviraux

Les substances antivirales d'utilité médicale (soit disponibles commercialement ou ayant franchi avec succès la phase des essais cliniques) sont : **1.** L'amantadine en prophylaxie de l'influenza A au cours d'épidémies. **2.** L'IDU, l'Ara A et F_3T en gouttes et/ou onguent ophtalmiques en thérapie des kératites herpétiques. **3.** L'Ara A et l'acycloguanosine pour usage parentéral dans les infections herpétiques sévères. La thiosémicarbazone (Marboran®, Burroughs Wellcome) en prophylaxie orale de la variole n'a plus d'application. L'interféron, bien que produit maintenant en grandes quantités (soit par la lignée cellulaire lymphoblastoïde Namalwa ou par E. Coli après manipulation génétique) n'a pas atteint la phase finale des derniers essais cliniques.

Voici donc les différentes substances antivirales employées en thérapeutique humaine et leur mécanisme d'action :

1. 1-adamantanamine (amantadine « Dupont de Nemours ») Symmetrel®

- *Structure* : Amine tricyclique.
- *Activité* : Influenza A.
- *Mécanisme d'action et pharmacologie* : Bloque la pénétration du virus dans la cellule. Absorption gastro-intestinale complète. Excrétion sous forme non modifiée dans l'urine à 90 %, 50 % excrété en 20 heures.
- *Utilisation* : Prophylaxie de l'influenza A au cours d'épidémies.
Adulte : 200 mg/j.
Enfant de moins de 12 ans : 4 à 8 mg/kg/j. ad 150 mg/j.
- *Toxicité* : Système nerveux central.

2. 5-iodo-2-déoxyuridine (IDU), arabinoside d'adénine (Ara A), trifluorothymidine (F_3T)

(SK & F : Stoxil®, Dendryl, Herplex®, gouttes, onguent) → IDU
(Parke Davis) Vira A ou Ara A
Burroughs Wellcome : Trifluridine (F_3T)®
- *Structure* : Nucléosides halogénés ou non (analogues).
- *Activité* : Virus du groupe Herpès et Pox.
- *Mécanisme d'action et pharmacologie* : Incorporées dans les précurseurs de l'ADN viral, ces substances peuvent soit rendre l'ADN produit frauduleux et les virus éventuellement assemblés défectueux (ex. : IDU), soit encore inhiber l'action de certains enzymes nécessaires à la synthèse de l'ADN (ex. : Ara A). Inhibition de compétition.

Le 5-fluoro-2-déoxyuridine (FUdR), dès son incorporation dans un précurseur monophosphorylé frauduleux de l'ADN, se combine avidement et irréversiblement à la synthétase de l'acide thymidilique bloquant ainsi la synthèse des virus ADN mais aussi la synthèse de la thymine et de l'ADN cellulaire. Il ne peut donc pas être utilisé en thérapeutique humaine.

Ara A : Affinité plus grande pour la polymérase virale que celle de l'adénosine ; est transformé très rapidement, sauf dans la peau, par une déaminase de l'adénosine en Ara hypoxanthine, métabolite 10 fois moins actif.

Peu soluble : nécessite une infusion de 12 heures/24 heures i.v., dilué dans un soluté.

IDU : Inactivé par déamination en moins de 30 minutes dans le sang et en quelques minutes dans les tissus ; excrétion urinaire très faible.
- *Utilisation* :
1. Traitement de la kératite herpétique et des lésions vaccinales en application locale (0,1 % sol. ou 0,5 % onguent), 1 goutte à chaque heure le jour, toutes les 2 heures la nuit (ex. : IDU).
2. Usage intraveineux : Ara A dans le traitement des encéphalites herpétiques et d'autres infections herpétiques graves, 15 mg/kg/24 heures.
3. Usage cutané dans varicelle-zoster, IDU 40 % dans diméthyl sulfoxide (DMSO) en Grande-Bretagne, où l'usage du DMSO est permis, non approuvé aux USA et au Canada.
- *Toxicité* : Moelle osseuse, foie. Immunosuppresseur à doses élevées et toxicité neurologique (Ara A).

Acycloguanosine (Zovirax : Burroughs and Wellcome ou Acyclovir, sous essais cliniques)

- *Activité* : Virus du groupe Herpès.
- *Mécanisme d'action et pharmacologie* : Inhibe la thymidine kinase

virale et la polymérase ADN virale. Affinité plus grande pour les enzymes viraux que cellulaires.

Absorption par toutes les voies, pénétration excellente dans tous les tissus, y inclus le système nerveux : on retrouve 75 % des taux sanguins dans le liquide céphalo-rachidien. Excrété à 90 % inchangé dans l'urine. Demi-vie de 3 à 6 heures.
● *Utilisation* : Topique et systémique. Infections herpétiques. Posologie parentérale : 15 à 30 mg/kg/24 heures en 3 doses administrées toutes les 8 heures (infusion d'une heure). Préparation pour usage oral sous essais cliniques.

Substances stimulant la production endogène d'interféron ou interféron exogène

L'interféron exogène a déjà été utilisé avec succès dans le traitement des lésions vaccinales en application locale et s'est avéré non toxique par voie parentérale. L'interféron obtenu jusqu'à ce jour, par extraction des globules blancs humains, semble efficace dans le traitement i.v. ou i.m. des infections herpétiques progressives chez les cancéreux. Les difficultés de production en quantité industrielle d'interféron ont été surmontées par l'introduction d'un plasmide contenant l'ADN codant pour l'interféron dans une bactérie qui, par suite de cette manipulation, synthétise l'interféron en quantité satisfaisante. Cet interféron est sous essai clinique actuellement.
● *Pharmacologie* : Excellent niveau sanguin après injection intramusculaire. Ne franchit malheureusement pas la barrière méningée.

Les inducteurs d'interféron endogène (poly 1, C, etc.) se sont avérés utiles par instillation locale (nasale : en prévention d'infections virales respiratoires par exemple) mais sont trop toxiques pour usage parentéral.

Maladies infectieuses bactériennes

Septicémies

L'hémoculture : indication, valeur et signification

Indication

L'hémoculture est indiquée en principe chez tout patient fébrile, le patient fébrile étant celui dont la température mesurée oralement excède 37,8° C ou dont la température prise rectalement excède 38,4° C. L'hémoculture peut également être indiquée chez des patients afébriles ; en effet la température est absente ou moindre dans les états suivants :

a) nouveau-né, b) déficit immunitaire congénital ou acquis, c) thérapie aux stéroïdes, à l'acétaminophène, à l'acide acétylsalicylique, à la chloroquine, etc., d) insuffisance rénale avec acidose, e) abcès cérébral. La température accompagnée de frissons solennels avec claquement des dents puis sudation profuse est très suggestive de l'envahissement sanguin par un micro-organisme. La température subit des variations nycthémérales qui sont inverses de celles des corticostéroïdes endogènes : elle est maximale en fin d'après-midi et en soirée, et elle est minimale le matin. En général, les processus infectieux exagèrent ou amplifient cette variation nycthémérale, par conséquent les clochers thermiques apparaissent plus souvent en soirée que le jour.

Valeur

L'hémoculture est à la fois l'une des plus importantes, l'une des moins invasives et l'une des plus sûres parmi les analyses microbiologiques.

L'une des *plus importantes* : dans les pneumonies à pneumocoque dont l'hémoculture est positive, on ne retrouve le pneumocoque dans l'expectoration que dans 50 % des cas ; dans les ostéomyélites, les arthrites septiques, les méningites, la bactérie responsable peut être isolée à partir du sang avant toute manœuvre spéciale (prélèvement osseux, prélèvement de liquide articulaire, prélèvement de liquide céphalo-rachidien). Dans les abcès profonds non drainés (surtout intra-abdominaux), la positivation de l'hémoculture permet de circonscrire le micro-organisme responsable parmi les innombrables micro-organismes susceptibles de provoquer des abcès.

L'une des méthodes les *moins invasives* : dans les pneumonies bactériennes, la pratique de l'hémoculture est de loin moins invasive que la bronchoscopie, l'aspiration transtrachéale ou la biopsie ouverte, et comme examen microbiologique, sa valeur diagnostique, quand elle est positive, leur est égale et parfois supérieure. Dans les ostéomyélites, la valeur diagnostique d'une hémoculture positive est aussi grande que celle d'un prélèvement osseux, et elle est de loin moins invasive. L'hémoculture peut être pratiquée autant en dehors de l'hôpital qu'à l'hôpital même : à la maison au chevet du malade, au cabinet privé, à la consultation externe, cela pour autant qu'on respecte les techniques de prélèvement, d'asepsie, les modes et les délais de transport.

La méthode la *plus sûre* : si le sang est prélevé aseptiquement et introduit immédiatement et aseptiquement dans la bouteille d'hémoculture, ses chances de contamination en cours de transport sont à peu près inexistantes ; le bouillon contenu dans les bouteilles est un excellent milieu de transport permettant de maintenir la viabilité des bactéries et d'amorcer leur multiplication ; le sang ne renferme pas de flore normale ; donc, tout germe qui croît dans la bouteille d'hémoculture a en principe une signification pathologique.

Signification d'une hémoculture positive

A. Septicémie

La septicémie est l'envahissement de la circulation sanguine par une bactérie déjà responsable dans l'organisme d'un foyer septique circonscrit. Les principaux foyers septiques responsables de septicémie sont :

1. Infections urinaires (pyélonéphrite).
2. Infections respiratoires (épiglottite, pneumonie).
3. Infections cutanées (furonculose, cellulite, brûlures, plaies).
4. Infections ostéo-articulaires (arthrite, ostéomyélite).
5. Infections abdominales (abcès, péritonite, fièvre typhoïde).
6. Infections ganglionnaires (adénites cervicales).
7. Méningites.
8. Cathéters i.v. infectés.

B. Infection endovasculaire

Présence continue de bactéries dans le sang due à l'existence d'un foyer septique dans la circulation sanguine même (ex. : endocardites, pontages aorto-fémoraux infectés, cathéter central infecté, dérivation ventriculo-auriculaire infectée, thrombophlébite pelvienne suppurée).

C. Bactériémie physiologique

Par exemple, quinze minutes après un repas, la *Clostridium perfringens*, suite à la motilité intestinale, peut, de façon tout à fait normale et transitoire, gagner la circulation sanguine ; ce phénomène normal peut prendre des proportions pathologiques s'il survient au cours d'une injection i.m. d'adrénaline ou chez un patient porteur de tissus nécrotiques.

D. Bactériémie transitoire

Passage transitoire de bactéries dans le sang dû à des manipulations faites à un site de l'organisme où se trouve une flore microbienne normale ; exemple : passage de *Streptococcus viridans* de la bouche à la circulation sanguine au cours d'une extraction dentaire. Le phénomène n'a pas de conséquence pathologique pour la plupart des personnes. Cependant, il peut être à l'origine d'une endocardite subaiguë chez les malades porteurs d'une malformation cardiaque, surtout valvulaire.

E. Hémoculture faussement positive

Contamination du sang par des bactéries de la peau suite à une désinfection ou à des manipulations inadéquates lors du prélèvement. D'une part, la flore normale cutanée comporte les bactéries dites saprophytes suivantes : les staphylocoques à coagulase négative dont le *Staphylococcus epidermidis*, les Corynebactéries anaérobies dont le *Propionibacterium acnes*, les Corynebactéries aérobies ou diphtéroïdes, le *Clostridium perfringens*, Les Bacillus dont le *Bacillus cereus*. D'autre part, ces bactéries dites saprophytes ont été tenues responsables : d'infection de « shunt » et de prothèse valvulaire pour le *Staphylococcus épidermidis*, les diphtéroïdes et le *Proprionibacterium acnes* ; de septicémie après infection de cathéter i.v., de solutions i.v., et après infection urinaire pour le *Staphylococcus epidermidis* ; de septicémie et de pneumonie chez les hôtes immunodéficients, d'endophtalmite post-traumatique pour le *Bacillus cereus* ; de gangrène gazeuse et de septicémie *post-abortum* pour le *Clostridium perfringens*. En conséquence, des hémocultures positives à ces germes sont parfois de véritables énigmes d'un point de vue pathogénique. D'où l'importance de détruire adéquatement la flore normale cutanée avant tout prélèvement de sang pour hémoculture.

Signification d'une hémoculture négative

A. Infection non bactérienne : Virose, mycose, parasitose.
B. Fièvre non infectieuse : Fièvres allergiques, fièvres des maladies auto-immunes, fièvres des maladies néoplasiques.
C. Hémoculture faussement négative : Peut se produire si une antibiothérapie a été instituée avant les prélèvements de sang pour hémoculture, ou être due à l'insuffisance des méthodes actuelles du laboratoire face à certains germes fastidieux : formes « L », Mycoplasmes, Rickettsies, Francisella, Brucella, Leptospires, etc.

Septicémie du nouveau-né (cf. tableau 6)

Le nouveau-né peut présenter des signes généraux (hyperthermie, hypothermie, état plaintif, « va mal »), des signes respiratoires (cyanose, dyspnée, tachypnée, épisodes d'apnée), des signes neurologiques (irritabilité, respiration irrégulière, hyporéflexie, convulsions, léthargie), des signes gastrointestinaux (refus de boire, vomissement, diarrhée, hépatomégalie, distension abdominale), des signes hématologiques (pâleur, ictère, purpura, splénomégalie), des signes circulatoires (hypotension, peau froide et moite, cyanose, oligurie, anurie). A craindre les complications suivantes : hyponatrémie, acidose, infection métastatique, coagulation intravasculaire disséminée, hémorragie, choc septique ; l'apparition de sclérema (induration généralisée du derme) s'accompagne presque toujours d'un mauvais pronostic. Rechercher des signes d'infection associée à un foyer primaire ou secondaire (méningite, pneumonie, infection urinaire, ostéo-articulaire, cutanée, etc.). Rechercher une anamnèse d'infection maternelle périnatale, d'infection amniotique, de rupture prématurée des membranes, d'infection du cordon ombilical, d'anomalies congénitales (système nerveux central, pulmonaire, urinaire, etc.), de manœuvres de réanimation (intubation, respiration mécanique, cathétérisation des vaisseaux ombilicaux), et de prématurité.

Haemophilus influenzae

Les infections fréquemment associées ou compliquées d'une septicémie à *Haemophilus influenzae* (en grande partie le sérotype B) sont la méningite, l'épiglottite, l'arthrite septique, la cellulite périorbitaire et sous-cutanée. L'*Haemophilus influenzae* est, après le pneumocoque, le premier agent étiologique des otites moyennes aiguës ; il est parfois responsable de pneumonie et d'empyème. Des arthrites septiques et des péricardites à culture négative, développées sous antibiothérapie adéquate, des méningites secondaires développées sous antibiothérapie ne pénétrant pas la barrière hématoméningée ont été rapportées.
● *Traitement ;*
Infections sévères (ex. méningite) : L'ampicilline à l'égard des souches sensibles, puis le chloramphénicol à l'égard des souches résistantes à

l'ampicilline (bêta-lactamase-positives) ou chez le patient allergique à la pénicilline demeurent une thérapie dont l'efficacité est prouvée et l'expérience clinique longue. Bien que l'expérience clinique avec ces agents soit encore courte, la céfotaxime, la ceftriaxone et le moxalactam (cephalosporines de classe III) se sont révélés très puissants contre les *Haemophilus influenzae* ; ils ont de plus la propriété de pénétrer la barrière hémato-méningée.

Infections relativement plus bénignes (ex. : otite moyenne aiguë) : Un antibiotique pénétrant la barrière hémato-méningée est préférable à celui qui ne la pénètre pas, afin de prévenir la méningite ; ampicilline ou amoxicilline orale à l'égard des souches sensibles ; à l'égard des souches résistantes à l'ampicilline, triméthoprim-sulfaméthoxazole, céphalosporines classe 2 ou 3 (cefamandole, cefaclor, cefotaxime ou moxalactam), et éventuellement chloramphénicol ; à l'exception des patients allergiques aux pénicillines, association d'ampicilline et d'un inhibiteur (acide clavulanique) ou d'un compétiteur de bêta-lactamase (cloxacilline ou nafcilline).

Streptococcus pneumoniae (pneumocoque)

Porteurs asymptomatiques (colonisation du nasopharynx) fréquents chez l'enfant (25 à 50 %). Principal agent étiologique des otites moyennes aiguës. Responsable de bactériémie et de septicémie précédant ou accompagnant une méningite, une pneumonie, une arthrite septique, etc. Provoque la pneumonie lobaire aiguë (parfois plurilobaire) d'apparition brusque et pouvant évoluer vers l'abcédation, l'empyème, plus rarement la péricardite. Provoque une péritonite spontanée chez les patients avec ascite due à un syndrome néphrotique ou à une cirrhose alcoolo-nutritionnelle. Provoque une septicémie fulminante avec purpura, coma et choc chez l'enfant splénectomisé ou porteur d'une thalassémie majeure ou d'une maladie du système réticulo-endothélial.

● *Traitement* :
La pénicilline représente encore le traitement de premier choix, sauf pour des patients allergiques et lorsque des souches résistantes ou relativement résistantes sont isolées.

Alternative pour patient allergique ou souche relativement résistante : érythromycine ou clindamycine, à l'exception des infections du système nerveux central ; chloramphénicol si méningite.

Alternative en cas de souches multirésistantes : ces souches demeurent en général sensibles à la rifampicine et à la vancomicine.

● *Prévention* : Isolement des patients porteurs ou infectés par des souches résistantes. Le vaccin « Pneumovax » dirigé contre les quatorze sérotypes de pneumocoque les plus fréquents est peu efficace avant l'âge de deux ans ; il est indiqué chez les patients à risque de pneumococcie sévère (splénectomisé, thalassémie majeure) ; pourrait être indiqué lors d'une épidémie à souches multirésistantes.

Tableau 6 : Septicémie

	Etiologie	Diagnostic	Traitement spécifique d'attaque	Traitement symptomatique
Septicémie du nouveau-né	Escherichia coli et streptocoque béta-hémolytique du groupe B sont les plus fréquents Divers : entérobactéries (Klebsiella-entérobacter, Proteus, Citrobacter, Serratia) ; staph. pyogènes ; Pseudomonas (aeruginosa et cepacia) ; Strep. faecalis, Haemophilus sp.	Hémocultures Bilan septique (Gram et culture du L.C.R., urine, nez, anus, ombilic, lésions cutanées et sécrétions trachéales si applicables) ; culture des lochies de la mère Formule sanguine complète (y inclus les plaquettes) ; coagulogramme (y inclus les produits de dégradation de la fibrine) RX du poumon Bilan électrolytique, glycémie, BUN, bilirubine, enzymes hépatiques	Antibiothérapie : ampicilline plus gentamicine Si suspicion clinique élevée de Staph. aureus, de Ps. aer., de Proteus indol+, addition d'une pénicilline anti-staph. (ex. nafcilline) ou d'une pénicilline anti-Ps. aer. (ex. ticarcilline) L'antibiothérapie de départ est par la suite revisée selon les cultures et l'antibiogramme	Soins intensifs Correction des anomalies électrolytiques et de l'acidose O_2, ventilation mécanique, aspiration trachéale Choc : succédané de sang ou transfusion de sang frais total Choc avec sclerema : l'exsanguino-transfusion pourrait être bénéfique
Septicémie du nourrisson et de l'enfant	Streptococcus pneumoniae, Haemophilus influenzae type B, Neisseria méningitidis Staphylocoque pyogène, Staph. epidermidis	Hémocultures Bilan septique (culture de gorge, des urines, des selles, de L.C.R. si suspicion clinique de méningite)	Antibiothérapie de départ : ampicilline + nafcilline ± gentamicine Très variable selon la porte d'entrée, le foyer primaire ou le contexte clinique : Si *méningite primaire* : ampi. + chloro ou ampi. + céfotaxime.	Tenir une veine ouverte Assurer une perfusion adéquate Corriger les troubles électrolytiques Drainage chirurgical des collections purulentes (abcès, empyème, etc.)

Streptocoque faecalis, Strep. viridans, strep. béta-hémolytique du groupe A	Culture des foyers primaires ou secondaires (sécrétions bronchiques, liquide pleural, liquide articulaire, tissu osseux, sinus, oreille, abcès, lésions cutanées, etc.	Si *méningite sur shunt* : nafcilline ± ampicilline ou ± chloramphénicol ou ± céfotaxime	Débridement chirurgical des tissus nécrotiques (brûlés)
Entérobactéries (E. coli, Klebsiella, Enterobacter, Proteus, Serratia)		Si *cellulite périorbitaire* : nafcilline + ampicilline ou chloramphénicol céfotaxime	Curetage osseux s'il y a lieu et exérèse des séquestres dans les ostéomyélites
Pseudomonas (aeruginosa, cepacia, maltophilia, etc.)	Formule sanguine complète, vitesse de sédimentation, protéine C-réactive, facteur rhumatoïde	Si *adénite cervicale* : pénicilline anti-staph. (ex. : nafc. ou cloxa.)	Arthrocentèse et arthrotomie dans certaines arthrites septiques
Bactéries anaérobies : Bactéroïdes du groupe fragilis ou du groupe melaninogenicus, Clostridium, Fusobacterium, Peptococcus, Peptostreptococcus	Selon les cas : plaquette coagulogramme, bilan électrolytique, RX du poumon, E.E.G., E.C.G., échographie, scintigraphie, tomodensitométrie, etc.	Si *épiglottite* : céfotaxime ou chloramphénicol ou ampicilline	Revision et remplacement des anastomoses, des prothèses valvulaires
		Si *pneumonie acquise à l'extérieur de l'hôpital* : nafcilline-ampicilline ; érythromycine si suspicion de mycoplasma, de chlamydia ou de legionella	Si septicémie d'origine nosocomiale : selon le cas : *a*) retrait et culture du ou des cathéters i.v. suspects ; *b*) retrait et culture des solutés suspects ; *c*) retrait et culture des antiseptiques suspects ; *d*) vérification des appareils respiratoires, des techniques et des système de succion ; *e*) vérification des drains et de leur pourtour, retrait si possible ou si nécessaire ; *f*) retrait ou changement des sondes urinaires ; *g*) vérification des techniques d'asepsie chez le personnel
		Si *pneumonie acquise à l'hôpital* : pénicilline anti-staph. (parfois clindamycine) + aminoglycoside (genta. ou tobra.)	
		Si *ostéomyélite* : pénicilline anti-staph. (nafc. ou cloxa.) ou clindamycine (si allergie)	
Divers : Listeria monocytogènes, Brucella, Salmonella typhi, Salmonella choleraesuis, Campylobacter, etc.		Si *arthrite septique* : pénicilline anti-staph. + ampicilline ou céphalosporines classe 2 (ex. cefamandole)	
		Si *foyer urinaire* : aminoglycoside (genta. ou tobra.) ± ampicilline ou pénicilline anti-staph.	Si *choc septique* : *a*) soins intensifs ; *b*) prise rapprochée des signes vitaux, de la tension veineuse centrale ; mesure du débit urinaire ; *c*) restauration du volume sanguin ; sang. plasma ; *d*) correction de l'acidose métabolique ; *e*) vasopresseurs : dopamine ; *f*) héparine si C.I.V.D. ; *h*) O₂, ventilation mécanique
		Si *foyer abdominal* (abcès, péritonite) : clinda. ou cefoxitine + genta. ou tobra.	
		Si *endocardite bactérienne aiguë* : pénicilline anti-staph. + genta. ou tobra. ; *subaiguë* : pénicilline G ou ampicilline + genta. ou tobra. ; *sur prothèse* : pénicilline anti-staph. (parfois céphalo. classe 1, rare : vancomycine) + genta. ou tobra.	
		Si *déficits immunitaires* (ex. pneumonie chez leucémique en induction) et *grands brûlés* : pénicilline anti-Ps. aer. (ticar. ou carbeni.) + cephalosporine (classe 1 ou 2) + aminoglycosides (genta. ou tobra.)	
		Dans tous les cas, l'antibiothérapie de départ doit être revisée et réajustée selon les résultats des cultures et de l'antibiogramme.	

Neisseria meningitidis (cf. tableau 6)

● *Porte d'entrée* : Nasopharyngite à méningocoque et colonisation du nasopharynx (porteur asymptomatique) pouvant atteindre près de 20 % dans certaines populations.
● *Formes cliniques* variées : a) *bactériémie transitoire* à début insidieux, avec fièvre, malaise, signes d'infection des voies respiratoires supérieures ; la guérison spontanée est de règle ; une hémoculture fortuitement positive de façon rétrospective à un stade où le patient est guéri confirme le diagnostic ; b) *méningococcémie aiguë* : la méningite est présente dans environ 50 % des cas ; prodrome respiratoire, fièvre, céphalée, nausée, vomissement, asthénie, myalgie, arthralgie, rash cutanéomuqueux pétéchial, ecchymotique, parfois maculo-papulaire ; polynucléose marquée ; c) *méningococcémie fulminante* ou syndrome de Waterhouse-Friderickson ; particularités : absence de méningite, absence de polynucléose ou parfois neutropénie, plus fréquent avec le sérogroupe B ; représente 5 à 15 % des méningoccies ; début brutal (< 24 h.), fièvre marquée (> 40° C), asthénie, malaise général, myalgie, appréhension, agitation, délire, rash généralisé purpurique et ecchymotique avec hémorragies muqueuses et viscérales, évolution vers le purpura fulminans, cyanose, hypotension, choc profond avec insuffisance surrénalienne aiguë et syndrome de coagulation intravasculaire disséminée ; le décès, dont l'incidence est élevée, survient rapidement ; d) *méningococcémie chronique* : durée moyenne de six à huit semaines ; fièvre et rash intermittents, arthralgies, céphalées.
● *Complications des méningococcémies* : méningite, arthrite septique, pneumonie (surtout le sérotype y), péricardite et myocardite, etc.
● *Diagnostic* : Le méningocoque peut être isolé du sang, du liquide céphalo-rachidien, des lésions cutanées, du nasopharynx ; les prélèvements doivent être ensemencés rapidement sur gélose-cholocat et incubés en présence de 10 % de CO_2.
● *Traitement* : La pénicilline G est le traitement de choix et doit être donnée à fortes doses par voie parentérale ; le chloramphénicol est indiqué chez les patients allergiques à la pénicilline. Les corticostéroïdes sont à considérer dans le choc et l'héparine comme traitement précoce du syndrome de coagulation intravasculaire disséminée.
● *Prévention* : Isolement du malade à interrompre 24 heures après le début de l'antibiothérapie ; la chimioprophylaxie des contacts familiaux est indiquée et elle est identique à celle des contacts de méningite à méningocoque (cf. pp. 636-637).

Entérobactéries (cf. tableau 6)

Une infection du tractus urinaire (surtout la pyélonéphrite) est la source la plus fréquente de septicémie à entérobactéries (*E. coli, Klebsiella, Enterobacter*, etc.). Une affection chirurgicale du tractus gastro-intestinal (appendicite, péritonite, abcès intra-abdominal, cholécystite, etc.), une infection cutanée post-traumatique (plaie, brûlures) ou postopératoire, une thrombophlébite suppurée après césarienne ou hystérectomie, ou au site d'un cathéter intraveineux, une bronchopneumonie dans les déficits immunitaires (leucémiques) peuvent toutes être à la source d'une septicémie à entérobactéries. Les septicémies à entérobactéries peuvent facilement évoluer vers le choc septique, dont elles sont la cause la plus importante. Enfin, les entérobactéries, notamment le *E. coli*, provoquent des méningites néonatales, des méningites post-« shunt » et postchirurgie neurologique, des méningites sur myéloméningocèle. Les aminoglycosides sont un traitement de choix des septicémies à entérobactéries : gentamicine ou tobramicine ; les souches résistantes à ces deux derniers antibiotiques peuvent être encore sensibles à l'amikacine et aux céphalosporines de la classe 3 (céfotaxime, moxalactam, etc.).

Pseudomonas aeruginosa (cf. tableau 6)

Il a un profil infectieux proche de celui des entérobactéries. Agent étiologique fréquent des infections acquises à l'hôpital ; s'attaque aux patients immunocompromis à risques multiples (leucémique sous chimiothérapie, agranulocytose, corticothérapie, radiothérapie, antibiothérapie à large spectre, trachéostomie, ventilation mécanique, humidificateurs, cathéters i.v., drains, sondes à demeure, brûlés, etc.). Chez ce type de patient, il est une cause fréquente de bactériurie significative avec septicémie, de bronchopneumonie fulminante, d'infections sévères chez les brûlés. Provoque une vasculite nécrosante pulmonaire, hépatosplénique, cutanée, etc. L'ecthyma gangrenosum est une lésion cutanée ulcéreuse arrondie, indurée et à centre noir et presque exclusivement due au *Pseudomonas aeruginosa*. En général, sensible à la gentamicine, à la tobramicine, à la carbénicilline et à la ticarcilline ; les souches résistantes à ces antibiotiques peuvent être encore sensibles à l'amikacine, à la pipéracilline, à la polymyxine B et à certaines céphalosporines de la classe III (céfopérazone, cefsulodin, ceftazidime, thiénamycine, etc.). En raison du développement rapide de la résistance aux α-carboxy-pénicillines (Carbeni et Ticar) et étant donné le synergisme noté entre ces pénicillines et les aminoglycosides, il est préférable de toujours utiliser ces pénicillines en association avec les aminoglycosides pour le traitement des infections à *Pseudomonas aeruginosa*.

Méningites bactériennes aiguës
(méningites purulentes)

Etiologie (cf. tableau 7)

Le micro-organisme varie selon l'âge. **Nouveau-né** (0 à ≃ 2 mois) : Les micro-organismes les plus fréquemment retrouvés sont : *Eschirichia coli* et streptocoque bêta-hémolytique du groupe B *(Streptococcus agalactiae)*. Sont rencontrés, mais plus rarement : *Listeria monocytogenes, Enterobacter, Klebsiella, Proteus, Staphylococcus aureus, Pseudomonas, Streptococcus faecalis, Haemophilus* sp. **Nourrisson** (≃ 2 mois à ≃ 5 ans) : *Haemophilus influenzae* de type B est de loin le plus fréquent ; Méningocoque et pneumocoque sont aussi incriminés. **Enfant** (> 5 ans) : le méningocoque d'abord, puis le pneumocoque sont fréquents ; *Haemophilus influenzae* est plus rarement rencontré.

Tableau 7 : Microbiologie sommaire des méningites bactériennes aiguës

Agent étiologique	Examen direct après coloration de Gram	Caractère à la culture
Meningocoque (Neisseria meningitidis)	Cocci en paire, Gram négatif, réniforme ou en grain de café	Capnophile : croît sur gélose-chocolat incubé en CO_2 : possède une cytochrome-oxydase et une catalase
Pneumocoque (Streptococcus pneumoniae)	Cocci en paire, Gram positif, lancéolé, forme de « 8 »	Hémolyse verte sur gélose-sang ; colonies muqueuses, ombiliquées, lysées par la bile, sensibles à l'éthyl-hydroxycupréine (optochin)
Streptocoque bêta-hémolytique du groupe B (Streptococcus agalactiae)	Cocci en chaînettes, Gram positif	Hémolyse claire (bêta) sur gélose-sang, ni cytochrome-oxydase, ni catalase ; hydrolyse l'hippurate et croît en présence de NaCl 6.5 %
Staphylococcus aureus	Cocci en amas, Gram positif	Pas de cytochrome-oxydase, possède une catalase et une coagulase, colonies jaune-doré
Listeria monocytogenes	Bâtonnet corynéforme, en palissade, Gram positif, non sporulé	Hémolyse claire (bêta) sur gélose-sang ; mobile ; possède une cytochromé-oxydase et une catalase
Haemophilus influenzae	Petit bâtonnet, Gram négatif, pléomorphique	Croît en satellitisme avec le staph. doré, besoin en facteur X (hémine) et V (NAD)
Escherichia coli, Proteus, Klebsiella, Enterobacter	Bâtonnets, Gram négatif	Croissent sur milieu MacConkey : fermentatifs, lactose-positifs, cytochrome-oxydase-négatifs
Pseudomonas aeruginosa	Bâtonnet, Gram négatif	Croît sur MacConkey : oxydatif, lactose-négatif, cytochrome-oxydase-positif producteur de pyoverdine et de pyocyanine

Pathogénèse

L'*Haemophilus influenzae* de type B, le pneumocoque et le méningocoque pourraient gagner l'espace sous-arachnoïdien par la lame criblée de l'ethmoïde, le sinus sphénoïdal et la selle turcique, ou l'os pétreux. Une colonisation ou une infection du nasopharynx, des sinus et de l'oreille moyenne (otite, mastoïdite, pétrosite) par ces micro-organismes précèdent souvent la méningite du nourrisson et de l'enfant. Les plexus choroïdes des ventricules latéraux sont une voie d'accès possible après dissémination hématogène lors d'une septicémie ; la fréquence élevée d'hémoculture positive et de ventriculite chez le nouveau-né en témoigne ; des méningites hématogènes se sont développées après épiglottite, arthrite septique, pneumonie, etc. Les interventions neurochirurgicales et les fractures facio-crâniennes avec rhinorrhée ou otorrhée cérébrospinale peuvent être compliquées de méningite par contamination directe de l'espace sous-arachnoïdien, d'ordinaire par staphylocoque, entérobactéries ou pseudomonas. Des sites contaminés ou septiques paraméningés donnent fréquemment des méningites récidivantes par contiguïté : anastomoses ventriculopéritonéales, sinus dermique, kyste dermoïde, myéloméningocèle, abcès cérébral rompu.

On retrouve des marqueurs de virulence (les anticorps correspondants sont protecteurs) propres aux bactéries fréquemment responsables des méningites purulentes : par exemple, 80 % des *E. coli* isolés des méningites néonatales ont l'antigène capsulaire K1, de nature polysaccharidique ; beaucoup des streptocoques agalactiae sont du groupe B111 ; 95 % des *Haemophilus influenzae* sont du sérotype B et ils ont un antigène capsulaire composé de polyribosephosphate ; il existe une parenté antigénique entre le méningocoque du groupe B, le streptocoque du groupe B111 et l'antigène K1 du *E. coli*. L'absence d'anticorps bactéricides (anti-B111 chez le nouveau-né, anti-polyribose-phosphate chez le nourrisson) dirigés contre ces marqueurs spécifiques pourrait favoriser l'éclosion de la méningite.

Les méningites sévères du nouveau-né pourraient être le tribut d'anomalies de la *phagocytose* (déficit du chimiotactisme, de l'opsonisation des polynucléaires, etc.). Des méningites fulminantes à pneumocoque se manifestent dans la thalassémie majeure, après *splénectomie*, etc. Les méningites à méningocoque sont plus fréquentes dans les déficiences en *complément*, notamment les fractions C_3, C_5, C_6, C_7 et C_8.

Epidémiologie

● *Nouveau-né* : Le *streptocoque bêta-hémolytique du groupe B* et l'*Escherichia coli* sont d'origine maternelle et présents dans les voies génitales. Les facteurs de risque sont l'infection maternelle périnatale (infection urinaire, endométrite, chorio-amniotite), la prématurité, la rupture prématurée des membranes, le travail prolongé, la multiplication des manœuvres obstétricales et le « monitoring » fœtal, le degré et la multiplicité des sites de colonisation du nouveau-né, enfin la galactosémie. Les infections néonatales au-delà de la première semaine de vie, dues au *Staphylococcus aureus* et aux bâtonnets à Gram négatif (Klebsiella, Enterobacter, Citrobacter, Pseudomonas), sont le plus souvent d'origine nosocomiale.

● *Méningocoque* : Les sérogroupes A et C sont responsables de poussées épidémiques, et un fort pourcentage des souches est résistant aux sulfamidés. Le sérogroupe B, responsable de cas sporadiques, est plus fréquemment rencontré dans les populations civiles en dehors de contexte épidémique, et la plupart des souches sont sensibles aux sulfamidés. La colonisation asymptomatique du nasopharynx est de 5 à 10 % en dehors des situations épidémiques ; en situation épidémique, le nombre de nouveaux colonisés atteint ou dépasse 60 %. Le risque d'acquisition de la méningite à méningocoque est accru de 500 à 800 fois par les contacts intimes ou familiaux avec méningite à méningocoque. Plus fréquent en hiver et au printemps.

● *Pneumocoque* : Seules quelques épidémies intra-hospitalières à souches multirésistantes aux antibiotiques ont été rapportées en Afrique.

● *Haemophilus influenzae* : La colonisation nasopharyngée par l'*Haemophilus influenzae* de type B est en général faible (environ 5 %) : toutefois, elle s'accroît significativement chez les contacts familiaux (environ 20 %). La mise en évidence d'un risque accru d'infection (585 fois) chez les contacts familiaux de moins de deux ans est une notion récente.

● *Méningites nosocomiales* : Certaines méningites néonatales, les méningites après neurochirurgie, après dérivation ventriculo-péritonéale ou ventriculo-cave sont dues à des micro-organismes d'hôpitaux (nosocomiaux) multirésistants aux antibiotiques (*Staphylococcus aureus* et *epidermidis*, entérobactéries, pseudomonas, etc.).

Signes cliniques :

● *Nouveau-né* : Les signes d'alerte, souvent frustres et subtils, sont très peu spécifiques ; ils sont identifiables à ceux de toute septicémie ou toute infection sévère : hyperthermie ou hypothermie, irritabilité, somnolence, léthargie, convulsions, tonicité anormale, hyporéactivité, perte ou diminution des réflexes archaïques, cyanose, difficultés respiratoires, périodes d'apnée, refus de boire, vomissement, diarrhée, ictère ; moins fréquemment, mais plus spécifiquement : fontanelle bombée, rigidité nuchale.

● *Nourrisson* : L'incidence la plus élevée de méningite se situe entre six et douze mois. A cet âge toute fièvre persistante (> 39,5°), avec polynucléose (> 15 000), sans foyer, doit faire rechercher systématiquement une méningite. La méningite s'installe de façon brutale (< 24 h.) ou elle progresse sur une période de un à sept jours. Les signes pathognomoniques de méningite ne sont pas régulièrement présents, mais le tableau clinique est dans l'ensemble plus évocateur de méningite que chez le nouveau-né : fièvre élevée (> 39,5°), irritabilité, cris plaintifs, vomissements en jet, fontanelle bombée, nuque en extension lors de la position assise ; la raideur de la nuque, les signes de Brudzinski et de Kernig sont présents de façon variable ; rash pétéchial, ecchymotique, surtout aux parties déclives (membres inférieurs), lorsque le méningocoque est impliqué.

● *Enfant* : Le tableau clinique de méningite bactérienne aiguë, sauf chez les patients avec déficit immunitaire, est ici constamment évocateur : fièvre, céphalée, cervicalgie, dorsalgie, nausée, vomissement en jet, raideur de la nuque, signe de Brudzinski positif (la flexion du cou provoque la flexion involontaire des jambes et des cuisses), signe de Kernig positif (cuisse fléchie sur la hanche à 90 degré, la jambe ne peut être tenue en extension à plus de 135 degrés). Rash pétéchial ou ecchymotique avec le méningocoque.

Signes biologiques :

● *Sang périphérique* : Polynucléose (⩾ 15 000) avec prédominance de polynucléaires neutrophiles (80 à 100 %) ; présence de neutrophiles immatures, non segmentés ; accélération de la vitesse de sédimentation. Le sang néonatal normal étant polyneutrophilique, les signes suggestifs chez le nouveau-né sont une polynucléose supérieure à 30 000 ou inférieure à 4 000, la présence de neutrophiles non segmentés, de granulations toxiques et corps de Döhle. Des signes de coagulation intravasculaire disséminée (baisse des plaquettes, des facteurs de coagulation, augmentation des produits de la dégradation de la fibrine), d'acidose et d'hypoxie peuvent être présents chaque fois qu'une septicémie précède ou accompagne la méningite. L'hypo-osmolarité, l'hyponatrémie (< 135 mmol/l) et l'hypochlorémie par syndrome de sécrétion inappropriée d'ADH sont fréquentes.

● *Liquide céphalo-rachidien* : Sous pression (⩾ 20 cm d'H_2O), souvent trouble, parfois franchement purulent, parfois clair. Le nombre de leucocytes est élevé, excédant assez régulièrement 1 200/ml avec nette prédominance de polynucléaires neutrophiles (90 à 100 %) ; le glucose est abaissé (< 40 mg/100 ml ou < 40 % du glucose sanguin) ; les protéines sont élevées (⩾ 150 mg/100 ml). Quelques cas de méningite prouvée par culture révèlent une cytologie et une biochimie peu perturbées (méningite à méningocoque, méningite au tout début, méningite chez l'hôte immunocompromis). Enfin, le L.C.R. néonatal est, à l'état normal, en l'absence de méningite, cellulorachique (0 à 30 cellules/ml, dont 60 % de polynucléaires neutrophiles) et protéinorachique (60 à 150 mg/100 ml) ; la glycorachie normale du nouveau-né, chez qui la glycémie est normalement plus faible, représente 75 à 80 % de la glycémie, contre 50 à 60 % chez le nourrisson et l'enfant.

Considérations thérapeutiques et autres selon l'agent étiologique

● *Streptocoque bêta-hémolytique du groupe B :*
1. Parmi les streptocoques bêta-hémolytiques, ceux du groupe B ont la particularité d'être relativement moins sensibles à la pénicilline G et ils présentent parfois un phénomène de tolérance à l'égard de cette dernière, c'est-à-dire que la concentration minimale bactéricide de l'antibiotique est environ dix fois plus élevée que la concentration minimale inhibitrice (bactériostatique).
2. Il existe deux formes de méningite néonatale : *a)* la méningite néonatale *de révélation précoce (early-onset)* débute dans les heures qui suivent la naissance ou dans les premiers quatre jours ; la méningite s'inscrit alors dans un état septicémique fulminant, de pronostic réservé, dont le taux de mortalité peut atteindre 50 % ; une détresse respiratoire rapidement progressive avec hypoxémie, apnée, hypotension, choc et mort subite caractérise cette forme ; les cinq sérotypes de Streptocoque B en sont indifféremment responsables (1a, 1b, 1c, II et III) ; *b)* la méningite néonatale *de révélation tardive (late-onset)* débute de cinq jours à un mois après la naissance ; elle pourrait être d'origine nosocomiale ; l'infection à tropisme méningé net est due uniquement au sérotype III : le pronostic y est meilleur avec un taux de mortalité n'excédant pas 20 %.

● *Listeria monocytogenes* : Tout comme pour le streptocoque bêta-hémolytique du groupe B, il existe deux formes cliniques de méningite : *a)* la méningite *de révélation précoce (early-onset)* procède d'une transmission transplacentaire du *Listeria* lors d'une listériose maternelle (fièvre, malaise, syndrome grippal, troubles digestifs, infection urinaire, rash papulaire ou pustuleux) ; l'infection fœtale produit un avortement, un nouveau-né mort-né, une prématurité ou un nouveau-né sévèrement malade avec atteinte multisystémique (peau, muqueuses, système nerveux central, poumon, ganglions, foie, rate, surrénales, endocarde, etc.), la « granulomatosis infantiseptica », de pronostic vital réservé ; elle se présente parfois comme une septicémie avec pneumonie et méningite ; *b)* la méningite *de révélation tardive (late-onset)* ressemble à celle qui est causée par le streptocoque du groupe B ; le pronostic en est excellent. Enfin, l'ampicilline, la gentamicine ou l'association des deux sont les rares antibiotiques bactéricides pour le *Listeria monocytogenes.*

● *Entérobactéries, pseudomonas, staphylocoques* : Hormis l'*Escherichia coli* d'origine maternelle dans la méningite néonatale de la première semaine de vie, les entérobactéries (*Klebsiella, Enterobacter, Proteus, Serratia, Citrobacter*), le *Pseudomonas aeruginosa*, le *Pseudomonas cepacia*, le *Staphylococcus aureus*, le *Staphylococcus épidermidis* sont associés soit à des méningites néonatales de révélation tardive (après la première semaine de vie), soit à des méningites sur dérivation, soit encore à des méningites post-neurochirurgie ou post-traumatiques. Ces bactéries sont souvent d'origine hospitalière et à mode de propagation nosocomiale (mains du personnel, cathéters veineux ou artériels, drains thoraciques ou abdominaux, sondes urinaires, bronchoscopes, appareils respiratoires, appareils de succion, etc.), de résistance relative aux antiseptiques (surtout le *Pseudomonas*), de vitalité prolongée en dehors de l'organisme dans le milieu extérieur, et surtout multirésistantes aux antibiotiques.

La plupart des souches de staphylocoques résistent à la pénicilline G et à l'ampicilline ; mais elles demeurent en général sensibles aux pénicillines résistantes à la pénicillinase, ou pénicillines antistaphylococciques (méthicilline, isoxazolyl-pénicilline, nafcilline) ; l'index thérapeutique (l'écart entre la dose thérapeutique et la dose toxique) de ces dernières est élevé, et leur pénétration hématoméningée, surtout en milieu inflammé, est acceptable. Dans les rares cas de méthicilline-résistance, on peut encore recourir à la rifampicine associée avec la vancomicine ou un aminoglycoside.

Les méningites dues aux bactéries à Gram négatif constituent un dilemme thérapeutique. Les aminoglycosides (gentamicine, tobramicine, amikacine, etc.) ont toute leur valeur dans l'éradication de la septicémie concomitante dont le risque d'essaimage à distance et d'évolution vers le choc septique est grand. Toutefois, le mince index thérapeutique et l'absence ou le peu de pénétration hématoméningée restreignent leur efficacité dans la méningite. L'infusion ventriculaire ou lombaire des aminoglycosides n'a pas donné les effets cliniques escomptés. Par ailleurs l'*Escherichia coli* et le *Proteus mirabilis* (indol⁻) sont souvent sensibles à l'ampicilline ; mais l'index thérapeutique est au moins dix fois moindre qu'avec l'*Haemophilus influenzae* sensible ou le streptocoque bêta-hémolytique du groupe B (les concentrations minimales inhibitrices sont d'environ 5 µg/ml pour les premiers et inférieures à 0,5 µg/ml pour les seconds). Dans les méningites, le chloramphénicol a des avantages pharmacocinétiques très nets ; néanmoins il est potentiellement très toxique pour le nouveau-né et, à l'égard des bâtonnets à Gram négatif (exception faite de l'*Haemophilus influenzae*), il a un mince index thérapeutique, il est bactériostatique et il antagonise l'activité bactéricide des aminoglycosides. La carbénicilline et mieux encore la ticarcilline, à fortes doses et en milieu inflammé, ont un effet sur le *Pseudomonas aeruginosa et les Proteus* indol⁺ (*vulgaris, morganii, rettgeri*). Le sulfaméthoxazole associé au triméthoprim et les céphalosporines de la classe 3 (céfotaxime et moxalactam) ont un large spectre contre les bâtonnets à Gram négatif, sont bactéricides, pénètrent la barrière hémato-méningée et sont peu toxiques ; ils constituent une voie intéressante pour le traitement des méningites à bâtonnets à Gram négatif.

● *Haemophilus influenzae de type B* : l'*Haemophilus influenzae* de type B a acquis de la résistance à l'ampicilline, résistance d'origine plasmidique se traduisant par la synthèse d'une bêta-lactamase. La fréquence des souches méningitiques « bêta-lactamase »-positives est variable. Par exemple, dans notre centre hospitalier, la fréquence des souches méningitiques « bêta-lactamase »-positives a varié de 5 à près de 30 % au cours des dernières années. Toutefois la résistance de ce microorganisme au chloramphénicol est exceptionnelle, et les concentrations minimales inhibitrices sont très basses (environ 0,5 µg/ml), donc l'index thérapeutique élevé ; on a en outre démontré que l'*Haemophilus influenzae* est l'une des rares bactéries pour lesquelles le chloramphénicol est bactéricide ; la forme orale (palmitate de chloramphénicol) produit des niveaux sériques et sous-arachnoïdiens au moins aussi élevés que la forme parentérale (succinate de chloramphénicol). Le traitement des rarissimes méningites à *Haemophilus influenzae* résistant à la fois à l'ampicilline et au chloramphénicol peut être abordé par une association de sulfisoxazole et de streptomycine ; la rifampine devrait être également considérée. Enfin, le céfotaxime, le moxalactam, la ceftriaxone et le sulfaméthoxazole associé au trimethoprim ont démontré une pénétration sous-arachnoïdienne très acceptable et une très forte activité à l'égard des *Haemophilus influenzae* sensibles ou résistants à l'ampicilline.

● *Neisseria meningitidis* : Forme de méningite à début brutal (< 24 h.) et évolution fulminante ; présence fréquente d'un rash cutané purpurique, pétéchial, ecchymotique et plus rarement maculo-papulaire d'origine méningococcémique ; rash distribué plus particulièrement aux parties déclives (membres inférieurs) ; présence variable d'une insuffisance surrénalienne aiguë (syndrome de Waterhouse-Friderichsen) et de choc septique avec coagulation intravasculaire disséminée (CIVD). La fréquence élevée des méningocoques résistants ne doit faire choisir la sulfadiazine en chimioprophylaxie que si la sensibilité des souches a été établie.

● *Streptococcus pneumoniae* : Rencontré dans les méningites avec fracture facio-crânienne, après splénectomie, avec thalassémie majeure. Forme de méningite marquée par atteinte de l'état de conscience, convulsions, déficits neurologiques focalisés ; haute fréquence de séquelles neurologiques. Tout comme l'ampicilline pour l'*Haemophilus influenzae*, la pénicilline G n'est plus régulièrement active à l'égard du pneumocoque. Un nombre croissant de souches relativement résistantes à la pénicilline G est rapporté (concentration minimale inhibitrice variant de 0,12 à 1,0 µg/ml). Les méningites dues à ces souches pourraient être traitées par le chloramphénicol, de préférence aux mégadoses de pénicilline G. Des souches totalement résistantes à la pénicilline G ont aussi été rapportées (CMI ⩾ 2,0 µg/ml) et elles ont en général été liées à des résistances croisées multiples (chloramphénicol, tétracycline, etc.). La rifampicine en association avec la vancomycine peut être active dans les méningites à souches multirésistantes.

Mortalité et morbidité des méningites purulentes

● *Nouveau-né* : Le taux de mortalité est élevé : 40 à 60 % dans les méningites à bactéries Gram négatif ; 50 % dans la méningite *early-onset* à Streptocoque agalactiae (group B) ; 15 à 20 % dans la méningite *late-onset*.

La morbidité est également élevée (30 à 50 %). *Complications immédiates* : ventriculite, convulsions subintrantes, pyoencéphalite, effusion sous-durale, CIVD, choc. *Séquelles* : hydrocéphalie, mal épileptique, surdité, déficits visuels, retard mental, diabète insipide, puberté précoce, troubles du comportement.

● *Nourrisson et enfant* : Mortalité : 20 % par le pneumocoque, 5 à 10 % par l'*Haemophilus influenzae* et le méningocoque. Morbidité : très variable selon les milieux et selon les études, mais plus faible que chez le nouveau-né, plus fréquente en bas âge et plus fréquente avec le pneumocoque. Choc septique et CIVD (surtout avec le méningocoque) ; fréquence élevée du syndrome de sécrétion inappropriée d'ADH ; arthrite d'allure septique à culture négative se développant sous traitement (ménincogoque et *Haemophilus influenzae*) ; effusion sous-durale, avec

Tableau 8 : Diagnostic microbiologique des méningites bactériennes aiguës

Analyses bactériologiques de première ligne	Analyses de deuxième ligne
Sont d'emblée pertinentes et toujours indiquées : ● Examen direct (Gram) du L.C.R. ● Culture du L.C.R. ● Culture du sang (hémoculture) ● Culture des portes d'entrée : — nasopharynx — sinus — oreille moyenne — urine ● Recherche de bêta-lactamase et antibiogramme de routine sur la bactérie isolée quelle que soit sa nature (ex. : pneumocoque)	Pas toujours indiquées ; utiles surtout dans les méningites décapitées par les antibiotiques ● Recherche d'antigènes bactériens par contre-immuno-électrophorèse dans le L.C.R., le sang et l'urine ● Recherche d'antigènes bactériens par agglutination de particules de latex recouvertes d'anticorps spécifiques dans le L.C.R. ● Recherche d'endotoxines bactériennes (bactéries Gram-négatives) par l'épreuve de gélification d'un lysat de l'amibe « Limulus polyphenus » ● Recherche d'un taux d'acide lactique dans le L.C.R. supérieur à 35 mg %

Tableau 9 : Pénétration des antibiotiques dans l'espace sous-arachnoïdien

Excellente [1]	Satisfaisante [2]	Faible ou nulle
Métronidazole Chloramphénicol Sulfamidés Trimethoprim Rifampicine Isoniazide	Pénicilline G Ampicilline Nafcilline et isoxazolyl-pénicilline (ex. : cloxacilline) Carbenicilline, ticarcilline Céphalosporines classe 3 (moxalactame, céfotaxime, ceftriaxone, etc.)	Céphalosporines classe 1 (ex. : céphalothin) et classe 2 (ex. : céfamandole) Vancomicine Clindamycine Erythromycine Aminoglycosides (gentamicine, tobramicine, amikacine, etc.) Acide fusidique

[1] Niveaux thérapeutiques atteignables à doses régulières et en l'absence d'inflammation des méninges.
[2] La pénétration est dépendante du dosage de l'antibiotique et du degré d'inflammation des méninges.

Tableau 10 : Antibiothérapie de départ[1] dans les méningites bactériennes

0-7 jours	Ampicilline i.v. 75 mg/kg/dose toutes les 12 heures	**plus**	Gentamicine i.v. 2,5 mg/kg/dose toutes les 12 heures	**plus**	Céfotaxime 50 mg/kg/dose toutes les 12 heures*
7 jours à ~ 2 mois	Ampicilline i.v. 75 mg/kg/dose toutes les 6 heures	**plus**	Gentamicine i.v. 2,5 mg/kg/dose toutes les 8 heures	**plus**	Céfotaxime 50 mg/kg/dose toutes les 8 heures*
~ 2 mois à ~ 5 ans	Ampicilline i.v. 75 mg/kg/dose toutes les 4 à 6 heures	**plus**	Chloramphénicol i.v. 25 mg/kg/dose toutes les 6 heures	**ou**	Céfotaxime 50 mg/kg/dose toutes les 6 heures*
≥ 6 ans	Ampicilline i.v. 75 mg/kg/dose toutes les 4 à 6 heures	**ou**	Pénicilline G i.v. 50 000 U/kg/dose toutes les 4 heures		

[1] Lorsque le micro-organisme et l'antibiogramme ne sont pas encore disponibles.
* Sous essais cliniques chez l'auteur.

parfois empyème ; hydrocéphalie. La séquelle neurologique la plus fréquente est la surdité.

Diagnostic bactériologique (cf. tableau 8)

Analyses bactériologiques de première ligne

L'isolement du micro-organisme au site de l'infection (liquide céphalorachidien) constitue la preuve définitive de méningite bactérienne. De plus, l'isolement permet de préciser la nature exacte du micro-organisme (identification) et de déterminer son profil de sensibilité et de résistance aux antibiotiques ((antibiogramme).

● *Examen direct*, après coloration de Gram, du L.C.R. : Détection rapide des bactéries (< 1 h.). Fournit des indices sur la nature du micro-organisme selon les propriétés morphologiques (cocci ou bâtonnets, en amas ou en chaînette) et tinctoriales (Gram + ou Gram −). Taux de positivité élevée (> 80 % dans les méningites prouvées par culture).

● *Culture du L.C.R.* : Réalisée en général par inoculation d'une gélose au sang strié de staphylocoque, d'une gélose-chocolat incubée dans une atmosphère de 5 à 10 % de CO_2 et d'un bouillon liquide ; la culture est plus sensible que la coloration de Gram, mais moins rapide (se révèle positive en général après 24 heures) ; elle est hautement spécifique, permet d'établir l'identification précise de la bactérie et l'antibiogramme (> 24 à 48 h.). Le bouillon liquide permet parfois d'isoler plus tardivement des germes fastidieux (bactéries anaérobies) ou des bactéries affectées par une antibiothérapie préalable.

● *Hémoculture* : Méthode peu agressive qui doit être pratiquée dans tous les cas de méningite. Taux de positivité variable, mais en général élevé (60 à 90 %) ; la positivité de l'hémoculture peut précéder celle du L.C.R. (méningites hématogènes).

● *Cultures des portes d'entrée* : Nasopharynx, oreille, sinus, sécrétions bronchiques, etc. D'un grand secours si ces cultures ont été réalisées lors de l'épisode infectieux qui a précédé la méningite et que les résultats sont disponibles.

Analyses de deuxième ligne (cf tableau 8)

Ces analyses sont en général rapides (< 1 h.), mais pèchent soit par leur manque de sensibilité (contre-immuno-électrophorèse pour recherche des antigènes bactériens), soit par leur manque de spécificité (acide lactique dans le L.C.R.). Nous les croyons utiles dans des contextes particuliers : méningite décapitée par les antibiotiques ; suspicion élevée de méningite bactérienne, mais cultures négatives (retard dans le transport ou l'ensemencement de l'échantillon de L.C.R. par exemple).

Traitement des méningites bactériennes (cf. tableaux 9 et 10)

Antibiothérapie (cf. p. 685 et tableau 26)

Dès qu'on soupçonne une méningite bactérienne et que les échantillons ont été prélevés pour culture, une antibiothérapie doit être instituée de toute urgence. Le plus souvent une association comportant les avantages suivants doit être utilisée :

1. Pénétration de la barrière hémato-méningée par propriété intrinsèque (chloramphénicol) ou par suite d'inflammation méningée (doses élevées d'ampicilline ou de pénicilline par voie intraveineuse) (tableau 9).
2. Spectre d'activité à l'égard de toutes les espèces et de toutes les souches d'une même espèce (ex. *Haemophilus influenzae* sensible et résistant à l'ampicilline) qui sont susceptibles de provoquer la méningite selon l'âge ou selon le contexte clinique particulier (ex. méningite sur anastomose ventriculo-péritonéale).
3. Antibiotique ou association d'antibiotiques de préférence bactéricide (surtout dans la méningite néonatale) (tableau 10).
4. Capacité de contrôler adéquatement la septicémie concomitante (ex. aminoglycosides et septicémie à bâtonnets Gram négatif chez un nouveau-né).

Dès que la sensibilité de la bactérie est connue, une mono-antibiothérapie doit remplacer l'association de départ *chez le nourrisson et l'enfant*. La prolongation indue de l'association ampicilline-chloramphénicol n'est pas recommandable, car cette association peut être antagoniste notamment à l'égard du pneumocoque et du méningocoque. Ainsi, pour un *Haemophilus influenzae*, le traitement est poursuivi avec de l'ampicilline seule si la souche est sensible ; il est poursuivi avec du chloramphénicol seul ou du céfotaxime (sous essais cliniques) si la souche est résistante à l'ampicilline. Par ailleurs, *chez le nouveau-né*, certaines associations sont bénéfiques (ex. : ampicilline +gentamicine à l'égard du *E. coli* et du *Listeria monocytogenes*, pénicilline G + gentamicine dans la méningite « early-onset » à *Streptococcus agalactiae*, groupe B). Selon le cas, ces associations doivent ou peuvent être poursuivies. Chez le nouveau-né, la méningite « early-onset » à *Streptococcus agalactiae* devrait être abordée avec des doses élevées de pénicilline G (soit 250 000 à 400 000 U/kg/jour).

Durée de traitement

Chez le *nouveau-né* : 3 semaines ; chez le *nourrisson* et l'*enfant* : 15 jours pour le pneumocoque ; 10 à 15 jours pour les autres en général. Toute méningite à bâtonnets Gram négatif (entérobactéries, *Pseudomonas*) nécessite une antibiothérapie prolongée ($\geq$ 3 semaines) ; peu importe l'âge.

Le suivi du taux sérique des aminoglycosides (néphrotoxiques, ototoxiques) et du chloramphénicol (métabolisme hépatique, interaction médicamenteuse avec le phénobarbital et le phénylhydantoïne) est souhaitable, notamment chez le nouveau-né.

Autres mesures

Contrôle de la pyrexie et des convulsions (phénobarbital). Restriction hydrique si œdème cérébral ou syndrome de sécrétion inappropriée d'ADH. Assistance ventilatoire (difficultés respiratoires, somnolence, coma, etc.). Mannitol i.v. si hypertension i.c. Dopamine et stéroïdes si choc septique. Héparine (?) si C.I.V.D.

Prévention

● *Isolement* du patient à interrompre 24 à 48 heures après le début de l'antibiothérapie.

● *Chimioprophylaxie des contacts* familiaux ou intimes : Recommandé d'emblée pour les *méningites à méningocoque* ; à instituer tôt après le

diagnostic du cas de méningite. Le régime est l'un ou l'autre des suivants :
— *Rifampicine* : Adulte (> 12 ans) : 600 mg toutes les 12 heures durant 48 heures. Enfant (1 à 12 ans) : 10 mg/kg toutes les 12 heures durant 48 heures. Nourrisson (< 1 an) : 5 mg/kg toutes les 12 heures durant 48 heures. La rifampine est à éviter dans le premier trimestre de la grossesse et en cas d'insuffisance hépatique.
— *Sulfadiazine* (si les souches sont sensibles aux sulfamides) : Adulte (> 12 ans) : 1 g toutes les 12 heures durant 48 heures. Enfant (1 à 12 ans) : 500 mg toutes les 12 heures pendant 48 heures. Nourrisson : 500 mg toutes les 24 heures durant 48 heures. A éviter chez le nouveau-né et dans le dernier trimestre de la grossesse.

La chimioprophylaxie des contacts familiaux ou intimes de *méningites à Haemophilus influenzae type B* a été recommandée par différents organismes, mais reste discutable ; il semble toutefois que la rifampicine (20 mg/kg/j. pour 4 jours) diminue significativement la persistance nasopharyngée de la bactérie et prévient les infections secondaires sévères chez les contacts. A l'opposé de la méningococcie, l'infection invasive à *Hemophilus influenzae* est fréquente. L'éradication du micro-organisme semble transitoire. Etant donné de plus la rareté des syndromes d'évolution fulminante, du type méningococcémique, à la suite des infections à *Haemophilus influenzae*, une prophylaxie de routine, susceptible de favoriser l'apparition de souches résistantes, n'est probablement pas souhaitable.

● *Vaccination* : Disponible pour le méningocoque des groupes A et C, et pour le pneumocoque (14 sérotypes). *Méningocoque* : vaccination restreinte et utile dans les camps militaires et en contexte épidémique. *Pneumocoque* : vaccin peu efficace chez les enfants de moins de deux ans ; utile dans les groupes à risque (splénectomisés, anémies falciformes, etc.).

Toxi-infections entériques et intoxications alimentaires d'origine bactérienne

Bacillus cereus

● *Microbiologie* : Bâtonnet sporulé, aérobie facultatif, Gram positif, mobile, hémolyse bêta.

● *Incubation* : 2 à 6 heures ou 12 à 24 heures.

● *Clinique* : Deux syndromes : l'un d'incubation courte (2 à 6 heures), à prédominance gastrique ; l'autre de plus longue incubation (12 à 24 heures), à prédominance entérique. Les deux syndromes s'amendent après moins de 24 heures.

● *Aliments contaminés* : Riz, sauces chinoises, soupes, légumes, viandes, volaille.

● *Physiopathologie* : Syndrome gastrique : entérotoxine préformée, émétisante, thermostable. Syndrome entérique : entérotoxine formée *in situ*, thermolabile, stimule le système adényl-cyclase/c-AMP.

● *Diagnostic* : Culture des selles ; culture de l'aliment montrant $\geq 10^5$ *Bacillus cereus* par gramme.

● *Traitement spécifique* : Aucun ; guérison spontanée.

● *Prévention* : Réfrigération appropriée des aliments.

Campylobacter fœtus (sous-espèces : *jejuni, intestinalis* et *fœtus*)

● *Microbiologie* : Bâtonnet en virgule, micro-aérophile, Gram négatif, classifié auparavant parmi les vibrios, organisme très mobile.

● *Incubation* : 2 à 5 jours.

● *Clinique* : Entérite aiguë. Des septicémies, des endocardites, des méningites et des infections périnatales dues au *Campylobacter fœtus* ont été rapportées.

● *Epidémiologie* : Mal connue ; contamination interhumaine (épidémies intrafamiliales et intrahospitalières rapportées) ; contamination par la nourriture (poulet, mouton, bœuf) et les boissons (eau, lait). La campylobactériose est une zoonose fréquente chez le mouton, la volaille et le bœuf. Contagiosité : durant l'entérite et jusqu'à sept semaines après.

● *Physiopathologie* : Non précisée ; ou évidence d'entéro-invasion ou d'entérotoxinogénèse.

● *Diagnostic* : Microscopie en contraste de phase sur les selles liquides ; culture des selles sur le milieu de Skirrow (avec vancomycine, trimethoprim, polymyxine B) dans une atmosphère réduite en oxygène.

● *Traitement spécifique* : L'érythromycine modifie favorablement l'évolution de l'entérite et met fin à l'excrétion fécale du *Campylobacter* en moins de 48 heures. La gentamicine est indiquée dans les formes systémiques. Le chloramphénicol doit être considéré dans les méningites et en cas de souches résistantes.

● *Prévention* : Isolement entérique des patients à l'hôpital, hygiène alimentaire ; pasteurisation du lait.

Clostridium botulinum (botulisme, cf. pp. 665 s.)

● *Microbiologie* : Bâtonnet anaérobie sporulé, Gram positif.

● *Incubation* : 12 à 36 heures.

● *Clinique* : Botulisme alimentaire.

● *Aliments contaminés* : Conserves (fruits, légumes), poissons.

● *Physiopathologie* : Neurotoxine préformée, absorbée par l'intestin, agissant sur l'acétylcholine du synapse neuromusculaire.

- *Diagnostic* : Culture positive pour *C. botulinum* (aliments, selles) ; recherche positive de la toxine botulinique (aliments, selles, sang).

- *Traitement spécifique* : Antitoxinothérapie polyvalente ou monovalente ; antibiothérapie (pénicilline ou chloramphénicol).

- *Prévention* : Stérilisation (autoclavage) des conserves, cuisson (ébullition) des aliments en conserve ; vaccination des personnes à risque (laborantins) par anatoxine (toxoïde) botulinique.

Clostridium perfringens

- *Microbiologie* : Bâtonnet anaérobie sporulé, Gram positif.

- *Incubation* : 6 à 24 heures.

- *Clinique* : Entérite de courte durée (24 heures).

- *Aliments contaminés* : Viandes (dinde, bœuf), sauces.

- *Physiopathologie* : Production *in situ*, lors de la sporulation, d'une entérotoxine thermolabile stimulant le système adényl-cyclase/c-AMP.

- *Diagnostic* : Culture anaérobie quantitative sur milieu sélectif montrant dans la nourriture et dans les selles $\geq 10^6/g$ *C. perfringens* type A entérotoxinogène.

- *Traitement spécifique* : Entérite bénigne, rémission spontanée, aucun traitement spécifique nécessaire.

- *Prévention* : Cuisson et réfrigération adéquate des grosses pièces de viande.

Escherichia coli

- *Microbiologie* : Bâtonnet aérobie facultatif, Gram négatif, groupé dans la famille des entérobactéries.

- *Incubation* : *E. coli* entérotoxinogène : 24-72 heures ; *E. coli* entéro-invasif : 24-48 heures.

- *Clinique* :
a) *E. coli* entéropathogène : gastro-entérite épidémique du nouveau-né et du nourrisson dans les pouponnières.
b) *E. coli* entérotoxinogène : syndrome choleriforme (*choléra-like*) ; responsable de 60 à 70 % des cas de diarrhée du voyageur ; diarrhée épidémique dans les pays en voie de développement chez enfants âgés de moins d'un an.
c) *E. coli* entéro-invasif : syndrome dysentérique (*Shigella-like*).

- *Epidémiologie* : Plus fréquent de mars à septembre ; contamination interhumaine par transmission fécale-orale (contacts familiaux, transmission directe ou par les mains du personnel dans les pouponnières) ; rôle des porteurs asymptomatiques ; contamination de la nourriture (fromages, légumes) et des boissons (eau).

- *Physiopathologie* : Trois formes distinctes de gastro-entérite (G.E.) à *E. coli* sont reconnues sur une base physiopathologique.
1. G.E. à *E. coli* entéropathogène : il s'agit de la gastro-entérite due aux sérotypes classiques de *E. coli* qui ne sont ni entéro-invasifs (épreuve de Sereny négative) ni entérotoxinogènes.
2. G.E. à *E. coli* entérotoxinogène : G.E. cholériforme due à la production d'un facteur de colonisation ou d'adhésion (pili K88) et d'une entérotoxine thermolabile ressemblant à celle du *V. cholerae* ; cette entérotoxine provoque une diarrhée sécrétoire par stimulation de l'adénylcyclase et augmentation du c-AMP ; une entérotoxine thermostable est également décrite et provoque une diarrhée sécrétoire par stimulation de la guanosyl-cyclase et augmentation du c-GMP. Cette diarrhée sécrétoire, au cours de laquelle l'absorption du glucose n'est pas dérangée, peut être corrigée en grande partie par administration orale de glucose qui entraîne de façon passive des molécules de sodium et un apport d'eau iso-osmotique. Les souches de *E. coli* entérotoxinogènes ne deviennent virulentes que si elles possèdent le facteur de colonisation ; ainsi, les *E. coli* entérotoxinogènes sont aussi appelés·entérovirulents lorsqu'ils produisent simultanément l'entérotoxine et le facteur de colonisation.
3. G.E. à *E. coli* entéro-invasif : G.E. d'allure dysentérique (*Shigella-like*) ; mécanisme d'action similaire à celui des Shigella ; ne produit pas d'entérotoxine ; donne une épreuve de Sereny positive.

- *Diagnostic* :
1. *E. coli* entéropathogène : épreuve de séro-agglutination sur lame ou en tube sur les *E. coli* isolés lors de la culture de selles.
2. *E. coli* entérotoxinogène : épreuve de Sereny négative. Le filtrat de culture du *E. coli* isolé a une activité cytopathogène sur les cellules tumorales surrénaliennes de souris Y-1 et sur les cellules ovariennes de hamster chinois ; activité détruite par chauffage à 100° C durant 15 min. : entérotoxine thermolabile. Le filtrat du *E. coli* est pathogène pour le souriceau nouveau-né, et cette activité n'est pas détruite par chauffage à 100° C durant 15 min. : entérotoxine thermostable.
3. *E. coli* entéro-invasif : contexte clinique d'une dysenterie bacillaire (sang, mucus et pus dans les selles) où la culture de selles pour les Shigella demeure négative. Inoculation du sac conjonctival du cobaye avec *E. coli* isolé de la selle du patient provoque une kératoconjonctivite purulente (épreuve de Sereny positive). Effet cytopathogène sur cellules Hela et Hep-2.

- *Traitement spécifique* : Peut être indiqué chez l'enfant en bas âge (< 2 ans) symptomatique ou pour le contrôle d'une épidémie (pouponnière). Hormis la présence de foyers extra-intestinaux, des antibiotiques oraux non absorbables sont donnés de préférence à des antibiotiques systémiques : polymyxine E ou B orale, néomycine ou kanamycine orale. La doxycycline, le triméthoprime-sulfaméthoxazole (Bactrim®) et le subsalycylate de bismuth (peptobismol) peuvent amender la diarrhée du voyageur.

- *Prévention* : Isolement entérique des patients à l'hôpital ; lavage des mains ; retirer des pouponnières les porteurs asymptomatiques. Dans la diarrhée du voyageur : cuisson des légumes, doxycycline prophylactique (discutable).

Salmonella

- *Microbiologie* : Bâtonnet aérobie facultatif, Gram négatif, groupé dans la famille des entérobactéries. Le genre Salmonella comprend des milliers d'espèces (*Salmonella typhi, S. paratyphi A, S. paratyphi B, S. cholerae-suis, S. Heidelberg, S. enteritidis, S. typhimurium*, etc.) différentiables par leur antigène O (somatique), H (flagellaire) et Vi (capsulaire).

- *Incubation* : 12 à 48 heures pour la gastro-entérite aiguë ; une à deux semaines pour la fièvre typhoïde.

- *Clinique* : Gastro-entérite aiguë (salmonellose) d'une durée approximative de trois à cinq jours. Manifestations extra-intestinales : fièvres typhoïde et paratyphoïde, septicémies, ostéomyélites, abcès profonds.

- *Aliments contaminés* : Innombrables, souvent la viande, la volaille, les œufs, le lait et ses dérivés, l'eau contaminée par les excréments humains et animaux.

- *Epidémiologie* : L'homme est un important réservoir de Salmonella, notamment de *Salmonella typhi* ; il contamine ses semblables selon le mode de transmission fécal-oral par l'intermédiaire d'aliments contaminés ; porteurs sains nombreux pour de longues périodes après gastro-entérite.

- *Physiopathologie* : Gastro-entérite : multiplication bactérienne *in situ* (entéro-invasion) et à distance, au-delà de la *lamina propria* (ganglions lymphatiques, sang, etc.) ; libération d'endotoxine (plaques de Peyer) en partie responsable de la fièvre typhoïde. Rôle inconnu d'une entérotoxine thermolabile.

- *Diagnostic* : Gastro-entérite aiguë : recherche positive de Salmonella dans les selles. Manifestations extra-intestinales : recherche positive de Salmonella dans les selles, le sang, l'urine et les tissus profonds (os, abcès) ; accessoirement sérodiagnostic de Widal positif (montée des agglutinines fébriles, surtout O, dans le sang) ; le nombre de réactions croisées diminue la valeur de cette épreuve.

- *Traitement spécifique* : Il n'est en général pas indiqué dans la gastro-entérite aiguë, car il prolonge l'état de porteur asymptomatique de Salmonella et favorise l'apparition de souches multirésistantes aux antibiotiques. Le traitement spécifique est néanmoins indiqué chez l'enfant âgé de moins d'un an, chez le vieillard, chez l'hôte immunocompromis ou avec maladie sous-jacente (ex. anémie falciforme), dans les formes sévères et dans toutes les manifestations extra-intestinales. Les antibiotiques efficaces sont l'ampicilline, l'amoxycilline, l'association triméthoprim-sulfaméthoxazole et le chloramphénicol.

- *Prévention* : Isolement entérique des patients à l'hôpital ; surveillance des manipulateurs d'aliments ; traitement adéquat (chloration) des eaux usées, pasteurisation du lait, hygiène alimentaire. Traitement des porteurs asymptomatiques de *Salmonella typhi* par ampicilline. Vaccination des voyageurs allant en zone endémique de fièvre typhoïde.

Shigella

- *Microbiologie* : Bâtonnet aérobie facultatif, Gram négatif, groupé dans la famille des entérobactéries. Quatre espèces sont identifiées : *Shigella dysenteriae, S. sonnei, S. flexneri, S. boydii.*

- *Incubation* : 1 à 3 jours.

- *Clinique* : Dysenterie bacillaire.

- *Epidémiologie* : L'homme est l'hôte principal des *Shigella*, qu'il transmet selon le mode fécal-oral par les mains, les boissons, la nourriture ; les mouches domestiques sont des vecteurs de *Shigella*. Contagiosité élevée ; les *Shigella* sont présentes dans les selles durant la dysenterie et une à quatre semaines après.

- *Physiopathologie* : Entéro-invasion : adhésion, invasion locale et destruction des cellules épithéliales du côlon. Rôle incertain d'une entérotoxine thermolabile. La dose infectante 50 (DI 50) est très faible, de l'ordre de 10 à 100 bactéries, à l'opposé des autres bactéries entéropathogènes, dont la DI 50 varie de 10^5 bactéries (*Salmonella*) à 10^8 bactéries (*E. coli, V. cholerae*).

- *Diagnostic* : Examen direct des selles : présence de sang, de mucus, de polynucléaires et de pus ; culture : recherche positive de *Shigella* ; les hémocultures sont en général négatives.

- *Traitement spécifique* : L'antibiothérapie influence favorablement la dysenterie bacillaire et raccourcit la période d'excrétion fécale. L'ampicilline, le triméthoprim-sulfaméthoxazole, l'acide nalidixique, la tétracycline chez l'adulte, sont des antibiotiques efficaces. Toutefois, bon nombre de *Shigella* ont acquis une résistance à l'ampicilline et à la tétracycline.

- *Prévention* : Isolement entérique des patients, hygiène personnelle et alimentaire ; chloration de l'eau ; surveillance des manipulateurs d'aliments ; contrôle de la mouche.

Staphylococcus aureus

- *Microbiologie :* Gram positif, cocci en amas, aérobie facultatif, coagulase-positif ; forme en culture un pigment doré.

- *Incubation :* 2 à 6 heures.

- *Clinique :* Gastro-entérite de courte durée (< 24 heures).

- *Epidémiologie :* Contamination par les manipulateurs d'aliments arborant le *Staph. aureus* (main, nez, furoncle, panaris) ; les aliments souvent contaminés sont : jambon, viandes froides, salades, pâtisseries, crèmes, etc. Prépondérance saisonnière : été, Le *Staph. aureus* est, à lui seul, responsable d'environ 50 % des épidémies d'intoxication alimentaire d'origine bactérienne.

- *Physiopathologie :* Entérotoxine préformée, déjà présente à la consommation, produite par le *Staph. aureus,* dont la croissance est possible entre 10 et 45° C. L'entérotoxine staphylococcique, thermostable, acidostable, résistante aux enzymes protéolytiques, agit sur le système nerveux autonome (nerf vague), contrairement à toutes les autres entérotoxines bactériennes.

- *Diagnostic :* Culture quantitative montrant ⩾ 10⁵ *Staph. aureus* par gramme de l'aliment incriminé ; recherche de l'entérotoxine staphylococcique dans l'aliment. Recherche de *Staph. aureus* dans le nez et sur les mains des manipulateurs d'aliments. Lysotypie des *Staph. aureus* isolés pour fins épidémiologiques.

- *Traitement spécifique :* Aucun. Guérison spontanée dans la plupart des cas.

- *Prévention :* Port de gants pour les manipulateurs d'aliments dans les services publics. Retrait temporaire des porteurs de lésions staphylococciques. Réfrigération à < 10° C. Pasteurisation du lait.

Vibrio parahaemolyticus

- *Microbiologie :* Bâtonnet Gram négatif, incurvé, pléomorphique, aérobie facultatif, halophile, mobile.

- *Incubation :* 24 heures.

- *Clinique :* Gastro-entérite, durée de trois jours : diarrhée aqueuse explosive, crampes abdominales, frissons et fébricule, nausées, vomissements, présence rare de sang et de mucus.

- *Aliments contaminés :* Fruits de mer (crevettes, crabes, etc.), eau de mer.

- *Physiopathologie : V. parahaemolyticus* serait à la fois entéro-invasif et entérotoxinogène

- *Diagnostic :* Culture des aliments sur milieu sélectif à forte teneur en sel (TCBS, thiosulfate-citrate-sels biliaires-sucrose) ; réaction de Kanawaga positive : hémolyse bêta sur milieu avec sang humain et forte teneur en sel.

- *Traitement spécifique :* En général aucun, sauf tétracyclines dans cas sévères (très rares) ; guérison spontanée.

- *Prévention :* Cuisson et réfrigération rapide des fruits de mer. Hygiène alimentaire.

Yersinia enterocolitica

- *Microbiologie :* Bâtonnet aérobie facultatif, Gram négatif, groupé dans la famille des entérobactéries.

- *Incubation :* 12 à 48 heures.

- *Clinique :* Entérocolite, parfois adénite mésentérique, iléite terminale ; manifestations extra-intestinales : septicémie, érythème noueux, polyarthrite, syndrome de Reiter.

- *Epidémiologie :* Epidémies intrafamiliales et institutionnelles décrites ; contamination interhumaine selon le mode de transmission fécal-oral ; contamination de la nourriture, des boissons (eau de puits, lait au chocolat), des animaux (porc, chien).

- *Physiopathologie :* Peu connue ; entérotoxine thermostable produite *in vitro*.

- *Diagnostic :* Repose uniquement sur l'isolement du *Yersinia enterocolitica* ; enrichissement des selles par réfrigération et culture sur milieu sélectif.

- *Traitement spécifique :* Modifie peu la gastro-entérite, qui en général évolue vers la guérison spontanée. Le *Yersinia entérocolitica* est ordinairement résistant à l'ampicilline. Il est sensible au triméthoprim-sulfaméthoxazole, au chloramphénicol et aux tétracyclines.

- *Prévention :* Isolement entérique des patients à l'hôpital ; hygiène alimentaire.

Yersinia pseudotuberculosis

- *Microbiologie :* Bâtonnet aérobie facultatif, Gram négatif, groupé dans la famille des entérobactéries. Tout comme le *Yersinia enterocolitica*, il se distingue de *Yersinia pestis* par sa mobilité à 22°C et son uréase ; ses caractères négatifs pour la fermentation du lactose, pour l'ornithine-décarboxylase et la production d'indol le distinguent de *Yersinia enterocolitica*.

- *Clinique :* L'adénite mésentérique aiguë (pseudo-appendicite) et l'iléite terminale sont des manifestations fréquentes de l'infection à *Yersinia pseudotuberculosis*. L'entérite aiguë et la septicémie sont des manifestations rares.

- *Epidémiologie :* Se transmet directement ou indirectement de l'animal à l'homme ; les principaux réservoirs sont les rongeurs et les oiseaux. *Yersinia pseudotuberculosis* a une prédilection pour le jeune garçon.

- *Physiopathologie :* Pas entièrement connue, entéro-invasivité probable. Dans l'adénite mésentérique, il existe des granulomes suppuratifs évoquant ceux de la maladie de la griffe de chat et du lympho-granulome vénérien. Des lésions pseudotuberculosiques sont observables lors de l'atteinte du foie et de la rate.

- *Diagnostic :* Repose sur l'isolement du germe après enrichissement à froid des produits pathologiques, surtout les prélèvements biopsiques ou chirurgicaux. Malgré les nombreuses réactions croisées avec *Salmonella*, *E. coli*, *Entérobacter*, etc., le sérodiagnostic pourrait guider ou prévenir la chirurgie, notamment dans la pseudo-appendicite, car l'élévation des agglutinines est rapide.

- *Traitement spécifique :* L'évolution de la maladie est en général bénigne et il n'est pas prouvé que l'antibiothérapie la modifie. Les antibiotiques sont toutefois indiqués dans les formes sévères, les formes chroniques, et chez le patient débilité. *Yersinia pseudotuberculosis* est en général sensible à tétracycline, aminoglycosides (streptomycine et kanamycine) et chloramphénicol ; il est variablement sensible aux pénicillines.

Infection du nouveau-né par des bactéries transmises sexuellement

Chlamydia trachomatis

Se classe parmi les bactéries : à l'opposé des virus, il est sensible aux antibiotiques, se divise par fission binaire, possède à la fois de l'ADN et de l'ARN, des constituants de la paroi bactérienne, des ribosomes ; déficient métaboliquement (ne synthétise pas d'adénosine triphosphate) et parasite obligatoire de la cellule-hôte. De ce fait, les épreuves de laboratoire pour le diagnostic des infections virales sont applicables aux infections à *Chlamydia trachomatis*. Le *Chlamydia trachomatis* se distingue du *Chlamydia psittaci* (agent de la psittacose et de l'ornithose) par sa sensibilité aux sulfamidés et à la cyclosérine, par ses inclusions compactes iodophiles (glycogène-positives).

Le *Chlamydia trachomatis* est largement impliqué dans les uréthrites non spécifiques ou non gonococciques : uréthrite d'incubation longue (5 à 21 jours), à début progressif avec dysurie et écoulement mucoïde, parfois purulent, ne répondant pas aux pénicillines. Provoque fréquemment des infections génitales mixtes conjointement avec le gonocoque (*Neisseria gonorrheae*). Responsable de cervicite, de salpingite aiguë, de péritonite pelvienne (PID ou Pelvic inflammatory disease), de péri-hépatite, d'épididymite, de proctite, de syndrome de Reiter (association d'une conjonctivite, d'une arthrite et d'une uréthrite). C'est l'agent du trachome, du lymphogranulome vénérien (maladie de Nicolas-Fabre). Son rôle dans la maladie de la griffe de chat n'a pas été confirmé.

Le nouveau-né s'infecte avec le *Chlamydia trachomatis* lors du passage dans une filière génitale infectée ou colonisée ; les principales manifestations sont la conjonctivite à inclusion et la pneumonie. L'incidence de la cervicite à Chlamydia chez la femme enceinte varie de 5 à 20 % ; l'incidence moyenne de la transmission au nouveau-né est de 50 % (variation de 25 à 70 %) ; parmi les nouveau-nés à transmission positive, 95 % développent une conjonctivite et près de 20 % une pneumonie.

Conjonctivite à inclusions du nouveau-né

(syn. conjonctivite non gonococcique ou blennorragie à inclusions du nouveau-né)

Forme la plus fréquente de conjonctivite néonatale (2 à 6 % des nouveau-nés seraient atteints) ; débute cinq à quinze jours après la naissance, plus tôt s'il y a eu rupture prématurée des membranes ; la prophylaxie de Crédé (instillation oculaire de nitrate d'argent à 1 % à la naissance) ne la prévient pas ; conjonctivite mucopurulente aiguë, souvent unilatérale, de la paupière inférieure principalement, sans résonance systémique ; varie de l'inflammation conjonctivale discrète avec décharge muqueuse intermittente à l'inflammation marquée de la conjonctive palpébrale avec œdème et décharge abondante franchement purulente ; d'évolution bénigne, peut régresser spontanément et sans séquelles après plusieurs semaines ou mois ; les complications sont rares : pseudo-membranes, cicatrice, micropannus (vascularisation) cornéen, infection persistante proche du trachome. A l'opposé de la conjonctivite à inclusions du nouveau-né, le trachome est une conjonctivite chronique persistante, folliculaire, surtout du tarse supérieur, fréquent chez le nourrisson et l'enfant de certaines contrées endémiques d'Afrique et d'Asie à conditions hygiéniques déficientes ; la transmission a lieu par contact direct de personne à personne, l'évolution spontanée est maligne, les séquelles sont fréquentes et sérieuses : entropion, trichiases, pannus, cécité.

Pneumonie à Chlamydia trachomatis

L'âge varie de 3 semaines à 3 mois ; le début est insidieux et progressif ; la fièvre manque ; l'affection se manifeste par des épisodes rapprochés de toux coupée de brèves inspirations, de tachypnée et de difficultés respiratoires d'intensité variable ; elle s'accompagne souvent d'otite moyenne séreuse, de nasopharyngite, de laryngite ; la conjonctivite à inclusions précède ou est contemporaine de la pneumonie dans 50 % des cas. Les images radiologiques révèlent une infiltration interstitielle diffuse bilatérale avec hyperinflation, des phénomènes obstructifs par suite de l'épaississement bronchique et de l'atélectasie ; la formule sanguine montre une éosinophilie modérée (> 400) ; les immunoglobulines, notamment les IgM, sont élevées. La pneumonie à *Chlamydia* est bénigne ou modérément sévère ; l'évolution est longue, mais la guérison complète est de règle ; certains patients nécessitent néanmoins l'oxygénothérapie, l'intubation et l'assistance respiratoire. La pneumonie à *Chlamydia* est responsable de 25 % des pneumonies interstitielles chez le bébé âgé de 3 semaines à 3 mois ; elle est difficile à distinguer cliniquement et radiologiquement des trois autres types de pneumonie interstitielle dans ce groupe d'âge : les pneumonies à *Ureaplasma urealyticum* (~ 20 %) ; à cytomégalovirus (~ 20 %) et à *Pneumocystis carinii* (~ 20 %). Le *Chlamydia trachomatis* parfois coexiste avec l'un ou l'autre de ces agents et le pronostic de la pneumonie est alors plus réservé.

● *Diagnostic :* L'examen direct, après coloration au Giemsa d'un frottis de grattage conjonctival, met en évidence des inclusions cytoplasmiques dans des vacuoles (microcolonies) en banane ou en demi-lune dont la face concave est apposée au noyau cellulaire ; ces inclusions se situent au niveau des cellules épithéliales et non des polynucléaires ; pour l'isolement, les prélèvements sont centrifugés sur une couche de cellules McCoy ou Hela en phase non replicative (c'est-à-dire ayant subi une irradiation ou un traitement par la 5-iodo-2-déoxyuridine ou par la cycloheximide) ; après un certain temps d'incubation, les cultures cellulaires sont examinées, après coloration au Giemsa, pour la présence d'inclusions intracytoplasmiques. Le *Chlamydia trachomatis* a pu être isolé de la trachée, du poumon, des sécrétions cervicales et urétrales, et du rectum. Lorsque l'ensemencement n'est pas immédiat, les prélèvements sont placés dans le milieu de transport 2 SP (sucrose-phosphate) avec gentamicine. La détection d'anticorps par micro-immunofluorescence dans le sérum ou dans les larmes aide au diagnostic ; dans le sang, la preuve diagnostique doit comporter ou une séroconversion ou la présence d'IgM spécifique.

● *Traitement :* Pour les cas de *pneumonie,* un traitement antibiotique systémique est indiqué pendant deux à trois semaines : succinate d'érythromycine (50 mg/kg/jour) ou sulfisoxazole (150 mg/kg/jour) ; la fonction hépatique et la bilirubinémie doivent être vérifiées ; l'amélioration clinique est obtenue après cinq à sept jours et la négativation des cultures après neuf jours. Pour soigner la *conjonctivite,* on applique topiquement un onguent à base de sulfacétamide, d'érythromycine 5 % ou de tétracycline ; toutefois le traitement topique n'éradique pas le *Chlamydia trachomatis* de la conjonctive et encore moins du nasopharynx, et ce de fait ne prévient pas la pneumonie ; on lui adjoint un traitement systémique (érythromycine ou sulfisoxazole) pour dix à quatorze jours. Dans tous les cas le *Chlamydia trachomatis* doit être recherché chez les parents ; ces derniers doivent être traités par la tétracycline, 500 mg toutes les 6 heures pendant dix jours ; chez la femme enceinte, la tétracycline est remplacée par l'érythromycine.

Neisseria gonorrheae
(cf. tableau 11)

Cocci à Gram négatif proche du *Neisseria meningitidis*, dont il ne se distingue que par la fermentation du maltose. Provoque chez la mère une colonisation asymptomatique du canal génital, ou encore une cervicite, une urétrite, une rectite, un abcès des glandes de Skene (glandes para-urétrales), une bartholinite ou des infections plus sévères : salpingite, péritonite pelvienne, gonococcémie (fièvre, rash, arthralgie ou arthrite).

Ophtalmie gonococcique du nouveau-né

Moins fréquente depuis la prophylaxie de Crédé par instillation oculaire de nitrate d'argent ; d'incubation plus courte que la conjonctivite à inclusion (< 3 jours après la naissance) ; risque augmenté lors de la rupture prématurée des membranes ; conjonctivite bilatérale avec décharge abondante, épaisse, purulente, parfois sanguignolente, associée à un œdème des paupières et des conjonctives. Complications en l'absence de traitement : kératite, ulcère cornéen, cécité, perforation du globe oculaire et endophtalmite, septicémie, arthrite et endocardite.

Vulvo-vaginite

Hormis l'ophtalmie du nouveau-né, forme la plus fréquente de gonorrhée chez l'enfant. Avant la puberté : transmission par objets contaminés (literie) ou par contact sexuel involontaire ; représente 15 % des vulvo-vaginites prépubertaires (autres sources : corps étranger, trichomonas, pneumocoque, streptocoque, diphtéroïdes, herpès, oxyures). Après la puberté, très souvent gonococcique et par contact sexuel. Signes cliniques : prurit, brûlement, écoulement purulent, rougeur et œdème de la vulve, dysurie, pyurie. Complications : urétrite, proctite, salpingite et péritonite. La colonisation anorectale et pharyngée peut être présente.

Urétrite

Chez l'adolescent, par contact sexuel ; écoulement urétral purulent, brûlure à la miction, pyurie asymptomatique. Complications : épididymite, prostatite, arthrite, endocardite.

Syphilis

Syphilis congénitale (cf. tableau 12)

Transmise *in utero* après le 4e mois de grossesse. Peut causer l'avortement, la naissance prématurée, la mort néonatale. Signes précoces (1 à 6

Tableau 11 : Gonococcie

Formes cliniques	Diagnostic	Traitement spécifique	Traitement préventif
Ophtalmie néonatale. Urétrite (prostatite, épidydimite, rectite). Vulvo-vaginite (bartholinite, cervicite, salpingite, infection pelvienne). Gonococcémie (arthrite, lésions vésiculo-pustuleuses et hémorragiques).	Prélèvements : — pus (urètre, vagin, anus, œil) — liquide articulaire — lésion cutanée — sang — Gram (diplocoques, Gram- intra-cellulaires) — culture (gélose-chocolat avec 10 % CO_2). Antibiogramme. Sérologie pour syphilis.	A. *Ophtalmie du nouveau-né* : Pénicilline G cristalline 50 000 U/kg/jour (en deux doses) i.v. × 7 jours ; irrigation fréquente de sérum physiologique ; gouttes ophtalmiques antibiotiques (usage discutable). B. *Vulvo-vaginite et urétrite* : Pénicilline G procaïne 100 000 U/kg i.m. (une dose et max. 4,8 millions U) + probénécide orale (25 mg/kg, une dose, max. 1 g). Alternative : spectinomycine 40 mg/kg i.m. en une seule dose (max. 2 g) ; tétracycline orale (> 8 ans) 10 mg/kg (max. 500 mg) toutes les 6 heures × 5 jours ; céfoxitine i.m. (max. 2 g) + probénécide orale (max. 1 g) en une seule dose. C. *Gonorrhée compliquée (gonococcémie)* : Pénicilline G cristalline 100 000 U/kg/jour (en quatre doses) i.v. × 7 jours. Alternative : tétracycline ou céfoxitine i.v. × 10 jours ; spectinomycine i.m. × 5 à 7 jours.	Nitrate d'argent 1 % à la naissance en application oculaire. Dépistage et traitement de la gonorrhée *chez la mère* (post-partum) : tétracycline 500 mg per os q.i.d. × 5 jours (Chlamydia associé possible) ou pénicilline G procaïne 4,8 millions U i.m. en 2 lieux d'inj. + probénécide 1 g oral. *Nouveau-né* de mère avec gonorrhée : pénicilline G cristalline i.v. ou i.m. 50 000 U/kg en une dose à la naissance. Dépistage et traitement des *contacts*. Rapport aux organismes sanitaires. Éviter les rapports sexuels et l'alcool jusqu'à guérison. Éducation sexuelle. Culture de contrôle 1 semaine après traitement.

Tableau 12 : Syphilis

Syndrome clinique	Etiologie	Diagnostic - Isolement	Sérologie et autres	Prévention	Traitement spécifique
Syphilis acquise	Treponema pallidum	Examen au fond noir : chancre, lésions secondaires. Coloration argentique, immunofluorescence directe.	Réagines : floculation, fixation du complément. Anticorps antitréponémaux : — hémagglutination (TPHA) — immunofluorescence indirecte (FTA abs, IgG, IgM). L.C.R. (analyse, or colloïdal, anticorps).	Eviter les contacts. Dépistage des contacts. Rapport officiel aux organismes de santé. Education sur les maladies vénériennes.	1. Phase primaire, secondaire, latente précoce (< 1 an) avec L.C.R. normal : pénicilline G procaïne i.m. 600 000 U/jour × 8 jours, ou pénicilline benzathine, 2 400 000 U i.m. en une dose. 2. Latente tardive (> 1 an) avec L.C.R. normal : pénicilline G procaïne × 15 jours ou pénicilline G benzathine × 3 semaines (tot. : 3 injections). 3. Neurosyphilis : pénicilline G cristalline 2 à 4 millions U i.v. q. 4 heures × 10 à 15 jours ou tétracycline 500 mg × 30 jours q.i.d.
Syphilis congénitale		Examen au fond noir sur le sang de la veine ombilicale.	Anticorps et réagines chez l'enfant, chez la mère. Anticorps antitréponémaux : — TPHA, FTA abs IgG, IgM — frottis sanguin périphérique — immunoglobulines. Radiographies des os longs. L.C.R.	Dépistage des contacts. Examen sérologique chez les femmes enceintes.	4. Syphilis du nouveau-né précoce et tardive a) avec L.C.R. anormal : pénicilline G cristalline (q. 12 heures i.v., i.m.) 50 000 U/kg/jour × 10 jours ; b) avec L.C.R. normal : pénicilline G benzathine 50 000 U/kg en une dose.

semaines) : rhinite abondante muco-purulente, parfois hémorragique, éruption cutanée, hépato-splénomégalie avec ictère, périostéite, ostéochondrite avec pseudo-paralysie, chorio-rétinite. Signes tardifs (> 2 ans) : kératite interstitielle, neurosyphilis, surdité nerveuse, lésions gommeuses, hydarthrose bilatérale intéressant surtout les genoux. Stigmates : nez en sablier, perforation du septum nasal, bosses frontales, dents de Hutchinson, tibia en lame de sabre.

Syphilis acquise (cf. tableau 12)

Transmise par contact direct à partir de lésions muco-cutanées. Incubation : 3 semaines (10-60 jours). Phase primaire : chancre non douloureux, induré, avec adénopathie satellite. Phase secondaire : lésions muco-cutanées contagieuses, maculo-papuleuses intéressant la paume des mains et la plante des pieds, plaques érosives de la bouche, condyloma lata, etc. Possibilité de neurosyphilis précoce asymptomatique et symptomatique. Evolution vers une phase de latence et une phase tertiaire pouvant être caractérisée par des complications granulomateuses (gommes), cardiovasculaires et neurologiques.

Affections streptococciques

Scarlatine (cf. tableau 13)

Il s'agit d'une pharyngite accompagnée d'une éruption érythémato-papuleuse très fine sans espace de peau saine.

Tableau clinique

Après une période d'incubation de 2 à 5 jours apparaît une éruption érythémato-papuleuse très fine sans espace de peau saine chez un enfant qui est fébrile et qui présente une pharyngo-amygdalite intense souvent exsudative, des pétéchies au voile du palais, une langue saburrale avec hypertrophie des papilles (fraise) qui prendra une apparence framboisée après desquamation, une pâleur circumorale et un érythème ne blanchissant pas à la pression, localisé aux plis cutanés (signe de Pastia). Dans les formes plus bénignes on recherchera l'exanthème à l'abdomen et aux plis inguinaux.

Diagnostic différentiel

La leucocytose avec polynucléose permettra dans une certaine mesure de distinguer cette infection bactérienne des autres maladies d'origine infectieuse, virale (rubéole, rougeole, mononucléose infectieuse, adéno-

Tableau 13 : Infection streptococciques : la scarlatine

Syndrome clinique	Etiologie	Diagnostic — Isolement	Diagnostic — Sérologie et autres	Traitement	Prévention
Scarlatine	Streptocoque bêta-hémolytique du groupe A de Lancefield (syn. *Streptococcus pyogenes*)	Ecouvillon pharyngé sur gélose-sang Identification de groupe Lancefield (polysaccharide C) 1. Réactions de précipitation 2. Sensibilité à la bacitracine de la souche	Antistreptolysines O Formule blanche Epreuve de Schultz-Carlton (rarement pratiquée) 0,1 ml antitoxine spécifique ID Blanchiment après 8-14 h.	Analgésique et antipyrétique Pénicilline V×10 jours ou pénicilline G procaïne+benzathine, 0,6 à 1,2 million d'unités i.m. en 1 dose 2ᵉ choix: érythromycine×10 jours	Chez les contacts : — culture de gorge — si porteurs, pénicilline benzathine, 1,2 million d'unités i.m. (érythromycine)

virus, Coxsackie A), médicamenteuse ou indéterminée (érythème infectieux, roséole, agranulocytose) pouvant s'accompagner d'éruption cutanée ou de pharyngite aiguë. L'absence fréquente de pharyngite et les cultures permettront de distinguer la scarlatine staphylococcique de la scarlatine streptococcique.

Complications et pronostic

Les complications postinfectieuses de la scarlatine, comme d'autres infections à streptocoques du groupe A, comprennent le rhumatisme articulaire aigu et la glomérulo-néphrite aiguë, qui survient dans 1 à 3% des cas non traités 2 à 4 semaines après l'infection.

Autres manifestations des infections à streptocoques du groupe A

Les pharyngites et les amygdalites représentent les infections les plus fréquentes. Par extension locale, peuvent se compliquer d'abcès péri-amygdaliens et rétropharyngés. Les streptocoques peuvent causer des sinusites, des otites moyennes, des mastoïdites, des adénites suppurées, plus rarement des méningites et des thromboses du sinus caverneux. Peuvent aussi être la cause de bronchopneumonies ou de pleurésies.

Au niveau cutané, les streptocoques peuvent causer l'érysipèle, l'impétigo, des infections secondaires de plaies cutanées (brûlures, traumatismes, plaies opératoires). Peuvent aussi envahir le sang et causer à l'occasion des arthrites septiques et des méningites.

Complications postinfectieuses

Elles comprennent le rhumatisme articulaire aigu, la chorée de Sydenham, la glomérulo-néphrite aiguë, parfois l'érythème noueux et le purpura anaphylactoïde de Schönlein-Henoch.

Rhumatisme articulaire aigu (RAA, maladie de Bouillaud) (cf. pp. 370 et 851)

Etiologie

Réaction d'hypersensibilité à un ou plusieurs composants antigéniques du streptocoque bêta-hémolytique du groupe A. Pathogenèse peu claire. Age préférentiel : 5 à 15 ans.

Tableau clinique

Dans la moitié des cas seulement on note une angine peu de temps avant l'attaque de rhumatisme, bien que le streptocoque soit toujours en cause, initialement et dans les rechutes. Le début est marqué souvent par une mono- ou polyarthrite avec fièvre, arthrite qui a un caractère migrateur (« le RAA lèche les articulations et mord le cœur »). Les signes d'atteinte cardiaque peuvent être présents d'emblée ou non. Certains patients avec sténose mitrale d'origine rhumatismale n'ont jamais vraiment souffert de leurs articulations. C'est à cause de la difficulté qu'on a assez souvent à poser un diagnostic de certitude que les critères proposés par Jones (en 1944) ont été adoptés :

Critères majeurs
- Cardite
- Polyarthrite
- Chorée de Sydenham
- Erythème marginé
- Nodules sous-cutanés

Critères mineurs
- Anamnèse de RAA
- Polyarthralgies
- Fièvre
- Vitesse de sédimentation des érythrocytes élevée
- « C-reactive protein » augmentée
- Leucocytose
- Allongement de l'espace P-R à l'électrocardiogramme

Deux critères majeurs ou un critère majeur plus deux mineurs permettent de poser le diagnostic de RAA, si, de plus, on a la preuve d'une infection récente par le streptocoque (ASLO élevées, ou culture de gorge positive, ou récente scarlatine).

Le RAA touche surtout les grandes articulations, comme les hanches, les genoux, les chevilles, les épaules et les coudes. Pour parler d'arthrite, il faut qu'il y ait, en plus de la douleur, limitation de la motilité, tuméfaction et rougeur. La tachycardie est disproportionnée par rapport à la fièvre et suggère la cardite. La valvule la plus fréquemment touchée est la mitrale et un souffle holosystolique de timbre élevé, maximum à l'apex, est souvent présent d'emblée. Une péricardite peut se constituer. La chorée se produit souvent isolément ou après une attaque de RAA, mais elle doit être considérée comme l'équivalent d'une nouvelle attaque, une rechute. Le RAA est craint avant tout à cause des dégâts permanents qu'il laisse au niveau des valvules (insuffisance et rétrécissement mitral, insuffisance et rétrécissement aortique), avec à plus ou moins long terme décompensation cardiaque.

Traitement

- *Phase aiguë :* a) pénicilline G (1 000 000 U/jour) ; b) anti-inflammatoire : acide acétylsalicylique, en essayant d'obtenir une salicylémie de 250-350 mg/l ; corticostéroïdes (cortisone ou prednisone).
- *Prophylaxie des rechutes :* pénicilline G, 400 000 U/jour, ou benzathine pénicilline, i.m., 1,2 million d'U une fois par mois, *de façon permanente* ; ou encore sulfadiazine, 500 mg à 1 g par jour selon que le poids est inférieur ou supérieur à 30 kg, de façon permanente également.
- *Traitement des lésions valvulaires :* chirurgie, commissurotomies, prothèses valvulaires.

Glomérulonéphrite aiguë
Cf. p. 381.

Infections à autres streptocoques

Le *Streptococcus viridans* (α-hémolytique), saprophyte du tractus respiratoire supérieur, est l'agent pathogène le plus fréquent des endocardites bactériennes subaiguës (endocardite lente). La pénicilline (i.v.) en est le traitement de choix. Les entérocoques peuvent causer des infections urinaires, des infections de plaies postopératoires, des endocardites. Les combinaisons synergiques, pénicilline ou ampicilline + streptomycine ou gentamicine, constituent le traitement de choix des endocardites.

Endocardite lente

Infection de valvules cardiaques déjà rendues anormales soit par une malformation congénitale, soit par une malformation congénitale opérée, soit par une attaque antérieure de RAA. L'agent infectieux le plus souvent en cause est le *Streptococcus viridans* (α-hémolytique), germe banal du tractus respiratoire, qui passe dans le sang à l'occasion d'une avulsion dentaire par exemple.

Tableau clinique

Début insidieux, fièvre, fatigue, pâleur, inappétence. La notion d'une cardiopathie congénitale ou acquise devrait toujours suggérer la possibilité d'une greffe bactérienne valvulaire. L'apparition de nouveaux souffles ou le développement d'une insuffisance cardiaque doivent faire penser à une endocardite. Pétéchies sur les conjonctives, les muqueuses, sous les ongles, dans la rétine. Nodules d'Osler au niveau de la pulpe digitale (petites lésions érythémateuses et douloureuses). Splénomégalie inconstante. Hématurie microscopique et albuminurie (glomérulo-néphrite), embolies et abcès cérébraux.

Diagnostic

Par hémocultures répétées (*Streptococcus viridans* ou autre organisme).

Traitement (cf. tableau 14)

Fortes doses de pénicilline i.v. pendant des semaines. Autres antibiotiques selon antibiogramme. Traitement prophylactique : usage généreux de pénicilline chez tous les enfants atteints de malformation cardiaque, à chaque intervention chirurgicale ou dentaire et lors d'infections respiratoires.

Tableau 14 : Endocardite (traitement et prophylaxie)

Agent causal	Traitement [1]	Prophylaxie (chez le patient porteur de maladie cardiaque congénitale ou acquise valvulaire)
	Combinaison d'une pénicilline et d'un aminoglycoside, sauf peut-être pour pneumocoque (pénicilline seule) s'il ne s'agit pas d'une rare souche résistante. *Durée* dépend du micro-organisme [2]. — pénicilline : 4-6 sem. — aminoglycoside : 2-6 sem.	**Pour intervention dentaire ou respiratoire supérieure :** Pénicilline G : 30 000 U/kg + proc. pénic. 600 000 U i.m. 30 min. avant intervention. Ensuite, pénicilline V 250-500 mg q. 6 heures × 8 doses.
Strept. viridans	Pénicilline G 400 000 U/kg/j. i.v. (q. 4-6 heures). Max. 20 millions U + gentamicine ou tobramicine (1,0 à 1,5 mg/kg/dose i.v. q. 8 heures) [2]	*Si allergie :* Vancomycine 20 mg/kg i.v. en infusion de 30 min. 1 h. avant l'intervention. Ensuite, érythromycine 10 mg/kg q. 6 heures × 8 doses.
Entérocoque	Ampicilline 200-400 mg/kg/j. i.v. (q. 4-6 heures) × 6 sem. + gentamicine ou tobramicine × 6 sem.	**Pour intervention gastro-intestinale ou génito-urinaire :** Ampicilline 50 mg/kg i.m. ou i.v. + gentamicine 2 mg/kg i.m. ou i.v. 30 min. avant l'intervention et q. 8 h. × 2 autres doses.
Strep. groupe D non entérocoque	Ampicilline + gentamicine ou tobramicine × 2-6 sem. [2]	*Si allergie :* Vancomycine + gentamicine.
Staph. doré	Nafcilline 300-400 mg/kg/j. i.v. (q. 4-6 heures) [3] × 6 sem. + gentamicine ou tobramicine × 2-6 sem.	

[1] La concentration minimale inhibitrice (CMI) et bactéricide (CMB) de l'antibiotique pour la souche doit être cherchée et le niveau sanguin de l'antibiotique utilisé doit être adéquat (supérieur à la CMI et CMB). Le pouvoir bactéricide (après dose) du sérum en cours de traitement pour la souche incriminée doit dépasser 1/8 ; les niveaux sériques d'aminoglycoside doivent être mesurés et le mode d'administration ajusté en conséquence : les niveaux pré-dose de genta. ou de tobra. doivent être inférieurs à 2 ou 3 μg/ml alors que les niveaux post-dose doivent être restreints à 8 ou 10 μg/ml ; des épreuves de fonction rénale, auditive et vestibulaire doivent être effectuées, notamment si la thérapie à l'aminoglycoside est prolongée.

[2] Si la CMI de la souche de streptocoque à la pénicilline utilisée excède 0,1 μg/ml, un aminoglycoside doit être associé pour une période relativement plus prolongée (jusqu'à 6 sem.).

[3] Si la souche de staphylocoque a une CMI à la pénicilline G de moins de 0,1 μg/ml, celle-ci peut être utilisée au lieu de nafcilline.

Infections à streptocoques du groupe B

Voir septicémie et méningite néonatale (p. 622 ss).

Affections staphylococciques

Le staphylocoque pyogène (syn. *Staph. aureus,* staph. doré)

Le Staph. pyogène (cocci en amas, Gram positif, catalase +, oxydase −, aérobie-anaérobie facultatif, donne sur gélose au sang des colonies à hémolyse bêta et à pigment doré) synthétise *in vitro* quantité innombrable d'enzymes et de toxines dont le rôle en pathologie humaine n'est pas précisément établi, à l'exception de l'entérotoxine et de l'exfoliatine. La synthèse *in vitro* d'une coagulase, d'une endonucléase thermostable et de la protéine A lui est propre.

Source la plus importante d'infections nosocomiales transmises le plus souvent par le personnel hospitalier (30% de porteurs nasopharyngés et unguéaux sains, porteurs de lésions staphylococciques telles que furoncles, paronychie, transmission horizontale à partir des patients infectés). Infecte les anastomoses ventriculo-caves, ventriculo-péritonéales, aorto-fémorales, artério-veineuses des dialysés, les prothèses valvulaires, les « pace-maker » transveineux, les sites d'insertion des cathéters veineux (thrombophlébite, cellulite). Première cause des infections de plaies postopératoires, des arthrites septiques, des ostéomyélites aiguës hématogènes, des ostéomyélites posttraumatiques (par contiguïté) et des ostéomyélites chroniques récidivantes. Agent étiologique important des adénites cervicales, des cellulites orbitales, des thromboses du sinus caverneux, des méningites et des abcès cérébraux post-trauma et post-neurochirurgie, des surinfections bactériennes au cours des varicelles, des pneumonies après influenza et rougeole. Les diabétiques, les patients avec maladie granulomateuse septique, les brûlés, les leucémiques neutropéniques par chimiothérapie, les patients avec fibrose kystique du pancréas sont particulièrement vulnérables aux infections à *Staph. aureus.* En somme, le *Staph. aureus* est certainement l'espèce bactérienne qui a la plus grande place en pathologie infectieuse.

Profil de résistance aux antibiotiques

Le Staphylocoque doré présente trois modes de résistance aux antibiotiques :
- *Résistance à la pénicilline G :* Résistance inductible, de nature extra-chromosomique. La bactérie synthétise une bêta-lactamase (pénicillinase) qui inactive la pénicilline G, les pénicillines semi-synthétiques à large spectre (ex. ampicilline) et les α-carboxy-pénicillines (ex. ticarcilline). Les pénicillines antistaphylococciques ne sont pas détruites par la pénicillinase et sont dites « pénicillines résistantes à la pénicillinase » (méthicilline, isoxazolyl-pénicillines et nafcilline). La résistance à la pénicilline G est fréquente (environ 80% des souches) ; restreinte dans le passé aux souches hospitalières, elle atteint maintenant les souches dites « de la rue » ; mise à part leur résistance à la pénicilline G, ces souches demeurent sélectivement sensibles à un grand nombre d'antibiotiques, dont les pénicillines antistaph. et les céphalosporines.
- *Résistance à la méthicilline :* Résistance intrinsèque, d'origine chromosomique, dite parfois hétérogène. Pas d'enzyme inactivante (bêta-lactamase) mise en évidence. C'est une résistance croisée multiple touchant toutes les classes de pénicillines, les céphalosporines, l'érythromycine, la clindamycine, les tétracyclines, les sulfamidés et les aminoglycosides ; la

vancomycine, la rifampicine et l'acide fusidique ont une activité sur les souches méthicilline-résistantes. La fréquence de ces souches est variable, mais croissante ; elles ont été responsables d'épidémies d'infections nosocomiales et d'infections sévères chez les héroïnomanes.
- *Résistance par tolérance aux pénicillines antistaphylococciques* : Due à une déficience des autolysines bactériennes. La pénicilline antistaph., antibiotique de nature bactéricide, a perdu son activité bactéricide à l'égard des souches tolérantes et n'a plus qu'une activité bactériostatique, ce qui se traduit en pratique par une dissociation marquée entre la concentration minimale inhibitrice de la pénicilline et sa concentration minimale bactéricide. Phénomène fréquent (30 à 60% des souches), dont la signification clinique est probante dans l'endocardite mais non établie pour les autres infections ; l'addition d'aminoglycoside ou de rifampicine aide à compléter la bactéricidie de la pénicilline ; la tolérance est croisée avec d'autres antibiotiques bactéricides (céphalosporines, vancomycine).

Nécrolyse épidermique toxique, scarlatine staphylococcique et impétigo bulleux

Ce sont des variétés cliniques du « staphylococcal scalded skin syndrome » ou SSSS ; synonymes : maladie de Ritter ou pemphigus néonatal chez le nouveau-né, maladie de Lyell chez le nourrisson et l'enfant. Dus à l'exfoliatine (toxine exfoliatrice ou toxine épidermolytique) du staphylocoque doré, surtout groupe phagique II et lysotypes 71, 55, 3A, 3B et 3C. L'exfoliatine est excrétée à distance, par voie hématogène, d'une infection ou d'une colonisation staphylococcique primaire (conjonctives, nez, pharynx, ombilic, site de circoncision, etc.). Elle provoque spécifiquement, à la fois chez l'homme et expérimentalement chez le souriceau nouveau-né, un clivage ou un détachement des cellules de la couche granuleuse de l'épiderme. On distingue deux variétés antigéniques de l'exfoliatine (poids moléculaire de 25 000) : l'exfoliatine A prédomine ; elle est thermostable et d'origine chromosomique ; l'exfoliatine B est thermolabile et de source plasmidique (extrachromosomique). Anticorps antiexfoliatine : protecteurs à l'égard des formes généralisées de la maladie, ils sont présents chez 75% des enfants > 10 ans contre 25% de ceux < 2 ans ; cela pourrait expliquer la fréquence élevée du SSSS entre zéro et cinq ans. Le pronostic du SSSS est bon chez l'enfant et la mortalité faible (5%). Les antibiotiques (ordinairement les pénicillines résistantes à la pénicillinase) sont indiqués et efficaces, surtout à la phase précoce de la maladie ; les stéroïdes ont un effet néfaste, ils sont contre-indiqués.

Nécrolyse épidermique toxique

Précédée de fièvre, de malaise, d'irritabilité, d'anorexie, d'une conjonctivite ou d'une rhinorhée purulente, d'omphalite, d'une circoncision infectée ou d'un impétigo chez le nouveau-né. Débute de façon brusque deux à quatre jours plus tard par une érythrodermie scarlatiniforme généralisée, fine, punctiforme, plus accentuée aux plis de flexion (signe de Pastia) ; la peau, exquisement sensible, a une texture de papier sablé ; on note un œdème modéré du visage, notamment du pourtour des yeux. L'exfoliation généralisée commence un à trois jours plus tard et se manifeste par de grandes bulles flasques à paroi mince et à liquide clair, souvent stérile ; ces bulles se rompent spontanément ; la peau devient lâchement plissée, se décolle par grandes plaques, laissant une surface sous-jacente rouge vif, séreuse ; l'épreuve de Nikolsky est positive : exfoliation provoquée par l'examinateur lors d'une friction légère de la peau du patient avec les doigts ; le pourtour des yeux et des lèvres craque et se fissure. L'exfoliation généralisée peut entraîner déshydratation et dysrégulation thermique chez le nouveau-né et le nourrisson. L'épiderme guérit complètement et sans cicatrice environ quatorze jours après le début du syndrome.

Scarlatine staphylococcique

Proche de la nécrolyse épidermique toxique, sauf que la phase exfoliatrice généralisée est manquante ; syndrome clinique semblable à la fièvre scarlatine streptococcique (cf. scarlatine), mais s'en distingue par les éléments suivants : la pharyngo-amygdalite et la stomatite en fraise manquent ; culture négative pour le streptocoque pyogène ; sensibilité exquise de l'épiderme ; fissures périoculaires et péribuccales ; desquamation rapide de lambeaux épais d'épiderme (< 10 jours).

Impétigo bulleux

Forme localisée du « staphylococcal scalded skin syndrome » ; fréquent et contagieux chez le nouveau-né et le nourrisson ; distribution faciale (périnasale et péribuccale), cervicale, axillaire, péri-ombilicale et périnéale, et aux extrémités ; vésicules de 1 à 2 mm se transforment en bulles flasques, superficielles et très minces, sans auréole érythémateuse ; rupture spontanée libérant un liquide jaune finement trouble ; formation de croûtes épaisses de couleur miel ou vernis ; lésions d'auto-inoculation fréquentes. *Varicelle bulleuse :* impétigo bulleux greffé sur une varicelle (deux à cinq jours après le début du rash) ; des lésions bulleuses se développent au voisinage de lésions varicelleuses surinfectées par le staph. doré.

Syndrome de choc toxique

De description récente ; rapporté en premier lieu chez l'enfant ; par la suite, la plupart des cas (80%) ont été rapportés chez l'adolescente et la jeune femme en phase menstruelle. Le staphylocoque doré (prédominance du groupe phagique I) a été isolé des sécrétions vaginales ou cervicales de 98% des patientes atteintes de syndrome de choc toxique, contre 7% d'isolats chez la femme normale. Les tampons vaginaux favorisent la rétention du sang menstruel, facteur de croissance probable du staphylocoque doré. L'hémoculture est régulièrement négative et le syndrome de choc toxique a l'allure d'une toxémie. Le rôle d'une exotoxine pyrogène (type A) et mitogène avec un plan de clivage différent de l'exfoliatine (couche basale de l'épiderme ou jonction dermo-épidermidique) a été évoqué. Le syndrome de choc toxique a été rapporté plus rarement après des infections staphylococciques variées (ex. abcès). Le syndrome récidive chez 30% des patientes un à deux mois après le premier épisode ; le taux de mortalité s'élève à 10 %.

● *Critères de diagnostic :*
1. Fièvre d'apparition brusque > 38,9 °C.
2. Exanthème maculaire diffus ou localisé (érythrodermie d'allure scarlatiniforme sans la texture en papier sablé) avec desquamation subséquente (principalement à la paume des mains et à la plante des pieds).
3. Situation de choc (hypotension révélée par une chute de la pression artérielle systolique, qui devient inférieure ou égale à 90 mm Hg) associée parfois à une CIVD, à une insuffisance rénale aiguë, accompagnée d'une tachycardie supraventriculaire, parfois d'une hypotension orthostatique.
4. Atteinte d'au moins trois des systèmes suivants : gastro-intestinal (nausées, vomissements, diarrhée aqueuse) ; muqueux (conjonctivite, exanthème buccal, stomatite d'allure fraisée) ; musculaire (myalgie, CPK > double des valeurs normales) ; hématologique (purpura, plaquettes < 100 000, CIVD) ; rénal (oligurie, anomalies du BUN et de la créatinémie, pyurie à culture négative) ; hépatique (anomalies de la bilirubine et des transaminases) ; nerveux (confusion, agitation, somnolence, perte de conscience, paresthésie).
5. Culture négative du sang, de la gorge, du L.C.R., et sérologie négative pour la fièvre pourprée des montagnes Rocheuses, la leptospirose et la rougeole.

● *Diagnostic différentiel :* SSSS (ni choc, ni atteinte multisystémique, clivage de la couche granuleuse, staph. doré du groupe II) ; syndrome de Kawasaki (ni myalgie, ni choc, exanthème maculo-papulaire) ; fièvre pourprée des montagnes Rocheuses (piqûre par des tiques) ; leptospirose (méningite aseptique, transmise par le rat) ; rougeole (neutropénie).

● *Traitement et prévention :* Le traitement est urgent et c'est d'abord celui du choc : expansion du volume sanguin (liquides i.v., transfusions de sang), vasopresseurs (dopamine). Les stéroïdes semblent avoir ici un effet bénéfique ; transfusions de plaquettes si thrombopénie sévère ; administration d'une pénicilline antistaphylococcique résistante à la pénicillinase (clindamycine si allergie à la pénicilline) ; en phase de menstruation, les tampons vaginaux devraient être évités à moins que le staph. doré n'ait été éradiqué.

Endocardite bactérienne aiguë

Les endocardites dont le début remonte à moins de six semaines se différencient en endocardites sur valves naturelles et en endocardites postcardiotomie (sur prothèses ou valves artificielles). Le staphylocoque doré est à la source de la plupart des endocardites aiguës ; néanmoins le *Staphylococcus epidermidis* (coagulase-négatif) et les diphtéroïdes (*Corynebacterium non diphteriae*) ont aussi une place prépondérante dans l'endocardite précoce postcardiotomie. L'endocardite staphylococcique se greffe sur des valves normales (33% des cas), notamment la valve tricuspide chez l'héroïnomane ; les anomalies cardiaques à plus grand risque d'endocardite sont la tétralogie de Fallot, la petite communication interventriculaire et la sténose aortique.

L'endocardite se présente comme un syndrome suraigu ou aigu avec pyrexie marquée, toxicité, leucocytose ; la destruction valvulaire est rapide et importante ; les abcès métastatiques sont multiples. Le souffle cardiaque manque parfois au début, ne se manifestant qu'après une certaine période d'évolution. Les complications cérébrales sont fréquentes (cérébrite : micro-abcès multiples ; encéphalopathie toxique ; méningite ; hémiplégie, ataxie, aphasie, altération de l'état de conscience, anomalies sensorielles d'apparition brusque évoquant l'accident cérébrovasculaire) et sont souvent les premières manifestations de l'endocardite aiguë. A l'exception des lésions de Janeway (taches érythématomaculaires à la paume des mains et à la plante des pieds), les stigmates de chronicité de l'endocardite subaiguë à streptocoque font défaut le plus souvent (anémie, splénomégalie, taches de Rotch et nodules d'Osler, facteur rhumatoïde positif, etc.).

● *Diagnostic :* Les principaux éléments du diagnostic sont : hémocultures positives à staph. doré avec souffle cardiaque nouveau ou augmenté ; végétations à l'échocardiographie, dysfonction valvulaire à la cinéfluoroscopie ; les anticorps dirigés contre l'acide teichoïque sont élevés.

● *Complications :* Insuffisance cardiaque, abcès myocardique, abcès de l'anneau valvulaire, péricardite purulente, embolies septiques (poumon, cerveau, rate et rein).

● *Pronostic :* Le pronostic de l'endocardite staphylococcique est bon chez l'enfant et chez l'héroïnomane ; l'endocardite de la valve aortique a le plus mauvais pronostic.

● *Traitement :* De longue durée (six semaines) avec antibiotiques bactéricides administrés par voie veineuse ; comporte en général l'administration i.v. d'une pénicilline antistaphylococcique (nafcilline, cloxacilline, etc.) associée à un aminoglycoside (gentamicine) ; l'aminoglycoside est abandonné après 15 jours. En plus de la réponse clinique et de la négativation de l'hémoculture, les études de concentration minimale bactéricide, de pouvoir bactéricide du sérum, d'associations synergistiques bactéricides d'antibiotiques et des niveaux sériques doivent être inclues dans le suivi thérapeutique. Le traitement antibiotique doit être accompagné d'un geste chirurgical dans les cas suivants : insuffisance cardiaque irréductible, embolies septiques multiples et récidivantes, dysfonction valvulaire (ex. régurgitation aortique), anévrisme mycotique, échec du traitement médical.

Infections à bactéries anaérobies

Généralités

Les bactéries anaérobies font généralement partie de la flore normale de l'organisme, notamment du tube digestif, de la gorge, du vagin et de la peau (ex. *Propionibacterium acnes*). Cependant, elles peuvent devenir pathogènes lors de la rupture en milieu stérile (par ex. rupture intestinale intrapéritonéale) d'un organe colonisé, de la pénétration d'un corps étranger, ou lors d'une réduction du potentiel d'oxydo-réduction secondaire à une diminution de l'apport sanguin, à une nécrose tissulaire ou à la croissance de bactéries aérobies.

Même si généralement toute infection peut impliquer des anaérobies, celles-ci jouent fréquemment un rôle prédominant dans certaines infections : abcès (cérébral, pulmonaire, hépatique, intra-abdominal, tubo-ovarien, périrectal), cellulite, plaie infectée à la suite d'un traumatisme ou de chirurgie abdominale, empyème sous-dural ou épidural, otite moyenne chronique, sinusite chronique, infection dentaire, pneumonie d'aspiration, empyème thoracique, bronchiectasie surinfectée, appendicite, péritonite, septicémie, thrombophlébite pelvienne suppurée, endométrite.

Tableau clinique

Les syndromes cliniques de gangrène gazeuse (cf. tableau 17 et p. 667), de tétanos (cf. p. 663), de botulisme (cf. p. 665), de colite pseudomembraneuse (cf. p. 669) et d'actinomycose (cf. tableau 15) causés par des *Clostridium* sont des entités bien reconnues. Par ailleurs, les infections sanguines, pleurales, péritonéales, les abcès, les plaies infectées à bâtonnets Gram négatif tels que *Bactéroides* du groupe *fragilis* et du groupe *melaninogenicus* et *Fusobacterium* sont plus fréquents. Souvent les infections sont polymicrobiennes, associées à d'autres bactéries anaérobies et à des bactéries aérobies, surtout les entérobactéries.

Diagnostic

● *Clinique :* Certaines situations suggèrent une infection anaérobique : une suppuration fétide, une infection à proximité d'une muqueuse, la présence de tissu nécrotique ou de gangrène, la présence de gaz dans les tissus (crépitation), un tableau d'endocardite à hémoculture négative, une infection associée à une néoplasie, une maladie vasculaire ou un traumatisme menant à la nécrose tissulaire, une thrombophlébite suppurée, une septicémie avec ictère, une infection à la suite de morsure humaine ou animale, une décoloration noirâtre d'exsudats sanguinolents (rouge à la lumière u.v., secondaire à *Bacteroides* du groupe *melaninogenicus*), la présence de granules de soufre (*Actinomyces*), une infection secondaire à une perforation intestinale, à une chirurgie gastro-intestinale ou génitale.

● *De laboratoire :* En présence de ces situations suggestives, des mesures spéciales doivent être prises afin d'obtenir des spécimens adéquats pour cultures anaérobiques : prélèvement de site approprié en évitant la contamination par la flore normale, prélèvement par aspiration sans air à l'aide d'une seringue et d'une aiguille en prenant soin de fermer hermétiquement l'aiguille avec un bouchon stérile, prélèvement de tissu quand c'est possible ; transport dans un milieu anaérobique, ensemencement rapide sur des milieux appropriés et dans des conditions anaérobiques. Quant aux hémocultures, une portion du sang doit être injectée dans un flacon anaérobique, l'autre dans un milieu aérobique ; toutefois la plupart des bouteilles commerciales pour hémoculture sont favorables à la fois à la croissance des bactéries anaérobies et des bactéries aérobies facultatives (ex. entérobactéries, streptocoques, staphylocoques, etc.).

Traitement

La pénicilline est le traitement de choix dans les infections à cocci à Gram positifs *(Peptostreptococcus, Peptococcus),* à cocci à Gram négatifs *(Veillonella),* à bâtonnets à Gram positifs non sporulés *(Propionobac-*

Tableau 15 : Actinomycose

Syndrome clinique	Agent étiologique	Laboratoire	Diagnostic différentiel	Traitement
Forme la plus fréquente : *Cervico-faciale*. Infection des parties molles, parfois de l'os maxillaire. Tuméfaction et rougeur maxillaire ou sous-maxillaire. Devient toujours plus ligneuse, bosselée ; forte tendance à *fistuliser*. Ces lésions sont plus ou moins douloureuses et le malade garde un bon état général ; adénopathies satellites rares.	Actinomyces* israelinaes lundii, odontolyticus et Arachnia propionica. Saprophyte de la cavité buccale Porte d'entrée : muqueuse buccale, avulsion dentaire, fracture mandibulaire, muqueuse intestinale, postappendicectomie, région cæcale.	Mise en évidence de granules typiques dans le pus (granules formés de filaments mycéliens) : « grains de soufre ». Mise en évidence de l'organisme caractéristique dans matériel de biopsie. Culture de l'organisme sur milieux spécifiques en anaérobiose.	Abcès tuberculeux Maladie des griffes de chat Tumeur (thorax) Abcès amibien	Pénicilline parentérale ± 10 millions U par jour (250 000 à 450 000 U/kg/jour) × 2 à 4 semaines, suivie d'une pénicilline orale pour 3 à 6 mois. Alternative : tétracycline chez l'enfant > 8 ans, érythromycine, clindamycine ou chloramphénicol. Parfois traitement chirurgical, suivant la localisation, associé aux antibiotiques. Pronostic : dépend de l'extension des lésions.
Autres localisations : — Intrathoraciques : abcès pulmonaires et empyème, surtout des lobes inférieurs ; fièvre, toux, expectoration, douleur thoracique, perte de poids ; atteinte de la paroi thoracique, en général secondaire à l'empyème. — Abdominale : lésion primaire dans le cæcum, l'appendice ou les organes pelviens. Des fistules multiples peuvent se produire.				

* Ce sont des bâtonnets anaérobies, Gram positif, non sporulés, formant des filaments et des embranchements.

terium, Bifidobacterium, Actinomyces), à bâtonnets Gram positifs sporulés (Clostridium), à bâtonnets à Gram négatifs (la plupart des Bacteroides du groupe melaninogenicus, les Fusobacterium, et la plupart des Bacteroides provenant des voies respiratoires supérieures). Par ailleurs, les Bacteroides du groupe fragilis provenant du tractus intestinal et du tractus génital féminin, impliqués surtout dans des infections en dessous du diaphragme, sont généralement résistants à la pénicilline mais sensibles à la clindamycine, à la céfoxitine et au chloramphénicol. Associé à l'antibiothérapie, un traitement chirurgical adéquat (débridement et drainage) est habituellement essentiel.

Les infections à anaérobies les plus fréquentes en pédiatrie sont :
● *Les abcès de la cavité abdominale*, surtout à la suite d'appendicite : Traitement de choix avant identification du germe : association clindamycine-gentamicine.
● *Les abcès cérébraux :* Traitement de choix avant identification du germe : association pénicilline-chloramphénicol.

Tétanos

Agent

Clostridium tetani, bacille anaérobique dont les spores sont universellement répandues dans le sol et les excréments de divers animaux. La forme végétative se développe à l'abri de l'oxygène dans les tissus dévitalisés et produit une toxine neurotrope, cause de la maladie clinique.

Tableau clinique

Période d'incubation en moyenne de 8 jours (1 jour à 2 mois). Rechercher le traumatisme, même mineur, et déceler toute plaie, même minuscule. La maladie est caractérisée par des contractions toniques des muscles volontaires, parfois notées au site d'infection (tétanos local), puis se généralisant, pouvant provoquer un trismus, de la dysphagie, de la raideur de nuque et des spasmes musculaires généralisés, un rire sardonique et de l'opisthotonos. Le tétanos néonatal survient par infection du cordon ombilical nécrotique. Cette infection est favorisée par des coutumes anti-hygiéniques de soin du cordon (terre, etc.) dans certaines régions du monde et par une immunisation inadéquate de la mère (cf. chapitre 28).

Il faut veiller aux complications suivantes : spasme musculaire affectant la respiration (menant à l'insuffisance respiratoire aiguë), hémorragie digestive par ulcère de stress, atélectasie pulmonaire, pneumonie par aspiration, surdosage de barbituriques ou d'autres sédatifs, etc.

Prévention

Trois doses d'anatoxine adsorbée à l'alun, de 0,5 mg, par voie i.m. On les combine souvent, lors de l'immunisation initiale chez le nourrisson, à l'anatoxine diphtérique et aux antigènes de pertussis (cf. chapitre 20). Rappel tous les 10 ans.

Tableau 16 : Prophylaxie du tétanos en cas de blessure

Anamnèse de vaccination (doses)	Plaie mineure propre		Toute autre plaie	
	Anatoxine tétanique	I.G.T.	Anatoxine tétanique	I.G.T.
incertaine	oui	non	oui	oui
0-1	oui	non	oui	oui
2	oui	non	oui	non [1]
3 ou plus	non [2]	non	non [3]	non

[1] Sauf si la plaie date de plus de 24 heures
[2] Sauf si la dernière dose date de plus de 10 ans
[3] Sauf si la dernière dose date de plus de 5 ans

I.G.T. = Immunoglobuline tétanique humaine : 4-5 U/kg

L'antitoxine et l'anatoxine doivent être données à des sites différents. Ne pas fermer la plaie si plus de 24 heures se sont écoulées, ou si elle est contaminée.

L'antibiothérapie prophylactique (pénicilline) est indiquée en présence d'une plaie suspecte ou datant de plus de 24 heures, surtout chez un patient non immunisé adéquatement.

Traitement

Le patient est transféré dans une unité de soins intensifs possédant un personnel entraîné en soins cardio-respiratoires. Les complications précoces à craindre sont les convulsions tétaniques et l'arrêt respiratoire. Une voie intraveineuse doit être ouverte pour l'administration urgente d'anticonvulsivants. L'emploi de succinylcholine est particulièrement utile dans les convulsions survenant avant la trachéotomie. Comme la paralysie suit l'administration de succinylcholine, l'équipement de ventilation, d'intubation, de succion et l'oxygène doivent être disponibles.

Le traitement comporte les mesures suivantes :

1. L'*antitoxine tétanique,* de préférence sous forme hyperimmune humaine, a pour but de neutraliser toute toxine circulante. Dose : 50-200 U/kg, i.m. (max. : 6000 U).

2. L'*antibiotique* de choix servant à détruire les formes végétatives de *Clostridium tetani* est la pénicilline G cristalline (50 000 - 100 000 U/kg/jour i.v. toutes les 6 heures pendant 10 jours).

3. *Traitement chirurgical* à la suite d'administration d'antitoxine tétanique et d'antibiotique : débridement chirurgical, exérèse de corps étranger, nettoyage de la plaie (sérum physiologique, peroxyde d'hydrogène).

4. La *sédation* peut être procurée dans une chambre très calme en évitant les stimuli visuels et sonores.

5. Divers *agents anti-convulsivants et sédatifs* peuvent être utilisés pour contrôler les spasmes et les convulsions : chlorpromazine, barbituriques, diazépam, curare, etc. :

a) tétanos léger à modéré : diazépam, 2 à 10 mg par dose, i.v., i.m. ou oral ;

b) tétanos modéré à grave : idem, en association avec chlorpromazine, 0,2 à 0,5 mg/kg toutes les 6 heures, *per os* de préférence, et phénobarbital, 2 à 7 mg/kg toutes les 6 heures, *per os* de préférence.

6. Une *trachéotomie* est indiquée dans les formes graves.

7. L'*anatoxine tétanique* a pour but d'assurer une protection permanente que la maladie ne confère pas. Elle doit être donnée avant le départ du malade en période de convalescence (voir chapitre 20).

8. *Mesures générales :* Equilibre hydro-électrolytique, apport calorique, soins généraux de la peau et des muqueuses.

Botulisme

Généralités

Paralysie flasque aiguë, descendante et symétrique, due à la toxine de *Clostridium botulinum*, bâtonnet anaérobie sporulé, Gram positif, dont l'habitat naturel est le sol. Apparaît souvent après stérilisation inappropriée des conserves de maison à base de fruits, de légumes ou de poissons contaminés par les spores hautement thermorésistantes du *C. botulinum*. La toxine botulinique, l'une des plus puissantes connues (1 µg de toxine purifiée égale 200 000 doses minimales létales pour une souris de 20 g), est une neurotoxine protéique bloquant la libération d'acétylcholine à la plaque neuromusculaire ; elle a la propriété importante de thermolabilité : elle est détruite par un chauffage de 5 min. à 100°C. Il existe sept types antigéniques de toxine botulinique ; seuls les types A, B, E et F ont été reconnus responsables de botulisme humain ; le type A prédomine dans l'ouest des Etats-Unis, le type B dans l'est et en Europe, le type E au Canada, au Japon et dans les pays Scandinaves ; les types A et F donnent les formes de botulisme les plus sévères et comportent le plus haut taux de mortalité. Le botulisme de type E a des particularités : acquis après consommation de poisson, incubation courte, signes gastro-intestinaux fréquents avec distension abdominale, spores résistant moins à la chaleur, toxine produite rapidement à des niveaux inférieurs de pH et de température.

Formes cliniques

Au moins trois formes de botulisme sont reconnues : *a) botulisme alimentaire*, dû à l'ingestion d'une toxine préformée (exogène) déjà présente dans les aliments contaminés ; *b) botulisme du nourrisson*, dû à une toxine formée *de novo* (endogène) par les spores et les cellules végétatives de *C. botulinum* colonisant le tube digestif ; *c) botulisme de plaie*, dû à une toxine formée *de novo* (endogène) par les spores et les cellules végétatives de *C. botulinum* présent dans une plaie contaminée.

Botulisme alimentaire

● *Signes cliniques :* L'incubation est en général brève, 12 à 36 heures. On observe au début des signes gastro-intestinaux discrets : nausées, vomissements, présence rare de diarrhée, constipation fréquente au fur et à mesure de l'évolution. Les signes paralytiques d'alerte sont oculaires : diplopie, vision trouble, pupilles dilatées et peu réactives ; suivent la dysphagie, la dysphonie et une faiblesse musculaire progressive ; l'atteinte la plus dramatique influant le pronostic est la paralysie respiratoire. Par ailleurs le patient, conscient, afébrile, exempt de troubles sensitifs, se plaindra d'une sensation, parfois douloureuse, de gorge sèche.

● *Diagnostic :* Les paramètres biologiques du sang, de l'urine et du liquide céphalo-rachidien ne sont pas contributoires. Le diagnostic de certitude est obtenu par une recherche positive de toxine botulinique (épreuve de neutralisation chez la souris) dans l'aliment incriminé, dans les selles et dans le sérum du patient, et par l'isolement du *C. botulinum* dans l'aliment ou dans les selles.

● *Diagnostic différentiel :* Le botulisme doit être différencié du syndrome de Guillain-Barré (paralysie ascendante avec paresthésie et protéinorachie), de la myasthénie grave (épreuve au tensilon positive), de l'accident cérébrovasculaire (atteinte neurologique localisée), des autres intoxications alimentaires, des intoxications chimiques, du syndrome de Eaton-Lambert, de la poliomyélite bulbaire.

● *Traitement :* Vomissement provoqué, lavage gastrique, purgation (sauf si iléus) ; admission à l'unité des soins intensifs pour surveillance étroite et assistance respiratoire. Après épreuve cutanée de sensibilisation au sérum de cheval, administration de l'antitoxine polyvalente A, B, E si le type antigénique n'est pas connu ou d'une antitoxine monovalente s'il est connu. Malgré sa valeur douteuse, la pénicilline G est donnée. L'avantage de l'hydrochlorure de guanidine n'est pas établi.

● *Prévention :* Stérilisation adéquate des conserves (autoclavage de 30 min. à 121°C sous 7 atm. de pression). Chauffer, avant de les consommer, tout aliment en conserve et tout aliment à risque (100°C durant 5 min.). Antitoxine botulinique, après test de sensibilisation, aux personnes asymptomatiques qui ont consommé, moins de sept jours auparavant, l'aliment incriminé dans un cas de botulisme.

Botulisme du nourrisson

De description récente, atteint les nourrissons de un à six mois, sans prédilection pour le sexe et le type d'alimentation (sein ou biberon). L'incidence estimée aux Etats-Unis est de 250 cas/année. Le botulisme pourrait avoir été responsable de cas de mort subite du nourrisson. Les toxines botuliniques de type A ou B ont été identifiées chez la plupart des nourrissons malades, alors que le *C. botulinum* a été isolé du miel consommé par un petit nombre.

● *Signes cliniques :* Constipation prémonitoire constante, léthargie, hypotonie, flaccidité, ophtalmoplégie, ptôse, pupilles dilatées et peu réactives, perte de maintien de la tête ; diminution ou perte des réflexes pharyngés, de succion, et tendineux profond ; dysphagie, dysphonie. La paralysie respiratoire, relativement fréquente, est la plus à craindre.

● *Pronostic :* La plupart des malades, après surveillance étroite, assistance respiratoire ou même réanimation respiratoire adéquates, ont évolué, dans un délai plus ou moins long, vers la rémission spontanée, complète et sans séquelles.

● *Diagnostic :* Le profil électromyographique est évocateur : profil myopathique avec potentiels d'unité motrice brefs, de faible amplitude et excessivement nombreux. Isolement du *C. botulinum* dans les selles du nourrisson. Recherche positive de toxine botulinique dans les selles, recherche négative dans le sang.

● *Traitement :* L'assistance alimentaire et respiratoire sont l'essence du traitement. L'antitoxine a été peu utilisée, du fait de l'absence de toxine dans le sang et du danger de sensibilisation au sérum équin. La pénicilline a en principe une meilleure place que dans le botulisme alimentaire, mais elle ne semble pas avoir beaucoup influé sur l'évolution ou encore sur l'excrétion fécale du *C. botulinum*. On doit utiliser de façon très prudente les antibiotiques aminoglycosides, car ils potentialisent l'effet de la toxine botulinique.

Botulisme de plaie

Forme rare de botulisme ; se greffe à partir d'une plaie souillée par les spores du *Clostridium botulinum* ; incubation de cinq à quinze jours après le traumatisme ; le syndrome clinique est semblable à celui du botulisme alimentaire, mais comporte les signes cliniques spécifiques suivants : présence de fièvre, absence de signes gastro-intestinaux, anomalie sensitive unilatérale en regard de la plaie et écoulement purulent. Le débridement chirurgical de la plaie botulinogène, la pénicilline, l'antitoxine et l'assistance respiratoire sont l'essence du traitement.

Gangrène gazeuse ou myolyse-perfringens

(cf. tableau 17)

Etiologie

C'est une myolyse aiguë fulminante, spontanément mortelle en moins de 24 heures, due à des bactéries anaérobies sporulées du genre *Clostridium*. Le *Clostridium perfringens* type A, seul ou en association, est de loin l'espèce la plus impliquée. Cette myolyse apparaît lorsque le *C. perfringens* trouve momentanément dans l'organisme des conditions d'anaérobiose ou de faible potentiel d'oxydo-réduction : plaie dévitalisée, tissu nécrotique, zones importantes de vasoconstriction musculaire, zones peu ou pas vascularisées, centre nécrotique des tumeurs solides. La souche responsable de *C. perfringens* est soit exogène (plaie souillée par corps étranger, blessure par balle) ou endogène, provenant de la flore cutanée (amputation de membres chez diabétique), colique (vasoconstriction post-prandiale après injection i.m. d'adrénaline) ou vaginale (avortement septique). La myolyse-perfringens est à la fois une maladie par virulence, propriété bactérienne intrinsèque de multiplication dans le tissu musculaire-hôte, et par toxicité, propriété de synthèse de multiples exotoxines qui, *in vivo,* facilitent l'invasion bactérienne locale et à distance (hémolysines, lécithinase, collogénase, etc.).

Tableau clinique

Le début de la maladie est brutal et elle évolue d'heure en heure pour être mortelle en moins de 24 heures. Elle se manifeste par une douleur importante, de l'œdème et une décoloration de la plaie ; se greffent rapidement une fluctuation et du crépitement des masses musculaires sous-jacentes ; les masses musculaires avoisinantes, saines, sont bientôt

Tableau 17 : Infections gazogènes cutanéo-musculaires

	Production de gaz	Bactéries responsables	Tissus atteints	Début et évolution	Etat de toxicité	Remarques
Cellulite anaérobique	abondante	Flore mixte aérobie et anaérobie	hypoderme	début progressif, évol. aiguë	absent ou peu marqué	Chez les diabétiques, bon pronostic
Cellulite nécrosante synergistique	variable	Bacteroides, Peptostreptococcus, entérobactéries	hypoderme, fascia, muscle	début rapide, évol. aiguë	présent	Chez les diabétiques, membres inférieurs ou périnée (gangrène de Fournier) : pronostic réservé
Fasciite nécrosante	absente ou peu marquée	Streptococcus sp. parfois Staph. aureus	hypoderme, fascia	début rapide évol. aiguë	présent	
Gangrène gazeuse	modérée	C. perfringens surtout	hypoderme, fascia, muscle	début brutal, évol. fulminante	très marqué	Douleur locale importante, mauvais pronostic
Gangrène synergistique de Meleney	absente ou peu marquée	Staph. aureus avec streptocoques microaérophiles	hypoderme	début progressif, évol. subaiguë	peu marqué	Surtout après chirurgie, destruction tissulaire importante
Gangrène vasculaire infectée	abondante	Bacteroides, Fusobacterium avec entérobactéries et streptocoques	hypoderme, fascia, muscle	début progressif, évol. subaiguë à chronique	absent	Chez les diabétiques, se greffe sur muscle déjà mort
Myosite à streptocoques	faible	Peptostreptocoques	hypoderme, fascia, muscle	début insidieux, évol. aiguë	marqué	

atteintes. La radiographie révèle la présence de gaz dans les plans musculaires. Le patient évolue vers un état de toxicité marqué, dû à la libération massive dans la circulation à la fois de la bactérie elle-même, de ses multiples toxines responsables de l'hémolyse intravasculaire généralisée et des produits de la destruction musculaire. Ictérique, avec urine hémorragique, le patient entre en insuffisance rénale aiguë, en état de choc et il meurt.

Diagnostic

L'exsudat au site de l'infection est hémorragique, graisseux ; il renferme une grande quantité de bâtonnets à Gram positif, gros, trapus, à bouts carrés ; la culture en jarre anaérobique de l'exsudat et du sang est positive après 24 à 48 heures pour une bactérie anaérobie provoquant sur gélose-sang une double zone d'hémolyse propre au *Clostridium perfringens*. L'examen histologique du tissu musculaire révèle œdème, perte de striation, dissociation, fragmentation et liquéfaction des fibres musculaires ; la réaction inflammatoire est peu importante.

Le diagnostic de la gangrène gazeuse doit être précoce ; il repose sur l'histoire et l'examen clinique évocateurs, sur la radiologie, sur l'examen direct après coloration de Gram de l'exsudat hémorragique. Des cultures au site de l'infection et des hémocultures doivent être entreprises, mais l'évolution fulminante de la maladie ne permet pas d'en attendre les résultats.

Traitement

Le traitement, d'une haute urgence, est agressif et avant tout chirurgical : débridement large des zones atteintes allant, s'il y a lieu, jusqu'à l'amputation haute du ou des membres atteints, hystérectomie. L'antibiothérapie est immédiatement instituée avec des mégadoses i.v. de pénicilline G. Dans les milieux où quelques souches de *Clostridium* sont reconnues peu sensibles ou résistantes à la pénicilline G, on ajoute d'emblée de la clindamycine.

Prévention

La prévention est la seule arme vraiment efficace contre la gangrène gazeuse. Toute plaie ou tout contexte gangrénogène doit être traité, éliminé ou évité : débridement des plaies souillées, exérèse du tissu nécrotique, fermeture de deuxième intention, désinfection soigneuse avec un antiseptique sporicide (ex. providone-iode), antibioprophylaxie systémique lors de plaies ou de contextes à risque. Enfin, on devrait se souvenir que toute plaie tétanogène est également gangrénogène.

Colite pseudomembraneuse
(cf. tableau 18)

Tableau clinique

Forme « pathognomonique » de colite due aux antibiotiques. Survient durant la prise d'antibiotiques ou dans les quelques semaines qui suivent.

Tableau 18 : Colite pseudomembraneuse

Facteurs de déclenchement	Etiologie	Tableau clinique	Diagnostic	Traitement
Antibiotiques à large spectre : clindamycine, ampicilline, etc.	Exotoxine cytopathogène de *Clostridium difficile*	Fièvre Douleur abdominale Diarrhée profuse Polynucléose Entéropathie exsudative avec hypoprotéinémie et anomalie des électrolytes	Endoscopie colonique : pseudomembranes blanc-jaune, surélevées, isolées ou confluentes ; muqueuse érythémateuse, légèrement friable Biopsie : débris épithéliaux avec fibrine, mucus et polynucléaires Lavement baryté : ulcère en empreinte de doigt Recherche biologique de la toxine de *Clostridium difficile* dans les selles Isolement de *C. difficile* dans les selles	Cessation de l'antibiotique en cause Vancomycine orale ou bacitracine orale ou métronidazole oral Cholestyramine (Questran)

Les personnes âgées sont les plus susceptibles ; plusieurs cas ont néanmoins été décrits chez l'enfant. Un grand nombre d'antibiotiques ont été impliqués, les plus fréquents étant la clindamycine et l'ampicilline. La colite pseudomembraneuse se manifeste en général par de la fièvre, des crampes abdominales, de la diarrhée aqueuse, profuse, avec présence rare de sang et de mucus. Si elle se prolonge, la diarrhée entraîne une hypoalbuminémie et un déséquilibre électrolytique. Le mégacôlon toxique et la perforation sont des complications possibles. Laissée à elle-même, la colite pseudomembraneuse peut amener 20 à 30 % de mortalité.

Etiologie

Après clindamycinothérapie, le hamster développe de façon constante une typhlite aiguë létale ; les filtrats provenant de selles de patients atteints de colite pseudomembraneuse, injectés au hamster, provoquent une maladie similaire à la typhlite aiguë létale. Le *Clostridium difficile*, bâtonnet anaérobie sporulé, a été isolé dans les selles de hamster typhlique et dans les selles de patients atteints de colite pseudomembraneuse. Le filtrat de culture de *C. difficile* provoque également une typhlite aiguë chez le hamster. Les faits permettent de croire que la colite pseudomembraneuse est due à une exotoxine bactérienne produite par le *Clostridium difficile*.

Diagnostic

1. Diarrhée apparaissant durant une antibiothérapie ou dans les quatre semaines après la fin d'une antibiothérapie.
2. Images endoscopiques évocatrices avec pseudomembranes composées histologiquement de fibrine, de mucus, de polynucléaires et de débris épithéliaux sans évidence d'invasion bactérienne.
3. Mise en évidence, en culture cellulaire, d'un effet cytopathogène du filtrat de selles du patient et neutralisation de cet effet par l'antisérum de *Clostridium difficile*.
4. Isolement du *Clostridium difficile* à partir des selles du patient, préférentiellement à l'aide du milieu de culture sélectif CCFA (céfoxitine-cyclosérine-fructose agar).

Traitement

En général, la colite pseudomembraneuse involue spontanément et complètement après simple cessation de l'antibiotique responsable. Dans les formes sévères ou rebelles, la vancomycine orale s'est avérée être hautement efficace pour le traitement de la colite pseudomembraneuse. La bacitracine orale, moins onéreuse, s'avère également efficace et doit être considérée chez les patients dont la réponse à la vancomycine n'est pas satisfaisante ou ceux qui y sont allergiques. On a utilisé avec succès le métronidazole pour un petit nombre de patients, mais cet antibiotique a lui-même été responsable de quelques cas de colite pseudomembraneuse. Un certain effet de la cholestyramine, une résine échangeuse d'ions, a été démontré.

Tableau 19 : Coqueluche (pertussis)

Syndrome clinique	Etiologie	Diagnostic Isolement	Diagnostic Sérologie et autres	Prévention	Traitement symptomatique	Traitement spécifique
Coqueluche	Bordetella pertussis	Culture de sécrétions naso-pharyngées par cathéter ou par écouvillon pharyngé sur un milieu de Bordet-Gengou Ensemencer immédiatement Identification du germe en culture par anticorps fluorescents ou agglutination sur lame	Formule blanche — leucocytose (> 20 000) — lymphocytose (> 60%) Radiographies des poumons	— Gamma-globuline non efficace — Antibiothérapie érythromycine — Vaccination Di-Te-Per (DTP) — Technique d'isolement des malades	Humidification Aspiration des sécrétions Antitussifs (codéine) O_2 Hydratation	Gamma-globuline valeur non établie Antibiothérapie : érythromycine
Syndrome coqueluchoïde	B. parapertussis B. bronchiseptica Adénovirus Virus respiratoire syncytial	Culture de sécrétions naso-pharyngées Gorge, selles	Fixation du complément			

Coqueluche
(cf. tableau 19)

La coqueluche est une maladie contagieuse du tractus respiratoire transmise par voie aérienne. La période d'incubation varie de 5 à 21 jours. On distingue 3 phases cliniques : une phase catarrhale à début insidieux, d'une durée de 1 à 2 semaines, caractérisée par des rhinorrhées, des larmoiements, une toux irritative, une fièvre légère, de l'anorexie ; une phase paroxystique d'une durée de 2 à 4 semaines, caractérisée par des quintes de toux répétées suivies d'un bruit laryngé appelé « cri du coq » survenant au cours de l'inspiration profonde ; ces quintes sont accompagnées de cyanose, d'expulsion de sécrétions épaisses, parfois de vomissements ; enfin une phase de convalescence d'une durée de 1 à 2 semaines, au cours de laquelle le tableau clinique s'amende.

Les complications suivantes sont possibles : otite moyenne, atélectasie pulmonaire, surinfection pulmonaire bactérienne, activation de la tuberculose, convulsions, encéphalopathie. Le nourrisson très jeune peut décéder lors d'une apnée consécutive à une quinte.

Traitement

L'érythromycine modifie peu l'évolution naturelle de la coqueluche mais éradique rapidement le germe du nasopharynx et diminue ainsi de façon significative la période de contagiosité. L'érythromycine prévient la coqueluche chez les contacts non immunisés. Enfin, la valeur de la gamma-globuline hyperimmune n'a pas été établie.

Diphtérie
(cf. tableau 20)

Maladie contagieuse fébrile aiguë intéressant surtout le tractus respiratoire. Après une période d'incubation de 2 à 7 jours, on peut noter une forme naso-pharyngée, caractérisée par un coryza purulo-sanguinolent, une angine blanche, une forme pharyngée unilatérale (absence de trismus), à distinguer de l'abcès périamygdalien, ou une forme laryngée (croup), pouvant évoluer vers une forme trachéo-bronchique (tirage, dyspnée, cyanose) ; on peut noter au niveau de la muqueuse respiratoire des fausses membranes blanchâtres fibrineuses, adhérentes, faisant saigner la muqueuse à l'exérèse, cohérentes dans l'eau, accompagnées d'adénites et de périadénites (cou proconsulaire) et de signes de toxémie et de prostration importants. Le tractus respiratoire peut dégager une odeur suggérant celle des œufs pourris.

Complications

D'ordre mécanique : obstruction du tractus respiratoire menant à l'insuffisance respiratoire aiguë. D'ordre toxique (exotoxine diphtérique) : myocardite aiguë survenant vers le 10e jour de la maladie ; polynévrite bulbaire donnant une paralysie symétrique du voile du palais, de la glotte, des muscles oculaires ; polynévrite périphérique motrice et sensitive survenant tardivement ; hépatite ; néphrite ; hémorragies (nasales, digestives, rénales, surrénaliennes). D'ordre infectieux : broncho-pneumonie d'aspiration.

Tableau 20 : Diphtérie

Syndrome clinique	Etiologie	Diagnostic Isolement	Sérologie et autres	Prévention	Traitement symptomatique	Traitement spécifique
Diphtérie	Corynebacterium diphteriae (B. de Loeffler)	Prélèvements: — naso-pharynx — gorge — expectorations — membranes autres: — peau — conjonctives — oreilles Gram: bâtonnet Gram+ pléomorphique Cultures: gélose-sang, milieu de Loeffler, tellurite de K	Formule sanguine complète Radiographies des poumons Electrocardiogramme Urines	Vaccination (DTP) (cf. tableau 1) Isolement Contacts: — isolement — surveillance étroite — recherche de Corynebacterium diphteriae — rappel d'anatoxine — érythromycine	Repos au lit Hydratation Humidité Au besoin: — trachéostomie — aspiration des sécrétions — respiration artificielle — exérèse de membranes (sous couvert d'antitoxine) — tube naso-gastrique — physiothérapie — stéroïdes? Si myocardite: — glucose 10% i.v. — O$_2$ — digitale? — prévention: stéroïdes?	Traitement précoce Antitoxine (équine) (cf. p. 725): — tests d'hypersensibilité — doses: 20000-100000 U — voie: i.m. et/ou i.v. Erythromycine ou pénicilline

Brucelloses, leptospiroses et tularémie

Brucelloses
(cf. tableau 21)

Maladies acquises par ingestion de lait non pasteurisé (de chèvre, de vache) ou par contact direct avec les animaux infectés (chèvre, bétail, porc). La forme aiguë apparaît de façon insidieuse et est caractérisée par des malaises généralisés, des myalgies, des douleurs articulaires et à la colonne vertébrale, associés à un tableau fébrile de type ondulant ou intermittent accompagné de sudations, de frissons et d'une atteinte de l'état général (anorexie, asthénie, amaigrissement). En phase aiguë, on peut noter une hépato-splénomégalie, des adénopathies, des douleurs à la mobilisation de la colonne vertébrale, un épanchement articulaire. La forme chronique est caractérisée par des clochers fébriles pouvant être accompagnés de diaphorèse, de malaises vagues, d'arthralgies, de symptômes dépressifs, encéphalitiques ou méningés.

Leptospiroses
(cf. tableau 21)

Groupe d'infections transmises à l'homme par les excrétions d'animaux domestiques, eux-mêmes infectés par les rongeurs ; principal réservoir : rats. La forme la plus grave est la leptospirose ictéro-hémorragique ou maladie de Weil. L'atteinte hépatique (ictère), rénale (protéinurie, azotémie) et vasculaire (thrombocytopénie et hémorragies) est particulièrement inquiétante et la mortalité est de 20 % environ. Les autres formes sont de meilleur pronostic. Elles sont caractérisées par une fièvre à début brutal, avec frissons, myalgies, conjonctivite et souvent un syndrome méningé, parfois un exanthème maculo-papulaire discret. La fièvre tend à évoluer en 2 phases : une phase aiguë à début brusque durant 1 jour à 1 semaine, puis une période apyrétique de 2 à 3 jours, suivie d'une rechute avec manifestation de localisation (foie, rein, système nerveux central, muscles, etc.).
● *Traitement :* La pénicilline et les tétracyclines ont une action limitée.
● *Pronostic :* La plupart des malades guérissent sans avoir eu une jaunisse clinique et sans séquelles.

Tularémie

Due à un petit bâtonnet aérobie à Gram négatif, le *Francisella tularensis,* transmis à l'homme par les rongeurs surtout (lapin, lièvre, rat musqué, etc.) et également par des insectes vecteurs (tiques, mouches). La porte d'entrée la plus fréquente est cutanée ; il semble que le *Francisella tularensis* puisse pénétrer une peau apparemment saine ; la contamination arrive le plus souvent après manipulation de la fourrure d'animaux malades ; l'acquisition par inhalation peut survenir chez les laborantins qui ont manipulé des échantillons renfermant le *Francisella tularensis.* La période d'incubation est de deux à sept jours. La tularémie se manifeste par un début brusque avec fièvre, frissons, céphalée, malaise général et asthénie. La forme clinique la plus fréquente est

Tableau 21 : Brucelloses et leptospiroses

Syndrome clinique	Etiologie	Diagnostic — Isolement	Sérologie et autres	Traitement	Prévention
Brucelloses (maladie de Bang ou fièvre de Malte)	Brucella melitensis (chèvre) B. abortus bovis (bétail) B. suis (porc) Endotoxine Parasitisme cellulaire	Prélèvements: — sang — moelle osseuse — ganglion lymphatique — tissu osseux — L.C.R., liquide articulaire — urines etc. Culture × 6 semaines 10% CO_2 (B. abortus)	Agglutination en tube, titre ascendant Formule sanguine: lymphocytose	Tétracyclines ±streptomycine Doses initiales faibles Durée: 3 semaines au moins	Pasteurisation du lait Destruction des animaux infectés (rapport aux organismes sanitaires) Immunisation du bétail
Leptospiroses	Leptospira ictero-hemorrhagiæ Leptospira canicola Leptospira pomona	sang } initialement L.C.R. } urine: dès 2e semaine	Agglutination macro- et microscopique, titre ascendant Analyse d'urine, urée sanguine Bilirubine sérique modérément élevée L.C.R.: pléiocytose modérée (< 500 cellules) Légère hyperprotéinorachie (50-100 mg/100 ml) Glucorachie normale	Pénicilline (tétracyclines): effet douteux Surveiller les liquides, les électrolytes, les fonctions hépatiques	Dépistage de l'infection dans le bétail, chez les porcs, etc. Dératisation

ulcéro-glandulaire : ulcère au niveau de la main ou des doigts avec adénopathie satellite, épitrochléenne et axillaire. Des tularémies glandulaires pures, oculo-glandulaires, pulmonaires et typhoïdiennes ont été rapportées.

● *Diagnostic de laboratoire :* La mise en évidence, dans le sérum du patient, d'une montée d'agglutinines fébriles à l'égard du *Francisella tularensis*, constitue l'épreuve de laboratoire la plus accessible. Le sérum prélevé au début de la maladie (sérum précoce) contiendra en général peu ou pas d'agglutinines ; par contre, un deuxième sérum prélevé quinze jours à un mois plus tard (sérum tardif) sera plus riche en agglutinines et il permettra, comparé au premier, d'observer le virage ou séroconversion ; l'antibiothérapie n'affecte pas la montée des agglutinines. Le *Francisella tularensis* peut être isolé à partir des lésions ; néanmoins le germe est fastidieux et les échantillons, potentiellement contagieux, doivent être manipulés avec précaution.

● *Traitement :* La streptomycine est l'antibiotique de premier choix. La tétracycline ou le chloramphénicol sont également efficaces à la phase aiguë de la tularémie, mais des rechutes sont rapportées avec ces deux derniers antibiotiques.

Tuberculose

Tuberculose pulmonaire
(cf. tableau 22)

Le tableau clinique est polymorphe : on note des formes inactives et des formes actives, soit primaires, soit de réinfection. Les formes actives peuvent se présenter chez un malade asymptomatique (test tuberculinique positif, radiographie pulmonaire suggestive) ou symptomatique : symptômes pulmonaires (toux, expectorations, hémoptysies, etc.), signes d'atteinte de l'état général (anorexie, asthénie, perte de poids), fièvre inexpliquée, adénite cervicale.

On peut noter, à la radiographie, une lésion périphérique pulmonaire avec adénopathie correspondante (complexe primaire), des signes d'extension de ce foyer (pneumonite, tuberculose endobronchique avec dissémination au parenchyme distal), des infiltrations apicales lors de la réinfection, des signes d'épanchement pleural.

Il faut veiller aux complications suivantes : tuberculose miliaire, tuberculose bronchique avec obstruction et bronchiectasies, empyème, pneumothorax, tuberculose extrapulmonaire (méningée, urinaire, ostéo-articulaire, ganglionnaire, etc.).

● *Sérologie :* (cf. tableau 22).

● *Prévention* (cf. tableau 22) : La chimioprophylaxie (1 an) est recommandée dans les conditions suivantes : patients avec conversion récente à la tuberculine sans évidence de foyer actif ; enfants, adolescents et jeunes adultes qui n'ayant pas reçu le BCG ont un PPD intermédiaire positif, surtout s'ils sont atteints de coqueluche ou de rougeole, de

Tableau 22 : Tuberculose pulmonaire

Syndrome clinique	Etiologie	Diagnostic – Isolement	Diagnostic – Sérologie et autres	Prévention	Traitement symptomatique	Traitement spécifique
Tuberculose pulmonaire	Mycobacterium tuberculosis Rares: M. bovis M. atypiques (groupes I et III)	Spécimens: — expectorations — aspirations bronchiques — tubages gastriques à jeun — autres foyers — urine Coloration au Ziehl Culture sur Löwenstein Inoculation au cobaye	Test tuberculinique * Sédimentation Radiographies des poumons Intradermoréactions: — B.C.G. — Mycobactéries atypiques	— B.C.G. (cf. tableau 135) — Chimioprophylaxie: isoniazide, 10 mg/kg/jour/1 an — Isolement des formes actives — Dépistage chez les «contacts» — Pasteurisation du lait	Repos Nutrition adéquate Pyridoxine, 25-50 mg/jour: — si malnutrition — si adolescent — en association avec INH Stéroïdes pour Tb miliaire durant la phase dyspnéique Tb ganglionnaire avec obstruction	Antituberculeux 1. Principes: — Association de 2-3 anti-TB — Traitement prolongé (6-18 mois) — Selon l'antibiogramme 2. Choix: isoniazide + PAS ou éthambutol + streptomycine ou rifampicine

| Tuberculose méningée | Mycobacterium tuberculosis (B. de Koch) | Coloration de Ziehl (pellicule de préférence) : bacilles acido-alcoolo-résistants
Cultures du L.C.R. sur milieu de Löwenstein et inoculation au cobaye liquide clair | Hyperprotéinorachie et hypoglycorachie
Augmentation des lymphocytes
Baisse des chlorures occasionnelle
Test tuberculinique*
Recherche des tubercules au fond d'œil
Radiographie des poumons | Idem | Combiner plusieurs antituberculeux (selon la sensibilité de la souche isolée du patient ou de son entourage) :
— streptomycine : 30-40 mg/kg/jour, toutes les 12 h., i.m. ; ne pas dépasser 1,5 g/jour ni un total de 4 à 8 semaines
— isoniazide (INH) : 15-30 mg/kg/jour, toutes les 12 h, i.m., per os, ou i.v.
— éthambutol (cf. tableau 23)
— rifampine au lieu de ou en plus de streptomycine, Stéroïdes ? |

* *Tests tuberculiniques*

PPD (Purified Protein Derivative) stabilisé au Tween 80

	Unités tuberculiniques	Concentration	mg/dose
	1	Faible	0,00002
	5 (dose standard)	Intermédiaire	0,0001
	250	Forte	0,005

Tine-test — Equivalent de 5 unités

Lecture (48 h. — induration)
< 5 mm : négatif
5-10 mm : douteux
>10 mm : positif

< 2 mm : négatif
> 2 mm : douteux (confirmer par PPD)
réaction vésiculeuse : positif

* Les tests tuberculiniques peuvent être négatifs en phase anté-allergique de la primo-infection, ou en phase anergique (malnutrition, forme suraiguë, terminale) ; ils peuvent aussi être négatifs à la suite de maladies virales (rougeole, oreillons, etc.), ou lors de traitement avec des corticostéroïdes, ou chez des malades porteurs de troubles d'immunité cellulaire.

679

Tableau 23 : Thérapeutique de la tuberculose

Anti-TB	per os	i.m.	Concentration sérique	Toxicité
Isoniazide (INH)	10-20 mg/kg/jour en 1 ou 2 prises 300-500 mg/jour	10 mg/kg/jour toutes les 12 h. Se donne aussi i.v.	3-7 mcg/ml	Névrite périphérique, hépatotoxicité, convulsions par déficience en pyridoxine Prévention : pyridoxine 25-50 mg/jour
Acide para-amino salicylique (PAS)	200-300 mg/kg/jour, toutes les 6-8 h. pc Max. : 12 g/jour		60-100 mcg/ml	Troubles gastro-intestinaux Hypersensibilité (éruption, fièvre, ictère) Hypothyroïdie Anémie, leucopénie
Ethambutol (Myambutol®)	20-25 mg/kg/jour en 1 prise/4 sem. puis 15 mg/kg/jour Max. : 2 g/jour		4-6 mcg/ml	Névrite optique Surveiller l'acuité visuelle, la vision pour la couleur verte
Streptomycine		20-40 mg/kg/jour, toutes les 12-24 h. Max. : 1 g/jour	25-45 mcg/ml	8e nerf crânien (vestibulaire > auditif) Durée : 1 à 3 mois maximum de traitement
Rifampine	Enfant : 10-20 mg/kg/jour en 1 prise 1 h. ac Adulte : 450-600 mg/jour en 1 prise 1 h. ac		12-20 mcg/ml	Hépatotoxicité
Ethionamide (Trecator®)	15-25 mg/kg/jour, toutes les 8-12 h. pc Max. : 750 mg à 1 g/jour		2.5-10 mcg/ml	Troubles gastro-intestinaux Hépatotoxicité Pellagre (traitement : nicotinamide, 250 mg/jour) Névrite périphérique (traitement : pyridoxine)
Cyclosérine	5-15 mg/kg/jour, toutes les 8-12 h. Max. : 500 mg/jour		40-55 mcg/ml	Psychose, convulsions
Pyrazinamide	20-30 mg/kg/jour, toutes les 8 h. Max. : 2 g/jour		40-50 mcg/ml	Hépatotoxicité Hyperuricémie

ac = avant le repas   pc = après le repas

maladies du système réticulo-endothélial, de diabète instable, de malnutrition, sous corticostéroïdes, immunosuppresseurs ou radiothérapie, ou s'ils doivent subir une intervention chirurgicale majeure.
● *Traitement* (cf. tableaux 22 et 23) : L'emploi des corticostéroïdes semble indiqué en vue de supprimer la réaction inflammatoire au cours des complications suivantes : tuberculose méningée, pleurale, péricardique, péritonéale ; tuberculose miliaire accompagnée de dyspnée et de cyanose ; adénite paratrachéo-bronchique accompagnée de dyspnée respiratoire. La dose habituelle est l'équivalent de 5 à 10 mg/kg/jour de cortisone (max. : 300 mg) pour une durée maximum de 3 à 6 semaines.

Tuberculose méningée
(cf. tableau 22)

Peut survenir à tout âge, à la suite d'une dissémination hématogène d'origine pulmonaire ou ganglionnaire, favorisée parfois par une affection débilitante ou anergisante (rougeole). Survient d'ordinaire isolément à partir d'un granulome cérébral ou peut faire partie d'une tuberculose miliaire généralisée ; des granulomes miliaires peuvent être visualisés au niveau pulmonaire (radiographie) ou au fond de l'œil. Le début est insidieux, trompeur : fatigue, perte de poids, inappétence, baisse du rendement scolaire, changement de caractère. Les signes méningés, la somnolence surviennent plus tard. La cuti-réaction peut être négative. Le liquide céphalo-rachidien est peu différent de ce qu'on trouve dans une méningite virale bénigne : 20-500 leucocytes, principalement des lymphocytes, une augmentation modérée de la protéinorachie, une glycorachie abaissée ; il est classique de signaler que les chlorures sont abaissés, mais c'est une trouvaille tardive. Il faut toujours rechercher les bacilles de Koch (alcoolo-acido-résistants au Ziehl) dans le L.C.R., directement, car les cultures et l'inoculation au cobaye ne donnent une information qu'après un certain délai. La présence de tubercules à la radiographie des poumons (miliaire) ou au fond de l'œil permet de faire le diagnostic plus rapidement. Une cuti-réaction à la tuberculine positive, en l'absence d'anamnèse de vaccination par le BCG, doit pousser à entreprendre un traitement sans attendre.
● *Traitement :* Streptomycine + isoniazide + éthambutol + rifampine (selon la sensibilité du bacille en cause). Corticostéroïdes : probablement utiles ; avantages non définitivement démontrés.

Infections à mycoplasmes

Les mycoplasmes sont des bactéries naturellement déficientes en paroi cellulaire (« cell-wall »), d'où leur insensibilité à la pénicilline ; les stérols sont de plus nécessaires à leur croissance. Ces bactéries ont longtemps été désignées par le sigle « PPLO « (« pleuro-pneumonia-like-organism ») pour leur similarité avec l'agent de la pleuro-pneumonie des bovidés. Certaines espèces de mycoplasmes sont des membres de la flore microbienne normale : par exemple, *Mycoplasma salivarium* et

M. orale font partie de la flore oro-pharyngée. Trois espèces de mycoplasmes ont un rôle en pathologie infectieuse : le *Mycoplasma pneumoniae* ou agent de la pneumonie primaire atypique, ou encore agent de Eaton, le *Mycoplasma* « T » (« tiny ») ou *Ureaplasma urealyticum,* enfin le *Mycoplasma hominis.*

Mycoplasma pneumoniae

Epidémiologie

Présent en général à l'état endémique, quoique responsable de quelques épidémies d'infections intrafamiliales et scolaires. Sa contagiosité est faible ; se transmet par aérosolisation de la toux ou de l'éternuement ; plus fréquent en hiver ; les nourrissons et les jeunes enfants font souvent des infections subcliniques alors que les enfants plus âgés (5 à 15 ans) sont les plus atteints par les maladies dues à *Mycoplasma pneumoniae.* La réinfection est possible.

Syndromes cliniques

Pneumonie primaire atypique

Représente de 10 à 20 % de toutes les pneumonies. Période d'incubation de 7 à 21 jours. Débute en général par de la fièvre, des céphalées et des malaises. Toux spasmodique et persistante ; sèche au début, elle est par la suite productive ; des râles parenchymateux secs sont audibles. L'infiltration radiologique est tantôt interstitielle (surtout chez la fille), tantôt alvéolaire (surtout chez le garçon) ; elle est en général diffuse, bilatérale, réticulaire, parfois réticulonodulaire ; les images de pneumonie franche lobaire aiguë, d'infiltration périhilaire et d'effusion pleurale peuvent être rencontrées. La pneumonie dite « primaire atypique » à *Mycoplasma pneumoniae* peut être associée à une pharyngite, à des adénopathies cervicales, à une otite moyenne, à une conjonctivite ou à un exanthème ; son évolution est subaiguë ; elle est plus sévère chez le patient avec pneumopathie ou cardiopathie préexistante, lors d'un déficit immunitaire et dans l'anémie falciforme.

Syndromes respiratoires non pneumoniques

Le *M. pneumoniae* est fréquemment responsable d'infections des voies respiratoires supérieures, de bronchite aiguë, de bronchite asthmatiforme et de bronchiolite ; le croup, l'otite moyenne isolée et la myringite bulleuse hémorragique, la sinusite ou la pharyngite isolée sont des manifestations plus rares.

Syndromes non respiratoires

Les complications neurologiques, de l'ordre de près de 5 %, peuvent consister en une méningite aseptique, une encéphalite, une méningo-encéphalite, une polyradiculonévrite, une myélite transverse ou un syndrome de Guillain-Barré. Le tropisme cutané n'est pas exceptionnel au cours des infections à *M. pneumoniae :* l'exanthème, prédominant au tronc et aux membres, maculo-papulaire et érythémateux, a le plus souvent une allure rubéoliforme ou morbilliforme ; il pourrait être amplifié par les pénicillines tout comme celui de la mononucléose infectieuse ; le syndrome de Stevens-Johnson (conjonctivite, stomatite, urétrite et érythème multiforme bulleux), heureusement rare, constitue la plus dramatique des manifestations cutanées. Le *M. pneumoniae* est à l'origine d'anémies hémolytiques auto-immunes avec parfois thrombocytopénie (syndrome d'Evans), précédée le plus souvent d'une pneumonie sévère ou d'un syndrome de Stevens-Johnson. Enfin, le *M. pneumoniae* serait exceptionnellement à l'origine de cardite, d'arthrite, d'hépatite, etc.

Diagnostic de laboratoire

Epreuves non spécifiques

En dehors de l'anémie, la formule sanguine est le plus souvent normale ; la vitesse de sédimentation est fréquemment accélérée ; les immunoglobulines M sériques sont augmentées. L'épreuve directe de Coombs est positive ; de façon importante, on y rencontre fréquemment, surtout dans la pneumonie, un titre significatif (≥1/32) d'*agglutinines froides*, c'est-à-dire d'auto-anticorps sériques de type IgM agglutinant les érythrocytes à 4° C et non à 37° C.

Epreuves spécifiques

● *Culture :* Malgré sa croissance fastidieuse, on devrait tenter d'isoler le *Mycoplasma pneumoniae* au site de l'infection. Celui-ci est cultivable sur milieu liquide ou solide avec extrait de levure et sérum animal ; il prend de une à trois semaines pour croître et ses colonies ont l'aspect « d'œuf au plat ».

● *Sérologie :* La recherche des anticorps sériques fixant le complément est l'épreuve sérologique la plus facilement disponible ; une élévation ou une diminution significative (c'est-à-dire d'au moins quatre fois) du titre des anticorps fixant le complément (F.C.) sur une période de cinq à quinze jours représente un élément diagnostic important. L'obtention, sur un seul sérum, d'un titre élevé des anticorps F.C. (≥ 1/256) est suggestif d'une infection à *M. pneumoniae*. L'antigène lipidique de l'épreuve F.C. peut croiser avec des antigènes du pneumocoque, du staphylocoque, du streptocoque A et du streptocoque MG, du Legionella, et avec l'antigène I des érythrocytes.

Traitement

Le *M. pneumoniae* est sensible *in vitro* à la tétracycline, l'érythromycine, le chloramphénicol et les aminoglycosides, mais l'expérience clinique est plus grande avec les deux premiers antibiotiques. Une antibiothérapie de dix jours (érythro chez l'enfant, tétra chez l'adulte, à l'exception de la femme enceinte) est bénéfique dans la pneumonie primaire atypique ; même si son rôle y est mal établi, elle est aussi souhaitable dans les autres types d'infection. Les corticostéroïdes ont un effet bénéfique dans l'anémie hémolytique auto-immune. Le repos est indiqué dans la pneumonie.

Prévention

Isolement du patient à l'hôpital. Certains auteurs préconisent une antibioprophylaxie chez les contacts à risque.

Ureaplasma urealyticum et Mycoplasma hominis

Le tractus génital est un réservoir important d'*U. urealyticum* et de *M. hominis*. La colonisation par *U. urealyticum* s'effectue lors du passage dans les voies génitales à la naissance et lors des contacts sexuels après la puberté. *U. urealyticum* semble l'un des agents de la pneumonie interstitielle diffuse du nouveau-né et il a été incriminé dans le syndrome du bébé de petit poids à la naissance ; il a été responsable de chorio-amniotite et il est, après le *Chlamydia trachomatis*, la principale source d'urétrite non gonococcique. Son rôle n'est pas précisé dans l'infertilité, les avortements spontanés à répétition, l'inflammation pelvienne disséminée, les calculs urinaires, et chez le mort-né. *M. hominis* a été exceptionnellement responsable de méningite néonatale, d'abcès stérile, de pyélonéphrite, de fièvres maternelles périnatales et d'inflammation pelvienne disséminée.

En général, *M. hominis* et *U. urealyticum* se cultivent comme *M. pneumoniae* et leur croissance est plus rapide et moins fastidieuse. Comme ils sont présents dans la flore d'un certain pourcentage de sujets sains, le simple isolement ne suffit pas à les incriminer comme pathogènes ; dans les infections au site d'une cavité renfermant une flore microbienne normale (urètre par exemple), une culture positive pour ces mycoplasmes, l'absence d'autres pathogènes (ex. : *Chlamydia*) et une réponse spécifique en anticorps suggèrent un rôle pathogène. Dans les infections à un site de l'organisme normalement stérile, leur isolement à ce site confirme leur rôle pathogène, pour autant que le prélèvement pour culture n'ait pas été obtenu après passage à travers une flore microbienne normale (ex. : prélèvement de l'endomètre par passage dans la cavité vaginale).

U. urealyticum et *M. hominis* sont sensibles à la tétracycline mais, contrairement à *M. pneumoniae*, ils sont moins sensibles à l'érythromycine, notamment le *M. hominis*, qui toutefois est en général sensible à la clindamycine ou au chloramphénicol. Dans les infections du nouveau-né, la mère et le père devraient être investigués et traités. Dans les infections post-pubertaires transmises sexuellement, les contacts devraient être traités tout comme le patient.

Agents anti-infectieux bactériens

Principes généraux de l'antibiothérapie

Juger s'il y a indication d'administrer des antibiotiques

● Il faut diagnostiquer de façon sûre ou probable une infection microbienne (bactérie ou mycoplasma). Il est aussi essentiel de faire, avant la thérapie, tous les prélèvements bactériologiques utiles.

● Il faut aussi prévoir que le malade retirera un bénéfice de la thérapie, ce qui n'est pas toujours vrai, même dans les infections bactériennes (ex. : salmonellose intestinale, infestation à *E. coli* entéropathogène).

● Il est souvent préférable de s'abstenir de donner des antibiotiques dans certaines conditions où leur valeur est discutable : cathétérismes vésicaux, aérosols, la plupart des gastro-entérites...

Choisir l'antibiotique de façon judicieuse en considérant :

● L'*agent étiologique* probable ou sûr (cf. tableau 26). Le choix est très limité et parfois nul pour la majorité des agents infectieux. Par exemple, on doit choisir la pénicilline G ou V s'il s'agit de pneumocoque et de streptocoque pyogènes.

● Les *chances de sensibilité* de l'organisme aux antibiotiques. Ceci est surtout important pour le staphylocoque et les Gram négatifs. Il existe des variabilités géographiques.

● La *localisation* de l'infection. Il est essentiel que l'antibiotique pénètre sous forme active à l'endroit infecté. Il est préférable qu'il y soit concentré. Ceci est surtout important pour les infections sévères du système nerveux central, de l'os, de l'œil ou du rein.

● Les *risques de toxicité* et de réaction secondaire. Ce risque varie (cf. tableau 27) selon :

 a) La *toxicité propre* de l'antibiotique : La pénicilline est le moins toxique des antibiotiques et le plus souvent indiqué.

 b) L'état des *organes excréteurs :* L'insuffisance hépatique et rénale peut modifier de façon sélective la toxicité des antibiotiques en augmentant les risques de néphrotoxicité ou d'hépatotoxicité et en diminuant l'excrétion ou le catabolisme de certains antibiotiques. Excrétion hépatique : ampicilline, érythromycine, nafcilline, oxacilline, tétracyclines, lincomycines, chloramphénicol. Excrétion rénale : sulfamidés, pénicilline G, gentamicine et presque tous les autres.

 c) L'*âge :* La toxicité de certains antibiotiques est différente chez le nouveau-né (cf. tableau 24). Sont plus toxiques chez le nouveau-né : sulfamidés, chloramphénicol, tétracyclines, novobiocine, nitrofuranes. Semblent moins toxiques chez le nouveau-né : polymyxine, gentamicine, bacitracine, kanamycine. Il ne faut pas oublier que la tétracycline exerce son effet néfaste sur les dents du 3e mois *in utero* jusqu'à l'âge de 7 ans. La toxicité diminue avec l'âge. Les antibiotiques toxiques chez le nouveau-né sont aussi à éviter chez la femme enceinte en fin de grossesse.

 d) Certaines *conditions métaboliques particulières* (inactivation de l'isoniazide, déficience en G-6-PD, atteinte du système nerveux central).

● Le risque de *réaction allergique*. Seul un questionnaire minutieux permettra de déceler les réactions allergiques antérieures. Les éruptions allergiques sont habituellement urticariennes.

● Une éventuelle déficience immunitaire de l'hôte. Celle-ci fera préférer l'emploi d'antibiotiques bactéricides (pénicilline, ampicilline, kanamycine, gentamicine, etc.). On emploiera aussi de préférence les bactéricides dans les infections sévères de même que les associations synergiques d'antibiotiques bactéricides.

Tableau 24 : Antibiothérapie chez le nouveau-né (< 1 mois)

Antibiotiques	Poids du bébé	Posologie par dose	Intervalle entre les doses Age: 0-7 j.	8-14 j.	15-30 j.	Voie d'administration Préférable	Autre
Pénicilline G cristalline		25 000 à 75 000 U/kg	12 h.	6-8 h.	6-8 h.	i.v. en 15-30 min.	i.m.
Pénicilline G procaïnée		50 000 U/kg	24 h.	24 h.	24 h.	i.m. rares indications	Aucune
Ampicilline		25 à 50 mg/kg	12 h.	6-8 h.	6-8 h.	i.v. en 15-30 min.	i.m.
Carbénicilline Ticarcilline	< 2000 g > 2000 g	100 mg/kg 100 mg/kg	12 h. 12 h.	8 h. 6 h.	6 h. 6 h.	i.v. en 15-30 min.	i.m. (rare)
Méthicilline Oxacilline	< 2000 g > 2000 g	25 mg/kg 25 mg/kg	12 h. 8 h.	12 h. 8 h.	8 h. 6 h.	i.v. en 15-30 min.	i.m.
Nafcilline		20 mg/kg	12 h.	8 h.	8 h.	i.m.	i.v. 15-30 min.
Céphalothine		20 mg/kg	12 h.	8 h.	8 h.	i.v. en 15-30 min.	i.m.
Céfazoline		20 mg/kg	12 h.	12 h.	12 h.	i.v. en 15-30 min.	i.m.
Chloramphénicol	< 2000 g > 2000 g	25 mg/kg 25 mg/kg	24 h. 24 h.	24 h. 24 h.	24 h. 12 h.	i.v. en 15-30 min.	p.o.
Amikacine	< 2000 g > 2000 g	7,5 mg/kg 7,5 mg/kg	12 h. 12 h.	12 h. 8 h.	12 h. 8 h.	i.v. en 20 min. ou i.m.	
Gentamicine		2,5 mg/kg	12 h.	8 h.	8 h.	i.m.	i.v. 1-2 hrs
Kanamycine	< 2000 g > 2000 g	7,5 mg/kg selon âge :	12 h. 7,5 mg/kg toutes les 12 h.	12 h. 10 mg/kg toutes les 8 h.	12 h. 10 mg/kg toutes les 8 h.	i.m.	i.v. >20 min. ototoxicité ?
Tobramycine	< 2000 g > 2000 g	2,0 mg/kg 2,0 mg/kg	12 h. 12 h.	12 h. 8 h.	12 h. 8 h.	i.m.	i.v. 20-60 min.

Tableau 25 : Choix de l'antibiotique en attendant la culture

Infection clinique	Antibiotique Premier choix	Second choix si 1er choix contre-indiqué
Amygdalite suppurée	Pénicilline G ou V	Erythromycine
Epiglottite	Ampicilline[3] et/ou chloramphénicol[2] ou céfotaxime[4]	Céfamandol
Gastro-entérite[1]	Ampicilline Triméthoprim-sulfa	
Infections urinaires	Sulfamidés (surtout si infection basse) Amoxicilline Triméthoprim-sulfa Gentamicine (si infection haute)	Nitrofurantoin Céphalosporine
Méningite suppurée		
<2 mois	Ampicilline + gentamicine	Chloramphénicol + Chloramphénicol
+ céfotaxime[4]	Ampicilline + chloramphénicol[2] ou céfotaxime[4]	Sulfamidés
>2 mois		
Ostéomyélite aiguë	Pénicilline résistante à la pénicillinase avec ou sans pén. G	Clindamycine Céphalosporines
Otite aiguë	Triméthoprim-sulfa Pénicilline ± sulfa Amoxicilline	Céfaclor Erythromycine ± sulfa
Pneumonie bactérienne	Pénicilline G ou V Céphalosporine à large spectre (2e ou 3e génération)	Erythromycine Tétracycline (si >8 ans)
Pneumonie atypique	Erythromycine	Tétracycline
Typhoïde	Chloramphénicol ou ampicilline[3]	Triméthoprim-sulfa
Septicémie sans foyer apparent		
Nouveau-né	Ampicilline + gentamicine	
Enfant	Ampicilline + pénicilline résistante à pénicillinase	Céphalosporine
Infection sévère chez hôte compromis	Carbénicilline (ou ticarcilline) + tobramycine (ou amikacine) + céfazoline (ou céfalothin)	
Staphylococcie soupçonnée	Pénicilline résistante à la pénicillinase	Céphalosporine ou clindamycine

[1] Les antibiotiques ne sont que rarement indiqués d'emblée. L'étiologie, l'état du malade et l'antibiogramme sont à considérer.

[2] Le chloramphénicol peut être arrêté dès que la souche d'*H. influenzae* est rapportée comme sensible à l'ampicilline.

[3] Par voie orale, l'amoxicilline peut remplacer avantageusement l'ampicilline, sauf dans les shigelloses.

[4] Sous essais cliniques chez l'auteur avec des résultats encourageants.

Tableau 26 : Choix de l'antibiotique selon le germe isolé (à l'exclusion de résistances)

	Premier choix[1]	Second choix[1]
Bactéries[2] anaérobies	Pénicilline G[3,4]	Clindamycine[11], céfoxitine[11,18], chloramphénicol
Bacteroides fragilis	Clindamycine[11]	Céfoxitine[11,18], métronidazole[5], chloramphénicol
Bordetella pertussis	Erythromycine	Ampicilline, chloramphénicol
Brucella	Tétracycline ± streptomycine	Triméthoprim-sulfaméthoxazole
Campylobacter fœtus	Erythromycine	Gentamicine, chloramphénicol
Chlamydia trachomatis	Erythromycine	Sulfamides, tétracyclines[16]
Clostridium difficile	Vancomycine[6]	Bacitracine, métronidazole
Corynebacterium diphteriae	Erythromycine	Pénicilline G, rifampicine, clindamycine
Enterobacter	Céphalosporines (classe 2 ou 3)[18], gentamicine[7,11] ou tobramicine[7,11]	Ticarcilline, carbenicilline, triméthoprim-sulfaméthoxazole, chloramphénicol[8]
Escherichia coli	Ampicilline, gentamicine[7,11] ou tobramicine[7,11]	Céphalosporines, triméthoprim-sulfaméthoxazole, chloramphénicol[8]
E. Coli entéropathogènes, sérotypes classiques	Polymyxine E orale[9] ou polymyxine B orale	Néomycine orale, gentamicine ou tobramicine
Francisella tularensis	Streptomycine	Tétracycline[16], chloramphénicol
Haemophilus influenzae	Ampicilline[10] ou céfotaxime	Chloramphénicol, céphalosporines (classe 2 ou 3)[11,18], triméthoprim-sulfaméthoxazole
Klebsiella pneumoniae	Céphalosporines[18], gentamicine[7,11] ou tobramicine[7,11]	Triméthoprim-sulfaméthoxazole, chloramphénicol[8]
Legionella pneumophila	Erythromycine	Rifampicine avec tétracycline, triméthoprim-sulfaméthoxazole
Listeria monocytogenes	Ampicilline ± gentamicine	Erythromycine[11]
Mycoplasma pneumoniae	Erythromycine	Tétracycline[16], gentamicine, chloramphénicol
Neisseria gonorrheae (gonocoque)	Pénicilline G, ampicilline, amoxicilline	Céfoxitine[12], tétracycline[16], spectinomycine
Neisseria méningitidis (méningocoque)	Pénicilline G	Sulfamides[13], chloramphénicol, céfotaxime
Proteus indol⁺ (vulgaris, rettgii, morganii)	Céphalosporines (classe 2 ou 3) Gentamicine[7,11] ou tobramicine[7,11]	Carbénicilline, ticarcilline, triméthoprim-sulfaméthoxazole, chloramphénicol[8]
Proteus mirabilis (indol⁻)	Ampicilline, gentamicine[11] ou tobramicine[11]	Céphalosporines[18], triméthoprim-sulfaméthoxazole, chloramphénicol[8]
Pseudomonas aeruginosa	Tobramicine ± ticarcilline ou carbénicilline	Amikacine[14], polymyxine B, céphalosporines classe III (cefpérazone) ou piperacilline

Suite p. 690

Notes :

[1] A l'exclusion des cas où l'antibiogramme du germe isolé rapporte spécifiquement une résistance à l'antibiotique mentionné comme choix prioritaire.

[2] Incluant *Actinomyces, Clostridium tetani, Clostridium botulinum* et *Clostridium perfringens*.

[3] Dans les infections du système nerveux central (ex. : abcès cérébral) la pénicilline est associée au chloramphénicol.

[4] Sauf si *Bacteroides* du groupe *fragilis (B. fragilis, B. ovatus, B. distasonis, B. vulgatus, B. thetaiotao microns).*

[5] Cet antibiotique pénètre excessivement bien la barrière hémato-encéphalique et peut avoir une grande importance dans le traitement des abcès cérébraux dus aux *Bacteroides* du groupe *fragilis.*

[6] Dans le contexte d'une colite pseudomembraneuse où l'antibiotique est administré *per os.*

[7] Les souches multirésistantes, entre autres à la gentamicine et à la tobramicine, peuvent être encore sensibles à l'amikacine.

[8] Uniquement pour méningite en dehors de la période néonatale.

[9] Si préparation pour usage oral disponible.

[10] Le nombre d'*Haemophilus influenzae* résistant à l'ampicilline a atteint des proportions alarmantes dans certaines régions des U.S.A. et du Canada ; ainsi dans les infections sévères (ex. méningites) où l'*Haemophilus influenzae* est impliqué de façon significative, le chloramphénicol ou la céfotaxime en association avec l'ampicilline doit être considéré comme premier choix en traitement d'attaque jusqu'à ce que le laboratoire confirme que le germe est sensible ou résistant à l'ampicilline. La céfotaxime, actuellement sous essais cliniques, s'avère prometteuse dans notre milieu, surtout pour les souches résistantes à l'ampicilline.

[11] A l'exception des infections du système nerveux central, car cet ou ces antibiotique(s) pénètre(nt) peu ou pas la barrière hémato-méningée.

[12] Premier choix si la souche est résistante à la pénicilline G.

[13] La sulfadiazine ou la rifampicine sont aussi utilisées pour l'antibioprophylaxie des contacts de méningite méningoccique et de méningococcémie.

[14] Représente un premier choix, associé ou non à la carbénicilline ou la ticarcilline, si la souche s'avère être résistante à la tobramicine.

[15] L'ampicilline est un premier choix établi pour le traitement des porteurs chroniques de *Salmonella typhi.*

[16] Les tétracyclines sont contre-indiquées chez l'enfant de moins de huit ans et chez la femme enceinte, sauf si infection sévère non traitable par d'autres antibiotiques (ex. : brucellose).

[17] L'ampicilline ou la pénicilline G est associée à un aminoglycoside (streptomycine ou gentamicine) pour le traitement de l'endocardite à *Streptococcus faecalis.*

[18] Remarques générales sur les céphalosporines : Trois générations ou classes de céphalosporines sont identifiables quant à leur spectre d'activité. **Première classe** (ex. : céphaloridine, céphalothine, céfazoline, céphalexine, etc.) : Très active contre les cocci à Gram positif (staphylocoque, pneumocoque, streptocoques) ; active contre les entérobactéries ne produisant pas de céphalosporinase (*E. coli, Klebsiella, Proteus* indol⁻). **Deuxième classe** (ex. : céfamandole, céfaclor, céfuroxime, céfoxitine, etc.) : Un peu moins active que la première classe contre les cocci à Gram positif, active à la fois contre les entérobactéries céphalosporinase-négatives et céphalosporinase-positives (*Proteus* indol⁺, *Enterobacter*), active contre l'*Haemophilus influenzae* sensible et résistant à l'ampicilline, active contre les bactéries anaérobies (surtout la céfoxitine). **Troisième classe** (ex. : céfotaxime, céfoperazone, moxalactam, céfsulodin ; plusieurs des céphalosporines de troisième classe sont encore à l'étude) : En général, beaucoup moins active contre les cocci à Gram positif ; par contre, spectre d'activité très large, proche de celui des aminoglycosides (gentamicine, tobramicine et amikacine), contre les bâtonnets à Gram négatif (toutes les entérobactéries, y compris les *Serratia*) ; la plupart sont très actives contre l'*Haemophilus influenzae* sensible et résistant à l'ampicilline ; certaines ont la propriété importante de traverser la barrière hémato-encéphalique (ex. : moxalactam, céfotaxime, ceftriaxone), certaines autres une activité contre le *Pseudomonas aeruginosa* (ex. : céfoperazone).

[19] Antibiotique néphrotoxique et ototoxique par voie parentérale, non absorbé par l'intestin ; ne pénètre pas la barrière hémato-encéphalique.

[20] Uniquement dans l'infection urinaire basse.

[21] Sauf si infection urinaire.

Tableau 26 (suite) : **Choix de l'antibiotique selon le germe isolé (à l'exclusion de résistances)**

	Premier choix[1]	Second choix[1]
Rickettsies	Chloramphénicol	Tétracyclines[16]
Salmonella	Ampicilline[15], amoxicilline, chloramphénicol	Triméthoprim-sulfaméthoxazole
Shigella	Ampicilline, triméthoprim-sulfaméthoxazole	Chloramphénicol, tétracycline[16]
Staphylococcus aureus	Pénicilline résistante à pénicillinase	Céphalosporines (classe I)[11,18], clindamycine[11], vancomicine[11,19], acide fusidique, rifampine
Streptococcus pneumoniae (pneumocoque)	Pénicilline G ou ampicilline	Erythromycine[11], chloramphénicol, céfotaxime, rifampine
Streptococcus pyogenes (streptocoque bêta-hémolytique du groupe A)	Pénicilline G ou V	Erythromycine, sulfamidés
Streptocoque foecalis (entérocoque)	Ampicilline[17]	Vancomicine[11,13], érythromycine[11], chloramphénicol[21], nitrofurantoin[20]
Treponema pallidum	Pénicilline G	Erythromycine, tétracycline[16]
Vibrio cholerae	Tétracycline	Triméthoprim-sulfaméthoxazole, chloramphénicol
Yersinia enterocolitica	Triméthoprim-sulfaméthoxazole	Chloramphénicol, gentamicine
Yersinia pestis	Streptomycine ± tétracycline ou chloramphénicol	—

Calculer la dose en fonction du poids en tenant compte de :

● L'*âge*. Certains antibiotiques doivent être employés à des doses inférieures chez les nouveau-nés et les prématurés (le chloramphénicol, la pénicilline G qui a une demi-vie prolongée, etc.).

● L'*état des organes excréteurs*, qui peut obliger à de très fortes baisses dans les doses utilisées et/ou à la prolongation de l'intervalle entre les doses. Il est préférable dans ces cas de suivre le taux sanguin de près pour individualiser les doses.

● L'infection elle-même quant à sa *sévérité*, sa *localisation* et son *agent causal*. On choisira un antibiotique bactéricide de préférence dans les infections sévères ou même une association synergique d'antibiotiques bactéricides.

Choisir la voie d'administration selon l'antibiotique, l'infection et la condition du malade

Toute infection grave doit, si possible, être traitée par voie parentérale, et de préférence par la voie i.v. La voie orale sera évitée lors de troubles digestifs. L'absorption rectale est très irrégulière et devra être évitée. Sauf exception (cf. tableau 27), il est recommandé de mettre les antibiotiques à donner par voie intraveineuse dans le soluté à perfuser et de donner le tout en 5 à 20 minutes.

Administrer l'antibiotique pour une durée qui variera selon l'agent causal et la localisation de l'infection

● Selon la *localisation*. Les infections ostéo-articulaires seront celles qui nécessiteront la plus longue antibiothérapie. Exemples : pneumocoque causant une pneumonie : quelques jours ; pneumocoque causant une otite : 8 à 10 jours ; pneumocoque causant une méningite : 10 à 15 jours.

● Selon l'*étiologie*. Exemples : méningite à méningocoque : ± 7 jours ; méningite à *H. influenzae* : ± 10 jours ; méningite à *E. Coli* : 3 semaines ou plus ; méningite à *M. tuberculosis* : 12 à 18 mois. Il faut se rappeler que l'amygdalite et l'otite nécessitent 10 jours d'antibiothérapie.

Emploi simultané de plusieurs antibiotiques

● Pour leur effet de synergie dans certaines conditions particulières :
  a) pénicilline ou ampicilline + gentamicine dans endocardite à *Streptococcus faecalis* (entérocoque) ;
  b) tétracycline + streptomycine dans la brucellose et la peste ;
  c) INH + rifampine ± éthambutol dans la tuberculose ;
  d) gentamicine (ou tobramycine) + carbénicilline (ou ticarcilline) dans les infections sévères à *Pseudomonas* ;
  e) sulfamidés + triméthoprim dans plusieurs infections.

● Pour les infections mixtes ou les infections sévères, en attendant le diagnostic bactériologique :
  a) Associations les plus utiles : ampicilline + pénicilline isoxazole (antistaphylococcique) ; ampicilline + kanamycine ou gentamicine (septicémies néonatales) ; gentamicine + pénicilline G ; gentamicine + clindamycine (infections mixtes péritonéales).
  b) Ne pas associer les bactéricides (pénicilline, ampicilline, kanamycine, gentamicine, etc.) aux bactériostatiques (tétracyclines, chloramphénicol, érythromycine, etc.) sauf si abcès cérébral (pénicilline + chloramphénicol) ou traitement d'attaque d'une méningite (ampicilline + chloramphénicol). Les sulfamidés sont compatibles avec tous les antibiotiques.
  c) Les mélanges commerciaux d'antibiotiques sont à bannir, sauf pour emploi topique.

Emploi prophylactique

● Contre-indiqué dans les infections virales et la chirurgie « propre ».

● *Indications* :
  a) « contacts » de diphtérie, streptococcies, méningococcémie, tuberculose, staphylococcie chez le nouveau-né.
  b) dans certaines conditions particulières : rhumatisme articulaire aigu, mucoviscidose, traitement prolongé aux stéroïdes, immuno-supprimés, splénectomisés.
  c) En chirurgie : prophylaxie du tétanos, chirurgie du côlon, chirurgie de la tuberculose, chirurgie cardiaque, chirurgie buccale chez les porteurs de cardiopathies.
  d) Dans certains cas d'infection urinaire récidivante : triméthoprime et sulfamidés.

● Si la prophylaxie n'est pas utile, elle peut être nuisible.

Tableau 27 : Antibiotiques. Mode d'administration, dosage, toxicité

Antibiotique	Per os	i.m.	i.v.	Autres voies	Toxicité, particularités
Aminoglycosides					
a) Amikacin et kanamycine		15-20 mg/kg/jour Toutes les 8-12 h. Max. : 1,5 g/jour	15-20 mg/kg/jour Toutes les 8-12 h. Max. : 1,5 g/jour		Néphrotoxicité Ototoxicité
b) Gentamicine		1 sem.-5 ans : max. : 7,5 mg/kg/jour 5-10 ans : max. : 6,0 mg/kg/jour >10 ans : max. : 5,0 mg/kg/jour max. : 250 mg/jour Pour infection urinaire 50 % de la dose	Comme i.m. 0,1 % en 1-2 h.	i.t. : 2-4 mg/jour	Ototoxique, néphrotoxique Si possible, limiter le traitement à 10 jours
c) Tobramycin		3-5 mg/kg/jour Toutes les 8-12 h.	Comme i.m. 0,1 % en 1-2 h.		Oto-néphrotoxique
d) Streptomycine		20-30 mg/kg/jour Max. : 1 g/jour			8e nerf crânien (vestibulaire)
Céphalosporines					
a) Céfaclor	40-60 mg/kg/jour Toutes les 6-8 h. Max. : 4 g/jour				Coombs +, pas ou très peu de néphrotoxicité
b) Céfazoline		30-50 mg/kg/jour Toutes les 6-8 h. Max. : 100 mg/kg/jour ou 4 g	Comme i.m.		Coombs + ; néphrotoxicité légère, fausse glycosurie
c) Céfamandol Céfotaxime		Rares indications Même doses que i.v.	50-200 mg/kg/jour Toutes les 4 h. Max. : 12 g/jour		Coombs +
d) Céfoxitine		Rares indications Même doses que i.v.	50-200 mg/kg/jour Toutes les 6-8 h.		Coombs +

e) Céphradine et céphalexine	25-50 mg/kg/jour Toutes les 6 h. (2 × si infection sévère) Max. : 4 g/jour	30-50 mg/kg/jour Toutes les 6 h. Max. : 100 mg/kg/jour ou 4 g	Comme i.m.	Coombs + et fausse glycosurie
Chloramphénicol	50-100 mg/kg/jour Toutes les 6-8 h. Max. : 3 g/jour	50-100 mg/kg/jour Toutes les 8-12 h. Max. : 3 g/jour	50-100 mg/kg/jour Toutes les 6-8 h. Max. : 3 g/jour	Dépression médullaire, « syndrome gris » chez nouveau-né, anémie aplastique
Clindamycine	10-20 mg/kg/jour Toutes les 6-8 h. Max. : 1 g/jour	10-50 mg/kg/jour Toutes les 6-8 h.	20-40 mg/kg/jour Toutes les 6-8 h. Dilution à 0,5 % Donner en 20-30 min	Diarrhée, hépatotoxicité, colite pseudo-membraneuse
Erythromycine	30-50 mg/kg/jour Toutes les 6 h. Max. : 2 g/jour	10-20 mg/kg/jour Max. : 1 g/jour Peu utilisé	30-50 mg/kg/jour Toutes les 6 h. Donner dilué en 1 h. Max. : 1,5 g/jour	L'estolate est hépatotoxique
Pénicilline				
1. Pén. naturelles :				
a) Pénicilline G cristalline	25 000-100 000 U/kg/jour	25 000-100 000 U/kg/jour Toutes les 4-6 h. Si infection sévère : 300 000 à 500 000 U/kg/jour	Comme i.m. Employer sel de Na	K, Na : 1,6 mEq/1 000 000 U (1 g = 1 667 000 U)
b) Pénicilline G procaïne		100 000-600 000 U/dose Toutes les 12-24 h.		
c) Pénicilline G benzathine		300 000-1 200 000 U/dose Tous les 15-30 jours		
d) Pénicilline V	500 mg-2 g/24 h 25-100 mg/kg/jour Toutes les 4-6 h.			
2. Pén. semi-synthétiques résistantes à la pénicillinase :				
a) Oxacilline Cloxacilline Nafcilline	50-100 mg/kg/jour Toutes les 4-6 h. Max. : 4 g/jour Ne pas employer nafcilline per os	50-200 mg/kg/jour Toutes les 4-6 h.	Comme i.m.	Topique en ophtalmologie

Suite au verso

Tableau 27 (suite) : **Antibiotiques. Mode d'administration, dosage, toxicité**

Antibiotique	Per os	i.m.	i.v.	Autres voies	Toxicité, particularités
Pénicilline (suite)					
b) Dicloxacilline	25-50 mg/kg/jour Max.: 4 g/jour 1er choix per os	Non recommandé	Non recommandé		
3. Pén. à large spectre :					
a) Ampicilline Amoxicilline	*Ampicilline* : 50-100 mg/kg/jour Toutes les 4-6 h. Max.: 2-4 g/jour *Amoxicilline* : 25-50 mg/kg/jour Toutes les 8 h. Max.: 1-2 g/jour	*Ampicilline* : 50-300 mg/kg/jour Toutes les 6-8 h.	*Ampicilline* : 50-300 mg/kg/jour Toutes les 4-6 h.		Eruption, diarrhée
b) Carbénicilline	Voir i.m. forme orale (indanyl) Pour infection urinaire seulement	60-100 mg/kg/jour Toutes les 6 h. Pour infection urinaire seulement	*Infection systémique* : 300-500 mg/kg/jour Toutes les 2-6 h. *Infection urinaire* : 60-100 mg/kg/jour Toutes les 6 h.		1 g = 4,8 mEq de Na
c) Ticarcilline		Rarement employé	200-300 mg/kg/jour Toutes les 4-6 h.		1 g = 5,2 mEq de Na
Sulfamidés					
1. Sulfamidés à courte action : Sulfadiazine Sulfisoxazole	100-150 mg/kg/jour Toutes les 4-6 h. Max.: 6 g/jour		100-150 mg/kg/jour Toutes les 4-6 h. Max.: 6 g/jour Solution à 5 % dans sérum physiologique		Kernictère, néphrotoxicité Photoxicité : possible
2. Sulfamidés à action moyenne : Sulfaméthoxazole	50-60 mg/kg/jour Toutes les 12 h. Max.: 2 g/jour				Kernictère, néphrotoxicité Photoxicité : possible. Eruptions cutanées

3. Sulfamidés en association :

a) Triméthoprime-sulfaméthoxazole	*Triméthoprime* : 5-8 mg/kg/jour Toutes les 12 h. Pour *Pneumocytis carinii* : 20 mg/kg/jour Toutes les 6 h. *Sulfaméthoxazole* : 25-40 mg/kg/jour Toutes les 12 h. Pour *Pneumocystis carinii* : 20 mg/kg/jour Toutes les 6 h.	Comme p.o. Donner en 60-29 min	Kernictère, néphrotoxicité Photoxicité : possible
b) Triméthoprime-sulfadiazine	15-20 mg/kg/jour Toutes les 12 h.		

Tétracyclines

a) Tétracycline Oxytétracycline	20-40 mg/kg/jour Toutes les 12-24 h. Max. : 200 mg/jour Rarement utilisé		Kernictère, néphrotoxicité Photoxicité : possible
b) Rolitétracycline		10-20 mg/kg/jour Toutes les 12-24 h. Max. : 200 g/jour Rarement utilisé	Coloration des dents, hépatite chez la femme enceinte, hypertension intracrânienne du nourrisson
c) Doxycycline	2-4 mg/kg/jour Toutes les 12-24 h. Max. : 200 mg/jour Rarement utilisé	Comme i.m.	Coloration des dents, hépatite chez la femme enceinte, hypertension intracrânienne du nourrisson
Vancomycine	50 mg/kg/jour Toutes les 6 h. Non absorbable	40 mg/kg/jour Toutes les 6 h. Max. : 2 g/jour	Néphrotoxique

Tableau 28 : Cryptococcose (torulose)

Syndrome clinique	Agent étiologique	Laboratoire	Diagnostic différentiel	Traitement
A. Forme *pulmonaire* : état grippal, toux, crachats, parfois hémoptysies, douleur pleurale, fièvre exceptionnelle	Cryptococcus neoformans	Examen *direct* : prélèvements (selon localisation), pus, crachats, sang, urine, moelle, liquide céphalo-rachidien. Après coloration encre de chine : levures *encapsulées*	— Tuberculose — Sarcoïdose — Infection virale, mycoplasma — Autres mycoses dues à champignons dimorphiques	Traitement des formes sévères Amphotéricine B par voie intraveineuse
B. Forme *cutanée et muqueuse*		Culture rapide (45-72 h.) sur milieux Sabouraud. Identification (espèce)	— Histoplasma capsulatum, Blastomyces — Néoplasie	
C. Forme *méningée et encéphalitique* (la plus fréquente) : début insidieux, fièvre exceptionnelle, céphalée intense, signes d'hypertension intracrânienne		Sérologie peu intéressante. Inoculation expérimentale à la *souris*. Histopathologie : *biopsie* ou autopsie après coloration selon Gridley	1. Méningite *tuberculeuse* allure clinique et glycorachie abaissée 2. Autres méningites à liquide clair 3. Tumeur cérébrale	
D. Forme *généralisée* : lésions osseuses, articulaires, etc.				

Maladies infectieuses mycotiques

On désigne sous le nom de mycose toute infection humaine ou animale causée par un champignon microscopique. D'après la localisation des lésions, on distingue deux grands groupes de mycoses : *a)* les mycoses superficielles qui atteignent la peau, les phanères et les muqueuses ; *b)* les mycoses profondes qui se présentent sous forme de manifestations sous-cutanées et ostéo-articulaires, de manifestations viscérales (souvent pulmonaires d'abord, puis disséminées).

Mycoses profondes et viscérales

(cf. tableaux 28 et 29)

Epidémiologie

Répartition géographique

1. Mondiale : soit à incidence élevée (ex. : candidose), soit à incidence moins élevée (ex. : cryptococcose, aspergillose, sporotrichose).
2. A régions bien délimitées. Ex. : coccidioïdomycose, à l'état endémique dans certaines régions désertiques du Sud-Ouest des Etats-Unis, en particulier en Californie, mais aussi au Mexique, en Amérique centrale et dans quelques pays de l'Amérique du Sud.
3. A région dont les limites tendent à s'élargir avec de meilleurs moyens de diagnostic et l'avènement des moyens de communication rapides et mondiaux. Ex. : histoplasmose, due à *Histoplasma capsulatum* : incidence élevée autour de la vallée du Mississippi, mais aussi cas sporadiques autochtones en Amérique du Sud, en Afrique du Sud, dans certains pays d'Europe (Italie) et au Canada.
4. Maladies des régions presque exclusivement tropicales et subtropicales. Ex. : chromoblastomycose : surtout Brésil, Venezuela, Cuba, Madagascar et Afrique orientale.

Saisons : La fréquence de quelques mycoses seulement est influencée par les conditions climatiques : Ex. : cas de coccidioïdomycose en nombre accru en période de sécheresse ; cas de sporotrichose durant les saisons humides.

Age et sexe : Jouent un rôle pour certaines mycoses. Ex. : prédilection de la sporotrichose pour certains groupes d'âge et pour le sexe masculin, en relation avec l'activité professionnelle. Autrement, l'âge n'a d'influence que pour le muguet, qui se rencontre surtout chez le nouveau-né et le vieillard.

Facteurs constitutionnels prédisposants : *a)* sujets dont la résistance est amoindrie par une maladie débilitante ; *b)* individus soumis à une antibiothérapie massive, à la chimiothérapie (stéroïdes, immunosuppresseurs) ou aux radiations.

Tableau 29 : Histoplasmose

Syndrome clinique	Etiologie	Diagnostic	Diagnostic différentiel	Traitement
A. Forme *pulmonaire* (bénigne) : état grippal, fièvre, toux, amaigrissement, infiltrations pulmonaires, calcifications	Histoplasma capsulatum	Examen direct (d'après coloration Giemsa et Wright) : crachats, urine, ganglions, grattages, ulcérations, ponction de moelle ; présence de cellules levuriformes, ovales, dans monocytes et macrophages	Tuberculose	Traitement des formes sévères : Amphotéricine B par voie intraveineuse
B. Forme *ganglionnaire* : en particulier médiastinale		Culture sur milieux appropriés à 25° C (phase filamenteuse) et à 37° C (phase levure) Inoculation : hamster, souris		
C. Forme *cutanéo-muqueuse* : ulcérations en particulier buccales		Sérologie (de préférence 2 sérums à 10 jours d'intervalle) : — précipitation, agglutination et fixation du complément — réactions croisées faibles mais avec autres champignons		
D. Forme *disséminée* : signes pulmonaires, mais surtout hépato-splénomégalie, fièvre, anémie, adénopathie généralisée Complications : endocardite, insuffisance surrénalienne, etc.		Cuti-réaction : hypersensibilité retardée (interprétation comme pour tuberculine)		
E. Forme *digestive* : diarrhée, ulcérations intestinales				

Caractères cliniques des mycoses profondes
- Evolution subaiguë ou chronique.
- Absence de leucocytose et de fièvre élevée dans la majorité des infections.
- Absence de réponse aux antibiotiques antibactériens.

Diagnostic étiologique
Il repose sur :
- L'examen microscopique direct des produits pathologiques (squames, pus, crachats, matériel biopsique, etc.).
- L'ensemencement des produits pathologiques ainsi obtenus dans des milieux de culture appropriés. La majorité des champignons pathogènes ont une croissance lente (7 à 10 jours en moyenne) ; leur identification repose sur l'apparence macroscopique et microscopique des cultures ainsi que sur un certain nombre d'épreuves biochimiques, enzymatiques, et à l'occasion sur le pouvoir de pathogénicité expérimentale.
- Les données immunologiques : intradermoréactions évoquant une hypersensibilité de type retardé ; épreuves sérologiques (fixation du complément, agglutination sur lame ou en tube avec particules de latex sensibilisées avec antigènes variés, précipitation sur gélose).
- Les données histopathologiques : pièce obtenue par exérèse chirurgicale, par biopsie ou à l'autopsie. Des colorations spéciales permettent de mettre en évidence les champignons dans les tissus sans pouvoir cependant identifier avec certitude les espèces en cause.

Traitement
Amphotéricine B : Antifongique pour utilisation parentérale. Toxicité importante ; surveillance étroite en cours de traitement. Dose de départ : 0,25 mg/kg dans glucosé 5 % très dilué ; débit lent : 6 h. Progressivement jusqu'à 0,5 à 1 mg/kg par jour ou tous les 2 jours après 1 semaine (niveau sanguin 1,5 μg/ml) dans glucosé 5 % (1 mg dans 10 ml ou plus dilué) avec héparine 100 unités USP/100 ml ; débit lent : 2 à 8 h., pH du soluté >5,0. Agiter durant infusion pour éviter précipitation, et protéger de la lumière. Prémédication : Benadryl i.m. ou *per os* au besoin. Effets secondaires : fièvre, frissons nécessitant parfois l'addition en prémédication d'hydrocortisone (25 à 75 mg dans le soluté). Thrombophlébites : danger minimisé par l'addition d'héparine au soluté. Toxicité rénale, hépatique et médullaire : analyse d'urine, urée, créatinine, formule sanguine, potassium, ionogramme 1 fois par semaine ; taux critique à ne pas dépasser : azote uréique 40 mg %, clearance à la créatinine 50 % de réduction ou élévation de la créatinine sérique à 3 mg/ml ou plus. Dose maximum totale : 1,5 mg/kg/jour en conditions exceptionnelles. Durée du traitement : d'ordinaire un minimum de 1 mois ou dose cumulative totale de 15 à 45 mg/kg, occasionnellement jusqu'à 100 mg/kg si maladie très sévère.

Mycoses superficielles : dermatophyties et candidoses

Dermatophyties ou teignes

Mycoses superficielles caractérisées par des lésions atteignant la peau, les poils et les ongles. Sur le plan clinique, la localisation des lésions cutanées ou autres, la présence ou l'absence de signes inflammatoires, avec formation ou non de kérions, l'aspect du cheveu ou poil atteint : cheveu fragile et long, ou cassé, donnant une réaction positive ou non lorsque examiné avec la lampe à ultraviolets de Wood sont autant d'éléments qui, lorsqu'ils sont accompagnés d'un examen microscopique des échantillons obtenus, permettent de poser le diagnostic, voire de soupçonner même le genre de champignon en cause d'après son aspect à l'état parasitaire.

Les données épidémiologiques, entre autres âge et sexe du malade, cas sporadique ou notion d'épidémie, histoire de contact ou non avec les animaux, et plus particulièrement pays d'origine du malade, permettent certaines hypothèses quant à l'agent en cause. Seul, cependant, un examen microscopique et macroscopique des cultures obtenues sur milieux appropriés à partir de prélèvements adéquats (débris de cheveux et poils, squames, pus, etc.) permet d'identifier l'espèce de champignon en cause de façon certaine. Le tableau 30 illustre quelques-unes de ces données en relation avec les espèces de dermatophytes le plus souvent impliqués en pathologie humaine à l'échelle mondiale.

L'évolution des teignes est variable selon l'agent en cause. En règle générale, plus la réaction inflammatoire est marquée, plus grandes sont les chances d'une guérison spontanée ; par conséquent, la plupart des infections de type ectothrix évoluent favorablement même sans intervention médicamenteuse, tout en étant transmissibles. Il en va tout autrement, cependant, des infections de type endothrix qui ont tendance à revêtir une allure chronique rendant le sujet atteint capable de transmettre la maladie à son entourage immédiat pendant des années. Les infections dues à certaines microspories guérissent spontanément à la puberté. Afin de hâter la guérison et de prévenir de ce fait la transmission de l'infection d'un individu à un autre, on conseille fortement un traitement par voie systémique ou en application locale selon la localisation et la durée d'évolution des lésions. La durée du traitement est variable selon les cas ; les rechutes sont fréquentes dues le plus souvent à une réinfection plutôt qu'à un échec thérapeutique, d'où l'importance de traiter dans un même temps tous les membres d'une famille ou d'un groupe social atteint. Le tableau 31 illustre les formes de traitement présentement recommandées.

Le diagnostic différentiel des dermatophyties est à faire avec les piedras, le pytiriasis versicolor (*Malassezia furfur*), les candidoses (en particulier *Candida albicans*), l'erythrasma (*Corynebacterium minutissimum*), les lésions d'origine herpétique (Herpes simplex, varicelle-zoster) et également avec toutes autres lésions cutanées d'origine non infectieuses : psoriasis, eczéma, etc.

Candidoses

Candida albicans est une levure responsable du « muguet » buccal du nouveau-né et du malade débilité (de tout âge). L'infection vaginale à candida étant fréquente chez la femme enceinte, le nouveau-né est susceptible d'acquérir cette infection lors du passage dans les voies génitales. Mais le nouveau-né et le nourrisson acquièrent aussi très souvent cette infection par transmission manuelle, nosocomiale. De simple saprophyte, *Candida albicans* se transforme en pathogène de façon opportuniste, dès que l'hôte est en état de moindre défense (nouveau-né prématuré surtout, déficiences de l'immunité cellulaire comme dans la candidose muco-cutanée chronique, par exemple), au cours de traitements immuno-suppresseurs, au cours de traitements antibiotiques prolongés, dans le diabète et l'hypoparathyroïdie, chez les brûlés, au cours d'une alimentation parentérale intraveineuse.

Formes cliniques

● En général, chez le nourrisson en bonne santé, la candidose reste localisée à la région buccale et pharyngée. Il s'agit d'une stomatite avec enduit blanchâtre en plaques qui peuvent rapidement confluer et causer des troubles de la succion et de la déglutition. Non traitée, la candidose buccale peut facilement se propager à tout le tube digestif, causant diarrhées et vomissements. Cette propagation est facilitée par un traitement antibiotique oral concomitant. Une inflammation de la région anale à candida est alors la règle, signalant l'infection digestive généralisée. Le diagnostic est confirmé par la mise en évidence de mycéliums dans les selles fraîchement obtenues.
● Une candidose cutanée peut se développer facilement au niveau du siège et des organes génitaux chez le nourrisson porteur de langes. Un simple érythème papulo-érosif du siège peut ainsi rapidement évoluer vers une dermatite très irritative, confluente et suintante, à bords géographiques nets, qui est très inconfortable pour le bébé. On fait souvent le diagnostic par une épreuve thérapeutique avec un antifongique (bains, poudres et crèmes), à défaut de mettre en évidence la présence de candida par un frottis examiné au microscope.
● La candidose muco-cutanée chronique est une maladie grave, intradermique, ne réagissant bien à aucun traitement, et associée à un déficit immunitaire mixte ou purement cellulaire (trouble de la phagocytose).
● Les septicémies à *Candida albicans* surviennent, soit chez des patients débilités, soit chez des patients soumis à une antibiothérapie intraveineuse de longue durée, avec cathéter central, etc. L'organisme doit être mis en évidence par hémoculture ou culture d'urine ou de L.C.R. La symptomatologie est très peu spécifique, mais il faut penser à cette surinfection en cas de rechute après un long traitement antibiotique.

Traitement des candidoses superficielles

● *Mycostatine* : Suspension : 1 à 2 ml 3 ou 4 fois par jour *per os* pendant 10 jours. Tablettes : 1 à 2 tablettes 3 fois par jour *per os* pendant 10 jours.
● *Clotrimazole* (Canesten®) : crème, solution (1 %) ; application locale 2 fois par jour pendant 4 semaines.

Tableau 30 : Dermatomycoses. Données clinico-épidémiologiques et aspects microspiques des principaux dermatophytes à l'état parasitaire (in vivo)

Genres	Données cliniques et état parasitaire	Espèces	Origine, fréquence et distribution géographique
Microsporum	Teignes surtout du cuir chevelu chez enfants ; aussi de la peau glabre. Papules prurigineuses évoluant de proche en proche ; lésions circinées, grisâtres au centre, avec ou sans cheveux cassés (à quelques mm au-dessus des lésions) et nouvelles papules érythémateuses en périphérie. Réaction inflammatoire variable selon espèces. Fluorescence positive, habituellement vert brillant à la lampe de Wood. Guérison spontanée à la puberté. ● *État parasitaire* : Cheveu, poil : type microsporie endo-ectothrix ; mycélium herbacé, interpilaire avec genre de petites spores autour du cheveu. Peau (squames) : mycélium segmenté ; arthrospores.	*M. audouini*	● Anthropophile. ● Prédominante dans pays tempérés : Europe 90 %, USA 50 %. ● Épidémique (contagion inter-enfants).
		M. canis	● Zoophile-(chiens, chats). ● Épidémie familiale. ● Surtout Scandivanie, Angleterre, Canada et USA (50 %).
		M. ferrugineum	● Anthropophile. ● Épidémique en Asie et en Afrique (surtout Japon ; Angola, Zaïre et Mozambique).
		M. gypseum	● Géophile ● Plus fréquent en Amérique du Sud.
Trichophyton	**A.** Teignes tondantes du cuir chevelu avec réaction inflammatoire marquée. Suppuration. Kérion plus ou moins fréquent selon espèces. Lésions petites à points noirs (poils cassés à la surface) ; évolution chronique. Fluorescence absente. Tous les cheveux ne sont pas affectés. Atteinte de peau glabre : fréquente. Poils de la barbe et ongles : variable selon espèces. ● *État parasitaire* : Cheveu (poil) type endothrix. Poil gonflé de spores. Peau, ongles : mycélium segmenté et/ou spores. **B.** Teignes inflammatoires du cuir chevelu et/ou des poils de la barbe avec formation de kérions (abcès ou folliculite pustuleuse envahissante). Fluorescence absente. Ou encore, pieds d'athlète ; atteinte localisée surtout au niveau des orteils, caractérisée par l'apparition de petites vésicules inflammatoires entre les orteils, envahissant aussi plante des pieds. Propagation possible à la paume des mains, aux régions crurales et axillaires. Macération → desquamation → fissure. Atteinte des ongles : également possible.	*T. violaceum*	● Anthropophile. ● Surtout Afrique centrale et occidentale.
		T. tonsurans	● Anthropophile. ● Surtout Europe, Amérique centrale et du Sud. USA : incidence de plus en plus élevée.

- *Etat parasitaire* : Cheveu (poil) type ectothrix.
  1. Avec chaînettes de petites spores à l'extérieur du cheveu, dissociables par la chaleur. Peau (squames), ongles ; chaînettes de spores ou filaments segmentés.
  2. Avec chaînettes de grosses spores également à l'extérieur du cheveu, peau et ongles. Chaînette de spores et filaments segmentés dans couche cornée de l'épiderme et parfois couches plus profondes de la peau et des ongles.

C. Teignes faviques du cuir chevelu.
Évolution chronique : points jaunâtres au début → godet → lésions croûteuses envahissant progressivement le cuir chevelu, parfois peau glabre et ongles.
Atrophie et alopécie permanente. Fluorescence : gris vert. Poils non cassés.
- *Etat parasitaire* :
Type endothrix : présence de bulles d'air à l'intérieur du cheveu.

D. Teignes
1. Surtout de la peau glabre : lésions circinées, parfois lésions nodulaires plus profondes ; formes généralisées ou localisées à région crurale ; aux pieds forme chronique de pieds d'athlète sans vésicules, résistante au traitement.
2. Exceptionnellement du cuir chevelu avec réaction inflammatoire limitée et fluorescence absente ; ou des poils de la barbe, avec folliculite pustuleuse envahissante ; ou des ongles, avec atteinte des couches profondes.
- *Etat parasitaire* :
1. Cheveux et poils : type ectothrix à larges spores ; aussi type endothrix.
2. Squames, ongles : filaments segmentés.

T. mentagrophytes
- Anthropophile ou zoophile (souris, vache selon variétés).

T. verrucosum
- Zoophile (bovidés).
- Distribution mondiale. Sycosis barbae → occupationnel → régions d'élevage.

T. Schoenleini (achorion)
- Cas sporadiques familiaux par contacts directs, prolongés.
- En Amérique, Europe, Proche-Orient ; littoral méditerranéen.

T. rubrum
- Contagiosité faible.
- Distribution mondiale.

Epidermophyton
Teignes de la région crurale surtout type eczéma marginé. Rare atteinte des pieds et des ongles.
- *Etat parasitaire* : Squames : nombreux filaments ondulés et chaînettes de spores aplaties. Ongles : filaments et spores entre lamelles.

E. floccosum
- Distribution mondiale, mais surtout dans les régions tropicales.

Tableau 31 : Traitement des dermatophyties

Diagnostic clinique	Traitement spécifique	Autres recommandations
1. Teignes du cuir chevelu et de la barbe.	Toujours traiter par voie systémique. ● *1er choix :* Griséofulvine forme micro-cristalline, 10-20 mg/kg/24 h. en 2 à 4 doses après repas gras. Durée variable jusqu'à guérison du cuir chevelu. Moyenne de 4 à 8 semaines, 8 semaines pour infection type endothrix. ● *2e choix :* Si échec thérapeutique parce que souche résistante à griséofulvine : kétoconazole.	Après 3 jours de traitement, brossage vigoureux du cuir chevelu et région mentonnière, puis enlever débris à l'aide de compresses humides ou agents topiques, fongistatiques. Surveiller effets secondaires de griséofulvine : intolérance digestive, nausées, vomissements. Toxicité médullaire. Epilation avec rayons X (technique McKee). *Non recommandée surtout chez les enfants.*
2a. Teignes généralisées de la peau glabre (avec ou sans atteinte des pieds et des régions crurales).	*Traitement systémique :* ● *1er choix :* Griséofulvine (v. **1**). ● *2e choix :* Kétoconazole (v. **1**). *Traitement local :* ● *1er choix :* Tolnaftate sous forme solution ou crème à 1 %. ● *2e choix :* Clotrimazole ; application 2 fois par jour × 4 semaines sous forme crème ou lotion. ● *3e choix :* Nitrate de miconazole 2 fois par jour pendant 2 à 4 semaines sous forme crème. ● *4e choix :* Aquafor (sulfure 3 % + acide salicylique 3 %).	Débridements quotidiens après applications de compresses et agents antifongiques.
2b. Teignes localisées de la peau glabre (sans atteinte ongles, pieds ou région crurale)	Traitement local suffisant (voir **2a**, *Traitement local*). Si très localisée, badigeonnage avec teinture d'iode 1 % peut être suffisant.	Comme **2a**.
3. Teigne de la région crurale.	Si agent causal T. rubrum : traitement systémique et local comme **2a**.	Eliminer facteurs locaux prédisposants, entraînant humidité excessive : port de vêtements trop serrés. Contrôler diabète, leucorrhée s'il y a lieu. Rechercher si pieds d'athlète ou non.
4. Teigne localisée aux pieds (pieds d'athlète).	Thérapie locale comme pour **2a**. Si échec au T. rubrum, ajouter traitement systémique comme **1**.	Bains quotidiens plusieurs fois par jour avec H_2O du robinet. Prévenir humidité : *a)* bien assécher après bains ou douches surtout entre les orteils ; *b)* application poudre de talc ; *c)* port de chaussettes ou bas de coton pour faciliter absorption de la sueur.
5. Teignes des ongles.	Traitement par voie systémique requis comme **1**. Durée prolongée jusqu'à 1 an surtout si ongles d'orteils (trempage fréquent dans solutions fongistatiques, par ex. : sol. permanganate 1 : 4000 ou sol. acide salicylique 10 % ou sol. glutaraldéhyde 25 % diluée 1 : 1 dans tampon phosphate).	Débridement (après trempage). Trempage fréquent, etc.

- *Nitrate de Miconazole* (Micatin®, Daktarin®) : Crème, poudre (2 %) ; application topique (2 fois par jour pendant 2 à 4 semaines), vaginale (1 fois par jour pendant 14 jours).
- *Chlorquinaldolum* (Stérosan®) : Poudre, pommade, pâte (5 %) ; application topique.

Traitement de la candidose généralisée, septicémique
- Amphotéricine B et 5-fluorocytosine

Maladies parasitaires

Toxoplasmose

Etiologie
Protozoaire de 4 à 7 μ uninucléé, infection intracellulaire, transmission placentaire. La toxoplasmose est causée par un protozoaire intracellulaire (macrophage) transmis par la viande mal cuite ou par les excréments de chat. L'incidence est fonction des habitudes alimentaires. La toxoplasmose-infestation est beaucoup plus fréquente que la toxoplasmose-maladie. La contamination transplacentaire peut survenir à deux conditions :
- Lésion de la membrane fœto-placentaire, donc plus fréquente en fin de grossesse (toxoplasmose latente pouvant se compliquer en chorio-rétinite).
- Primo-infection maternelle, d'où l'importance de la surveillance sérologique des femmes enceintes séro-négatives.

Tableau clinique
- *Forme primaire* (adulte, jeune enfant) : Syndrome de type « mononucléose ».
- *Forme congénitale :* Les contaminations du premier trimestre de la grossesse, rares, conduisent presque toujours à la mort embryonnaire. Contaminé au cours du deuxième trimestre, le nouveau-né risque de présenter une image clinique complexe : micro- ou hydrocéphalie, calcifications cérébrales, convulsions, chorio-rétinite, ictère. Les contaminations du troisième trimestre sont, en général, cliniquement silencieuses à la naissance : cependant, près de 30 % de ces cas développeront,

Tableau 32 : Toxoplasmose (diagnostic sérologique)

	IgG	IgM	Type d'infection	Interprétation	Femme enceinte
	<4 U.I.	–	Aucune	Non immunisé	• Conseils préventifs • Répéter aux 3 mois. Si devient positif, sérologie du bébé à la naissance
Adulte	>4 U.I. <300 U.I	+	Actuelle		• Suspecte • Traitement • Sérologie du bébé à la naissance
	>4 U.I. <300 U.I	–	Ancienne	Immunisé	• Pas de danger de toxoplasmose congénitale
	>300 U.I.	–	Récente	Immunisé	• Pas de danger de toxoplasmose congénitale
	>300 U.I.	+	Récente ou actuelle		• Suspecte • Traitement • Sérologie du bébé à la naissance
Nouveau-né	>4 U.I. <300 U.I.	–	Transmission passive d'anticorps		
	>4 U.I. <300 U.I.	+	Congénitale		
	>300 U.I.	+	Congénitale		
	<300 U.I.	–	Possibilité de toxoplasmose congénitale latente (si le bébé est né d'une mère suspecte). Refaire sérologie à 6 mois et 1 an : • si ↓ : transmission passive • si ↑ ou = : toxoplasmose congénitale		

dans les mois ou les années qui suivent, des chorio-rétinites souvent récidivantes.
- *Formes graves septicémiques* chez l'individu en état d'immunodépression physiologique ou iatrogénique.

Diagnostic

Essentiellement sérologique : anticorps fluorescents ou ELISA (IgG et IgM). Pour l'interprétation, voir tableau 32.
- *Diagnostic différentiel :* Cf. rubéole, syphilis et infection cytomégalique congénitale, infection herpétique et à Coxsackie du nouveau-né.

Traitement

- *Formes cliniques :* Pyriméthamine : 1 mg/kg/jour × 4 semaines, associée à sulfadiazine 100 mg/kg/jour. Si chorio-rétinite : ajouter prednisone 1 mg/kg/jour. Acide folinique 10 mg/jour en association avec pyriméthamine.
- *Forme primaire (clinique ou non) chez la femme enceinte :* Spiramycine : 2 g/jour × 4 semaines.

Prévention

Les femmes enceintes déjà porteuses d'anticorps sont immunisées. Sinon, nettoyer la litière du chat tous les jours (les oocystes ne sont infectants qu'après 3-4 jours), faire cuire toute viande et s'assurer d'un suivi sérologique.

Paludisme (malaria)

Etiologie

Quatre espèces de *Plasmodium*, protozoaire intra-érythrocytaire, peuvent infecter l'homme : *P. falciparum, P. vivax, P. ovale* et *P. malariae*. Ces parasites sont transmis par la piqûre d'un anophèle (moustique) vecteur. Toute région chaude et humide est donc une zone endémique réelle ou potentielle. Tout voyageur de retour d'une zone endémique et présentant de la fièvre doit être suspect de malaria jusqu'à preuve du contraire : la malaria, surtout causée par P. falciparum, peut tuer en quelques heures. Des 200 000 000 de cas annuels, 2 000 000 (surtout des enfants) meurent directement de la malaria.

Tableau clinique

- *Forme primaire :* Résultat du cycle pré-érythrocytaire (voir fig. 1), elle survient durant le séjour en zone d'endémie ou, le plus souvent, dans le mois qui suit le retour, lorsque la chimioprophylaxie a été insuffisante, erratique ou interrompue prématurément. **1.** Fièvre brutale, très élevée, en général continue. Accompagnée de frissons et diaphorèse. **2.** Céphalée intense. **3.** Troubles gastro-intestinaux : diarrhée, vomissements, douleurs abdominales.
- *Forme secondaire,* ou rechute, suite au cycle exo-érythrocytaire : Peut survenir des mois ou des années après avoir quitté une zone endémique.

Fig. 1 : Cycle du plasmodium

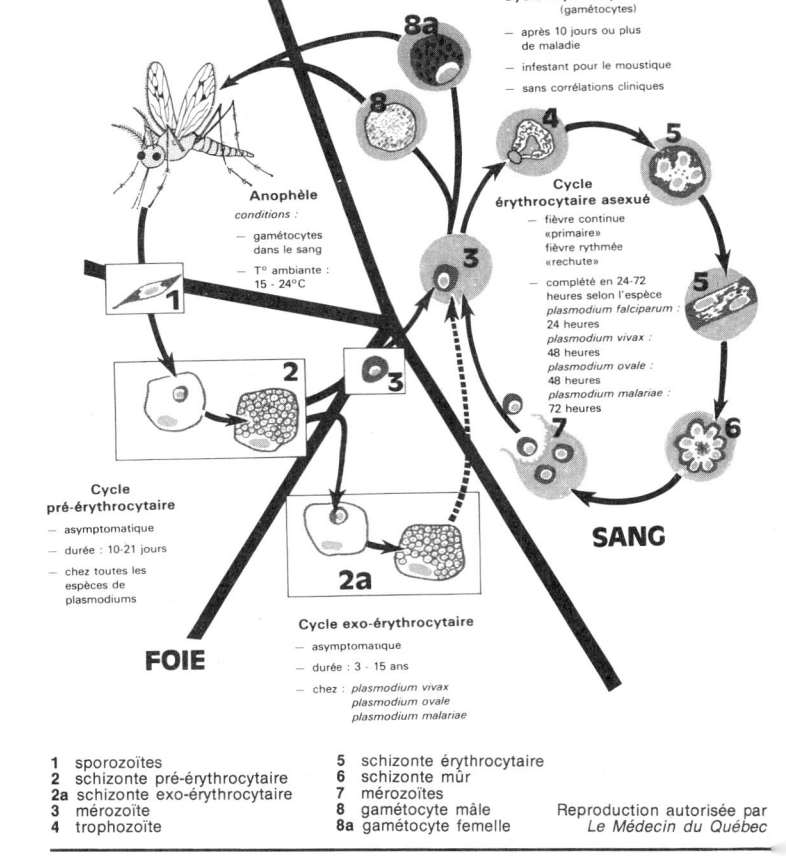

Cycle érythrocytaire sexué
(gamétocytes)
- après 10 jours ou plus de maladie
- infestant pour le moustique
- sans corrélations cliniques

Anophèle
conditions :
- gamétocytes dans le sang
- T° ambiante : 15 - 24°C

Cycle érythrocytaire asexué
- fièvre continue «primaire»
  fièvre rythmée «rechute»
- complété en 24-72 heures selon l'espèce :
  plasmodium falciparum : 24 heures
  plasmodium vivax : 48 heures
  plasmodium ovale : 48 heures
  plasmodium malariae : 72 heures

Cycle pré-érythrocytaire
- asymptomatique
- durée : 10-21 jours
- chez toutes les espèces de plasmodiums

SANG

Cycle exo-érythrocytaire
- asymptomatique
- durée : 3 - 15 ans
- chez : *plasmodium vivax*
  plasmodium ovale
  plasmodium malariae

FOIE

1 sporozoïtes
2 schizonte pré-érythrocytaire
2a schizonte exo-érythrocytaire
3 mérozoïte
4 trophozoïte
5 schizonte érythrocytaire
6 schizonte mûr
7 mérozoïtes
8 gamétocyte mâle
8a gamétocyte femelle

Reproduction autorisée par
Le Médecin du Québec

Seulement avec *P. vivax, P. ovale* ou *P. malariae*. **1.** Fièvre : accompagnée de diaphorèse. Rythmée : cycle de 48 heures *(P. vivax, P. ovale)* ou 72 heures *(P. malariae)*. **2.** Splénomégalie, anémie.
● *Complications :* **1.** Anémie. **2.** Thrombocytopénie transitoire. **3.** Atteinte encéphalitique *(P. falciparum)* grevée d'une lourde mortalité. **4.** Nécrose tubulaire rénale *(P. falciparum)*.

Diagnostic

La malaria représente une urgence médicale. Un frottis sanguin, coloré au Giemsa à pH alcalin, doit être pratiqué immédiatement chez tout patient fébrile de retour des tropiques. En cas de doute, le traitement doit être institué immédiatement : il y a peu de mal à traiter sans preuve, mais l'attentisme thérapeutique est inexcusable.

Traitement

Cf. tableau 33

Tableau 33 : Thérapeutique du paludisme (malaria)

- Chimioprophylaxie

	Enfant	Adulte
Phosphate de chloroquine (Nivaquine®)	< 1 an : 37,5 mg/semaine 1 à 3 ans : 75 mg/semaine 4 à 6 ans : 100 mg/semaine 7 à 10 ans : 150 mg/semaine 11 à 16 ans : 225 mg/semaine	300 à 500 mg 1 fois par semaine, jusqu'à 6 semaines après le départ d'une région endémique

- Traitement (sauf souches de P. falciparum résistantes à chloroquine)
  a) de l'accès fébrile

	Forme bénigne	Forme grave
Phosphate de chloroquine (Nivaquine®)	10 mg/kg immédiatement p.o. (max. 600 mg) Ensuite 5 mg/kg 1 fois par jour en commençant 6 h. après 1re dose × 3 jours	5 mg/kg toutes les 12 h. i.m.

b) cure radicale   (P. vivax et P. ovale seulement) (après phosphate de chloroquine)

Phosphate de primaquine	0,3 mg/kg/jour × 14 jours (peut causer anémie hémolytique si déficience en G-6-P-D)

- Traitement (malaria à souches de P. falciparum résistantes à chloroquine)

	Forme bénigne	Forme grave
Sulfate de quinine	25 mg/kg/jour toutes les 8 h. p.o. × 10 à 14 jours	25 mg/kg/jour La moitié de la dose en 1 h. i.v., l'autre moitié 6 h. plus tard si la voie orale ne peut pas être employée (max. 1800 mg/jour)
+ Pyriméthamine	< 10 kg : 6,25 mg/jour p.o. 10 à 20 kg : 12,5 mg/jour 20 à 40 kg : 25 mg/jour × 3 jours	
+ Sulfadiazine	100 à 200 mg/kg/jour p.o. toutes les 6 h. × 5 jours (max. 2 g/jour)	

Parasitoses intestinales et tissulaires
(cf. tableau 34)

A cause de leurs habitudes de jeu et d'hygiène, les enfants sont facilement contaminés par les parasites intestinaux à transmission orale : trichuris, ascaris, taenias, giardias, amibes, oxyures. Marcher pieds nus les prédispose aux ankylostomes et aux anguillules, et les baignades sont la cause des bilharzioses.

Les parasites intestinaux seront reconnus par la recherche des œufs, larves, kystes ou trophozoïtes dans les selles. Des techniques de concentration telles l'éther-formol ou le MIFC (merthiolate-iode-formol-concentration) sont fort utiles en cas d'infestation légère. L'éosinophilie sanguine signe une parasitose tissulaire (trichine, larva migrans, échinococcose, filariose) ou un stade tissulaire d'une parasitose cavitaire (syndrome de Lœffler lors de la migration pulmonaire des larves

Tableau 34 : Parasitoses intestinales et tissulaires

Parasites	Répartition géographique (et mode de contamination)	Diagnostic	Localisation dans l'organisme
Nématodes intestinaux			
Oxyure (Enterobius vermicularis)	Cosmopolite (voie orale)	Œuf sur la marge de l'anus (« Scotch tape »)	Caecum
Trichocéphale (Trichuris trichiuria)	Zone tropicale (voie orale)	Œufs dans les selles	Intestin
Ascaris (A. lumbricoides)	Zone tropicale (voie orale)	Œufs dans les selles	Stade larvaire initial : poumons Adultes : intestin grêle
Ankylostomes (A. duodenale, Necator americanus)	Zone tropicale (voie transcutanée)	Œufs dans les selles	Duodénum
Anguillules (Strongyloides stercoralis)	Zone tropicale (voie transcutanée, auto-infestation)	Larves dans les selles (par coproculture sur papier filtre)	Larves : intestin, mais aussi partout dans l'organisme

19. MALADIES INFECTIEUSES ET PARASITAIRES

d'ascaris, de schistosomes, d'ankylostomes, anguillulose, etc.) : une telle éosinophilie suggérera une série de tests sérologiques spécifiques qui guideront la conduite diagnostique.

Enfin, le traitement de certains parasites peu pathogènes tels le *Trichuris*, l'*Hymenolepis nana*, certaines douves *(Clonorchis sinensis)*, la filariose à Loa-loa pour ne citer que quelques exemples, de même que les cas d'infestation légère par ankylostomes voire par *Schistosoma mansoni* devra être entrepris seulement si les circonstances cliniques ou épidémiologiques l'exigent, particulièrement lorsque la thérapeutique disponible est potentiellement toxique ou dangereuse, ce qui est souvent le cas.

Les parasitoses, sauf exception (toxoplasmose), ne confèrent pas d'immunité valable contre les réinfestations. En l'absence d'amélioration des conditions qui les ont causées (hygiène, alimentation, eau non potable, insectes), elles constitueront toujours des gouffres à médicaments. L'attitude thérapeutique variera donc selon que le patient a quitté ou non l'environnement contaminant.

Symptômes	Traitement	Effets secondaires du traitement	Prévention
Prurit anal Sommeil agité	Pamoate de pyrantel (une dose de 11 mg/kg) Répéter après 2 sem.		Garder ongles courts Lavage des mains
Nuls Prolapsus rectaux lors d'infestations massives	Mébendazole (100 mg 2 fois par jour × 3 jours) (inutile si asymptomatique)		Hygiène alimentaire
Dus au stade larvaire : syndrome de Löffler : — asthme — éosinophilie — infiltrats pulmonaires	Pamoate de pyrantel (une dose de 11 mg/kg) ou Pipérazine (75 mg/kg/j × 2 jours)		Hygiène alimentaire
Anémie ferriprive Duodénite	Pamoate de pyrantel (15 mg/kg/j × 2 jours)	Nausées	Port de chaussures
Douleurs épigastriques Diarrhée Eosinophilie Peut être grave chez l'individu affaibli ou immunosupprimé	Thiabendazole (25 mg/kg/j × 2 jours)	Nausées Etourdissements	Port de chaussures

Suite au verso

Tableau 34 (suite) : **Parasitoses intestinales et tissulaires**

Parasites	Répartition géographique (et mode de contamination)	Diagnostic	Localisation dans l'organisme
Nématodes tissulaires			
Filaires — Loa-loa — W. bancrofti — D. perstans — B. malayi — M. ozzardi	Pays tropicaux Loa-loa : Afrique de l'Ouest M. ozzardi : Antilles (piqûres d'insectes vecteurs)	Microfilaires dans le sang Sérologie	Vers adultes : tissu sous-cutané vaisseaux lymphatiques Microfilaires : sang
Onchocercose (O. volvulus)	Zone tropicale (piqûres de simulies)	Microfilaires dans le derme (biopsie exangue)	Vers adultes : nodules sous-cutanés Microfilaires : derme
Trichine (Trichinella spiralis)	Cosmopolite (voie orale)	Eosinophilie Sérologie (biopsie musculaire)	Muscles striés
Larva migrans viscérale (Toxocara canis forme larvaire)	Cosmopolite (voie orale)	Eosinophilie Sérologie	Foie Œil (segment postérieur) Ailleurs
Trématodes			
Bilharzies — intestinale (Schistosoma mansoni)	Afrique (voie transcutanée)	Œufs dans les selles ou à la biopsie rectale Sérologie	Foie Paroi colique
— hépato-splénique (S. japonicum)	Asie (voie transcutanée)	Œufs dans les selles	Foie Paroi colique
— rectale (S. intercalatum)	Afrique Centrale (voie transcutanée)	Œufs dans les selles	Rectum
— urinaire (S. haematobium)	Afrique (voie transcutanée)	Œufs dans l'urine	Plexus veineux périvésicaux
Cestodes intestinaux			
Taenias — T. saginata — T. solium — Hymenolepis nana — Diphyllobotrium latum	Cosmopolite (voie orale) Zone tropicale Cosmopolite	Anneaux expulsés spontanément Œufs dans les selles	Intestin
Cestodes tissulaires (larvaires)			
Echinococcose (E. granulosus, forme larvaire)	Cosmopolite (voie orale)	Eosinophilie Sérologie Radiologie	Foie Poumons (Cerveau) Ailleurs
Cysticercose (forme larvaire de T. solium)	Cosmopolite (voie orale)	Eosinophilie Sérologie Radiologie	Muscles Œil Cerveau

Symptômes	Traitement	Effets secondaires du traitement	Prévention
Prurit Œdèmes Eosinophilie	Diéthylcarbamazine (jour 1 : 25-50 mg jour 2 : 25-50 mg/j. jour 3 : 50-100 mg/j. jours 4 à 21 : 2 mg/kg/j.)	Réactions allergiques (qui peuvent être graves)	Eviter (si possible...) les insectes vecteurs
Prurit Eosinophilie Troubles oculaires	Diéthylcarbamazine (voir filaires) Suramine (voir « trypanosomes ») Excision des nodules	Réactions allergiques (souvent graves)	Eviter les simulies (cours d'eau rapides, chutes, cascades)
Œdème facial Myalgies Fébricules Eosinophilie	Symptomatique Corticostéroïdes dans les formes graves		Bien cuire la viande de carnivores (porc, sanglier, ours)
Asthme Manifestations allergiques Hépatomégalie	Symptomatique (corticostéroïdes au besoin)		Déparasitage des chiots (pipérazine) Hygiène des mains des enfants
Dysenterie Fibrose hépatique	Oxamniquine (15 mg/kg, 2 fois par jour × 2 jours)	Etourdissements Nausées	
	Praziquantel (40 mg/kg — dose unique)	Nausées	Pas de contact avec eaux douces tièdes en zone tropicale
Diarrhée			
Hématurie	Niridazole (25 mg/kg/j × 7 jours) **ou** Métrifonate (10 mg/kg/toutes les 2 sem. × 3)	Excitation psychique Nausées Vertiges	
Peu de symptômes	Niclosamide (dose unique) 10-34 kg : 2 co. >34 kg : 3 co. une dose		Viande de bœuf et porc bien cuite Hygiène alimentaire Poisson cuit
Eosinophilie Manifestations allergiques Lourdeur et douleur hypocondre droit	Chirurgie Mébendazole à hautes doses (si chirurgie impossible)		Déparasitage des chiens (niclosamide) Eviter de nourrir les chiens avec des abats de moutons ou de cervidés.
Selon localisation Epilepsie Douleurs musculaires	Chirurgie		Bien cuire la viande de porc **Suite au verso**

Tableau 34 (suite et fin) : **Parasitoses intestinales et tissulaires**

Parasites	Répartition géographique (et mode de contamination)	Diagnostic	Localisation dans l'organisme
Protozoaires intestinaux			
Giardia (G. lamblia)	Cosmopolite (voie orale)	Kystes ou trophozoïtes mobiles dans les selles	Duodénum Jéjunum
Amibes (Entamoeba histolytica)	Zone tropicale surtout (voie orale)	Kyste et trophozoïtes dans les selles	Gros intestin
		Sérologie	Métastases : foie, plus rarement poumon ou cerveau (abcès amibien)
		Kystes dans les selles	Gros intestin
Protozoaires tissulaires			
Malaria — Plasmodium falciparum — P. vivax — P. ovale — P. malariae	Zone tropicale (piqûre de moustique)	Parasites intraérythrocytaires (frottis sanguin)	Sang
Trypanosomes — T. gambiense — T. rhodesiense	Afrique (piqûre de glossine)	Trypanosomes dans le sang (Technique de concentration)	L.C.R. Sang Ganglion
— T. cruzi	Amérique du Sud (morsure de réduves)	Sérologie	Sang Tissu
Leishmanies — L. donovani Kala-Azar	Bassin méditerranéen Asie Amérique du Sud (piqûres d'insectes)	Sérologie Ponction médullaire	Rate Moelle osseuse (sang)
— L. tropica	Moyen-Orient (piqûre d'insectes)	(Frottis) ou biopsie	Cutanée (ulcères)
— L. mexicana, — L. braziliensis	Amérique Centrale et du Sud (piqûres d'insectes)		

Symptômes	Traitement	Effets secondaires du traitement	Prévention
Selles pâteuses Gaz Douleurs abdominales	Métronidazole (15 mg/kg/j × 10 jours)		Hygiène alimentaire
Dysenterie amibienne Selles glaireuses « crachats rectaux avec filets de sang » Ténesme Crampes abdominales Pas de fièvre	Métronidazole (40 mg/kg/j × 10 jours) **et** amoebicide de contact : diiodohydroxyquine (30 mg/kg/j × 20 jours) **ou** furoate de Diloxanide (20 mg/kg/j × 10 jours)	Alcool contre-indiqué (effet antabuse)	Hygiène alimentaire
Abcès amibien (foie) Fébricule nocturne Perte de poids Lourdeur et douleur à l'hypocondre droit	Métronidazole **et** amoebicide de contact		
Porteur de kystes Fatigue après les repas	Amoebicide de contact		
Fièvre très élevée Frissons Céphalée Troubles gastro-intestinaux	Voir aussi tableau 33 Chloroquine (30 mg/kg, dose totale en 3-5 jours) **ou** fansidar : si résistance à la chloroquine ou accès encéphalitique		Chloroquine (1 mg/kg/jour) Moustiquaire
En phase nerveuse : encéphalite léthargique progressive	Suramine (20 mg/kg/j aux jours 1, 3, 7, 14 et 21)	Vomissements prurit urticaire	Eviter les glossines
Mégaviscères, blocs auriculoventriculaires	Nifurtimox (5 mg/kg/j en augmentant progressivement en 2 mois à 15 mg/kg/j)	Anorexie troubles nerveux	Habitat salubre
Fièvre erratique Splénomégalie Anémie	Stibogluconate sodique (10 mg/kg/j × 10 jours)	Douleur locale éruption	Eviter les piqûres de phlébotomes
Ulcère chronique			

Chapitre 20

Immunisations et vaccinations
par J. Joncas

Mécanismes de défense naturelle

La défense de l'organisme humain contre les infections relève de systèmes complexes. Elle est assurée par des mécanismes d'immunité humorale et cellulaire dont certains sont spécifiques, c'est-à-dire dirigés spécifiquement contre une espèce microbienne donnée, et d'autres sont non spécifiques. Les *mécanismes spécifiques* dépendent de l'intégrité numérique et fonctionnelle des cellules responsables de l'immunité, c'est-à-dire les lymphocytes « T » (cf. pp. 559 ss.), cellules dont le précurseur commun provient de la moelle osseuse. Les lymphocytes « B » sont plus ou moins fixés dans le tissu lymphoïde, où ils peuvent se différencier en *plasmocytes*, cellules productrices des *immunoglobulines* et des anticorps spécifiques *(immunité humorale)*. Les lymphocytes « T » sont de petits lymphocytes circulants qui ne se différencient fonctionnellement qu'en présence du thymus (pendant la vie fœtale, l'involution thymique naturelle postinfantile n'effaçant pas leur compétence). Les lymphocytes « T » sont responsables de l'*immunité spécifique cellulaire.* Ils ont une longue survie, ce qui rend leur « mémoire » immunitaire très importante. Ils sont responsables des réactions d'hypersensibilité de type retardé (« delayed hypersensitivity reaction ») ; les lymphocytes « T » émettent des substances solubles, interféron immun de type II, des substances chimiotactiques (CF), des substances agissant sur les macrophages et les leucocytes (MIF, LIF, facteur inhibant la migration), des substances agissant sur les lymphocytes (facteur blastogénique, facteur lymphotoxique et facteur de transfert). Des sous-populations de cellules T (Tk ou « killer ») sont cytotoxiques pour les cellules modifiées à la suite d'infection virale ou pour les cellules étrangères (surveillance immunologique, rejets de greffes, cellules cancéreuses). D'autres sous-populations de cellules « T » (Ts et Th, « suppressor » et « helper ») modulent la réponse immunitaire en inhibant ou en stimulant la prolifération et les fonctions d'autres lymphocytes, « B » et « T ».

Parmi les *mécanismes non spécifiques,* certains sont humoraux : opsonines, composants du complément (C_3, C_5) et protéines le stabilisant, lysozyme (plasma, neutrophiles, salives, larmes, sécrétions des muqueuses). Les autres sont cellulaires : les cellules NK (« natural killer »), spontanément cytotoxiques, sans sensibilisation préalable pour les cellules modifiées ou dédifférenciées et produisant de l'interféron de type I. Les cellules K, grâce à leurs récepteurs pour le fragment Fc des immunoglobulines G, peuvent se fixer sur celles-ci et lyser, en l'absence du complément, les cellules auxquelles ces immunoglobulines se sont déjà attachées.

Les macrophages et les polynucléaires doués de propriétés phagocytaires et possédant des systèmes enzymatiques intracellulaires chargés de la digestion d'organismes phagocytés (bactéries, champignons).

Beaucoup d'autres cellules qui, infectées entre autres par les virus, peuvent produire de l'interféron de type I et des particules défectives virales capables d'inhiber la réplication virale dans les cellules voisines. L'interféron, d'autre part, augmente l'activité des cellules NK.

Les syndromes cliniques correspondant aux défauts isolés ou (plus souvent) combinés de ces mécanismes spécifiques ou non spécifiques, humoraux et cellulaires, sont décrits aux pp. 563 ss.

L'acquisition d'une immunité cellulaire semble avoir précédé dans l'échelle phylogénétique celle d'une immunité humorale. D'autre part, l'ancienneté phylogénétique relative des IgM sur les IgG est bien documentée. Lors d'une primo-infection chez l'homme, les mécanismes les plus primitifs ou non spécifiques sont les premiers à apparaître ; ils sont donc les plus utiles : résistance cellulaire, interféron et cellules phagocytaires (macrophages et polynucléaires), suivis de l'immunité spécifique cellulaire et humorale. Lors d'une réinfection par le même micro-organisme ou un micro-organisme antigéniquement apparenté, les mécanismes les plus évolués, c'est-à-dire les anticorps circulants ou sécrétés aux portes d'entrée, déjà présents, deviennent alors les outils les plus efficaces dans la prévention ou la guérison. Chez le nouveau-né, les lymphocytes « B » sont augmentés, de même que les sous-populations Ts, peut-être secondairement. Des limitations quantitatives et qualitatives des moyens de résistance (du pouvoir opsonisant du sérum, en particulier C_3, facteur B, properdine) favoriseront la pénétration et la multiplication des micro-organismes infectieux à des degrés divers ; l'efficacité de la défense dépendra : 1. du moment de la vie fœtale ou néonatale où l'infection sera contractée ; 2. de l'espèce microbienne en cause ; 3. des mécanismes de défense prépondérants au moment de l'infection. La phagocytose (chimiotactisme, opsonisation, digestion intracellulaire par les polynucléaires neutrophiles par exemple), chez le nouveau-né et surtout chez le nouveau-né prématuré, n'a pas atteint un degré de maturité suffisant pour éliminer une infection bactérienne, surtout si elle est massive. Bien qu'il puisse produire des immunoglobulines M bactéricides et opsonisantes dès la naissance, le nouveau-né n'en possède cependant aucune transmise passivement, puisque celles-ci, contrairement aux immunoglobulines G, ne traversent pas le placenta. Par contre, les immunoglobulines G transmises passivement de la mère à l'enfant (anticorps circulants) constituent un mécanisme de défense efficace contre des infections virales et bactériennes multiples, pour autant que la mère possède une telle immunité. Par ailleurs, ces anticorps transmis passivement compromettent, dans une mesure variable, probablement par « feedback inhibition », la réponse à une stimulation antigénique exogène par un vaccin inactivé donné dans les premiers mois après la naissance. Ils neutralisent également d'une façon efficace un vaccin vivant atténué pour plusieurs mois (6 à 12 mois) après la naissance. Les *programmes d'immunisation* représentent une immunité active acquise artificiellement par opposition à l'immunité active acquise naturellement à la suite d'infection clinique ou subclinique et à l'immunité passive naturelle acquise par transmission placentaire ou artificielle obtenue par l'injection de gamma-globuline ou d'antisérums.

Immunisation active artificielle (vaccins)

Le calendrier de vaccination recommandé se trouve au tableau 1. Il s'inspire plutôt des calendriers européens qu'américains. Les divergences qui apparaissent entre ce calendrier et ceux qui sont préconisés par

Tableau 1 : Calendrier des immunisations chez l'enfant

Naissance	BCG [1] (Bacille Calmette-Guérin, bacille tuberculeux bovin atténué)
2 mois	Diphtérie-tétanos-coqueluche (Pertussis) (DTP ou DCT) + poliomyélite oral (Sabin) trivalent
4 mois	Idem
6 mois	DTP ou DCT (avec ou sans poliomyélite oral trivalent)
13 à 15 mois	Epreuve à la tuberculine [2] et vaccin rougeole vivant atténué
18 mois	Rappel DTP (ou DCT) + poliomyélite oral (Sabin) trivalent
5 ans	Idem
4 à 6 ans	Epreuve à la tuberculine [2]
Après 7 ans	1re visite : DT (D : 2 Lf), poliomyélite oral trivalent (Sabin), vaccin rougeole vivant atténué, épreuve à la tuberculine 1 à 2 mois plus tard : DT, Sabin 6 mois à 1 an après 2e dose : DT, Sabin Rappel tous les 10 ans : DT
10 ans	Rubéole, vaccin vivant atténué pour les filles Oreillons, vaccin vivant atténué
15 ans	Epreuve à la tuberculine [2]. Rappel DT (D : 2 Lf)

[1] Obligatoire dans certains pays. Dans d'autres, seulement si le nouveau-né est très exposé (Indiens, Esquimaux, immigrants, zones urbaines socio-économiquement défavorisées où l'incidence de la Tb est élevée) : on le protège en l'éloignant si possible de son milieu pendant la création de l'immunité par le BCG. Si l'on a des raisons de soupçonner une infection transplacentaire ou périnatale (Tb active hématogène de la mère), on donnera de l'isoniazide au nourrisson pendant 3 mois pour ensuite le vacciner après s'être assuré qu'il est tuberculino-négatif.
[2] Si l'épreuve à la tuberculine (Tine test ou PPD 5 TU stabilisé au Tween 80) est positive, poursuivre l'investigation (radiographie du thorax et culture des tubages gastriques chez l'enfant, épreuves à la tuberculine et radiographie du thorax des membres de son entourage) et, selon les besoins, établir soit une chimioprophylaxie à l'isoniazide pendant 1 an, soit une thérapie antituberculeuse à deux ou trois antituberculeux associés (cf. chapitre 19, p. 681 et tableaux 22 et 23). Les contacts récents tuberculino-négatifs dans l'entourage d'un cas de tuberculose active ne doivent pas être vaccinés. Ils doivent être soumis à une chimioprophylaxie à l'isoniazide pendant 3 mois et, s'il n'y a pas eu après cette période conversion tuberculinique et/ou apparition d'une lésion pulmonaire suspecte, on devrait les vacciner par le BCG et continuer à les suivre avec les autres membres du groupe pendant au moins deux ans.

des organismes comme l'Académie américaine de pédiatrie concernent les vaccins contre la rubéole, les oreillons et le BCG (jamais beaucoup utilisé aux Etats-Unis).

Il existe deux types principaux de vaccins : inactivés (tués) et vivants atténués. Les contre-indications et les complications de ces deux types de vaccins sont différentes. Les réactions d'hypersensibilité locale ou générale sont cependant communes aux deux types. Les encéphalites postvaccinales, par exemple, peuvent occasionnellement compliquer aussi bien la vaccination rougeole (virus vivant) qu'antirabique (virus inactivé). Les complications propres à chaque vaccin seront considérées dans les sections respectives. *Contre-indications générales :* enfant malade ou fébrile ; une rhinite banale ne constitue pas une contre-indication. *Contre-indications des vaccins vivants :* les vaccins vivants sont contre-indiqués durant la grossesse en raison du peu de données disponibles concernant leur tératogénicité possible et les autres effets que ces souches virales atténuées peuvent avoir quand elles infectent le fœtus. Ces vaccins ne doivent pas être donnés aux enfants qui sont affectés d'yn syndrome immunodéficient, d'une néoplasie maligne, ou qui reçoivent un traitement immunosuppresseur (antimétabolites, radiothérapie, agents alkylants) ou aux corticostéroïdes. L'administration simultanée de vaccins vivants est possible : il existe un vaccin combiné rougeole-oreillons-rubéole. Polio, rougeole, variole et fièvre jaune peuvent être donnés simultanément au besoin. Les autres vaccins vivants peuvent être séparés par une période d'un mois jusqu'à ce que de plus amples informations concernant leur administration simultanée soient disponibles.

DCT ou DTP

Combinaison d'anatoxine diphtérique et tétanique, et d'une suspension de bacilles coquelucheux (pertussis) inactivés (tués) : vaccin combiné avec ou sans adjuvant (alun ou autre).

On recommande la vaccination précoce avec DCT à 2 mois ou même à 6 semaines afin de prévenir la coqueluche qui peut survenir dès les premières semaines de vie, les IgG transmises passivement par la mère ne conférant apparemment qu'une immunité négligeable. L'échec des gamma-globulines hyperimmunes, dans la prévention comme dans l'altération de l'évolution de la maladie une fois installée (échec confirmé par des études contrôlées), corrobore l'importance marginale de l'immunité humorale par IgG dans la guérison de la coqueluche. Le vaccin confère une protection de l'ordre de 80 à 85 %. L'antigène coquelucheux exerce une action adjuvante pour les antigènes qui lui sont associés, diphtérie et tétanos. Le vaccin anticoquelucheux est contre-indiqué après l'âge de 5 à 7 ans en raison de réactions d'hypersensibilité imprévisibles. Les antigènes diphtérie et tétanos du vaccin DCT représentent de très bons antigènes conférant une immunité humorale antitoxique se traduisant par une protection de l'ordre de 95 à 98 %. La présence possible d'anticorps maternels passivement transférés justifie l'administration de 3 injections chez le nourrisson alors que 2 injections suffisent chez les enfants plus âgés et les adultes. L'administration répétée de ces antigènes induit une sensibilisation apparaissant plus rapidement pour la diphtérie que pour le tétanos. Ces constatations ont d'ailleurs inspiré au cours des dernières années des modifications de recommandations quant à la fréquence des rappels de tétanos (tous les dix ans environ) et à la dose d'anatoxine diphtérique recommandée après l'âge de 10 ans (pas plus de 2 Lf d'anatoxine diphtérique par dose). Le vaccin combiné DCT est disponible avec ou sans adjuvant (alun) associé. La première forme est plus immunogène et est recommandée de préférence à l'autre, bien qu'entraînant parfois une réaction locale plus douloureuse. Dose : 0,5 à 1 ml (selon le fabricant) par voie intramusculaire. La prolongation de l'intervalle entre les doses pour quelque raison que ce soit ne constitue pas une raison suffisante pour reprendre la série d'injections ou multiplier les doses. Chez les enfants affectés de syndromes neurologiques et d'encéphalopathies chroniques, utiliser 1/10 de la dose comme test. En l'absence de réaction, procéder selon le calendrier habituel, sous le couvert d'aspirine et d'anticonvulsivants.

Vaccin polio oral trivalent (vivant atténué selon Sabin)

Le *vaccin oral Sabin* s'est avéré supérieur au vaccin Salk (inactivé), en grande partie parce qu'il confère une immunité plus durable que le Salk et que, par l'intermédiaire des IgA sécrétées localement au niveau du tube digestif, il limite considérablement la multiplication secondaire du virus sauvage que l'enfant pourrait rencontrer au cours de sa vie. Le virus poliomyélitique ne se propage que chez l'homme, il n'a pas de réservoir animal. Le vaccin Sabin, contrairement au Salk, confère donc une immunité locale du tube digestif et empêche la multiplication du virus poliomyélitique sauvage dans le tube digestif, amenant par conséquent une éradication plus rapide et plus complète de ce virus. Les vaccinés, en interrompant la chaîne de propagation du virus sauvage, protègent indirectement de ce fait les enfants et les adultes non immunisés dans la population ; de plus, le vaccin oral Sabin peut même immuniser secondairement des sujets en contact avec les vaccinés par contagion. Une personne sur un million cependant peut faire une poliomyélite paralytique par contact avec le vaccin Sabin, mais ces personnes seraient probablement celles qui auraient fait une poliomyélite plus grave si elles avaient été infectées par le virus sauvage. Le vaccin inactivé antipoliomyélitique Salk est exempt de cette complication rare et l'immunité qu'il confère est capable de prévenir la dissémination du poliovirus sauvage au système nerveux chez 95 % ou plus des vaccinés. C'est donc un très bon vaccin, qui nécessite cependant des rappels tous les trois ou cinq ans. Il peut encore être d'une grande utilité chez les personnes enceintes, chez les adultes et chez ceux pour lesquels des contre-indications au vaccin vivant existent (immunocompromis : immunodéficience congénitale ou acquise).

Un vaccin quadruple, constitué de diphtérie-tétanos-coqueluche et poliovirus inactivé, est encore parfois utilisé en Amérique et en Europe.
● *Doses de rappel* : Des rappels de DTP, ou de DCT, et de vaccin polio sont prévus à l'âge de 18 mois et 5 ans. Des rappels additionnels avant 5 ans ne confèrent pas un accroissement significatif de la protection et risquent de sensibiliser inutilement.

Vaccin rougeole (vivant atténué)

La rougeole est une maladie relativement bénigne en Amérique du Nord et en Europe, mais grave en Afrique. Le vaccin, qui est un virus vivant atténué, confère une protection de l'ordre de 80 à 90 %, mais n'est pas exempt de désavantages. En effet, le vaccin lui-même aurait été associé d'une façon assez concluante à des encéphalites, avec une fréquence variant de 1,5 à 2,8 par million de doses, alors qu'elle est de 1 dans 1 000 cas par suite de la maladie naturelle. Certaines de celles-ci ont même pris une allure similaire à la panencéphalite sclérosante subaiguë de Dawson ou van Bogaert, complication tardive d'une infection rougeoleuse. L'incidence de cette panencéphalite n'a cependant pas augmenté mais apparemment diminué depuis l'ère de la vaccination rougeoleuse. Il est donc possible que la fréquence des panencéphalites à la suite du vaccin soit beaucoup plus faible qu'à la suite de la maladie naturelle. La vaccination contre la rougeole est contre-indiquée en présence de primo-infection tuberculeuse non traitée. Il faut de plus, si la cuti-réaction à la tuberculine est positive, poursuivre l'investigation rapidement et instituer, selon le cas, soit une chimioprophylaxie, soit une thérapie antituberculeuse le plus tôt possible après le vaccin rougeole.

On utilise en général, actuellement, le virus vivant suratténué (Attenuvax), qui est lyophilisé et remis en suspension au moment de l'emploi. Ce produit doit être frais, gardé strictement à 4° C et à l'abri de la lumière. Certains échecs de la vaccination ont été causés par un stockage déficient et prolongé. On donne 0,5 ml s.c. à partir de l'âge de 13 à 15 mois. L'immunité qu'il confère semble durable si le vaccin n'est pas donné avant l'âge de 12 à 15 mois.

Vaccin antivariolique vivant

Le vaccin antivariolique n'est plus recommandé pour les enfants. La variole a été éliminée depuis octobre 1978 de tous les pays du monde. Il s'agit encore ici, comme pour le virus polio, d'un virus qui ne peut se propager que chez l'homme.

La possibilité d'entrer en contact avec un cas de variole est actuellement nulle. En raison des complications occasionnellement mortelles ou très graves de la vaccination antivariolique, cette vaccination n'est plus du tout justifiée.

Vaccin BCG (vivant atténué)

La vaccination par le BCG présente un problème particulier. Ce n'est pas que son efficacité soit mise en doute ; le vaccin confère une protection de l'ordre de 75 à 80 % lorsque la souche utilisée est d'une immunogénicité satisfaisante et que la population vaccinée ne jouit pas déjà d'une immunité relative par suite d'infection endémique par mycobactéries atypiques antigéniquement voisines du bacille tuberculeux. Le problème soulevé par la vaccination BCG tient surtout à son applicabilité. L'*applicabilité du BCG* est fonction de 3 facteurs : 1. son efficacité (80 %

environ) ; 2. le pourcentage de la population éligible à la vaccination, c'est-à-dire négatif à la tuberculine (ce pourcentage variant suivant l'âge et les régions du globe) ; 3. le facteur limitant, le taux de morbidité annuel parmi ceux qui sont éligibles, c'est-à-dire négatifs à la tuberculine, s'ils demeurent non vaccinés. En somme, l'applicabilité du BCG représente un taux de morbidité corrigé en fonction du pourcentage d'efficacité du vaccin et du pourcentage de la population pouvant encore bénéficier de la vaccination, c'est-à-dire un taux de morbidité corrigé susceptible d'être amélioré par le BCG. La vaccination par le BCG à l'entrée à l'école ou avant la puberté répond mieux aux critères d'applicabilité que la vaccination à la naissance dans la plupart des régions d'Amérique du Nord et dans plusieurs pays d'Europe, en raison de la diminution constante de l'incidence de la tuberculose présumément par suite de l'amélioration des conditions socio-économiques ou encore en raison de conversions tuberculiniques tardives dans certains pays. Chez les enfants affectés d'un syndrome immunodéficient méconnu, la vaccination par le BCG à la naissance s'est traduite par une infection mortelle. Ces cas sont heureusement fort rares. D'autre part, certaines complications du BCG, les adénites régionales, suppurées ou non, persistant souvent des mois, statistiquement beaucoup plus fréquentes avant l'âge d'un an que par la suite, constituent un inconvénient non négligeable à la vaccination à la naissance ou chez le nourrisson. Par ailleurs, puisque le BCG est susceptible d'améliorer un taux de morbidité élevé dans certains pays, quartiers ou familles, s'il est donné à la naissance, il doit être utilisé de préférence à la chimioprophylaxie par isoniazide, qui est rarement satisfaisante dans les milieux socio-économiques défavorisés. Contre-indications : les mêmes que pour les vaccins vivants. Ne pas donner en présence de maladies de la peau ou de plaies traumatiques ou chirurgicales non cicatrisées.

Technique de vaccination au BCG, évolution et complications

Toujours s'assurer au préalable que la cuti-réaction à la tuberculine est négative. Si elle est positive, ne pas vacciner, mais obtenir une radiographie du thorax pour s'assurer de l'absence de complications pulmonaires de la primo-infection tuberculeuse (cf. chapitre 19 tableau 22 et p. 681) ; instituer selon le cas une chimioprophylaxie ou une thérapie antituberculeuse.

Le BCG est une suspension liquide dont on injecte par voie intradermique 0,05 ml aux nouveau-nés et 0,1 ml aux nourrissons et enfants à cuti-réaction négative. L'injection se fait de préférence dans la région deltoïdienne. Suivent une pustulisation et une formation de croûtes successives, pendant plusieurs semaines, voire pendant des mois. Si une adénite satellite abcédante (ramollissement) se forme, il faut l'enlever chirurgicalement, en entier. Le BCG peut également être donné par scarifications et par piqûres multiples. Ces derniers vaccins ne doivent pas être utilisés par voie intradermique.

Vérifier la positivation de la cuti-réaction après 2-3 mois. La cuti-réaction après BCG est en général beaucoup moins fortement positive qu'après une primo-infection. A l'âge d'un an, les nourrissons vaccinés à la naissance ont une réaction au PPD 5TU stabilisé au Tween de 10 mm ou moins d'induration. Une réaction plus importante suggère fortement une surinfection tuberculeuse et doit être traitée comme telle si le tableau clinique et radiologique entre autres laisse soupçonner ce diagnostic.

Vaccin oreillons (vivant atténué)

Le vaccin inactivé contre les oreillons est maintenant désuet. La protection conférée par la souche Jeryl Lynn, un vaccin vivant atténué, est de l'ordre de 95 %. Les oreillons représentent une maladie particulièrement bénigne avant la puberté. Les méningo-encéphalites sont bénignes à cet âge, les décès par suite de cette complication sont rarissimes et les séquelles presque inexistantes. L'*atteinte du labyrinthe ou de l'oreille interne* par le virus des oreillons est une complication rare survenant dans 1/10 000 cas d'infection. Une *surdité*, d'ordinaire unilatérale, peut s'ensuivre. Les autres cas de surdité attribués aux oreillons sont beaucoup moins bien établis. Les méningo-encéphalites et les orchites survenant après la puberté ont cependant un pronostic parfois plus sérieux. Les séquelles à cet âge sont beaucoup mieux documentées. En conséquence, il semble souhaitable de reporter la vaccination contre les oreillons à l'âge de 10 ans. De cette façon, l'infection naturelle contractée avant l'âge de 10 ans conférera à l'enfant une protection d'au moins un tiers supérieure à celle offerte par la souche vaccinale. D'autre part, l'immunité conférée par le vaccin à un âge plus tardif aura plus de chance de persister jusqu'à l'âge adulte inclusivement.

Vaccin rubéole (vivant atténué) (souche RA 27/3)

La vaccination antirubéole (par voie sous-cutanée ou intramusculaire) est recommandée dans le calendrier du tableau 1 pour les jeunes filles prépubertaires (10-12 ans) et peut être donnée aux femmes adultes séronégatives qui le désirent, après épreuve de grossesse négative, pourvu qu'une future grossesse puisse être évitée avec certitude dans les deux mois qui suivent cette vaccination. D'autres préconisent la vaccination de tous les enfants de 1 à 10 ans dans l'espoir de réduire le réservoir d'infection et en vue de protéger indirectement la femme enceinte. Le vaccin, cependant, ne prévient pas la réinfection des vaccinés par le virus sauvage dans une proportion de 80 %, ce qui contraste avec un taux de réinfection de 3 à 5 % chez les immuns naturels. Certains individus, bien que protégés, continuent d'excréter le virus de la rubéole par les voies respiratoires supérieures. Ils peuvent donc être des sources potentielles d'infection pour les femmes enceintes. Il est donc illusoire de tenter d'éradiquer le virus par des vaccinations totales de populations entières. Enfin on a constaté en 1980 aux USA que l'incidence de la rubéole chez les adolescents et les jeunes adultes, la population à risque pour ce qui est de la rubéole congénitale, est demeurée inchangée malgré la quasi-éradiction de la maladie chez les enfants. D'où la limitation de la vaccination préconisée ici aux jeunes filles (cf. tableau 1).

Des complications relativement rares d'arthrite parfois prolongée, avec isolement du virus du liquide articulaire, ont été signalées après primovaccination avec le virus atténué de la rubéole.

Autres vaccins

Il existe enfin d'autres vaccins d'usage plus limité contre l'influenza par exemple, pour les personnes âgées ou affectées de maladies cardiorespiratoires, métaboliques ou neuromusculaires chroniques ; contre la rage après morsure par un animal suspect d'être atteint de cette maladie ; contre le choléra, la typhoïde, la fièvre jaune ou autres maladies susceptibles d'être contractées lors de voyages dans certains pays étrangers.

Il existe également des vaccins anti-pneumococciques et anti-méningococciques entre autres, dont les indications sont encore très limitées et qui ne peuvent pas être discutées dans le cadre de ce chapitre. Enfin, un vaccin prometteur inactivé contre l'hépatite B et des vaccins vivants atténués contre l'infection cytomégalique et contre la varicelle sont actuellement sous investigation.

En résumé, les vaccins préconisés dans le calendrier des immunisations de l'enfant sont extrêmement utiles dans la prévention de maladies graves comme la diphtérie, le tétanos, la poliomyélite pour n'en nommer que quelques-unes. L'administration de ces vaccins est d'autant plus nécessaire que nous ne possédons aucun traitement spécifique efficace de ces maladies lorsqu'elles sont contractées.

Immunisation passive

Les indications d'immunisation passive sont très limitées :

Immunisation passive par gamma-globulines ordinaires

● *Rougeole :* Comme prophylaxie chez les contacts. Dose préventive : 0,25 ml/kg i.m., moins de cinq jours après le contact. Dose de modification de la maladie : 0,12 ml/kg i.m.

● *Hépatite infectieuse (A) :* Comme prophylaxie chez les contacts et pour voyager en zone endémique. Dose préventive de la maladie clinique mais non de l'infection subclinique (immunisation passive-active) : 0,02 à 0,06 ml/kg i.m., dépendant de la nature et de l'importance du contact, moins d'une semaine après le contact. (Voir hépatite, chap. 10, pp. 243 ss.).

● *Hépatite (B) :* Comme prophylaxie à la suite de piqûre accidentelle avec du sang de porteurs possibles du virus ou autres contacts avec sang possiblement contaminé : 0,05 à 0,07 ml/kg i.m. Chez les nouveau-nés de mères infectées, il est probablement préférable d'utiliser le γ-globuline hyperimmune contenant plus de 100 U.I. d'anticorps spécifique/ml. (Voir hépatite, chap. 10, p. 244.) De même comme prophylaxie pour le personnel des unités d'hémodialyse : 0,06 mg/kg tous les 4 mois.

Ces trois affections sont les seules pour lesquelles l'efficacité de la gamma-globuline ordinaire soit établie. Pour deux autres maladies, la rubéole et la varicelle, elle peut être utile. Certaines études démontrent dans les deux cas l'efficacité de gamma-globulines hyperimmunes et expliquent les résultats non concluants ou discordants des tentatives de protection antérieures par gamma-globuline ordinaire ; les lots de celle-ci avaient des titres très variables en anticorps spécifiques, certains protecteurs, d'autres non. Les lots récents de gamma-globuline ordinaire ont des titres plus élevés d'anticorps anti-hépatite B par exemple, et semblent plus efficaces à modifier l'infection, comme pour l'hépatite A.

Immunisation passive par gamma-globulines hyperimmunes

L'efficacité d'une gamma-globuline hyperimmune pour les oreillons et la coqueluche, comme prophylaxie ou comme thérapie, n'a jamais été établie.

Gamma-globuline hyperimmune d'origine humaine

● *Gamma-globuline hyperimmune tétanique (humaine) (tétabuline) :* Humaine : Prophylaxie 125 à 500 U i.m. (4 à 5 U/kg) ; thérapie : 3 000 à 6 000 U i.m., jusqu'à 10 000 U dans certains cas. *Equine :* ± 10 fois la dose de gamma-globuline d'origine humaine, après épreuve de sensibilité cutanée.
● *Gamma-globuline hyperimmune rabique (humaine) (hyperrab) :* Humaine : 20 U/kg. Donner la moitié de la dose en injection sous-cutanée dans la plaie, l'autre moitié i.m.
● *Gamma-globuline hyperimmune hépatite B :* En prophylaxie de l'infection chez le nouveau-né d'une mère porteuse chronique du virus surtout si elle est antigène HBs et HBe positive. 0,5 ml/kg i.m., moins de 24 heures après la naissance, à 3 mois et à 6 mois. Piqûre avec sang contaminé HBs ag positif : 0,06 ml/kg en moins de 24 heures et 1 mois plus tard (voir hépatite, p. 244).
● *Plasma de convalescent de zoster :* 3 à 10 ml/kg i.v., chez les immunocompromis en contact avec la varicelle.

Sérums hyperimmuns équins diphtérique, rabique, botulinique, tétanique

Doses et indications : cf. sections respectives au chapitre 19. Précautions : épreuves d'hypersensibilité préalable et anamnèse.
● *Epreuves d'hypersensibilité aux sérums hyperimmuns :*
Epreuve cutanée : 0,1 ml de dilution à 1/1 000 du sérum dans de la solution physiologique en injection intradermique. Injection intradermique de 0,1 ml de solution physiologique dans l'autre avant-bras comme témoin. Résultat positif en 5 à 30 minutes : papule urticarienne avec érythème et parfois pseudopodes.
Epreuve conjonctivale : 1 goutte d'une dilution à 1/10 du sérum dans du salin physiologique dans un œil avec, comme témoin, 1 goutte de salin physiologique dans l'autre œil. Résultat positif en 5 à 30 minutes : prurit, conjonctivite et lacrimation. Garder une seringue contenant de l'adrénaline aqueuse à 1/1 000 à portée de la main.

- *Administration du sérum :*
En l'absence de réaction à ces deux épreuves, il est quand même prudent d'injecter la première dose par voie i.m. dans la région latérale externe basse de la cuisse, de façon à pouvoir en interrompre l'absorption par l'application d'un garrot. Après une première dose i.m., si la voie intraveineuse est utilisée (cas très grave ou relativement tardif), une dose d'épreuve : 0,5 ml de sérum dans 10 ml de salin physiologique doit être donnée lentement (moins de 1 ml par minute) par voie intraveineuse, suivie d'une période d'observation de 30 minutes avant de donner le reste du sérum par la même voie, dilué à 1/20 à un débit n'excédant pas 1 ml par minute.

En présence de réaction positive ou douteuse et d'indication impérieuse, il faut, si un anti-sérum d'autre espèce animale n'est pas disponible, procéder à une dose d'épreuve : 1. *si la réaction intradermique et oculaire est positive ou douteuse ;* surtout s'il y a un passé d'allergie spécifique équine : 0,1 ml dilution 1/100 000 sous-cutanée et augmenter prudemment du double ou plus toutes les 15 à 30 minutes en l'absence de réaction ; 2. *si la réaction intradermique seulement est positive ou douteuse avec ou sans anamnèse générale d'allergie ;* doses toutes les 15 minutes en l'absence de réaction : 0,05 ml dilution 1/20 sous-cutanée, 0,1 ml non diluée sous-cutanée, 0,2 ml non diluée sous-cutanée, 0,5 ml non diluée i.m., reste de la dose i.m.

- *Traitement de réaction anaphylactique :*
Adrénaline aqueuse à 1/1 000 : 0,05 à 0,5 ml maximum (0,01 ml/kg) sous-cutanée ou i.v., à répéter après 1 à 15 minutes si nécessaire. O_2 antihistaminiques i.m., hydrocortisone i.v.

Chapitre 21

Endocrinologie

par P. C. Sizonenko

Glande thyroïde

La glande thyroïde apparaît chez l'embryon au cours du 1er mois et migre de la base de la langue à la face antérieure du cou, le long du canal thyréoglosse dont les restes peuvent donner des kystes thyréoglosses médians. L'iode est indispensable à la synthèse (cf. fig. 1) des hormones thyroïdiennes, qui par ailleurs est sous la dépendance de la thyréostimuline hypophysaire (TSH).

Principales épreuves et examens complémentaires
(cf. tableau 1)

La mesure des hormones thyroïdiennes, L-thyroxine (T4) et L-triiodothyronine (T3), est effectuée par technique radio-immunologique. Le test de Hamolsky (estimation du degré de saturation des protéines vectrices par les hormones naturelles, grâce à l'addition de T3 marquée à l'I^{131} qui sature les liaisons restantes) permet une appréciation indirecte du taux des hormones thyroïdiennes et des protéines vectrices de ces

Tableau 1 : Glande thyroïde. Principales épreuves et examens complémentaires

Thyroxine (T4) par technique radio-immunologique	45-129 nmol/l (4,1-10 µg/100 ml)
L-triiodothyronine (L-T3) par technique radio-immunologique	0,6-2,5 nmol/l (42-162 ng/100 ml)
Reverse triiodothyronine (rT3) par technique radio-immunologique	0,4-1,5 nmol/l (25-95 ng/100 ml)
Test de fixation de la T3 sur les résines (Hamolsky)	25-35%
Fixation du I^{131} :	
— à la 6e heure	15-20%
— à la 24e heure	20-45%
Iode protéique plasmatique	3-8 µg/100 ml
Iode butanol-extractible	3-6,5 µg/100 ml

Fig. 1 : Métabolisme de l'iode

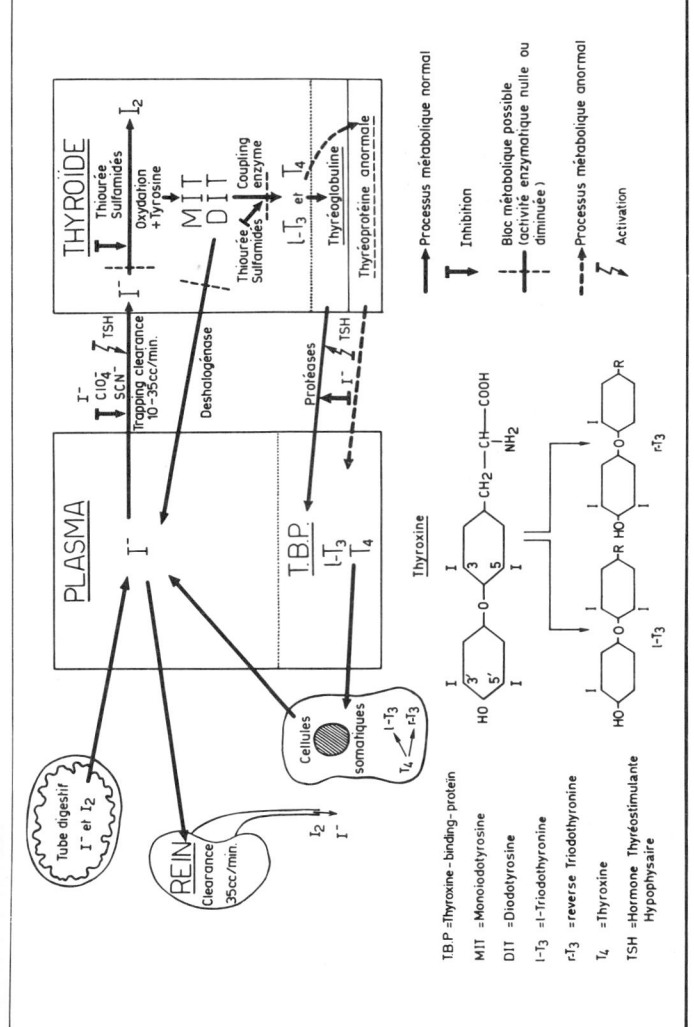

hormones. L'iode protéique (protein-bound-iodine ou PBI), l'iode butanol-extractible (BEI) sont des reflets approximatifs du taux plasmatique des hormones, un certain nombre de substances iodées (médicaments, teinture d'iode, etc.) pouvant fausser ces dosages. Ils ne sont plus utilisés que pour quelques cas cliniques particuliers liés à des troubles de l'hormonogenèse (cf. p. 731).

Les taux plasmatiques du cholestérol, du carotène, des lipides, qui peuvent indirectement orienter le diagnostic, sont en fait inutiles. Le réflexogramme achilléen (basé sur l'allongement du temps de décontraction musculaire chez l'hypothyroïdien) est peu utilisé chez l'enfant. La fixation de l'iode radioactif (I^{131} ou I^{125}) renseigne sur l'activité de la glande. La scintigraphie thyroïdienne (en particulier grâce au technétium 99m) permet de situer la glande thyroïde au niveau du cou et en révèle la forme.

Le test de stimulation de la glande thyroïde par la thyréostimuline hypophysaire (TSH bovine, 10 U par voie i.m. pendant 7 jours) est parfois utilisé : une augmentation importante (supérieure à 50%) de la fixation de l'iode radioactif et du taux circulant de la T4 sous stimulation de TSH permet de soupçonner une insuffisance hypophysaire en TSH.

Le dosage de la TSH et l'épreuve au TRF (TSH releasing factor) sont en fait plus utiles pour différencier les hypothyroïdies primaire et secondaire.

Test de freination de la thyroïde par la L-T3 : l'administration de L-T3 (25 à 75 μg/jour pendant 7 jours) provoque une diminution de plus de 40% de la fixation de la radioactivité thyroïdienne chez le sujet normal. Dans le cas de l'hyperthyroïdie, il existe, après administration de L-T3, une absence de diminution de la radioactivité fixée (test de Werner).

L'absence d'élévation de la TSH après stimulation par le TRF est beaucoup plus utile pour diagnostiquer et suivre une hyperthyroïdie (cf. p. 733).

Recherche des anticorps antithyroïdiens, antithyroglobuline, antimicrosomiaux ou des anticorps immunofluorescents (2e antigène colloïde) : positive seulement si les taux observés sont élevés.

Hypothyroïdie

Elle comporte de nombreuses causes. Deux tableaux cliniques sont observés : l'hypothyroïdie congénitale et l'hypothyroïdie acquise tardive (cf. tableau 2 et fig. 1).

Hypothyroïdie congénitale

Un diagnostic précoce est nécessaire en vue d'instituer le traitement le plus rapidement possible pour essayer de diminuer les séquelles mentales. Des programmes de dépistage de l'hypothyroïdie congénitale chez le nouveau-né par le dosage de la T4 ou de la TSH permettent le diagnostic précoce de l'athyroïdie (T4 basse, TSH élevée) et un traitement dès les premiers jours de vie. La fréquence de la maladie ainsi dépistée est

Tableau 2 : Principales causes d'hypothyroïdie

Congénitales :

A

- Athyroïdie congénitale
- Hypoplasie
- Ectopie thyroïdienne par migration anormale, par défaut embryologique

B

- Trouble de l'hormonosynthèse thyroïdienne
  1. Défaut de captation de l'iode
  2. Défaut de l'organification de l'iode
  3. Défaut de couplage des iodotyrosines
  4. Défaut de déshalogénation des iodo-tyrosines
  5. Absence de thyroglobuline
  6. Syndrome de résistance à l'hormone thyroïdienne (défaut des récepteurs)
  7. Absence de réponse à la TSH

C

- Ingestion maternelle pendant la grossesse de goitrogènes, antithyroïdiens de synthèse, d'iode, d'iode radioactif

D

- Déficit en iode (crétinisme endémique)

Le déficit de la globuline vectrice des hormones thyroïdiennes ne donne aucune hypothyroïdie

Acquises (hypothyroïdie tardive) :

A

- Maladie auto-immune avec (thyroïdite d'Hashimoto) ou sans goitre

B

- Hypoplasie ou ectopie thyroïdienne
  1. Maladie auto-immune
  2. Anomalie du développement embryonnaire

C

- Défaut partiel de l'hormonosynthèse thyroïdienne

D

- Après thyroïdectomie partielle ou complète pour hyperthyroïdie, cancer thyroïdien ou ablation intempestive d'un kyste thyréo-glosse

E

- Par ingestion médicamenteuse d'iode, d'antithyroïdiens de synthèse

F

- Endémie goitreuse par manque d'iode

G

- Par défaut de TSH hypophysaire, soit isolée, soit associée à d'autres déficits des stimulines hypophysaires

---

d'environ 1 pour 3 000 naissances. Les premières évaluations avec un recul de plusieurs années montrent un développement mental normal chez ces sujets traités très précocement, avant la survenue des signes cliniques, plus tardifs.

- *Signes cliniques :* Les premiers signes évocateurs sont : l'hypothermie, la somnolence, l'inappétence, la constipation, l'aspect « gros » (myxœdème), la persistance de l'ictère physiologique du nouveau-né. Rapidement, les signes s'accentuent : prise de poids excessive, sans prise de taille ; faciès grossier, nez ensellé, cheveux épais, durs, peau sèche ; enchiffrement nasal, cri rauque ; constipation, hernie ombilicale, hypotonie ; infiltration myxœdémateuse des mains et des pieds, hypothermie, bradycardie. La glande thyroïde n'est pas palpable. Le retard du développement psychomoteur s'installe progressivement.
- *Signes biologiques :* Anémie, hypercholestérolémie ; réflexogramme achiléen allongé ; *thyroxine plasmatique basse, TSH sanguine élevée.* Retard de l'âge osseux chez le nouveau-né (au niveau du pied : absence

de cuboïde ; au niveau du genou : absence des épiphyses fémorale inférieure et tibiale supérieure). Plus tard, apparition de dysgénésie épiphysaire, ostéocondensation fréquente. Ne pas attendre les résultats biologiques pour traiter rapidement, en particulier lors du dépistage systémique. Le plus souvent, il s'agit d'une ectopie thyroïdienne, parfois d'une athyroïdie, affirmée par la scintigraphie.

● *Evolution non traitée :* Se fait vers le crétin brachystèle, avec retard de croissance, retard dentaire, cyphose dorsolombaire, apathie.

● *Evolution traitée :* Reprise de la croissance avec perte de poids au début du traitement, comblement du retard de l'âge osseux. La taille adulte atteinte est sensiblement normale, parfois petite si le traitement a été tardivement institué.

● *Pronostic :* Avant tout *mental,* il est plus mauvais dans l'athyroïdie que dans l'ectopie thyroïdienne lorsque le diagnostic a été tardif.

● *Formes cliniques :* Formes atténuées, plus tardives, avec retard mental moins marqué. Il s'agit souvent d'une ectopie thyroïdienne.

Hypothyroïdie acquise tardive

● *Signes cliniques :* Ils apparaissent après un développement jusque-là normal. Le retard de croissance s'installe ; difficultés scolaires, lenteur ; peau sèche, froide, épaisse ; nez retroussé.

● *Examens de laboratoire :* Ils sont identiques à ceux de l'hypothyroïdie congénitale. La fixation de l'iode radioactif est très basse, de 0 à 5% à la 24ᵉ heure, parfois 10%. La scintigraphie différencie l'absence de la glande thyroïde (athyroïdie) de la migration anormale de celle-ci (ectopie thyroïdienne), objective la présence d'un reste thyroïdien, situé soit à la base de la langue, soit dans la région cervicale supérieure, ou d'un nodule hypothyroïdien hypofixant normalement situé.

● *Diagnostic différentiel :* Se pose essentiellement avec les mucopolysaccharidoses, les dysplasies spondylo-épiphysaires (cf. pp. 875 ss. et 866 ss.), l'insuffisance rénale.

Troubles de l'hormonosynthèse

Familiaux : L'hérédité est du type autosomal récessif. Tableau d'hypothyroïdie tardive avec goitre régulier ou nodulaire le plus souvent. Parfois, il s'agit d'un goitre simple sans hypothyroïdie.

Le diagnostic du type de défaut enzymatique peut se faire par des tests isotopiques et par l'analyse chromatographique des hormones thyroïdiennes.

● *Type I :* Absence de fixation de l'iode radioactif en présence d'un goitre et d'une TSH élevée par défaut de captation de l'iode.

● *Type II :* La fixation de l'iode radioactif est élevée et l'on observe une chute très rapide de la radioactivité fixée après administration de thiocyanate ou de perchlorate de potassium (chute pathologique si elle est supérieure à 30% de la radioactivité initiale). Type parfois associé à une surdité ou une surdi-mutité (syndrome de Pendred).

● *Type III :* Présence en quantité excessive de mono- et diiodotyrosines plasmatiques.

● *Type IV* : Absence de déshalogénation de la diiodotyrosine ou de la mono-iodotyrosine marquées injectées par voie intraveineuse.
● *Type V* : Absence de thyroglobuline.
● *Type VI* : Syndrome de résistance à la T4 : T4 et T3 élevées, TSH normale et élevée.
● *Type VII* : Absence de réponse à la TSH : T3 et T4 basses, TSH élevée, fixation à l'iode[131] faible.

Le déficit congénital familial (transmission soit autosomique dominante, soit liée au sexe) de la globuline vectrice des hormones thyroïdiennes se manifeste rarement par des signes d'hypothyroïdie.

Traitement de l'hypothyroïdie

● Extraits thyroïdiens : 10 à 30 mg/jour chez le nourrisson, 30 à 150 mg/jour chez le grand enfant (90 mg/m^2/jour).
● L-thyroxine (L-T4) : 10 μg/kg/jour chez le nouveau-né puis 5 μg/kg/jour à partir de 12 mois d'âge, et 3-5 μg/kg/jour chez le grand enfant.
● L-triiodothyronine (L-T3) : 15 à 25 μg/jour chez le nourrisson, 25 à 100 μg/jour chez le grand enfant.

Chez le nouveau-né suspect d'hypothyroïdie congénitale lors du dépistage, le traitement débutera immédiatement sans attendre les résultats du laboratoire (dosages de TSH et de T4 confirmant les dosages effectués sur le papier-filtre, cf. p. 26-27). Le traitement doit être entrepris à doses progressives chez le nourrisson et le petit enfant en raison d'une insuffisance surrénale fonctionnelle. Certains auteurs associent l'hydrocortisone ou l'acétate de cortisone à des doses modérées (25 mg/m^2/jour) pendant 8 à 15 jours, lors de l'institution du traitement d'une forme diagnostiquée tardivement. La surveillance du traitement est basée sur la courbe de croissance, la recherche de tout signe clinique de surdosage, la maturation osseuse, la surveillance du quotient d'intelligence, le dosage de la T4 et de la TSH plasmatiques. Le traitement substitutif est permanent.

Thyroïdites

Il s'agit essentiellement de thyroïdites auto-immunes subaiguës.

Maladie de Hashimoto (thyroïdite subaiguë)

Plus fréquente chez la fille.
● *Signes cliniques :* Goitre seul ou associé à des signes d'hypothyroïdie ; avec ou sans signes inflammatoires : rougeur, douleur au niveau du cou, fièvre, adénopathie cervicale, en particulier adénopathie sus-isthmique prétrachéenne. Parfois, installation du goitre avec de discrets signes d'hyperthyroïdie.
● *Diagnostic :* Les T4 et T3, souvent normales, sont basses et la TSH élevée s'il existe une hypothyroïdie. Augmentation des γ-globulines

sériques. La fixation de l'iode radioactif peut varier de valeurs normales à des taux bas. *Tests immunologiques :* recherche d'anticorps antithyroïdiens positifs. *Biopsie thyroïdienne :* présence d'infiltrats lymphocytaires ; elle est impérative s'il existe un doute de cancer du corps thyroïde à la scintigraphie.
- *Evolution :* Se fait généralement vers l'hypothyroïdie à plus ou moins long terme.
- *Traitement.*
a) Hormones thyroïdiennes.
b) Corticothérapie à doses anti-inflammatoires (prednisone : 1 à 2 mg/kg) pendant une quinzaine de jours s'il existe des signes inflammatoires.
c) Surveillance : doit se poursuivre pendant des années en raison du danger d'hypothyroïdie et de la possibilité d'autres manifestations endocriniennes, auto-immunes.

Thyroïdites aiguës

Plus exceptionnelles. Sont secondaires aux oreillons ou surviennent au cours de rhumatisme articulaire aigu ou de fièvre typhoïde. Les thyroïdites de de Quervain, de même que la thyroïdite chronique de Riedel, ne se rencontrent que chez l'adulte.

Hyperthyroïdie (maladie de Graves-Basedow)

Peu fréquente avant la puberté, survient essentiellement chez la fille. Maladie immunologique souvent associée à la présence de LATS (long acting thyroid stimulator) dénommé maintenant TSIg (thyroid-stimulating immunoglobulins). Ces facteurs plasmatiques sont des γ-globulines. Ils sont fabriqués dans la glande thyroïde elle-même. Plus rarement, la maladie est secondaire à une hypersécrétion de thyréostimuline hypophysaire.
- *Signes cliniques :* Amaigrissement, parfois avance staturale, nervosité, irritabjlité, sautes d'humeur, agitation, difficultés scolaires, palpitations, tachycardie, diarrhée, polydipsie, polyurie, mains chaudes et moites, tremblement des extrémités, éclat du regard, œdème palpébral avec protusion du globe oculaire (exophtalmie), goitre diffus, pulsatile et soufflant ; cardiothyréose, défaillance cardiaque avec arythmie complète.
- *Tests de diagnostic :* Age osseux parfois avancé ; T4 et T3 sanguins élevés, fixation de l'iode radioactif élevée, absence de freination de la fixation par la L-T3 (cf. p. 729), ou absence de baisse de la T4 sanguine par la L-T3. Dosage des TSIg ; rarement TSH élevée signifiant une hyperthyroïdie secondaire à un excès de TSH hypophysaire ; le plus souvent la TSH est très basse et sa sécrétion qui ne peut être stimulée par le TRF a une valeur diagnostic : la réapparition de la sécrétion stimulée par le TRF est considérée comme un signe de guérison, lors de l'arrêt du traitement.

● *Traitement :*
a) Médical : Administration d'antithyroïdiens de synthèse : carbimazole ou méthimazole (10 mg 3 à 4 fois par jour), ou propylthiouracile (75 mg 3 à 4 fois par jour) sous surveillance de la formule sanguine (possibilité de leucopénie avec granulopénie). Après 4 à 6 semaines de stabilisation des signes cliniques, les doses d'entretien sont : carbimazole ou méthimazole (2,5 à 15 mg/jour), propylthiouracil (25 à 50 mg/jour). Le traitement dure de 1 à 2 ans. Les rechutes sont fréquentes. Si le goitre augmente ou si le sujet devient hypothyroïdien (contrôle répété de la T4 qui est basse et de la TSH qui s'élève au cours du traitement), il convient d'ajouter de l'extrait thyroïdien (90 mg/m²/jour) ou de la L-thyroxine (3 à 5 µg/kg/jour). En cas de défaillance cardiaque et de signes sympathomimétiques importants, on peut utiliser les tonicardiaques (digoxine) (cf. pp. 323 ss.) et des β-bloqueurs (propranolol).
b) Chirurgical : En cas d'échec du traitement médical ou de rechute après arrêt du traitement médical, la thyroïdectomie subtotale doit être envisagée.
c) Iode radioactif : A doses thérapeutiques (2 à 10 millicuries), il est de plus en plus employé chez l'enfant en Europe, et réalise une thérapeutique non agressive et efficace.

Goitre simple, non toxique

Goitre présent en l'absence de toute étiologie définie ; le diagnostic est posé par élimination. Souvent familial, plus fréquent chez la fille que chez le garçon, il s'agit d'un agrandissement diffus de la glande thyroïde sans signes de dysfonctionnement endocrinien.
● *Causes évoquées :* Ingestion insuffisante d'iode ou présence de substances goitrigènes dans l'alimentation ; d'autres substances ont été incriminées, telles que le cobalt, le fluor, l'acide para-aminosalicylique, le résorcinol, la phénylbutazone, le lithium ; parfois, il apparaît à la puberté (goitre simple de l'adolescence) ; se méfier d'une thyroïdite subaiguë évoluant à bas bruit.
● *Pronostic :* Bénin.
● *Traitement :* Supplémentation en iode de l'alimentation (100-200 µg/jour). Si le goitre est important, extraits thyroïdiens, L-T4 ou L-T3 à des taux substitutifs habituels (cf. p. 732).

Goitre néonatal

Il est associé :
1. Soit à une *hypothyroïdie congénitale avec goitre* (cf. tableau 2). Ce goitre, dû à l'ingestion maternelle d'iodure ou d'antithyroïdiens de synthèse, peut être volumineux et entraîner des troubles respiratoires aigus. Le traitement d'urgence comporte la L-T4 intramusculaire, voire

l'intubation trachéale ; en l'absence de tout signe respiratoire, administration par voie orale d'extraits thyroïdiens.
2. Soit à une *hyperthyroïdie néonatale,* chez les nouveau-nés de mère présentant un goitre exophtalmique. L'hyperthyroïdie serait due au passage transplacentaire des TSIg. Si la mère est franchement thyrotoxique, le nouveau-né présente d'emblée des signes d'hyperthyroïdie : agitation, sudation abondante, tachycardie (190-220 pulsations par minute), tachypnée, hyperthermie. L'exophtalmie et le goitre sont nettement visibles ; parfois il existe une avance de l'âge osseux. Si la mère est traitée par les antithyroïdiens de synthèse, les signes cliniques d'hyperthyroïdie peuvent n'apparaître qu'au bout de 3 à 5 jours après la naissance. Dans d'autres cas, les antithyroïdiens de synthèse peuvent d'emblée entraîner une hypothyroïdie néonatale avec goitre (cf. plus haut).

Le traitement de l'hyperthyroïdie néonatale est un traitement d'urgence : solution de lugol (2 à 5 gouttes/jour), antithyroïdiens de synthèse (propylthiouracil : 10 mg 3 à 4 fois/jour ; carbimazole ou méthimazole : 2,5 mg 2 à 4 fois/jour). L'évolution est bonne ; passée la phase critique d'hyperthyroïdie néonatale, la guérison survient toujours en un à deux mois.
3. Soit à un *trouble de l'hormonosynthèse* (cf. p. 731).

Cancer du corps thyroïde

Rare chez l'enfant, il peut survenir, avec une plus grande fréquence, après irradiation du thymus ou des végétations adénoïdes palatines.
● *Anatomie pathologique :* Ce sont des carcinomes papillaires dans 72 % des cas, des carcinomes folliculaires dans 20 % ; dans 8 % des cas la tumeur est indifférenciée. Les métastases sont ganglionnaires, pulmonaires, osseuses, médiastinales.
● *Signes cliniques :* Nodule thyroïdien unique, parfois accompagné d'adénopathie cervicale. Parfois, agrandissement global du corps thyroïde. Dans certains cas, l'adénopathie cervicale isolée attire l'attention. Les fonctions thyroïdiennes sont normales. La scintigraphie du corps thyroïde montre un nodule non fixant « froid ».
● *Diagnostic et traitement :* La biopsie extemporanée effectuée lors d'une intervention chirurgicale conduit en général, en cas de cancer, à la lobectomie du côté atteint avec résection de l'isthme après vérification du lobe opposé. La thyroïdectomie totale, avec curage ganglionnaire s'il existe des adénopathies, est réservée aux formes étendues. L'administration postopératoire d'extraits thyroïdiens est indispensable, du fait que la tumeur est TSH-dépendante. Si la tumeur est différenciée, fixant l'iode radioactif, des doses thérapeutiques d'iode[131] (60 mCi/m^2) peuvent être utilisées. Il en est de même pour les métastases. La recherche de celles-ci à l'aide d'iode[131] à doses tests (500 à 1000 μCi) peut être faite une fois par an après stimulation par la TSH exogène (bovine).
● *Pronostic :* Relativement bon. La survie dépasse parfois 25 ans.

Glandes parathyroïdes

Rappel physiologique

Au nombre de quatre, elles jouent, bien que petites, un rôle majeur dans la régulation du métabolisme du calcium. Elles sécrètent la parathormone. L'organisme du nouveau-né contient moins de 10 g de calcium ; à un an, il en contient 100 g et à l'âge adulte 1 000 g. Le bilan calcique est toujours positif chez l'enfant en croissance.

Trois organes règlent les mouvements du calcium : l'intestin, l'os et le rein. Le taux sanguin du calcium total est voisin de 2,35 mmol/l (100 mg/l).

Trois facteurs règlent le calcium sanguin : la parathormone, la thyrocalcitonine et la vitamine D, qui exerce une action moins directe (cf. pp. 194 ss.).

Action de la parathormone

Elle est triple. *Sur le rein*, elle provoque essentiellement une diminution de la réabsorption tubulaire du phosphore, d'où une hyperphosphaturie entraînant une hypophosphorémie. Elle intervient au niveau du métabolisme de la vitamine D en augmentant la production rénale du 1,25-dihydroxycholécalciférol à partir du 25-hydroxycholécalciférol (cf. pp. 194 ss.). *Sur l'os*, elle augmente la résorption osseuse, induit une libération du calcium à partir de l'os, provoquant une hypercalcémie et une hypercalciurie. *Au niveau du tube digestif*, en présence de vitamine D, elle stimule l'absorption intestinale du calcium. *Au niveau cellulaire*, la parathormone provoque une activation de l'adénosine-monophosphate cyclique (AMP cyclique).

Action de la calcitonine

Quoique d'origine essentiellement thyroïdienne, elle provoque une hypocalcémie en bloquant la lyse osseuse, en diminuant le passage du calcium de l'os vers le sang et en stimulant la fixation osseuse du calcium.

Principales épreuves et examens complémentaires

Les dosages du calcium et du phosphore sanguins et urinaires ainsi que des phosphatases alcalines permettent de dépister une anomalie des parathyroïdes.

Tests dynamiques :
- *Test d'Ellsworth-Howard :* L'injection i.v. unique de parathormone augmente l'excrétion urinaire du phosphore.
- *Test à la parathormone :* L'injection i.m. de parathormone (25 à 50 unités Collip toutes les 6 heures) provoque une augmentation de la calcémie, une diminution de la phosphorémie, une augmentation de l'élimination urinaire du phosphore et une augmentation de l'AMP cyclique plasmatique et urinaire.
- *Bilan calcique :* Il permet d'apprécier les entrées et les sorties du calcium et de calculer le coefficient d'utilisation digestive (CUD) du

calcium. Des études isotopiques à l'aide de calcium radioactif sont rarement effectuées.
- *Dosages radio-immunologiques de la parathormone* lors d'épreuves dynamiques : Les résultats restent souvent d'interprétation difficile. Ils permettent surtout de diagnostiquer les états d'hyperparathyroïdie ou de pseudo-hypoparathyroïdie.

Hypoparathyroïdie

L'hypoparathyroïdie peut être classée ainsi :
a) l'hypoparathyroïdie néonatale,
b) l'hypoparathyroïdie idiopathique isolée ou associée,
c) l'ostéodystrophie héréditaire d'Albright avec hypocalcémie (pseudo-hypoparathyroïdie) ou sans hypocalcémie (pseudo-pseudo-hypoparathyroïdie),
d) l'hypoparathyroïdie postchirurgicale.

Hypoparathyroïdie néonatale ou tétanie néonatale

- *Signes cliniques :* Convulsions néonatales, phases d'hyperactivité et d'immobilité, clignements rapides des yeux, cris en « gloussement de dinde », stridor laryngé, apnée, spasmes de la glotte, vomissements, signes de Chvostek, de Trousseau, spasme carpo-pédal.
- *Diagnostic :* Il est basé sur la calcémie qui est inférieure à 75 mg/l. Le phosphore sérique est élevé (supérieur à 70 mg/l). La magnésémie est souvent basse (12 mg/l). Le tracé de l'ECG montre un allongement de l'onde QT.
- *Causes étiologiques :* Les crises hypocalcémiques peuvent survenir : 1. *chez le nouveau-né de poids normal ou élevé,* nourri au lait de vache ; plus fréquemment de sexe mâle, les nouveau-nés présentent une *hypoparathyroïdie transitoire* aggravée probablement par la haute teneur en phosphore du lait de vache ; la phosphorémie est élevée, la calcémie basse ; 2. *chez les nouveau-nés de petit poids à terme :* l'hypocalcémie est souvent associée à une anoxie néonatale antérieure, à une hypoglycémie ; 3. *chez les nouveau-nés de mère diabétique ;* 4. *chez les nouveau-nés de mère atteinte d'hyperparathyroïdie* reconnue ou latente ; devant une tétanie néonatale, la règle absolue est de contrôler la calcémie et la phosphorémie de la mère pour dépister une éventuelle hyperparathyroïdie méconnue ; 5. *dans la tétanie hypomagnésémique :* l'hypomagnésémie est isolée ou associée à l'hypocalcémie ; 6. *dans l'hypoparathyroïdie idiopathique* néonatale, qui est exceptionnelle.
- *Traitement :* C'est un traitement urgent : la supplémentation en calcium sous forme de gluconate de calcium à 10% est réalisée par une perfusion intraveineuse lente de 0,4 ml/kg/h de la solution de calcium pendant 8 heures, avec une dose totale maximale de 10 ml/kg/24 h. Par la suite, l'administration de gluconate de calcium se fait *per os* (2 à 4 g/jour). La parathormone peut être utilisée à la dose de 10 à 20 U Collip toutes les 6 heures. Administration de lait de femme ou d'un lait humanisé dont le rapport phosphocalcique est voisin de 0.5 (cf. pp. 202 ss.). L'administra-

tion de vitamine D peut être recommandée en l'absence d'une phosphorémie élevée (1 000 à 2 000 U/jour). L'hypomagnésémie peut être corrigée par l'injection lente i.v. ou l'injection i.m. de 10 à 20 mg/kg de sulfate de magnésium. Cette correction entraîne celle de la calcémie.

Hypoparathyroïdie idiopathique

● *Signes cliniques* : Les troubles de l'hypocalcémie comportent : crampes musculaires, rigidité musculaire, spasme carpo-pédal, laryngospasme, stridor laryngé, fourmillements, maladresse des extrémités, signes de Chvostek, de Trousseau, convulsions, migraines, mutisme brusque, dépression, asthénie psychique, retard mental, parfois symptômes d'hypertension intracrânienne.
● *Signes biologiques* : Hypocalcémie, hyperphosphorémie, allongement de QT à l'ECG, calcification des ganglions de la base du crâne, ostéocondensation du squelette fréquente. A l'électromyogramme, fréquence de doublets ou triplets.
● *Evolution* : Les tissus ectodermiques présentent des troubles chroniques : cataracte, blépharo-spasme, conjonctivite, dentition précaire, troubles de l'émail fréquents, dermatoses multiples (eczéma), ongles cassants, alopécie. La moniliase unguéale et buccale est fréquente. Diarrhée avec stéatorrhée. Retard statural.
● *Diagnostic* : Il est basé sur les signes biologiques (cf. p. 736), l'absence de rachitisme ou d'ostéomalacie, la tétanie chronique, l'absence de maladie rénale et la réponse normale à la parathormone, en particulier augmentation normale de l'AMPcyclique dans les urines.
● *Formes étiologiques* : 1. Forme idiopathique isolée, précoce, survenant chez le garçon, évoquant une hérédité à transmission récessive liée au sexe ; 2. forme associée à une aplasie thymique et due à une aplasie ou une hypoplasie congénitale des parathyroïdes (syndrome de Di George ou des 3e et 4e arcs branchiaux) ; 3. forme associée à la maladie d'Addison ou à une moniliase ; 4. forme associée à des signes radiologiques d'hyperparathyroïdie ; 5. forme familiale à révélation tardive.

Ostéodystrophie héréditaire d'Albright

1. Avec hypocalcémie *(pseudo-hypoparathyroïdie)* :
● *Signes cliniques* : Hypocalcémie chronique avec tétanie ; nanisme avec visage rond et très grossier ; retard mental ; brachymétacarpie et brachydactylie simulant une chondrodystrophie ; calcifications sous-cutanées ; résistance à la parathormone.
● *Anatomie* : Hyperplasie des glandes parathyroïdes.
● *Génétique* : Trouble héréditaire à transmission dominante lié au sexe, ou peut-être autosomique dominante influencée par le sexe.
● *Signes biologiques* : Taux plasmatiques de parathormone élevés. Deux types biologiques de pseudo-hypoparathyroïdie ont été décrits ; *type I* : absence d'élévation de l'AMPcyclique urinaire après parathormone ; *type II* : augmentation marquée de l'AMPcyclique après administration de parathormone. Dans certains cas, il pourrait exister une absence de réponse du rein et une réponse normale de l'os à la parathormone et vice versa.

2. Sans hypocalcémie *(pseudo-pseudo-hypoparathyroïdie)* : elle représente le syndrome précédemment décrit sans signes biologiques ; les deux syndromes peuvent se voir dans la même famille.
● *Diagnostic différentiel :* Eliminer la brachydactylie familiale, la myosite ossifiante et le syndrome de Turner (cf. pp. 778, 864).

Hypoparathyroïdie postchirurgicale

Après thyroïdectomie ou après ablation d'une tumeur parathyroïdienne.

Traitement de l'hypoparathyroïdie

● *Traitement d'urgence :* Perfusion de gluconate de calcium (0,1 g/kg/jour) avec adjonction de vitamine D_3 intramusculaire (50 000 à 100 000 U).
● *Traitement d'entretien :*
a) Vitamine D_3 : 20 000 à 100 000 U/jour avec supplément de calcium (1 à 2 g/jour).
b) Dihydrotachystérol (AT 10). Les doses doivent être ajustées en fonction de la calcémie et de la calciurie contrôlées régulièrement.
c) Plus récemment, les métabolites de la vitamine D (25-hydroxycholécalciférol, 25 à 50 µg/jour ; 1,25-dihydroxycholécalciférol) ou un analogue (1-α-hydroxycholécalciférol, 0,5 à 2 µg/jour) ont été proposés.
N.B. Se méfier des surdosages !

Hyperparathyroïdie

Trois classes sont décrites : 1. *primaire,* due à un adénome ou une hyperplasie des glandes parathyroïdes ; 2. *secondaire,* phénomène compensateur d'une anomalie du métabolisme phosphocalcique ; 3. *tertiaire,* l'hyperplasie réactionnelle secondaire est devenue autonome.

Hyperparathyroïdie primaire

Exceptionnelle chez l'enfant, parfois familiale ; un adénome parathyroïdien est le plus souvent en cause.
● *Signes cliniques : Hypercalcémie,* avec troubles gastro-intestinaux, troubles mentaux et du comportement, convulsions, hypertension intracrânienne, hypotonie, hypertension artérielle et bradycardie, raccourcissement de l'espace QT à l'ECG, mort possible par arrêt cardiaque. *Hypercalciurie,* entraînant une polyurie et une insuffisance rénale, avec néphrolithiase pouvant révéler la maladie.
● *Signes radiologiques : Ostéite fibreuse parathyroïdienne :* résorption sous-périostée de la corticale des os, amincissement de la lamina dura ;

irrégularité de la matrice réalisant l'ostéite fibreuse ; déminéralisation généralisée du squelette ; kystes sous-périostés ; zones localisées d'ostéosclérose. *Calcifications métastatiques :* oculaires (kératite), ligamentaires, articulaires, artérielles, rénales.
● *Diagnostic :* Essentiellement biologique. Mise en évidence de l'hypercalcémie (calcémie supérieure à 110 mg/l) par des dosages répétés pluriquotidiens ; le phosphore est bas, mais peut être élevé en cas d'insuffisance rénale ; les phosphatases alcalines sont augmentées ; le taux de réabsorption tubulaire du phosphore est diminué. Le test de suppression par la cortisone provoque un abaissement de la calcémie dans toutes les causes, excepté l'hyperparathyroïdie primaire ; le taux de la parathormone plasmatique est élevé.
● *Etiologie :* L'adénomatose héréditaire et familiale, pluriglandulaire (intéressant parfois les glandes parathyroïdes, thyroïde, cortico-surrénales, le pancréas et l'hypophyse) ; l'adénome simple parathyroïdien ; l'hyperplasie parathyroïdienne primaire du nourrisson ; l'hyperplasie parathyroïdienne familiale.
● *Diagnostic différentiel de l'hyperparathyroïdie :* Il pose, en fait, celui de l'hypercalcémie : intoxication à la vitamine D, intolérance à la vitamine D, hypercalcémie idiopathique, osteogenesis imperfecta, hypercalcémie d'immobilisation, dysplasie fibreuse des os, insuffisance cortico-surrénale, hypercalciurie idiopathique avec lithiase rénale, métastases osseuses multiples malignes, sarcoïdose.
● *Traitement :* Essentiellement chirurgical. En cas de poussées d'hypercalcémie : régime pauvre en calcium, corticothérapie (prednisone 1 à 2 mg/kg/jour), thyrocalcitonine, furosémide (1 mg/kg toutes les 4 h., i.v.) sous surveillance du bilan hydro-électrolytique.

Hyperparathyroïdie secondaire

Elle s'observe dans les états de malabsorption chronique (cf. pp. 257 ss.), d'insuffisance rénale (cf. pp. 395-397), de rachitisme vitamino-sensible (cf. p. 194), et comprend l'hyperparathyroïdie néonatale secondaire à une hypoparathyroïdie maternelle.

Hyperparathyroïdie tertiaire

Elle survient au cours d'insuffisance rénale (cf. pp. 395-397), après transplantation. Elle nécessite un traitement chirurgical.

Pseudo-hyperparathyroïdie

Il s'agit d'une manifestation paranéoplasique avec hypercalcémie, rare chez l'enfant mais pouvant s'observer au cours des leucémies.

Glandes surrénales

Cortico-surrénale

Anatomie et physiologie

La cortico-surrénale présente trois zones distinctes : *la zone gloméru-lée*, sécrétant les minéralocorticoïdes, essentiellement l'aldostérone ; la *zone fasciculée*, zone de synthèse des glucocorticoïdes (cortisol) ; la *zone réticulée*, où sont fabriqués les androgènes, en particulier la déhydroépiandrostérone, DHA (cf. fig. 2).

Principales épreuves et examens complémentaires
(cf. tableaux 3, 4 et 5)

● *Test de surcharge en eau :* 20 ml d'eau/kg de poids corporel sont absorbés le matin. Dans les 4 heures qui suivent, le volume urinaire atteint normalement 65% de l'eau ingérée. En cas d'insuffisance surré-

---

Tableau 3 : Glandes cortico-surrénales. Excrétions urinaires des stéroïdes (moyenne ± écart type ou valeurs extrêmes)

	17-cétostéroïdes µmole/24 h (mg/24 h)	17-hydroxystéroïdes µmole/24 h (mg/24 h)	Prégnanetriol µmole/24 h (mg/24 h)
Nourrissons			
● 0-7 jours	6,94-8,67 (2,0-25)	0,14-0,83 (0,05-0,3)	≤ 0,30 (≤ 0,1)
● 1 sem.-3 mois	< 1,74 (< 0,5)	0,28-1,38 (0,1 -0,5)	≤ 0,30 (≤ 0,1)
● 3 mois-1 an	< 1,74 (< 0,5)	0,28-1,38 (0,1 -0,5)	≤ 0,30 (≤ 0,1)
Enfants			
● 1-3 ans	< 6,94 (< 2)	1,38-2,76 (0,5 -1,0)	≤ 0,30 (≤ 0,1)
● 3-6 ans	4,86 ± 2,42 (1,4 ± 0,7)	2,40 ± 0,77 (0,87 ± 0,28)	0,18 ± 0,18 (0,06 ± 0,06)
● 7-9 ans	7,29 ± 3,12 (2,1 ± 0,9)	4,39 ± 1,82 (1,59 ± 0,66)	0,30 ± 0,24 (0,10 ± 0,08)
Garçons			
● 10-12 ans	13,53 ± 3,82 (3,9 ± 1,1)	6,73 ± 2,68 (2,44 ± 0,97)	0,39 ± 0,15 (0,13 ± 0,05)
● 13-16 ans	22,55 ± 8,68 (6,5 ± 2,5)	8,33 ± 2,62 (3,02 ± 0,95)	0,86 ± 0,50 (0,29 ± 0,17)
● 17-20 ans	45,11 ± 14,92 (13,0 ± 4,3)	13,49 ± 4,94 (4,89 ± 1,79)	3,30 ± 1,99 (0,11 ± 0,67)
Filles			
● 10-12 ans	11,80 ± 5,55 (3,4 ± 1,6)	6,21 ± 2,23 (2,25 ± 0,81)	0,56 ± 1,99 (0,19 ± 0,67)
● 13-16 ans	23,94 ± 8,68 (6,9 ± 2,5)	9,94 ± 2,68 (3,60 ± 0,97)	1,34 ± 0,62 (0,45 ± 0,21)
● 17-20 ans	38,52 ± 13,53 (11,1 ± 3,9)	12,20 ± 1,08 (4,42 ± 0,39)	2,14 ± 0,59 (0,72 ± 0,20)

Aldostérone urinaire (3-oxoconjuguée) :
● Régime normalement salé :   5,55 à 44,38 nmol/24 h. (2 à 16 µg/24 h.)
● Régime sans sel :   16,64 à 138,70 nmol/24 h. (6 à 50 µg/24 h.)

D'après Smith E. K., Children's Orthopedic Hospital and Medical Center, Seattle 1969 (personal communication).

Fig. 2 : Biosynthèse des hormones surrénales

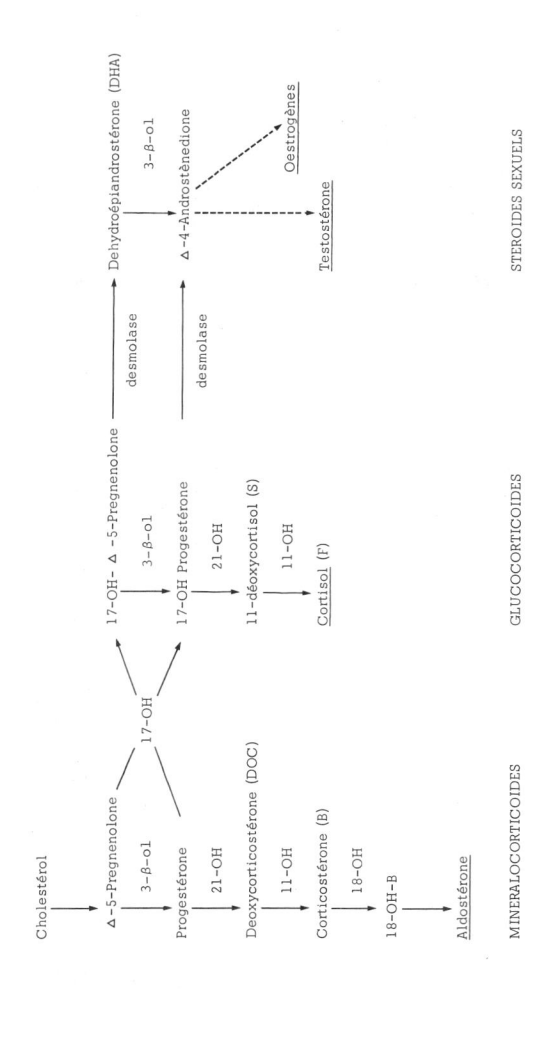

Schéma d'après New. M.I. et Seaman, M.P., *J. Clin. Endocr.* 30: 361, 1970

Tableau 4 : Stéroïdes 17-cétogéniques urinaires en µmol/24 h (mg/24 h)

Age (ans)	Garçons Moyenne	Extrêmes	Filles Moyenne	Extrêmes
5	14,23 (4,1)	7,98-22,90 (2,3- 6,6)	14,23 (4,1)	7,98-22,90 (2,3- 6,6)
10	22,55 (6,5)	12,84-36,44 (3,7-10,5)	22,55 (6,5)	12,84-36,44 (3,7-10,5)
15	30,88 (8,9)	17,70-48,93 (5,1-14,1)	29,15 (8,4)	16,66-45,46 (4,8-13,1)
20	39,56 (11,4)	21,86-61,77 (6,3-17,8)	34,70 (10,0)	19,09-54,48 (5,5-15,7)

D'après Rindt W., *Acta Endocrinologica*, 50 : 403, 1965.

Tableau 5 : Cortisol plasmatique et taux de sécrétions des principaux corticostéroïdes

- *Cortisol plasmatique*
  8 h. : 400 ± 200 nmol/l (14,5 ± 6,5 µg/100 ml)
  17 h. : 200 ± 150 nmol/l (8,4 ± 5,6 µg/100 ml)
  Après administration d'ACTH (Synacthen ®) augmentation moyenne de 100% du taux initial du cortisol, en 30 minutes.

- *11-déoxycortisol plasmatique*   58,0 nmol/l (2 µg/100 ml)

- *17-hydroxyprogestérone plasmatique*
  avant la puberté   < 0,84 nmol/l (< 30 ng/100 ml)
  après la puberté   < 5,6 nmol/l (< 200 ng/100 ml)
  les 4 premiers mois de la vie   42 nmol/l (150 ng/100 ml)

- *Déhydroépiandrostérone plasmatique*
  avant la puberté   0,83 à 10,03 nmol/l (24 à 290 ng/100 ml)
  après la puberté   6,23 à 57,09 nmol/l (180 à 1 650 ng/100 ml)

- *Sulfate de déhydroépiandrostérone plasmatique*
  avant la puberté   51,2 à 1 280 nmol/l (20 à 500 ng/ml)
  après la puberté   768 à 2 304 nmol/l (300 à 900 ng/ml)

- *Sécrétion de cortisol*[1]   33,52-8,03 µmol/m²/24 h. (12,1 ± 2,9 mg/m²/24 h.)
  lors de stimulation par l'ACTH   127,42 µmol/m²/24 h. (46 mg/m²/24 h.)

- *Sécrétion d'aldostérone*[2]
  en régime normalement salé   0,360 µmol/m²/24 h. (0,13 mg/m²/24 h.)
  (augmentation moyenne de 319% en régime sans sel[3])

- *Sécrétion de corticostérone* (B)[2]   6,35 µmol/m²/24 h. (2,2 mg/m²/24 h.)
- *Sécrétion de 11-déoxycortisol* (S)[2]   0,72 µmol/m²/24 h. (0,26 mg/m²/24 h.)
- *Sécrétion de déoxycorticostérone*
  (DOC)[2]   0,166 µmol/m²/24 h. (0,055 mg/m²/24 h.)

[1] Kenny F. M. et coll., *Pediatrics* 31 : 360, 1963
[2] New M. I. and Seaman M. P., *J. Clin. Endocr.* 30 : 361, 1970
[3] Weldon et coll., *Pediatrics* 39 : 713, 1967

nale, le volume urinaire excrété est inférieur à 50%. Il convient de se méfier d'une possible intoxication à l'eau.

● *Dosage des stéroïdes urinaires :* Les 17-hydroxycorticostéroïdes (réaction de Porter-Silber) représentent essentiellement les métabolites du cortisol. Les 17-stéroïdes cétogènes (réaction de Norymberski) mesurent les métabolites du cortisol, du déoxycortisol et le prégnanetriol. Les 17-cétostéroïdes (réaction de Zimmermann) dosent essentiellement les androgènes surrénaux et testiculaires. Le prégnanetriol, le prégnanediol peuvent être dosés spécifiquement. L'aldostérone urinaire est mesurée sous forme 3-oxoconjuguée ou de tétrahydro-aldostérone. Les dosages des stéroïdes urinaires ont beaucoup perdu de leur intérêt depuis le développement des dosages radio-immunologiques des stéroïdes plasmatiques.

● *Dosage des hormones plasmatiques :* Le cortisol plasmatique au cours du cycle nycthéméral, des androgènes surrénaux (déhydroépiandrostérone, sulfate de déhydroépiandrostérone) et certains métabolites du cortisol (17-hydroxyprogestérone, 11-déoxycortisol).

● *Tests de stimulation ou de freination :*

Test de Thorn : l'injection intramusculaire de 25 mg d'ACTH ou la perfusion de 25 mg d'ACTH pendant 8 heures provoquent en 4 heures une chute des éosinophiles de plus de 50% du nombre initial. Cette épreuve tend de plus en plus à être remplacée par la suivante.

Test à l'ACTH synthétique (Synacthen ®) : mesure l'augmentation du cortisol plasmatique 30 min. et 60 min. après l'injection intramusculaire de 0,25 mg de β1-24-corticotrophine.

Test à l'ACTH intramusculaire : 20 à 40 U pendant 2 à 5 jours. Les 17-hydroxystéroïdes urinaires s'élèvent de 3 à 10 fois la valeur initiale.

Test à la métyrapone (cf. p. 755), *test de suppression à la déxaméthasone* (cf. p. 755), *test de l'hypoglycémie induite par l'insuline, stimulation par la vasopressine* ou *par les pyrogènes* (cf. p. 755).

Mesure des sécrétions du cortisol, de l'aldostérone et des métabolites surrénaux.

Hyperplasie congénitale cortico-surrénale

La transmission génétique paraît être de nature autosomique récessive ; fréquence du gène 1/35, fréquence estimée antérieurement de l'homozygotie 1/5 000, s'élevant en fait en Suisse à 1/15 000. Certains hétérozygotes peuvent être dépistés par une augmentation anormale de la 17-hydroxyprogestérone après stimulation par l'ACTH dans des formes liées au défaut de la 21-hydroxylase. Le gène contrôlant la 21-hydroxylase est étroitement lié au complexe d'histocompatibilité HLA-B, situé sur le chromosome 6, avec fréquence accrue de l'antigène HLA-BW47 et diminuée de l'antigène HLA-B8. Ces données ouvrent de nouvelles possibilités de conseil génétique et de diagnostic prénatal (cf. p. 50), puisqu'elles permettent le dépistage des porteurs.

Cinq défauts enzymatiques héréditaires de la biosynthèse du cortisol ont été décrits (cf. tableau 6). Le défaut de synthèse du cortisol provoque une hypersécrétion d'ACTH qui induit l'hyperplasie surrénale et augmente la production de métabolites dont certains sont virilisants, provoquant ainsi l'ambiguïté sexuelle chez la fille et la macrogénitosomie précoce chez le garçon. La chromatine buccale est indispensable dans

Fig. 3 : Masculanisation intra-utérine due à l'hyperplasie congénitale des surrénales (H.C.S.)

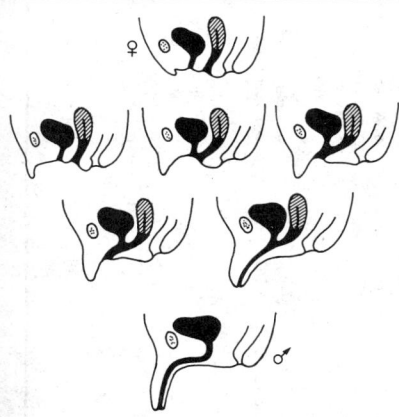

En haut (♀), anatomie génitale féminine normale.
En bas (♂), anatomie génitale masculine normale.
Les stades intermédiaires sont ceux que l'on observe dans l'H.C.S. chez la fille.
Noter la persistance de l'utérus, des trompes et des ovaires, qui échappent à l'influence des androgènes surrénaliens fœtaux.

D'après Prader, *Helv. Paediat. Acta* 9: 231, 1954.

chaque cas d'hyperplasie surrénale ; parfois, le caryotype peut être nécessaire. Les degrés de la virilisation intra-utérine du fœtus femelle varient de la formation d'un urètre masculin, du sinus urogénital à la simple hypertrophie clitoridienne (cf. fig. 3). La génitographie précise le type des anomalies urogénitales.

Défaut de 21-β-hydroxylase
(cf. fig. 2 et tableau 6).

Le plus fréquent des défauts enzymatiques ; la virilisation est souvent présente à la naissance, réalisant, chez la fille, une fusion des grandes lèvres, simulant, dans les cas extrêmes, un nouveau-né cryptorchide avec hypospadias (sinus uro-génital s'ouvrant à la base d'un clitoris hypertrophié).

Deux formes sont décrites :
1. *La première forme* est *virilisante pure.* Chez le garçon, elle s'extériorise ultérieurement par l'apparition d'une augmentation du pénis (macrogénitosomie), l'apparition de pilosité pubienne, un aspect musclé, une grande taille ; l'âge osseux est avancé, la taille adulte est réduite. Chez la fille, le tableau réalisé est celui de pseudo-hermaphrodisme féminin (cf. p. 775).

2. *La deuxième forme* associe la virilisation à un *syndrome de perte de sel :* déshydratation aiguë ou chronique avec vomissements, diarrhée, débutant rapidement après la naissance ; hyponatrémie, hyperkaliémie, acidose ; parfois, syndrome de détresse respiratoire, avec hyperkaliémie ;

Tableau 6 : Défauts enzymatiques de la glande cortico-surrénale

Enzymes atteints	Produits de la réaction	Précurseurs	Dérivés urinaires anormalement élevés	Manifestations cliniques
1. Concernant la synthèse du cortisol				
20-22-desmolase	Progestérone	Δ-5-pregnenolone	Δ-5-pregnane	• Absence de virilisation chez les garçons
Δ-5-3β-ol-déshydrogénase	Progestérone	Δ-5-pregnenolone	Δ-5-pregnane	• Perte de sel
17-hydroxylase	17-hydroxyprogestérone	Progestérone Corticostérone (B)	Pregnanediol THB	• Absence de virilisation chez les garçons • Hypertension artérielle avec alcalose hypokaliémique
11-β-hydroxylase	Cortisol Corticostérone	11-déoxycortisol (S) 11-déoxycorticostérone (DOC)	THS THDOC	• Virilisation • Hypertension artérielle
21-β-hydroxylase	Cortisol Déoxycorticostérone	17-hydroxyprogestérone	Pregnanetriol	• Virilisation • 2 formes selon la présence ou l'absence de syndrome de perte de sel
2. Concernant exclusivement la synthèse de l'aldostérone				
18-hydroxylase	Aldostérone	18-hydroxycorticostérone (18-OH-B)	TH-18-OH-B	• Perte de sel

hyperpigmentation. Le syndrome de perte de sel est dû à un défaut de synthèse de l'aldostérone ou à la sécrétion exagérée de métabolites anormaux natriurétiques, la rénine plasmatique est très élevée.

Si l'ambiguïté sexuelle existe, le diagnostic est facile. Le nourrisson mâle est souvent hospitalisé pour suspicion de sténose du pylore. Les signes d'appel, tels que l'excès de pigmentation et la virilisation, manquent chez le garçon nouveau-né. Il faut donc toujours penser à ce diagnostic en cas de vomissements et de perte de sel chez un nouveau-né et traiter immédiatement par perfusion hydrosaline et DOCA (l'hydrocortisone, si elle est administrée d'emblée, ôte la possibilité de faire un diagnostic précoce, car elle fait très rapidement tomber le taux des 17-cétostéroïdes urinaires et le prégnanetriol). Ultérieurement, le traitement freinateur par l'hydrocortisone sera entrepris, associé à la fluorocortisone.

3. Certaines formes tardives sont diagnostiquées après la puberté lors de stérilité anovulatoire avec ou sans hirsutisme, chez la femme, et lors de masses testiculaires bilatérales chez l'homme.

● *Diagnostic biologique :* Repose sur l'excrétion urinaire augmentée des 17-cétostéroïdes ; l'excrétion basse des 17-hydroxycorticostéroïdes dosés par la réaction de Porter et Silber ; l'excrétion augmentée de pregnanetriol (souvent peu nette dans le premier mois de la vie) ; surtout augmentation importante de la 17-hydroxyprogestérone, des androgènes surrénaux et de la testostérone plasmatiques.

Défaut de 11-β-hydroxylase
(cf. fig. 2 et tableau 6)

Moins fréquent, le syndrome associe à la virilisation une hypertension artérielle due à la sécrétion excessive de désoxycorticostérone. L'hypertension artérielle peut manquer au début. Des accidents hypoglycémiques sont possibles.

● *Diagnostic biologique :* Repose sur l'augmentation des 17-cétogéniques (réaction de Norymberski) et des 17-hydroxycorticostéroïdes (Porter et Silber). Enfin, présence en grandes quantités dans les urines de tétrahydrodésoxycorticostérone (THDOC) et de tétrahydrodésoxycortisol (THS), stéroïdes 11-désoxygénés ; le taux plasmatique du 11-désoxycortisol est très élevé.

Défaut de 17-hydroxylase
(cf. fig. 2 et tableau 6)

Exceptionnel, il associe une insuffisance de sécrétion du cortisol, une hypertension par excès de sécrétion de corticostérone et une absence de virilisation par absence de sécrétion de DHA et d'androstènedione ; le trouble peut atteindre aussi les gonades. Chez les sujets XY, les organes génitaux externes sont ambigus (pseudo-hermaphrodisme, cf. p. 775).

Hyperplasie surrénale lipoïde (Prader)
(cf. fig. 2 et tableau 6)

Le défaut enzymatique siège entre le cholestérol et la 5-prégnénolone (défaut de 20-22 desmolase). Les nourrissons des deux sexes présentent des organes génitaux externes du type féminin (absence de synthèse des androgènes) ; le syndrome de perte de sel est constant ; anatomiquement, il existe une infiltration lipoïde des cortico-surrénales.

Défaut en Δ-5-3-β-ol-déshydrogénase
(cf. fig. 2 et tableau 6)

Le syndrome de perte de sel est constant. Les nourrissons de sexe masculin sont incomplètement masculinisés, ceux du sexe féminin présentent des organes génitaux externes normaux. Le diagnostic biologique est basé sur l'excès de DHA et d'autres stéroïdes en Δ 5.

Traitement des hyperplasies cortico-surrénales (syndrome adréno-génital)

La base du traitement est la corticothérapie visant à supprimer la sécrétion d'ACTH. L'acétate de cortisone ou l'hydrocortisone est le corticoïde de choix. La dose d'attaque est, pour l'acétate de cortisone ou l'hydrocortisone : 50 mg/m²/jour. La dose d'entretien est de 15 à 20 mg/m²/jour, répartis en plusieurs prises quotidiennes. *Cette dose d'entretien doit être doublée, même triplée en cas de stress, d'infection ou de traumatisme.* L'enfant doit être porteur d'une carte d'insuffisant surrénal, comme l'est l'enfant diabétique.

● *En cas de syndrome de perte de sel :* L'acétate de déoxycorticostérone (DOCA) peut être employé, soit en solution huileuse (0,5 à 1 mg tous les 2 jours), soit en microcristaux (triméthylacétate de déoxycorticostérone-Percortène M ®), 25 mg injectés i.m. toutes les trois semaines. Ils sont généralement peu utilisés de nos jours. Chez le nourrisson, les pellets de DOCA renouvelables tous les 6 à 9 mois ne peuvent être utilisés pendant les deux premières années de vie. La 9-α-fluorohydrocortisone *per os* à la dose de 0,025 à 0,100 mg/jour, d'administration facile, est le médicament de choix. Un supplément de sel peut souvent être apporté à l'alimentation, mais il n'est plus indispensable.

● *Critères de qualité du traitement :* Bonne suppression de l'excrétion urinaire des 17-cétostéroïdes, du prégnanetriol ; la croissance doit être normale ; absence de progression excessive de l'âge osseux ; absence de signes de surdosage d'hydrocortisone ou de minéralocorticoïdes (surveillance de la tension artérielle) ; la surveillance peut aussi porter sur la normalisation du taux de la 17-α-hydroxyprogestérone, des androgènes surrénaux et de la testostérone et la normalisation de la rénine plasmatique en cas de syndrome de perte de sel associé. Celui-ci peut s'atténuer vers 2 ou 4 ans dans le cas de défaut en 21-hydroxylase, d'où la nécessité de contrôles répétés du syndrome de perte de sel.

● *Ambiguïté sexuelle :* Doit être corrigée chirurgicalement. Il ne peut y avoir changement de sexe que jusqu'à l'âge de 2 ans. Après cet âge, il faut s'attendre, en cas de changement chirurgical du sexe phénotypique, à des difficultés psychologiques nombreuses. Dans la forme la plus commune (défaut en 21-hydroxylase), si une opération corrective de l'ambiguïté sexuelle est entreprise, elle doit avoir pour but un rétablissement de l'anatomie féminine normale des organes génitaux externes, puisque les organes génitaux internes sont féminins. Ces derniers sont fonctionnels, et, après la puberté, les filles sont généralement réglées et peuvent donner naissance, malgré la possibilité d'ovaires polykystiques, à des enfants normaux, mais porteurs hétérozygotes de la tare.

● *Diagnostic anténatal :* Peut être réalisé par la détermination des antigènes HLA et le dosage de la 17-α-hydroxyprogestérone dans le liquide amniotique, et l'examen aux ultra-sons, qui détermineront s'il s'agit d'un fœtus de sexe masculin ou féminin. En fait, un tel dépistage pose des problèmes éthiques, car il ne s'agit pas d'une maladie léthale menant nécessairement à l'indication de l'avortement. Chez le nouveau-né, s'il existe une ambiguïté sexuelle, bilan complet du type de l'ambiguïté, chromatine sexuelle, voire caryotype sont indispensables, afin d'assigner le plus rapidement possible à l'enfant son sexe civil.

Syndrome de Cushing

Il est la manifestation d'une hypersécrétion de cortisol, due soit à une hyperplasie surrénale bilatérale (une anomalie de la sécrétion de l'ACTH est évoquée), soit à une tumeur surrénale (adénome ou carcinome surrénal), exceptionnellement à une tumeur basophile de l'hypophyse.

● *Clinique :* Obésité, faciès lunaire, cou de buffle, hirsutisme, acné ; retard de la croissance et de l'âge osseux, ostéoporose ; vergetures pourprées et surélevées ; hypertension artérielle ; asthénie et fonte musculaire ; douleurs dorsales par tassements vertébraux secondaires à l'ostéoporose ; tendance dépressive.

● *Investigations biologiques :* Excès de 17-hydroxycorticostéroïdes et de 17-cétostéroïdes et du cortisol libre urinaires ; élévation du cortisol plasmatique avec perte du cycle nycthéméral, mauvaise freination du cortisol plasmatique à la dexaméthasone (cf. p. 755) ; augmentation des androgènes surrénaux plasmatiques ; hypokaliémie, alcalose (elles représentent un danger opératoire) ; épreuve à la lysine-8-vasopressine et à la métyrapone.

● *En faveur d'une tumeur surrénale (adénome ou carcinome) :* Signes de compression rénale à l'urographie i.v., signes de tumeur à l'échotomographie, à l'artériographie sélective et à la tomodensitométrie. 17-hydroxystéroïdes et 17-cétostéroïdes urinaires très élevés. Freination nulle par la dexaméthasone, absence de réponse à l'épreuve à la lysine-8-vasopressine et à la métyrapone. En fait, il s'agit souvent d'un diagnostic anatomopathologique. Présence de métastases en cas de cancer.

● *En faveur de l'hyperplasie surrénale bilatérale :* Absence de tumeur ; les 17-hydroxystéroïdes et les 17-cétostéroïdes urinaires sont moins élevés ; relative freination par la dexaméthasone ; réponse souvent exagérée au cours de l'épreuve à la métyrapone et à la lysine-8-vasopressine.

● *Traitement :*

En cas de tumeur surrénale : l'ablation de la tumeur s'impose. S'il s'agit d'une tumeur maligne, la chimiothérapie est peu active (tentative de traitement par l'op'DDD). *En cas d'hyperplasie bilatérale :* surrénalectomie bilatérale. L'hypophysectomie ou la radiothérapie hypophysaire sont rarement pratiquées chez l'enfant.

Préparation chirurgicale : soit par la métyrapone, soit par l'op'DDD (60 mg/kg/24 h., dose décroissant rapidement à 30 mg/kg/24 h. en 8 jours, puis 15 mg/kg/24 h. pendant 6 semaines).

Traitement per- et postopératoire : pas de sevrage brutal en cortisone ; correction de l'hypokaliémie ; association d'acétate de cortisone (200 mg/jour) ou de dexaméthasone (0,5 mg × 4/jour à dose progressivement décroissante) ; ultérieurement, le sujet opéré est un *insuffisant surrénal* (cf. p. 750).

Les récidives tumorales bénéficient du traitement par l'op'DDD. Le pronostic est mauvais. Les récidives de l'hyperplasie surrénale doivent faire rechercher un reste surrénalien (en particulier ovarien ou testiculaire).

La recherche d'un adénome hypophysaire doit être systématique après surrénalectomie bilatérale.

Tumeurs surrénales virilisantes ou féminisantes

Rares chez l'enfant, ces tumeurs sont généralement malignes. Le traitement est chirurgical et leur pronostic est mauvais.

Maladie d'Addison

L'insuffisance surrénale est rare chez l'enfant.
- *Signes cliniques :* Asthénie, faiblesse musculaire, anorexie, amaigrissement, vomissements et diarrhées, douleurs abdominales ; mélanodermie ; accidents hypoglycémiques.
- *Signes biologiques :* Hyponatrémie avec hypochlorémie, hyperkaliémie et hémoconcentration ; acidose métabolique ; hypoglycémie ; natriurie élevée avec polyurie ; 17-hydroxystéroïdes urinaires bas : taux de cortisol plasmatique bas et absence de réponse à l'ACTH (cf. p. 744).
- *Etiologie :* Classiquement la tuberculose ; la cause la plus fréquente est la « rétraction » corticale des surrénales ; parfois insuffisance secondaire à une hémorragie surrénale bilatérale de la période néonatale ; aplasie congénitale primitive isolée ou familiale ; atrophie idiopathique avec anticorps antisurrénaux ; association à une hypoparathyroïdie et à une moniliase, à une anémie pernicieuse, à une hypothyroïdie, à un diabète sucré, à une paraplégie spastique, à une sclérose cérébrale diffuse ; hypoplasie congénitale isolée ou associée à une hypoplasie de l'hypophyse découverte dans les premiers jours de la vie.

Crise d'insuffisance surrénale aiguë

Elle aggrave une insuffisance surrénale chronique : apparition rapide de vomissements, diarrhée ; polyurie, polydipsie, hypotension. Un coma mortel avec choc s'installe rapidement si le traitement n'est pas instauré au plus tôt.

Les facteurs favorisants sont : le traumatisme, les infections, les actes chirurgicaux. Au cours de maladie infectieuse (méningococcémie), la crise d'insuffisance surrénale aiguë réalise la classique hémorragie bilatérale surrénale du syndrome de coagulation intravasculaire (cf. p. 626).

Au cours des traitements stéroïdiens, lorsque survient un accident traumatique, infectieux, ou un acte opératoire, la règle absolue est de tripler la dose des corticoïdes pendant la durée du stress, de la fièvre. Les parents et l'enfant doivent en être clairement avertis.

Déficit isolé en glucocorticoïdes

Il se manifeste essentiellement par des accidents hypoglycémiques ; le syndrome de perte de sel est absent. Si la pigmentation est absente, il s'agit d'un déficit isolé en ACTH ; si la pigmentation est présente, l'insensibilité cortico-surrénale à l'ACTH est probable.

Traitement de l'insuffisance surrénale

● *Chronique :* Le traitement substitutif est permanent. *Acétate de cortisone* ou *hydrocortisone* par voie orale (15 à 25 mg/m^2/24 h.), fractionnée en 2 ou 3 prises quotidiennes. La supplémentation en chlorure de sodium, qui comporte 1 à 4 g de sel par 24 h. selon l'âge, est abandonnée par beaucoup d'auteurs. La *9-α-fluorohydrocortisone* (0,025 à 0,100 mg/jour) en 1 dose quotidienne est le médicament de choix. L'*acétate de désoxycorticostérone* (DOCA) (0,5 à 0,75 mg/jour), ou le *triméthylacétate de DOC* (Percortène M ®), microcristaux, 25 mg i.m. toutes les 3 semaines, sont maintenant abandonnés. En cas de vomissements, utiliser les injections intramusculaires ou intraveineuses d'hydrocortisone.

● *Aiguë :* *Hémisuccinate d'hydrocortisone* (2 à 5 mg/kg) intraveineux associé à la correction de l'hyponatrémie et de la déshydratation. *Acétate de désoxycorticostérone* (DOCA) : 0,5 à 1 mg sous-cutané le premier jour. Une seconde injection de DOCA peut être effectuée 24 h après. Se méfier des accidents hypertensifs. L'*aldostérone* injectable (0,5 mg i.m. ou i.v.) peut être répétée 24 h. après.

Anomalies de la sécrétion de l'aldolstérone

Hyperaldostéronisme

L'**hyperaldostéronisme primaire** réalise un tableau d'hypersécrétion autonome d'aldostérone chez des sujets hypertendus, mais non œdémateux. Ce syndrome est rare chez l'enfant ; il s'accompagne d'un retard statural, d'insuffisance pondérale, de musculature pauvre, de polyurie et de polydipsie avec syndrome de déplétion potassique, d'alcalose : hyperaldostéronurie non freinable par la perfusion de sérum salé ou d'albumine ; rénine plasmatique basse, non stimulable par le régime sans sel ; les 17-hydroxycorticostéroïdes urinaires sont normaux. La perte urinaire de potassium est exagérée par un régime riche en chlorure de sodium.

● *Etiologie :* Adénome cortico-surrénal unique ou multiple, ou carcinome surrénal.
● *Traitement :* Chirurgical.

L'**hyperaldostéronisme secondaire** peut être associé à un syndrome néphrotique, une cirrhose hépatique, une sténose de l'artère rénale entraînant une hypertension réno-vasculaire.

● *Signes biologiques :* Ils comportent, en dehors des signes de l'hyperaldostéronisme, une rénine plasmatique très élevée. Ce syndrome peut être isolé, réalisant l'*alcalose hypokaliémique chronique* ou syndrome d'hyperaldostéronisme secondaire sans hypertension (syndrome de Bartter). Morphologiquement, il existe une hypertrophie des appareils juxtaglomérulaires et des zones glomérulées des cortico-surrénales.

Hypoaldostéronisme de l'enfant
- *Signes cliniques :* Syndrome de perte de sel.
- *Etiologie :* Trois types d'hypoaldostéronisme peuvent être définis :

a) L'*hypoaldostéronisme congénital* : il s'agit d'un trouble de l'hormono-synthèse de l'aldostérone atteignant la 18-hydroxylation (cf. tableau 6). Ce défaut de sécrétion d'aldostérone peut se corriger à partir de la deuxième année de vie.

b) L'*hypoaldostéronisme isolé transitoire du nourrisson* : il se présente à nouveau comme un syndrome de perte de sel, se corrigeant spontanément ultérieurement, sans que l'on puisse mettre en évidence de déficit de la 18-hydroxylation. Dans quelques cas, après une rémission de quelques années, une insuffisance surrénale chronique s'installe.

c) Le *pseudo-hypoaldostéronisme du nourrisson* : il s'agit là d'une absence de sensibilité du tubule rénal à l'aldostérone. Le tableau clinique est comparable à celui d'un syndrome de perte de sel. L'aldostérone plasmatique et urinaire est très augmentée. Les minéralocorticoïdes sont peu actifs au point de vue thérapeutique. Le traitement, dans cette forme, est l'adjonction de sel en grande quantité au régime.

Médullo-surrénale

La médullo-surrénale sécrète l'adrénaline et la noradrénaline, dont les métabolites peuvent être dosés dans l'urine.

Principales épreuves et examens complémentaires
(cf. tableau 7)

Dosage des catécholamines urinaires (cf. p. 549), de l'adrénaline ou de la noradrénaline urinaires. Dosage de l'acide vanilmandélique (VMA) et de l'acide homovanilique. Test à la phentolamine (Regitine ®) : il consiste en la mesure de la chute de la tension artérielle ; si celle-ci dépasse 35 mm de mercure pour la tension systolique et 25 mm pour la tension diastolique, le test est considéré comme positif pour le phéochromocytome.

Tableau 7 : Glande médullo-surrénale. Principales épreuves et examens complémentaires

Catécholamines urinaires totales	0,4-2,0 µg/kg/jour
Epinéphrine urinaire	< 273 nmol/24 h. (< 50 µg/24 h.)
Norépinéphrine urinaire	< 887 nmol/24 h. (< 150 µg/24 h.)
Acide vanilmandélique urinaire	419 ± 131 nmol/kg/jour (83 ± 26 µg/kg/jour) 10,1-60,6 nmol/mg créatinine (2-12 µg/mg créatinine)
Acide homovanilique	16,5-87,8 nmol/mg créatinine (3-16 µg/mg créatinine)

Désordres de la médullo-surrénale

Phéochromocytome

C'est une tumeur rare chez l'enfant. Peut être familiale.
- *Signes cliniques :* Hypertension artérielle, le plus souvent permanente, plus rarement paroxystique ; fièvre au long cours, nervosité, palpitations ; sudation abondante ; douleurs abdominales ; amaigrissement ; tachycardie ; convulsions ; plus tardivement, encéphalopathie hypertensive avec lésions d'hypertension au fond d'œil, parfois défaillance cardiaque ; la tumeur abdominale est parfois palpable.
- *Signes biologiques :* Polyglobulie ; hyperglycémie avec courbe d'hyperglycémie provoquée paradiabétique et parfois glycosurie. Les catécholamines et le VMA urinaires sont augmentés. Le test d'hypotension provoquée par la Régitine ® est dangereux à pratiquer.
- *Recherche de la tumeur :* Urographie intraveineuse avec tomographies ; échotomographie et tomodensitométrie des loges rénales ; artériographie sélective ; phlébographie surrénale rétrograde ; le rétro-pneumopéritoine est abandonné. Recherche manuelle de tumeurs accessoires paravertébrales pendant l'opération.
- *Traitement :* Il est chirurgical ; la préparation médicale est réalisée par les bloqueurs α-adrénergiques (phénoxybenzamine) ; l'anesthésie doit être bien contrôlée, sous monitoring. La palpation de la tumeur peut entraîner des accès hypertensifs qui seront traités par le nitroprussiate de potassium par l'anesthésiste. La chute de pression au moment de l'ablation de la tumeur est due surtout à l'expansion brusque du lit vasculaire et doit être prévenue par une transfusion sanguine importante.

Hypophyse

Située à la base du cerveau, elle est formée de deux parties :
1. L'*hypophyse antérieure :* elle sécrète l'hormone de croissance ou hormone somatotrope (STH), la corticotrophine (ACTH), l'hormone mélanotrope (MSH), les hormones gonadotropes (FSH, LH), la thyréostimuline hypophysaire (TSH), enfin la prolactine (cf. fig. 4). Des facteurs de largage hypothalamiques (releasing factors ou releasing hormones) stimulent la sécrétion de ces différentes hormones anté-hypophysaires, sauf la prolactine (LTH) dont la sécrétion est inhibée par le facteur d'inhibition de la prolactine (prolactin-inhibiting factor ou PIF). L'hormone de croissance provoque à la périphérie (en particulier au niveau du foie) la génération de la somatomédine.
2. L'*hypophyse postérieure :* elle sécrète la vasopressine ou hormone andidiurétique (ADH) et l'ocytocine.

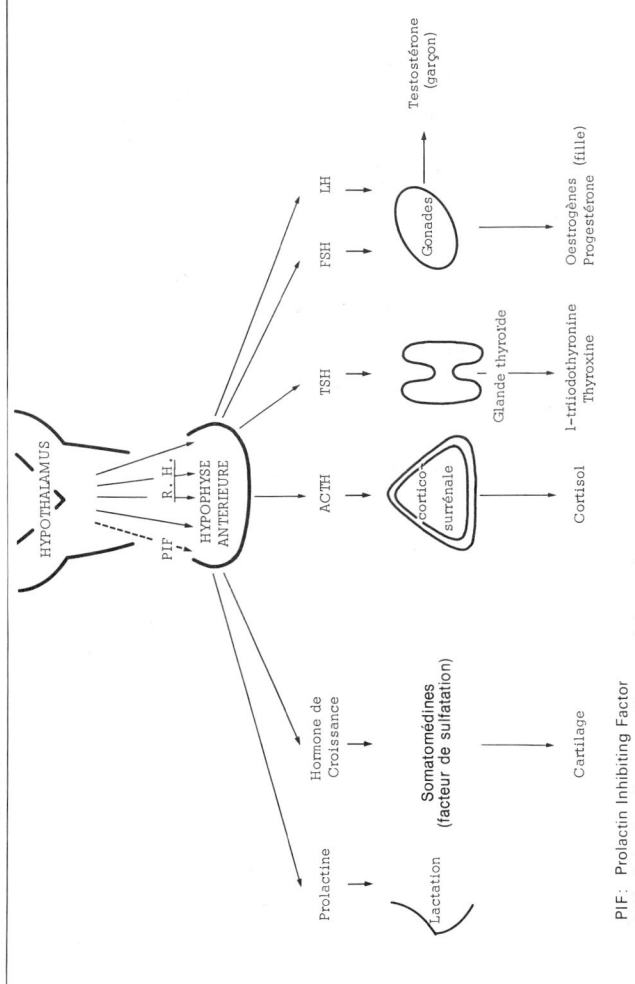

Fig. 4 : Sécrétions de l'hypophyse antérieure

PIF : Prolactin Inhibiting Factor
R.H. : Releasing-Hormones (facteurs de largage)

Principales épreuves et examens complémentaires
(cf. aussi tableau 8)

Hypophyse antérieure

Hormone de croissance (STH)
Elle peut être dosée par technique radio-immunologique. Plusieurs tests dynamiques peuvent être pratiqués : **1.** L'hypoglycémie à l'insuline (0,1 U/kg i.v.) ; ce test peut être dangereux et nécessite une surveillance attentive ; chez l'insuffisant hypophysaire, on peut utiliser des doses plus faibles (0,05 U/kg i.v.). **2.** La perfusion de chlorhydrate de L-arginine (20 g/m^2). **3.** La stimulation par les pyrogènes, la vasopressine, l'ACTH, l'α-MSH, le fructose, la l-dopa associée ou non au propanolol. **4.** La suppression de la STH, qui peut être obtenue par une hyperglycémie provoquée, soit i.v., soit par voie orale ; il existe une élévation secondaire de la STH lors de la phase d'hypoglycémie réactionnelle.

Corticotrophine (adrenocorticotropic Hormone, ACTH)
Sa mesure directe dans le plasma est difficile (test biologique, dosage radio-immunologique). Sa mesure indirecte consiste en la détermination du cycle nycthéméral du cortisol plasmatique et le dosage des 17-hydroxycorticostéroïdes urinaires. Le *test à la métyrapone* (SU 4885, Métopirone ®) interroge la « réserve pituitaire » ou capacité de réponse-ACTH. Son principe est basé sur le blocage de la 11-β-hydroxylase cortico-surrénale par la métyrapone, blocage qui produit une baisse du cortisol plasmatique et par conséquent une augmentation de l'ACTH. Ce test peut être : soit oral (750 mg de métyrapone sont administrés toutes les 6 heures chez l'enfant au-dessus de 2 ans, pendant 24 h.), soit i.v. (1 g de métyrapone est injecté pendant 4 h. par perfusion saline). Les 17-hydroxycorticostéroïdes urinaires ou plasmatiques (qui reflètent la sécrétion du 11-déoxycortisol aussi bien que celle du cortisol) sont mesurés avant et après l'administration de la métyrapone. Une réponse négative oblige à vérifier l'intégrité des glandes cortico-surrénales (cf. test à l'ACTH, p. 744). Une dose unique de métyrapone (30 mg/kg) administrée à minuit entraîne une élévation du 11-déoxycortisol sanguin (mesuré par un prélèvement à 8 h du matin).

L'administration intramusculaire de *lysine-8-vasopressine synthétique* (5 unités chez les enfants de moins de 20 kg, 10 unités chez les enfants de plus de 20 kg ou 10 U/1,73 m^2) stimule aussi la sécrétion d'ACTH. Les 17-hydroxycorticostéroïdes plasmatiques sont mesurés avant l'injection et 30, 60 et 90 minutes après. Normalement, on observe une augmentation marquée de l'ACTH et du cortisol plasmatiques.

L'hypoglycémie induite par l'*insuline* (0,1 U/kg i.v.) provoque à la 60e minute après l'injection une élévation du cortisol plasmatique.

La fonction corticotrope peut être aussi interrogée par les épreuves suivantes :
- Le *test de surcharge à l'eau* (cf. p. 741).
- Le *test de freination de l'ACTH* : l'administration de déxaméthasone (0,5 mg de déxaméthasone toutes les 6 heures pendant 5 jours) provoque une chute des 17-hydroxycorticostéroïdes. Dans certains cas, on utilise 6 à 8 mg/jour de déxaméthasone.
- Le *test de dépistage des hypersécrétions d'ACTH* (syndrome de Cushing, cf. p. 749) comporte l'administration d'une dose unique de

Tableau 8 : Taux des hormones hypophysaires

Taux plasmatiques :

- STH :
  Taux de base = 0–5 ng/ml
  Au cours de stimulation, taux supérieur à 5 ou 9 ng/ml
  selon les laboratoires

- ACTH :
  Taux de base (8 h. à 10 h. du matin) = 22 pg/ml (de 0 à 50 pg/ml) [1]
  Epreuve à la lysine vasopressine :
  a) Taux de base = 0,16 ± 0,07 mU/100 ml [2]
  b) Elévation = 0,31 mU ± 0,05 mU/100 ml [2]

- TSH* :
  1,6–12 mU/ml (Standard A, MRC Londres) [3]

- FSH* :
  Avant la puberté   Garçon 1,46 ± 0,66 mU
                      Fille   1,41 ± 0,55 mU

  Après la puberté   Garçon 3,5 ± 0,2 mU
                      Fille   4,4 ± 1,5 mU

- LH* :
  Avant la puberté   Garçon 3,9 ± 2,1 mU
                      Fille   3,4 ± 1,3 mU

  Après la puberté   Garçon 5,5 ± 2   mU
                      Fille   4,9 ± 1,5 mU

- Prolactine** :
  Avant la puberté   Garçon 4,0 ± 0,5 ng/ml
                      Fille   5,2 ± 0,6 ng/ml

  Après la puberté   Garçon 5,2 ± 0,4 ng/ml
                      Fille   8,5 ± 0,9 ng/ml

Gonadotrophines totales hypophysaires urinaires :

Avant la puberté   ≤ 10 U/24 h.
                    ≤ 5 unités-souris/24 h.

Après la puberté   35 ± 20 U/24 h.
                    15–50 unités-souris/24 h.

---

* Valeurs données à titre indicatif en Unités de Standards Hypophysaires du Medical Research Council (MRC 69/104)
** En termes du Standard VLS-2 (Lewis).
[1] Berson S.A. and R.S. Yalow, *J. Clin. Invest.* 47 : 2725, 1968 (1 pg : 0,014 mU)
[2] Binoux et coll., *Acta Endocrinologica* 68 : 1, 1971
[3] Binet et coll., *Arch. Fr. Ped.* 28 : 179, 1971

---

déxaméthasone (1 à 2 mg) à minuit. Chez le sujet normal, celle-ci provoque à 8 heures du matin une chute du cortisol plasmatique.

Thyréostimuline hypophysaire (TSH)

Les fonctions thyroïdiennes (cf. p. 727) en sont le reflet indirect. Le dosage radio-immunologique de la TSH plasmatique permet de distinguer les hypothyroïdies primaires (cf. pp. 729 ss.) et secondaires. La stimulation de la TSH plasmatique par injection de TRF (TSH releasing factor) permet théoriquement de séparer les formes secondaires hypothalamiques des formes secondaires hypophysaires. On peut aussi stimuler la thyroïde par la TSH bovine (cf. p. 729).

Gonadotrophines hypophysaires (FSH et LH)

Gonadotrophines totales urinaires ; gonadotrophines plasmatiques FSH et LH mesurées par dosages radio-immunologiques. Test au LH-FSRH (cf. p. 765).

Hypophyse postérieure (fonction antidiurétique)

Hormone antidiurétique (ADH)
- En ce qui concerne l'hormone antidiurétique elle-même : Courbe des boissons et des urines quotidiennes, épreuve de concentration urinaire.
- Le *test à la vasopressine :* Injection intramusculaire de pitressine aqueuse (0,01 U/kg). Une réponse normale est caractérisée par une diminution de la diurèse et une augmentation de la densité et de l'osmolalité urinaire. Le test peut être prolongé par l'injection pendant plusieurs jours de vasopressine aqueuse ou retard.
- Le *test de Carter et Robbins :* Ce test comporte trois phases : perfusion de sérum glucosé (5%), puis de chloruré sodique (2,5% à un rythme de 0,25 ml/kg/min.) ; cette deuxième phase, chez le sujet normal, provoque une brutale diminution de la diurèse si l'axe neuro-hypophysaire et la fonction rénale sont intacts ; dans le cas contraire (3e phase), on termine l'épreuve par l'injection i.v. de 0,25 à 0,50 U de pitressine aqueuse ou de lysine-8-vasopressine qui provoque une augmentation rapide de la concentration urinaire.
- Les dosages de vasopressine plasmatique et urinaire sont maintenant possibles, dans certains centres.

Syndromes d'insuffisance de sécrétion hormonale

Hypophyse antérieure

L'insuffisance anté-hypophysaire comporte une insuffisance des sécrétions des stimulines, isolée ou multiple, associée ou non à un diabète insipide, idiopathique ou secondaire à une lésion hypothalamique, le plus souvent tumorale.

Insuffisance isolée en hormone anté-hypophysaire

Elle peut rester longtemps isolée ; elle peut souvent se compléter ultérieurement par l'apparition d'une insuffisance en une ou plusieurs autres stimulines hypophysaires.

Insuffisance isolée en hormone de croissance

Il existe deux formes : une forme sporadique et une forme héréditaire ou nanisme familial atéliotique, à transmission autosomique récessive. Cette deuxième forme est dite « sexuelle » ou normogonadotropique, par opposition à une forme aussi récessive de nanisme familial atéliotique hypogonadotrophique ou asexuel. Dans certaines familles, la transmission semble être autosomique dominante.

● *Signes cliniques :* L'insuffisance somatotrope peut être reconnue très tôt. La taille à la naissance est souvent normale. Le retard de croissance est progressif, situé au-dessous du 3e percentile, au-delà de −2 écarts types par rapport à la moyenne, avec ralentissement de la vitesse de croissance. Les accidents hypoglycémiques sont fréquents dans la petite enfance. L'acromicrie, l'ensellure nasale, les bosses frontales proéminentes, l'obésité tronculaire sont des signes fréquents. L'âge osseux est retardé, la voix aiguë.

● *Evolution :* La puberté peut survenir ; en général elle est retardée. En l'absence de traitement, la taille définitive atteint 125 à 140 cm.

● *Diagnostic :* Le déficit en STH est affirmé par les tests de stimulation (cf. p. 755). Ceux-ci différencient l'insuffisance en STH du nanisme constitutionnel et du nanisme hypophysaire avec taux sanguins normaux ou élevés de STH, soit familial, soit sporadique, évoquant un trouble du métabolisme de l'hormone de croissance, un trouble de la génération de la somatomédine, ou d'activité de la somatomédine (syndrome de Laron). Le dosage de la somatomédine peut être utile dans ces deux derniers cas.

● *Traitement :* Administration d'hormone de croissance humaine à raison de 2 à 5 mg trois fois par semaine, intramusculaire. Des tentatives de traitement par les anabolisants de synthèse sont en cours.

Insuffisance isolée en ACTH ou en TSH

Elle est exceptionnelle.

Insuffisance isolée en gonadotrophines (LH et FSH) ou hypogonadisme hypogonadotrophique

L'absence des signes pubertaires à l'adolescence en est le signe clinique unique. Le diagnostic ne peut être fait avant l'âge de la puberté. Les gonadotrophines urinaires sont basses. Un déficit isolé en LH ou en FSH a pu être constaté dans certains cas, grâce aux dosages radio-immunologiques, et à la stimulation par LHRH (cf. p. 765).

● *Traitement :* Il consiste, chez le garçon, soit en l'injection d'hormone gonadotrope chorionique (HCG) (1 000 U, 2 fois par semaine), associée à des hormones extraites d'urine de femme ménopausée (HMG), à activité FSH (500 à 1 000 U 2 fois par semaine), soit en la testostérone (cf. p. 772). Chez la fille, les gonadotrophines sont peu utilisées en raison de leur danger, sauf si l'on désire induire une ovulation en vue de fécondation. La thérapeutique la plus utilisée est substitutive, réalisant des cycles artificiels (œstrogène + progestérone).

Insuffisance hypophysaire multiple

Les signes cliniques comportent l'association variée des signes cliniques précédents dus au déficit des différentes stimulines. Le développement mental est le plus souvent normal.
- *Investigations biologiques* (cf. les épreuves fonctionnelles, p. 755) : Des radiographies du crâne avec tomographies de la selle turcique, la tomodensitométrie cérébrale, un examen oculaire (fond d'œil, champ visuel) sont indispensables.
- *Etiologie :* Les principales causes sont la souffrance néonatale (la présentation du siège est fréquente, accouchement difficile) ; le traumatisme crânien avec ou sans fracture ; l'irradiation radiothérapique cérébrale ; une maladie de système : maladie de Hand-Schüller-Christian (cf. p. 557) ; l'infection : méningite ou encéphalite, tuberculose, moniliase, brucellose ; les tumeurs hypothalamiques (cf. p. 760) ; le nanisme par privation affective. Parfois, il s'agit d'anomalies congénitales du prosencéphale avec troubles oculaires (atrophie du nerf optique, nystagmus pendulaire, anomalies du 3e ventricule démontrées radiologiquement. Un cas extrême de ce genre de malformations est l'holoprosencéphale ou cébocéphalie avec hypoplasie ou absence de l'hypophyse. Enfin, souvent, la cause est inconnue : insuffisance hypophysaire idiopathique.
- *Traitement :* Il consiste en la substitution par les hormones thyroïdiennes, cortico-surrénales, etc., sécrétées par les glandes cibles dont les stimulines hypophysaires sont déficientes. En cas d'insuffisance en ACTH, la dose la plus petite d'hydrocortisone ou d'acétate de cortisone bien tolérée doit être administrée (en général inférieure à 10 mg/m^2/jour) en raison de son effet inhibiteur de la croissance et de la maturation osseuse. Enfin, hormone de croissance.

Hypophyse postérieure

Le *diabète insipide* est une maladie rare. Il est dû soit à une insuffisance de sécrétion d'hormone antidiurétique, soit à une insensibilité du tubule rénal à l'ADH (diabète insipide néphrogénique).

Diabète insipide pitresso-sensible

- *Signes cliniques :* Polyurie et polydipsie ; troubles du sommeil, asthénie, irritabilité. Chez le nourrisson, fièvre matinale inexpliquée, avec déshydratation chronique.
- *Signes biologiques :* Hémoconcentration ; l'urée et les électrolytes sanguins, les protéines sériques sont augmentés, de même que l'osmolalité. La concentration urinaire est nulle, la densité et l'osmolalité urinaires sont basses.
- *Diagnostic différentiel :* Eliminer un diabète sucré, une potomanie, une insuffisance rénale chronique (cf. p. 395) et un diabète insipide néphrogénique. L'épreuve à la pitressine permet de différencier ce dernier du diabète insipide pitresso-sensible.

- *Etiologie :* Tumeur de la région hypothalamique ; histiocytose X ; maladie de Hand-Schüller-Christian (cf. p. 557). Souvent, le diabète insipide pitresso-sensible est idiopathique ; il est exceptionnellement familial, ou secondaire à un traumatisme cranio-cérébral.
- *Traitement :* Réhydratation intraveineuse en cas de déshydratation sévère ; administration d'extraits posthypophysaires, soit en prises nasales, soit en gouttes nasales réparties en 3 à 4 prises par jour (15 à 25 mg/jour de poudre de posthypophyse) ; ils peuvent entraîner des rhinites atrophiques. Tannate de pitressine (solution huileuse) 3 à 5 U par jour ou tous les 2 jours chez le petit enfant, 5 à 10 U chez le plus grand enfant. Inhalation de lysine-8-vasopressine, 2 à 3 instillations par jour. En cas d'acte neurochirurgical : pitressine aqueuse ou lysine-8-vasopressine injectables (3 à 5 U toutes les 6 à 8 heures sous surveillance de la diurèse, car il y a danger d'intoxication à l'eau). La chlorpropamide (250-500 mg/jour) peut être active. Elle est contre-indiquée s'il existe des risques d'hypoglycémie, due à une insuffisance anté-hypophysaire associée. La l-Déamino-8-D-Arginine vasopressine (DDAVP) à la dose de 50 à 200 μl par jour, en une prise nasale matinale et vespérale, est maintenant le médicament de choix.

Tumeurs de la région hypothalamo-hypophysaire

Elles se révèlent soit par des signes d'hypertension intracrânienne (cf. pp. 945-946) et des troubles visuels, soit par des signes endocriniens, tels que diabète insipide, retard de croissance. Elles sont localisées dans la région du nerf optique, du chiasma optique, de l'appareil hypothalamo-hypophysaire, du thalamus, de la glande pinéale et de la lame quadrigéminée. Les investigations diagnostiques comportent : examens oculaires, EEG, tomographie de la selle, tomodensitométrie, angiographie cérébrale.

Crâniopharyngiome

C'est la plus fréquente des tumeurs intracrâniennes, donnant une symptomatologie endocrinienne ; elle est issue des restes de la poche de Rathke.
- *Signes cliniques :* Soit *oculaires* (baisse de l'acuité visuelle, diplopie, amputation du champ visuel, atrophie optique), soit *endocriniens* (retard de croissance, accidents hypoglycémiques, diabète insipide), soit *neurologiques* (hypertension intracrânienne).
- *Diagnostic :* Les signes les plus évocateurs sont les érosions de la selle turcique et la présence de calcifications intra- et/ou suprasellaires. Sa localisation et ses expansions sont bien définies par la tomodensimétrie cérébrale et les tomographies de la selle turcique.
- *Traitement :* Chirurgical si les signes neurologiques sont graves. Il est indispensable de compenser les déficits endocriniens pendant la période chirurgicale (corticothérapie et contrôle du diabète insipide, parfois apparu pendant la période postopératoire). Dans le cas de crâniopharyngiome intraventriculaire inopérable : radiothérapie focale. La radiothérapie est systématique après l'intervention chirurgicale, même si l'exérèse est totale.

Les **autres tumeurs cérébrales** responsables d'insuffisances endocriniennes d'origine hypothalamo-pituitaire sont : les pinéalomes, souvent ectopiques, qui sont en fait des dysgerminomes la plupart du temps ; le gliome du chiasma optique, parfois associé à une neurofibromatose ; l'astrocytome de l'hypothalamus, qui dans la petite enfance peut produire un syndrome diencéphalique caractérisé par une émaciation extrême et des troubles du comportement ; des tératomes. Les adénomes hypophysaires sont rarissimes chez l'enfant.

Syndromes d'hypersécrétion hormonale

Hypophyse antérieure

Hypersécrétion d'hormone de croissance

Produit soit un gigantisme, soit une acromégalie. Elle est due à un adénome éosinophile de l'anté-hypophyse.
a) Gigantisme : Il se produit si la tumeur est apparue avant la fermeture des cartilages de conjugaison. Grande taille avec âge osseux normal ; parfois hyperthyroïdie fruste. Radiologiquement, la selle turcique est élargie. La recherche de signes oculaires de compression doit être systématique.
b) Acromégalie : Elle survient après la fermeture des cartilages de conjugaison, c'est-à-dire chez l'adulte. Le visage est grossier avec prognathie. L'écartement des incisives est très évocateur, associé à l'augmentation de l'épaisseur du nez, de la dimension des pieds et des mains et du périmètre crânien. La sudation est importante. Radiologiquement, l'aspect en touffes des phalanges terminales est classique. Le pannicule adipeux du talon est très épaissi, le sinus sphénoïdal est large.
● *Diagnostic de gigantisme et d'acromégalie :* Il est affirmé par la constatation de taux sanguins élevés de STH, non suppressibles par l'hyperglycémie provoquée. L'élévation du phosphore sanguin, l'état paradiabétique ou le diabète vrai, l'augmentation de l'hydroxyprolinurie sont habituels. La prolactine plasmatique peut être parfois augmentée.
● *Traitement :* Chirurgical : hypophysectomie sélective, ou cryochirurgie, ou implantation de Yttrium[90] ou Iridium[192]. La technique de l'adénomectomie par voie transphénoïdale peut être utilisée si le sinus sphénoïdal est bien développé.

Hypersécrétion d'ACTH

L'adénome basophile, tumeur sécrétant de l'ACTH, peut provoquer la maladie de Cushing, avec hyperplasie surrénale bilatérale.
● *Signes cliniques :* Obésité, faciès lunaire, cou de buffle, hirsutisme, acné ; retard de la croissance et de l'âge osseux, ostéoporose ; vergetures pourprées surélevées ; hypertension artérielle ; asthénie et tendance dépressive. Sont en faveur de l'adénome basophile les troubles de la vue,

l'amputation du champ visuel, l'atteinte des paires crâniennes et la *mélanodermie*, qui ne sont pas retrouvés dans l'hyperplasie surrénale primitive.
- *Signes radiologiques :* La selle turcique est augmentée et ballonnée.
- *Signes biologiques :* Valeurs élevées du cortisol plasmatique avec perte du cycle nycthéméral ; élévation des 17-hydrocorticostéroïdes urinaires et plasmatiques ; absence de freination par le déxaméthasone ; la vasopressine élève les taux sanguins du cortisol ou des 17-hydroxycorticostéroïdes.
- *Traitement :* Comme pour le gigantisme et l'acromégalie.

Hypophyse postérieure

Syndrome de sécrétion inappropriée d'hormone antidiurétique

Il réalise une intoxication à l'eau : prise de poids importante, troubles de la conscience, convulsions.
- *Signes biologiques :* Hémodilution, hyponatrémie, hypokaliémie, taux des protides sanguins bas. La diurèse est faible, les urines sont très concentrées, la vasopressine augmentée.
- *Etiologie :* Le syndrome peut survenir après une intoxication par l'ADH, lors d'un traitement ; une épreuve à l'eau lors de l'insuffisance surrénale chronique et secondaire à un déficit en ACTH ; une méningite bactérienne, *tuberculeuse,* une encéphalite ou une méningo-encéphalite, un acte chirurgical ou neurochirurgical ; une dénutrition sévère.
- *Traitement :* Basé sur une restriction hydrique majeure. Dans certains cas, si des convulsions surviennent en présence d'une hyponatrémie importante, une perfusion rapide de chlorure de sodium peut être utile. C'est maintenant le traitement de choix.

Syndromes hypothalamiques non tumoraux

Défaut de régulation des mécanismes de la soif

Il entraîne une hypernatrémie et de la fièvre chez le nourrisson. Il peut être associé à une polyphagie, à une obésité, parfois à une insuffisance anté-hypophysaire isolée ou multiple. Les causes sont multiples : méningo-encéphalite virale, hydrocéphalie, microcéphalie ; après ablation chirurgicale d'un crâniopharyngiome.
- *Traitement :* Basé sur l'emploi de diurétiques (hydrochlorothiazide ou furosemide).

Gigantisme cérébral (syndrome de Sotos)

Il est plus fréquent chez le garçon que chez la fille. Il associe une accélération de la croissance avec dysmorphie crânio-faciale et augmentation du périmètre crânien, palais ogival, mains et pieds élargis, retard mental, âge osseux avancé. La taille adulte définitive est normale. Il existe souvent une dilatation ventriculaire à l'examen tomodensitométrique. Les taux plasmatiques d'hormone de croissance sont normaux.

Lipodystrophie généralisée

Affection rare. Elle comporte classiquement : une croissance exagérée, une hypertrophie musculaire, la disparition du tissu cellulaire graisseux sous-cutané. L'évolution vers l'hyperlipémie et le diabète insulino-résistant est habituelle. L'hormone de croissance sanguine est normale. Il existe souvent une dilatation ventriculaire. Une tumeur du 4e ventricule est fréquemment retrouvée ; la tomodensitométrie doit être systématique.

Gonades

Physiologie de la puberté

La puberté se définit comme la période de vie où s'effectue la maturation sexuelle, c'est-à-dire la croissance des gonades et le développement des caractères sexuels secondaires.

La puberté est caractérisée par : la croissance et la maturation des gonades, le développement des organes génitaux externes, l'apparition des caractères sexuels secondaires, la poussée de croissance des os longs et de la taille, l'accroissement de la maturation osseuse et le début de fusion des cartilages de conjugaison ; enfin, les changements psychologiques et les modifications du comportement.

La puberté normale débute, chez la fille, entre 9 et 12 ans, en moyenne à 10 $^1/_2$ ans ; chez le garçon, entre 10 et 13 $^1/_2$ ans ; en moyenne à 11 $^1/_2$ ans. La ménarche apparaît à 12 $^1/_2$ ans en moyenne, entre 10 ans et 16 $^1/_2$ ans. La poussée de croissance pubertaire a lieu entre 9 $^1/_2$ et 14 $^1/_2$ ans, chez la fille, et entre 10 $^1/_2$ et 17 $^1/_2$ ans chez le garçon. La puberté dure environ 2 à 3 ans.

De nombreux facteurs affectent l'âge de début de la puberté : génétiques, raciaux, climatiques, nutritionnels, psychiques. De plus, il existe une tendance séculaire à l'avancement de l'âge de la puberté. La puberté est liée à la mise en route de la maturation hypothalamo-hypophyso-gonadique, provoquant la sécrétion des hormones gonadotropes hypophysaires : la FSH (follicle-stimulating hormone) et la LH (luteinizing

Fig. 5 : Index de volume testiculaire (IVT)

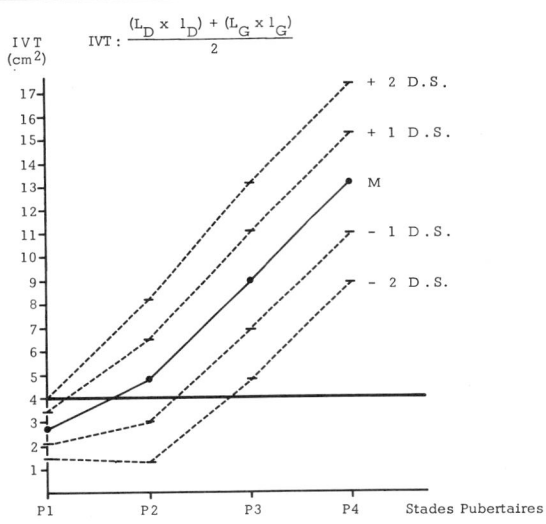

$$IVT : \frac{(L_D \times l_D) + (L_G \times l_G)}{2}$$

L_D = longueur du testicule droit
l_D = largeur du testicule droit
L_G = longueur du testicule gauche
l_G = largeur du testicule gauche

Tiré de *Pediat. Res.* 4 : 25, 1970.

Tableau 9 : Stades du développement pubertaire

	Garçons				
	Testicules IVT* (cm²)	Pénis longueur (cm)	Pilosité pubienne	Pilosité axillaire	Mue de la voix, acné, poils du visage
Stade P1	2,8 ± 0,6	3–8	absente	absente	0
Stade P2	4,8 ± 1,7	4,5–9	début	début	0
Stade P3	9 ± 2,1	4,5–15	moyenne	moyenne	0
Stade P4	13,2 ± 2,1	9–18	développée	développée	+
Stade P5			masculine	développée	+

* Index de volume testiculaire (cf. fig. 5).

hormone) ou ICSH (interstitial cell stimulating hormone). Des facteurs de libération de la FSH ou de la LH sont sécrétés par les centres hypothalamiques et sont dénommés facteurs de largage, « releasing factors » ou « releasing hormones » (FSHRH et LHRH). Un décapeptide a été isolé (et synthétisé), qui possède à la fois une activité FSHRH et une activité LHRH. Chez le garçon, la sécrétion des gonadotrophines est continue ; chez la fille, elle est cyclique, provoquant le cycle menstruel et l'ovulation.

Il existe aussi une maturation pubertaire cortico-surrénale. Les androgènes surrénaux (en particulier la déhydroépiandrostérone) sont tenus en partie pour responsables de la poussée de croissance pubertaire et des pilosités pubienne et axillaire chez les filles (cf. tableau 5). Le stimulus de la maturation surrénale (adrénarche) reste hypothétique.

Chez le garçon

La FSH stimule la maturation des tubules et la spermatogenèse. La LH agit essentiellement sur les cellules de Leydig en stimulant la sécrétion de testostérone.

● *Modifications cliniques :* Modifications staturales et corporelles, augmentation de volume des testicules (supérieur à un index de volume testiculaire de 4 (cf. fig. 5), développement de la verge et pigmentation du scrotum ; pilosité pubienne, puis axillaire, puis de la face et du tronc ; acné, activation de la sudation axillaire. Le développement prostatique débute très précocement. La présence d'une discrète intumescence mammaire uni- ou bilatérale est fréquente. Le stage de développement pubertaire est chiffré selon les critères de Tanner (cf. tableau 9).

● *Modifications hormonales :* Les gonadotrophines urinaires augmentent (supérieures à 10 unités-souris/24 h.) de même que la FSH et la LH plasmatiques. Les 17-cétostéroïdes augmentent et sont supérieurs à 3 mg/24 h. après 13 ans (cf. tableau 3). Les œstrogènes restent bas. La testostérone plasmatique s'élève (cf. tableau 9).

Filles					
Seins	Grandes lèvres	Petites lèvres	Muqueuse vaginale	Pilosité pubienne	Pilosité axillaire
absents	infantiles	absentes	brillante	absente	absente
bourgeons	+	±	peu de changement	début	début
développement moyen	+	+	mate	moyenne	moyenne
bien développés	+ +	+ +	mate	abondante	abondante

Apparition de la ménarche

Adapté d'après Tanner J.M., *Growth at adolescence*, 2ᵉ éd. Blackwell Scientific Publications, Oxford, 1962

Chez la fille

La FSH provoque l'augmentation de taille de l'ovaire et la maturation du follicule de de Graaf en vue de l'ovulation. Celle-ci survient lors du pic ovulatoire (sécrétion brutale simultanée de LH et de FSH). La FSH stimule la sécrétion des œstrogènes ovariens, la LH la progestérone à partir du

---

Tableau 10 : Les gonades

Chez la fille

- *Œstrogènes totaux urinaires*

Avant la puberté	5 µg/24 h.
Après la puberté	4-60 µg/24 h.
œstrone	7,4-92,5 nmol/24 h. (2-25 µg/24 h.)
œstradiol	0-36,7 nmol/24 h. (0-10 µg/24 h.)
œstriol	6,9-104 nmol/24 h. (2-30 µg/24 h.)

- *Prégnanediol*   15,6-62,4 µmol/24 h. (5-20 mg/24 h.)

- *Testostérone plasmatique*

Avant la puberté	< 0,69 nmol/l (< 20 ng/100 ml)
Avant la puberté	< 2,1 nmol/l (< 60 ng/100 ml)

- *Œstrogènes plasmatiques*

Avant la puberté
œstradiol	18,4-73,5 pmol/l (5-20 pg/ml)
œstrone	14,7-106,4 pmol/l (4-29 pg/ml)

Après la puberté
œstradiol	110,1-917,5 pmol/l (30-250 pg/ml)
œstrone	106,4-623,9 pmol/l (29-170 pg/ml)

- *Progestérone plasmatique*

Avant la puberté	< 0,64 nmol/l (< 200 pg/ml)
Après la puberté	
phase folliculaire	< 0,64 nmol/l (< 200 pg/ml)
phase lutéale	> 12,7 nmol/l (> 4 000 pg/ml)

Chez le garçon

Avant la puberté
- *Testostérone urinaire*   4,5 (1,4-11,1) nmol/24 h. (1,3 (0,4-3,2) µg/24 h.)
- *Testostérone plasmatique*   < 2,4 nmol/l (< 70 ng/100 ml)
- *Œstrogènes plasmatiques*

œstradiol	18,4-55,0 pmol/l (5-15 pg/ml)
œstrone	22,0-80,7 pmol/l (6-22 pg/ml)

Après la puberté
- *Testostérone urinaire*   138,8-312,3 nmol/24 h. (40-90 µg/24 h.)
- *Testostérone plasmatique*   18,4 (8,7-52,0) nmol/l (530 (250-1 500) ng/100 ml)
- *Œstrogènes plasmatiques*

œstradiol	40,4-146,8 pmol/l (11-40 pg/ml)
œstrone	62,4-165,2 pmol/l (17-45 pg/ml)

corps jaune. On peut donc considérer que le début de la fécondité coïncide avec la première ovulation.
- *Modifications cliniques :* Accélération de la croissance, développement des seins et des pilosités pubienne et axillaire ; développement des petites et des grandes lèvres. La muqueuse vaginale devient rosée. Le corps utérin augmente de volume au toucher rectal. Enfin, la ménarche survient (cf. tableau 9).
- *Modifications hormonales :* Sur les frottis vaginaux, l'apparition de cellules acidophiles signe l'état œstrogénique. Les gonadotrophines urinaires augmentent (supérieures à 10 unités-souris/24 h.), de même que la LH et la FSH plasmatiques. Les œstrogènes urinaires s'élèvent de 5 à 20 µg/24 h. Le prégnandiol urinaire est supérieur à 2 mg/24 h., les 17-cétostéroïdes sont supérieurs à 4 mg/24 h. après 13 ans. L'augmentation des éliminations urinaires est le reflet de l'accroissement des concentrations plasmatiques de l'œstradiol, de l'œstrone, de la progestérone (cf. tableau 10) et des androgènes surrénaux (cf. tableau 5).

Principales épreuves et examens complémentaires

En dehors des dosages hormonaux : test de stimulation par l'hormone chorionique gonadotrophique humaine (hCG), souvent associée à la freination des glandes surrénales par la déxaméthasone (1 à 2 mg/jour). Ce test comporte la mesure des œstrogènes plasmatiques chez la fille et chez le garçon, l'augmentation des 17-cétostéroïdes et aussi de la testostérone plasmatique ou urinaire. Chez la fille, il peut être dangereux, en raison du risque d'hémorragie folliculaire ovarienne.

Le test au clomiphène (anti-œstrogène provoquant une montée des gonadotrophines) est de peu d'utilité chez l'enfant.

La chromatine buccale, la cœlioscopie chez la fille, la biopsie testiculaire chez le garçon sont parfois indiquées.

Puberté précoce

Le développement pubertaire précoce de l'enfant est défini schématiquement par le développement des premiers caractères sexuels secondaires avant 8 ans chez la fille et avant 10 ans chez le garçon. Dans le cadre des avances pubertaires, il convient de séparer les *pubertés précoces vraies*, c'est-à-dire dues à l'activation précoce de l'axe hypothalamo-hypophyso-gonadique, de la *pseudo-puberté précoce*, due à une tumeur surrénale ou gonadique.

Puberté précoce vraie

Elle est due à une augmentation de la sécrétion des gonadotrophines.
- *Etiologie :* Les causes les plus fréquentes sont :
a) chez le garçon : les tumeurs cérébrales, ou pinéales : en fait, il s'agit de gliomes du chiasma, de dysgerminomes ; *b) chez la fille :* rarement

une tumeur cérébrale ; dans la plupart des cas on ne trouve pas de cause anatomique à l'affection, qui est alors dite idiopathique ou constitutionnelle, et peut être familiale. Parmi les autres causes ou lésions associées, plus rares, il faut citer : les cicatrices postencéphalitiques ou postméningées (tuberculose, toxoplasmose) ; la sclérose tubéreuse de Bourneville ; l'hydrocéphalie ; les hamartomes hypothalamiques ; la dysplasie fibreuse des os (syndrome de Mc Cune-Albright, cf. p. 768) ; l'association de puberté précoce et d'hypothyroïdie ; l'apparition d'une puberté précoce lors du traitement tardif d'une hyperplasie surrénale congénitale. Une forme particulière est réalisée par certaines tumeurs qui sécrètent des gonadotrophines et parfois de l'α-fœtoprotéine : hépatoblastome (chez le garçon), chorionépithéliome, germinome (en général du système nerveux).

- *Signes cliniques :* Apparition précoce de signes pubertaires, avance staturale particulièrement nette. Chez le garçon, la taille des testicules est augmentée par rapport à l'âge.
- *Examens complémentaires :* L'âge osseux est avancé, les gonadotrophines plasmatiques et urinaires sont normales ou augmentées, les 17-cétostéroïdes urinaires sont normaux ou augmentés. La testostérone sanguine ou urinaire chez le garçon est augmentée. On obtiendra une radiographie du crâne et un examen tomodensitométrique à la recherche d'une tumeur cérébrale, une radiographie du squelette à la recherche d'une dysplasie osseuse de Mc Cune-Albright. L'examen oculaire doit être complet (fond d'œil, champ visuel). Chez le garçon, on pourra envisager une tomodensitométrie ou une artériographie ; chez la fille, ces deux derniers examens ne se feront que si les examens cités ci-dessus en suggèrent la nécessité.
- *Evolution :* La fertilité potentielle est possible (grossesse, spermatogenèse complète) ; la taille définitive est le plus souvent réduite.
- *Traitement :* Décevant. On aimerait provoquer une diminution des caractères sexuels (en particulier la disparition des menstruations chez la fillette), un ralentissement de la croissance staturale et surtout osseuse. L'acétate de médroxyprogestérone, soit par voie i.m. (200 à 300 mg tous les 15 jours) soit par voie orale (10 à 20 mg par jour), est conseillé. Les résultats sont aléatoires sur le plan de la maturation osseuse, bons en général sur les menstruations et sur les caractères sexuels secondaires. L'acétate de cyprotérone proposé à la dose de 75 à 150 mg/m^2/jour a un effet net sur les caractères sexuels secondaires, mais semble être relativement peu efficace sur l'avance staturale. Plus récemment, l'utilisation d'analogues du LHRH a été faite avec succès.

Les problèmes psychologiques posés par l'apparition précoce des caractères sexuels ne doivent pas être sous-estimés.

Pseudo-puberté précoce

Les signes de précocité sexuelle ne sont pas dus à une sécrétion augmentée des gonadotrophines. Les principales causes sont présentées au tableau 11. Chez les filles, les tumeurs ovariennes sont rares, de même que chez le garçon les tumeurs testiculaires. Les causes essentielles sont les hyperplasies congénitales ou les tumeurs des glandes surrénales. L'avance staturale est fréquente.

- *Examen clinique :* On doit rechercher attentivement : *a) chez la fille*, l'existence d'une tumeur ovarienne (examen abdominal, toucher rectal,

Tableau 11 : Principales causes de pseudo-puberté précoce (P.P.P.)

Chez la fille :

● *P.P.P. isosexuelle (féminisation)*
1. Tumeurs ovariennes :
   a) tumeur de la granulosa
   b) tumeur de la thèque
   c) tératome
2. Kyste fonctionnel autonome de l'ovaire
3. Tumeur cortico-surrénale
4. Administration d'œstrogènes

● *P.P.P. hétérosexuelle (virilisation)*
1. Hyperplasie surrénale congénitale virilisante
2. Tumeur cortico-surrénale
3. Tissu surrénal ectopique de l'ovaire
4. Administration d'androgènes

Chez le garçon :

● *P.P.P. isosexuelle (masculinisation)*
1. Hyperplasie surrénale congénitale virilisante
2. Tumeur surrénale congénitale
3. Tumeur des cellules de Leydig
4. Tératome (comportant du tissu cortico-surrénal)
5. Administration d'androgènes

● *P.P.P. hétérosexuelle (féminisation)*
1. Tumeur cortico-surrénale
2. Administration d'œstrogènes

Déviations pubertaires paraphysiologiques

● Maturation prématurée de la surrénale (premature adrenarche)
● Développement précoce isolé des seins (premature thelarche)
● Gynécomastie pubertaire du garçon

---

radiographie de l'abdomen sans préparation, échotomographie) ou des signes de virilisation ; *b) chez le garçon,* une tumeur testiculaire unilatérale ; de petits testicules suggèrent une cause cortico-surrénale ; de gros testicules bilatéraux évoquent soit une puberté précoce vraie, soit des îlots de tissu surrénal ectopique hyperplasié découvert au cours d'une hyperplasie surrénale congénitale non traitée (cf. pp. 744 ss).
● *Examens de laboratoire :* Chromatine buccale ; âge osseux (avancé), radiographie de l'abdomen, voire rétropneumopéritoine ou artériographie sélective, échotomographie. Dosage des 17-cétostéroïdes urinaires, des œstrogènes plasmatiques et urinaires, de la testostérone sanguine ou urinaire qui peuvent être élevés selon les cas. Les gonadotrophines plasmatiques et urinaires sont basses. Les androgènes plasmatiques et urinaires sont anormaux en cas d'hyperplasie surrénale.
● *Evolution et pronostic :* Ils dépendent de la cause de l'affection. Les tumeurs des cellules de Leydig sont essentiellement bénignes, rarement malignes ; les tumeurs de la granulosa sont rarement malignes ; les hyperplasies surrénales congénitales sont de bon pronostic ; les tumeurs surrénales sont fréquemment malignes (adénocarcinomes).
● *Traitement :* Chirurgical pour les tumeurs ovariennes, testiculaires ou surrénales. La cortisone est le seul traitement des hyperplasies surrénales congénitales.

Puberté précoce partielle

Elle peut se présenter sous trois aspects particuliers :

« Premature adrenarche » ou « pubarche »

Développement précoce et isolé de la pilosité pubienne et axillaire, dû probablement à une maturation pubertaire précoce de la glande cortico-surrénale et/ou à un changement précoce de la sensibilité aux androgènes des organes pileux récepteurs. Il s'y associe une discrète accélération de la croissance et de l'âge osseux. Le clitoris peut être normal ou un peu augmenté chez la fille. Cet état est souvent observé chez des enfants présentant des lésions cérébrales avec retard mental. Cette situation paraphysiologique n'est justiciable d'aucune thérapeutique. Les androgènes plasmatiques d'origine surrénale sont plus élevés que la normale pour l'âge de l'enfant.

Développement précoce isolé des seins
(« premature thelarche »)

Il survient entre 1 et 3 ans, parfois plus tardivement et, fait très important, les signes d'œstrogénisation vaginale et l'accélération de la croissance manquent. Ce développement mammaire peut être transitoire. La présence d'une pigmentation excessive des mamelons doit faire suspecter *la possibilité d'administration orale ou percutanée d'œstrogènes ; celle-ci doit être recherchée systématiquement.*

Gynécomastie

Développement des glandes mammaires chez le garçon. Les causes sont : l'ingestion ou l'administration percutanée d'œstrogènes ; une maladie hépatique chronique ; le syndrome de Klinefelter (cf. p. 775), un hypogonadisme d'autre type (cf. pp. 770-771) ; une tumeur féminisante surrénale ou testiculaire. Parfois, elle peut être due à l'administration à haute dose de certains médicaments à visée neuroleptique (chlorpromazine).

La *gynécomastie pubertaire* (incidence 38 à 64% des garçons pubères, selon les statistiques), uni- ou bilatérale, peut être suffisamment marquée et persistante pour causer des troubles psychologiques rendant la chirurgie nécessaire. *Il convient toujours, dans ces cas, de pratiquer une chromatine buccale qui, si elle est positive, signifie qu'il s'agit d'un syndrome de Klinefelter XXY* (cf. p. 775).

Retard pubertaire simple et hypogonadisme

Le retard pubertaire se définit par l'absence de signes de puberté après l'âge de 15 ans chez la fille, de 17 ans chez le garçon. Cependant, le problème, en général, se pose plus tôt (dès 13 ans chez la fille et dès 14 ans chez le garçon) et doit faire envisager la possibilité d'un état

pathologique ou, par élimination, d'un retard simple de la puberté (adolescence différée).
- *Signes cliniques :* Absence de caractères sexuels secondaires et organes génitaux de type infantile ; retard de croissance avec diminution de la vitesse de croissance ; obésité fréquente.
- *Examens de laboratoire :* Chromatine sexuelle ; radiographies du crâne et de la selle turcique ; âge osseux retardé (le sésamoïde du pouce est absent) ; 17-cétostéroïdes et œstrogènes urinaires ; testostérone urinaire et plasmatique ; gonadotrophines plasmatiques avant et après stimulation par le LHRH ; stéroïdes sexuels plasmatiques et androgènes plasmatiques surrénaux ; frottis vaginaux ; biopsie testiculaire ; test de stimulation gonadique par l'hormone chorionique gonadotrophique (hCG) chez le garçon.
- *Etiologie :*
a) Chez le garçon : le syndrome de Klinefelter (cf. p. 775) ; le syndrome de dysgénésie gonadique avec chromatine sexuelle négative, le syndrome des testicules rudimentaires ; l'anorchie bilatérale, soit spontanée, soit secondaire à une orchidopexie. Les infections ourliennes, l'irradiation par les rayons X, les infarctus testiculaires hémorragiques sont plus exceptionnellement en cause. Parfois, il s'agit d'un hypogonadisme associé à l'ataxie spino-cérébelleuse de Friedreich (cf. p. 934), ou au nanisme de Prader-Labhart et Willi, au syndrome de Laurence-Moon-Biedl, au syndrome de Turner mâle (cf. p. 775), et à l'anémie de Fanconi (cf. pp. 489-490).
b) Chez la fille : essentiellement le syndrome de dysgénésie gonadique (cf. p. 778), dit de Turner. Les lésions acquises des ovaires, d'origine tuberculeuse ou radiothérapique, sont exceptionnelles.
c) Chez les deux sexes : une atteinte hypothalamo-hypophysaire, soit isolée, soit associée à d'autres atteintes anté- et posthypophysaires ; un hypogonadisme hypogonadotrophique isolé (sujets à proportions eunuchoïdes, dépourvus de caractères sexuels secondaires) ; cette affection peut être soit sporadique, soit familiale ; elle peut être associée à une cryptorchidie et/ou à une anosmie réalisant la dysplasie olfacto-génitale, plus fréquente chez le garçon (syndrome de Kallmann). Les taux des gonadotrophines sont bas, les gonades répondent généralement de manière insuffisante à une stimulation par les stimulines hypophysaires, les androgènes surrénaux sont normaux pour l'âge. Enfin, parfois, le retard pubertaire est associé à une anorexie mentale, essentiellement chez la fille.

En l'absence de toute cause étiologique reconnue, le diagnostic de *retard pubertaire simple* ne peut être porté que par élimination devant le retard de croissance, le retard de l'âge osseux et des concentrations souvent basses d'androgènes surrénaux pour l'âge chronologique. Des antécédents familiaux de retard pubertaire sont fréquemment notés. L'évolution est alors bénigne, la puberté apparaît, la croissance se poursuit avec un pronostic de taille adulte normale.
- *Traitement :* Dans les cas d'hypogonadisme, il consiste en la substitution en hormones gonadiques : chez le garçon, testostérone-retard (œnanthate et propionate de testostérone) 100 à 250 mg/mois ; chez la fille, œstrogènes 5 à 10 µg/jour, puis rapidement œstrogènes + progestérone (noréthistérone acétate : 10 mg/jour, dydrogesteronum : 10 mg/jour) en administration cyclique. Les tentatives de traitement par les stimulines hypophysaires, FSH et HCG humaines, restent dans le domaine de l'expérimentation. Dans les cas de retard pubertaire simple, les indica-

tions reposent essentiellement sur les considérations psychologiques. Chez le garçon, anabolisant de synthèse fréquemment administré en cures discontinues (noréthandrolone : 0,25 mg/kg/jour ; méthandrosténolone : 0,04 mg/kg/jour un mois sur deux ou trois : oxandrolone : 0,1 mg/kg/jour), moins fréquemment testostérone, éventuellement stimulines hypophysaires (HMG + HCG). Chez la fille, cycle artificiel, voire plus exceptionnellement stimulines hypophysaires.

Tumeurs des gonades

Tumeurs des testicules

Tumeurs sécrétantes

Deux types sont observés :
1. Les *tumeurs du tissu interstitiel à cellules de Leydig*, responsables de pseudo-puberté précoce. Cliniquement, le syndrome de virilisation est manifeste, associé à une tuméfaction testiculaire, le plus souvent unilatérale (parfois simple noyau testiculaire très discret à la palpation). Au point de vue biologique, les gonadotrophines urinaires sont basses, les 17-cétostéroïdes largement augmentés, la testostérone plasmatique est élevée. La tumeur à cellules de Leydig est bénigne, et le traitement chirurgical entraîne la guérison.
2. Les *tumeurs ectopiques*. Le développement hypertrophique de restes de tissu cortico-surrénal au cours du syndrome adréno-génital non traité produit un élargissement bilatéral des testicules réagissant au traitement freinateur par la cortisone.

Tumeurs non sécrétantes

Elles peuvent être bénignes ou malignes : tératomes malins, mésothéliomes ; épithéliomes embryonnaires ou wolffiens ; sarcomes fibroblastiques ou musculaires des enveloppes. Le séminome est exceptionnel chez l'enfant, de même que le chorio-épithéliome. Les signes cliniques se manifestent par une tumeur de la bourse, unilatérale, dure, bosselée, opaque à la transillumination. Il convient de rechercher les métastases pulmonaires et les adénopathies profondes latéro-aortiques. Le traitement est chirurgical : castration unilatérale.

Tumeurs des ovaires

Elles se divisent elles aussi en deux catégories :
1. Les *tumeurs sécrétantes* sont les plus fréquentes. Elles sont responsables de pseudo-puberté précoce, avec œstrogènes plasmatiques élevés. Ce sont des tumeurs de la granulosa, des tératomes, des dysgerminomes, des tumeurs des cellules de la thèque, ou des tumeurs mixtes (thèque-granulosa). Il faut souligner cependant que la vaste majorité des pubertés précoces, chez la fillette, ne sont pas dues à une tumeur de

l'ovaire. Cependant des pubertés précoces vraies associées à des kystes folliculaires récidivants ont été récemment rapportées grâce à l'échotomographie abdominale.

2. Les *tumeurs non sécrétantes* peuvent être bénignes (kystes uniloculaires ou multiloculaires, tératomes bénins) ou malignes (tératomes malins, séminomes ou dysgerminomes, épithélioma de type adulte).

● *Signes cliniques :* Ils sont très variables : douleurs abdominales aiguës, pouvant simuler l'appendicite aiguë ou chronique ; masse abdominale pelvienne (le toucher rectal est indispensable), pouvant entraîner des signes urinaires : pollakiurie, dysurie.
● *Signes radiologiques :* La présence de calcifications est très caractéristique d'un tératome à tissus multiples. L'urographie intraveineuse ou le lavement baryté recherchera des signes de compression.
● *Traitement :* Généralement chirurgical, avec ou sans association de chimio- et de radiothérapie.

La différenciation sexuelle et ses anomalies

La différenciation sexuelle comporte trois étapes :
1. La *différenciation gonadique :* l'équipement génétique de la femme comporte deux chromosomes XX, celui de l'homme une formule XY. La présence d'un chromosome Y détermine la différenciation de la gonade primitive en testicule.
2. La *différenciation des canaux génitaux :* les canaux de Wolff et de Müller sont présents à la 8e semaine de vie fœtale. Les expériences de Jost ont montré l'existence d'un inducteur testiculaire qui favorise la croissance des canaux de Wolff et d'un inhibiteur qui induit la régression müllerienne. Chez le fœtus femelle, l'inducteur est absent, les canaux de Wolff s'atrophient.
3. Le *développement des organes génitaux externes :* la masculinisation des organes génitaux externes est le résultat de la modification de leur structure initiale « neutre » par les sécrétions androgéniques du testicule fœtal qui interviennent avant la 15e semaine de la vie intra-utérine. En l'absence de différenciation testiculaire, le tubercule génital ne se transforme pas en pénis et les grandes lèvres ne fusionnent pas en scrotum, etc.

● *On appelle intersexe ou état intersexuel* toute situation où l'anatomie des organes génitaux externes est ambiguë. A noter que l'ambiguïté peut être minime, même si les organes génitaux internes sont très incongrus.
● *Un hermaphrodite vrai* possède 2 gonades de différenciation opposée (soit un ovaire et un testicule, soit un ou deux ovotestis).

Fig. 6 : Anomalies de constitution chromosomique et différenciation sexuelle

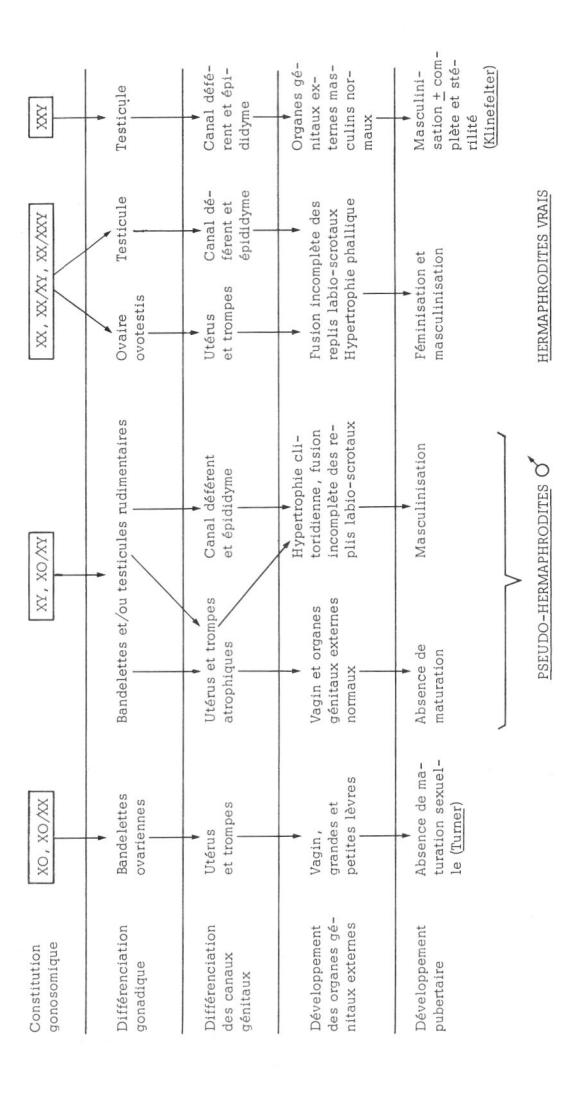

	XO, XO/XX	XY, XO/XY	XX, XX/XY, XX/XYY	XXY
Constitution gonosomique				
Différenciation gonadique	Bandelettes ovariennes	Bandelettes et/ou testicules rudimentaires	Ovaire / ovotestis → Testicule	Testicule
Différenciation des canaux génitaux	Utérus et trompes	Utérus et trompes atrophiques / Canal déférent et épididyme	Utérus et trompes / Canal déférent et épididyme	Canal déférent et épididyme
Développement des organes génitaux externes	Vagin, grandes et petites lèvres	Vagin et organes génitaux externes normaux / Hypertrophie clitoridienne, fusion incomplète des replis labio-scrotaux	Fusion incomplète des replis labio-scrotaux / Hypertrophie phallique	Organes génitaux externes masculins normaux
Développement pubertaire	Absence de maturation sexuelle (Turner)	Absence de maturation / Masculinisation	Féminisation et masculinisation	Masculinisation ± complète et stérilité (Klinefelter)

PSEUDO-HERMAPHRODITES ♂

HERMAPHRODITES VRAIS

● *Un pseudo-hermaphrodite* a des organes génitaux externes ambigus, mais des gonades différenciées systématiquement, soit dans le sens mâle (un pseudo-hermaphrodite masculin a 2 testicules), soit dans le sens femelle (un pseudo-hermaphrodite féminin a 2 ovaires).

Trois types de désordres de la différenciation sexuelle peuvent être observés :
1. *Anomalie située au niveau de la constitution chromosomique* (cf. fig. 6) : syndrome de Klinefelter et ses variantes ; syndrome de Turner et ses variantes ; certains pseudo-hermaphrodites et hermaphrodites vrais.
2. *Défauts de développement de la gonade fœtale :* dysgénésie gonadique pure ; syndrome du testicule rudimentaire ; anorchidie.
3. *Défauts de développement des organes génitaux externes :* dus soit à une anomalie de sécrétion des glandes endocrines, soit à une anomalie des récepteurs ; par exemple hyperplasie surrénale congénitale virilisante, syndrome des testicules féminisants, désordres par virilisation transplacentaire (traitement hormonal maternel ou tumeur virilisante de la mère).

Syndrome de Klinefelter

Dysgénésie tubulaire à chromatine généralement positive, et à complément gonosomique XXY, d'origine non disjonctionnelle méiotique. Sa fréquence est d'environ 1/400 garçons : survient plus souvent chez les enfants de mère âgée.
● *Signes cliniques :* Avant la puberté, le diagnostic en est rarement fait, le seul signe d'appel étant, pratiquement, la débilité mentale modérée. Après la puberté, on observe soit un retard pubertaire, soit un aspect de puberté incomplète : pilosité sexuelle discrète, testicules de petite taille et mous, prostate petite, le tout contrastant avec un pénis de taille et de structure normales. Dans un quart des cas, il existe une gynécomastie.
● *Pronostic :* Il est celui de l'azoospermie, entraînant la stérilité masculine.
● *Examens de laboratoire :* La chromatine buccale est positive, le complément chromosomique est XXY, ou XXXY, ou XXYY, ou diverses mosaïques. Les gonadotrophines plasmatiques sont élevées, les 17-cétostéroïdes urinaires normaux ou un peu abaissés, la testostérone plasmatique est le plus souvent normale. La *biopsie testiculaire* montre une hyalinisation et une atrophie de la majorité des tubes séminifères, avec persistance des cellules interstitielles souvent hypoplasiées. Avant la puberté, une diminution des cellules germinales est habituellement observée.

Le syndrome de Klinefelter est à différencier d'autres syndromes exceptionnels de dysgénésie gonadique à chromatine négative.

Syndrome de Turner masculin ou phénotype de Turner chez le garçon

Certaines des anomalies rencontrées chez la fille au cours du syndrome de Turner peuvent s'observer chez le garçon (cf. p. 778). Le sujet présente une petite taille. Les testicules peuvent être normalement descendus, parfois il existe une cryptorchidie uni- ou bilatérale. Les biopsies testiculaires montrent l'absence de cellules germinales, la puberté peut être retardée, une insuffisance de sécrétion de testostérone est le plus souvent rencontrée. Le caryotype est XY. Les malformations cardiaques sont fréquentes, notamment la *sténose de l'artère pulmonaire* (syndrome de Noonan).

Différenciation testiculaire incomplète

Elle est due soit à une délétion du bras long du chromosome Y, soit à une mosaïque XO/XY, soit à d'autres anomalies gonosomiques (inversion péricentrique, isochromosome ou chromosome Y dicentrique).
● *Signes cliniques :* Nanisme ; possibilité de signes de la série turnérienne (cf. p. 43) ; en cas de mosaïcisme XO/XY, le phénotype peut réaliser soit le syndrome de Turner au complet, soit un aspect masculin complet avec stérilité, soit, le plus fréquemment, la *dysgénésie mixte ou asymétrique* (présence d'un côté d'une bandelette fibreuse avec organes génitaux internes féminins, de l'autre, d'un testicule rudimentaire avec organes génitaux internes masculins mal différenciés).
● *Traitement :* Choix du sexe selon le degré de masculinisation, effectué le plus tôt possible, le plus souvent orienté dans le sens féminin. L'exérèse chirurgicale du testicule rudimentaire dysgénésique doit être pratiquée en raison du risque de cancérisation ; de même, la correction des organes génitaux externes doit être effectuée. A la puberté, la substitution hormonale peut être nécessaire.

Hermaphrodisme vrai

Par définition, il s'agit d'individus qui présentent à la fois un tissu testiculaire et ovarien bien différencié. Dans la majorité des cas, la chromatine sexuelle est positive et le complément chromosomique est XX. Il existe cependant des cas XX/XY.
● *Signes cliniques :* Taille et intelligence normales, hypospadias périnéal, scrotum bifide et cryptorchidie unilatérale, hernie inguinale fréquente. A la puberté, le développement des seins et le saignement urétral menstruel peuvent survenir.
● *Diagnostic :* Comme tout intersexe, cet état nécessite les examens énumérés à la page 779.
● *Traitement :* Assigner un sexe (genre) à l'enfant, selon l'âge et le degré de masculinisation des organes génitaux externes. A la puberté, assurer le développement pubertaire par la substitution hormonale.

Défauts endocriniens congénitaux

Ils sont traités, pour certains d'entre eux, ailleurs, en particulier les masculinisations incomplètes dans les hyperplasies surrénales congénitales (cf. pp. 744 ss.).

L'étude de la fonction androgénique du testicule (stimulation par l'hCG) est capitale pour mettre en évidence un défaut enzymatique de la synthèse de la testostérone ou de sa réduction en dihydrotestostérone : 17α-hydroxylase, 20-22-desmolase, et Δ^5-3β-ol-déshydrogénase (déjà mentionnés p. 776) et surtout 17-cétoréductase (avec insuffisance de la testostérone, et augmentation anormale de la déhydroépiandrostérone et de la Δ^4-androstènedione). L'absence de la 5α-réductase s'accompagne d'une bonne réponse de testostérone après stimulation par l'hCG et une absence de conversion de la testostérone en son métabolite actif, la dihydrotestostérone.

Syndrome des testicules féminisants

C'est une forme extrême, familiale, de pseudo-hermaphrodisme masculin. Il atteint des sujets XY porteurs de testicules. Cette maladie est liée à une insensibilité congénitale aux androgènes (défaut ou anomalie des récepteurs).
- *Génétique :* La maladie paraît être transmise aux garçons par des mères normales, soit par un mode de transmission lié-au-sexe, soit par un mode autosomal mais n'affectant pas les sujets XX. Deux formes sont décrites : une forme complète avec féminisation totale et une forme incomplète avec ambiguïté sexuelle.

Forme complète

- *Signes cliniques :* Le phénotype est féminin. Ce sont des sujets de grande taille, d'aspect eunuchoïde. A la puberté, féminisation complète avec deux caractéristiques : absence ou rareté de la pilosité sexuelle et absence de menstruations. Le vagin est court, borgne, avec absence d'utérus. Des glandes sexuelles peuvent être perçues dans les grandes lèvres, faisant penser à des testicules cryptorchides. L'examen histologique montre que ce sont des testicules normaux.
- *Examens de laboratoire :* La chromatine buccale est masculine, le caryotype est 46,XY. Les taux de gonadotrophines peuvent être augmentés. La concentration plasmatique est, après la puberté et avant castration, similaire à celle de l'homme adulte.
- *Traitement :* Ces sujets doivent être élevés en filles, la gonadectomie doit être effectuée de préférence à la puberté en raison de la tendance à la cancérisation ultérieure. Un traitement hormonal substitutif doit être alors entrepris.

Forme incomplète

Le développement est ambigu : présence d'un phallus hypoplastique, d'un sinus urogénital étroit ou d'un urètre du type mâle. L'apparition d'une puberté féminine est la règle. Les testicules sont histologiquement normaux.
- *Pathogenèse :* On explique le manque de virilisation à la puberté, chez les sujets affectés de « testicules féminisants », par une insensibilité des organes-cibles à la testostérone, pourtant sécrétée en quantité normale pour un homme.

Syndrome de Turner

● *Signes cliniques :* Association de signes très variables : retard de croissance important, thorax élargi en bouclier avec augmentation de la distance intermamelonnaire, implantation basse des cheveux au niveau de la nuque, malformations des reins et du tractus urinaire, hypoplasie des ongles, anomalies multiples de la face, cubitus valgus, ailerons du cou (pterygium colli), nævus pigmentaires multiples. Anomalies squelettiques : raccourcissement du 4e métacarpien, fermeture de l'angle carpien, exostose interne de l'épiphyse tibiale supérieure et affaissement du plateau tibial externe avec allongement du condyle, ostéoporose. Malformations cardiaques, surtout coarctation de l'aorte. Chez la fille nouveau-née, on peut observer des œdèmes du dos des mains et des pieds (Bonnevie-Ullrich). A la puberté, l'absence de développement pubertaire avec augmentation des gonadotrophines plasmatiques et hypergonadotrophinurie est de règle. La fréquence des tumeurs gonadiques et de diabète sucré est plus élevée chez les sujets présentant une dysgénésie gonadique. La possibilité d'association des affections récessives liées-au-sexe (hémophilie, dystrophie musculaire de Duchenne, daltonisme) est due à la présence d'un seul X. Le retard mental est très variable, parfois inexistant. L'examen du frottis buccal montre une absence ou une réduction du nombre des cellules à chromatine positive.

● *Anomalies chromosomiques constatées :* Absence d'un chromosome X (45,XO). La fréquence de cette anomalie est de 0,5/1 000 dans la population féminine. Parfois défaut de la structure du 2e chromosome X, soit délétion, soit isochromosome, soit chromosome en anneau. Parfois, mosaïcisme chromosomique : XO/XX, XO/XY, XO/XXX, ou mosaïcisme associé à des anomalies structurales du 2e chromosome X.

● *Anatomie des gonades :* Les ovaires vérifiés à la cœlioscopie ou à la laparotomie exploratrice sont réduits à de minces bandelettes fibreuses avec absence de résidus épithéliaux et de cellules germinales. Parfois, il existe des restes ovariens fonctionnels, en particulier chez les malades avec mosaïcisme.

● *Traitement :* Au point de vue de la croissance, il n'existe pas de thérapeutique efficace. A la puberté, œstrogénisation, puis traitement hormonal cyclique (éthinylœstradiol 5 à 10 μg/jour pendant deux à trois mois), puis adjonction de progestérone et utilisation de préparations cycliques (éthinylœstradiol-progestérone).

● *Variantes :* Défaut précoce de développement de la gonade. Il s'agit de sujets ne présentant pas de symptômes de la série « turnérienne », de taille normale, mais présentant une aménorrhée primaire avec bandelette fibreuse. Le caryotype peut être XX, parfois XY (« dysgénésie gonadique pure »). Cette forme peut être familiale.

Diagnostic différentiel de l'intersexualité chez le nouveau-né

Diagnostic urgent en présence de toute ambiguïté sexuelle (cryptorchidie, hypospadias, hypertrophie clitoridienne avec divers degrés de fusion postérieure des grandes lèvres). Il convient d'assigner *le plus rapidement possible* un sexe légal à l'enfant et de diminuer, en particulier, l'angoisse des parents en cas de doute sur le sexe. Le problème est le suivant : s'agit-il :
1. de différenciation sexuelle incomplète chez un nouveau-né de sexe masculin ?
2. de virilisation intra-utérine d'un nouveau-né de sexe féminin ?

Toujours rechercher par l'interrogatoire de la mère l'administration d'androgènes ou de dérivés de la progestérone capables d'engendrer la virilisation d'un fœtus féminin.

Le *premier geste* est la recherche de la chromatine buccale :
- *Si la chromatine est positive,* trois possibilités : *l'une, la plus fréquente, est l'hyperplasie surrénale congénitale virilisante,* où l'on doit rechercher un syndrome de perte de sel et des métabolites urinaires anormaux (cf. p. 744) ; la seconde, l'hermaphrodisme vrai ; la troisième, une variante du syndrome de Klinefelter.
- *Si la chromatine est négative,* analyser le caryotype.

Le *deuxième geste* est le bilan des organes génitaux internes par génitographie, échotomographie, laparotomie exploratrice et biopsie des gonades. *L'identité sexuelle sera choisie en se fondant essentiellement sur le degré de masculinisation des organes génitaux externes et la possibilité de reconstitution plastique et fonctionnelle de ceux-ci.*

Chapitre 22

Métabolisme
par J. M. Saudubray et J. Rey

Anomalies de la régulation glycémique

La glycémie à jeun du sujet normal varie selon les techniques de dosage. Les techniques dosant les corps réducteurs totaux (Beaudoin ; Lewin) donnent 0,9 à 1,1 g/l ; celles précisant l'hexosémie totale (Hagedorn ; Nelson), 0,7 à 0,9 g/l ; celles déterminant le glucose vrai (glucose-oxydase), 0,65 à 0,85 g/l. Il est donc important de préciser la méthode employée avant d'établir le caractère pathologique d'un résultat. Il vaut mieux parler, en outre, de glucosémie.

Le glucose est un nutriment fondamental pour la cellule. Il provient des polyholosides de l'alimentation, comme l'amidon, et des disaccharides (lactose, maltose, saccharose). Son transfert intestinal est un transfert actif. Chaque gramme de glucose fournit au point de vue bio-énergétique environ 4 calories à l'organisme.

L'équilibre de la glucosémie dépend des apports au milieu extracellulaire et de l'utilisation par les tissus. Les apports de glucose au milieu extracellulaire sont d'origine alimentaire dans les périodes postprandiales et d'origine hépatique dans les périodes interprandiales. Le foie libère du glucose provenant de la lyse du glycogène et de la néoglucogenèse. L'apport normal est de 0,25 g/kg/h, chez l'adulte, de 0,40 g/kg/h. chez l'enfant et de 0,50 g/kg/h. chez le nourrisson. La tolérance maximale, au-delà de laquelle on crée une hyperglycémie, en particulier en alimentation parentérale, est trois à quatre fois plus élevée. L'utilisation cellulaire du glucose dépend des besoins énergétiques de la thermorégulation, des efforts physiques, de biosynthèse des macromolécules, des transferts actifs et de la mise en réserve d'énergie sous forme de triglycérides dans le tissu adipeux, de glycogène et d'ATP.

Le problème important d'équilibre est le transfert à travers la biomembrane cellulaire. A haute concentration extracellulaire le glucose la traverse sans aide : les acides gras libres du plasma sont des inhibiteurs compétitifs à ce niveau. Par contre, à concentration normale de la glucosémie, pour la plupart des cellules de l'organisme — mais non toutes — cette traversée est trop lente et insuffisante sans présence d'insuline.

Ainsi plusieurs signaux chimiques, intégrés en partie au niveau de l'hypothalamus, vont établir une régulation subtile de la glucosémie.

L'hormone hypoglucosémiante est l'insuline. Elle est sécrétée par les cellules bêta des îlots de Langerhans du pancréas. Le stimulus principal de sécrétion est l'élévation de la glucosémie et de certains acides aminés, en particulier la leucine. La sécrétion d'insuline par la cellule bêta nécessite que le glucose ou les acides aminés insulino-sécréteurs soient métabolisés dans cette cellule bêta. L'insuline est une grosse molécule de structure connue et dont la synthèse a été réalisée ; elle se compose de deux chaînes A et B réunies par des ponts disulfures. La chaîne B, après hydrolyse, est transportée par l'albumine plasmatique (synalbumine) qui la solubilise ; libérée, elle se fixe sur les biomembranes cellulaires où elle est antagoniste de l'insuline. L'insuline est en partie libre et active, en partie liée et inactive. La radio-immunologie dose l'ensemble ; les méthodes biologiques, la partie active. L'action cellulaire de l'insuline est d'accroître la perméabilité de la membrane cellulaire au glucose. En outre, elle bloque la sécrétion hépatique de glucose. En favorisant la glycogénosynthèse et en bloquant la néoglucogenèse, elle favorise la lipogenèse et l'anabolisme protéique, elle est anticétogène.

Le système hyperglucosémiant comporte quatre hormones, dont le mode d'action est différent. L'adrénaline et le glucagon activent le système phosphorylasique et favorisent la glycogénolyse ; en outre, l'adrénaline libère des acides gras libres du tissu adipeux, antagonistes du glucose pour l'entrée dans la cellule. L'hormone de croissance hypophysaire augmente également les acides gras libres du sang. Enfin, le cortisol permet une augmentation de la néoglucogenèse à partir des acides aminés (surtout alanine et acide glutamique).

Plusieurs aspects de cette régulation ont désormais été précisés :

1. Le récepteur cellulaire de l'insuline siège sur la membrane plasmique de la cellule, mais il n'est pas exclu qu'il existe des récepteurs de l'insuline sur certaines organelles intracellulaires. Cette hormone n'augmente pas le taux d'AMPc intracellulaire ; il est possible qu'elle agisse par l'intermédiaire d'un autre second messager : le GMPc.

2. L'adrénaline et le glucagon ont pour second messager l'AMPc qui module l'action d'une protéine-kinase intervenant dans l'activation du système phosphorylasique.

3. La sécrétion de l'hormone de croissance (STH) est inhibée par un polypeptide sécrété au niveau de l'hypothalamus : la somatostatine, faite de 14 amino-acides avec un pont disulfure. La somatostatine abaisse également le taux plasmatique de l'insuline, du glucagon et du glucose. Par ailleurs, l'hormone de croissance agit, en partie, en stimulant au niveau du foie la synthèse de peptides circulants dans le plasma : les somatomédines A, B et C et le NSILA soluble (non suppressible insuline-like activity), qui toutes possèdent, surtout le NSILA, une activité hypoglycémiante — en dehors de leur action stimulante sur les chondrocytes du cartilage de croissance.

Hypoglycémies

Crises et comas hypoglycémiques

Les crises surviennent pour des glycémies inférieures à 0,50 à 0,30 g/l suivant les techniques utilisées, et cela d'autant plus facilement que la dénivellation a été plus rapide.

- **La symptomatologie** affecte plusieurs degrés.

Les accidents mineurs s'expriment par une fatigue soudaine, une faim impérieuse, une nervosité excessive. Ces troubles banals sont significatifs parfois par leur répétition, leur horaire, leur suppression par ingestion de sucre. Les *lipothymies* avec pâleur, sueurs, lassitude, décomposition du visage sont plus alarmantes. Elles annoncent souvent des convulsions toniques ou cloniques, localisées ou généralisées, brèves ou prolongées, avec trismus, mydriase, signe de Babinski et perte de connaissance. Le *coma* est le signe neurologique le plus grave. Sa profondeur varie. Il s'accompagne souvent d'hypothermie, d'hypotonie musculaire et d'abolition des réflexes. On enregistre des anomalies électro-encéphalographiques variables : disparition du rythme alpha, apparition d'un rythme delta hypersynchrone, dysrythmie majeure.

L'ensemble de ces manifestations peut être précédé de douleurs abdominales violentes et s'accompagne dans certaines variétés étiologiques de symptômes secondaires à la réaction adrénalinique : rougeur, sueurs, salivation, tachycardie, élévation de la tension artérielle.

- **Le diagnostic** est aisé lorsque le dosage du glucose est fait sur du sang prélevé au début de l'accident : le chiffre est inférieur à 0,30 g/l et, en glucosémie vraie, parfois égal à 0 ou proche de ce chiffre. Lorsqu'il s'agit de crises brèves, souvent on n'a pas cet argument dès la première crise et il faut se contenter d'un diagnostic de probabilité avant d'établir le traitement. La mise en évidence, au moment des accès, d'une hypothermie (< 36°) est un bon argument de suspicion. Le Dextrostix® ou l'Hémoglucotest® bandelettes réactives à la glucose-oxydase permettent aux parents eux-mêmes de faire une estimation semi-quantitative rapide en plein accès.

- **Le traitement des crises** est un acte urgent en raison des complications neurologiques. Dans les accidents mineurs et les lipothymies, il suffit d'administrer du sucre par la bouche pendant toute la journée qui suit : bonbons, miel, gâteaux, glucose. Dans les convulsions et le coma, on dispose de deux thérapeutiques :

a) La première est l'injection immédiate de $1/2$ à 1 mg de *glucagon* par voie sous-cutanée, en sachant toutefois que celui-ci n'est actif que si la glycogénolyse est normale et si la réserve glycogénique du foie n'est pas épuisée. Mais le glucagon permet souvent une action efficace et rapide.

b) La seconde mesure thérapeutique est l'injection veineuse rapide de 10 à 40 ml de *soluté glucosé* à 30 %. En cas de coma, même si le malade se réveille pendant cette injection, il est prudent d'administrer per os ou en perfusion intraveineuse continue 1 g/kg/h. de glucose pendant 12 à 24 heures, sous peine de voir rechuter la glycémie.

- **Le pronostic** des comas prolongés et répétés est sérieux. Il est des cas mortels et des comas à rechutes. Ils peuvent entraîner des séquelles nerveuses définitives et focalisées : hémiplégie, aphasie, foyers épileptogènes. Ils sont parfois à l'origine d'une arriération mentale. Ces anomalies sont à redouter dès que le coma dure plus de 3 à 4 heures.

Etiologie

Le tableau 1 donne la liste des causes des hypoglycémies de l'enfant (à l'exclusion des hypoglycémies néonatales) classées suivant un ordre physiopathologique. On distingue schématiquement :
1. Les déficits enzymatiques affectant la glycogénolyse ou la néoglucogenèse.
2. Les déficits en substrats. Dans ce cadre, les classiques hypoglycémies récurrentes avec cétose correspondent peut-être à une simple discordance entre une consommation cérébrale ou périphérique exagérée du glucose à jeun et une production hépatique relativement insuffisante.
3. Les déficits de production énergétiques, nouveau cadre englobant les défauts héréditaires ou acquis de l'oxydation des acides gras et de la cétogenèse.
4. Les hyperinsulinismes organiques (résultant d'une sécrétion non réglée d'origine tumorale) ou fonctionnels liés à des défauts de régulation de pathogénie encore mal cernée.
5. Les déficits de sécrétion des hormones hyperglycémiantes d'origine organique ou fonctionnelle. De nombreuses hypoglycémies demeurent idiopathiques.

Tableau 1 : Causes des hypoglycémies (à l'exclusion des hypoglycémies néonatales)

Déficits enzymatiques
- *Déficits de la glycogénolyse :*
  Amylo-1-6-glucosidase (type III)
  Système phosphorylasique (type VI)
- *Déficits de la néoglucogenèse :*
  Glucose-6-phosphatase (glycogénose du type I)
  Fructose-diphosphatase
  Phosphoénolpyruvate-carboxykinase
  Pyruvate-carboxylase
  Glycogène-synthétase
- *Intolérances :*
  Fructose, galactose, glycérol
- *Aminoacidopathies :*
  Leucinose
  Acidémie méthylmalonique
  Acidémie propionique
  Tyrosinose

Défaut de substrats (relatif ou absolu)
- Malnutrition
- Kwashiorkor
- Jeûne prolongé
- Hypoglycémie récurrente avec cétose

Suite au verso

Tableau 1 (suite) : **Causes des hypoglycémies (à l'exclusion des hypoglycémies néonatales)**

Déficits énergétiques
- Déficit de la cétogenèse
- Déficit en carnitine
- Déficit en acétylcarnitine-transférase
- Acidurie dicarboxylique
- Acidurie glutarique de type II
- Syndrome de Reye
- Vomissements de la Jamaïque

Hyperinsulinismes
- *Tumoraux*
  — pancréatiques : adénomes, nésidioblastomes, hyperplasies
  — extrapancréatiques : mésodermomes, hépatomes, tumeurs rénales et surrénales
- *Fonctionnels :*
  Leucine sensible
  Post-stimulatifs, pyloroplasties
  Etat prédiabétique

Déficits endocriniens
- Insuffisance hypophysaire tumorale (crâniopharyngiome) et non tumorale
- Déficit en hormone de croissance
- Déficit héréditaire en somatomédine (Laron)
- Déficit en ACTH
- Non-réponse à l'ACTH
- Hyperplasie congénitale des surrénales
- Insuffisance surrénale
- Déficit en adrénaline (?)
- Déficit en glucagon
- Hypothyroïdie
- Non-réponse hypothalamique

Causes diverses acquises
- *Toxiques :*
  Alcool, acide salicylique
  Agents hypoglycémiants
- *Insuffisances hépatocellulaires :*
  Hépatites aiguës et chroniques
  Cirrhose
  Hypothermie majeure

Idiopathiques (pas de cause décelable)

Orientation clinique du diagnostic étiologique

En dehors des circonstances évidentes dans lesquelles l'hypoglycémie s'intègre dans un tableau clinique par ailleurs non équivoque, l'orientation étiologique de départ repose sur quelques éléments cliniques et biologiques simples, faciles à rassembler.

Age de début de l'hypoglycémie

De la naissance à 1 an, on observe essentiellement les hyperinsulinismes tumoraux, les hypoglycémies sensibles à la leucine et les hypoglycémies d'origine enzymatique. Les hypoglycémies récurrentes avec cétose débutent en règle générale après 1 an et avant 5 ans. Après 5-6 ans, on observe des hyperinsulinismes par adénome pancréatique et des hypoglycémies fonctionnelles (post-stimulative chez les adolescents). Les hypoglycémies par déficit endocrinien (déficit en hormone de croissance, déficit corticotrope isolé, insuffisance surrénale) s'observent à tout âge, mais plus fréquemment après l'âge de 1 an.

Horaire de survenue dans la journée

Les déficits de la néoglucogenèse donnent lieu à des hypoglycémies déclenchées par le jeûne, la durée de tolérance au jeûne étant d'autant plus longue que le déficit enzymatique responsable siège plus loin du glucose (jeûne de 3 à 6 h. dans les déficits en glucose-6-phosphatase, jeûne de 12 à 16 h. dans les déficits en fructose-diphosphatase). L'hypoglycémie des intolérances en fructose et au galactose est de survenue postprandiale précoce, de même que celle des hyperinsulinismes leucino-sensibles et post-stimulatifs. Dans l'hypoglycémie récurrente avec cétose et dans les hypoglycémies par déficit endocrinien, les accès surviennent presque toujours le matin à jeun. Dans les hyperinsulinismes tumoraux, l'hypoglycémie survient n'importe quand dans la journée ou la nuit, le plus souvent sans aucune relation avec les repas. En cas d'hypoglycémie post-prandiale, il est important de préciser la nature des nutriments ingérés (riches en protides, glucose, lactose, saccharose ?). Les hypoglycémies par déficit énergétique surviennent à jeun.

Examen clinique

Les hypoglycémies à gros foie évoquent a priori les anomalies enzymatiques héréditaires. Parmi celles-ci, les déficits de la néoglucogenèse donnent les hypoglycémies les plus sévères. Les très grosses hépatomégalies sont le plus souvent en rapport avec les troubles de la glycogénolyse, qui n'occasionnent par contre que rarement des hypoglycémies majeures. Dans les hyperinsulinismes, il existe fréquemment une tendance à l'obésité. Un retard psychomoteur est très fréquent dans les hypoglycémies par hypersensibilité à la leucine. Une petite taille évoque un déficit en hormone de croissance (voir chapitre 21).

Equilibre acide-base et cétonurie [1]

Une acidose métabolique avec cétonurie, hyperlactacidémie et cétose, accompagne quasi constamment les déficits enzymatiques de la néoglucogenèse et les hypoglycémies secondaires aux aminoacidopathies. Au contraire, les hypoglycémies récurrentes avec cétose, les hypoglycémies « endocriniennes » et les hyperinsulinismes ne comportent en principe jamais d'acidose, ni d'élévation de l'acide lactique ; l'alanine plasmatique

---

[1] En cas d'accidents cliniques récidivants il est important d'obtenir en plein accès un ionogramme sanguin et une recherche de corps cétoniques dans les urines par une méthode rapide de dépistage, type comprimés Acetest® ou bandelette Ketostix® ou Labstix®.

est normale ou basse, jamais élevée. Les acides aminés ramifiés (leucine, iso-leucine, valine) sont élevés (2 à 4 fois la normale) dans les hypoglycémies récurrentes avec cétose et sont bas dans les hyperinsulinismes. La constatation d'une cétonurie, au cours d'un accès hypoglycémique, élimine a priori un hyperinsulinisme et un déficit énergétique.

Explorations fonctionnelles de confirmation

Le très grand nombre d'épreuves fonctionnelles décrites pour l'étude des hypoglycémies montre bien la difficulté parfois très grande du diagnostic étiologique. Ces épreuves doivent être utilisées avec discernement. Les dosages plasmatiques doivent être effectués en microméthodes, faute de quoi on risque de créer une anémie par spoliation. Les conditions nutritionnelles dans lesquelles se déroulent les épreuves doivent être standardisées ; le régime doit apporter pendant les 3 jours précédents un minimum de 100 calories/kg réparties, sauf contre-indication particulière, en 50 % pour les glucides, 35 % pour les lipides et 15 % pour les protides. Un intervalle de 3 jours est recommandé entre les épreuves qui nécessitent un jeûne nettement supérieur au jeûne nocturne physiologique.

Le choix des épreuves est fonction de l'orientation clinique générale. Trois épreuves apportent des indications sur l'importance de l'hypoglycémie, ses relations avec les repas et le jeûne, sa cure éventuelle par le glucagon, et méritent d'être effectuées quasi systématiquement :
● Cycle glycémique avec dosage simultané de l'insulinémie.
● Epreuve de jeûne avec mesure simultanée plasmatique du glucose, des acides gras, des corps cétoniques, des acides aminés, de l'insuline, du cortisol et de l'hormone de croissance.
● Etude de la réponse glycémique à l'injection i.m. de 1 mg de glucagon en fin d'épreuve de jeûne ou après le jeûne nocturne physiologique.

Les indications des autres épreuves varient en fonction du contexte clinique : hyperglycémie provoquée et test à la leucine quand on soupçonne un hyperinsulinisme, en sachant que l'hyperinsulinisme est défini par des taux d'insuline plasmatique $\geq 10/\mu U/ml$ pour une glycémie simultanée $\leq 0,50$ g/l ; charges en substrats néoglucogéniques (lactate, alanine, fructose, glycérol) et en galactose quand on soupçonne un déficit enzymatique de la néoglucogenèse ; étude de l'axe hypothalamo-hypophyso-surrénalien en cas d'hypoglycémie matinale avec ou sans cétose pouvant refléter aussi bien une hypoglycémie récurrente avec cétose qu'une hypoglycémie d'origine corticosurrénale : test à la métopyrone, hypoglycémie à l'insuline, test au Synacthène®.

Formes cliniques

Les hypoglycémies secondaires aux déficits enzymatiques et aux déficits énergétiques sont envisagées dans d'autres sections de ce chapitre (voir pp. 799 ss.).

Seuls seront envisagés ici les hyperinsulinismes tumoraux, ainsi que les hyperinsulinismes fonctionnels, les hypoglycémies récurrentes avec cétose et les hypoglycémies par non-réponse hypothalamique, qui constituent le groupe le plus fréquent des hypoglycémies fonctionnelles idiopathiques.

Hyperinsulinismes tumoraux

Les *tumeurs pancréatiques* insulino-sécrétantes sont des hyperplasies, des adénomes, des polyadénomatoses et des carcinomes (nésidioblastomes), qui sont rares. L'hypoglycémie est très sévère, permanente, le plus souvent à début néonatal. L'insulinémie est très élevée. Le traitement, très difficile, nécessite l'administration continue par voie parentérale et entérale de fortes doses de glucose (jusqu'à 2 g/kg/h.), éventuellement associée à des perfusions de somatostatine. La tomodensitométrie et l'échographie montrent parfois la tumeur. Le plus souvent, l'exploration chirurgicale et la pancréatectomie des $3/4$ sont nécessaires. Les séquelles cérébrales liées à l'hypoglycémie sont fréquentes. La récidive post-pancréatectomie ou un diabète ne sont pas rares.

Certaines *tumeurs extrapancréatiques* peuvent être en cause. L'hypoglycémie est souvent intense ; le plus souvent, il n'y a pas d'augmentation de l'insuline du sérum décelable par méthode radioimmunologique ; mais l'examen clinique et radiologique permet de repérer facilement la tumeur. Le mécanisme de l'hypoglycémie est obscur : consommation de glucose par la tumeur ou libération d'un facteur hypoglycémiant différent de l'insuline. Ce facteur a été identifié dans certains cas au NSILA soluble. Chez l'enfant, ces tumeurs sont surtout : 1. les mésodermomes (syndrome de Dodge-Potter) ; 2. les tumeurs surrénaliennes avec hypoglycémie (syndrome d'Anderson) ; 3. certains hépatomes.

Hypoglycémies fonctionnelles idiopathiques

Elles sont, dans l'état actuel des connaissances, décrites en plusieurs catégories, qui ont l'avantage de conduire à des thérapeutiques efficaces.

Hyperinsulinisme

Deux hypoglycémies sont liées à un hyperinsulinisme, mais de nature, de chronologie et de mécanisme différents :

I. La première est *l'hypoglycémie poststimulative* de Conn ; elle est peu fréquente chez l'enfant et on ne l'observe guère que pendant l'adolescence. Les malaises surviennent 2 à 4 heures après les repas. La surcharge orale en glucose montre une montée normale de la glycémie mais une chute anormalement profonde vers la troisième heure ; l'insulinémie normale à jeun monte de façon excessive et durable. On attribue, à tort peut-être, cet état à une stimulation vagale exagérée par le repas hydrocarboné. On peut en rapprocher certaines « hypoglycémies prédiabétiques » observées parfois dans les cas rares de diabète de type I chez l'enfant, en particulier dans le syndrome de Prader-Willi.

II. La seconde est *l'hypoglycémie fonctionnelle avec hyperinsulinisme vrai* (comme dans une tumeur insulino-sécrétante du pancréas). Elle débute généralement avant l'âge de 6 mois, parfois dès la naissance. Les crises surviennent n'importe quand : à jeun ou après les repas, souvent électivement après un repas riche en protides ; elles ne comportent jamais d'acidose ni de cétose. Il n'y a jamais de gros foie. Le diagnostic repose sur :
- le cycle glycémique avec insulinémie, qui montre des glycémies basses anarchiques ;
- l'épreuve de jeûne, qui montre une absence ou une insuffisance de montée des corps cétoniques, des acides gras libres et des acides aminés

ramifiés, alors que paradoxalement les taux d'insuline sont souvent normaux ou subnormaux ;
- le test au glucagon (lmg i.m.) en fin de jeûne, qui montre constamment une bonne élévation glycémique ;
- l'hyperglycémie provoquée, qui montre parfois une réponse insulinique anormalement élevée. Les test à la tolbutamide et à la leucine sont dangereux et le plus souvent inutiles.

Parfois le tableau clinique et biologique se résume à des accès hypoglycémiques post-prandiaux électivement déclenchés par la leucine, alors que l'épreuve de jeûne est complètement normale. Ce dernier tableau semble bien constituer une entité particulière, dite *hypoglycémie sensible à la leucine*. La précocité des crises, leur violence et leur répétition font de cette variété d'hypoglycémie une cause redoutable de lésions cérébrales définitives si le traitement n'est pas institué précocement.

Ce traitement, très efficace, repose sur l'association d'un régime hypoprotéique (1 à 1,5 g/kg/24h. répartis de façon égale entre les différents repas) et le diazoxide (Proglycem®) à la dose de 5 à 12 mg/kg/24h.

Hypoglycémie par non-réponse hypothalamique

En déclenchant une hypoglycémie par injection d'un vingtième d'unité (0,05 u) d'insuline/kg, on n'observe ni montée des catécholamines urinaires (épreuve discutable qui a conduit à isoler un type particulier), ni élévation plasmatique du cortisol et de l'hormone de croissance (HGH). La raison de cette absence de réponse se situe au niveau préhypophysaire (appareil de perception de l'hypoglycémie, élaboration des « releasing factors », etc.), mais n'est pas connue avec certitude. Cette variété donne des crises tôt dans la vie et s'observe surtout chez d'anciens prématurés. Une des variétés en est peut-être l'hypoglycémie par non-réponse des catécholamines (Zetterström).

L'hypoglycémie par non-réponse hypothalamique se traite par les corticostéroïdes, par exemple la prednisone (1 à 2 mg/kg/jour) par séries de 3 à 4 mois et à raison de 4 jours de traitement par semaine. En cas d'échec, la corticotrophine-retard donne souvent de meilleurs résultats. On peut essayer également le sulfate d'éphédrine à la dose de 0,5 à 1 mg/kg 3 fois par jour.

Hypoglycémie récurrente avec cétose

Elle apparaît surtout chez les garçons, anciens dysmatures ou prématurés, à partir de 18 mois et avant 5 ans. Elle est parfois sévère. Elle est déclenchée par le jeûne. L'épreuve de jeûne prolongé fait apparaître vers la 10e-15e heure une cétose et une hypoglycémie grave avec disparition de la réserve glycogénique hépatique. Cette hypoglycémie recouvre certainement des faits très variés. Cette variété d'hypoglycémie fonctionnelle est probablement la plus fréquente des hypoglycémies de l'enfant. Son diagnostic différentiel avec l'hypopituitarisme et l'insuffisance surrénale est souvent difficile.

On observe fréquemment une tendance à l'espacement des crises puis leur disparition vers l'âge de 8 à 10 ans.

Contrairement à ce qui a été couramment écrit pendant ces dernières années, il semble que la néoglucogenèse de ces enfants soit parfaitement intacte et fonctionnelle, notamment la disponibilité en alanine et la transformation de l'alanine en glucose. On s'oriente plutôt actuellement vers une consommation anormalement élevée du glucose lors du jeûne, chez des enfants ayant une production normale faible. Cette situation métabolique semble fréquente pendant l'enfance et les malades se trouvent dans une situation extrême, mais en continuum avec les normaux.

Le traitement repose sur la prescription d'une collation supplémentaire donnée vers 22 heures sous forme d'une crème pâtissière (protéines + glucides à résorption lente), systématiquement si l'affection est sévère, ou plus souvent à la demande en cas de situations « à risques » telles que vomissements, fièvre, maladies infectieuses intercurrentes.

Diabète sucré

Le diabète primaire de l'enfant et de l'adolescent est presque toujours du type insulino-dépendant (type I) ; il s'oppose en tous points au diabète de la maturité, non insulino-dépendant (type II).

Le diabète est exceptionnel chez le nourrisson. Sa fréquence, qui augmente progressivement avec l'âge, présente deux pics, l'un vers 5-6 ans, l'autre vers 10-11 ans. Dans la tranche d'âge de 0 à 15 ans, sa fréquence serait de 1/4200 en France. Les garçons et les filles sont également atteints.

Etiopathogénie

L'affection relève, selon toute probabilité, de facteurs héréditaires et de facteurs déclenchants liés au milieu.

Le risque pour les frères et sœurs des enfants diabétiques d'être eux-mêmes atteints par la maladie est de 6 à 10 % selon les statistiques, alors qu'il est de 0,3 % dans la population générale. Lorsque les 2 parents sont atteints, le risque d'enfant diabétique dans la descendance est de 30 à 50 %. Il est de 3 à 7 % lorsqu'un seul des deux parents est diabétique. Dans les ascendants d'enfants diabétiques on trouve 4 fois plus de parents ayant un diabète insulino-dépendant que dans l'ascendance d'enfants normaux. Par contre, on note dans les deux groupes la même fréquence de parents atteints de diabète de la maturité non insulino-dépendant. Ces faits confirment le caractère distinct des types I et II de diabète.

Cette notion de prédisposition héréditaire a été étayée ces dernières années par la mise en évidence d'une association entre diabète juvénile insulino-dépendant et certains antigènes du système majeur d'histocompatibilité ou système HLA, notamment B8, B18, BW15, DW3 et DW4. Des différences cliniques sont observées en fonction des groupes d'histocompatibilité. Les cas associés à B8 et DW3 paraissent enclins à développer des processus auto-immunitaires, des anticorps anti-îlots de Langerhans, des lymphocytes T cytotoxiques pour les cellules B insulino-sécrétrices et des complications micro-angiopathiques plus fréquentes et plus graves. Ceux associés à BW15, DW4 et CW3 produisent un taux élevé d'anticorps anti-insuline. Les groupes HLA AW30, CW5, B18 et DR3, associés à un rare allèle de la voie alterne du complément (BfF1), sont plus fréquents dans les diabètes à début précoce et à évolution sévère.

Parmi les facteurs déclenchants, les virus et l'auto-immunité semblent jouer un rôle prépondérant. Les sujets porteurs des gènes de prédisposition seraient génétiquement plus « fragiles » vis-à-vis de certaines infections virales et plus portés à développer des phénomènes auto-immunitaires.

Physiopathologie et clinique

La carence insulinique, conséquence de la destruction des cellules insulaires B, est responsable de l'ensemble des troubles. Elle freine la pénétration cellulaire du glucose et gène son utilisation périphérique. Associée aux modifications hormonales secondaires (hyperglucagonémie, hypercortisolémie, etc.), elle oriente le métabolisme hépatique vers les voies de la glycogénolyse et de la néoglucogenèse. Ces perturbations métaboliques induisent toutes une hyperglycémie qui s'accompagne d'une glycosurie, au-delà du seuil rénal du glucose (1,70-1,80 g/l). L'hyperglycémie, par le biais de l'hypertonie plasmatique et de la diurèse osmotique hyperglucosurique, est responsable de la soif vive et de la polyurie. Le déficit insulinique et l'hyperglucagonémie favorisent la mobilisation des graisses et leur catabolisme avec production de corps cétoniques (β-hydroxybutyrate, acéto-acétate et acétone) dont l'accumulation plasmatique peut engendrer une acido-cétose sévère et conduire au coma diabétique. La carence insulinique engendre un catabolisme intense dont témoigne l'amaigrissement.

Symptomatologie

La symptomatologie d'alarme est celle de tout diabète sucré : soif vive, polyurie, énurésie secondaire, fatigue, infections récidivantes (en particulier staphylococciques ou mycotiques). C'est un diabète amaigrissant et cétogène. Aussi le diagnostic est-il souvent évoqué chez l'enfant à propos d'un coma acido-cétosique, ou d'un amaigrissement inexpliqué avec mauvais rendement scolaire, ou d'une déshydratation aiguë ou progressive.

Plusieurs modes de début sont trompeurs. D'abord, lorsque le diabète débute au cours d'une infection grave qui semble expliquer l'altération de l'état général, comme une tuberculose primaire ou compliquée. Ensuite, quand le début se fait par une ou plusieurs poussées régressives spontanément séparées par plusieurs semaines ou mois de guérison apparente. Enfin, ce qui est rare, quand une glucosurie apparemment bien supportée est le seul signe, la glycémie à jeun étant normale. A ce propos, il convient de noter que cet horaire est mauvais pour le dosage de la glycémie chez l'enfant diabétique et que les chiffres postprandiaux évitent ce genre d'erreur. Parfois même, bien qu'il existe une forte hyperglycémie l'après-midi, la glycémie du matin à jeun est non seulement normale mais abaissée. On peut constater des hypoglycémies dites « prédiabétiques » même chez l'enfant.

Diagnostic

Le diagnostic repose sur la constatation : 1. d'une diurèse quotidienne très excessive ; 2. d'une glucosurie — identifiée par un papier à la glucose-oxydase — dépassant 1 g/kg/jour ; 3. d'un cycle de la glucosémie étudié en alimentation normale avec un dosage à jeun, un dans la matinée, un dans l'après-midi et éventuellement un dans la soirée, ce qui va définir le degré et la distribution de l'hyperglycémie.

Il est exceptionnel qu'on doive préciser l'insulinémie, par dosage radio-immunologique, après surcharge de 1,5 g/kg de glucose per os : elle est nulle ou presque nulle et ne s'élève pas après cette surcharge.

Par contre, il est fort important dès ce moment de savoir s'il existe une cétose (recherche des corps cétoniques dans l'urine) et une acidose (mesure du pH plasmatique) et de rechercher des signes de micro-angiopathie, qui, il est vrai, sont rarement précoces (micro-anévrismes artériolaires au niveau de la rétine par l'examen du fond d'œil et protéinurie-hématurie pour la néphropathie).

Complications du diabète juvénile

Le traitement insulinien n'évite pas toutes les complications ; lui-même en détermine certaines.

Les complications brutales sont les **comas.** Chez l'enfant diabétique, trois types de comas sont observés. Le coma avec hyperlactacidémie est exceptionnel à cet âge.

● Le coma hyperosmolaire est le plus rare chez l'enfant. Il est lié aux troubles de la régulation osmolaire produits par les très fortes hyperglycémies et glycosuries. L'absence d'acido-cétose, la glucosémie très élevée, l'augmentation de l'osmolarité plasmatique en sont les signes principaux. L'insuline, l'apport de potassium en constituent le traitement.

● Le coma acido-cétosique peut marquer le début du diabète sucré ou être un accident secondaire à une infection, un traumatisme, une agression psychique ou une erreur thérapeutique (mauvaise adaptation ; perte d'insuline au cours d'une injection ; injection dans une zone de lipodystrophie ; posologie erronée). C'est un coma d'intensité variable, avec respiration profonde et parfois rythme de Kussmaul, déshydratation intense avec perte de poids importante, langue sèche, excavation des yeux. La glucosurie et la cétonurie intense, la glycémie élevée, la cétonémie, l'abaissement du pH et des bicarbonates plasmatiques en permettent le diagnostic. Les deux complications principales sont l'hypokaliémie, surtout au début du traitement, et le collapsus hypovolémique avec oligo-anurie et chute de la tension artérielle.

● Le coma insulinique est le plus fréquent des comas de l'enfant diabétique traité. L'excès d'insuline injectée, outre des malaises ou des convulsions, entraîne souvent ce coma insulinique hypoglycémique. Le dosage de la glycémie permet le diagnostic. Le traitement, très efficace, est l'injection sous-cutanée de 1 mg de glucagon et l'injection veineuse de 10 à 40 ml de soluté glucosé à 30 %.

Les **complications à long terme** sont variées. Les unes découlent de l'insulinothérapie : lipodystrophies inélégantes aux lieux d'injection de l'insuline ; insulino-instabilité de cause variable ; insulino-résistance (rare). Les autres sont en rapport avec le diabète. Le nanisme avec obésité et hépatomégalie (syndrome de Mauriac) ou la maigreur avec hépatomégalie, la cataracte, les complications nerveuses et dentaires sont très rares. Deux complications par contre, liées aux micro-angiopathies diabétiques, dominent l'avenir lointain. En effet, elles sont très rares dans les premières années de la maladie. C'est surtout après 15 à 20 ans d'évolution qu'on les voit apparaître. Ce sont : la rétinopathie diabétique et la néphropathie glomérulaire de Kimmelstiel-Wilson.

Traitement

Buts

Le traitement se propose comme objectifs de permettre aux jeunes diabétiques de mener une vie aussi normale que possible, de suivre une scolarité régulière, d'éviter les incidents ou accidents évolutifs du diabète (acido-cétose, hypoglycémies sévères), d'assurer une croissance staturo-pondérale satisfaisante et de prévenir à lointaine échéance les complications vasculaires et nerveuses. Le traitement doit s'efforcer d'obtenir le meilleur équilibre métabolique possible, car des données nombreuses, tant expérimentales que cliniques, ont démontré que la principale cause des complications micro-angiopathiques était le mauvais contrôle métabolique.

Critère de contrôle

Ils comprennent, outre les courbes de croissance staturo-pondérale et les données du lipidogramme, *trois éléments de base :*

1. Les analyses d'urines

Les analyses d'urines doivent être faites trois ou quatre fois par jour, avant le petit déjeuner, le déjeuner de midi, le dîner et éventuellement le coucher.

Le Clinitest® avec la méthode deux gouttes (2 gouttes d'urine + 10 gouttes d'eau) permet une détermination semi-quantitative de la glycosurie jusqu'à 50 g/l. L'Acetest® détecte la présence de corps cétoniques (acétone et acéto-acétate, mais non hydroxybutyrate). Les jeunes diabétiques doivent tenir un carnet de surveillance et y consigner les résultats des analyses d'urines, au même titre que les doses d'insuline, les levers nocturnes, les épisodes infectieux, les activités sportives, les incidents (malaises hypoglycémiques, pertes d'insuline), etc.

Il est utile au surplus de doser périodiquement la glycosurie dans les urines de 24 heures ou dans celles recueillies sur deux périodes de 12 heures ou trois de 8 heures (glycosurie fractionnée).

2. L'autosurveillance de la glycémie

Des progrès récents rendent possible l'autodétermination de la glycémie par les diabétiques eux-mêmes avec une approximation très satisfaisante. Le prélèvement d'une goutte de sang peut se faire sans douleur grâce à un autopiqueur spécial (Autolet® Ames). Les bandelettes à la glucose-oxydase (Dextrostix® Ames et Haemoglukotest® 20-800 Böhringer) donnent des résultats valables, à condition de respecter scrupuleusement le mode d'emploi. L'autodétermination de la glycémie est particulièrement utile pour apprendre à reconnaître les signes d'hypoglycémie, lorsque les glycosuries sont faibles ou nulles et en cas d'élévation du seuil rénal du glucose. Elle s'impose également lorsque le traitement insulinique doit être adapté avec précision, notamment après un changement d'insuline ou le passage d'une à deux injections quotidiennes.

3. Le dosage de l'hémoglobine glycosylée A_1C

L'hémoglobine A_1C résulte de la glycosylation de l'hémoglobine A qui se produit pendant toute la durée de vie du globule rouge par un processus lent, non enzymatique, quasi irréversible. Son taux est fonction du niveau moyen de la glycémie. Dans le diabète mal contrôlé, il peut atteindre deux ou trois fois les valeurs normales. Sa mesure est un procédé de choix pour juger de la qualité du traitement.

Insulinothérapie

Il existe trois groupes d'insuline : 1. le groupe I dont l'effet est rapide et bref, d'une durée de 6 à 8 heures (insuline ordinaire, Actrapid®) ; 2. le groupe II à action intermédiaire, qui dure de 12 à 20 heures (semi-lente, NPH, Rapitard, Monotard) ; 3. le groupe III à action prolongée, qui dure 24 à 36 heures (insuline protamine zinc, lente mixte, ultra-lente zinc cristallisée, Durasuline).

Selon le degré de purification, on dispose : 1. d'insulines non purifiées contenant des quantités non négligeables de contaminants ; 2. d'insulines « mono-pic » purifiées partiellement par filtration sur gel ; 3. d'insulines « mono-composées » très pures obtenues par chromatographie sur colonne d'échangeur d'ions. Certaines insulines sont d'origine bovine et diffèrent de l'insuline humaine par quatre acides aminés, d'autres extraites du pancréas de porc sont moins antigéniques, car elles ne diffèrent de l'insuline humaine que par un seul acide aminé. Bientôt, grâce aux progrès techniques, de l'insuline humaine obtenue par synthèse ou par recombinaison génétique sera mise à la disposition des diabétiques.

Dans la première, voire la deuxième année d'installation du diabète, les besoins insuliniques quotidiens sont en général inférieurs à 1 unité par kilogramme de poids du fait de la persistance d'une insulino-sécrétion endogène résiduelle non négligeable. Le traitement en est facilité et un équilibre satisfaisant peut être obtenu avec une injection quotidienne d'insuline. On peut utiliser l'insulino-protamine-zinc en association avec l'insuline ordinaire, ou, mieux, l'insuline ultra-lente zinc cristallisée (67 à 75 %) associée à une insuline à action rapide (Actrapid® ou semi-lente) (25 à 33 %). Ces insulines monocomposées, très purifiées, sont particulièrement indiquées pour éviter les intolérances cutanées et les lipodystrophies. Il est utile de compléter de temps à autre l'injection unique matinale par une injection supplémentaire d'Actrapid® ou de semi-lente avant le repas du soir dans les cas de fortes glycosuries nocturnes et/ou de glycémie supérieure ou égale à 10 mmol/l (1,80 g/l) en fin de journée.

Lorsque la dose quotidienne atteint ou dépasse 1 unité par kilo et, en particulier, lorsque le diabète évolue depuis plus de deux ans, il convient de fractionner l'apport insulinique. On peut avoir recours à une insuline du groupe II (NPH ou Monotard) (60 à 70 %) associée à une insuline du groupe I (insuline ordinaire ou Actrapid) (30 à 40 %) en deux injections quotidiennes.

L'adaptation des doses repose sur les analyses d'urines, l'autodétermination de la glycémie et divers signes cliniques (diurèse, soif, courbe de poids, etc.) en tenant compte également de l'activité physique. Si la glycosurie est de 50 g/l dans un échantillon ou de 20 g/l dans plusieurs échantillons d'urine et/ou si l'Haemoglukotest® montre une glycémie supérieure à 10 mmol/l (1,80 g/l), il faut augmenter les doses d'insuline d'environ 10 %. Si la glycosurie est nulle pendant 48 heures et que l'Haemoglukotest révèle des glycémies inférieures à 4,5 mmol/l (0,80 g/l) ou s'il se produit un malaise hypoglycémique, il faut diminuer les doses d'insuline de 10 % ; en cas de malaise hypoglycémique sévère, on réduira les doses de 15 à 20 %.

Un taux d'hémoglobine A_1C médiocre, égal ou supérieur à 10 %, fera rechercher l'origine du mauvais contrôle (lipodystrophies et mauvaises résorptions locales d'insuline, perturbations psychologiques, erreurs thérapeutiques, activités physiques insuffisantes, alimentation anarchique, élévation du seuil rénal du glucose, etc.). Lorsque les troubles métaboliques ne peuvent être corrigés par un simple ajustement des doses, un changement thérapeutique devra être envisagé : passage à des insulines monocomposées, fractionnement de la dose quotidienne d'insuline, utilisation d'aiguilles plus longues pour éviter les réactions inflammatoires sous-cutanées et les mauvaises résorptions locales, etc.

Pour les injections d'insuline, il est conseillé d'utiliser des seringues à usage unique, graduées à 40 unités/ml, et des aiguilles de 16 mm et au besoin de 25 mm de long. Les injections doivent être faites profondément et perpendiculairement au plan cutané. Les sites d'injection doivent varier chaque jour (fesses, cuisses, bras paroi abdominale).

Alimentation

La ration calorique globale de l'enfant diabétique doit être identique à celle d'un enfant du même âge non diabétique. Elle peut être calculée par la formule suivante : $C = 1\,000 + (A \times 100)$ (A étant l'âge en années). Elle se répartit en protéines (15 %), lipides (35 %) et hydrates de carbone (50 %). Les seules interdictions portent sur les glucides à absorption digestive rapide et notamment les sucreries, les confiseries, le miel, les confitures, les pâtisseries et surtout les boissons sucrées et les jus de fruits de fabrication industrielle. La ration d'hydrates de carbone à absorption lente (amidon et féculents contenus dans les pommes de terre, le riz, les pâtes, le pain, les légumes secs, etc.) est fragmentée entre le petit déjeuner (~ 17 %), le déjeuner (~ 27 %), le goûter (~ 12 %), le dîner (~ 24 %) et deux collations (~ 10 % chacune), à 10 h. et à 22 h., de façon à éviter les flèches hyperglycémiques post-prandiales. Il semble utile aussi de réduire les graisses d'origine animale au profit des graisses insaturées d'origine végétale.

Un système de parts interchangeables comportant des rations identiques d'hydrate de carbone permet de varier les menus. Les jeunes diabétiques doivent savoir qu'il faut prendre les repas à heure régulière et qu'il peut être dangereux de décaler ou de sauter un repas. Les produits pour diabétiques des magasins de régime sont déconseillés car inutiles, voire nuisibles.

Un régime hypocalorique sera prescrit à l'enfant obèse, l'excès pondéral étant une source de résistance au traitement et une prédisposition aux complications vasculaires.

Activité physique

Il faut conseiller aux jeunes diabétiques la pratique des exercices physiques et des sports, dont la plupart sont autorisés, sauf ceux qui exposent à des risques en cas d'hypoglycémie (plongées sous-marines, escalades périlleuses). Les hypoglycémies, qui peuvent résulter d'un effort intense et prolongé, doivent être prévenues par la prise d'une collation supplémentaire, voire d'un ou deux morceaux de sucre si l'épreuve sportive se prolonge. Si les hypoglycémies se produisent malgré ces précautions, les doses d'insuline seront baissées de 10 % le jour de l'activité sportive. Enfin, la zone d'injection sera choisie à distance des muscles mis en jeu par l'exercice physique.

Education médicale

L'éducation médicale des jeunes diabétiques et de leur entourage constitue un des éléments essentiels du traitement. Elle comporte un enseignement théorique et pratique qui sera assuré par l'équipe concernée (personnel infirmier, diététicienne, diabétologue, psychologue). Les parents et les enfants (à partir de 8-9 ans) apprennent à effectuer eux-mêmes les analyses d'urine, les autodéterminations de la glycémie, les injections d'insuline et l'adaptation des doses.

Incidents et accidents évolutifs

Hypoglycémies

Celles-ci résultent habituellement d'une erreur dans les doses d'insuline, de l'omission ou du décalage d'un repas, de la méconnaissance d'une rémission dans les premières semaines de traitement ou d'un exercice physique intense sans prise d'une collation supplémentaire. Elles surviennent brusquement avant un repas ou à distance de ceux-ci. Elles se manifestent de façon variable d'un diabétique à l'autre, mais souvent d'une manière identique chez un même sujet. Les principaux signes d'alarme sont : une brusque pâleur avec fringale, une sensation de fatigue, des sueurs, des tremblements et, chez certains, des céphalées, des troubles visuels, des douleurs abdominales ou des vertiges. Ils imposent la prise de sucre ou de boissons sucrées, suivie d'aliments, et la diminution des doses d'insuline le lendemain. En l'absence de ces mesures préventives et, parfois, inopinément, des accidents plus sévères avec perte de connaissance et convulsions peuvent se produire. S'il est impossible dans ces cas d'administrer des boissons sucrées *per os*, l'entourage doit savoir réaliser immédiatement une injection intramusculaire de glucagon (0,5 ou 1 mg) et, éventuellement, assurer le transport à l'hôpital si l'enfant tarde à reprendre connaissance.

Acido-cétoses

Lorsqu'il apparaît une *cétonurie* importante avec forte glycosurie, les enfants apprennent à s'injecter un supplément d'insuline ordinaire ou d'Actrapid® (20 % de la dose totale en cas de soif et de polyurie concomitantes et 10 % en l'absence de ces signes), puis toutes les 4 heures, ils recommencent les analyses d'urine et font à nouveau une injection d'insuline rapide (10 % de la dose totale) s'il persiste une glycosurie et une cétonurie massives.

Par contre, une cétonurie sans glycosurie traduit une hypoglycémie latente et doit être traitée comme telle.

Difficultés de l'alimentation

En cas de nausées, de vomissements, de refus alimentaire, d'impossibilité d'absorber ou d'avaler boissons et nourriture, le transfert à l'hôpital s'impose pour mettre en route un apport intraveineux de sérum glucosé.

Problèmes psychologiques

La survenue du diabète chez un enfant ou un adolescent perturbe son mode de vie et ses relations intrafamiliales. L'anxiété, associée à un sentiment de culpabilité, domine chez les parents. Les enfants ont tendance à dissimuler ou exploiter leur maladie. Les adolescents ont communément une attitude d'opposition, de rejet, de refus de la maladie, particulièrement nette à partir de 10 ans. Ces sentiments s'expriment par l'inobservation des prescriptions diététiques et des règles du traitement insulinique, l'omission des injections d'insuline ou un surdosage plus ou moins volontaire à l'origine d'hypoglycémies.

Diabètes instables

Ils sont caractérisés par de larges fluctuations glycémiques et glycosuriques, des hypoglycémies qui alternent avec de fortes poussées hyperglycémiques et souvent une cétonurie intermittente. Il faut en rechercher la ou les causes :
1. Les lipodystrophies ou les zones indurées à l'origine d'une résorption irrégulière de l'insuline aux points d'injection ; on utilisera dans ces cas des aiguilles plus longues de 25 mm et, éventuellement, des insulines monocomposées plus pures.
2. Le syndrome de Somogyi, caractérisé par des doses excessives d'insuline, une forte prise de poids, des glycosuries massives et des hypoglycémies volontiers latentes ; le surdosage en insuline engendre une hypersécrétion d'hormones antagonistes (glucagon, cortisol, etc.) ; l'hyperglycosurie résultante conduit à renforcer encore l'insulinothérapie, d'où l'escalade thérapeutique et l'aggravation du syndrome ; ce cercle vicieux ne peut être rompu que par une réduction de l'insulinothérapie à des doses plus proches des besoins (1 unité/kg environ).
3. L'insulino-résistance vraie, nécessitant des doses importantes, supérieures à 2 unités/kg/24h. ; des anticorps circulants anti-insuline sont présents dans le sérum à un taux élevé et peuvent jouer le rôle de réservoir à insuline responsable de décharges imprévisibles ; un changement thérapeutique (passage à des insulines de porc purifiées) est indiqué.
4. Chez certains diabétiques, il existe une élévation ou un abaissement du seuil rénal du glucose qui fausse l'interprétation des analyses d'urines et impose le recours à l'autodétermination de la glycémie.
5. Enfin, il convient de faire la part des problèmes psychologiques ; l'inquiétude, les soucis, les examens à passer déséquilibrent le diabète et augmentent les besoins en insuline.

Traitement du coma acidocétosique

Il associe l'insulinothérapie et la réhydratation.
● L'*insulinothérapie* peut être administrée par voie i.v. continue à la pompe ou en i.m. discontinue. Avant de commencer la voie i.v. continue, on injecte d'abord par voie i.m. une dose d'Actrapid® (5 unités au-dessous de 6 ans, 10 unités au-dessus de 6 ans), puis on met en place la perfusion continue (100 unités d'Actrapid® dilués dans 50 ml de sérum glucosé à 5 % chez les enfants de moins de 6 ans, 200 unités d'Actrapid® dans 50 ml de sérum glucosé à 5 % chez les enfants de plus de 6 ans). Le débit de la pompe doit être de 1,2 ml/h., ce qui délivre 2,5 unités/heure chez les moins de 6 ans et 5 unités/heure chez les plus de 6 ans. Cette perfusion continue est poursuivie jusqu'à réduction de la glycémie au-

dessous de 14 mmol/l (2,50 g/l), ce qui est obtenu généralement vers la dixième heure. On injecte alors $^1/_4$ d'unité d'Actrapid® en sous-cutané et on arrête la pompe. L'adaptation des doses se fait ensuite en fonction des résultats des analyses d'urine.

Si la mise en place d'une pompe est impossible, l'insulinothérapie est réalisée par voie i.m. classique. Après la dose de charge initiale on poursuit par une injection toutes les heures de 5 unités (moins de 6 ans) ou 10 unités d'Actrapid® (plus de 6 ans) jusqu'à obtention d'une glycémie inférieure à 2,50 g/l. On passe ensuite à la voie sous-cutanée toutes les 6 heures, aux doses moyennes de $^1/_4$ d'unités/kg tant que la glycosurie est ++++ et l'acétonurie + ou ++, $^1/_{10}$ d'unités/kg quand la glycosurie est +++ et l'acétonurie = 0. On diffère les injections si la glycosurie est inférieure à ++.

• La *réhydratation* doit éviter la surcharge hydrique et les solutés hypotoniques, principalement quand la glycémie de départ est supérieure ou égale à 5 g/l et la natrémie inférieure ou égale à 135 (danger d'œdème cérébral). Il faut aussi compenser largement et rapidement les pertes potassiques. En pratique, dans tous les cas poser une perfusion de sérum salé physiologique et une deuxième perfusion pour les autres solutés éventuels à perfuser. La quantité usuelle de sérum physiologique de NaCl à 9‰ est de 50 ml/kg à passer pendant les 4 premières heures si la natrémie initiale est comprise entre 135 et 145, et en 6 heures si la natrémie est inférieure à 135. Si la natrémie est supérieure à 145/meq, passer du sérum glucosé isotonique contenant 0 à 3 g/l de NaCl (0 si Na > 150 meq). Hormis ce cas particulier, le sérum glucosé isotonique à 5 % est généralement introduit vers la 3e heure, dès que la glycémie est inférieure à 5 g/l, seul ou associé au sérum salé isotonique suivant que la natrémie est supérieure ou inférieure à 135 meq.

Le sérum bicarbonaté isotonique à 14 % n'est indiqué que si le pH est inférieur à 7,20 et, en aucun cas, on ne doit dépasser la dose totale de 10 ml/kg.

L'adjonction de KCl est fonction de l'aspect des ondes T à l'ECG : d'emblée dans le sérum salé physiologique à la concentration de 4 g/l si les ondes T sont plates ou inversées, ou à la concentration de 2 g/l si les ondes T sont normales. A partir de la 3e heure, ajouter systématiquement 3 à 4 g/l de KCl aux liquides perfusés. A partir de la 8e-10e heure, donner du sirop de KCl *per os* avec les jus de fruits et les bouillons salés.

Le tableau 2 schématise les quantités moyennes de liquide à perfuser pendant les 24 premières heures, en fonction de l'âge de l'enfant.

Diabète de type II (type adulte)

5 % des diabètes sucrés de l'enfant appartiennent au type II. Parfois, il s'agit d'enfants normaux par ailleurs. Souvent, on est en présence d'une obésité énorme, soit induite par la corticothérapie qui détermine ainsi des diabètes sucrés transitoires ou définitifs, soit appartenant à un syndrome complexe comme le syndrome de Laurence-Moon ou le syndrome de Prader-Willi. Le régime de restriction sévère de l'apport calorique est important. Les hypoglycémiants de synthèse utilisés chez l'adulte (sulfa-

Tableau 2 : Coma diabétique. Réhydratation (quantités de liquides indiquées = chiffres moyens ± 10 %).

Age (années)	Poids (kg)	Surface corporelle (m²)	2 premières heures 15 ml/kg/h.	4 premières heures : 50 ml/kg	2 heures suivantes 10 ml/kg/h.	24 heures suivantes 3 000 ml/m² ou 125 ml/m²/h.*	Total pour 28 heures
1-2	10-12	0,50	150 ml/h. 50 gouttes/min.	500 ml/4 h., soit :	100 ml/h. 33 gouttes/min.	1 500 ml/24 h., soit : 60 ml/h. 20 gouttes/min.	2 000 ml ± 200 ml
5-6	18-20	0,75	250 ml/h. 90 gouttes/min.	900 ml/4 h., soit :	200 ml/h. 60 gouttes/min.	2 100 ml/24 h., soit : 90 ml/h. 30 gouttes/min.	3 000 ml ± 200 ml
10-11	30-33	1	450 ml/h. 150 gouttes/min.	1 500 ml/4 h., soit :	300 ml/h. 100 gouttes/min.	3 000 ml/24 h., soit : 125 ml/h. 40 gouttes/min.	4 500 ml ± 400 ml
15-16	50-55	1,50	750 ml/h. 250 gouttes/min.	2 500 ml/4 h., soit :	500 ml/h. 150 gouttes/min.	4 500 ml/24 h., soit : 180 ml/h. 60 gouttes/min.	7 000 ml ± 500 ml

* 150 ml/m²/h. au début pendant 4-8 heures, puis 100-120 ml/m²/h. lorsque l'enfant commence à boire.

mides et biguanides) n'ont dans cette forme de diabète que des indications limitées.

Autres variétés de diabète

A côté des diabètes de types I et II, d'autres variétés de diabète peuvent s'observer pendant l'enfance.

On peut observer des diabètes sucrés au cours d'endocrinopathies de l'enfant : phéochromocytome, adénome éosinophile de l'hypophyse très rare à cet âge, et surtout hypercorticisme spontané (maladie de Cushing) ou thérapeutique. Les diabètes sucrés induits par les traitements à base de corticoïdes sont régressifs lors de la diminution des doses ou à l'arrêt du traitement ; mais cette évolution favorable peut manquer.

Il existe des diabètes sucrés résistant à des doses énormes d'insuline de l'ordre de plusieurs centaines d'unités par jour. On les observe dans le diabète lipo-atrophique et dans le diabète associé à une maladie de la peau : l'acanthosis nigricans où on a pu mettre en évidence dans le sang des anticorps aux récepteurs cellulaires de l'insuline.

Enfin, on observe après la naissance un tableau particulier : le *diabète transitoire du nouveau-né*. La glycémie est très élevée et la glycosurie abondante. Après quelques semaines ou mois d'évolution, la maladie peut guérir définitivement. Le mécanisme de ce trouble est imprécis, mais il n'est pas certain que ses frontières avec le diabète sucré vrai soient toujours nettes.

Troubles héréditaires du métabolisme intracellulaire du glucose

Description des voies métaboliques

Les voies de synthèse et de dégradation du glucose et du glycogène jouent un rôle central dans le métabolisme intermédiaire (cf. fig. 1).

1. Voie néoglucogénique de synthèse du glucose

Le glucose est synthétisé à partir des acides aminés glucoformateurs, essentiellement alanine, glutamate et aspartate (60 % du glucose formé), du lactate (30 % du glucose formé), et du glycérol (10 % du glucose formé).

800 — 22. MÉTABOLISME

Fig. 1 : Voies de synthèse et de dégradation du glucose et du glycogène

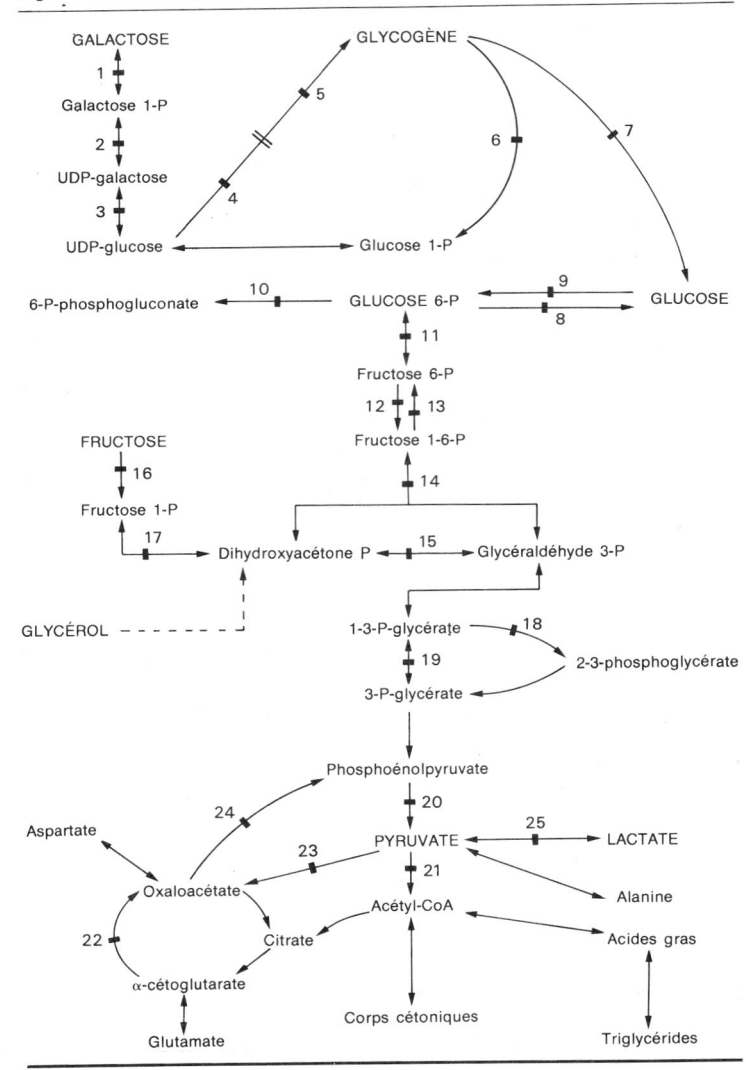

Enzyme	Maladie
1 Galactokinase	Cataracte
2 Galactose-uridyl-transférase	Galactosémie classique
3 UDP-galacto-épimérase	Asymptomatique ou galactosémie classique
4 Amylo-1-6-transglucosylase	Glycogénose type IV (cirrhose)
5 Glycogène-synthétase	Hypoglycémie, gros foie, acido-cétose
6 Phosphorylase hépatique	Glycogénose type VI (hépatique)
Phosphorylase musculaire	Glycogénose type V de Mac Ardle (myopathie, crampes, myoglobinurie)
Phosphorylase-kinase	Glycogénose type VIII (hépatique)
7 Amylo-1-6-glucosidase	Glycogénose type III (hépatique ou hépatomusculaire, 6 sous-groupes)
8 Glucose-6-phosphatase	Glycogénose type I (hépatique)
9 Hexokinase	Anémie hémolytique
10 Glucose-6-phosphate-déshydrogénase	Anémie hémolytique
11 Glucose-phosphate-isomérase	Anémie hémolytique
12 Phospho-fructo-kinase musculaire	Glycogénose type VII de Tarui (myopathie)
Phospho-fructo-kinase érythrocytaire	Anémie hémolytique
13 Fructose-diphosphatase hépatique	Hypoglycémie, gros foie, acidose lactique, cétose
Fructose-diphosphatase musculaire	Myopathie
14 Fructose diphosphate-aldolase	Anémie hémolytique
15 Triose-phosphate-isomérase	Anémie hémolytique, hypotonie, retard mental, défaillance cardiaque
16 Fructokinase	Fructosurie essentielle asymptomatique
17 Fructose-1-phosphate-aldolase	Intolérance au fructose
18 Diphosphoglycérate-mutase érythrocytaire	Anémie hémolytique
Diphosphoglycérate-mutase musculaire	Myopathie, myoglobinurie paroxystique
19 Phosphoglycérate-kinase érythrocytaire	Anémie hémolytique, hypotonie, retard mental
Phosphoglycérate-kinase musculaire	Myopathie, myoglobinurie paroxystique
20 Pyruvate-kinase	Anémie hémolytique, lithiase vésiculaire
21 Pyruvate-déshydrogénase	Acidose lactique congénitale, encéphalopathie, ataxie
22 α-cétoglutarate-déshydrogénase	Acidose lactique congénitale, encéphalopathie, ataxie
23 Pyruvate-carboxylase	Acidose lactique congénitale, encéphalopathie
24 Phosphoénolpyruvate-carboxykinase	Hépatomégalie, hypoglycémie, cétose
25 Lactate-déshydrogénase	Myopathie, crampes, myoglobinurie

Les 4 enzymes clés de la néoglucogenèse sont la pyruvate-carboxylase, la phosphoénolpyruvate-carboxykinase, la fructose-diphosphatase et la glucose-6-phosphatase. Le déficit d'une de ces enzymes donne lieu généralement à une hypoglycémie sévère déclenchée par le jeûne (cf. tableau 5, pp. 807-808).

2. Système de mise en réserve du glucose

Le glucose est mis en réserve sous forme de glycogène, fait d'un grand nombre de molécules de glucose assemblées entre elles par des liaisons 1-4 et 1-6. La synthèse du glycogène s'effectue à partir de l'uridine diphosphoglucose provenant elle-même du glucose-1-phosphate ou du galactose, et comporte deux enzymes : l'amylo-1-6-transglucosidase, qui contrôle les liaisons glucose en 1-6, et la glycogène-synthétase, qui contrôle les liaisons 1-4.

La dégradation du glycogène (glycogénolyse) est sous la dépendance de deux systèmes enzymatiques : le système de l'amylo-1-6-glucosidase, qui libère les molécules de glucose à partir des liaisons 1-6, et le système phosphorylasique qui libère du glucose-1-phosphate à partir des liaisons 1-4. Il existe en outre une α-1-4-glucosidase (ou maltase acide) lysosomiale, qui libère des molécules de glucose-1-phosphate.

Le déficit de l'une ou l'autre de ces enzymes donne lieu à l'accumulation de glycogène hépatique, musculaire ou généralisée (glycogénoses) (cf. pp. 803 ss).

3. Système d'utilisation énergétique du glucose

La voie de la glycolyse comporte un carrefour métabolique majeur, le carrefour du glucose-6-phosphate, qui peut emprunter la voie des pentoses par le 6-phosphogluconate ou la voie glycolytique directe qui aboutit au pyruvate. Cette dernière voie utilise les mêmes enzymes que la néoglucogenèse sauf au niveau de trois étapes irréversibles de phosphorylation-déphosphorylation : l'héxokinase, la phosphofructokinase et la pyruvatekinase.

Les déficits enzymatiques sur cette voie ont surtout des conséquences au niveau de l'érythrocyte et du muscle lors des efforts violents et brefs qui dépendent totalement de la glycolyse : ils s'expriment avant tout par une anémie hémolytique ou des crampes et myoglobinuries paroxystiques (cf. tableau 4, p. 806).

4. Carrefour du pyruvate

Le pyruvate provient de la glycolyse, de la transamination de l'alanine ou de l'oxydation du lactate.

Il a trois destinées principales :
- La décarboxylation oxydative en acétyl CoA par le système de la pyruvate-déshydrogénase (PDH) qui peut être utilisé pour la production d'ATP par le cycle de Krebs (glycolyse aérobie) ou pour la mise en réserve d'énergie sous forme de lipides (lipogenèse).
- La carboxylation en oxaloacétate et la synthèse de glucose par la pyruvate carboxylase (PC) (néoglucogenèse).
- La réduction en lactate par le NAD et la lacti-déshydrogénase (glycolyse anaérobie).

Les déficits enzymatiques en PC et en PDH donnent lieu le plus souvent à des hyperlactacidémies sévères avec encéphalopathies (cf. pp. 809 ss).

5. Rôle du fructose alimentaire

Le fructose alimentaire a une destinée essentielle glycolytique et s'introduit dans cette voie au niveau des trioses phosphate après deux phosphorylations successives en 1 (fructokinase) et en 6 (fructose-1-phosphate-aldolase et fructose-1-6-phosphate-aldolase) (cf. pp. 800-801 ss).

Le galactose est également phosphorylé en 1 (galactokinase), puis transformé en UDP-glucose pour donner du glycogène ou du glucose-1-phosphate (cf. pp. 800 ss).

Le glycérol provenant de la dégradation des triglycérides (lipolyse) s'introduit au niveau des trioses phosphate et a une destinée essentiellement néoglucogénique.

6. Interrelations métaboliques

L'ensemble de ces processus métaboliques complexes est très précisément réglé par le système endocrinien et notamment par l'insuline, le glucagon, les catécholamines et le cortisol.

Chez le sujet nourri, le rapport insuline/glucagon est élevé, ce qui favorise l'utilisation intracellulaire du glucose par la pyruvate-déshydrogénase et le stockage de l'énergie sous forme de glycogène (glycogénosynthèse) et de triglycérides (lipogenèse).

Chez le sujet à jeun, le rapport insuline/glucagon est abaissé, ce qui oriente vers la production de glucose par la glycogénolyse et la néoglucogenèse hépatique, et la production d'énergie par la lipolyse périphérique (oxydation des acides gras libres) et la cétogenèse hépatique.

Glycogénoses

On rassemble très arbitrairement sous ce vocable l'ensemble des maladies héréditaires dans lesquelles existe une accumulation intracellulaire de glycogène consécutive à un déficit enzymatique sur la voie de synthèse ou de dégradation du glycogène ou du glucose.

Tableau 3 : Classification classique des glycogénoses

Type	Nom	Enzyme déficiente
I	Maladie de Von Gierke	Glucose-6-phosphatase
II	Maladie de Pompe	Maltase acide lysosomiale
III	Maladie de Forbes (dextrinose limite)	Amylo-1-6-glucosidase
IV	Maladie d'Anderson (amylopectinose)	Amylo-transglucosidase (enzyme branchante)
V	Maladie de Mac Ardle	Phosphorylase musculaire
VI	Maladie de Hers	Phosphorylase hépatique
VII	Maladie de Tarui	Phosphofructokinase musculaire
VIII	Glycogénose hépatique	Phosphorylase kinase hépatique
X	Glycogénoses inclassées	?

Elles sont habituellement numérotées par ordre de découverte chronologique, ce qui aboutit à mélanger des faits cliniques très disparates (tableau 3).

Sur un plan clinique pratique, on peut en fait distinguer les glycogénoses à prédominance hépatique et les glycogénoses à prédominance musculaire.

Glycogénoses à prédominance hépatique

Déficit en glucose-6-phosphatase (type I a)

- *Fréquence :* Environ 1/4 des glycogénoses.
- *Début :* Précoce, néonatal ou dans les premières semaines de vie.
- *Symptomatologie :* Hépatomégalie énorme, retard de croissance, obésité facio-tronculaire, amyotrophie, tendance aux infections et hémorragies, hypoglycémie sévère (tolérance au jeûne le plus souvent inférieure à 6 heures) avec acidose lactique et cétose.
- *Diagnostic :* Il repose sur :
1. La non-réponse glycémique à l'injection de 1 mg i.m. de glucagon deux heures après un repas.
2. La non-réponse glycémique à l'injection intraveineuse de 2 g/kg de tous les substrats glucogéniques, et notamment de galactose, associée à une élévation marquée de l'acide lactique.
3. La biopsie hépatique, qui montre la surcharge en glycogène de structure normale (10 à 15 % du poids du foie) et le déficit enzymatique total en glucose-6-phosphatase.
- *Pronostic :* Il est sévère. Le décès dans la petite enfance est fréquent. Nombre de survivants sont retardés mentaux (conséquence de l'hypoglycémie). Une hyperlipémie, une hypercholestérolémie majeures, en partie induites par les sucres, et une hyperuricémie donnent lieu à l'adolescence à des complications nutritionnelles (goutte, micro-angiopathies de type diabétique).
- *Traitement :* Il repose sur le fractionnement des repas (toutes les 3 heures), l'équilibration de l'acidose par le bicarbonate. La nutrition entérale à débit constant donne des résultats remarquables (normalisation du volume du foie, du cholestérol, des lipides, de l'équilibre acide-base). La dérivation porto-cave produit les mêmes effets, mais expose aux complications opératoires et n'a pas été évaluée à long terme.

Il existe deux variantes, dites pseudoglycogénoses du type I, dont la sémiologie clinique est identique mais dont l'activité glucose-6-phosphatase *in vitro* est normale. Dans la variante Ib, l'activité enzymatique étudiée *in vivo* par double marquage du glucose au C_{14} et au tritium est nulle. Il s'agit en fait d'un trouble du transport du glucose-6-phosphate à l'intérieur du microsome. Dans l'autre variante, cette activité est paradoxalement très élevée. Il pourrait s'agir d'une anomalie primitive de régulation de la glycolyse.

Déficit en amylo-1-6-glucosidase (type III)

- *Fréquence :* Environ 1/4 des glycogénoses.
- *Début :* Se déclare dans les deux premières années et n'est jamais néonatal.
- *Symptomatologie :* Gros ventre (motif fréquent de consultation), très gros foie, retard statural, souvent faiblesse musculaire, rarement cardio-

myopathie, parfois une xanthomatose cutanée. L'hypoglycémie est rarement sévère, voire absente. Le glucagon donne une réponse glycémique normale 3 heures après le repas et une réponse nulle après 12 heures de jeûne. La réponse glycémique à l'injection de galactose est normale.
- *Pronostic :* Assez bon, grevé cependant par l'hyperlipémie et l'hypercholestérolémie fréquentes.
- *Diagnostic :* Il repose sur la biopsie hépatique qui montre l'accumulation de glycogène anormal (dextrine) et permet le dosage enzymatique. Il existe 6 sous-types suivant que le déficit porte sur la glucantransférase ou l'amylo-glucosidase hépatique ou hépato-musculaire. Le diagnostic anténatal est possible.

Déficit en phosphorylase kinase (type VIII)

- *Fréquence :* Environ 1/4 des glycogénoses.
- *Hérédité :* Affection liée au sexe n'atteignant que les garçons, alors que toutes les autres glycogénoses sont récessives autosomiques.
- *Début :* Tardif, vers 2 à 3 ans, voire plus tard.
- *Symptomatologie :* En règle générale se réduit à un gros ventre, un gros foie et parfois un retard de taille modérée. L'hypoglycémie est exceptionnelle. Le glucagon, nourri et à jeun, entraîne une réponse glycémique normale. Le pronostic est bénin. Les complications nutritionnelles (hyperlipémie, cholestérolémie) sont exceptionnelles.

Déficit en phosphorylase hépatique (type VI)

Exceptionnel, ce déficit atteint garçons et filles. Le tableau clinique et le pronostic sont identiques au type VIII. Il n'y a pas de réponse glycémique au glucagon (ce qui permet la distinction avec le type VIII).

Déficit en enzyme branchante (type IV)

Exceptionnel (environ 15 observations).
- *Début :* Dans les premiers mois de la vie par une hypotonie, une hépatosplénomégalie et une hypotrophie.
- *Evolution :* Vers une cirrhose et le décès en 2 à 3 ans.
- *Diagnostic :* Il repose sur la mise en évidence dans le foie et les leucocytes du glycogène de structure anormale, et du déficit enzymatique.

Glycogénoses inclassées avec tubulopathie

Associent dans la 1re année de la vie gros foie, gros ventre, retard de croissance et tubulopathie sévère avec rachitisme vitamino-résistant, glycosurie massive, hyperaminoacidurie, hypercalcémie, hyperphosphaturie. Le déficit enzymatique primaire est inconnu. Le pronostic dépend de la tubulopathie (Syndrome de Bickel-Fanconi).

Glycogénoses à prédominance musculaire

Déficit en maltase acide lysosomiale (type II) (maladie de Pompe)

Relativement fréquent (environ 1/5 des glycogénoses).
L'aspect clinique le plus habituel débute dans les deux premiers mois de la vie par une hypotonie massive générale alors que les masses

Tableau 4 : Principales myopathies d'origine métabolique

Aspect clinique	Affections
Avec phénomènes paroxystiques à l'effort (crampes et myoglobinurie)	● Déficit en phosphorylase musculaire (6)[*] ● Déficit en phosphofructokinase (12)[*] ● Déficit en phosphoglycérate-kinase (19)[*] ● Déficit en phosphoglycérate-mutase (18)[*] ● Déficit en lactico-déshydrogénase (25)[*] ● Paralysie hyperkaliémique ● Déficit en acylcarnitine-transférase
Accès nocturnes de paralysie flasque	● Paralysie hypokaliémique
Hypotonie ; diminution de la force musculaire d'évolution progressive	● Déficit en maltase acide ● Déficit en amylo-1-6-glucosidase (7)[*] ● Déficit en carnitine musculaire ou systémique ● Déficit en fructose-diphosphatase musculaire (13)[*] ● Déficit en adénylate-déaminase ● Myopathie avec hyperlactacidémie (déficit de la chaîne respiratoire mitochondriale)

[*] Les numéros entre parenthèses renvoient aux numéros de la figure 1.

musculaires sont de volume normal. Il s'y associe une macroglossie et une cardiomégalie progressive et une défaillance cardio-respiratoire responsable du décès à l'âge moyen de 5 à 6 mois. L'ECG montre un raccourcissement de l'espace PR et de grands complexes QRS. Le foie est normal ou peu augmenté. Il n'y a jamais d'acido-cétose ou d'hypoglycémie. Le diagnostic repose sur la mise en évidence de la surcharge glycogénique dans le foie, les muscles, les leucocytes ou les fibroblastes, et sur le déficit enzymatique total en maltase acide lysosomiale. Le diagnostic anténatal est possible.

A côté de cette forme sévère ont été individualisées de nombreuses variantes cliniques à début plus tardif (nourrisson, petite enfance), de symptomatologie essentiellement musculaire, sans viscéromégalie et d'évolution plus lente (décès entre 10 et 20 ans).

Certaines formes se manifestent très tardivement à l'âge adulte comme une myopathie chronique d'évolution très lente, sans aucun signe cardiaque ou viscéral.

L'aspect biochimique et le déficit enzymatique sont identiques à la forme néonatale sévère et n'expliquent donc pas les différences de présentation clinique.

Déficit en phosphorylase musculaire (type V)

Cette affection rare ne débute qu'exceptionnellement avant l'âge de 10 ans. Elle se traduit par une fatigabilité à l'effort physique prolongé qui entraîne, à partir de l'âge de 20 à 30 ans, des crampes musculaires et une myoglobinurie paroxystique. L'examen viscéral est normal. Il n'y a pas d'hypoglycémie ni d'acidose. L'épreuve d'effort sous ischémie montre l'absence de montée du lactate veineux (épreuve de Mac Ardle). Le diagnostic repose sur la biopsie musculaire, qui montre l'accumulation glycogénique (> 4 g/100 g muscle) et l'absence d'activité de la phosphorylase, alors que l'enzyme hépatique est normale.

Déficit en phosphofructokinase (type VII)

Maladie exceptionnelle caractérisée par une myopathie, des crampes et une myoglobinurie à l'effort, frappant l'adolescent et l'adulte jeune. Il existe un déficit total ou subtotal en phosphofructokinase musculaire et érythrocytaire.

Autres glycogénoses

Très récemment ont été décrites plusieurs nouvelles anomalies héréditaires de la glycolyse musculaire susceptibles d'entraîner une accumulation de glycogène. Toutes débutent en règle générale à l'adolescence et s'expriment par des crampes et une myoglobinurie apparaissant lors des efforts musculaires violents et intenses. On note constamment une élévation majeure de la créatine-phosphokinase sérique. La symptomatologie des glycogénoses musculaires et leur diagnostic différentiel avec les autres myopathies métaboliques sont résumés dans le tableau 4.

Déficits enzymatiques de la néoglucogenèse

Ils réalisent cliniquement un tableau de convulsions hypoglycémiques avec gros foie, de constitution précoce (le plus souvent dans le premier mois de la vie, parfois un peu plus tard).

Biologiquement, il existe une acidose métabolique surtout nette dans le déficit en glucose-6-phosphatase et en fructose-diphosphatase, une hyperlactacidémie, une hyperalaninémie, une cétonurie, et surtout une hypoglycémie généralement sévère, déclenchée ou aggravée par le jeûne.

Les principales caractéristiques de ces affections sont rassemblées dans le tableau 5.

Tableau 5 : Déficits enzymatiques de la néoglucogenèse

Caractères communs
- Début précoce néonatal ou dans les premiers mois
- Convulsions
- Constitution rapide d'un gros foie
- Hypoglycémie déclenchée par le jeûne
- Acidose métabolique avec cétose et hyperlactacidémie
- Rapide amélioration par le sérum glucosé et les régimes pauvres en fructose
- Pas ou peu de signes neurologiques en dehors des convulsions

Suite au verso

Tableau 5 (suite) : **Déficits enzymatiques de la néoglucogenèse**

Caractères particuliers

Déficit en glucose-6-phosphatase (G6P) (8)[*]
- Tolérance au jeûne de 3 à 6 heures
- Pas de réponse au glucagon
- Peu de cétonurie

Déficit en fructose-diphosphatase (FDP) (13)[*]
- Tolérance au jeûne de 8 à 16 heures
- Hypoglycémie induite par le fructose
- Réponse au glucagon normale après repas, nulle après jeûne

Déficit en phospho-enol-pyruvate-carboxykinase (PEPCK) (24)[*]
- Tolérance au jeûne de 12 à 18 heures
- Réponse glycémique normale au fructose
- Réponse nulle à l'alanine

Déficit en glycogène-synthétase (5)[*]
- Hypoglycémie modérée
- Hypercétonémie majeure au jeûne
- Pas de réponse au glucagon
- Hyperlactacidémie post-prandiale

[*] Les numéros entre parenthèses renvoient aux numéros de la figure 1.

A noter que le déficit en glucose-6-phosphate, traditionnellement étudié dans les glycogénoses (glycogénose du type I) est en réalité un déficit sévère de la néoglucogenèse qui n'entraîne que secondairement une accumulation de glycogène.

Déficits enzymatiques du carrefour du pyruvate

Hyperlactacidémies congénitales

Le taux normal de la lactacidémie chez l'enfant est ≤ 2 mEq/l (≤ 180 mg/l) et le taux normal de la pyruvicémie est $\leq 0,15$ mEq/l (≤ 15 mg/l). Le rapport lactate/pyruvate (L/P) normal est compris entre 6 et 15. La cause la plus fréquente des hyperlactacidémies de l'enfant est l'anoxie systémique ou tissulaire, quelle qu'en soit l'origine (détresses cardiaque ou respiratoire, déshydratation, état de choc, septicémies, méningites, infections viscérales de tous types, hémorragie ventriculaire, ischémies de toutes origines, exercice musculaire prolongé, anaérobiose). Dans tous ces cas, l'hyperlactacidémie s'accompagne d'un rapport L/P élevé qui reflète l'élévation des potentiels réduits (rapport NADH/NAD élevé). Toutes les hyperlactacidémies, qu'elles soient acquises ou héréditaires, s'accompagnent d'une hyperprolinémie due à l'inhibition de la proline-oxydase par l'acide lactique.

A côté de ces hyperlactacidémies acquises et transitoires, il existe des hyperlactacidémies chroniques en rapport avec des déficits enzymatiques de la néoglucogenèse (PEPCK, FDP G6P) (voir pp. 807 ss) et du carrefour du pyruvate (PC-PDH).

Déficits en pyruvate-carboxylase (PC) et pyruvatedéshydrogénase (PDH)

Ces affections s'expriment soit dès la période néonatale (premier mois de la vie) par des convulsions, une hypotonie, une polypnée et une acidose lactique sévère, soit plus tardivement par une encéphalopathie avec hypotonie et retard mental de constitution lentement progressive, accompagnant une hyperlactacidémie modérée sans acidose, soit enfin par une symptomatologie intermittente d'ataxie à rechutes, avec troubles de la conscience et polypnée. Biologiquement, l'hyperlactacidémie d'importance variable (200 à 1 000 mg/l) s'accompagne d'un rapport L/P normal ou élevé, parfois d'une hyperalaninémie, souvent d'une cétonurie, rarement d'une hypoglycémie. L'hyperglycémie provoquée entraîne le plus souvent une majoration de l'hyperlactacidémie, alors que le jeûne a tendance à la normaliser. Le déficit en PC, surtout dans sa forme néonatale, comporte souvent un profil biologique très particulier associant :

a) un rapport L/P très élevé contrastant avec un rapport B-hydroxybutyrate/acéto-acétate abaissé ;

b) une hyperammoniémie modérée associée à une accumulation modérée de citrulline et de lysine.

Le diagnostic repose sur les dosages enzymatiques sur biopsie hépatique (PC-PDH) ou musculaire ou sur culture de fibroblastes.

La pyruvate-déshydrogénase comporte trois sous-unités, E1 (pyruvatedécarboxylase), E2 (lipoyltransacétylase), E3 (lipoamide-oxydoréductase), et une enzyme activatrice, la PDH-phosphatase. Des déficits spécifiques de chacune de ces sous-unités ont été décrits.

Quelques observations de déficit en PC et en PDH ont été décrites dans l'encéphalopathie nécrosante subaiguë de Leigh-Feigin-Wolf, et dans l'ataxie de Friedreich.

En outre, de nombreuses hyperlactacidémies chroniques constitutionnelles et familiales associées à un retard mental ou à des signes neurologiques ne reçoivent pas actuellement d'explication enzymatique ou métabolique précise.

Certaines sont probablement en rapport avec un déficit de la chaîne respiratoire mitochondriale, dont il a été décrit quelques observations dans des myopathies, notamment le déficit en cytochrome-C-oxydase, qui associe myopathie congénitale, grosse langue, retard mental, acidose lactique et syndrome De Toni-Debré-Fanconi.

Galactosémie

C'est une affection due au déficit de la galactose-1-phosphate-uridyltransférase, enzyme contrôlant la conversion de galactose-1-P en glucose-1-P. L'accumulation de galactitol entraîne des effets pathologiques.

- L'affection débute dès les premiers jours de la vie. Les *signes cliniques* sont : l'arrêt de développement en taille, en poids et en acquisitions psychomotrices ; la cataracte ; l'hépatomégalie cirrhogène et stéatosique avec parfois ictère, œdème et hémorragies ; la souffrance rénale avec protéinurie de type tubulaire, hyperaminoacidurie généralisée et acidose de type proximal. En outre, on observe des accidents d'hypoglucosémie, accentués par la surcharge en galactose, et une mélituire identifiée comme galactosurie. Le *pronostic* est sévère sur les plans mental, hépatique, oculaire.
- Le *diagnostic* repose sur le taux presque nul de galactose-1-P-uridyl-transférase étudié sur hémolysat. Ce dosage permet, dans les fratries suspectes, de faire le diagnostic après la naissance, avant l'apparition de signes anormaux. Les hétérozygotes ont une activité enzymatique intermédiaire entre normaux et galactosémiques, ce qui permet de les dépister pour le conseil génétique. Il existe des formes moins graves de la maladie et des mutants (variante Duarte) diminuant le taux de l'enzyme mais sans conséquence pathologique.
- Le *traitement*, très efficace, est la diète sans galactose et sans ses précurseurs, le lactose surtout et le styachose du soja.
- Récemment ont été décrites plusieurs observations de galactosémie dues à un déficit en galacto-4-épimérase (enzyme 3, fig. 1).

Intolérance au fructose

L'affection débute à des âges variables, parfois pendant la période néonatale. La maladie est due au déficit de la fructose-1-P-aldolase hépatique, empêchant l'entrée du fructose-1-phosphate dans la voie glycolytique anaérobie.
- *Signes cliniques :* Les vomissements, le retard de croissance en taille, les accidents d'hypoglycémie et de collapsus, l'hépatomégalie parfois avec ictère, la stéatose hépatique avec images en rosettes sur la biopsie du foie, la fructosurie, la protéinurie tubulaire, l'hyperaminoacidurie sont les manifestations, en vérité assez variables, de la maladie. La surcharge en fructose abaisse la glucosémie, élève la fructosémie et peut déterminer des malaises graves.
- *Diagnostic :* Il repose sur le dosage de l'activité fructose-1-phosphoaldolase du foie, inférieure à 6 % par rapport à la normale.
- *Traitement :* D'une grande efficacité, il consiste à prescrire pour la vie entière un régime dépourvu de fructose et de ses précurseurs, comme la saccharose ou le sorbitol. Le *pronostic* est variable : la mort survient parfois dans un accès aigu ; mais l'évolution peut affecter le mode chronique.

Déficits de l'oxydation des acides gras et de la cétogenèse.

Il s'agit d'un nouveau secteur de la pathologie métabolique en pleine expansion. Lors du jeûne, la lipolyse périphérique libère des acides gras à partir des triglycérides. Ces acides gras sont activés en acyl-CoA dans le cytoplasme, puis pénètrent à l'intérieur des mitochondries grâce à un système de transport nécessitant la carnitine et l'acétyl-carnitine-transférase. A l'intérieur de la mitochondrie, ces acyl-CoA subissent une β-oxydation sous l'action d'acyl-CoA-déshydrogénases spécifiques de certaines longueurs de la chaîne de carbone. Cette β-oxydation libère de l'énergie et des molécules d'acétyl-CoA qui ont deux types d'utilisation. Au niveau périphérique, cette énergie est directement utilisée par le muscle pour ses besoins. Au niveau hépatique, l'énergie est utilisée pour la production du glucose par la néoglucogenèse, et pour la synthèse des corps cétoniques à partir de l'acetyl-CoA. Sur un plan clinique, une anomalie de l'oxydation des acides gras va donc s'exprimer par deux types de manifestations schématiques plus ou moins associées, suivant que les conséquences musculaires ou hépatiques sont prédominantes :
a) soit par une symptomatologie musculaire prédominante aiguë (crampes, douleurs à l'effort, myoglobinurie paroxystiques) ou chronique (hypotonie, faiblesse musculaire progressive, cardiomyopathie, infiltration lipidique à la biopsie) ;
b) soit par une symptomatologie générale à début néonatal ou tardif, associant coma ou léthargie pouvant conduire à la mort rapide, hépatomégalie, hypoglycémie, élévation des transaminases, hyperammoniémie et surcharge lipidique du foie ; l'ensemble réalisant le tableau du syndrome de Reye. Deux éléments orientent vers un trouble de l'oxyda-

Tableau 6 : Anomalies de l'oxydation des acides gras et de la cétogenèse

Siège de l'anomalie	Affection	Expression clinique
Transport intramitochondrial des acides gras	Déficit en acétyl-carnitine-transférase (musculaire ou généralisé)	Crampes. Myoglobinurie ou hypoglycémie hypocétotique
	Déficit en carnitine (musculaire ou généralisé)	Myopathie, cardiomyopathie ou pseudo-syndrome de Reye
β-oxydation (parfois troubles sensibles à la Riboflavine)	Acidurie glutarique type II (déficit généralisé)	Détresse néonatale avec acidose sans cétose ou pseudo-syndrome de Reye
	Acidurie dicarboxylique (déficit électif sur oxydation des acides gras à moyenne chaîne)	Pseudo-syndrome de Reye Hypoglycémie hypocétotique
	Vomissements de la Jamaïque (déficit généralisé dû à une intoxication à l'hypoglycine)	Pseudo-syndrome de Reye
Cétogenèse	Déficit en βOH-βCH3-glutaryl-CoA-lyase	Détresse néonatale avec acidose sans cétose ou hypoglycémie hypocétotique

tion des acides gras : l'absence de cétose et l'excrétion massive d'acides dicarboxyliques dans les urines (acides adipique, subérique, sébacique consécutifs à une oméga-oxydation inhabituelle).

Le tableau 6 rassemble les différentes affections décrites jusqu'ici.

On a décrit en outre récemment une accumulation anormale et un déficit d'oxydation des acides gras à très longue chaîne (> C 24) dans les fibroblastes de malades atteints d'adrénoleucodystrophie et de syndrome de Zellweger. Grâce à ces anomalies, le diagnostic anténatal de ces affections devient possible.

Sphingolipidoses

Les sphingolipidoses sont des maladies héréditaires, atteignant le plus souvent le système nerveux (neurolipidoses) et caractérisées par l'accumulation intracellulaire de sphingolipides.

Les substances déposées sont des dérivés de la sphingosine, combinée à différents acides gras (stéarique, lignocérique, nervonique par exemple) pour former une céramide (cf. fig. 2). Les différents sphingolipides et leur métabolisme sont représentés à la fig. 3.

La combinaison de la céramide à un radical phosphorylcholine donne une sphingomyéline. La céramide peut être libérée de la phosphorylcholine par une sphingomyélinase qui a été isolée.

La combinaison de la céramide à un hexose donne un cérébroside : galacto-cérébroside constituant de la myéline, gluco-cérébroside, glu-gal-cérébroside, glu-gal-gal-cérébroside, globoside (glu-gal-gal-galactosamine-cérébroside). Les esters sulfuriques des cérébrosides sont des sulfatides.

L'association de céramide avec des hexoses, une hexasamine et l'acide n-acétylneuraminique (acide sialique) réalise un ganglioside, constituant de la substance grise. On a isolé plusieurs cérébrosides dont la nomenclature est variable. La plus utilisée les désigne sous les abréviations GM_1, GM_2, GM_3, etc. Leur catabolisme est assuré par un système « gangliosidase » formé de plusieurs hydrolases acides : en particulier une bêta-galactosidase, une hexose-aminidase et une neuraminidase (cf. fig. 2).

Les découverts biochimiques récentes ont montré que l'accumulation est due à des défauts du catabolisme, que les enzymes intralysosomiaux y jouent un rôle important, que la nosologie classique de ces maladies est à réviser.

La classification biochimique des principales sphingolipidoses est présentée dans les tableaux 7-10.

L'expression clinique générale de ces maladies est décrite au chapitre 25.

Fig. 2 : Structure de la céramide

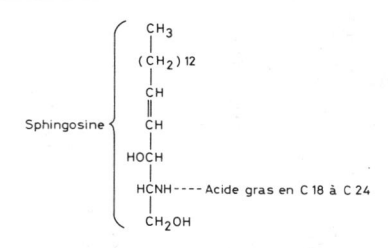

$$\text{Sphingosine} \begin{cases} CH_3 \\ (CH_2)_{12} \\ CH \\ \| \\ CH \\ HOCH \\ HCNH \text{----Acide gras en C 18 à C 24} \\ CH_2OH \end{cases}$$

Fig. 3 : Dégradation des sphingolipides (schéma)

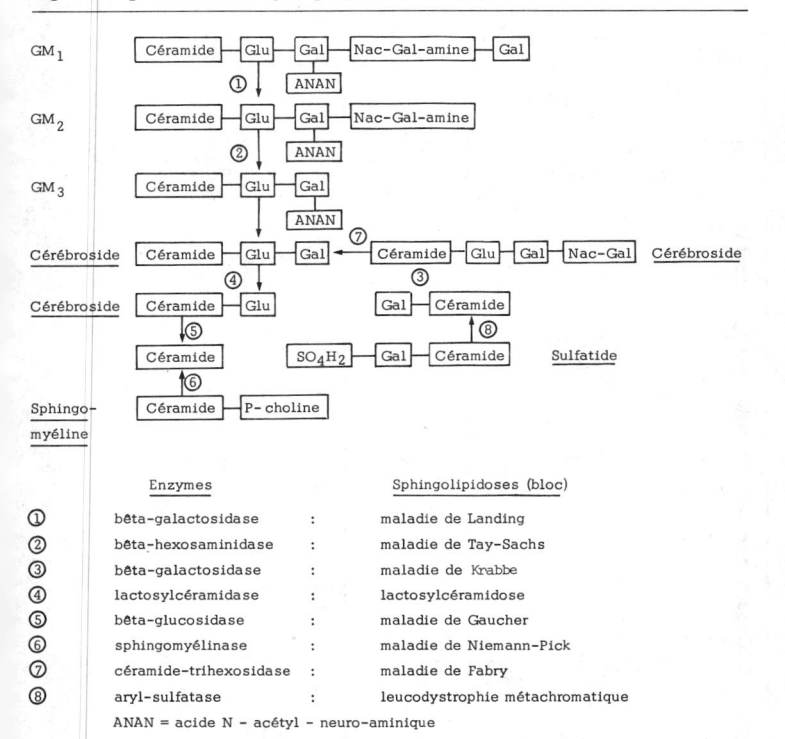

GM₁ : Céramide—Glu—Gal—Nac-Gal-amine—Gal
                         |
                        ANAN

① ↓

GM₂ : Céramide—Glu—Gal—Nac-Gal-amine
                    |
                   ANAN

② ↓

GM₃ : Céramide—Glu—Gal
                |
               ANAN

③ ↓

Cérébroside : Céramide—Glu—Gal ⑦ Céramide—Glu—Gal—Nac-Gal : Cérébroside
                              ③

④ ↓

Cérébroside : Céramide—Glu   Gal—Céramide

⑤ ↓   ↑ ⑧

Céramide   SO₄H₂—Gal—Céramide   Sulfatide

⑥ ↓

Sphingo- Céramide—P-choline
myéline

	Enzymes		Sphingolipidoses (bloc)
①	bêta-galactosidase	:	maladie de Landing
②	bêta-hexosaminidase	:	maladie de Tay-Sachs
③	bêta-galactosidase	:	maladie de Krabbe
④	lactosylcéramidase	:	lactosylcéramidose
⑤	bêta-glucosidase	:	maladie de Gaucher
⑥	sphingomyélinase	:	maladie de Niemann-Pick
⑦	céramide-trihexosidase	:	maladie de Fabry
⑧	aryl-sulfatase	:	leucodystrophie métachromatique

ANAN = acide N - acétyl - neuro-aminique

Tableau 7 : Classification des principales sphingolipidoses

Accumulation de	Déficit enzymatique	Substance accumulée	Maladie
Sphingomyélines (cf. tableau 9)	Sphingomyélinase	Sphingomyéline	Niemann Pick (types A, B, C, D, E)
Glycolipides neutres : Cérébrosides (cf. tableau 8)	Glucocérébrosidase Cérébroside-β-galactosidase Lactosyl-β-galactosidase α-galactosidase	Cérébroglucoside Cérébrogalactoside Lactosylcéramide Trihexosylcéramide, digalactosylcéramide	Gaucher Krabbe Lactosyl-céramidose Fabry
Glycolipides acides : — Sulfatides (cf. tableau 8)	Arylsulfatase A Sulfatases A-B-C	Sulfatides Sulfatides	Leucodystrophie métachromatique Maladie d'Austin
— Gangliosides (cf. tableau 10)	β-galactosidase Hexosaminidase A Hexosaminidase A et B	Ganglioside GM1 + oligosaccharides Ganglioside GM2 Ganglioside GM2 + oligosaccharides	Landing Tay Sachs Sandhoff

Tableau 8 : Principales caractéristiques cliniques des cérébrosidoses, sulfatidoses et céramidoses

Maladie	Âge de début	Signes cliniques	Évolution
Gaucher type 1 (fréquent)	Adulte Adolescence 2ᵉ enfance	Hépatosplénomégalie, cellule de surcharge dans la moelle, augmentation des phosphatases acides, douleurs ostéo-articulaires, atrophie osseuse, fractures, pneumopathie interstitielle	Prolongée
Gaucher type 2 (rare)	Première année	Cachexie, hépatosplénomégalie, somnolence, tétraplégie	Décès avant 18 mois
Krabbe	Premiers mois	Régression psychomotrice, syndrome pyramidal, atrophie optique, hyperprotéinorachie	Décès en 1 à 2 ans
Leucodystrophie métachromatique	1 à 4 ans (f. infantile)	Paraplégie flasque ou spasmodique, ataxie, atrophie optique, régression mentale, hyperprotéinorachie, conduction nerveuse	Prolongée plusieurs années

Austin	12 à 18 mois	Ichtyose, hépatosplénomégalie, tétraplégie, neuropathie périphérique, dysmorphies osseuses, régression mentale tardive, hyperprotéinorachie ; mucopolysaccharidurie parfois	Variable lente (3 à 12 ans)
Fabry	7 à 10 ans (garçons : affection liée à l'X)	Douleurs des extrémités et abdominales, œdèmes, fièvre, angiokératose des cuisses et de l'abdomen, opacités cornéennes, insuffisance rénale	Prolongée à l'âge adulte
Lactosylcéramidose	Première année	Hypotonie, syndrome pyramidal, tache rouge cerise, hépatosplénomégalie, phosphatases acides élevées	

Tableau 9 : Principales caractéristiques cliniques des sphingomyélinoses

Maladie	Age de début	Signes cliniques	Evolution
Niemann-Pick type A (fréquent)	Premiers mois	Altération de l'état général, cachexie, gros ventre, hépatosplénomégalie, pneumopathie interstitielle, ostéoporose, déchéance psychomotrice et neurologique rapide, tache rouge cerise au fond d'œil, cellules spumeuses médullaires, lymphocytes vacuolés	Décès avant 3 ans
Niemann-Pick type B	2 à 4 ans	Gros ventre, hépatosplénomégalie, pneumopathie interstitielle ; pas de signes neurologiques ni psychiques	Plusieurs dizaines d'années
Niemann-Pick type C	2 à 6 ans	Début par troubles du comportement ; régression intellectuelle lente, paralysie de la verticalité du regard ; puis déchéance neurologique, démence, hépatosplénomégalie, cellules de surcharge médullaire	Décès entre 5 et 15 ans
Niemann-Pick type D	2 à 6 ans	Frappe un isolat d'origine française de la Nouvelle-Ecosse. Tableau identique au type C. Ictère intense	Décès entre 10 et 20 ans
Histiocytes bleus	2 à 6 ans	Tableau clinique voisin du type C	Décès entre 5 et 10 ans

Tableau 10 : Principales caractéristiques cliniques des gangliosidoses

Maladie	Age de début	Signes cliniques	Evolution
Landing (gangliosidose à GM1)	Quelques semaines (forme infantile). Il existe aussi une forme tardive d'évolution plus lente	Dysmorphie de type Hurler, régression psychomotrice, hépatosplénomégalie, tache rouge cerise, lymphocytes vacuolés	Décès en 1 à 2 ans
Tay-Sachs (gangliosidose à GM2 type 1)	Premier semestre	Clonies audiogènes, macrocéphalie, détérioration mentale, décérébration, cécité, tache rouge cerise, convulsions	Décès en 1 à 3 ans
Sandhoff (gangliosidose à GM2 type 2)	Premier semestre	Identique à la maladie de Tay-Sachs	Décès en 1 à 3 ans

Anomalies des lipoprotéines plasmatiques

Les lipides plasmatiques circulants sont : 1. les acides gras libres (NEFA ou FFA) transportés sur l'albumine ; 2. les chylomicrons, importantes structures élaborées par la muqueuse intestinale et contenant peu de protéines ; 3. les trois classes principales de lipoprotéines synthétisées par le foie et qui associent triglycérides, phospholipides et cholestérol dans des proportions variables en fonction des caractéristiques des apoprotéines (A, B et C) auxquelles ils sont liés. Les deux méthodes de séparation des lipoprotéines sont l'électrophorèse de zones selon Lees et Hatch, où on distingue les alpha, pré-bêta et bêta-lipoprotéines, et l'ultracentrifugation où on les différencie par leur indice de flottation. Leurs caractéristiques sont résumées au tableau 11 et leur métabolisme à la fig. 4.

Hyperlipoprotéinémies héréditaires

Ces affections sont rarement expressives en clinique pédiatrique. Leur intérêt considérable provient du fait que certaines d'entre elles sont une des causes de l'athérome artériel. Cette affection de la paroi artérielle est la cause la plus importante de mortalité, trois fois plus que le cancer, dans la seconde moitié de la vie. Environ 3 à 4% des adultes de sociétés économiquement développées présentent une hyperlipoprotéinémie ; c'est dire que l'affection est deux à trois fois plus fréquente que le diabète. L'idée qu'un dépistage précoce pendant l'enfance permettrait la

Tableau 11 : Classification des lipoprotéines

Dénomination	Densité	Flottation (en unités Sf)	Electrophorèse
Chylomicrons	< 0,95	> 1000	Origine
V.L.D.L.	< 1,006	20-400	Pré-bêta
L.D.L.	< 1,019 < 1,063	12-20 0-12	Bêta
H.D.L.	< 1,210	—	Alpha

V.L.D.L. : very low density lipoproteins
L.D.L. : low density lipoproteins
H.D.L. : high density lipoproteins

Fig. 4 : Equilibre des lipides plasmatiques

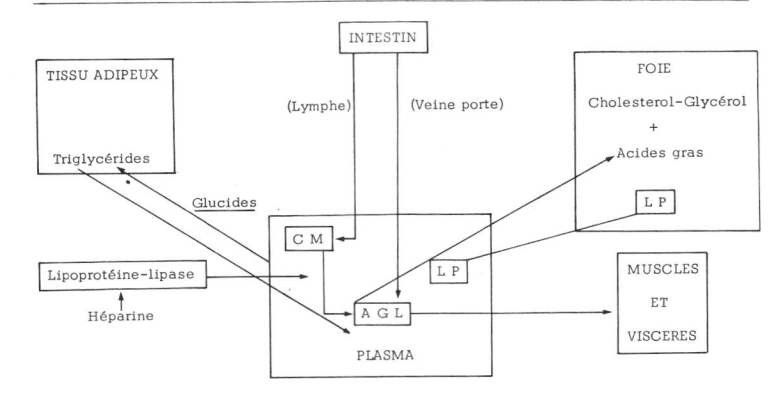

```
                          ┌──────────┐
                          │ INTESTIN │
                          └──────────┘
┌──────────────┐                                    ┌─────────────────────┐
│ TISSU ADIPEUX│      (Lymphe)   (Veine porte)      │        FOIE         │
│              │                                    │ Cholesterol-Glycérol│
│              │                                    │          +          │
│ Triglycérides│                                    │     Acides gras     │
│              │    Glucides                        │                     │
│              │                                    │        ┌────┐       │
└──────────────┘                ┌─────┐             │        │ L P│       │
                                │ C M │             │        └────┘       │
                                └─────┘             └─────────────────────┘
┌──────────────────┐                   ┌────┐                ┌─────────┐
│Lipoprotéine-lipase├──────►            │ L P│               │ MUSCLES │
└──────────────────┘               ┌───▼┴───┐                │   ET    │
                                   │  A G L ├───────────────►│VISCERES │
       Héparine                    └────────┘                └─────────┘
                                    PLASMA
```

A G L : Acides gras libres (transportés par l'albumine)
C M   : Chylomicrons
L P   : Lipoprotéines

mise en route d'un traitement préventif des complications frappant les vaisseaux coronariens et cérébraux justifie la connaissance de cette affection par les pédiatres. Seule, toutefois, l'hypercholestérolémie familiale de type II est congénitale et peut être reconnue dans le sang du cordon. Le dépistage doit donc avant tout être envisagé dans les familles à haut risque (hyperlipoprotéinémies connues et infarctus précoces).

La classification des hyperlipoprotéinémies héréditaires la plus généralement acceptée, dite classification de Frederickson, est basée sur l'ordre de migration des principales classes de lipoprotéines en électrophorèse (cf. fig. 5). Ainsi, dans ce système, le type I correspond à une augmentation isolée des chylomicrons qui restent à l'origine, le type II à une augmentation isolée des LDL qui migrent comme les β-protéines, d'où leur nom de β-LP, le type III à l'existence d'une bande « large », recouvrant la zone des β et des α_2 (« broad », en anglais), le type IV à une augmentation des VLDL qui migrent (en milieu albumineux) comme les α_2-protéines et auxquelles on donne aussi de ce fait le nom de pré-β-LP, enfin le type V à une anomalie portant à la fois sur les chylomicrons et les VLDL (type I + IV). Une augmentation des VLDL peut être associée également à une augmentation des LDL, réalisant une « hyperlipémie combinée » ; on lui donne alors, selon la terminologie de l'OMS, le nom de type IIb, par opposition au type IIa dans lequel l'augmentation des LDL est isolée.

On considère souvent à tort ces différents phénotypes d'hyperlipoprotéinémies comme des entités bien caractérisées. Cette classification ne définit toutefois que la classe de lipoprotéines dont la concentration est anormale, sans préjuger de son degré, de son mécanisme et de son déterminisme génétique.

Hypercholestérolémie familiale

(Syn. : hypercholestérolémie essentielle ; xanthomatose tendineuse hypercholestérolémique familiale ; hyperbêtalipoprotéinémie familiale ; hyperlipoprotéinémie familiale de type II ; hypercholestérolémie familiale monogénique)

L'hypercholestérolémie familiale (HF) représente la forme la plus franche des hyperlipoprotéinémies primitives de type II, dans lesquelles le sérum est toujours clair et dont la caractéristique générale est une augmentation du cholestérol et à un moindre degré des phospholipides, sans hypertriglycéridémie. Elle se transmet comme un caractère incomplètement dominant ou intermédiaire, ce qui signifie qu'elle touche en moyenne un sujet sur deux à chaque génération (un des deux parents a une hypercholestérolémie comparable et l'autre est habituellement normal), mais qu'elle se manifeste de manière plus marquée chez les homoque chez les hétérozygotes. Sa fréquence est estimée entre 0,1 et 0,5% dans la population générale, et elle ne représente par conséquent qu'une faible partie des hypercholestérolémies : environ 1 sujet seulement sur 25 ayant un taux de cholestérol supérieur au 95e percentile en est atteint. Elle ne rend compte que de 3 à 6% des accidents vasculaires dans une population non sélectionnée d'âge moyen.

L'hypercholestérolémie familiale résulterait d'une anomalie des récepteurs membranaires extra-hépatiques des LDL qui empêcherait leur captation, et secondairement : *a)* leur dégradation à l'intérieur de la cellule ; *b)* la suppression, par le cholestérol libéré, de sa synthèse endogène à partir de l'acétate au niveau de la β-hydroxy-β-méthylglutaryl (HMG)-CoA réductase ; et *c)* l'activation de son estérification, le cholestérol estérifié étant sa forme de stockage intracellulaire. Tous ces faits expérimentaux ne cadrent pas toutefois complètement avec ce modèle, notamment la constatation que la synthèse du cholestérol, si elle est

Fig. 5 : Critères électrophorétiques et classification de Fredrickson

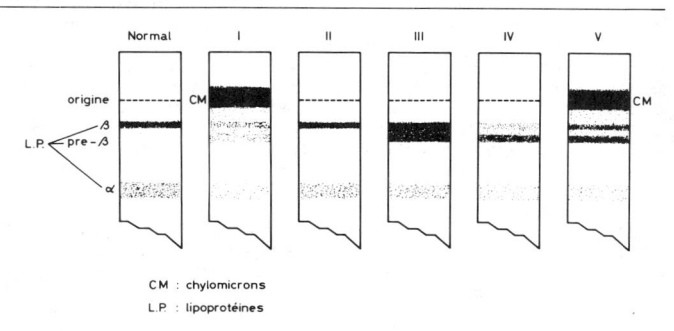

CM : chylomicrons
L.P. : lipoprotéines

même augmentée, ne l'est pas autant chez les homozygotes qu'on devrait l'attendre en l'absence de toute régulation, et que son catabolisme n'est pas diminué mais augmenté.

La forme hétérozygote, dans laquelle la cholestérolémie est en moyenne de 9 mmol (3,5 g), avec des valeurs comprises en l'absence de traitement entre 7 et 13 mmol/l (2,7 à 5 g), et dont les modifications des lipoprotéines portent exclusivement sur les LDL, et par conséquent celles des apoprotéines seulement sur l'apo B, dont les taux sont à peu près le double de ceux des sujets normaux du même âge, ne se manifeste en règle générale qu'à l'âge adulte, bien qu'elle soit présente dès la naissance et qu'elle puisse même être reconnue dans le sang du cordon. Un arc cornéen précoce (gérontoxon) peut permettre toutefois exceptionnellement de la déceler vers 7 ou 10 ans ; et, dans un petit nombre de cas, des xanthomes tendineux ou un xanthélasma sont déjà présents avant 20 ans. Après cet âge, les xanthomes tendineux, qui sont caractéristiques de l'augmentation de cette classe de lipoprotéines, sont retrouvés chez plus de 70% des sujets atteints et, après la trentaine, l'arc cornéen chez environ la moitié d'entre eux. Une tendinite inexpliquée devrait aussi attirer l'attention. Malgré tout, en l'absence de dosage systématique du cholestérol, le diagnostic n'est porté le plus souvent qu'après une première attaque coronarienne qui survient chez plus de 50% des hommes avant 50 ans, mais qui est plus rare chez la femme avant la ménopause.

Le traitement consiste en un régime pauvre en graisses saturées (lait entier, beurre, viande de bœuf, porc et mouton) et en cholestérol (œufs, abats) et riche en acides gras poly-insaturés (huile de maïs, de noix ou de tournesol, par exemple) ; il semble d'autant plus efficace que les enfants sont plus jeunes. On est souvent amené à y ajouter la prescription de cholestyramine (8 à 12 g/jour), qui chélate les sels biliaires dans la lumière intestinale et bloque leur réabsorption, et/ou de dérivés du clofibrate. On obtient ainsi en règle générale une baisse de plus de 30% de la cholestérolémie.

La forme homozygote, dans laquelle la cholestérolémie dépasse 15 et quelquefois 25 mmol (6 et 10 g), s'exprime par une xanthomatose précoce essentiellement faite de xanthomes tubéreux, que l'on n'observe jamais chez les hétérozygotes, et qui apparaissent au cours des 2 ou 3 premières années de la vie ou même parfois dès la naissance ; le xanthélasma est rare, en revanche, chez eux mais l'arc cornéen est très évident habituellement avant 10 ans ; les complications cardio-vasculaires conduisent en général à la mort avant 20 ans ; aucun cas ayant survécu au-delà de 30 ans n'a été rapporté. Sauf exceptions que les études de paternité permettent d'expliquer, les deux parents ont en règle la forme hétérozygote de la maladie ; il existe toutefois des cas, qui répondent d'ailleurs particulièrement bien au traitement, dans lesquels les parents sont apparemment normaux et auxquels on donne pour cette raison le nom de formes « pseudo-homozygotes ».

Dans les formes homozygotes « habituelles », deux types de mutations ont été reconnus.

Le premier fait disparaître complètement la capacité de fixation des récepteurs membranaires des LDL. Le traitement est peu efficace, les médicaments (cholestyramine, clofibrate, acide nicotinique) ont généralement peu d'effet ; des plasmaphérèses répétées ont été essayées : les meilleurs résultats semblent obtenus par la création d'un shunt porto-cave.

Dans le second type de mutation, la capacité de fixation des récepteurs est seulement réduite en moyenne à 10% de la normale, mais avec une très grande variabilité d'une famille à l'autre.

Hypercholestérolémie polygénique

L'HF n'est qu'une des formes d'hyperlipoprotéinémie primitive de type II. Dans la grande majorité des hypercholestérolémies génétiques, on ne retrouve pas, en effet, comme dans la précédente, une ségrégation mendélienne du caractère avec une distribution bimodale chez les apparentés de premier degré (parents germains, enfants) des sujets atteints. La cholestérolémie est d'ailleurs en général moins élevée, comprise entre 6 et 8 mmol/l (2,3 à 3 g), et ne se traduit par aucune manifestation clinique, si ce n'est une fréquence accrue des complications cardiovasculaires. Elle doit cependant bénéficier d'un traitement diététique et éventuellement médicamenteux (cholestyramine, clofibrate).

On retrouve chez les deux parents une hypercholestérolémie du même ordre, la distribution du cholestérol chez les apparentés du premier degré étant unimodale avec une moyenne décalée vers des valeurs plus élevées que normalement. Cela suggère que ces sujets, qui représentent en quelque sorte la « queue » de la distribution normale, ont hérité de plusieurs gènes qui affectent la synthèse, la régulation et le catabolisme du cholestérol et qui tendent à maintenir la cholestérolémie à un niveau élevé. Cette hypothèse d'un mécanisme polygénique de la plupart des hypercholestérolémies de type II est encore renforcée par le fait qu'à chaque génération, ces gènes tendent à se diluer avec d'autres dont l'effet est de maintenir la cholestérolémie à un niveau plus bas, et que l'on assiste ainsi à un phénomène de régression vers la moyenne. Il y a bien entendu aussi à tout moment la même probabilité que des gènes qui conduisent à une hypercholestérolémie se concentrent dans d'autres familles et qu'apparaissent de nouveaux cas d'hypercholestérolémie, ce qui explique finalement que, compte tenu des facteurs d'environnement, la cholestérolémie se maintienne à un niveau stable dans la population.

Hyperlipidémie essentielle héréditaire lipido-dépendante

C'est le type I de Fredrickson ou hyperchylomicronémie exogène dépendante des graisses. Décrite en 1932 par Bürger et Grütz, c'est une affection rare, à transmission autosomique récessive, se manifestant dès l'enfance. Le sérum sanguin y est lactescent.

La maladie est parfois mise en évidence sur cette dernière constatation, à propos d'une prise de sang faite pour un motif quelconque. Dans d'autres cas, trois manifestations cliniques attirent l'attention, souvent dès les premiers mois de la vie : 1. les crises douloureuses avec vomissements, fièvre, collapsus parfois, très impressionnantes ; 2. les poussées fugaces de petits xanthomes très disséminés ; 3. l'hépato-splénomégalie très variable. Ces trois éléments se joignent pour réaliser des poussées évolutives au cours desquelles on constate une lipémie rétinienne : fond d'œil d'aspect crémeux avec des vaisseaux jaune pâle et mal limités. Les complications de la maladie sont avant tout pancréatiques (pancréatite aiguë ou subaiguë à rechutes) et des infarctus osseux avec des images rondes lacunaires. Il n'y a guère ou pas de complications vasculaires.

Le sérum est lactescent à jeun. La lipidémie est souvent située entre 15 et 60 g/l, avec un taux de cholestérol peu élevé ; cette hyperlipidémie est très instable. Le diagnostic de la maladie repose sur trois constatations. D'abord, en électrophorèse, on voit que l'hypertriglycéridémie porte uniquement sur la bande des chylomicrons de mobilité presque nulle. Ensuite, le dosage *in vitro* de l'activité protéine-lipase posthéparine est presque nul, ce qui laisse penser que l'anomalie héréditaire porte sur cet enzyme ou sur son activateur physiologique, l'apo-CII, comme cela a été récemment démontré dans plusieurs familles. Enfin, la lipido-dépendance est affirmée par l'efficacité d'un régime alimentaire apportant moins de 0,5 g/kg/jour, qui corrige l'hyperchylomicronémie et évite les poussées évolutives. Cette épreuve constitue la base de la thérapeutique diététique, très efficace, de l'affection.

Hyperlipidémie glucido-dépendante

Décrite par Ahrens et Spritz en 1961, elle correspond au type IV de Fredrickson. Elle est fréquente et atteint presque exclusivement l'adulte. Le sérum y est lactescent. La transmission se fait probablement selon le mode autosomique récessif.

L'expression clinique est nulle, pauvre (lassitude générale, lourdeurs abdominales) ou nette (douleurs abdominales, hépato-splénomégalie, éruption de xanthomes, lipémie rétinienne), souvent associée à une obésité cervico-facio-tronculaire avec faciès piriforme. La lipidémie totale atteint souvent 15 à 30 g/l est très instable. L'augmentation prédomine sur les triglycérides, avec une cholestérolémie comprise entre 2 et 4 g/l. Le diagnostic repose sur trois constatations. La première est, en électrophorèse, l'augmentation des pré-bêta-lipoprotéines. La seconde est l'aspect normal de l'activité lipoprotéine-lipase posthéparine *in vitro*. La troisième est la correction de l'anomalie par un régime pauvre en sucres et éventuellement en alcool ; certains de ces malades sont, en effet, glucido-dépendants et alcoolo-dépendants.

Cette forme présente des complications vasculaires comme le type II, des complications pancréatiques comme le type I, mais en outre une tendance au prédiabète et au diabète sucré et à l'hyperuricémie.

Son traitement consiste avant tout en une restriction des hydrates de carbone mais aussi des graisses saturées et du cholestérol avec, comme dans l'hypercholestérolémie de type II, la prescription de graisses polyinsaturées ; les formes alcoolo-dépendantes exigent la suppression complète des boissons alcoolisées et celles qui s'accompagnent d'une tendance à l'obésité bénéficient considérablement d'un simple régime amaigrissant. Le clofibrate est en général très actif dans cette variété.

Hyperlipidémie combinée et hyperlipoprotéinémie de type III

L'« hyperlipidémie combinée » est caractérisée par une augmentation simultanée des bêta- et des pré-bêta-lipoprotéines. Elle se traduit par une hypercholestérolémie à 3-4 g/l et une hypertriglycéridémie variable, et expose au risque de complications vasculaires, notamment coronariennes. Il n'est pas sûr toutefois qu'il s'agisse d'une entité distincte mais seulement de la coexistence dans les mêmes familles d'une hypercholestérolémie familiale et d'une hyperlipidémie glucido-dépendante dont le déterminisme multifactoriel est hautement probable.

Elle ne doit pas être confondue avec l'hyperlipoprotéinémie de type III, qui ne s'observe que chez l'adulte et qui comporte elle aussi une augmentation du cholestérol et des triglycérides et un risque majeur de maladie athéromateuse (en particulier d'artérite), mais dans laquelle ce sont des bêta-lipoprotéines anormales, flottant à une densité $< 1,006$ (« bêta flottantes » ou « bêta larges »), qui sont augmentées. Cette forme est très sensible au clofibrate et au régime pauvre en cholestérol et riche en acides gras polyinsaturés.

Hyperlipidémies secondaires

Chez l'enfant, le diagnostic de ces maladies se pose avec les hyperlipidémies secondaires à sérum clair (insuffisance thyroïdienne, tubulopathies, hypercalcémies idiopathiques) ou à sérum opalescent (syndrome néphrotique, glycogénose, diabète cétosique en poussée).

Déficits héréditaires en lipoprotéines

Absence congénitale d'alpha-lipoprotéines
(maladie de Tangier)

Elle se transmet selon le mode autosomique récessif. Elle associe des adénopathies multiples, une hépato-splénomégalie et des amygdales volumineuses. On note une hypocholestérolémie et une absence de lipoprotéines alpha avec des dépôts de cholestérol dans le tissu réticuloendothélial. Vers l'adolescence apparaît une neuropathie périphérique sensitivo-motrice et à l'âge adulte un athérome. Le mécanisme de l'affection est inconnu.

Défaut d'élaboration des chylomicrons

Il en existe deux types :

Absence congénitale de bêta-lipoprotéines (type I)

Les troubles apparaissent peu après la naissance et se complètent lentement. Au total, s'associent une malabsorption intestinale, une ataxie, une rétinite pigmentaire atypique et une acanthocytose. Le retard de croissance est net. La lipidémie et la cholestérolémie sont très basses. En électrophorèse sont absentes les bêta-lipoprotéines de faible densité. Elle résulte d'un défaut de synthèse généralisé (hépatique et intestinal) de l'apoprotéine B, ce qui rend compte du défaut de formation des chylomicrons et de l'accumulation des graisses dans les entérocytes. La transmission est récessive autosomique. Le régime sans graisses, avec apport de glycérides à chaîne moyenne, permet la reprise de la croissance.

Anomalie idiopathique du transport intestinal des graisses
(type II, maladie de Charlotte Anderson)

Il s'agit également d'une anomalie de synthèse des chylomicrons avec une anomalie isolée du transport des graisses déterminant une stéatorrhée et un trouble de croissance. Elle résulte probablement d'une anomalie structurale ou d'un défaut de synthèse des apoprotéines intestinales. L'hypolipidémie et l'abaissement modéré des bêta- et des alpha-lipoprotéines circulantes sont peut-être seulement secondaires à la malabsorption. Le régime pauvre en graisses transforme ces enfants.

Anomalies héréditaires du métabolisme des acides aminés

On connaît, à l'heure présente, plus de cent maladies héréditaires liées à une anomalie du métabolisme des acides aminés. La phénylcétonurie, la leucinose, la tyrosinose, les hyperglycinémies, les hyperammoniémies, la cystinose et l'oxalose sont sans doute les plus importantes.

Ces maladies familiales doivent retenir l'attention pour trois raisons :
1. La plupart d'entre elles se présentent comme des arriérations mentales, des hépatomégalies métaboliques, des acidoses néonatales qui peuvent être améliorables ou curables, ou comme des troubles à symptomatologie périodique (ataxie, coma, vomissements acétonémiques).
2. Des progrès importants ont été faits dans la diététique spécialisée de ces blocs métaboliques (cf. fig. 6) en supprimant l'effet toxique en amont du bloc ou l'effet carentiel en aval ou les deux — en attendant le développement d'un « génie génétique » permettant les stimulations et les inductions des activités enzymatiques déficitaires ou le transfert d'une information génétique exacte.
3. La détection de ces maladies chez les sujets atteints, la mise en place — en particulier pour la phénylcétonurie — d'un dépistage systématique à l'échelon de la collectivité dans la période néonatale, le développement du diagnostic prénatal par amniocentèse précoce sur le liquide ou les cellules amniotiques, permettant l'avortement thérapeutique, et l'identification des hétérozygotes, aidant le conseil génétique, sont en plein épanouissement. Ils ont justifié des progrès intenses en biochimie et enzymologie et une organisation nouvelle des centres de dépistage et de traitement. L'ensemble constitue une des branches les plus actives de la pédiatrie actuelle.

Acides aminés aromatiques

La phénylalanine, la tyrosine, l'histidine et le tryptophane sont à l'origine d'importantes anomalies. Mis à part l'**hydroxycynuréninurie** (Komrover et coll., 1964), diarrhée sanglante avec stomatite et gingivite du nourrisson, due à un défaut de cynuréninase dans le métabolisme du tryptophane, ce sont surtout les trois premiers acides aminés qui sont concernés.

Anomalies du métabolisme de l'histidine et de l'acide folique

Le métabolisme de l'histidine est schématisé à la fig. 7.

Le déficit héréditaire en histidase *(histidinémie)* donne lieu à une augmentation sanguine et urinaire de l'histidine et à l'apparition dans les urines de plusieurs dérivés imidazol qui positivent la réaction au perchlorure de fer et la DNPH.

Il existe en aval du bloc un déficit en acide urocanique absent de la sueur même après charge en histidine. L'expression clinique de la maladie est très variable (retard mental, retard du langage) et souvent nulle, si bien qu'on peut se demander si les troubles observés ne résultent pas en réalité d'une simple coïncidence.

Anomalies du métabolisme de l'*acide folique* (cf. fig. 8).

Quatre déficits enzymatiques héréditaires du métabolisme de l'acide folique donnent lieu à une anémie mégaloblastique particulière par son association à une arriération mentale et à une hyperfolicémie (blocs 1 et 2, 3, 4 de la figure 8).

Les blocs 6 et 7 comportent une *homocystinurie* (cf. p. 852) avec hypofolicémie (bloc 7) et hyperfolicémie associée à anémie mégaloblastique (bloc 6).

Anomalies du métabolisme de la phénylalanine et de la tyrosine

Les voies du métabolisme de ces deux acides aminés sont schématisées dans la figure 9, ainsi que les principaux blocs enzymatiques connus à l'heure actuelle.

Hyperphénylalaninémies

Le dépistage systématique des hyperphénylalaninémies repose sur le test de Guthrie, utilisant la croissance de Bacillus subtilis en présence de phénylalanine, qu'on dose par fluorométrie. Ce test effectué chez tous les nouveau-nés juste avant la sortie de la maternité permet de séparer les enfants sûrement normaux des enfants susceptibles d'être atteints.

Un test positif (phénylalaninémie supérieure à 4 mg/100 ml) ne signifie pas nécessairement que l'enfant est atteint de phénylcétonurie et nécessite des examens de confirmation. On distingue à l'heure actuelle :
● la phénylcétonurie classique ou typique (taux de phénylalanine égal ou supérieur à 25 mg/100 ml sous régime apportant 3 g/kg de protides par 24 heures) ;

Fig. 6 : Chaîne et bloc métaboliques

```
        ①          ②          ③
   A ──────→ A' ──╫──→ A'' ──────→ A'''
   ┊         ┊         ┊          ┊
   ↓         ↓         ↓          ↓
   T         T         C          C
```

╫ : bloc métabolique

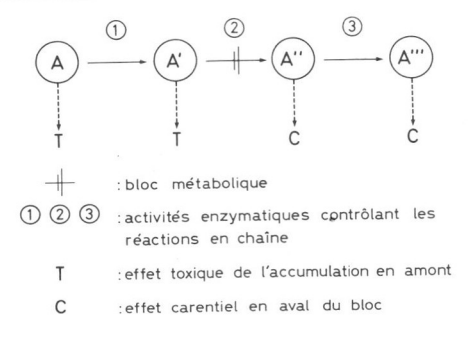

① ② ③ : activités enzymatiques contrôlant les réactions en chaîne

T : effet toxique de l'accumulation en amont

C : effet carentiel en aval du bloc

Fig. 7 : Anomalies du métabolisme de l'histidine

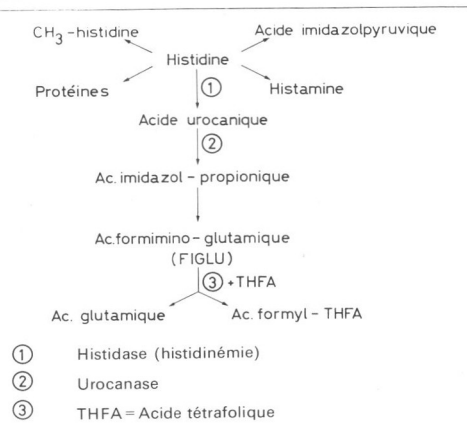

```
         CH₃-histidine              Acide imidazolpyruvique
                    ↘     Histidine    ↗
         Protéines  ↙       │①      ↘  Histamine
                       Acide urocanique
                            │②
                    Ac. imidazol - propionique
                            │
                    Ac. formimino - glutamique
                          (FIGLU)
                            │③ + THFA
         Ac. glutamique  ↙     ↘  Ac. formyl - THFA
```

①   Histidase (histidinémie)

②   Urocanase

③   THFA = Acide tétrafolique

Fig. 8 : Métabolisme simplifié de l'acide folique

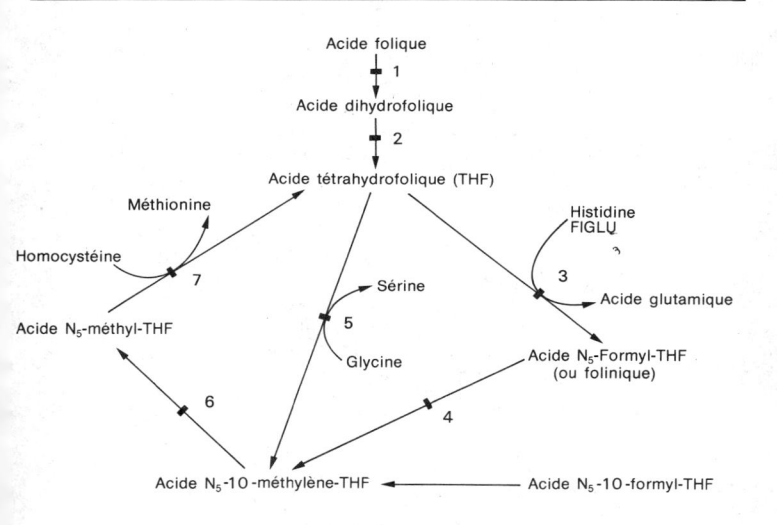

Enzyme	Maladie
1 et 2 Réductase	Anémie mégaloblastique
3 Formimino-transférase	Déficience mentale, anémie mégaloblastique, hyperfolicémie
4 Cyclo-hydrolase	?
5 Glycine-clivage / Sérine-hydroxyméthylase	Hyperglycinémie sans cétose
6 Méthylène-THF-réductase	Homocystinurie, hypofolicémie
7 Homocystéine-méthyl-transférase	Homocystinurie, hyperfolicémie, anémie mégaloblastique

Fig. 9 : Métabolisme simplifié de la phénylalanine et de la tyrosine

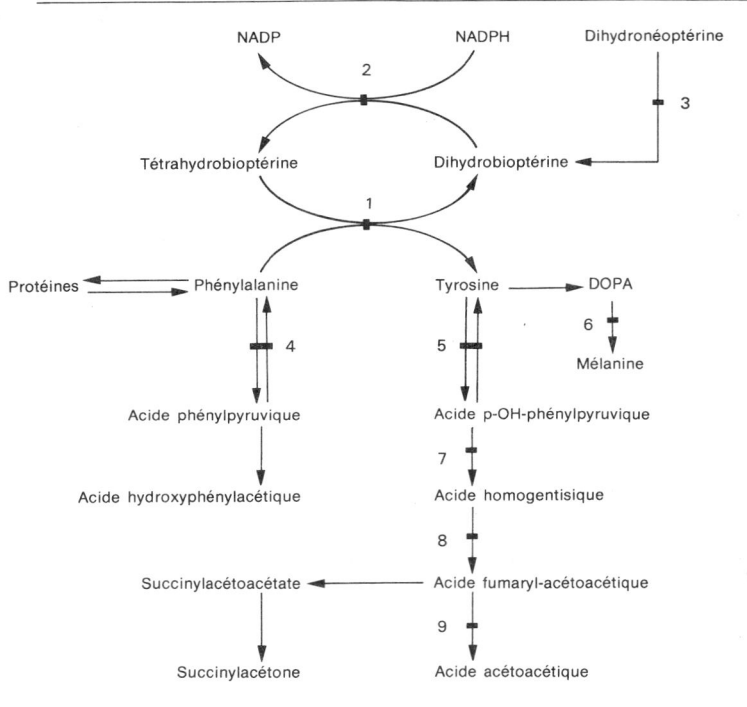

Enzyme	Maladie
1 Phénylalanine-hydroxylase	Phénylcétonurie typique et atypique, hyperphénylalaninémies modérées
2 Dihydroptéridine-réductase	Hyperphénylalaninémies « malignes »
3 Dihydrobioptérine-synthétase	
4 Phénylalanine-transaminase	Asymptomatique
5 Tyrosine-transaminase	Supertyrosinémie-tyrosinémie type II
6 Tyrosinase	Albinisme
7 Tyrosine-oxydase	Tyrosinémie néonatale transitoire
8 Homogantisicase	Alcaptonurie
9 Fumarylacétoacétase	Tyrosinémie héréditaire type I

- la phénylcétonurie atypique (taux de phénylalaninémie compris entre 15 et 25 mg/100 ml) ;
- les hyperphénylalaninémies modérées (taux de phénylalanine inférieur à 15 mg/100 ml).

Ces trois catégories correspondent respectivement à des déficits totaux, subtotaux et partiels en phénylalanine hydroxylase. On leur a adjoint diverses variantes plus rares : les déficits en dihydroptéridine-réductase et en bioptérine-synthétase responsables d'une arriération mentale sévère malgré le régime.

Il existe en outre un grand nombre d'hyperphénylalaninémies néonatales modérées de cause non génétique qui ne requièrent aucun traitement : tyrosinémie néonatale transitoire, excès d'apport protidique, notamment chez le prématuré, immaturité de la phénylalanine-transaminase.

L'interprétation du test de Guthrie doit donc tenir compte du terme et de l'âge de l'enfant et surtout de l'apport protidique du régime. *En pratique seules les formes définitives avec une phénylalaninémie égale ou supérieure à 15 mg/100 ml sont une indication au traitement diététique.*

- *Phénylcétonurie classique :* Transmise sur le mode récessif autosomique. Sa fréquence est d'environ 1/15 000 alors que la fréquence de la phénylcétonurie atypique est d'environ 1/25 000. Le diagnostic repose sur la constatation d'une hyperphénylalaninémie égale ou supérieure à 25 mg/100 ml. Par contre, la mise en évidence d'acide phénylpyruvique dans les urines par la réaction au $FeCl_3$, à la dinitrophényl-hydrazine ou par le Phénistix n'est pas indispensable car l'excrétion de ce composé est souvent retardé (quelques semaines à plusieurs mois).

Le traitement repose sur un régime pauvre en phénylalanine commencé le plus tôt possible (en tout cas avant la fin du 3e mois). L'institution précoce du régime pauvre en phénylalanine empêche l'apparition des signes classiques de la maladie (retard mental, spasmes en flexion, convulsions, eczéma, dépigmentation, troubles du comportement, psychose). Ce régime est aisément applicable à la maison après avoir éduqué les parents. La surveillance de la courbe de croissance et du développement psychomoteur est indispensable, de même qu'une bonne prise en charge psychologique de l'enfant et des parents. La phénylalaninémie doit être vérifiée chaque semaine pendant la première année, puis tous les 15 jours, et doit être maintenue entre 3 et 8 à 12 mg/100 ml. L'âge de l'arrêt du régime est encore sujet à discussion (entre 5 et 12 ans). Le régime correctement suivi est efficace. Le quotient intellectuel moyen est normal (dans la zone 80 à 100). Mais il existe cependant des difficultés scolaires fréquentes. Les femmes phénylcétonuriques mettent au monde des enfants anormaux bien qu'eux-mêmes non phénylcétonuriques, ce qui soulève le problème de la remise au régime des femmes phénylcétonuriques désirant une grossesse.

- *Variantes rares :* Les anomalies de synthèse du cofacteur de la phénylalanine-hydroxylase (déficits en dihydroptérine-réductase (DHPR) et en bioptérine-synthétase) donnent lieu à une hyperphénylalaninémie associée à des défauts de synthèse des neurotransmetteurs monoaminergiques (DOPA, sérotine), car la carence en tétrahydrobioptérine retentit également sur la tyrosine et la tryptophane-hydroxylase. Cliniquement, ces affections s'expriment par une arriération mentale sévère associée à de graves troubles du tonus survenant malgré la mise au régime pauvre en phénylalanine.

Le diagnostic repose sur l'étude des ptéridines urinaires : accumulation de néoptérine dans le déficit en bioptérine-synthétase, et de dihydrobioptérine dans le déficit en dihydroptéridine-réductase, alors que dans les déficits en phénylalanine-hydroxylase il existe une élimination accrue de ces deux composés, associée à la présence de tétrahydrobioptérine. La confirmation est donnée par les dosages enzymatiques sur biopsie hépatique (phéhydroxylase, DHPR) ou sur lymphocytes ou culture de fibroblastes (DHPR).

Le traitement repose sur l'association du régime pauvre en phénylalanine à une supplémentation en neurotransmetteurs déficients.

Hypertyrosinémies

Comme pour les hyperphénylalaninémies il existe de nombreuses causes d'hypertyrosinémie chez le nouveau-né et le nourrisson.

Les deux causes les plus fréquentes sont les suivantes :

1. Le *déficit transitoire en tyrosine-oxydase :* Observé surtout chez le prématuré, il est dû à un défaut transitoire de vitamine C, cofacteur de l'enzyme. La tyrosinémie peut dépasser 15 à 20 mg/100 ml et s'associe souvent à une hyperphénylalaninémie modérée (en général inférieure ou égale à 8 mg/100 ml). Il existe une tyrosylurie (excrétion d'acide p-OH-phénylpyruvique, acétique et lactique) mise en évidence par la réaction à la dinitrophényl-hydrazine et la réaction de Millon. Le pronostic spontané est excellent dans la plupart des cas. On a cependant signalé quelques handicaps mineurs à long terme. L'intérêt du traitement par la vitamine C (50 à 100 mg en une prise) est discuté.

2. Les *insuffisances hépato-cellulaires majeures,* les *hépatites néonatales,* la *galactosémie,* la *fructosémie* donnent souvent lieu à une élévation de la tyrosinémie associée à une hyperméthioninémie et à une tyrosylurie.

3. La *tyrosinémie héréditaire de type I ou tyrosinose* est une maladie récessive autosomique rare, caractérisée par l'association d'une insuffisance hépato-cellulaire sévère avec cirrhose et d'une tubulopathie. On en distingue une forme aiguë à début précoce dès les premières semaines de vie (forme canadienne), où l'insuffisance hépato-cellulaire avec ictère, œdème, ascite, hémorragies domine le tableau et aboutit rapidement au décès en l'absence de traitement et même malgré lui. La tubulopathie n'apparaît qu'en cas de survie prolongée. Dans la forme chronique (forme scandinave), le début est plus tardif, les signes moins dramatiques. La cirrhose nodulaire, la tubulopathie, le rachitisme, le défaut de croissance, l'hypoglycémie et l'hypokaliémie sont les signes principaux. Le décès survient généralement avant l'âge de 5 ans, souvent à l'occasion d'une infection ou de la constitution d'un hépatome.

Biologiquement, il existe une hypertyrosinémie souvent modérée (entre 3 et 8 mg), une hyperméthioninémie et une tyrosylurie. Le déficit en tyrosine-oxydase hépatique constamment retrouvé ne constitue pas le défaut enzymatique primaire de la maladie.

Des études récentes montrent en fait qu'il existe une accumulation urinaire et sanguine de succinyl-acétoacétate et de succinyl-acétone secondaire à un déficit en fumaryl-acéto-acétase qui constituerait le défaut primaire de cette affection. On retrouve en outre, quasi constamment, une excrétion urinaire accrue d'acide δ-amino-lévulinique résultant de l'inhibition de la δ-amino-lévulinate-hydratase par la succinyl-acétone. Le diagnostic anténatal de cette affection est désormais possible par le dosage de la succinyl-acétone dans le liquide amniotique.

4. La *tyrosinémie héréditaire type II* s'exprime par des anomalies cutanées (kératose palmo-plantaire), une kératite parfois responsable de cécité et un retard mental, associés à une hypertyrosinémie majeure (souvent supérieure à 30 mg/100 ml) et à une tyrosilurie. Le déficit enzymatique porterait sur la tyrosine-transaminase cytosolique. Le traitement repose sur le régime pauvre en tyrosine.

Alcaptonurie

C'est à son propos que Garrod a proposé en 1908 le concept d'erreur innée du métabolisme. La maladie associe un noircissement des urines à l'air, signe longtemps isolé, puis une pigmentation gris bleuté du pavillon de l'oreille apparaissant vers 20 à 30 ans, et un rhumatisme vertébral ankylosant d'apparition plus tardive (30 à 40 ans). Il existe une forte excrétion d'acide homogentisique due à un déficit en homogentisicase hépatique et rénale.

Albinisme

Lié à un défaut de synthèse des pigments mélaniques. On en distingue, suivant le mode de transmission et l'aspect clinique, plusieurs variétés.
● Dans *l'albinisme oculo-cutané, type I,* l'hypopigmentation est généralisée, intéressant la peau, les cheveux et la rétine. Les iris sont translucides, la pupille rouge avec photophobie intense. Un nystagmus est habituel. Des nævi et mélanomes malins peuvent se développer. Les mélanocytes sont en nombre normal et il existe un déficit total d'activité de la tyrosinase.
● L'*albinoïdisme type II* réalise un tableau voisin plus atténué.
● Le *syndrome de Chediak Higashi, type III,* associe à l'albinisme oculo-cutané généralisé une neutropénie et une sensibilité aux infections d'évolution rapidement fatale avec développement fréquent d'un lymphome malin.
● L'*albinisme oculo-cutané avec surdité, type IV,* a été décrit dans les familles israélites.

A côté de ces quatre variétés de transmission récessive autosomique, il existe un *albinisme oculaire isolé* atteignant exclusivement les hommes et de transmission récessive liée au sexe, et l'*albinisme cutané partiel* ou *piébaldisme*, de transmission dominante, caractérisé par des aires symétriques de dépigmentation cutanée au niveau du front (avec mèche blanche), de la face antérieure du thorax et de l'abdomen, et de la partie moyenne des membres.

Aminoacides soufrés

Les acides aminés soufrés sont apportés par l'alimentation sous forme de méthionine, acide aminé essentiel, et de cystine ou de cystéine. Les voies métaboliques simplifiées sont représentées à la figure 10. Les trois plus importantes maladies héréditaires du métabolisme dépendant des

Fig. 10 : Métabolisme de la méthionine

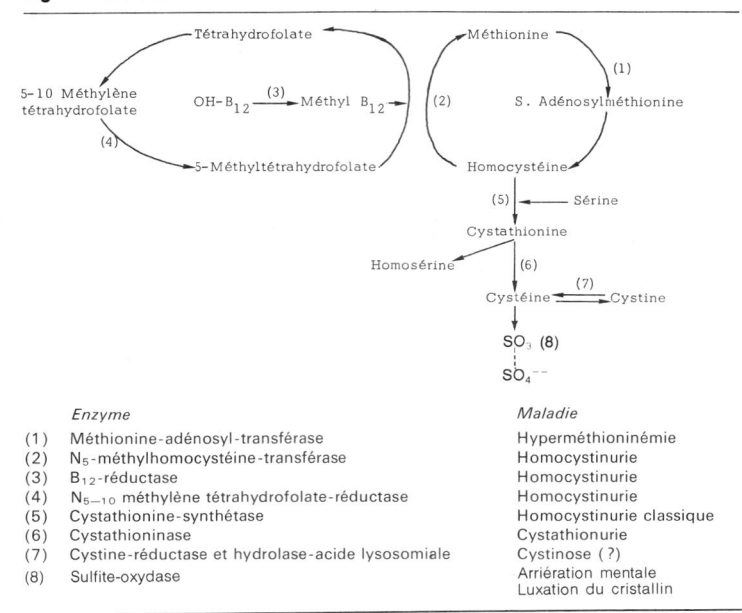

```
                  ┌── Tétrahydrofolate ◄──────────┐      ┌─ Méthionine ─┐
                  │                               │      │              │ (1)
5-10 Méthylène ───┤                               │      │              │
tétrahydrofolate  │       OH-B₁₂ ──(3)──► Méthyl B₁₂ ◄──(2)    S. Adénosylméthionine
     (4)          │                                      │              │
                  └── 5-Méthyltétrahydrofolate ──────────┘  Homocystéine◄┘
```

                                                    (5) ◄──── Sérine

                                                Cystathionine

                            Homosérine ◄─── (6)

                                              Cystéine ⇌ (7) Cystine

                                                SO₃ (8)
                                                SO₄⁻⁻

	Enzyme	Maladie
(1)	Méthionine-adénosyl-transférase	Hyperméthioninémie
(2)	N₅-méthylhomocystéine-transférase	Homocystinurie
(3)	B₁₂-réductase	Homocystinurie
(4)	N₅₋₁₀ méthylène tétrahydrofolate-réductase	Homocystinurie
(5)	Cystathionine-synthétase	Homocystinurie classique
(6)	Cystathioninase	Cystathionurie
(7)	Cystine-réductase et hydrolase-acide lysosomiale	Cystinose (?)
(8)	Sulfite-oxydase	Arriération mentale Luxation du cristallin

acides aminés soufrés sont : les homocystinuries, la cystathionurie et la cystinose.

On a décrit une hyperméthioninémie transitoire du nourrisson, sans symptômes, une hyperméthioninémie par déficit en méthionine adénosyltransférase et une hyperméthioninémie grave avec tyrosinose (cf. p. 830).

Homocystinurie classique (Carson et coll., 1962)

Elle se transmet selon le mode récessif autosomique. Elle n'est pas rare. Elle dépend d'un déficit en cystathionine-synthétase et s'associe à une hyperméthioninémie. Elle s'exprime par une arriération mentale avec convulsions et signes pyramidaux, des anomalies de l'iris avec luxation du cristallin, une hypotonie avec scoliose et pieds plats valgus, des plaques rouges survenant par crises sur les joues et la peau, des cheveux fins et blonds, et enfin par des accidents de thrombose vasculaire pouvant être mortels. Le diagnostic repose sur : la positivité de la réaction de Brand dans l'urine, l'élimination urinaire d'homocystinurie, le déficit de cystathioninesynthétase démontré sur biopsie hépatique ou sur les fibroblastes de la peau, en culture.

Le traitement consiste en un régime pauvre en méthionine et supplémenté en cystine et en choline.

Il existe deux types d'homocystinurie classique. Le type I est une anomalie de la liaison coenzyme-enzyme : il est pyridoxino-dépendant et le traitement par les fortes doses de pyridoxine (5 à 20 mg/jour) est actif. Le second type est une anomalie directe de l'enzyme et la pyridoxine est inactive. Dans les deux cas, le diagnostic anténatal est possible.

Autres types d'homocystinurie (rares)

Une homocystinurie avec méthioninémie normale ou basse peut être la conséquence :
1. D'une anomalie de l'absorption ou du métabolisme de la vitamine B_{12}. Il existe alors une acidurie méthylmalonique associée (cf. p. 838).
2. D'une anomalie de la reméthylation de l'homocystéine en méthionine en rapport avec un déficit enzymatique en N_5 méthylhomocystéine transférase ou en N_{5-10} méthylène tétrahydrofolate réductase.

Cystathionurie (Harris et coll., 1959)

Sa transmission est récessive autosomique. Cette maladie est due à un déficit de cystathioninase, le plus souvent pyridoxino-dépendant, très rarement non dépendant. Les tableaux cliniques associés sont variables : arriération mentale ou aucun symptôme. Le diagnostic repose sur la mise en évidence de la cystathionurie. Le traitement est identique à celui de l'homocystinurie.

Cystinose (Abderhalden, 1903)

Elle se transmet selon le mode autosomique récessif. Sa fréquence est de 1/40 000. Sa nature reste hypothétique (perméabilité diminuée de la membrane lysosomiale). Il y a des dépôts généralisés de cystine.

La **forme infantile** est la mieux connue. Elle débute dès les premiers mois par un trouble de croissance et des accidents de déshydratation, d'acidose et d'hypokaliémie. L'urine abondante et peu concentrée, l'hyperaminoacidurie, parfois la glucosurie, le rachitisme hypophosphatémique résistant à la vitamine D en sont les signes principaux, témoignant d'une atteinte rénale à prédominance tubulaire. On note souvent une photophobie. Le diagnostic repose : 1. sur l'examen oculaire révélant des cristaux conjonctivo-cornéens et surtout des dépigmentations grisâtres de la rétine ; 2. sur la recherche de cristaux de cystine en lumière polarisée sur le frottis de moelle osseuse ; 3. sur le dosage de la cystine dans les leucocytes ou les fibroblastes de la peau, montrant des taux dix fois supérieurs à la normale, les hétérozygotes ayant des taux intermédiaires. L'évolution se fait vers l'insuffisance rénale globale, et la mort survient habituellement entre 8 et 12 ans, le sujet étant alors nain et urémique. Tous les traitements proposés ont été des échecs. Des tentatives intéressantes de transplantation rénale sont en cours de développement. Le diagnostic anténatal par la mesure de l'accumulation de cystine dans les cellules amniotiques est possible.

La forme adulte n'entraîne aucun trouble clinique et son pronostic est excellent.

Déficit en sulfite-oxydase

Il donne lieu dans les premiers mois de la vie à une encéphalopathie sévère avec hypertonie, myoclonies, convulsions associées à une luxation du cristallin d'apparition parfois retardée à la deuxième année.

Le diagnostic repose sur la mise en évidence dans les urines fraîches de S-sulfocystéine, thiosulfates et sulfites, et sur l'absence d'excrétion de sulfates spontanée et après charge en méthionine.

Il peut s'y associer une hypouricémie en rapport avec un déficit associé en xanthine-oxydase dans le cadre d'une anomalie héréditaire du métabolisme du molybdène, cofacteur de la xanthine et de la sulfite-oxydase.

Acides aminés du cycle de l'urée

Hyperammoniémies

De multiples affections peuvent donner lieu à une hyperammoniémie symptomatique qui résulte dans tous les cas d'une perturbation primitive ou secondaire du fonctionnement du cycle de l'urée. La figure 11 schématise le cycle de synthèse hépatique de l'urée et les différents blocs enzymatiques congénitaux ou acquis connus actuellement.

Hyperammoniémies primitives

Ces affections sont liées à des déficits enzymatiques congénitaux et héréditaires du cycle de l'urée (déficits 2, 3, 4, 5, 6 de la figure 11). Ceux-ci se transmettent tous sur le mode récessif autosomique, sauf le déficit en ornithine-carbamyl-transférase, qui est récessif lié à l'X.

La citrullinémie, l'acidurie arginino-succinique et l'argininémie peuvent être dépistées par le diagnostic anténatal.

Cliniquement, les déficits 2, 3, 4 et 5 sont les plus fréquents et ont en commun le syndrome hyperammoniémique. Ils s'expriment :

1. Soit, dès la période néonatale, par un tableau de grande détresse neurologique avec coma, hypotonie, convulsions, vomissements, alcalose gazeuse et hyperammoniémie majeure d'évolution le plus souvent mortelle malgré la réanimation.

2. Soit, plus tardivement, sous la forme d'accès d'apathie, vomissements, ataxie et comas à répétition qui peuvent être mortels.

3. Soit comme une arriération mentale progressive avec vomissements et hypotrophie staturo-pondérale.

En outre, il existe des formes très atypiques, réduites à une débilité modérée, des accès de migraine, une aversion pour les protéines, des « vomissements acétonémiques », des troubles de l'humeur et du caractère.

Le traitement repose sur le régime hypoprotidique sévère avec fragmentation en 8 repas par 24 heures, associé à une supplémentation en arginine et au benzoate de sodium qui favorise l'excrétion de NH_3 en se conjugant à la glycine sous forme d'acide hippurique.

● *Déficit en carbamyl-phosphate-synthétase :* Le diagnostic repose uniquement sur la mise en évidence du défaut d'activité enzymatique sur biopsie hépatique, car il n'y a aucune perturbation biologique évocatrice.

● *Déficit en ornithine-carbamyl-transférase :* Le diagnostic est fortement orienté par l'arbre généalogique, évocateur d'une affection liée au sexe,

Fig. 11 : Schéma simplifié du cycle de l'urée

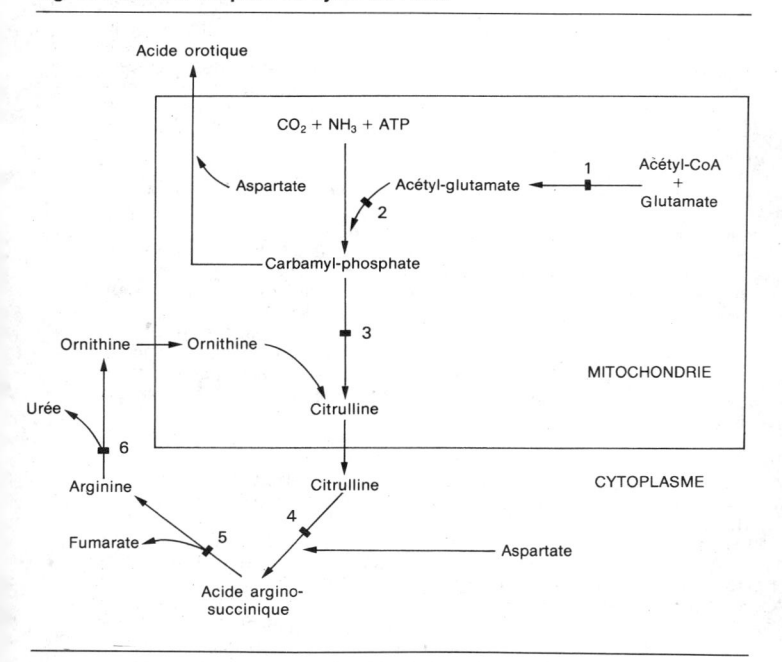

```
Acide orotique
        ↑
                CO₂ + NH₃ + ATP
         ↖                           1     Acétyl-CoA
          Aspartate    Acétyl-glutamate ←──■───   +
                   ■ 2                          Glutamate
          Carbamyl-phosphate

                        ■ 3
Ornithine → Ornithine
                        ↓
                     Citrulline                    MITOCHONDRIE
─────────────────────────────────────────────────────────────
Urée                 Citrulline                    CYTOPLASME
   ↑ ■ 6                ↓
Arginine             ■ 4
Fumarate ←──■ 5  ←─────────────── Aspartate
         Acide argino-
         succinique
```

Enzyme	Maladie
1 Acétyl-glutamate-synthétase (AGS)	Hyperammoniémies secondaires
2 Carbamyl-phosphate-synthétase (CPS)	Hyperammoniémies secondaires et par déficit en CPS
3 Ornithine-carbamyl-transférase (OCT)	Hyperammoniémie par déficit en OCT
4 Argino-succinate-synthétase (ASS)	Citrullinémie
5 Argino-succinase	Acidurie argino-succinique
6 Arginase	Argininémie
Transfert mitochondrial de l'ornithine	Hyperornithinémie avec hyper-NH_3
Malabsorption de l'arginine et de l'ornithine	Intolérance aux protéines basiques avec lysinurie

et par la mise en évidence d'une acidurie orotique provenant du carbamyl-phosphate accumulé en amont du bloc. Par contre, il n'y a pas de perturbation spécifique de la chromatographie des acides aminés et notamment pas d'hyperornithinémie. La certitude repose sur le dosage enzymatique sur biopsie hépatique ou intestinale. Les garçons présentent le plus souvent des formes néonatales sévères et mortelles correspondant à des déficits totaux. Les filles hétérozygotes peuvent être asymptomatiques ou atteintes à des degrés divers en fonction de leur activité enzymatique résiduelle (qui peut aller de 80% à 10%). On peut identifier les filles conductrices par le dosage de l'acide orotique urinaire après charge en protides (1 g/kg).

- *Déficit en argino-succinate-synthétase :* Le diagnostic repose sur l'accumulation sanguine et urinaire de citrulline à la chromatographie des acides aminés et sur l'acidurie orotique.
- *Acidurie argino-succinique :* Il existe une accumulation caractéristique d'acide argino-succinique. Cliniquement, il existe fréquemment, dans la forme tardive de cette affection, des altérations des cheveux qui deviennent secs et cassants (trichorrhexie noueuse), et une hépatomégalie.
- *Hyperargininémie :* Il existe une arriération, une spasticité avec tremblements et ataxie, une hépatomégalie, des vomissements. L'ammoniémie est peu élevée, voire normale. L'arginine est élevée dans l'urine, le sang et le liquide céphalo-rachidien. Il existe un déficit subtotal en arginase sur hémolysat globulaire.

Hyperammoniémies secondaires

Diverses affections héréditaires peuvent donner lieu à des hyperammoniémies symptomatiques en inhibant les étapes initiales du cycle de l'urée. Ce sont :
1. Les *enzymopathies des acides aminés ramifiés* (acidémie propionique, méthylmalonique isovalérique, voir pp. 837 ss.), dans lesquelles il existe toujours une cétose et le plus souvent une acidose métabolique associée à l'hyperammoniémie.
2. L'*intolérance aux protéines basiques* avec lysinurie, caractérisée par la constitution dans la première année d'une hypotrophie staturo-pondérale avec ostéoporose, vomissements chroniques, anorexie, hépatosplénomégalie, leuconeutropénie, accès de coma hyperammoniémique déclenchés par les infections intercurrentes et les régimes riches en protides (cf. pp. 840 ss.). Le diagnostic repose sur la chromatographie des acides aminés qui montre une hyperornithinurie, une argininurie, et une lysinurie avec abaissement de leurs taux plasmatiques, et sur l'existence d'une acidurie orotique pendant les accès de coma.
3. L'*hyperornithinémie* par trouble de pénétration mitochondriale de l'ornithine : exceptionnelle.

En outre, de nombreuses affections acquises peuvent donner une hyperammoniémie : les détresses respiratoires du nouveau-né et spécialement du prématuré peuvent se compliquer de comas hyperammoniémiques sévères, parfois mortels, et nécessitant un traitement par épuration ; le *syndrome de Reye* et en général les grandes insuffisances hépatocellulaires s'accompagnent souvent d'une hyperammoniémie. Une élévation modérée et transitoire de l'ammoniac est possible après les exsanguino-transfusions de sang conservé et au cours des comas convulsifs. Une hyperammoniémie modérée est également fréquente dans les anomalies d'oxydation des acides gras (voir tableau 6, p. 811) et dans les traitements par le Dépakine® (valproate de sodium). En outre, il faut se méfier des nombreuses causes d'erreurs liées aux fréquentes imperfections techniques du prélèvement, du transport et du dosage sanguins qui tendent toutes à augmenter le chiffre de l'ammoniémie.

Aminoacides à chaîne ramifiée

La leucine, l'isoleucine et la valine ont un groupe méthyl branché sur leur chaîne latérale. Le métabolisme simplifié en est représenté à la figure 12. Le premier stade mène aux acides alpha-cétoniques par transamination ou déamination ; le second fait intervenir des carboxylases complexes avec différents cofacteurs. Depuis la description par Menkès de la leucinose en 1954, de nombreux blocs métaboliques ont été identifiés. Leur nombre s'élève actuellement à 19.

Leucinose ou maladie du sirop d'érable (Menkès, 1954)

C'est la plus fréquente des erreurs du métabolisme de ces acides aminés. Elle se transmet selon le mode récessif autosomique. Elle réalise trois variétés : la forme permanente, la forme intermittente et des variantes mal classées, dont une forme sensible à la thiamine.

La forme permanente de leucinose s'exprime dès le 2e-5e jour de vie par un coma, des mouvements anormaux de boxe et de pédalage, une rigidité intermittente et la perte des réflexes archaïques. La mort est rapide. En cas de survie, l'arriération mentale est sévère.

Le diagnostic repose : 1. sur l'odeur de sirop d'érable ou de caramel des urines ; 2. sur un précipité laiteux des urines en présence de dinitrophénylhydrazine ; 3. sur la mise en évidence par chromatographie d'une élévation de l'excrétion urinaire des trois aminoacides et des trois cétoacides correspondants et sur l'élévation du taux plasmatique de la leucine, de l'isoleucine, de la valine et de l'allo-isoleucine. Le déficit enzymatique porte sur la « décarboxylase » des trois acides alpha-cétoniques. Le *traitement d'extrême urgence* est la dialyse péritonéale et la diète pauvre en leucine, isoleucine et valine dont l'efficacité est prouvée. Le diagnostic anténatal est possible.

Autres aminoacidémies à chaîne ramifiée

De nombreux autres troubles ont été décrits récemment (cf. fig. 12). La plupart peuvent bénéficier d'un diagnostic anténatal. Leur symptomatologie est généralement celle de comas acido-cétosiques avec détresse neurologique, le plus souvent néonataux, mais parfois retardés. Quatre affections sont plus fréquentes : **l'acidémie méthylmalonique** (blocs 15, 4, 5, 16, 17), **l'acidémie propionique** (blocs 7, 8), **le déficit en bêta-cétothiolase** (bloc 12) et **l'acidémie isovalérique** (bloc 3), qui possèdent en commun un syndrome biologique associant hyperglycinémie, cétonurie à longue chaîne, hyperammoniémie, leuconeutropénie et thrombopé-

Fig. 12 : Blocs métaboliques identifiés sur le catabolisme des acides aminés ramifiés (d'après C. Scriver)

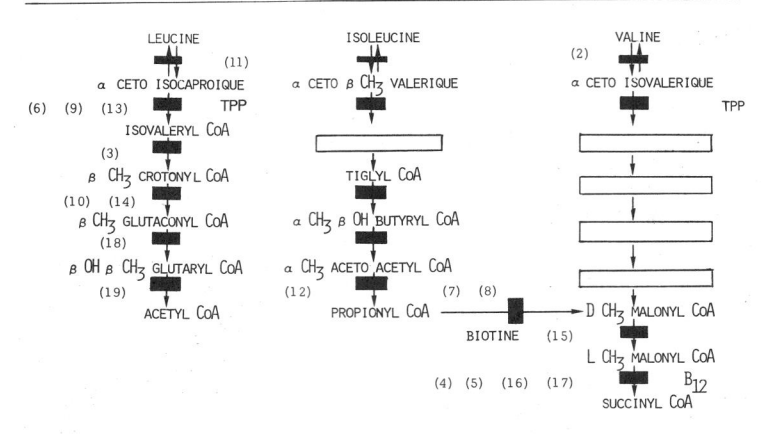

Les chiffres entre parenthèses indiquent l'ordre chronologique dans lequel les maladies ont été rapportées dans la littérature (première publiée en 1954). Les 19 maladies connues sont :

(1) (6) (9) (13) : 4 types différents de leucinoses
(2) : hypervalinémie
(3) : acidémie isovalérique
(4) (5) (16) (17) : 4 types d'acidurie méthylmalonique
(1 type B_{12} résistant — 3 types B_{12} sensibles)
(10) (14) : β-CH_3- crotonylglycinurie biotine sensible et résistante
(7) (8) : Acidémie propionique-biotine sensible et résistan e
(11) : Hyperleucine isoleucinémie
(12) : Déficit en β-cétothiolase
(15) : Déficit en MM-CoA-racémase
(18) (19) : Acidurie β-CH_3-glutaconique et β-OH- β-CH_3-glutarique

---

nie correspondant à l'hyperglycinémie avec cétose qu'avaient décrite Childs et Nyhan en 1961 comme une affection autonome.

Leur diagnostic repose sur la mise en évidence par chromatographie en phase gazeuse des substrats accumulés en amont du bloc. Le traitement comporte l'équilibration de l'acidose, l'épuration par la dialyse péritonéale et la diète pauvre en acides aminés précurseurs. Plusieurs blocs enzymatiques possèdent une forme vitaminosensible : acidémie propionique et bêta-méthylcrotonylglycinémie sensibles à la biotine, acidémie méthylmalonique sensible au coenzyme B_{12}.

Les troubles héréditaires ou acquis du métabolisme de la vitamine B_{12} (carence d'apport, défaut d'absorption, de transport ; déficit en réductase, ou en adénosyl-synthétase) donnent lieu à une acidurie méthylmalonique par défaut d'activité de la méthylmalonyl-CoA-mutase (dont la coenzyme B_{12} est le cofacteur) associé ou non à une homocystinurie par défaut de l'homocystéine-méthyl-transférase (dont la méthyl B_{12} est le cofacteur) (cf. pp. 831-833).

Biotine

Les troubles héréditaires du métabolisme de la biotine sont de connaissance récente. Ils s'expriment par un déficit généralisé des carboxylases biotine-dépendantes mitochondriales (pyruvate-carboxylase, propionyl-coA-carboxylase, méthylcrotonyl-CoA-carboxylase), éventuellement associé à un déficit de l'acétyl-CoA-carboxylase cytoplasmique.

Cliniquement, ils se présentent sous deux formes :
- La *forme néonatale*, associant acidose lactique sévère, cétose, coma, hypotonie et, biochimiquement, une excrétion de propionate et ses dérivés méthylcitrate-30H-propionate et 3-méthylcrotonate.
- Une *forme plus tardive* avec alopécie, rash érythémateux, signes cutanés pouvant évoquer une acrodermatite, photophobie, ataxie, accès de comas d'acidose lactique. Au cours des accès, et parfois de façon permanente, on retrouve les métabolites anormaux susmentionnés. Dans cette forme, contrairement à la forme néonatale, les taux de biotinémies sont abaissés.

Le diagnostic repose sur la mise en évidence des métabolites urinaires anormaux et sur le dosage leucocytaire des trois carboxylases mitochondriales dont les activités sont effondrées.

Le défaut primaire de l'affection n'est pas encore totalement élucidé. La *forme néonatale* semble correspondre à un déficit en holo-enzyme-synthétase, enzyme nécessaire pour fixer la biotine activée sur ses carboxylases. Dans cette forme, le déficit des carboxylases mitochondriales est mis constamment en évidence sur fibroblastes cultivés dans un milieu dépourvu de biotine. L'adjonction au milieu de fortes concentrations de biotine normalise les activités enzymatiques. La *forme tardive* est due à un déficit en biotinidase (enzyme nécessaire au recyclage de la biocytine en biotine libre active) généralisé, responsable d'un trouble de l'absorption intestinale de la biotine, comme le suggèrent les taux de biotinémie abaissés. Les activités carboxylasiques sont normales sur fibroblastes cultivés sans biotine.

Sur le plan thérapeutique, les deux formes réagissent spectaculairement au traitement par la biotine à doses pharmacologiques (10 mg/jour).

Dans la forme tardive, on peut identifier les hétérozygotes par la mesure de la biotinidase sérique, qui est abaissée de 50 %.

Iminoacides

On connaît deux variétés d'**hyperprolinémie** héréditaire. Le type I, lié à un déficit de *proline-oxydase*, associe une arriération mentale, une surdité et une néphropathie variable, parfois hématurique (syndrome d'Alport). Il existe une *hydroxyprolinémie de type I* par déficit en hydroxyproline-oxydase. Le type II, secondaire à un déficit en déshydrogénase de l'acide pyrolline-5-carboxylique, crée un retard mental avec épilepsie. En vérité, il existe de nombreuses observations de type I et de type II qui sont asymptomatiques. Il faut signaler aussi la fréquence des hyperprolinémies néonatales bénignes et transitoires, et les hyperprolinémies secondaires à une acidose lactique (cf. p. 808).

Autres acides aminés

Anomalies de la lysine

Plusieurs anomalies du catabolisme de la lysine ont été décrites, dont plusieurs ont une symptomatologie encore mal définie (cf. fig. 13).

L'*hyperlysinémie congénitale* par déficit en lysine α-cétoglutarate-réductase associe des convulsions, une hypotonie musculaire massive, un retard mental, un retard de croissance avec ostéoporose et une anémie. Le diagnostic repose sur l'élévation de la lysine sanguine et urinaire à la chromatographie des acides aminés et la mise en évidence du déficit enzymatique sur culture de fibroblastes.

L'*intolérance congénitale à la lysine* avec hyperammoniémie décrite par Colombo est en fait probablement un déficit en ornithine-carbamyl-transférase (OCT).

Acidurie glutarique de type I

Cette affection semble la plus fréquente et la mieux caractérisée de ce métabolisme. Entre les âges de 6 et 18 mois apparaissent souvent brutalement, à l'occasion d'une infection en apparence banale ou sans cause déclenchante décelable, une dystonie majeure avec opisthotonos, et dyskinésie contrastant au début avec un développement mental relativement conservé. Sur ce fond chronique, peuvent se greffer des épisodes aigus d'hypoglycémie avec coma. L'évolution semble constamment catastrophique. Le diagnostic repose sur l'excrétion massive d'acide glutarique associé aux acides hydroxyglutarique et glutaconique (mesurés par chromatographie en phase gazeuse). Le déficit enzymatique, mesuré sur fibroblastes cultivés, porte sur la glutaryl-CoA-déshydrogénase (enzyme 5 de la figure 13). Le diagnostic anténatal est opérationnel.

L'hyperpipécolatémie associe retard mental, hépatomégalie, anomalie de pigmentation de la rétine et hyperaminoacidurie. Cependant l'acide pipécolique a été détecté également chez les prématurés, dans l'hyperlysinémie et dans le syndrome hépato-cérébro-rénal de Zellweger.

Anomalies de la glycine

La classification initiale établie par Childs et Nyhan en hyperglycinémie avec cétose et hyperglycinémie sans cétose a été soumise à révision.

Il est maintenant bien établi que *l'hyperglycinémie avec cétose* correspond en fait à un syndrome secondaire à plusieurs déficits enzymatiques du catabolisme des acides aminés ramifiés, type acidémie propionique

Fig. 13 : Métabolisme de la lysine

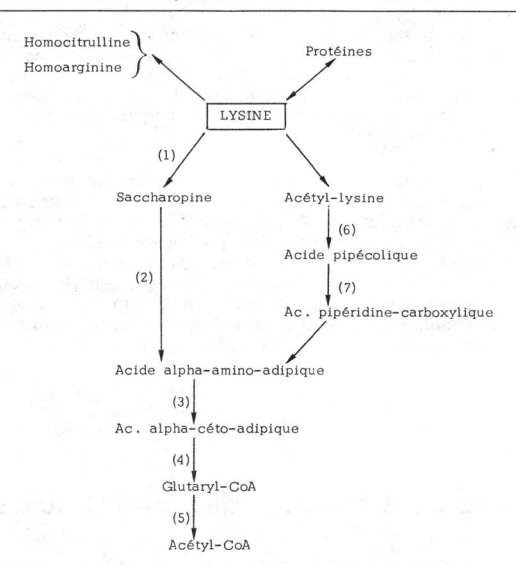

```
Homocitrulline ⎫       Protéines
Homoarginine   ⎭          ↓
              ↘    ┌─────────┐
                   │ LYSINE  │
                   └─────────┘
              (1) ↙           ↘
         Saccharopine        Acétyl-lysine
                                  ↓ (6)
                             Acide pipécolique
           (2)                    ↓ (7)
                             Ac. pipéridine-carboxylique
            ↓
    Acide alpha-amino-adipique
            ↓ (3)
    Ac. alpha-céto-adipique
            ↓ (4)
       Glutaryl-CoA
            ↓ (5)
       Acétyl-CoA
```

	Enzyme	*Maladie*
(1)	Lysine-alpha-cétoglutarate-réductase	Hyperlysinémie congénitale
(2)	Saccharopine-déshydrogénase	Saccharopinurie (petite taille, retard mental)
(3)	Transaminase (?)	Acidurie alpha-amino-adipique (asymptomatique)
(4)	Alpha-cétoglutarate-déshydrogénase	Acidurie alpha-céto-adipique (retard mental, hypertonie)
(5)	Glutaryl-CoA-déshydrogénase	Acidurie glutarique type I (retard mental, dystonie, athétose)
(6)	L. Lysine-déshydrogénase ?	Intolérance congénitale à la lysine (vomissements, retard mental, hyperammoniémie)
(7)	?	Hyperpipécolatémie

ou acidémie méthylmalonique, et non pas à une entité biochimique définie (cf. p. 838). L'hyperglycinémie y serait liée à une inhibition secondaire du clivage de la glycine par les métabolites de l'isoleucine.

L'hyperglycinémie sans cétose réalise une maladie autonome très particulière associant, dès les premières heures de la vie, hypotonie massive, coma, troubles respiratoires, myoclonies et aspect périodique à l'EEG. L'évolution est mortelle rapidement. Une réanimation malencontreuse permet la survie et la constitution d'une arriération mentale profonde avec hypertonie, athétose, et syndrome pyramidal.

Le diagnostic repose sur : 1. l'aspect clinique de coma avec myoclonies ; 2. l'aspect périodique à l'EEG ; 3. l'hyperglycinémie inconstante, et surtout l'hyperglycinorachie.

Toutes les tentatives thérapeutiques sont inefficaces. Le déficit enzymatique causal siège au niveau du système de clivage de la glycine mais n'explique pas la gravité des signes neurologiques, qui pourraient résulter d'une perturbation du métabolisme des folates et du pool des radicaux monocarbonés. Le diagnostic anténatal demeure impossible.

Oxaloses

Elles se transmettent selon le mode autosomique récessif. Il en existe deux types : l'hyperoxalurie héréditaire par déficit en alpha-cétoglutarate-glyoxylate-carboligase et l'acidurie L-glycérique avec un bloc entre glycolate et glyoxylate. L'expression clinique est identique.

L'oxalose se manifeste dès l'enfance par l'association d'une urolithiase récidivante à oxalate de calcium et d'une insuffisance rénale avec urémie progressive et néphrocalcinose. On a noté parfois : un bloc auriculoventriculaire, une rétinite pigmentaire. 80% des malades meurent avant 20 ans. Il n'y a pas de traitement actif. Des transplantations rénales ont été effectuées.

Anomalies de transport des aminoacides

Une série d'affections héréditaires sont sous la dépendance, non d'un bloc métabolique, mais d'un transfert anormal intestinal et/ou rénal. Le tableau 12 résume les principales anomalies.

Tableau 12 : Anomalies de transport des aminoacides

Noms	Acides aminés	Tissus concernés	Mode de transmission	Symptomatologie
Syndrome des langes bleus	Tryptophane	Intestin	AR	Hypercalcémie
Malabsorption de la méthionine	Méthionine	Intestin	AR	Arriération mentale Diarrhée
Hypercystinurie	Cystine	Reins	AR	Lithiase urinaire
Glycinurie	Glycine	Reins	D	Lithiase urinaire
Maladie de Hartnup	Tryptophane et divers	Reins, Intestins	AR	Pseudo-pellagre
Cystinurie classique	Cystine, lysine, arginine, ornithine	Reins, intestins	AR et D	Lithiase urinaire
Hyperaminoacidurie dibasique	Lysine, ornithine, arginine	Reins, intestins	AR et D	Nanisme, parfois arriération mentale

Tableau 12 (suite) : **Anomalies de transport des aminoacides**

Noms	Acides aminés	Tissus concernés	Mode de transmission	Symptomatologie
Iminoglycinurie	Proline, hydroxyproline, glycine	Reins, intestins	AR et D	Variable
Glycoglycinurie	Glycine, glucose	Reins	D	Nulle
Intolérance aux protéines avec aminoacidurie dibasique	Lysine, arginine, ornithine	Reins, intestins	AR	Vomissements et diarrhée avec hyperammoniémie, nanisme, hépatomégalie

AR : Autosomique récessif   D : Dominant

Anomalies du métabolisme de l'hémoglobine

La molécule d'hémoglobine associe l'hème et la globine. Les porphyries représentent les anomalies de l'hème. Les hémoglobinopathies et les méthémoglobinémies représentent les anomalies de la globine.

Porphyries

La synthèse de l'hème est schématisée à la fig. 14. Elle part de la glycine et du succinyl-coenzyme A et va surtout de l'acide aminolévulinique (ALA) au porphobilinogène (PBG). De là deux isoméries se différencient : I et III. Les isomères III aboutissent à la protoporphyrine III qui fixe le fer pour donner l'hème. L'urine normale contient de petites quantités de coproporphyrines I et III. Ce métabolisme est troublé dans les porphyries héréditaires et acquises. Cinq des six principales porphyries héréditaires ont actuellement leur déficit enzymatique identifié (cf. fig. 14).

Il existe des variantes des *porphyries héréditaires* qui sont érythropoïétiques et hépatiques.

Fig. 14 : Biosynthèse des porphyrines

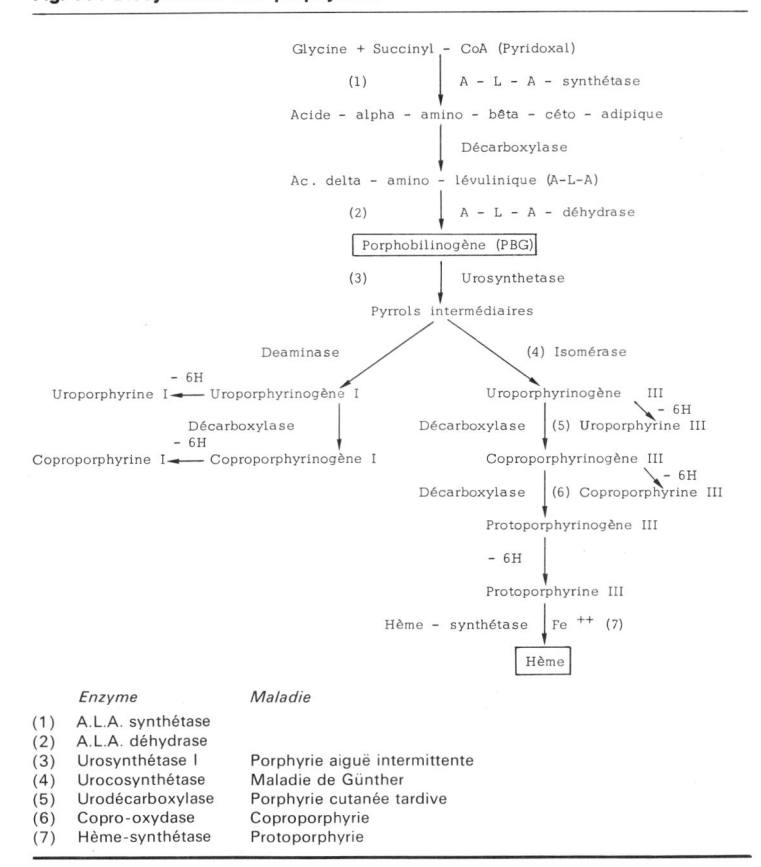

```
Glycine + Succinyl - CoA (Pyridoxal)
           (1)    │  A - L - A - synthétase
                  ▼
Acide - alpha - amino - bêta - céto - adipique
                  │  Décarboxylase
                  ▼
Ac. delta - amino - lévulinique (A-L-A)
           (2)    │  A - L - A - déhydrase
                  ▼
         ┌─────────────────────┐
         │ Porphobilinogène (PBG) │
         └─────────────────────┘
           (3)    │  Urosynthetase
                  ▼
          Pyrrols intermédiaires
         ╱                     ╲
    Deaminase              (4) Isomérase
       - 6H                         ╲
Uroporphyrine I ◄── Uroporphyrinogène I    Uroporphyrinogène III
                                                    ╲ - 6H
       Décarboxylase              Décarboxylase  (5) Uroporphyrine III
       - 6H
Coproporphyrine I ◄── Coproporphyrinogène I    Coproporphyrinogène III
                                                    ╲ - 6H
                                    Décarboxylase (6) Coproporphyrine III
                                                    ▼
                                         Protoporphyrinogène III
                                              - 6H │
                                                    ▼
                                           Protoporphyrine III
                                  Hème - synthétase │ Fe⁺⁺ (7)
                                                    ▼
                                              ┌──────┐
                                              │ Hème │
                                              └──────┘
```

	Enzyme	Maladie
(1)	A.L.A. synthétase	
(2)	A.L.A. déhydrase	
(3)	Urosynthétase I	Porphyrie aiguë intermittente
(4)	Urocosynthétase	Maladie de Günther
(5)	Urodécarboxylase	Porphyrie cutanée tardive
(6)	Copro-oxydase	Coproporphyrie
(7)	Hème-synthétase	Protoporphyrie

Porphyrie érythropoïétique héréditaire ou maladie de Günther

Elle est rare et se transmet selon le mode récessif autosomique. Elle est liée à un déficit de l'isomérase, ce qui aboutit à une formation accrue d'isomères I. Le premier signe, apparaissant dès les premières semaines ou mois de vie, est la couleur rouge des urines. Les accidents de photosensibilisation entraînent des érythèmes saisonniers avec bulles (hydroa estival) aboutissant à des mutilations et des cicatrices. L'hypertrichose, l'érythrodontie, l'anémie hémolytique avec splénomégalie, les lésions oculaires sont habituelles. Le diagnostic repose sur l'examen des urines qui montre un taux élevé d'uroporphyrine I et aussi de coproporphyrine I pouvant atteindre plusieurs mg par jour. L'évolution est chronique, mutilante sur les régions découvertes, mais sans gravité au point de vue vital.

Protoporphyrie érythropoïétique héréditaire

C'est probablement une affection fréquente. Elle se traduit par l'urticaire solaire à répétition. Elle ne s'accompagne pas d'élimination anormale de porphyrine dans l'urine. Le diagnostic repose sur le taux élevé de protoporphyrine libre des hématies, du plasma et des matières fécales. L'affection est chronique. La transmission est dominante.

Coproporphyrie érythropoïétique héréditaire

Elle présente le même tableau clinique que la protoporphyrie érythropoïétique, avec une élévation de la coproporphyrine intra-érythrocytaire.

On a proposé de traiter cette maladie, de même que la précédente, par l'adénosine-mono-phosphate, qui bloque la synthèse des porphyrines à la dose de 100 à 200 mg/jour.

Porphyries hépatiques héréditaires

Elles sont très exceptionnellement observées chez l'enfant. Les quatre types les plus précis sont : 1. *la porphyrie aiguë intermittente*, associant des douleurs abdominales, des signes neurologiques et des manifestations mentales, avec excrétion urinaire accrue d'uroporphyrine III et de ses précurseurs ; 2. la *porphyrie cutanée tardive* avec une dermatite bulleuse, atrophiante et pigmentée de photosensibilisation, et élimination accrue d'uroporphyrine III, mais PGB normal ; 3. la *porphyrie mixte* avec la succession dans le temps des syndromes cutané, abdominal et neurologique et un mélange dans les urines des isomères I et III ; 4. la *coproporphyrie héréditaire* se traduit par des crises aiguës abdominales et nerveuses sans signes cutanés.

Ces quatres affections évoluent par poussées souvent déclenchées par l'ingestion de certains médicaments (barbituriques, anti-épileptique, « pilule », etc.). Leur mode de transmission est autosomique dominant.

Porphyries secondaires

Ces troubles s'observent dans le saturnisme, diverses affections hépatiques et après administration de toxiques (sulfamides et barbituriques). Un exemple célèbre en est la *porphyrie turque,* épidémique, qui était due à une intoxication par l'hexachlorobenzène, réalisant une porphyrie cutanée avec uroporphyrine III dans l'urine.

Hémoglobinopathies héréditaires

(drépanocytose, hémoglobinose C) :
Cf. pp. 495 ss.

Méthémoglobinémies

Ce sont des affections dues à l'élévation permanente ou transitoire du taux de méthémoglobine. L'atome de fer, dans la molécule d'hémoglobine, possède six liaisons chimiques : quatre avec l'azote des noyaux pyrroles, une liaison covalente avec l'histidine de la globine. La sixième valence assure la fonction de l'hémoglobine et fixe ou une molécule d'O_2 (HbO_6) ou une molécule d'eau (Hb réduite), ces liaisons étant labiles. Après oxydation, le fer perd un électron périphérique et la liaison avec la molécule d'eau devient alors stable (méthémoglobine). La réduction de la méthémoglobine peut se faire sous l'action principale d'une flavoprotéine, la diaphorase, et accessoirement d'autres systèmes de réductases-$TPNH_2$-dépendantes. La méthémoglobinémie se traduit par une cyanose généralisée de tonalité brunâtre et grisâtre. On peut en reconnaître plusieurs types.

1. Les *méthémoglobinémies toxiques* sont liées à l'absorption accidentelle de nitrites ou d'eau polluée par ceux-ci ; on a observé chez le nourrisson secondairement à des diarrhées infectieuses à germes variés.

2. Un premier type héréditaire à transmission dominante est dû à une anomalie de la globine entraînant une *hémoglobine anormale Hb-M*. Il existe plusieurs variantes de cette hémoglobine.

3. Un second type héréditaire, à transmission autosomique récessive, est la méthémoglobinémie congénitale par *absence de diaphorase* (cytochrome-b_5-réductase) *érythrocytaire*. Quand le déficit enzymatique est généralisé (fibroblastes, foie, muscles, leucocytes) et porte sur les deux fractions solubles et microsomiales, la maladie comporte une arriération mentale sévère évolutive associée à une athétose bilatérale.

Le diagnostic anténatal est possible. Les hétérozygotes ont un taux de diaphorase intermédiaire entre celui des normaux et celui des malades.

4. Un dernier type est la *méthémoglobinémie transitoire du nouveau-né*, surtout du prématuré, due à une lenteur de maturation de la diaphorase, et qui disparaît après 4 à 12 semaines d'évolution.

Il existe certains types encore mal classés.

● Le *diagnostic* des méthémoglobinémies en général repose sur :
1. l'identification de la méthémoglobine en spectrophotométrie ;
2. le dosage de la diaphorase ;
3. la chromatographie des hémoglobines ;
4. l'enquête étiologique.

● *Traitement :* Les méthémoglobinémies sont en général très bien tolérées. On peut les faire disparaître par l'injection d'acide ascorbique ou de bleu de méthylène — ou les atténuer par la prise orale régulière de ces substances.

Anomalies du métabolisme des nucléoprotéines

La synthèse des acides nucléiques se fait à partir du ribose-5-phosphate qui sous l'action de l'ATP donne le P-5-ribose-pyrophosphate (PRPP). Celui-ci est à l'origine de deux types de dérivés : puriques et pyrimidiques.

La *synthèse des purines* à partir du PRPP est schématisée à la fig. 15. Elle passe par l'adjonction de glutamine, de glycine, d'aspartate et de formate pour aboutir à l'inosine-5'-phosphatase ou IMP. De là une voie catabolique va à l'inosine, l'hypoxanthine, la xanthine et l'acide urique. Deux voies synthétiques vont vers l'acide adénylique, l'acide guanylique et les acides nucléiques. Ces chaînes métaboliques comportent de nombreux enzymes. Elles supposent l'existence de plusieurs types de rétrocontrôles.

La synthèse des *bases pyrimidiques* se fait par adjonction au PRPP d'acide orotique provenant de l'aspartate et du carbamylphosphate. Ainsi prend naissance l'acide orotidylique et l'acide uridylique, précurseurs des bases pyrimidiques des acides nucléiques. Plusieurs types de déficits enzymatiques ont été décrits (cf. fig. 15).

Fig. 15 : Métabolisme des acides nucléiques (d'après Seegmiller)

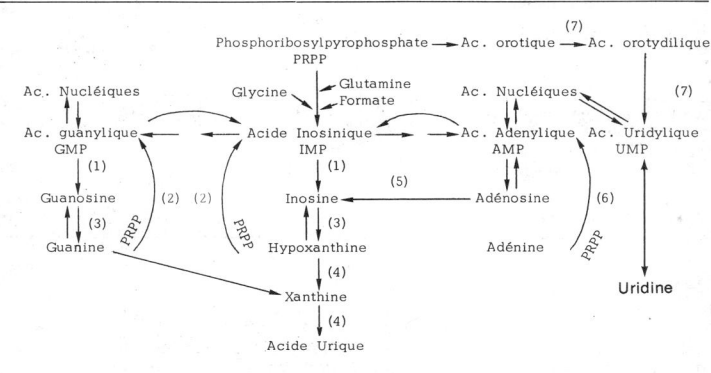

Enzyme	Maladie
(1) 5'-nucléotidase	Hypogammaglobulinémie
(2) Hypoxanthine-guanine-phosphoribosyl-transférase (HGPRT)	Lesch-Nyhan
(3) Inosine-phosphorylase	Déficit immunitaire des fonctions T
(4) Xanthine-oxydase	Xanthinurie
(5) Adénosine-déaminase	Déficit immunitaire combiné sévère
(6) Adénine-phosphoribosyl-transférase (APRT)	Lithiase à dihydroxy-adénine
(7) Orotidyl-décarboxylase	Acidurie orotique

Tableau 13 : Causes des hyper- et hypo-uricémies de l'enfant

	Uricurie
Hyperuricémies secondaires	
● Hyperuricémie néonatale transitoire	effondrée
● Suralimentation	élevée
● Insuffisance rénale	basse
● Hémopathies malignes, irradiations, chimiothérapie anticancéreuse	élevée
● Insuffisance thyroïdienne	basse
● Hyperlactacidémies	basse
● Charge en fructose	élevée
● Glycogénose du type I	basse
● Aciduries organiques diverses (acidémie méthylmalonique, propionique)	basse
● Diabète	basse
● Hyperparathyroïdie	basse
● Médicaments divers :	
— furosémide, thiazidique, acide étacrynique	basse
— dichloroacétate	?
Hyperuricémies primaires	
● Goutte primaire classique	élevée
● Goutte avec anomalie cinétique de la PRPP-synthétase dont l'activité est augmentée (enzyme 1, fig. 15)	élevée
● Syndrome de Lesch-Nyhan par déficit en HGPRT (enzyme 2, fig. 15)	élevée
Hypo-uricémies primaires	
● Xanthinurie par déficit en xanthine-oxydase	nulle
● Déficit en inosine-phosphorylase	basse
● Déficit en PRPP-synthétase	basse
● Déficit en guanine-désaminase	basse
● Déficit en molybdène (déficit en sulfite-oxydase + xanthine-oxydase)	nulle
● Déficit en formimino-transférase	basse
● « Idiopathique »	variable
Hypo-uricémies secondaires	
● Médicaments (aspirine, allopurinol, télépak)	variable
● Néoplasmes, hémopathies diverses	élevée

Hyperuricémies

L'*uricémie,* dosée par l'uricase, est de 50 mg/l chez l'homme adulte, de 40 mg/l chez la femme adulte, de 30 à 40 mg/l chez l'enfant. On considère qu'une uricémie est certainement pathologique chez l'enfant au-dessus de 60 mg/l. L'hyperuricémie dépend d'un excès des entrées, ou d'une diminution des sorties, ou des deux, en regard du « pool » de l'acide urique. Les entrées proviennent du catabolisme des acides nucléiques cellulaires, de la purino-synthèse et de la dégradation des purines de l'alimentation. Les sorties se font par destruction bactérienne intestinale et par élimination rénale ; l'acide urique filtré par le glomérule est réabsorbé par le tube proximal, l'acide urique urinaire provenant d'une sécrétion distale qui entre en compétition avec les acides organiques.

Hyperuricémies secondaires

Ce sont les plus fréquentes chez l'enfant. On les observe dans la suralimentation (excès d'apport), l'insuffisance rénale (défaut d'élimination), certaines hémopathies malignes, certaines irradiations ou chimiothérapies anticancéreuses (excès de production endogène), l'insuffisance thyroïdienne (défaut d'élimination rénale), les états d'hyperproduction d'acide lactique (glycogénose), d'acides cétoniques (diabète) ou d'autres acides organiques, l'hyperparathyroïdie (action tubulaire) et après certains traitements inhibant la sécrétion rénale (thiaziques, furosémide, acide éthacrynique).

Goutte essentielle

Elle est rare chez l'enfant. Elle a été observée dès les premiers mois. Les manifestations en sont comme chez l'adulte : 1. la fluxion périarticulaire, en particulier du gros orteil, avec douleur et coloration pivoine, réaction veineuse et gonflement, desquamation finale ; 2. la présence de tophus para-articulaires ou du pavillon de l'oreille ; 3. les polyarthrites et monoarthrites ; 4. la lithiase uratique et la néphropathie tubulo-interstitielle. Il s'agit de goutte hyperuricémique et hyperuricosurique, le plus souvent familiale, avec des cas nombreux dans les ascendants. Le traitement consiste en calmants de la crise (colchicine), en uricosuriques (benzodiarone), en hypo-uricémiants (allopurinol, thiopurinol).

Une intéressante forme de goutte familiale est représentée par une anomalie cinétique héréditaire de la PRPP-synthétase, qui devient insensible à ses inhibiteurs physiologiques.

Maladie de Lesch-Nyhan

C'est une affection rare, se transmettant selon le mode récessif lié-au-sexe. Elle est due à l'absence d'activité hypoxanthine-guanine-ribophosphoryl-transférase ; cette absence supprime une série de rétrocontrôles sur la chaîne du PRPP et entraîne une synthèse accrue d'acide urique (cf. fig. 15).

Cette maladie associe : un retard psychomoteur dès les premiers mois de vie, des mouvements choréoathétosiques, une hypertonie, un comportement d'automutilation, une goutte sévère avec urolithiase et néphropathie interstitielle et une anémie macrocytaire. L'uricémie dépasse 100 mg/l ; l'uricosurie, 20 mg/kg/jour. Le « pool » de l'acide urique est très élevé. Le taux de l'enzyme responsable est presque nul dans les leucocytes et sur culture de fibroblastes. La goutte et la néphropathie sont améliorées par l'allopurinol, mais l'hyperxanthinurie qu'il entraîne peut causer des calculs de xanthine. L'encéphalopathie n'a pas reçu de traitement satisfaisant. Le diagnostic anténatal est possible.

Xanthinurie

C'est une forme très rare de lithiase urinaire métabolique, se manifestant dès l'enfance. Le trouble primaire est un défaut de xanthine-oxydase. Le diagnostic repose : 1. sur la transparence des calculs aux rayons X ; 2. sur l'analyse des calculs ; 3. sur le taux effondré de l'uricémie et de l'uricurie ; 4. sur le dosage de l'activité xanthine-oxydase. Le traitement est l'ablation des calculs.

On peut en rapprocher l'exceptionnelle lithiase en 2-8-dihydroxy-adénine due au déficit en APRT (bloc 6, fig. 15).

Dans quelques cas exceptionnels la xanthinurie s'associe à un retard mental sévère qui doit faire rechercher une anomalie associée de la sulfite-oxydase dans le cadre d'une anomalie héréditaire du molybdène.

Acidurie orotique héréditaire

Il s'agit d'une affection rare, transmise selon le mode récessif autosomique. Elle dépend d'un double bloc métabolique : sur la pyrophosphorylase et la décarboxylase orotidyliques. Elle débute après la naissance et associe : 1. un grave trouble de croissance ; 2. une anémie hypochrome macrocytaire avec leucopénie et mégaloblastose médullaire ; 3. une excrétion urinaire accrue d'acide orotique dans l'urine (jusqu'à 1 g/jour) avec des cristaux en forme de fines aiguilles.

Son pronostic est très grave en raison de la carence en pyrimidine. Mais un traitement très efficace est l'administration de 0,75 à 1,5 g/jour d'uridine.

Troubles du métabolisme des purines associés à une immuno-déficience

Un syndrome de déficit immunitaire combiné sévère avec anomalies osseuses particulières a été trouvé associé à un déficit total en adénosine-déaminase érythrocytaire et lymphocytaire (bloc 5, fig. 15). De même il a été décrit un déficit immunitaire des fonctions T associé à un déficit complet en inosinéphosphorylase (bloc 3, fig. 15), et une hypogammaglobulinémie associée à un déficit en 5'-nucléotidase lymphocytaire (bloc 4, fig. 15).

La relation entre le déficit enzymatique et le déficit immunitaire est en cours d'explication et peut être une voie d'approche de la compréhension des mécanismes biochimiques de la réponse immunitaire.

Chapitre 23

Affections ostéo-articulaires et du collagène

par L. Paunier

Maladies du collagène

Groupe hétérogène de maladies touchant surtout le tissu conjonctif, acquises ou en apparence acquises, dans lesquelles les facteurs héréditaires jouent un rôle limité. Ce sont :
- le rhumatisme articulaire aigu,
- l'arthrite rhumatoïde,
- des vasculites (périartérite noueuse, purpura rhumatoïde, etc.),
- le lupus érythémateux disséminé,
- la dermatomyosite,
- l'érythème noueux,
- le syndrome de Kawasaki,
- la sclérodermie,
- la myosite ossifiante progressive.

Ces affections présentent de nombreuses similitudes :
- Evolution vers la chronicité, interrompue par des rémissions plus ou moins prolongées.
- Lésions du tissu conjonctif : dégénérescence fibrinoïde, vasculite avec prolifération plasmocytaire, formation de granulomes.
- Réponse aux anti-inflammatoires (salicylés, stéroïdes).

Rhumatisme articulaire aigu (RAA)

(cf. aussi pp. 370 et 652)

Le rhumatisme articulaire aigu est la cause la plus fréquente des cardiopathies acquises de l'enfant. Le streptocoque β-hémolytique du groupe A fait partie intégrante des mécanismes immunologiques à l'origine de la maladie. On a démontré l'existence de plusieurs réactions croisées entre divers antigènes streptococciques et des protéines humaines (myocarde, antigènes d'histocompatibilité, cytoplasme neuronal, glycoprotéines des valves cardiaques).

Une infection à streptocoques β-hémolytiques du groupe A précède invariablement de une à trois semaines l'attaque initiale ou une rechute de rhumatisme articulaire aigu. Cette infection peut être asymptomatique.

Facteurs prédisposants

- *Age :* Le RAA se manifeste le plus fréquemment entre 4 et 15 ans, avec un maximum autour de l'âge de 8 ans. Plus l'enfant est atteint jeune, plus l'atteinte cardiaque est en général sévère.
- *Attaques antérieures :* Une réinfection à streptocoques β-hémolytiques du groupe A va déclencher, dans 50 % des cas, une rechute de rhumatisme articulaire aigu chez les enfants ayant déjà présenté un épisode de la maladie.
- *Facteurs génétiques :* Ils sont probablement à l'origine des différences de susceptibilité entre les individus.

Diagnostic et signes cliniques (critères de Jones modifiés)

Le diagnostic peut être difficile à poser, étant donné le polymorphisme et la grande variabilité des manifestations cliniques. Il est cependant pratiquement certain si l'enfant présente deux signes majeurs ou un signe majeur et deux mineurs.

Signes majeurs :

- Cardite (apparition d'un souffle significatif, cardiomégalie, tachycardie, péricardite, insuffisance cardiaque).
- Polyarthrite : inflammation des grandes articulations (cheville, genou, hanche, poignet, coude, épaule) ; l'arthrite est migrante et touche le plus souvent deux articulations à la fois.
- Nodules sous-cutanés.
- Erythème marginé.
- Chorée de Sydenham.

Signes mineurs :

- Fièvre.
- Arthralgies.
- Modification de l'électrocardiogramme (allongement de l'intervalle P-R).
- Infection antérieure par du streptocoque β-hémolytique du groupe A.
- Cultures positives (gorge, nez, etc.) : streptocoque β-hémolytique du groupe A.
- Titre élevé des antistreptolysines.
- Augmentation de la vitesse de sédimentation.
- Anamnèse d'atteinte rhumatismale antérieure.

Autres manifestations cliniques :

Pneumonie avec ou sans atteinte pleurale, érythème multiforme et purpura avec épistaxis.

Traitement

- *Corticothérapie :* Obligatoire en cas de cardite avec insuffisance cardiaque congestive (prednisone : 2-3 mg/kg/jour). Chez les malades avec cardite mais sans insuffisance cardiaque, la corticothérapie ne semble pas modifier l'incidence ou la gravité des lésions valvulaires résiduelles. Le traitement par la prednisone ou la cortisone doit durer 6 semaines et être ensuite rapidement stoppé pour éviter les inconvénients d'un traitement au long cours (arrêt de croissance, ostéoporose, faciès lunaire, etc.). Pour éviter le phénomène du « rebond » au moment du sevrage, les salicylés doivent être administrés aux doses thérapeutiques deux semaines au moins avant l'arrêt de la corticothérapie.
- *Salicylés :* Les salicylés entraînent très rapidement une amélioration des signes cliniques et, par conséquent, dans bien des cas, peuvent être utilisés seuls d'emblée. Dosage : acide acétyl-salicylique, 60 à 90 mg/kg/jour, divisés en 4 prises égales. Etant donné que le métabolisme de l'acide salicylique peut varier d'un individu à l'autre, il est nécessaire d'adapter la dose au taux sanguin de la *salicylémie,* laquelle doit être comprise entre 14,5-21,5 mmol/1 (200-300 mg/l). Commencer avec une dose de 60 mg/kg/jour et mesurer la salicylémie après 4 jours de traitement. Pour éviter les complications digestives, on peut utiliser soit une forme d'acide acétyl-salicylique tamponnée, soit une forme à dissolution entérale. L'absorption intestinale des différentes formes n'est pas toujours semblable ; il est donc important de recontrôler la salicylémie si l'on change de préparation. Les doses efficaces sont très proches des doses toxiques. Signes de toxicité : acouphènes, nausées, vomissements, hyperpnée. Les salicylés pouvant occasionner des hémorragies digestives très sévères, il faut périodiquement rechercher la présence de sang dans les selles.
- *Pénicilline :* 1 000 000-2 000 000 U/jour pendant 10 jours, puis à doses prophylactiques. Si allergie : érythromycine.
- *Repos au lit :* Nécessaire en cas de cardite sévère. Une activité physique doit être reprise graduellement selon la tolérance de l'enfant. Il est inutile d'ordonner le repos au lit jusqu'à la normalisation des signes biologiques du rhumatisme.
- *Régime :* Sans sel en cas de cardite avec insuffisance cardiaque congestive, riche en potassium si l'enfant est sous corticothérapie.

Prophylaxie

Il est indispensable et obligatoire d'appliquer des mesures prophylactiques pour prévenir une affection streptococcique chez tout enfant ayant eu une ou plusieurs attaques de RAA. La prophylaxie doit se faire toute l'année (y compris pendant les vacances) et se prolonger pendant toute la vie.

- *Pénicilline G* : 200 000 U per os 2 fois par jour ou 1 200 000 U de benzathine-pénicilline i.m. 1 fois par mois.
- *Erythromycine* (en cas d'allergie à la pénicilline) : 500 mg/jour per os en 2 prises.
- *Sulfamidés (sulfadiazine)* : jusqu'au poids de 30 kg : 0,5 g/24 h. per os ; plus de 30 kg : 1,0 g/24 h. per os.

Dans les pays en voie de développement, le RAA est extrêmement commun. Sa fréquence dans les pays développés a beaucoup diminué peut-être à cause de l'utilisation libérale des antibiotiques lors des affections fébriles de toute origine.

Evolution et pronostic

L'évolution peut être fulgurante, fatale en quelques semaines, ou entièrement asymptomatique. La plupart des attaques durent 2 à 3 mois. Avec une prophylaxie adéquate, les rechutes sont pratiquement éliminées. Le pronostic à long terme dépend surtout de la gravité de l'atteinte cardiaque initiale.

Arthrite rhumatoïde juvénile (maladie de Still)

L'arthrite rhumatoïde se manifeste à n'importe quel âge de l'enfance. Des cas ont été décrits chez des nourrissons de 6 mois déjà. La maladie touche beaucoup plus souvent les filles que les garçons. L'étiologie est inconnue. Des taux élevés de collagénase dans le liquide synovial et la présence d'anticorps contre le tissu conjonctif articulaire semblent jouer un rôle pathogénique.

Signes cliniques

Les manifestations cliniques sont très variables et l'évolution atypique de nombreux cas rend le diagnostic difficile.
- La fièvre est erratique. Elle peut précéder les manifestations articulaires de plusieurs semaines ou manquer complètement.
- Des éruptions maculaires ou papulo-maculaires sont fréquentes. Les manifestations cutanées peuvent apparaître et disparaître en un intervalle de temps très court. La fièvre hectique et ces éruptions sont caractéristiques de la forme systémique (cf. p. 856) de la maladie.
- Il existe parfois une polyadénopathie avec splénomégalie et hépatomégalie, sans atteinte des fonctions hépatiques.
- Les atteintes articulaires sont très variables d'un malade à l'autre. Elles peuvent être monoarticulaires pendant plusieurs mois, voire des années, ou ne toucher que quelques articulations. Toute articulation peut être touchée, mais les genoux, les chevilles et les articulations des mains et des pieds sont les plus fréquemment atteintes. Les articulations sont enflées et chaudes. Il existe un œdème périarticulaire, un épanchement synovial et un épaississement des membranes synoviales. On observe parfois des ténosynovites. Quelques mois après l'atteinte articulaire, on remarque la déformation en fuseau des doigts des mains. Une ostéoporose se développe souvent dans la région des articulations atteintes.
- Inflammation oculaire : cette complication grave se manifeste par une iridocyclite ou une uvéite et peut laisser des séquelles qui diminuent gravement la fonction visuelle. Cette complication survient de préférence chez les malades ayant la forme mono- ou pauci-articulaire de la maladie ; elle est sans corrélation avec le degré d'activité inflammatoire général.
- Nodules sous-cutanés : ils apparaissent le plus souvent dans la région cubitale et le long de la colonne vertébrale.
- Polysérosite avec péricardite.

Examens de laboratoire
- Leucocytose avec neutrophilie.
- Anémie.
- Accélération de la vitesse de sédimentation.
- Augmentation des α-2- et des γ-globulines.
- Facteurs rhumatoïdes (par ex. test au latex) moins fréquemment positifs chez les enfants que chez les adultes. Pas de corrélation entre la présence de facteurs rhumatoïdes et la sévérité de la maladie.
- Facteurs antinucléaires (présents dans 25 % des cas).

Diagnostic

Le diagnostic repose essentiellement sur les signes cliniques et l'évolution des manifestations articulaires. Les affections pouvant faire partie du diagnostic différentiel sont énumérées au tableau 1.

Les données épidémiologiques cliniques et sérologiques permettent de distinguer 5 sous-groupes d'arthrite rhumatoïde juvénile (cf. tableau 2).

Traitement

L'objectif d'un traitement à long terme est le maintien de la fonction articulaire.

- *Acide acétyl-salicylique :* Se prescrit aux mêmes doses que dans le rhumatisme articulaire aigu (cf. p. 853). Surveiller la salicylémie et les transaminases.
- *Stéroïdes :* Il faut éviter dans toute la mesure du possible d'avoir recours aux stéroïdes, car, vu la longueur de l'évolution de la maladie, on aboutit fatalement à la cortico-dépendance et à un cortisonisme chronique. Cependant, dans les cas graves, avec des manifestations systémiques très marquées et pouvant être fatales, on est obligé d'y avoir recours. Une péricardite ou une iridocyclite sont également des indications absolues. On administrera de la prednisone à la dose de 2 à 3 mg/kg/jour. Dans certains cas, des doses très faibles de prednisone (0,1 mg/kg) suffisent pour contrôler la douleur. Des injections intra-articulaires de stéroïdes peuvent être utiles dans les cas mono- ou oligo-articulaires.
- *Autres agents anti-inflammatoires :*

Sels d'or (aurothiomalate de sodium). Indication : non-réponse aux salicylés, toxicité des stéroïdes. Dose-test : 2,5 puis 5 mg i.m. à une

---

Tableau 1 : Diagnostic différentiel de l'arthrite rhumatoïde

- Rhumatisme articulaire aigu
- Lupus érythémateux disséminé, dermatomyosite, polyartérite noueuse, sclérodermie
- Arthrite purulente, ostéomyélite, septicémie, arthrite tuberculeuse
- Purpura de Schönlein-Henoch, réaction allergique
- Colite ulcéreuse, iléite régionale
- Leucémie, hémophilie, drépanocytose
- Agammaglobulinémie
- Sarcoïdose, spondylarthrite ankylosante
- Maladie de Perthès, d'Osgood-Schlatter, épiphysiolyse de la tête fémorale, traumatisme articulaire

Tableau 2 : Sous-groupes cliniques de l'arthrite rhumatoïde

Forme	Polyarticulaire séronégative (facteur rhumatoïde −)	Polyarticulaire séropositive (facteur rhumatoïde +)	Pauciarticulaire type I	Pauciarticulaire type II	Systémique
% des patients atteints d'arthrite rhumatoïde	30	10	25	15	20
Sexe	90 % ♀	80 % ♀	80 % ♀	90 % ♂	60 % ♂
Age de début	Toute l'enfance	Adolescence	Jeunes enfants	Adolescence	Toute l'enfance
Articulations	Toutes	Toutes	Grosses articulations, genoux, chevilles, coudes	Grosses articulations, ceinture pelvienne	Toutes
Atteinte sacro-iliaque	Non	Rare	Non	Fréquente	Non
Iridocyclite	Rare	Non	50 % chronique	10-20 % aiguë	Non
Facteur rhumatoïde	Négatif	100 %	Négatif	Négatif	Négatif
Anticorps anti-nucléaires	25 %	75 %	60 %	Négatif	Négatif
HLA groupe	Pas d'association	HLA DR 4	HLA DR 5-6-8	HLA B 27 (70 %)	HLA DR 5
Pronostic à long terme	Arthrite sévère 10-20 %	Arthrite sévère 50 %	Séquelles oculaires 10-20 %	Spondylarthrite chronique ?	Arthrite sévère 25 %

Adapté de J. A. Schaller, *Rheumatic diseases of childhood* in : *Nelson Textbook of Pediatrics*, Vaughan V. C., McKay R. J., Behrmann R. E., Nelson W. E., editors, Saunders, Philadelphia, 1979, p. 653.

semaine d'intervalle. Dose thérapeutique : 1 mg/kg/semaine (maximum 50 mg) pendant 20 semaines, puis on espace les injections à une injection/3-4 semaines. Précautions : contrôle hebdomadaire de la formule sanguine avec thrombocyte de l'urine et de l'état cutané.

L'indométhacine, les antimalariques, la phénylbutazone sont des médicaments à utiliser avec une grande précaution chez les enfants, vu leurs effets secondaires. Ils sont rarement supérieurs aux salicylés.
- *Physiothérapie :* Elément essentiel de la thérapeutique.
- *Support psychologique.*
- *Mesures orthopédiques :* Dans les cas où les déformations articulaires sont importantes.

Evolution et pronostic

Une attaque d'arthrite rhumatoïde peut durer de quelques semaines à quelques mois. Les risques de rechute après une rémission sont d'environ 50 %. Avec un bon traitement médical et physiothérapique, le pronostic fonctionnel est favorable pour plus de la moitié des patients.

Dans certains cas, on peut avoir une évolution fulgurante qui se termine par une issue fatale.

Vasculites

Ces syndromes sont dus à une inflammation primaire et non spécifique des vaisseaux sanguins. La symptomatologie va dépendre de la localisation de l'atteinte vasculaire. Ces divers syndromes vont donc parfois se recouper et leur identification est difficile.

Purpura rhumatoïde ou maladie de Henoch-Schönlein

Le purpura rhumatoïde est caractérisé par l'atteinte de petits vaisseaux, plus particulièrement ceux de la peau, du système digestif et des reins.

Etiologie

De nombreux facteurs étiologiques ont été incriminés. Des infections des voies respiratoires supérieures précèdent souvent l'éruption purpurique. Le streptocoque β-hémolytique est parfois isolé dans les cultures naso-pharyngées, où le taux des antistreptolysines est augmenté, mais le rôle de cet organisme dans l'affection n'est pas prouvé. Des médicaments, des piqûres d'insectes, des allergènes alimentaires, une réaction à l'injection de protéines étrangères (maladie sérique) peuvent également être à l'origine du purpura rhumatoïde. La maladie sérique entre également dans le cadre de cette pathologie. Les garçons sont plus souvent atteints que les filles.

Signes cliniques

- Les *lésions cutanées,* qui sont présentes dans tous les cas, sont très variables. Elles prédominent en général au niveau des membres inférieurs. Elles sont purpuriques et urticariennes, légèrement surélevées, et peuvent être prurigineuses. Elles peuvent s'étendre et former de véritables ecchymoses, qui évoluent en changeant de couleur. Des éruptions d'éléments nouveaux peuvent se faire par intermittence.
- *Arthrite :* Elle touche les 2/3 des sujets, les grandes articulations étant le plus souvent atteintes.
- *Atteinte digestive :* Elle se manifeste chez 60 % des malades par des douleurs abdominales, avec parfois des vomissements. On trouve souvent du sang dans les selles. Les hémorragies digestives peuvent être sévères. On a décrit parfois des infarctus mésentériques, des occlusions et des invaginations intestinales.
- *Atteinte rénale :* 35 % des sujets atteints de purpura rhumatoïde ont des lésions rénales, dont l'hématurie, associée ou non à une protéinurie, constitue le signe fondamental. Cette hématurie est microscopique dans le 60 % des cas ; elle peut apparaître tardivement au cours de la phase de guérison apparente de la maladie.
- *Atteinte du système nerveux central :* Cette complication rare peut entraîner des convulsions, des parésies et parfois un coma.

Evolution et pronostic

La maladie évolue par poussées successives qui peuvent s'étendre sur plusieurs semaines. Le pronostic à long terme dépend essentiellement de l'atteinte rénale qui évolue favorablement chez la très grande majorité des enfants. Si l'hématurie persiste au-delà de 2 ans, l'atteinte rénale peut évoluer en néphrite chronique avec insuffisance rénale progressive. Chez l'adulte, il semble que l'atteinte rénale ait un pronostic beaucoup plus grave que chez l'enfant.

Examens de laboratoire

Le compte des plaquettes, le temps de saignement, les fonctions plaquettaires sont normaux. Le test du lacet peut être positif. Le bilan de coagulation est normal. On trouve du sang dans les selles. Dans les urines, on trouve une hématurie et parfois une protéinurie.

Traitement

Il n'existe pas de traitement spécifique. En cas de manifestations digestives dramatiques et menaçant la vie du malade, la prednisone, à la dose de 1 ou 2 mg/kg et par jour, est indiquée. La corticothérapie n'est pas indiquée dans les cas d'atteinte rénale. Si infection streptococcique prouvée : éradication du germe par la pénicilline, sans plus.

En cas de néphrite évoluant vers la chronicité, l'emploi des immunosuppresseurs (azathioprine, cyclophosphamide) pourrait être d'un certain bénéfice. Ces traitements sont encore expérimentaux et leur résultat à long terme n'a pas encore été évalué. L'un des dangers de la cyclophosphamide est une destruction des cellules germinales des gonades.

Périartérite (polyartérite) noueuse

Cette maladie, rare mais qui peut toucher le très jeune enfant déjà, affecte les artères de moyen et petit calibre, en provoquant une dégénérescence fibrinoïde et, plus rarement, une nécrose de la paroi vasculaire.

Signes cliniques

Les manifestations cliniques sont très variables, suivant la localisation de l'atteinte vasculaire :
- Fièvre au long cours.
- Eruptions cutanées polymorphes.
- Nodules sous-cutanés.
- Signes neurologiques : convulsions, parésies, polynévrite.
- Atteinte musculaire.
- Insuffisance cardiaque avec ou sans péricardite.
- Signes respiratoires : asthme ou pneumonie.
- Atteinte rénale : hématurie, protéinurie, hypertension.

Examens de laboratoire

Il n'y en a pas de spécifique. La vitesse de sédimentation est accélérée, il existe parfois une éosinophilie. Le diagnostic repose essentiellement sur la biopsie de peau, de muscle ou de rein.

Traitement

Stéroïdes : la prednisone à la dose de 1-2 mg/kg est indiquée dans tous les cas.

Evolution et pronostic

La plupart des cas évoluent vers la mort. Cette dernière peut être subite, par occlusion coronarienne et infarctus myocardique.

Lupus érythémateux disséminé

Le lupus érythémateux est une maladie du tissu conjonctif avec atteinte vasculaire et périvasculaire qui peut toucher n'importe quel organe ou système. Les filles sont atteintes huit fois plus fréquemment que les garçons. L'âge du début de l'affection se situe autour de 8 à 15 ans. La cause de la maladie est en rapport avec un désordre immunologique, et des facteurs héréditaires jouent un certain rôle (caractère familial).

Signes cliniques

Les signes cliniques sont très variables :
- Fièvre irrégulière.
- Douleurs articulaires migratoires.
- Fatigabilité.
- Signes cutanés : exanthème du visage en papillon (atteinte des joues et de la racine du nez) et exacerbé par la lumière (photosensibilité). A part

celle du visage, on peut avoir des éruptions diverses sur le corps, avec une atteinte plus fréquente des paumes des pieds et des mains. Un érythème noueux ou un érythème multiforme peut être associé.
- Arthrite : une atteinte articulaire est fréquente et variable ; elle ressemble soit à celle du rhumatisme articulaire aigu, soit à celle de l'arthrite rhumatoïde.
- Myosite-ténosynovite.
- Polysérosite (plèvre, péricarde).
- Hépato-splénomégalie.
- Néphrite (75 % des cas), dont on distingue 4 types histologiques : néphrite mésangiale, néphrite proliférative diffuse ou focale, néphrite membraneuse.
- Atteinte du système nerveux central (psychose, convulsions).
- Phénomène de Raynaud.

Examens de laboratoire

- *Anticorps antinucléaires* (anti-ADN) : Présents dans la plupart des cas. Mis en évidence par un système utilisant du matériel nucléaire (nucléoprotéines, ADN, etc.), le sérum du malade, qui contient le facteur L.E. (une γ-globuline), et une solution de γ-globulines antihumaines fluorescéinées. Le test est positif si le matériel nucléaire devient fluorescent, ce qui signale l'union du facteur L.E. (antigène) avec la γ-globuline antihumaine fluorescéinée (anticorps).
- *Cellules en rosette :* Le facteur L.E., présent dans le sang du patient, altère les nucléoprotéines des noyaux cellulaires. Ces noyaux sont expulsés par la cellule endommagée et sont alors entourés par un groupe de polynucléaires actifs, qui forment une figure en rosette caractéristique du lupus. Une fois la phagocytose accomplie, on obtient la formation des cellules L.E. décrites ci-dessous.
- *Cellules lupiques* (cellules L.E.) : Ces cellules contiennent des inclusions cytoplasmiques métachromatiques qui déplacent le noyau vers la périphérie. Lorsque le sérum du patient est incubé in vitro avec ses leucocytes, une nucléoprotéine des leucocytes se fixe au facteur du lupus érythémateux (une γ-globuline sérique) et ce complexe (nucléoprotéine + facteur L.E.) est phagocyté par les leucocytes. C'est ce complexe qui repousse le noyau de la cellule L.E. (leucocyte) vers la périphérie.
- Augmentation des γ-globulines sériques (IgM).
- Abaissement du complément dans le sérum et de sa 4e composante, la β-1C-globuline.
- Anémie hémolytique : réticulocytose et test de Coombs positif.
- Hématurie modérée, protéinurie.
- En cas d'atteinte rénale et pour en apprécier le degré, tests fonctionnels (clearances) et biopsie rénale.

Traitement

Pas de traitement pour les patients asymptomatiques.
- *Corticothérapie :* Prednisone, 2 mg/kg/jour, puis en doses décroissantes en une prise toutes les 48 heures. L'efficacité du traitement est contrôlée par le taux sérique du complément et des anticorps antinucléaires.
- *Immunosuppresseurs :* Azathioprine (Imuran'), 2 mg/kg/jour, ou cyclophosphamide, 2 mg/kg/jour. Contrôle hebdomadaire des leucocytes et

réduction de la dose d'azathioprine si le nombre total des leucocytes tombe en dessous de 3 000/mm³ ou le nombre de lymphocytes en dessous de 1 000/mm³. Le traitement par immunosuppresseurs est avantageusement combiné à la corticothérapie.

Evolution et pronostic

Classiquement, la maladie évolue lentement pendant plusieurs années, avec des périodes de rémission. La sévérité de l'affection rénale conditionne le pronostic vital. Le traitement par les stéroïdes influence les lésions rénales, lesquelles sont souvent réversibles. 80 % des enfants survivent 7 ans après le début de la maladie. Le pronostic du lupus érythémateux s'améliore constamment grâce à une meilleure surveillance de l'efficacité thérapeutique des stéroïdes et des immunosuppresseurs.

Dermatomyosite

La dermatomyosite est une maladie inflammatoire de cause inconnue affectant principalement les vaisseaux des muscles, de la peau, des tissus sous-cutanés, du tractus digestif et des reins. Les filles sont plus souvent atteintes que les garçons.

Signes cliniques

- Fièvre au long cours.
- Dermatite érythémateuse : œdème violacé des paupières supérieures et de la racine du nez. Pigmentation cutanée et télangiectasies sur la face extensive des articulations.
- Diminution de la force musculaire et des réflexes ostéo-tendineux.
- Muscles durs et atrophiques. Tous les muscles peuvent être touchés.
- Arthralgies ou tuméfactions articulaires.
- Hémorragies œsophago-gastro-intestinales (complication possible, même sans traitement stéroïdien).
- Anémie et éosinophilie.
- Augmentation de la vitesse de sédimentation.
- Augmentation des globulines sériques et particulièrement des IgG.
- La biopsie musculaire est caractéristique avec infiltration inflammatoire périvasculaire.
- Les enzymes sériques d'origine musculaire (créatine, phosphokinase, lactico-déshydrogénase, aldolase) sont élevés pendant les périodes d'inflammation musculaire.

Traitement

- Prednisone : Dose initiale, 1,5-2 mg/kg/jour ou 60 mg/m² de surface corporelle.
- Azathioprine (Imuran®) : 1,5-2 mg/kg/jour.

L'efficacité thérapeutique est contrôlée par les taux sériques des enzymes musculaires et il faut déterminer ainsi la dose minimale de prednisone capable d'inhiber les phénomènes inflammatoires. Le traitement peut souvent être interrompu après 1 ou 2 ans.

Evolution et pronostic

Guérison dans 60 % des cas en 1-3 ans.

Erythème noueux

Les lésions cutanées sont précédées ou accompagnées de symptômes généraux : malaise, fièvre, arthralgies. Les lésions apparaissent le plus souvent sur la face antérieure des jambes mais peuvent également se voir au niveau des mollets, des cuisses et des fesses. Ce sont des nodosités de 1-3 cm de diamètre, rouges, douloureuses. Après 1-2 semaines, l'induration diminue et la couleur évolue vers le brun, un peu comme s'il s'agissait d'un hématome. Des poussées successives de nodosités peuvent se produire.

L'érythème noueux représente une réaction immunologique à des toxines bactériennes ou des médicaments.

La recherche étiologique doit comprendre : tuberculose, infections à streptocoques hémolytiques du groupe A, colite, entérite régionale, lupus érythémateux, sarcoïdose (cf. p. 305) et prise de médicaments.

Il n'existe pas de traitement spécifique : l'administration de salicylés fera diminuer la douleur et les signes inflammatoires. Les stéroïdes font rapidement régresser les symptômes mais leur emploi n'est pas recommandé puisqu'il s'agit d'une maladie dont le pronostic est bon et qu'ils pourraient réactiver un foyer d'infection sous-jacent.

Syndrome de Kawasaki ou syndrome adéno-cutanéo-muqueux

Ce syndrome d'étiologie inconnue, particulièrement fréquent au Japon, touche surtout les enfants de moins de 5 ans. Les garçons sont plus souvent affectés que les filles.

Symptômes principaux

- Fièvre de 5 jours ou plus.
- Conjonctivite bilatérale.
- Atteinte des muqueuses de la cavité buccale (érythème, sécheresse, fissures des lèvres ; érythème de la langue et de la muqueuse oropharyngée).
- Atteinte des extrémités : rougeur et infiltration de la peau des plantes des pieds et des paumes des mains, desquamation périunguéale.

- Exanthème polymorphe.
- Adénopathies cervicales.

La présence d'au moins 5 de ces signes est nécessaire pour poser le diagnostic.

Symptômes secondaires
- Cardite : myocardite et péricardite, ischémie et infarctus du myocarde.
- Diarrhées.
- Arthralgies.
- Urétrite et méatite.
- Méningite aseptique.
- Ictère avec légère augmentation des transaminases.
- Otite.

Examens de laboratoire
- Leucocytose avec déviation gauche.
- Anémie.
- Vitesse de sédimentation accélérée.
- C-réactive protéine.
- Augmentation des α-globulines.
- Protéinurie et leucocyturie.

Diagnostic

Le diagnostic de ce syndrome est un diagnostic d'exclusion, en particulier des affections suivantes : périartérite noueuse, érythème multiforme, syndrome de Reiter, syndrome du choc toxique, scarlatine, leptospirose, arthrite rhumatoïde, intolérance médicamenteuse.

Traitement

Il n'y a pas de traitement spécifique et efficace. Presque tous les enfants atteints de ce syndrome reçoivent des antibiotiques variés. La prednisone n'est pas efficace et peut être nocive. Enfin, on peut tenter un traitement contre l'agrégation des plaquettes pour éviter les éventuelles thromboses coronaires.

Evolution et pronostic

Le pronostic dépend de l'atteinte cardio-vasculaire. Environ 1,5 % des cas décèdent pendant la convalescence, en général par rupture d'anévrisme coronaire ou par thromboartérite coronaire.

Sclérodermie

Maladie rare du tissu conjonctif, d'étiologie inconnue, qui affecte principalement la peau et les tissus sous-cutanés. Les poumons, le cœur et les reins sont également souvent touchés. Les lésions cutanées évoluent vers la fibrose, l'adhérence au plan profond, la rigidité et les rétractions. Le pronostic de la forme généralisée est mauvais. Les formes localisées à la peau (morphée) ont une évolution favorable.

Myosite ossifiante progressive

Maladie rare qui affecte le tissu conjonctif et le muscle. Dans certaines familles, elle est transmise selon un mode autosomal dominant avec une pénétrance variable. Les garçons sont plus souvent atteints que les filles. La myosite ossifiante progressive est souvent associée à d'autres malformations : microdactylie, malformation de l'oreille externe, surdité, absence de dents.

La maladie peut commencer au cours du premier mois, elle évolue par poussées successives. Une inflammation localisée des parties molles se traduit par une zone tuméfiée, rouge et douloureuse. Après quelques jours, les signes inflammatoires diminuent et le segment musculaire qui était le siège de cette inflammation commence à s'ossifier. Ces poussées successives entraînent progressivement des ankyloses et une infirmité motrice très grave. La mort survient par insuffisance respiratoire, la cage thoracique pouvant être immobilisée par le tissu osseux.

L'évolution est variable d'un sujet à l'autre et des cas de survie prolongée ont été décrits.

Le diagnostic différentiel comporte *la myosite ossifiante localisée,* en général secondaire à un traumatisme musculaire, et les calcifications musculaires de la dermatomyosite et de la polymyosite chronique.

Le traitement est peu efficace : on utilise les corticoïdes lors des poussées inflammatoires. Des essais thérapeutiques par de l'étidronate de sodium auraient donné certains résultats favorables.

Maladies constitutionnelles du squelette

Il existe de très nombreuses maladies constitutionnelles, touchant soit tout le squelette, soit un ou plusieurs os. Pour la classification et la nomenclature complète de ces nombreux syndromes dysplasiques, qui sont rares pour la plupart, le système proposé par l'« European Society of Pediatric Radiology » (Pediatrics 47 : 431, 1971) est le meilleur. Nous ne traiterons ici que des maladies constitutionnelles du squelette les plus importantes.

Ossification anormale d'un ou de plusieurs os

Crâniosynostose

La fermeture prématurée d'une ou de plusieurs sutures des os du crâne peut constituer une anomalie isolée ou être associée à d'autres malformations du squelette. Elle peut également être la conséquence d'un rachitisme grave, d'une hypophosphatasie ou d'une hypercalcémie idiopathique. Une ou plusieurs sutures peuvent être affectées, provoquant des déformations caractéristiques de la boîte crânienne :
- suture sagittale : scaphocéphalie (tête longue et étroite) ;
- suture coronaire : brachycéphalie (tête large) et oxycéphalie (crâne en tour).

Si une seule des sutures se ferme prématurément, le problème est avant tout cosmétique. Si toutes les sutures sont affectées, la croissance du cerveau peut en souffrir et une hypertension intracrânienne avec atteinte oculaire est à redouter. Il est alors nécessaire de créer chirurgicalement de nouvelles sutures.

Syndrome de Klippel-Feil

Fusion de deux ou plusieurs vertèbres cervicales, ou de plusieurs hémivertèbres. Le cou est court et les mouvements sont limités. Il y a souvent association d'autres malformations, telles que côte cervicale, spina bifida, pterygium colli.

Pectus excavatum (thorax en entonnoir)

Cette malformation fréquente est le plus souvent congénitale. Elle est rarement la conséquence d'un rachitisme grave. Le volume pulmonaire peut être diminué et le cœur déplacé sur la gauche. Une correction chirurgicale est parfois indiquée, soit pour corriger des troubles de la ventilation pulmonaire, soit pour des raisons cosmétiques.

Syndrome de Pierre-Robin

Hypoplasie de la mandibule avec glossoptose souvent associée à un palais ogival ou une fente palatine. La langue est repoussée en arrière, obstrue le pharynx, et le nouveau-né suffoque, à moins qu'il ne soit placé sur le ventre. Avec la croissance, la glossoptose diminue et la mandibule se développe. Les anomalies oculaires associées ne sont pas rares (cataracte, glaucome, microphtalmie) et le 20% de ces patients souffre d'arriération mentale.

Anomalies des extrémités

Il existe des amputations congénitales causées peut-être par des brides amniotiques. De nombreuses anomalies affectant le développement intra-utérin des ébauches des membres ont été décrites :

- *Amélie :* Absence de membres.
- *Phocomélie :* Réduction de la partie proximale du membre. L'ingestion de Thalidomide pendant la gestation peut être la cause de cette malformation.
- *Polydactylie :* Présence de doigts surnuméraires, souvent héréditaire. Quelquefois associée à d'autres malformations comme la dysplasie chondro-ectodermique ou syndrome d'Ellis-van Creveld (cf. pp. 332, 867).
- *Syndactylie :* Fusion de deux ou plusieurs doigts. Cette malformation est souvent héréditaire.
- *Mains ou pieds en pince de homard :* Profonde entaille dans le pied ou la main à la place des 2e et 3e doigts. Il existe une syndactylie des autres doigts ou orteils de part et d'autre de la fente. Il s'agit d'une malformation héréditaire dominante.
- *Clinodactylie :* Incurvation du 5e doigt. Souvent associée à la trisomie 21.
- *Macrodactylie :* Hypertrophie d'un ou de plusieurs doigts ou orteils. Se voit parfois dans la neurofibromatose.
- *Absence de radius :* Quelquefois associée à l'anémie hypoplastique familiale ou anémie de Fanconi (cf. p. 489). Quelquefois associée à une malformation cardiaque dans le syndrome de Holt-Oram (cf. tableau 5, pp. 332-333).

Ossification anormale du squelette

Achondroplasie

Maladie héréditaire transmise par un gène autosomique dominant. La plupart des cas sont sporadiques (mutation). Il s'agit d'une anomalie de l'ossification enchondrale commençant déjà pendant la vie intra-utérine. La croissance des os longs est très diminuée. Le crâne est grand, le front bombé, la racine du nez enfoncée. Les signes radiologiques sont caractéristiques : irrégularité des lignes épiphysaires, extrémités des os longs en forme de champignon, rétrécissement caudal du canal rachidien, bassin avec ailes iliaques petites, et grande échancrure sciatique très étroite.

Il n'existe pas de traitement, et la maladie se stabilise à la puberté au moment de la fermeture des cartilages de conjugaison. Il faut cependant se méfier du développement d'une hydrocéphalie vraie en relation avec la petitesse du trou occipital (foramen magnum) et de compressions médullaires dues à une compression osseuse ou une hernie discale (lordose lombaire).

Autres chondrodysplasies

Parmi les nombreux types décrits, on peut retenir les affections suivantes :

Dysostose métaphysaire

Maladie héréditaire transmise par un gène autosomique dominant. Les métaphyses des os longs sont irrégulières, le cartilage de conjugaison est élargi. Le trouble de l'ossification enchondrale aboutit à un nanisme. Les images radiologiques font penser à un rachitisme, mais les valeurs sériques du calcium, phosphore et phosphatase alcaline sont dans les limites normales.

Dysplasie épiphysaire multiple

Anomalie de l'ossification au niveau des épiphyses, le plus souvent transmise par un gène dominant. Les épiphyses sont souvent fragmentées ou irrégulières, quelquefois complètement détruites. Il existe souvent un nanisme, et une arthrose se développe plus tard, au niveau des articulations atteintes.

Nanisme thanatophore

Chondrodystrophie léthale avec micromélie extrême, déformation du massif crânio-facial, déformation du thorax. Génétiquement hétérogène (McKusick).

Nanisme diastrophique

Diastrophos = tordu. Micromélie, scoliose, pieds-bots en varus équin. Les épiphyses sont plates et irrégulières. Il s'agit d'une maladie autosomique récessive.

Chondrodystrophie des épiphyses ponctuées

Micromélie asymétrique, ponctuation des épiphyses, calcifications hétérotopiques multiples. Les malformations squelettiques sont souvent associées à des cataractes, des anomalies cutanées (ichtyose). Le pronostic est mauvais. L'hérédité de cette maladie n'est pas clairement établie. La prise d'un anticoagulant (Dicoumarine, Warfarine) en début de grossesse peut produire une affection assez semblable chez le fœtus.

Dystrophie thoracique asphyxiante (syndrome de Jeune)

Maladie héréditaire autosomique récessive. Anomalie des côtes qui sont très courtes, la colonne vertébrale étant peu affectée. Les malformations du thorax entraînent une limitation des échanges gazeux et des infections pulmonaires à répétition. Le pronostic vital est mauvais.

Dysplasie chondro-ectodermique (syndrome d'Ellis-van Creveld)

Association de chondro-dysplasie (membres courts, tronc normal), d'une dysplasie ectodermique (gencives, dents, ongles), d'une polydactylie, de malformations cardiaques généralement septales. L'hérédité est autosomique récessive. L'intelligence est, en général, normale.

Ostéopétrose (maladie des os de marbre ou maladie d'Albers-Schönberg)

Maladie héréditaire autosomique récessive. Défaut de l'ossification enchondrale qui aboutit à des os denses mais fragiles, à la corticale épaisse. La maladie se manifeste cliniquement par des fractures pathologiques et une anémie aplastique qui peut être très grave. L'hématopoïèse extramédullaire provoque une hépatosplénomégalie. Il peut exister des compressions des nerfs crâniens dues à l'épaississement de la base du crâne et causes de surdité, cécité et paralysie faciale. Le calcium, le phosphore et la phosphatase alcaline du sérum sont dans les limites normales.

Il n'existe pas de traitement. Le pronostic vital dépend de la sévérité de l'anémie aplastique.

Osteogenesis imperfecta (maladie des os de verre ou maladie de Lobstein)

Cette maladie est caractérisée par une fragilité excessive des os, de petits traumatismes pouvant entraîner des fractures. Il s'agit probablement d'un défaut de structure du collagène formant la matrice osseuse. La maladie est transmise par un gène autosomique dominant ou récessif, mais avec une expressivité très variable, même à l'intérieur d'une même famille.

On distingue deux formes cliniques de la maladie selon son expression génotypique :

● *Osteogenesis imperfecta congenita* : L'enfant naît avec de très nombreuses fractures, survenues in utero pour la plupart. La consolidation pathologique de ces fractures cause de grosses déformations des membres. Le thorax et la colonne vertébrale peuvent aussi être touchés. Les sclérotiques sont bleues. Le pronostic est mauvais, les nombreuses fractures des côtes entraînant des troubles graves de la ventilation pulmonaire.

● *Osteogenesis imperfecta tarda* : L'enfant est normal à la naissance et les fractures apparaissent à l'âge de 1 à 2 ans. La fragilité osseuse semble diminuer vers la puberté. Ces enfants présentent aussi une frappante laxité ligamentaire. Signes radiologiques : amincissement des corticales osseuses, diminution de la densité radiologique comme dans l'ostéoporose. Au niveau du crâne, il y a souvent plusieurs os wormiens. Les dents sont altérées. Une surdité par otosclérose s'installe précocement. Le calcium, le phosphore, la phosphatase alcaline du sérum sont dans les limites normales. Il n'existe pas de traitement efficace connu. Le pronostic dépend de la gravité de l'expression clinique du gène.

Ostéoporose juvénile idiopathique

Maladie d'origine inconnue qui touche garçons et filles avant la puberté. Il y a une déminéralisation rapide du squelette avec apparition fréquente de fractures pathologiques, particulièrement redoutables au niveau de la colonne vertébrale. Guérison spontanée au moment de la puberté. Pas de traitement efficace connu.

Diagnostic différentiel de l'ostéoporose juvénile
Cf. tableau 3.

Hypophosphatasie

Maladie héréditaire transmise par un gène autosomique récessif dont l'expressivité peut être très variable. L'affection est caractérisée par une diminution très importante de l'activité de la phosphatase alcaline du sérum et des tissus (un cas a été décrit par Ch. Scriver avec un taux sérique normal de phosphatase alcaline) et un défaut de minéralisation de l'os.

Signes cliniques
Ils diffèrent selon le degré de gravité de la maladie. Dans les formes sévères, l'enfant naît avec un crâne mou, mal calcifié, des déformations osseuses dues à un rachitisme très grave. Si la maladie se manifeste plus tard, elle peut le faire par un retard de croissance, une perte prématurée de la première denture et un rachitisme plus ou moins sévère.

Examens de laboratoire
Calcium sérique normal ou légèrement augmenté, phosphorémie normale, phosphatase alcaline du sérum en général très abaissée. Elimination de phosphoréthanolamine dans l'urine.

Traitement
Il n'en existe pas d'efficace. Il faut éviter l'administration de vitamine D à doses élevées, qui n'a aucun effet sur les lésions rachitiques et risque de créer une hypercalcémie grave.

Tableau 3 : Diagnostic différentiel de l'ostéoporose juvénile

- Osteogenesis imperfecta
- Maladie de Cushing
- Traitement prolongé aux stéroïdes
- Malabsorption intestinale
- Acidose rénale tubulaire
- Ostéoporose d'immobilisation
- Malnutrition
- Déficience en vitamine C (scorbut)

Pronostic

Dépend de la gravité de l'expression clinique du gène.

Ostéite fibreuse disséminée (dysplasie fibreuse de l'os)

Une dysplasie fibreuse peut atteindre un ou plusieurs os du squelette. Il s'agit probablement d'un défaut de développement embryonnaire. L'os est malformé et le tissu normal est remplacé par une masse fibreuse contenant des trabécules osseux mal organisés.

La maladie se manifeste par une fracture pathologique ou une lésion kystique découverte fortuitement. Parmi les formes généralisées, on distingue le syndrome de McCune - Albright. Dans ce cas, les lésions osseuses sont associées à des taches pigmentaires cutanées (« café-au-lait »), une avance de l'âge osseux et une puberté précoce (cf. p. 767).

L'ostéite fibreuse peut poser le problème du diagnostic différentiel de l'hyperparathyroïdie, mais elle ne constitue pas une affection généralisée du squelette et il n'y a pas de trouble du métabolisme du calcium ou du phosphore. Les taux sériques du calcium et du phosphore sont dans les limites normales. Il y a quelquefois une élévation de la phosphatase alcaline dans le sérum.

Hyperostose corticale généralisée

Le cortex des os longs est anormalement dense. Cette anomalie peut être due à plusieurs causes :
● Intoxication chronique à la vitamine A : les corticales sont épaisses, les os fragiles et les fractures fréquentes.
● Syphilis congénitale tardive.
● Forme idiopathique (Caffey) : la maladie se manifeste à la naissance ou avant l'âge de 6 mois par des signes généraux tels qu'anorexie, fièvre, œdèmes des membres inférieurs, leucocytose et anémie. Il existe des cas familiaux. Un traitement par les stéroïdes donnerait de bons résultats.

Syndrome de Marfan (dolichosténomélie)

Maladie héréditaire autosomique dominante à pénétrance variable, causée par un défaut probable, mais non encore démontré, du métabolisme des mucopolysaccharides. Les extrémités (doigts, orteils) et les membres sont anormalement longs. Il existe des anomalies oculaires très importantes pour la confirmation du diagnostic (subluxation du cristallin, myopie, cataracte), des anomalies cardiaques (anévrisme de l'aorte), de la cage thoracique, de la colonne vertébrale (cyphose, scoliose). Le syndrome de Marfan ressemble cliniquement à l'homocystinurie, enzymopathie congénitale (déficience en cystathionine-synthétase) dans laquelle il y a, en général, un retard mental associé (cf. p. 832).

Rachitisme

Le rachitisme est un trouble du métabolisme du phosphore et du calcium qui empêche les dépôts normaux de sels de calcium dans les parties du squelette en voie de minéralisation. Lorsque la croissance est terminée, ces mêmes troubles du métabolisme du calcium et du phosphore causent une ostéomalacie.

Dans le rachitisme, les lésions prédominent dans les zones d'ossification enchondrales, donc au niveau des lignes épiphyso-métaphysaires. Le tissu cartilagineux, n'étant pas calcifié, prolifère et forme à ce niveau des bourrelets qui expliquent certains signes cliniques tels que le chapelet costal, le sillon de Harrison et l'élargissement des extrémités (poignets et chevilles). Les os plats et membraneux sont aussi touchés et le tissu osseux normal est remplacé petit à petit par de l'ostéoïde non calcifié, ce qui entraîne un retard de la fermeture des fontanelles et un crâniotabès.

Tableau 4 : Classification des syndromes rachitiques

A. Type I (Manque de 1,25 di (OH) vitamine D)

1. Carence en vitamine D
   - manque d'apport
   - absence de rayonnement UV
   - malabsorption de vitamine D

2. Anomalie de la 1re hydroxylation de la vitamine D
   - maladie hépatique
   - médicaments anticonvulsivants

3. Anomalie de la 2e hydroxylation
   - maladie rénale
   - rachitisme pseudo-carentiel de Prader (anomalie héréditaire de 1-OH-hydroxylase)

B. Type II (Manque de phosphore)

1. Défaut de réabsorption du phosphore au niveau du tubule rénal
   - syndrome de Debré-Fanconi-de-Toni (cystinose, syndrome de Lowe)
   - acidose tubulaire rénale
   - rachitisme hypophosphatémique familial
   - hypophosphatémies liées à des tumeurs non endocrines

2. Manque d'apport ou malabsorption intestinale du phosphore
   - alimentation parentérale
   - manque relatif de phosphore dans l'alimentation du prématuré
   - apport d'hydroxyde d'aluminium

Tableau 5 : Diagnostic différentiel entre les 4 formes les plus fréquentes de rachitisme vitamino-résistant hypophosphatémique

	Rachitisme vitamino-résistant hypophosphatémique (type simple)	Groupe avec un syndrome de Fanconi-Debré-de Toni		Tyrosylurie (tyrosinose)
		Rachitisme pseudo-carentiel	Cystinose	
Début	12-18 mois	3-15 mois	1-4 mois	1-4 mois
Génétique	Dominant, lié-au-sexe ou sporadique	Récessif autosomique	Récessif autosomique	Récessif autosomique
Signes cliniques initiaux	Courbures des membres inférieurs au moment de l'apparition de la marche Petite taille	Faiblesse Retard d'apparition de la station debout et de la marche Convulsions généralisées ou tétanie	Petite enfance : irritabilité, anorexie, retard de développement, polydipsie Déformations osseuses, photophobie, petite taille	Retard de développement, anorexie, irritabilité, retard d'apparition de la marche
Autres signes cliniques	Enfant en bonne santé Rachitisme modéré Pas de symptômes urinaires	Rachitisme sévère, progressant rapidement Signe de Trousseau éventuellement positif Pas de symptômes urinaires	Enfant pâle, irritable, « malade » Rachitisme modéré ou sévère Couleur des cheveux caractéristique (blond gris) Polyurie	Rachitisme sévère, progressant rapidement Gros foie nodulaire, ferme (cirrhose, hépatome)
Cristaux de cystine	Absents	Absents	Visibles dans la cornée et la moelle osseuse	Absents

Radiologie	Lignes épiphysaires et métaphyses montrant un rachitisme modérément sévère Les diaphyses sont bien minéralisées et présentent une trabéculation grossière typique	Rachitisme évolutif sévère Diaphyses pauvres en calcium, ostéoporotiques Fractures pathologiques ou pseudo-fractures	Rachitisme modéré le plus souvent, sévère quelquefois Ostéoporose fréquente	Rachitisme variable Ostéoporose fréquente
Sérum :				
• Calcium	Toujours normal	Modérément à fortement ↘	Normal à fortement ↘	Normal à modérément ↘
• Phosphore	Fortement ↘	Modérément à fortement ↘	Au début : fortement ↘ Phase tardive : N ou ↗	Fortement ↘
• Phosphatase alcaline	Modérément ↗	Fortement ↗	Modérément ↗	Fortement ↗
• Electrolytes et équilibre acido-basique	Normal	Normal	N ou acidose ; ± K ↘	Normal
• Azote uréique	Normal	Normal	Normal à fortement ↗	Normal
• Glucose à jeun	Normal	Normal	Normal	N ou ↘
• Tests hépatiques	Normal	Normal	Normal	Anormaux
• Acides aminés plasmatiques	Normal	Normal	N (cystine peut être légèrement ↗)	Tyrosine ↗ ± méthionine ↗
Urine :				
• Protéine	0	0 à trace	+ à +++	0 à ++
• Glucose	0	0 à trace	+ à +++	++ à +++
• pH	Normal	Normal	Acide	Normal
• Concentration	Normal	Normal	Souvent altérée	Souvent altérée
• Acides aminés	Normal	Aminoacidurie généralisée	Aminoacidurie généralisée	Aminoacidurie généralisée
Pronostic	Longévité normale Patients restent hypophosphatémiques, de petite taille, avec déformations osseuses	Longévité normale Guérison avec vitaminothérapie	Décès par urémie à la puberté ou avant	Décès par cirrhose hépatique ou hépatome pendant l'enfance

Adapté de Fraser D. in M. Conn, *Current Diagnosis*, Saunders 1966

Si le rachitisme évolue sans traitement pendant longtemps, tout le squelette devient ostéomalacique et mou. Les os longs se déforment, la cage thoracique n'étant plus assez rigide, des troubles ventilatoires pulmonaires apparaissent, favorisant des infections pulmonaires graves (poumons rachitiques).

On peut diviser les syndromes rachitiques en 2 types selon leur étiologie (cf. tableau 4).

Rachitisme par carence ou défaut d'absorption de vitamine D

- Rachitisme par insuffisance de l'apport en vitamine D (cf. pp. 194 ss.).
- Rachitisme du syndrome de malabsorption (maladie cœliaque, mucoviscidose) (cf. pp. 259 et 279).
- Rachitisme par obstruction biliaire.

Rachitisme pseudo-carentiel (« Pseudo-Mangel Rachitis » de Prader, « vitamin D-dependant rickets »)

Maladie héréditaire transmise par un gène autosomique récessif. Il s'agit probablement d'un trouble du métabolisme de la vitamine D (anomalie de la 2e hydroxylation ou des récepteurs cellulaires). Les signes cliniques sont exactement semblables à ceux du rachitisme carentiel très grave ; la vitamine D à doses supraphysiologiques (10-50 000 U/jour) fait disparaître tous les symptômes.

Rachitisme par dysfonction tubulaire

Rachitisme résistant à la vitamine D par perte rénale excessive de phosphore et d'autres substances.

Rachitisme vitamino-résistant hypophosphatémique familial
(cf. tableau 5)

Synonymes : diabète phosphaté familial ou hypophosphatémie familiale.

Maladie héréditaire due à un gène dominant lié au chromosome X. Il existe cependant de nombreux cas sporadiques.

La maladie est, en général, reconnue durant la deuxième année et se manifeste par un retard de croissance et des déformations osseuses. On trouve les signes classiques de rachitisme (chapelet costal, élargissement des métaphyses des os longs) et l'apparence radiologique est semblable à celle d'un rachitisme carentiel. La biologie sanguine est caractéristique : calcium normal, phosphore abaissé, phosphatase alcaline augmentée. Il n'existe pas d'hyperaminoacidurie.

Le traitement consiste à administrer une solution de phosphore per os et des doses élevées de vitamine D_3 (50 000 U/jour) ou de l'un de ses métabolites actifs (calcitriol, 0,25-1,0 µ/jour), après avoir éliminé les autres causes de rachitisme. Ce traitement peut entraîner des hypercalcémies graves et/ou un hyperparathyroïdisme secondaire. Il ne corrige pas toujours complètement le retard de croissance et les déformations osseuses nécessitent souvent des interventions orthopédiques.

Syndrome de Debré-Fanconi-de Toni

Syndrome dû à une insuffisance du tubule rénal proximal provoquant une hyperaminoacidurie généralisée, une glucosurie, une hypophosphorémie (cause du rachitisme) et des troubles électrolytiques complexes et variables (perte de potassium, de bicarbonate, etc.). Les affections pouvant causer ce syndrome sont nombreuses :
- cystinose,
- glycogénose type I,
- maladie de Wilson,
- intoxication par des métaux lourds,
- galactosémie,
- tyrosinémie,
- syndrome de Lowe,
- neurofibromatose,
- ingestion de tétracycline dégradée,
- intolérance au fructose.

Ostéodystrophie rénale

(Cf. pp. 395-396).

Les lésions squelettiques (appelées autrefois rachitisme rénal) sont secondaires à une insuffisance rénale chronique. L'ostéodystrophie est causée par des facteurs métaboliques multiples (troubles du métabolisme de la vitamine D, hyperparathyroïdisme secondaire).

Rachitisme avec une homéostase phosphocalcique normale

- Hypophosphatasie (cf. p. 869).
- Dysostose métaphysaire (cf. p. 867).

Mucopolysaccharidoses

(cf. tableau 6)

Les mucopolysaccharidoses sont liées à des altérations congénitales du métabolisme des mucopolysaccharides. La classification numérique a été proposée par McKusick. Le terme de gargoylisme a été appliqué dans le passé aux types I, II et III de la classification actuelle, étant donné l'aspect particulier (gargouille) du faciès de ces enfants.

Les facteurs enzymatiques déficients n'ont pas encore été tous définis, quoique isolés dans l'urine des malades ; en culture de tissu, ces facteurs

Tableau 6 : Mucopolysaccharidoses

Nomenclature		Anomalies physiques	Arriération mentale	Hérédité	Mucopolysaccharides urinaires	Déficience enzymatique
MPS I H	Syndrome de Hurler	+++	++	Homozygote gène MPS I H	Dermatan-sulfate Héparan-sulfate	α-L-iduronidase
MPS I S	Syndrome de Scheie	+	–	Homozygote gène MPS I S	Dermatan-sulfate Héparan-sulfate	α-L-iduronidase
MPS I H/S	Syndrome de Hurler-Scheie	++	+	Double hétérozygote Gène MPS I H/MPS 1 S	Dermatan-sulfate Héparan-sulfate	α-L-iduronidase
MPS II	Syndrome de Hunter	++	+ / –	Gène lié au chromosome X	Dermatan-sulfate Héparan-sulfate	Iduronate-sulfatase
MPS III A	Syndrome de San Filippo A	+	++	Homozygote Gène MPS III A	Héparan-sulfate	Héparan-N-sulfatase
MPS III B	Syndrome de San Filippo B	+	++	Homozygote Gène MPS III B	Héparan-sulfate	N-acétyl-α-D-glucosaminidase
MPS IV	Syndrome de Morquio	+++	–	Homozygote Gène MPS IV	Kératan-sulfate	Hexosamine-6-sulfatase
MPS V	Syndrome de Maroteaux-Lamy	++	–	Homozygote Gène MPS VI	Dermatan-sulfate	Arysulfatase B (N-acétylgalactosamine-4-sulfatase)
MPS VI	Déficit en β-glucuronidase	++	–	Homozygote Gène MPS VII	Dermatan-sulfate Héparan-sulfate	β-glucuronidase

corrigent l'activité métabolique fibroblastique ; par exemple, les enfants atteints de maladie de Hurler excrètent le facteur qui corrige l'activité des fibroblastes d'un malade atteint de maladie de Hunter, etc.

Type I H : syndrome de Hurler

Hérédité autosomique récessive. Elimination urinaire de dermatan-sulfate et d'héparan-sulfate. Retard mental très marqué, nanisme, aspect de gargouille, opacités cornéennes, hépato-splénomégalie, atteinte cardiaque, cyphose marquée, peau infiltrée. Anomalies radiologiques des épiphyses, des vertèbres et de la selle turcique. Lymphocytes avec cytoplasme vacuolé (cellules de Gasser) ou leucocytes contenant des granulations anormales (anomalie d'Alder-Reilly).

Type I S : syndrome de Scheie

Hérédité autosomique récessive. Elimination urinaire de dermatan-sulfate et d'héparan-sulfate. Le faciès ressemble à celui du type I. Retard de taille. Hépato-splénomégalie. Anomalies métaphyso-épiphysaires. Hypoplasie des corps vertébraux.

Type II : syndrome de Hunter

Hérédité récessive liée au chromosome X. Elimination urinaire de dermatan-sulfate et d'héparan-sulfate. Phénotype ressemblant beaucoup au type I H, sans les opacités cornéennes.

Type III : syndrome de San Filippo

Hérédité autosomique récessive. Elimination urinaire d'héparan-sulfate. Retard mental marqué, aspect de gargouille beaucoup moins prononcé que dans les types I et II. Hépatomégalie. Anomalies squelettiques discrètes. Anomalies hématologiques semblables à celles des types I et II.

Type IV : syndrome de Morquio

Hérédité autosomique récessive. Elimination urinaire de kératan-sulfate. Intelligence normale. Nanisme très prononcé, malformations squelettiques marquées avec atteinte de la colonne vertébrale (platyspondylie), déformation du thorax et des membres. Il existe de fines opacités cornéennes visibles à la lampe à fente.

Type V : syndrome de Maroteaux-Lamy (nanisme polydystrophique)

Hérédité autosomique récessive. Elimination urinaire de dermatan-sulfate. Intelligence normale. Nanisme prononcé avec hépato-splénomégalie.

Type VI : déficit en β-glucuronidase

Hérédité autosomique récessive, élimination urinaire de dermatan-sulfate et d'héparan-sulfate. Retard mental de degré variable, dysostose, hépatosplénomégalie, inclusions d'Alder dans les leucocytes.

Mucolipidoses

Les mucolipidoses ont des caractéristiques cliniques et biochimiques qui les apparentent aussi bien aux mucopolysaccharidoses qu'aux sphingolipidoses.

On distinguera les syndromes suivants :

Mucolipidose II (ML II)
(I-cell disease, maladie des cellules à inclusions)

Signes cliniques : Apparition précoce d'une dysostose grave ressemblant à celle de la maladie de Hurler (peut être présente à la naissance), retard psychomoteur, hyperplasie gingivale. Il n'y a pas d'opacification cornéenne. La plupart des patients décèdent entre 5 et 6 ans.

Génétique : Gène autosomique récessif.

Il n'y a pas d'excrétion excessive de mucopolysaccharides urinaires.

La plupart des hydrolases des lysosomes montrent des activités abaissées.

Mucolipidose III (ML III, Pseudo-Hurler)

Signes cliniques : Ankylose articulaire progressive au niveau des mains et des épaules. Nanisme, traits grossiers du visage, lésions radiologiques du squelette semblables à celles des mucopolysaccharidoses, opacité cornéenne, atteintes des valves cardiaques, retard intellectuel.

Ce syndrome est transmis par un gène autosomique récessif. Dans les urines, on ne trouve pas d'excrétion augmentée de mucopolysaccharides et le déficit enzymatique touche plusieurs systèmes enzymatiques comme dans la ML II.

Enfin, la sulfatidose multiple ou mucosulfatidose est une variante de la leucodystrophie métachromatique. Détérioration neurologique progressive, hépatosplénomégalie, inclusions dans les leucocytes, élimination augmentée de dermatan-sulfate et d'héparan-sulfate.

Ostéomyélites

Infection de l'os causée généralement par un staphylocoque venu par voie hématogène ou, plus rarement, par une infection de voisinage. D'autres micro-organismes (streptocoques, Salmonella, Hemophilus influenzae) peuvent également causer une ostéomyélite. Un traumatisme précède souvent le début de l'infection. L'inflammation touche d'abord la métaphyse, puis se propage à la diaphyse par la voie sous-périostée et par la cavité médullaire. Il peut se créer un abcès contenant du pus et des morceaux d'os nécrosés (séquestres).

Signes cliniques

Début brutal avec température élevée. Douleurs osseuses violentes avec, en général, une réaction inflammatoire des parties molles adjacentes.

Examens de laboratoire

Leucocytose marquée. Hémocultures. Scan osseux au diphosphonate marqué au technetium.

Examens radiologiques

Les radiographies ne montrent une altération osseuse que 8 à 10 jours après le début de l'infection. On voit alors une raréfaction osseuse, puis plus tard seulement un remodelage de l'os et une sclérose.

Traitement

(Cf. pp. 684 ss. et tableau 25, p. 687).

- Un traitement par antibiotiques administrés à doses massives et par voie intraveineuse doit être instauré le plus rapidement possible, après avoir fait les prélèvements nécessaires pour identifier le germe et fait un antibiogramme (hémocultures, prélèvements d'une lésion cutanée, éventuellement ponction osseuse). Ce traitement antibiotique *devra se poursuivre pendant plusieurs semaines*. Le choix de l'antibiotique dépend des conditions épidémiologiques : pénicilline (250 000 U/kg/jour), cloxacilline (25-100 mg/kg/jour), ampicilline (150-200 mg/kg/jour).
- Immobilisation du membre dans une gouttière plâtrée.
- Mesures chirurgicales : pour les cas d'évolution rapide, un débridement de l'abcès est indiqué.

Evolution et pronostic

Si le traitement a été instauré assez tôt avec un antibiotique efficace, l'évolution est rapidement favorable. Sinon, l'infection tourne à la chronicité avec abcès fistulisant à la peau, élimination de séquestres osseux.

Chapitre 24

Dermatologie

par H. S. Varonier

L'examen clinique est la démarche essentielle pour le diagnostic d'une affection cutanée. L'aspect des lésions, leur nature, leur dimension, leur nombre et leur distribution, ainsi que leur localisation, doivent permettre une description exacte de la dermatose. Si nécessaire, prélèvements pour recherche bactériologique et/ou mycologique, et biopsies pour l'aspect histologique. L'anamnèse héréditaire, personnelle, puis des notions sur l'évolution et la réponse à certaines médications antérieures, sont également indispensables. En plus de la peau, ne jamais oublier l'examen des muqueuses.

Nomenclature lésionnelle

Une dermatose peut être constituée d'une ou de plusieurs lésions élémentaires caractérisées par leur situation anatomique, leur dimension et leur avenir évolutif.

1. *Erythème* : rougeur congestive de la peau, circonscrite *(tache* ou *macule)* ou plus ou moins diffuse *(érythrodermie),* souvent temporaire et disparaissant sous pression. **2.** *Papule* : petite élevure solide, circonscrite, de petite dimension (moins de 1 cm de diamètre). **3.** *Nodule* : petite nouure circonscrite de l'hypoderme, du volume d'un pois. **4.** *Vésicule* : petit soulèvement sous- ou intra-épidermique (moins de 1 cm de diamètre), sous lequel est collecté un peu de liquide clair. Une *bulle* est une grande vésicule dont le contenu peut être hémorragique. Une *pustule* est une bulle contenant du liquide purulent. **5.** *Croûte* : concrétion résultant de la dessiccation de sérosité, de pus ou de sang. **6.** *Squame* : lamelles épidermiques caduques, parfois poudreuses. Une hyperkératose correspond à un épaississement de la couche cornée et la parakératose sous-entend une kératinisation incomplète avec la présence de cellules encore nucléées. **7.** *Rhagade, crevasse, fissure :* plaies linéaires d'origine traumatique dans un tissu dermique dont l'élasticité peut être préalablement modifiée soit par une inflammation, soit par une hyperkératose ou une macération. **8.** *Ulcération* : perte de substance cutanée de dimension et de profondeur variables.

Affections congénitales

Angiomes

Taches ou tumeurs rouges qui résultent d'hyperplasies et d'ectasies vasculaires.
a) Angiome plan : Forme, contour et dimension très variables, soit punctiformes, soit en nappe très étendue. Fréquent à la face (nævus flammeus) et sur la nuque, autour des orifices naturels, parfois sur les membres et le tronc, rarement sur les muqueuses.
b) Angiome caverneux ou tubéreux : Plus ou moins saillant, à surface granuleuse ou lobulée. Localisation fréquente sur la tête et autour des orifices naturels.
c) Angiome stellaire : Point saillant rouge, d'où rayonnent des arborisations télangiectasiques.
d) Angiokératome : Formé par des nodules pourpres juxtaposés et recouverts par une hyperkératose.
e) Lymphangiome superficiel : Placards circonscrits de vésicules translucides de la grosseur d'une tête d'épingle à un pois, parfois hyperkératose en surface. Histologie : juxtaposition de multiples capillaires lymphatiques dilatés.

Les angiomes ont une tendance naturelle à la régression, d'aucuns persistent à l'état initial, certains sont progressifs.
● *Traitement* : Les angiomes plans ne réclament aucun traitement local ou général ; ils n'y répondent d'ailleurs pas. Les angiomes tubéreux de petite dimension répondent bien à la cryothérapie ; les plus gros peuvent imposer une radiothérapie prudente et certains semblent bien réagir à la corticothérapie. Une exérèse chirurgicale peut parfois être nécessaire. On respectera cependant toujours un temps d'évolution spontanée avant de prendre une décision thérapeutique puisque l'involution d'un angiome survient généralement dès le 2e semestre de vie. Les angiomes stellaires répondent bien à l'électro-coagulation.

Nævi pigmentaires

Ce sont des malformations très fréquentes de l'appareil pigmentaire mélanique d'origine embryonnaire. Ils peuvent être plans ou saillants, soit isolés, soit en placards qui peuvent être étendus et s'accompagner d'une hypertrichose. Si la localisation (nævi exposés à des irritations répétées) ou la dimension l'impose, le traitement sera l'excision totale. Environ le quart des mélanomes malins de l'enfance se développent à partir de grands nævi. Il est donc préférable de les exciser largement, prophylactiquement.

Pigmentations pathologiques

Des zones de pigmentations anormales de la peau peuvent être un des signes d'une maladie touchant plusieurs systèmes dont certaines sont héréditaires.
L'*acanthosis nigricans* avec un aspect de « peau sale » s'associe souvent au diabète sucré (cf. pp. 799 ss.). La *maladie d'Addison*

Tableau 1 : Choix de traitements dermatologiques usuels

Type	Composition et prescription		Indications
Compresses humides	PM : AO argent oleinat. 1 partie pour 9 p. d'eau		Dermatoses exsudatives, ulcérations
Badigeon (blanc)	PM : zinci oxydat. talc. veneti glycerini āā aq. dest. ad	20,0 100,0	Intertrigos Dermatoses non exsudatives (érythème fessier, pityriasis rosé, etc.)
Pommades + lotions :			
● Emollientes	PM : ungent. lenientis	(10-20,0)	Dermatoses non exsudatives
	PM : lanolini, glycerini vaselini āā	10,0	Gerçures, rhagades
	EO : Excipial ® (avec ou sans huile d'amande)		»
● Anti-inflammatoires et kératropiques	PM : hydrocort. acet. tumenol ammon. unguent. lenientis ad	0,5 2,5 50,0	Dermatoses érythémato-squameuses (eczéma)
	PM : (naphtalan-ersatz) : vaselini adust. sapon. zinci oxydat. amyli āā ad	50,0 100,0	»
	PM : ac. salicyl. unguent, lenientis ad	0,5-2,0 100,0	Dermatoses squameuses et croûteuses (kératolyse)
	EO : Hexacortone S ® (prednisolone 0,5 % + ac. salicyl. 3 %)		
	EO : Prémandol ® (prednisolone 0,25 % + Excipial)		
	EO : Emovate ® (clobétasone-17-butyrat 0,05 %)		Dermatoses inflammatoires avec ou sans exsudation (eczémas)

s'accompagne d'une mélanodermie induite par l'excès d'hormone mélanostimulante. La *neurofibromatose de Recklinghausen* s'accompagne de taches cutanées « café au lait » typiques (cf. p. 923). Le *syndrome de Peutz-Jeghers* (cf. p. 554) se manifeste également par des taches pigmentées mélaniques de la face, des lèvres et des muqueuses buccales. L'*incontinentia pigmenti de Bloch-Sulzberger* est souvent accompagnée d'une arriération mentale, d'une microcéphalie et d'une épilepsie. Le *syndrome des nævi pigmentaires multiples* avec dégénérescence basocellulaire se transmet de façon autosomique dominante et comprend une grande taille, des kystes dentaires, une turicéphalie et une légère débilité mentale. Une pigmentation excessive des parties du corps normalement pigmentées (mamelon, organes génitaux externes) peut être provoquée par la prise d'œstrogènes de synthèse.

● Antibactériennes	EO :	Fucidine ® (fusidate de Na 2 %)	Impétigo, pyodermites
		avec corticoïde :	
	EO :	Diprogenta ® (gentamicine 0,1 % + bêtaméthasone 0,05 %)	»
	EO :	Neosporin ® (polymyxine B, néomycine et gramicidine)	»
● Antifongiques	PM :	vioformi 5,0 vaselini ad 100,0	Mycoses cutanées
	PM :	acid. undecylen. 2,5 zinci undecylen. 10,0 aq. dest. 7,5 ungt. polyethylenglycoli mollis ad 50,0	»
	EO :	Daktarin ® (miconazol-nitrat 2 %)	»
	EO :	Asterol ® (dichlorhydrate de diamthézole 5 %)	
	EO :	Pevaryl ® (nitrate d'éconazol 1 %)	
	PM :	epicarine loco 2,0 (−3,0) spiritus ad 100,0	Pityriasis versicolor
		avec acide salicylique :	
	PM :	epicarine loco acid. salicyl. 3,0 spiritus ad 100,0	id. si très squameux
	EO :	Nystatine ® gel (nystatine 200 000 U/kg)	

PM : prescription magistrale — EO : emballage original.

N.B. Pour les préparations à base de corticoïdes on donnera la préférence aux dérivés non fluorés.

Ichtyose

Kératose diffuse et généralisée donnant à la peau une apparence sèche et squameuse, comparable aux écailles de poisson. Il s'y associe souvent une kératose périfolliculaire. Elle atteint surtout la face d'extension des membres, et la transpiration est faible, voire nulle. Une forme particulière est l'*érythrodermie ichtyosiforme,* soit bulleuse (autosomique dominante), soit non bulleuse (autosomique récessive) qui se manifeste dès la naissance par une importante desquamation et une érythrodermie sous-jacente. Certaines formes néonatales sont très sévères : la peau est épaisse, fissurée, et on parle de « fœtus arlequin » et de « bébé collodion » : toute la surface cutanée semble enveloppée d'une couche cornée sèche et luisante. Les formes graves sont incompatibles avec la vie.
● *Traitement* : Surtout kératolytique et parfois anti-inflammatoire.

Epidermolyse bulleuse congénitale

Affection héréditaire caractérisée par des lésions vésiculeuses et bulleuses surtout post-traumatiques. Dans certains cas, les muqueuses participent également, d'où la possibilité de rétractation cicatricielle et même de transformation maligne, surtout au niveau de la bouche et de l'oro-pharynx. La transmission génétique, l'évolution et l'aspect des lésions permettent de distinguer deux principales formes de la maladie : l'une dominante, relativement bénigne, l'autre récessive avec des lésions étendues parfois torpides avec une forte tendance dystrophique (mutilante) des extrémités. L'affection n'est alors souvent pas compatible avec la vie.
- *Traitement* : Anti-inflammatoire (corticoïdes), antibiotiques pour prévenir la surinfection, cicatrisant. Eviter au maximum les traumatismes locaux, ce qui s'avère très difficile durant l'âge préscolaire. Certaines formes seraient améliorées par la phénytoïne.

Cutis hyperelastica (syndrome d'Ehlers-Danlos)

Affection héréditaire caractérisée par une hyperélasticité de la peau, une hyperextensibilité des articulations, associées à une fragilité des vaisseaux sanguins cutanés. Tendance aux hématomes traumatiques et mauvaise cicatrisation des plaies. La transmission génétique est du type autosomique dominant, avec une pénétrance variable. Les signes cliniques ne sont pas toujours très prononcés. Des nodules cutanés peuvent apparaître et sont formés d'une prolifération d'éléments collagéniques avec cellules géantes. A ne pas confondre avec « Cutis laxa », affection dans laquelle les articulations ne sont pas hyperextensibles.
- *Traitement* : Pas de traitement spécifique connu.

Affections bactériennes

Le staphylocoque et le streptocoque sont les deux principaux organismes responsables des infections cutanées. Sauf pour certaines lésions typiques (érysipèle, furoncle, impétigo), l'aspect clinique ne permet pas toujours un diagnostic étiologique. Des prélèvements adéquats (squames, pus) sont nécessaires pour la mise en évidence en culture du germe causal et pour permettre une antibiothérapie locale et/ou générale dirigée.

Impétigo

Infection superficielle staphylococcique ou streptococcique avec formation de vésicules puis de pustules. La forme néonatale est généralement staphylococcique. Elle est souvent bulleuse *(pemphigus)* et peut conduire à une sepsis dont le pronostic est grave (staphylocoques résistants). Chez l'enfant plus âgé, les lésions restent souvent isolées avec une bonne réponse à l'antibiothérapie locale et générale. L'infection est très contagieuse et des mesures d'éviction familiale et scolaire seront prises. La toilette sera faite par toute la famille avec du savon contenant un antiseptique (hexachlorophène, etc.).

Lorsque les lésions d'impétigo prennent un caractère torpide avec de véritables ulcérations, on parle d'*ecthyma*. Cet aspect des lésions avec formation de cicatrices souvent pigmentées est facilité par une baisse temporaire ou permanente des fonctions du système immunitaire.

Erysipèle

Une infection plus profonde à laquelle participe le tissu sous-cutané est l'érysipèle. La peau est tendue, surélevée et rouge, en un placard assez bien délimité. Fréquentes adénopathies satellites. Cause : streptocoques.
● *Traitement* : Antibiothérapie par voie générale (pénicilline G ou érythromycine).

Folliculite et furoncle

Infection plus ou moins massive d'un ou de plusieurs follicules pileux dont l'étiologie est surtout staphylococcique. Ainsi, d'une simple petite pustule, la lésion peut devenir massive, nécrotique et très pyogénique. Plusieurs follicules peuvent participer à l'infection et donner naissance à un anthrax. L'évolution est en général favorable mais avec complications possibles : ostéomyélite, sepsis, abcès multiples à distance par voie hématogène.
● *Traitement* : Désinfection locale et médication topique anti-inflammatoire. Antibiothérapie par voie générale, antistaphylococcique : par exemple cloxacilline.

Affections mycosiques

Le terme de mycose sert à désigner une maladie de la peau provoquée par des moisissures (fungi imperfecti). Aux mycoses de l'épiderme appartiennent les épidermophyties, les trichophyties, les microspories et le pityriasis versicolor. Candida albicans (monilia) peut également jouer, au niveau de la peau, un rôle pathogène. Pour mettre en évidence l'agent responsable d'une dermatomycose, on examine au microscope des squames, des croûtes pustuleuses, des poils préalablement éclaircis à la potasse caustique ou par une solution hydro-alcoolique de sulfure de sodium, et l'on recherche les éléments mycéliens. Les poils infectés deviennent fluorescents à la lampe de Wood (U.V.). Pour caractériser l'agent en cause, une mise en culture du prélèvement est nécessaire.

Epidermophytie

Les lésions se développent surtout aux extrémités (orteils, plante du pied, main). Elles sont caractérisées par des pustules d'abord isolées, qui confluent ensuite et se groupent en foyers avec formation de croûtes et de squames brunâtres. Le tronc et les membres peuvent également présenter des lésions mycosiques dont l'aspect en médaillon, circiné, avec un développement centrifuge, est caractéristique. Souvent le malade souffre d'une épidermophytie des extrémités, si bien que celle-ci et ces lésions marginées ne sont que des localisations différentes d'une même maladie. L'ongle peut également participer à l'infection (onychomycose).

Trichophytie

a) Trichophytie de la peau glabre : Il existe une forme folliculaire et une forme épidermique. Les lésions de la forme épidermique ressemblent à celles de l'épidermophytie. Les différents foyers sont toutefois plus généralement ronds ou polycycliques. Ils ont une nette tendance à guérir au centre et à progresser vers la périphérie. Les bords de la lésion sont formés de pustules, de vésicules et de squames, alors que le centre n'est que finement squameux, voire même déjà guéri. Les agents les plus fréquents sont le Trichophyton canis, le Trichophyton gipseum et le Trichophyton rubrum. Les mycéliums se décèlent dans les squames et les croûtes de la périphérie.
b) Trichophyton des régions velues (cuir chevelu, etc.) : Les champignons se propagent le long et à l'intérieur des poils, gagnent la profondeur des follicules et forment des folliculites pustuleuses. Les lésions sont aussi circonscrites, circulaires, voire polycycliques. Parfois des granulomes provoquent des saillies tubéreuses sur la peau, forment des placards percés de nombreux orifices folliculaires où suinte du pus (Kerion de Celse).

Microspories

Les mycoses dues à Microsporum canis et à Microsporum audouini provoquent également des lésions de la peau glabre, mais sont souvent responsables des mycoses du cuir chevelu *(teignes)*. L'infection mycosique provoque à ce niveau une chute des cheveux (alopécie), d'abord en îlots séparés puis confluants, parfois même décalvante. La contagiosité est forte et nécessite des mesures d'isolement.

Pityriasis versicolor

Lésions squameuses, jaune brunâtre, de taille variable, parfois confluantes et surtout localisées sur le thorax. Agent étiologique : Malassezia furfur. L'affection est peu contagieuse mais parfois difficile à maîtriser. En général, pas de prurit.

Moniliase

Due au Candida albicans. Les lésions cutanées sont de type eczémateux, vésico-papuleuses, avec desquamation. Elles surviennent surtout au niveau du siège, des plis inguinaux, aux creux axillaires et parfois aux commissures labiales. Elles s'accompagnent souvent d'une infection moniliasique de la bouche (muguet). Possibilité d'invasion systémique, avec localisations viscérales.

Thérapeutique des dermatomycoses

a) Traitement local : kératolytique (acide salicylique, 1-3 % dans cold cream ou vaseline), antifongique (dérivés de l'imidazole, acide undécylénique) et si nécessaire anti-inflammatoire (stéroïdes topiques).
b) Traitement par voie générale : administration de griséofulvine, surtout lorsque les lésions sont étendues et torpides (doses, cf. p. 704), ou de kétoconazol (Nizoral®). Nystatine pour la moniliase.
● Pour obtenir une guérison définitive, le traitement doit être d'une durée suffisante et poursuivi une à deux semaines après la disparition des lésions et un prélèvement négatif. Une dermatomycose étendue et rebelle au traitement doit faire suspecter et rechercher une éventuelle hémo- ou immunopathie (cf. pp. 567 ss.).

Affections virales

Verrues

Verrues vulgaires

Excroissance papillaire et hyperkératosique, arrondie, bien circonscrite, du volume d'une tête d'épingle à celui d'une fève, de couleur grisâtre ou jaunâtre et de consistance dure, râpeuse. Les verrues vulgaires sont indolores, sauf au pourtour des ongles et à la plante des pieds. Elles peuvent parfois s'infecter.
● *Traitement* : Ramollissement, avec emplâtre salicylé à 40 %, renouvelé plusieurs fois, ou application d'un collodion à la cantharidine à 0,7 % (Cantharone ®), puis curetage, éventuellement sous anesthésie locale. Une excision chirurgicale est parfois nécessaire, surtout pour les verrues plantaires.

Verrues juvéniles, planes

Petites papules épidermiques d'environ 3 mm de diamètre, aplaties, à peine saillantes, aux contours arrondis nettement délimités. Surface finement mamelonnée ou un peu farineuse. Localisation préférentielle : visage et face dorsale des mains.
● *Traitement local* : Identique à une verrue vulgaire, mais en général moins agressif. Une psychothérapie (autosuggestion) s'est révélée parfois bénéfique.

Molluscum contagiosum

Se présente sous forme de petites tumeurs ombiliquées roses ou blanches de la grandeur d'une tête d'épingle à celle d'une cerise, qui apparaissent en nombre varié, par poussées successives, avec localisation sur les paupières, le cou, le tronc et parfois aussi les extrémités. Par pression, on peut exprimer du centre une pâte crémeuse composée de cellules cornées et de corpuscules ovoïdes et réfringents dits « corpuscules » du molluscum. Non traitées, les lésions persistent et se multiplient par auto-inoculation.

● *Traitement* : Application de Cantharone ® et, selon les besoins, curetage, si nécessaire sous anesthésie locale, puis attouchement avec teinture d'iode ou nitrate d'argent.

Herpès, zona
Cf. pp. 594, 597, 725.

Affections parasitaires

Pédiculose (phtiriase)

Trois sortes de poux sont responsables de lésions cutanées érythémato-papuleuses très prurigineuses. Ce sont les poux de tête, les poux du corps et les poux du pubis. Les morsures de ces insectes entraînent un fort prurit avec du grattage et des excoriations. Des surinfections sont assez fréquentes avec une réaction ganglionnaire satellite. Les œufs ou lentes ont un aspect de grains ovales blancs et sont fortement collés aux poils (tête et pubis). Les infestations par le pou de tête sont fréquentes chez l'enfant. La phtiriase du corps et surtout du pubis est beaucoup plus rare que chez l'adulte. Les enfants infestés sont surtout d'âge scolaire. Une phtiriase nécessite l'isolement du malade, la recherche du parasite (insecte adulte et lente) dans l'entourage du malade (école et famille).

● *Traitement* : Application de poudre de DDT (Néocid ®) durant deux jours de suite ; répéter le traitement 8 jours plus tard. Shampooing avec une préparation hydrosoluble contenant de l'hexachlorure de gammabenzène (*cave* intoxication : éviter application prolongée), voire plus simplement avec de l'eau vinaigrée, à répéter une semaine plus tard. Nettoyage chimique des vêtements. Il n'est pas nécessaire de raser les malades.

Gale

Dermatose parasitaire contagieuse, due à un acarien (Sarcoptes scabiei), caractérisée par un élément : le sillon (étroite traînée grisâtre à trajet courbe ou sineux, long de 2 à 3 cm). Ce sillon est une galerie que le parasite creuse sous la couche cornée. Aux orifices de la galerie se trouvent les larves. L'affection est très prurigineuse, surtout la nuit, et les localisations préférentielles sont les espaces interdigitaux, les plis de flexion des membres, les aisselles et la région inguinale. Très rarement à

la tête sauf chez les nourrissons allaités par des femmes infestées (seins).
Aux sillons peuvent s'ajouter des lésions vésico-papuleuses avec excoriation.

● *Traitement* : La médication de choix est l'application quotidienne vespérale de crotamiton (Eurax ®) durant 2 à 3 jours, puis un bain. Ce schéma de traitement devra être renouvelé si nécessaire. Tous les membres de la collectivité dans laquelle vit l'enfant (famille et école) doivent être examinés et traités selon les besoins.

On peut aussi badigeonner le corps, sauf la tête, avec deux couches de : benzoate de méthyle, alcool à 90 % et savon noir en parties égales, puis faire prendre un bain après 36 heures d'application.

Affections cutanées dues à des agents chimiques et physiques

Erythème papulo-érosif du siège

Cette dermatose, très fréquente chez le nourrisson, affecte les régions fessières, périnéales, scrotales, inguinales, avec parfois une extension abdominale et sur le haut des cuisses. Elle est due à la macération de la peau, surtout au niveau des plis (intertrigo), favorisée par l'humidité due aux langes. L'aspect de la peau est celui d'un érythème avec des éléments d'abord papuleux, voire même vésiculeux, avec la possibilité d'ulcération. Une desquamation plus ou moins importante accompagne cette évolution. L'alcalinité des urines est souvent responsable de l'érosion cutanée et les surinfections bactériennes, et surtout mycosiques (moniliase et épidermophytie), sont fréquentes.

● *Traitement* : 1. Assèchement (source de chaleur, air chaud). 2. Médication locale avec application de préparation émolliente (badigeon blanc) ; un décapage avec une préparation contenant de l'acide salicylique est parfois nécessaire, et les surinfections seront traitées selon l'agent en cause (antibiotique ou mycostatique).

● *Prévention* : Hygiène locale, avec changement fréquent des langes ; éviter la macération des tissus (culotte de plastique !). Les langes peuvent être rincés dans une solution désinfectante. Un dernier rinçage (sans essorage) avec de l'eau vinaigrée peut aider à neutraliser l'alcalinité des urines.

Sudamina

Une chaleur ambiante excessive peut entraîner cette réaction cutanée érythémato-papuleuse avec rétention sudorale locale. Localisation : visage, cou, épaules et thorax. Les lésions disparaissent souvent spontanément lorsque leur cause physique est éliminée, mais elles nécessitent parfois une médication locale (badigeon blanc).

Lucite

Chez certains sujets particulièrement sensibles, la lumière solaire peut provoquer des lésions érythémateuses, parfois même vésiculeuses, voire bulleuses, aux endroits exposés. Ne pas oublier également la possibilité d'une photosensibilisation mécadimenteuse (antihistaminiques, dérivés de l'hydantoïne, barbituriques, etc.).
- *Traitement* : Emollient et si nécessaire anti-inflammatoire (corticoïdes).
- *Prévention* : Protection totale ou partielle (crème solaire filtrante).

Eczéma de contact

Plusieurs substances réputées eczématogènes peuvent être en cause. Situation assez rare chez l'enfant. Il faut mentionner ici le cas particulier de la *dermite provoquée par contact avec certaines plantes* sauvages d'Amérique du Nord, essentiellement une espèce de lierre (Rhus toxicodendron) et de chêne (Rhus diversilova) (en anglais : poison ivy et poison oak). Le contact avec les feuilles et les tiges de ces plantes provoque, soit immédiatement soit après quelques heures de latence, des lésions érythémato-papulo-vésiculeuses très prurigineuses. Elles peuvent s'accompagner d'un œdème local.
- *Traitement* : Emollient, anti-inflammatoire et sédatif (antiprurigineux).
- *Prévention* : Eviter les endroits infestés, voire détruire chimiquement les plantes. Une immunothérapie spécifique n'a donné jusqu'ici que des résultats inconstants et sa conduite est difficile.

Affections d'origine encore indéterminée

Acné vulgaire

Cette dermatose est fréquente chez l'adolescent et peut presque être considérée comme une manifestation normale de la puberté. Elle est caractérisée par un ensemble polymorphe de papules péripilaires, de pustules folliculaires superficielles ou profondes, avec parfois la formation d'abcès et ensuite de cicatrices. Les glandes sébacées augmentent de volume et sécrètent une grande quantité de sébum qui obture le canal et agit comme corps étranger, avec la formation d'un élément caractéristique, le comédon, petite masse dure avec un sommet noir qui obture le follicule. Localisation préférentielle : face, dos et thorax. L'évolution est en général favorable, mais l'acné peut persister jusque durant la troisième décennie. Il existe une forme sévère (acné conglobata) qui s'accompagne de kystes inflammatoires contenant du pus où l'on met en évidence un micro-organisme anaérobie, le Propionibacterium acnes. Des cicatrices résiduelles sont souvent chéloïdiennes.
- *Traitement de l'acné en général* : Préparation dégraissante, décapante (acide salicylique, ichtyol), anti-inflammatoire et si nécessaire antibioti-

que (tétracyclines). L'extraction des comédons est utile, mais ne doit pas être intempestive et doit avoir lieu si possible sous contrôle médical. Le patient sera informé de la nature et de l'évolution de sa dermatose pour obtenir un traitement suivi et éviter excoriation et surinfection.

Eczéma séborrhéique

Cette dermatite, caractérisée par des lésions érythémato-squameuses, est très fréquente chez le nourrisson et le jeune enfant. L'aspect relativement peu érythémateux et surtout gras de la peau et la localisation des lésions au cuir chevelu (« croûtes de lait »), à la partie supérieure du visage, aux plis de flexion des membres, aux régions axillaires et inguinales, permettent le diagnostic différentiel d'avec l'eczéma atopique (cf. p. 586). La différenciation clinique entre les deux dermatoses est parfois difficile. L'évolution est alors utile, car, sous un traitement kératolytique bien conduit, l'eczéma séborrhéique reste une affection cutanée limitée à elle-même, avec une bonne réponse thérapeutique. Une surinfection bactérienne et mycosique (parfois à l'occasion d'une déficience d'une fraction du complément) peut compliquer et retarder cette évolution favorable et réaliser le tableau clinique de la dermite de *Leiner-Moussous*.
● *Traitement* : Médication topique kératolytique et anti-inflammatoire (préparation contenant 0,5 à 3 % d'acide salicylique). Après un décapage suffisant, terminer le traitement avec une préparation anti-inflammatoire voire émolliente (cf. tableau 1). Eviter tout irritant externe et maintenir une hygiène rigoureuse en particulier au niveau du siège chez le nourrisson.

Pelade

Etiologie fréquente des alopécies (perte des cheveux et des poils). Inhibition de la pousse des cheveux le plus souvent sans lésions irréversibles des bulbes. La ou les plaques de pelade montrent un cuir chevelu alopécique lisse et de coloration normale.
● *Evolution* : Extension, stabilisation puis repousse. Occasionnellement pelade extensive décalvante totale.
● *Diagnostic différentiel* : Teignes, trichotillomanie.
● *Traitement* : Lotions vasodilatatrices, corticothérapie topique et éventuellement générale (avec prudence !).

Psoriasis

Affection peu fréquente chez l'enfant. Les lésions sont caractérisées par des taches rouge vif, bien circonscrites, rondes ou ovales, dont la grandeur varie d'une tête d'épingle à de larges placards couverts de squames sèches, nacrées, lamelleuses et friables. Ces lésions ne sont pas infiltrées ni prurigineuses. Le grattage des squames fournit deux signes : *a)* le signe de la tache de bougie : par grattage, la squame se résout en une fine poussière micacée blanche ; *b)* le signe de la rosée sanglante : sous la squame, la peau présente une surface rouge et luisante sur laquelle se forme un fin piqueté hémorragique. Ces lésions ont une prédilection pour les faces d'extension des membres (coude, genou) et le

cuir chevelu. Elles peuvent cependant apparaître sur le reste du corps. L'évolution se fait par poussées successives et répond en général bien à un traitement topique.
- *Traitement* : Décapage initial avec des topiques salicylés puis corticothérapie locale soit en application simple soit sous pansement occlusif. Les réducteurs classiques (ichtyol, goudron, chrysarobine et dérivés) sont en pratique réservés aux formes rebelles et utilisés sous contrôle hospitalier.

Pityriasis rosé de Gibert

Dermatose érythémato-squameuse peu fréquente chez l'enfant. Son diagnostic doit cependant pouvoir être posé par souci de diagnostic différentiel. Son évolution est très favorable, avec une guérison spontanée en 2 à 8 semaines. Il existe souvent une lésion initiale ou médaillon primaire ressemblant à une lésion d'origine mycosique. Des taches rosées, finement squameuses, arrondies ou lenticulaires apparaissent ensuite avec une évolution en médaillons ovales, roses et squameux, à bords peu surélevés. Ces éléments se localisent surtout au niveau du tronc, du cou et des membres. Prurit parfois assez marqué.
- *Traitement* : Emollient (badigeon blanc, talc) et, si nécessaire, sédatif.

Affections psychogènes

Un état névrotique et à plus forte raison psychotique peut s'accompagner de lésions cutanées provoquées et entretenues par le patient lui-même. Le grattage, les blessures répétées avec divers objets sont responsables de ces dermatoses artificielles ou « *artefacts* ». Une localisation particulière en est le cuir chevelu : l'enfant s'arrache les cheveux et ainsi apparaît une alopécie pseudo-péladique ; c'est la *trichotillomanie.*
- *Traitement* : Observation, examen ; si nécessaire, prise en charge neuropsychiatrique.

Chapitre 25

Neurologie

par J. Aicardi

Examen neurologique du nouveau-né et du jeune enfant

Examen clinique

L'évaluation de l'état du système nerveux du jeune enfant ne peut être faite que si les étapes du développement normal du système nerveux sont connues, aussi bien chez l'enfant à terme que chez le prématuré. En pratique, seuls quelques repères importants seront donnés : évolution du tonus, des acquisitions posturales, de la marche, de la motricité spontanée, des réflexes et de certaines acquisitions sensorielles. Les dates indiquées ne doivent être considérées que comme des approximations, une très grande variabilité existant d'un enfant à l'autre dans certains domaines.

Les résultats de l'examen neurologique chez le jeune enfant ont une double utilité : 1. ils permettent d'évaluer l'âge conceptionnel de l'enfant ; 2. ils décèlent les éventuelles anomalies, qui constituent un élément essentiel pour l'établissement d'un pronostic neuropsychique.

Tonus musculaire

L'hypertonie physiologique du nouveau-né diminue rapidement après la naissance. L'extensibilité augmente jusqu'à 15-18 mois, puis reste stationnaire jusqu'à 2 ans, pour diminuer ensuite. L'état du tonus musculaire est l'élément le plus important de l'examen neurologique : un enfant dont le tonus est normal a toutes les chances d'être neurologiquement indemne. Les hypertonies et surtout les grandes hypotonies ont une signification pronostique sévère. Le tableau 1 résume les affections dans lesquelles une hypotonie est au premier plan de la symptomatologie.

Acquisitions posturales, marche

La *statique de la tête* est bien établie à 3 mois.
La *station assise* est acquise vers 7-9 mois.

Fig. 1 : Réflexes néo-nataux

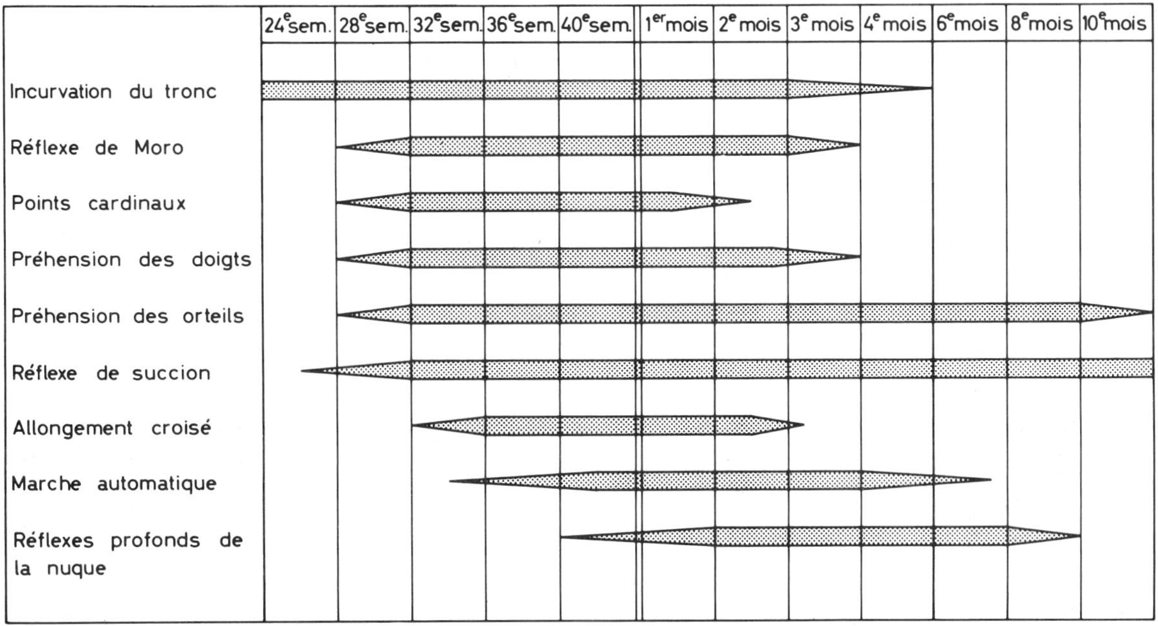

	24ᵉ sem.	28ᵉ sem.	32ᵉ sem.	36ᵉ sem.	40ᵉ sem.	1ᵉʳ mois	2ᵉ mois	3ᵉ mois	4ᵉ mois	6ᵉ mois	8ᵉ mois	10ᵉ mois
Incurvation du tronc												
Réflexe de Moro												
Points cardinaux												
Préhension des doigts												
Préhension des orteils												
Réflexe de succion												
Allongement croisé												
Marche automatique												
Réflexes profonds de la nuque												

La *station debout* est acquise avec appui à 8-10 mois et devient autonome vers 11-13 mois.

La *marche* est établie progressivement entre 8-9 mois et 13-14 mois (âges moyens), moment où les premiers pas sans soutien sont effectués. Elle est perfectionnée ensuite pendant plusieurs années.

On considère généralement qu'un enfant qui ne se tient pas assis à 10 mois et ne marche pas à 18 mois est retardé dans son développement moteur. Cependant, un petit nombre d'enfants très en retard sur cette chronologie ont une manipulation fine normale, associée à une hypotonie des membres inférieurs (développement psychomoteur dissocié) et un développement ultérieur satisfaisant. A l'inverse, 8 à 15 % des débiles mentaux ont un développement normal de ce point de vue.

Motricité spontanée

Le *développement de la préhension* est un repère capital. Les premières ébauches apparaissent vers 3 mois. A 4-5 mois la préhension volontaire est réalisée sur le mode cubito-palmaire. A 6-8 mois la préhension est palmaire. A 9 mois la pince pouce-index entre en jeu et se perfectionne pendant longtemps. La manipulation *bimanuelle* est acquise vers 7-9 mois. Un enfant qui n'a pas développé de préhension volontaire à 5 mois est suspect de retard psychomoteur.

Réflexes

● Les *réflexes archaïques* principaux font l'objet de la fig. 1. La signification pronostique de leur absence ou de leur persistance excessive est incertaine, ce qui rend leur valeur pratique assez faible. L'abolition du réflexe de Moro est un signe grave mais jamais isolé.
● Les *réflexes ostéo-tendineux* sont vifs et diffusés normalement jusqu'à 2-3 ans.
● Le *réflexe cutané-plantaire* donne des réponses variables chez l'enfant de moins d'un an (flexion plus commune). Une extension lente et franche du gros orteil avec éventail nous semble anormale, passées les premières semaines, sauf chez le prématuré.
● Le *réflexe profond de la nuque* est inconstant. Il est très vif chez certains enfants normaux surtout entre 2 et 5 mois et disparaît avant 7 mois.

Acquisitions sensorielles

● *Vision :* Dès la fin de la première semaine l'enfant oriente yeux et tête vers une source de lumière diffuse. Les *réflexes photomoteurs* et *d'éblouissement* existent à la naissance. La *poursuite oculaire* existe dès les premiers jours, mais, fugace et inconstante, elle peut paraître absente jusqu'à 3 semaines à 2 mois à l'examen de routine.
● *Audition :* Le *réflexe cochléo-palpébral* existe en général avant la fin du premier mois. Les réactions d'orientation au bruit sont notées vers 2-4 mois.

Mesure du périmètre céphalique

Elle fait partie intégrante de tout examen pédiatrique. Les chiffres obtenus doivent être comparés aux valeurs moyennes fournies par des tables correctes (cf. pp. 70-71).

Tableau 1 : Causes des hypotonies congénitales

Origine	Nature	Caractères et signes cliniques associés
Maladies générales	• Rachitisme, malabsorption, toute maladie sévère • Hypothyroïdie	Ceux de la maladie primitive
S.N.C.		
• cerveau	• IMC au stade initial, en particulier formes diplégiques, ataxiques, dystoniques, cérébelleuses	Signes neurologiques variés (pyramidaux, extrapyramidaux ou cérébelleux d'apparition secondaire)
	• Encéphalopathies d'origine indéterminée	Microcéphalie, parfois signes pyramidaux
	• Trisomie 21	Morphologie anormale
	• Syndrome de Lowe, de Zellweger	Anomalies associées
• moelle	• Traumatisme médullaire néonatal	Troubles sphinctériens et sensitifs, paralysie
Neuromusculaire		
• corne antérieure	• Amyotrophie spinale infantile (Werdnig-Hoffmann et autres)	Paralysie, atteinte des intercostaux. EMG : Dénervation
• nerfs et racines (rare)	• Neuropathies congénitales *	Paralysie. Vitesse de conduction abaissée
• jonction neuro-musculaire (rare)	• Myasthénie néonatale transitoire	Atteinte oculaire et bulbaire
	• Myasthénie congénitale	Sensibilité aux anticholinestérasiques
• muscles	• Dystrophies musculaires congénitales avec ou sans image histologique spécifique	Atteinte faciale souvent, paralysie $\pm$ importante. EMG : myogène ou normal
	• Dystrophie myotonique (Steinert)	Diplégie faciale, ptosis, pieds bots, atteinte diaphragmatique
	• Glycogénoses musculaires (II, III, V)	
Indéterminée	• Hypotonie congénitale bénigne	
	• Syndrome de Prader-Willi	Troubles de la déglutition et dysmorphie
	• Maladies du collagène (Ehlers-Danlos)	Anomalies cutanées

* Réf. : Robson, P., *Develop. Med. Child Neurol., 12:* 608, 1970
SNC = Système nerveux central
IMC = Infirmité motrice cérébrale
EMG = Electromyogramme

R.O.T.	Psychisme	Génétique	Pronostic
Normaux	Normal / Retardé	cf. p. 729 (Endocrinologie)	Celui de la maladie primitive
Normaux ou exagérés	Normal ou retardé		Celui de l'IMC
Normaux ou exagérés	Normal ou retardé		Défavorable
Normaux	Retardé	cf. p. 33 (Génétique)	Défavorable
Abolis	Retardé	R.G. (Lowe), R.A. (Zellweger)	Défavorable
Exagérés ou abolis	Normal		Persistance
Abolis	Normal	R.A.	Fatal
Abolis	Normal	R.A. (?)	Aggravation ou stabilisation
Normaux ou ↓	Normal	Origine maternelle	Guérison rapide
Normaux ou ↓	Normal	R.A. (?)	Persistance
Normaux ou ↓	Normal	D.A. ou R.A. le plus souvent	Variable, amélioration fréquente
Normaux ou ↓	Retardé	D.A. (mère)	Amélioration partielle, apparition d'une myotonie
			Formes graves fatales, persistance ou aggravation
Normaux	Normal		Favorable
Normaux	Retardé	Sporadique	Réservé
Normaux	Normal	D.A., R.A. ou R.G.	Réservé

M.I. = Membres inférieurs
↓ = Diminué
R.O.T. = Réflexes ostéo-tendineux

R.G. = Récessif gonosomique (lié-au-sexe)
R.A. = Récessif autosomique
D.A. = Dominant autosomique

Comportement relationnel

Quoique difficile à quantifier, il a une importance fondamentale. Le sourire-réponse (avant 1 mois), le développement du pré-langage (avant 3 mois), la qualité de la relation visuelle sont des repères essentiels.

Examens paracliniques

La plupart des examens complémentaires utilisés dans la neurologie de l'adulte sont applicables au nourrisson et à l'enfant. Les résultats de certains de ces examens diffèrent cependant notablement dans le jeune âge.

- L'*examen du fond d'œil* chez le nouveau-né met en évidence des hémorragies rétiniennes ou prérétiniennes sans valeur pathologique dans 25 à 50 % des cas.

- La *ponction lombaire* chez le nouveau-né, le prématuré et le petit nourrisson fournit des résultats assez différents de ceux qui sont obtenus chez l'adulte (cf. tableau 2). Il est possible d'obtenir du liquide avec une technique convenable dans plus de 95 % des cas.

- La *ponction sous-durale* est une technique propre à l'âge du nourrisson. Elle est faite à l'angle externe de la grande fontanelle ou dans la suture coronale si celle-ci est disjointe. Avec une *asepsie rigoureuse,* une aiguille de 10 à 15 mm, de diamètre 10/10 à 12/10, à biseau court, est enfoncée obliquement en bas et en dehors jusqu'à perception du passage de la dure-mère. Normalement, il n'y a pas de liquide ou seulement 0,5 à 2 ml d'un liquide jaune ou clair. *L'indication* de cette technique est la recherche d'un épanchement sous-dural (cf. p. 950).

- La *transillumination du crâne* est également applicable au seul nourrisson. Elle utilise une source lumineuse à laquelle est adapté un dispositif souple permettant l'application étroite à la convexité crânienne. L'ensemble du crâne est exploré en *chambre noire.* On observe normalement un petit halo de diffusion (de 0,5 à 1,5 cm) à la partie antérieure du crâne,

Tableau 2 : Liquide céphalo-rachidien du nouveau-né

	Age	Couleur	Cellules	Protéines
Enfant né à terme	Naissance	Incolore ou xanthochromique	3-20/mm^3	0,30-1,30 g/l
	< 3 mois	Incolore	0-4/mm^3	0,10-0,40 g/l
	> 3 mois	Incolore	0-4/mm^3	0,10-0,20 g/l
Prématuré	0-½ mois	Jaune	4-45/mm^3	0,50-2,60 g/l
	½-1 mois	Jaune, parfois incolore	1-31/mm^3	0,30-1,40 g/l
	1-3 mois	Incolore, rarement jaune	1-30/mm^3	0,25-1,30 g/l
	3-6 mois	Incolore	0-10/mm^3	0,20-0,70 g/l

D'après Otila E., *Acta paediat.* 1948, 35, suppl. 8 et Widdel S., *Acta paediat.,* 1958, *47,* suppl. 115, 1 surtout chez le nouveau-né et le prématuré ; cet examen très simple permet de détecter la présence de liquide situé directement sous la méninge (hydromes sous-duraux, hydrocéphalie externe, kystes arachnoïdiens) ou sous une lamelle très mince (< 2-3 mm) de tissu cérébral atrophique (porencéphalies, hydranencéphalies, hydrocéphalies extrêmes, kystes de la fosse postérieure, malformation de Dandy-Walker). Les hématomes frais, riches en hématies, ne diffusent pas la lumière.

● Les *examens neuroradiologiques de contraste* (encéphalographie ou ventriculographie gazeuses ou lipiodolées, artériographie cérébrale) sont possibles à tout âge, même chez le nouveau-né. Ils ne conservent que des indications spécialisées, pour préciser ou compléter les résultats de l'*examen tomodensitométrique* (TDM) qui visualise à la fois les espaces liquidiens et les anomalies de densité du parenchyme (tumeurs, démyélinisation, etc.). La TDM peut être effectuée, même chez le nourrisson, sous simple sédation. Les limites exactes de la normale chez l'enfant très jeune restent à préciser. L'échographie transfontanellaire (ultra-sons) permet une très utile exploration du cerveau du nourrisson jusque vers 12 mois.

Les autres explorations isotopiques (scientigraphie au TC 99 m cisternographie) n'ont que des indications rares.

● L'*électro-encéphalogramme* est facilement réalisable à tout âge (en limitant le nombre des électrodes chez le petit nourrisson). Les tracés varient beaucoup avec l'âge et doivent être interprétés par des électroencéphalographistes habitués à ces variations, sous peine d'erreurs graves.

Convulsions et autres phénomènes paroxystiques

Epilepsie et convulsions

Définitions

Les *crises épileptiques* sont des phénomènes paroxystiques d'origine cérébrale dus à l'activité excessive et anormale de populations neuronales cérébrales plus ou moins étendues. Cette activité anormale se traduit : cliniquement par des modifications brusques de la motilité, de la sensibilité, de la vigilance, du comportement ; électriquement par la *décharge épileptique,* dont la morphologie varie suivant les cas, mais qui présente généralement une amplitude et une rythmicité excessives permettant de l'identifier aisément. Les crises épileptiques peuvent être uniques ou rares, souvent alors provoquées par des perturbations primitivement extra-cérébrales (fièvre, hypocalcémie) : on parle alors de

Tableau 3 : Classification internationale (simplifiée) et principaux caractères des crises épileptiques de l'enfant

Catégorie	Type	Age d'élection	Origine	EEG Critique
Crises généralisées	Tonico-clonique (Grand Mal)	Après 3 ans	Lésionnelle ou non	Pointes rapides suivies de pointes-ondes, bilatérales synchrones
	Toniques pures	1-5 ans	Lésionnelle le plus souvent	Pointes rapides bilatérales, parfois aplatissement
	Cloniques pures	3 mois-4 ans	Non lésionnelle ou lésionnelle	Pointes et ondes lentes bilatérales irrégulières
	Hypotoniques (apoplectiques)	3 mois-4 ans		
	Myoclonies massives	Tout âge	Lésionnelle ou non	Bouffées de polypointes ondes synchrones, à 3 Hz, irrégulières
	Atoniques (ou astatiques)	1-5 ans	Lésionnelle le plus souvent	Pointes-ondes lentes (< 3 Hz)
	Spasmes infantiles*	1re année	Lésionnelle le plus souvent	Pas de modification de l'hypsarythmie ou bref aplatissement
	Absences (simples ou complexes)	Après 2 1/2-3 ans	Non lésionnelle	Pointes-ondes rythmiques à 3 Hz
Crises partielles	Elémentaires (à symptomatologie élémentaire)	Tout âge	Lésionnelle (sauf EPR)	Pointes et/ou pointes-ondes rythmiques, localisées (parfois aucune anomalie)
	Complexes (à symptomatologie complexe)	Tout âge (plus typiques chez le grand enfant).	Lésionnelle en général	Variable
Crises unilatérales*	Cloniques le plus souvent	3 mois-4 ans	Non lésionnelle ou lésionnelle	Pointes et ondes lentes irrégulières, à prédominance unilatérale
Crises non classées		Tout âge, surtout avant 2 ans	Lésionnelle très souvent	

* Ne figure pas dans la révision de 1981 de la classification internationale.

crises épileptiques occasionnelles (ou *convulsions occasionnelles*). Elles peuvent au contraire se répéter de manière durable en dehors de toute cause extra-cérébrale évidente : c'est l'*épilepsie chronique*, qui peut être due à une cause connue (souvent lésionnelle) ou rester cryptogénétique ou essentielle (des facteurs génétiques étant souvent en cause). Environ 5 % de tous les enfants ont une ou plusieurs crises épileptiques avant l'âge de 5 ans. Les crises se répètent sans provocation (épilepsie) chez 0,35 % de la population infantile. La plupart des convulsions infantiles ne sont donc pas suivies d'une épilepsie.

Aspects électro-cliniques et classification des crises épileptiques

La classification internationale (simplifiée) des crises épileptiques figure au tableau 3. Certaines particularités des crises de l'enfant doivent être mentionnées. Les *crises de Grand Mal* (tonico-cloniques généralisées) sont rares avant 3-5 ans et souvent atypiques avec une phase clonique courte. En revanche, les *crises toniques* pures sont fréquentes, et on peut observer des crises atoniques (ou apoplectiques) marquées seulement par une hypotonie et une perte de la vigilance. Les *crises unilatérales* sont une forme commune des crises épileptiques de l'enfant, surtout celles de longue durée. Elles représentent l'aspect le plus habituel des états de mal à cet âge. Elles peuvent être strictement unilatérales, déborder du côté opposé ou alterner d'un côté à l'autre (crises à bascule). Elles ne traduisent pas nécessairement un processus lésionnel localisé et sont souvent l'expression d'une perturbation convulsivante générale (fièvre, hypocalcémie, etc.). Les *états de mal convulsifs* surviennent dans 80% des cas avant l'âge de 5 ans. Quelle que soit leur cause (même non lésionnelle), ils peuvent donner lieu à des séquelles cérébrales liées à la prolongation de l'activité convulsive. Le syndrome *hémiconvulsions-hémiplégie* (syndrome H.H.) en est le type, faisant suite à des crises unilatérales. Un traitement d'urgence est impératif (cf. tableau 6).

Les crises épileptiques occasionnelles

Elles ont toujours une expression motrice (*convulsions* infantiles). Elles représentent une part importante des états de mal de l'enfant. Leurs principales causes figurent au tableau 4.

Les *convulsions fébriles* sont de loin les plus communes (3% de la population infantile). Elles surviennent en règle entre 6 mois et 5 ans (et se manifestent par des crises généralisées brèves, uniques ou peu nombreuses, survenant à l'occasion de poussées fébriles chez des enfants par ailleurs normaux mais souvent génétiquement prédisposés). Leur pronostic est favorable, une épilepsie chronique n'apparaissant que dans 2 à 4% des cas. De rares séquelles neurologiques et mentales peuvent suivre les crises prolongées, qui doivent être traitées énergiquement. La prévention des récidives (30 à 40% des patients) est efficace dans les 2/3 des cas avec l'administration quotidienne de phénobarbital (0,4 mg/kg/jour) ou avec le valproate de sodium (20-30 mg/kg/jour). Les effets secondaires fréquents des barbituriques (excitation) font discuter

Tableau 4 : Etiologie des convulsions de l'enfant

Groupe d'âge	Causes principales	Eléments d'orientation	Examens à faire
Nouveau-né (< 3 mois)	Hypoglycémie	Enfant de petit poids, de mère toxémique	Glycémie (< 1,7 ou 1,1 mmol/l, ou < 0,30 ou 0,20 g/l)
	Hypocalcémie	Enfant au lait de vache, à partir de 5-6 jours	Calcémie (< 1,75 mmol/l, ou < 0,70 g/l)
	Déficit en pyridoxine		
	Troubles du métabolisme des acides aminés ou organiques		
	Méningites purulentes	Notion d'intervalle libre	P.L., culture du L.C.R.
	Anoxie	Fièvre, anorexie	
	Hémorragies	Histoire clinique	
		Prématurité	T.D.M., ultrasons, P.L.
	Fœtopathies, malformations	Anomalies somatiques associées parfois	
Nourrisson (3 mois-4 ans)			
● Convulsions occasionnelles	Fièvre (convulsions hyperpyrétiques)	Fièvre > 38,5°; pas de signes d'atteinte du S.N.C.	P.L. en cas de doute
	Hypocalcémie et hypomagnésémie	Rachitisme débutant ou guérissant	Calcémie (< 1,75 mmol/l, ou < 0,70 g/l)
	Hypoglycémie		Glycémie, correction par injection de glucosé i.v. (4 mmol/l, ou 0,70 g/l)
	Hyponatrémies et désordres électrolytiques	Malades perfusés, diarrhées, période post-opératoire	Natrémie, injection sodique salée à 3 %
	Autres causes métaboliques	Convulsions sévères avec coma	
	Intoxications aiguës : — accidentelle — iatrogène		Recherche de toxiques (sang, urine)

	Méningites et encéphalites aiguës : — purulentes — virales	Fièvre, raideur, vomissements	P.L., culture
	Hématomes sous-duraux Collapsus circulatoire, accidents vasculaires cérébraux	Grosse tête, hémorragies au fond d'œil	Ponction de la fontanelle, TDM
● Convulsions récurrentes	Lésionnelles (origine pré-, péri- ou postnatale)	Aspect des crises : spasmes, crises partielles simples ou complexes Signes neurologiques associés	
	Cryptogénétiques (facteur familial)	Aspect des crises : Grand Mal, Petit Mal, après 2 ans	EEG, TDM

Grand enfant
(> 4 ans)

● Convulsions récurrentes	Epilepsie cryptogénétique	Aspect des crises : Petit Mal, EPR	EEG
	Epilepsie lésionnelle (tumeurs rares)	Aspect des crises : crises partielles complexes, syndrome de Lennox-Gastaut, etc.	EEG, TDM dans toutes crises partielles, sauf EPR et causes évidentes
● Convulsions occasionnelles	Néphropathies aiguës	Signes généraux et urinaires	
	Hypertension artérielle		Prise de la tension artérielle
	Intoxications volontaires et accidentelles		

P.L. = Ponction lombaire
L.C.R. = Liquide céphalo-rachidien
EEG = Electroencéphalogramme
EPR = Epilepsie bénigne de l'enfance avec paroxysmes rolandiques

l'indication de ce traitement, que la plupart des auteurs réservent aux cas « à risque », d'ailleurs difficiles à définir. La rare toxicité hépatique du valproate ne permet pas, pour l'instant, de le substituer au phénobarbital comme agent prophylactique.

Les *convulsions néonatales* se rapprochent des convulsions occasionnelles par leur peu de tendance à la récidive, dans la plupart des cas. Elles affectent souvent un territoire très restreint et se limitent à quelques secousses partielles ou à des phénomènes toniques (moue, grimace, extension d'un membre, apnée). Elles peuvent être difficiles à reconnaître sans EEG concomitant et doivent être distinguées des *apnées* simples et des *trémulations*. La palpation du segment affecté permet de bien percevoir les secousses cloniques alors que les trémulations cessent quand le segment est immobilisé. Les convulsions du nouveau-né ont souvent une origine lésionnelle, ce qui explique la fréquente sévérité de leur pronostic (mortalité 35%, retard mental 30% des survivants). Les causes métaboliques (en particulier l'*hypocalcémie*, de bon pronostic) sont maintenant rares. Les convulsions tardives (après le 3e jour) sans cause connue sont assez communes et de pronostic souvent favorable.

Les épilepsies

Les épilepsies s'expriment par la répétition de crises, motrices ou non motrices. Elles sont généralement dénommées d'après le type des crises prépondérantes, mais il n'y a pas de classification généralement acceptée des épilepsies.

● **Les épilepsies généralisées convulsivantes** (ou à crises généralisées Grand Mal) constituent un groupe hétérogène, les crises pouvant être généralisées d'emblée ou secondairement et relever alors de causes lésionnelles focalisées. Chez le grand enfant et l'adolescent, un type commun est l'*épilepsie généralisée primaire,* qui associe des crises de GM souvent nocturne, parfois des myoclonies conscientes des membres supérieurs (20% des cas), occasionnellement des absences de Petit Mal, et qui est toujours cryptogénétique (facteurs génétiques). Elle est bien contrôlée par un traitement simple dans 80% des cas et tend à épuiser son potentiel évolutif en 15 ans en moyenne. On peut en rapprocher certaines crises réflexes (lumière, télévision).

● **Les épilepsies à crises partielles élémentaires** sont surtout représentées par des crises motrices qui peuvent être dues à des lésions cérébrales très variées. L'*épilepsie bénigne de la seconde enfance avec paroxysmes rolandiques,* sans rapport avec une lésion cérébrale, est cependant la plus fréquente de ce groupe (20% des épilepsies de la seconde enfance). Les crises sont souvent bucco-faciales, conscientes, avec impossibilité de la parole, et surviennent à l'endormissement ou au réveil dans les 3/4 des cas. L'EEG montre un foyer de pointes parfois répétitives, le plus souvent rolandique inférieur. La guérison de cette épilepsie est toujours obtenue avant 15 ans. Dans les cas typiques, aucune exploration neuro-radiologique n'est indiquée. Un traitement par la carbamazépine contrôle presque toujours les crises.

● **Les épilepsies à crises partielles complexes** (psychomotrices). Les crises comportent une suspension brève de la conscience souvent précédée de sensations anormales (peur, hallucinations), accompagnée d'automatismes oro-alimentaires (déglutition, mâchonnement) et parfois d'une activité gestuelle ou verbale confuse, avec retour progressif de la conscience. Elles sont d'origine lésionnelle (pas toujours temporale) et difficiles à contrôler dans plus des 2/3 des cas.

● **Les épilepsies avec crises brèves myo-atoniques ou toniques.** Ce groupe comporte des crises « mineures » mais très fréquentes, résistantes aux traitements classiques et, en règle, un retard mental. Il comprend plusieurs syndromes pas toujours nettement séparés.

Le syndrome de West (spasmes infantiles) survient toujours dans la première année, le plus souvent à 4-9 mois. Il est marqué par de brusques secousses, le plus souvent en flexion, qui surviennent en *salves répétitives*, et par une régression mentale sévère. L'EEG met en évidence l'*hypsarythmie*, tracé désorganisé fait de grandes ondes lentes et de pointes lentes diffuses mais asynchrones. Le syndrome peut apparaître chez un enfant déjà retardé (formes secondaires) et présente alors un très mauvais pronostic, ou chez un nourrisson jusque-là normal en apparence (formes primitives). Une évolution psychique favorable est alors possible dans 20 à 50% des cas, surtout après traitement par l'ACTH ou les corticoïdes.

Le syndrome de Lennox-Gastaut apparaît entre 1 an et 6-7 ans, primitivement ou comme suite à d'autres crises (en particulier spasmes infantiles). Il associe des *crises toniques axiales* brèves souvent nocturnes, des *absences atypiques* (souvent avec atonie), souvent des *myoclonies*, crises qui provoquent des chutes répétées. L'EEG montre des pointes-ondes lentes diffuses. Un retard intellectuel est présent dans 90% des cas et le contrôle des crises est très difficile.

Divers syndromes myocloniques proches du syndrome de Lennox s'en distinguent par la prédominance des myoclonies, la présence de pointes-ondes rapides et irrégulières à l'EEG et une évolution plus favorable ; mais leur différentiation électro-clinique est actuellement difficile.

● **Le Petit Mal** est un type d'épilepsie cryptogénétique et s'observe, en règle, chez des enfants intellectuellement normaux de plus de 3 ans. Il se caractérise par des absences de 5 à 30 secondes, à début et à fin brusques, multiquotidiennes. L'EEG *critique* comporte des bouffées généralisées de pointes-ondes régulières à 3 Hz. Le pronostic est favorable dans les formes de l'enfance (début avant 8 ans), plus réservé dans les formes tardives.

Indications générales pour le traitement des épilepsies

Traitement d'urgence de la crise

En cas de crise courte, il comporte un minimum de mesures simples : mettre le patient en position latérale déclive, éviter qu'il ne se blesse, calmer l'entourage. Les crises qui se prolongent plus de 5 à 10 minutes (coma post-critique *non* compris) méritent un traitement actif (cf. tableau 6).

Traitement des épilepsies chroniques

C'est en règle un traitement symptomatique, *médicamenteux* (cf. tableau 5). Un traitement étiologique (exérèse) n'est envisageable que dans les néoformations épileptogènes et dans les cas rares où une zone épileptogène, limitée, stable et extirpable peut être définie, par explorations spécialisées, dans des épilepsies rebelles.

Tableau 5 : Principaux médicaments des épilepsies

Médicaments	Dose usuelle/24 h.	Indications principales	Incidents	Accidents	Zone « thérapeutique » µmol/l (µg/ml)	Mesures particulières de surveillance
Phénobarbital	< 5 ans : 3 à 5 mg/kg > 5 ans : 2 à 3 mg/kg	Epilepsies convulsivantes Epilepsies partielles	Excitation psychomotrice Somnolence Eruptions Rachitisme	Très rares Syndrome de Lyell	45-130 (10-30)	
Phénytoïne (diphényl-hydantoïne)	< 3 ans : 8 à 10 mg/kg > 3 ans : 5 à 7 mg/kg	Idem	Hyperplasie gingivale Hirsutisme Eruptions cutanées Ataxie aiguë Diplogie Nystagmus Choréo-athétose Rachitisme	Rares Anémies Lupus érythémateux induit Lymphomes	40-80 (10-20)	Soins dentaires
Primidone (Mysoline ®)	10 à 15 mg/kg	Idem	Somnolence Ataxie	Très rares Anémies macrocytaires		
Valproate de Na (Dépakine ®)	< 3 ans : 20 à 60 mg/kg > 3 ans : 20 à 40 mg/kg	Petit Mal Epilepsies myocloniques Grand Mal Syndrome de Lennox-Gastaut	Troubles gastriques Alopécie Tremblement Prise de poids excessive	Hépatite Pancréatite Thrombopénie	300-600 (50-100)	Dosage des transaminases, num. des plaquettes pdt 6 premiers mois (valeur très incertaine)

Médicament	Posologie	Indications	Effets secondaires fréquents	Effets secondaires graves	Taux sanguin μmol/l (μg/ml)	Remarques
Ethosuximide (Zarontin ®, Suxinutine ®)	15 à 30 mg/kg	Petit Mal Epilepsies myocloniques	Somnolence Epigastralgies Hoquet	Anémies graves Troubles psychiques (exceptionnels)	300-750 (40-100)	
Triméthadione (Tridione ®)	40 à 60 mg/kg	Idem	Photophobie Vertiges Eruption	Anémie aplastique Syndrome néphrotique (rare)		Formule sanguine mensuelle Recherche albuminurie trimestrielle (valeur et indication incertaines)
Carbamazépine (Tégrétol ®)*	15 à 25 mg/kg	Epilepsies généralisées et partielles, simples et complexes	Diplopie Vertiges Ataxie	Anémie grave (exceptionnelle)	25-50 (6-12)	Ne pas associer TAO ou érythromycine
Diazépam (Valium ®)	0,5 à 2 mg/kg (oral) 0,25 mg/kg (i.v.) 0,25 à 0,50 mg/kg (i.r.)	Etat de mal (i.v.) Syndrome de Lennox-Gastaut Petit Mal Spasmes infantiles	Somnolence Hypotonie Ataxie	Dépression respiratoire (voie i.v.)	(0,25-1,0)	
Clonazépam (Rivotril ®)*	0,1 à 0,2 mg/kg	Idem Epilepsies partielles	Somnolence Ataxie Troubles de la déglutition	Idem	0,08-0,24 (0,025-0,075)	
Nitrazépam (Mogadon ®)	0,1 à 0,5 mg/kg	Idem	Idem	Idem		
Clobazam (Urbanyl ®)	0,25 à 1 mg/kg	Idem	Idem	Idem		
ACTH et corticoïdes	20 à 40 U/jour	Spasmes infantiles Syndrome de Lennox-Gastaut	Complications de la corticothérapie			

* Médicaments pour lesquels une progression lente des doses est particulièrement importante.

Tableau 6 : Conduite à tenir en présence d'un état de mal convulsif

1er temps
(sur le lieu de la crise)
- Injection i.v. de 0,25 mg/kg de diazépam. Si i.v. impossible, instillation rectale de 0,5 mg/kg.
- Installation du patient en position déclive latérale.
- Etre prêt à pratiquer une courte assistance respiratoire.

2e temps
(hôpital)
1. Assurer les fonctions vitales : désobstruction des voies respiratoires, au besoin intubation et ventilation assistée. Assurer un abord veineux stable pour l'administration des drogues, le maintien de l'équilibre hydrique, acido-basique et de la glycémie (chiffres de 6 à 8 mmol souhaitables), de la T.A. Eviter l'hyperthermie.
2. Rechercher rapidement une cause relevant d'un traitement étiologique : méningite purulente, hypoglycémie, hypocalcémie, hyponatrémie et hyperhydratation, trauma (au besoin TDM) ; chez le nouveau-né pyridoxino-dépendance et autres affections métaboliques curables (la présence d'une de ces causes ne contre-indique pas, en général, la poursuite du traitement anticonvulsivant).

3e temps
(se confond partiellement avec le 2e)
1. Traitement anticonvulsivant (dans l'ordre de choix) :
   - Diazépam : répéter la dose initiale si échec 15 à 20 minutes plus tard. Eventuellement renouvelable 3 à 4 fois, mais de préférence passer à la suite.
   - Phénytoïne i.v. lente : (< 50 mg/min.), 15-20 mg/kg pour obtenir un taux de 80-100 µmol/ml (20-25 µg/ml). Doses additionnelles éventuelles i.v. ou orales toutes les 6 à 8 heures (5 mg/kg).
   - Phénobarbital i.v. lente : (< 100 mg/min.), 10-20 mg/kg (risque de dépression respiratoire).
   - Chlorméthiazole (hémineurine) : sol. à 1,5%, 40 gouttes/min. jusqu'à arrêt des crises, puis 10 gouttes/min.
   - Xylocaïne : 4 mg/kg/h. (i.v. à la pompe).
   - Chloral : 0,25 à 0,50 g en i.v. lente. Peut être renouvelé après 20 minutes jusqu'à un total de 1-2 g.
2. En cas d'utilisation de produits à demi-vie courte (diazépam surtout), ou après la phase de charge, un traitement anticonvulsivant de fond (doses usuelles) doit toujours compléter ou relayer.

- *Règles générales de conduite du traitement médicamenteux :*
1. Il doit être administré à doses suffisantes de façon régulière, même en cas de maladie intercurrente, et utiliser des médicaments adaptés au type d'épilepsie en cause. 2. Le début du traitement doit être progressif ; plus encore, son interruption (en particulier si on utilise le phénobarbital). L'arrêt ne peut intervenir moins de 2-4 ans après le contrôle des crises et dépend du type d'épilepsie et de l'âge de l'enfant. 3. Il doit, initialement et le plus possible, utiliser un seul médicament, en choisissant, dans chaque groupe, la drogue la mieux tolérée. L'adjonction d'un second médicament ne doit être envisagée qu'en cas d'échec de la monothérapie. Les polythérapies sont presque toujours inefficaces et difficiles à contrôler.

La surveillance du traitement est avant tout clinique puisque le but est le contrôle des crises avec le minimum d'effets secondaires. La normalisation de l'EEG n'est pas toujours indispensable et ses modifications isolées — de même que celles de tout examen complémentaire — ne sont *pas* une indication à modifier un traitement efficace. La surveillance biologique peut être limitée au minimum : une leucopénie (parfois avec éosinophilie) est fréquente et une élévation des transaminases possible avec certaines drogues. Ces modifications ne semblent pas en relation avec la survenue, exceptionnelle, d'accidents hématologiques ou hépatiques graves.

Le *dosage des anticonvulsivants sériques* n'est indiqué que dans des cas précis : 1. Si on doute de la prise réelle des médicaments. 2. Si un traitement correct ne contrôle pas les crises ou cesse de les contrôler. 3. Si on soupçonne un effet toxique, en particulier dans les cas où il est difficile à déceler (retard mental, nourrisson). 4. Si on utilise une drogue dont les doses toxiques et thérapeutiques sont voisines (phénytoïne). 5. En cas de polythérapie. 6. En cas de maladie hépatique ou rénale intercurrente.

● *Indications particulières :*

Les *épilepsies convulsivantes* généralisées ou partielles et les *crises partielles complexes* sont traitées par la carbamazépine, le valproate de sodium (dans les formes cryptogénétiques), le phénobarbital, la phénytoïne, la primidone, éventuellement les benzodiazépines. Tous ces médicaments peuvent être administrés en 2 doses égales.

Les *épilepsies du groupe Petit Mal-épilepsies myocloniques* relèvent du valproate ou de l'éthosuximide, puis des benzodiazépines (clonazépam, clobazam), en dernier recours des diones. Il n'est pas indiqué de donner systématiquement un anticonvulsivant.

Les *épilepsies graves avec pointes-ondes lentes* (syndrome de Lennox-Gastaut) sont de traitement difficile. Les benzodiazépines, le valproate de sodium sont indiqués en premier lieu. Malgré la résistance fréquente, il faut éviter les associations multiples et les surdosages, très communs et qui aggravent l'état mental et parfois les crises.

Les *spasmes infantiles* sont l'indication essentielle de l'ACTH et/ou des corticoïdes (parfois utiles pour de courtes périodes dans les syndromes de Lennox). Leur action sur les crises et l'EEG est évidente, plus discutée sur le développement psychique. Les benzodiazépines semblent moins efficaces.

Mesures socio-éducatives

La quasi-totalité des épileptiques bien contrôlés et sans handicap associé doivent mener une existence sociale, scolaire et sportive normale. En cas de contrôle incomplet, des activités comme la conduite d'un véhicule à deux roues sont acceptables seulement si les crises ont un horaire assez fixe, des prodromes, ou ne surviennent qu'en période d'inactivité. La natation sous surveillance est possible mais les bains en baignoire doivent être surveillés. Une scolarité spécialisée n'est que très exceptionnellement nécessaire en l'absence de déficit mental. La nature des troubles et leur pronostic réel doivent être dégagés des mythes usuels et clairement expliqués aux familles.

Autres phénomènes paroxystiques

Syncopes et lipothymies

Ce sont des pertes ou atténuations paroxystiques de la vigilance d'origine ischémique. Les syncopes cardiaques sont rares. Les *syncopes vaso-vagales* réflexes, très fréquentes, sont souvent confondues avec des crises épileptiques quand elles revêtent une forme convulsivante. Le diagnostic repose sur les prodromes caractéristiques (malaise, impression de voile noir) ; sur les circonstances de survenue (douleur, émotion, orthostatisme, chaleur, confinement). Le réflexe oculo-cardiaque est souvent très intense. Les syncopes sont surtout fréquentes chez le grand enfant et l'adolescent et ont souvent un caractère familial. Le pronostic est bénin.

Spasmes du sanglot

Ils s'observent chez 3 à 5% des enfants entre quelques semaines et 3-5 ans. Leur caractère provoqué est essentiel au diagnostic plus que la forme, qui peut varier. Dans la *forme bleue,* des sanglots prolongés sans reprise aboutissent à la cyanose et à la pâmoison. Dans les *formes blanches,* qui sont en fait des syncopes, parfois convulsivantes, la perte de connaissance fait presque immédiatement suite au stimulus. Le seul traitement consiste à rassurer les familles en leur expliquant la nature et le caractère bénin des accidents.

Migraines

Ce sont des accès récurrents de céphalée, stéréotypés pour chaque sujet, qui affectent 4 à 10% de la population totale, dans 1/4 des cas avant 10 ans. La douleur est typiquement unilatérale et pulsatile, accompagnée de nausées ou de vomissements. Elle peut être isolée ou précédée de manifestations visuelles — scotomes, hémianopsie, micropsie (migraine ophtalmique) —, de paresthésies unilatérales, à distinguer des crises jacksoniennes sensitives, beaucoup plus rares (migraine accompagnée). Des formes atypiques avec hémiplégie, paralysie de la IIIe paire (migraine ophtalmoplégique), confusion mentale sont parfois observées. Le traitement des accès fait appel aux dérivés de l'ergotamine (0,1 à 0,5 mg). Un traitement préventif continu peut être essayé : oxétorone, (Nocertone ®), aspirine. Le propanolol a été proposé dans les formes invalidantes.

Dystonies paroxystiques

Des accès dystoniques, surtout de la tête et du cou, parfois des membres, sont observés dans les intoxications par la métoclopramide, les phénothiazines, certaines butyrophénones et doivent les faire rechercher systématiquement. Les troubles disparaissent en quelques heures et peuvent être interrompus par l'administration de diphenhydramine i.v. De rares dystonies paroxystiques familiales induites par le mouvement ou spontanées ont été décrites.

Crises psychogènes pseudo-épileptiques

Elles s'observent de préférence après 8-10 ans, plus souvent chez la fille. Une hyperventilation est très commune, pouvant aboutir à un véritable accès tétanique. Il est important d'éviter le diagnostic d'épilepsie et d'entreprendre un traitement psychologique.

Vertiges paroxystiques bénins de l'enfance

Ce sont des accès très brefs d'instabilité avec sensation de rotation sans perte de connaissance, observés chez les enfants de 1 à 5 ans. Quand la notion de rotation n'est pas exprimée, la chute avec pâleur est souvent interprétée comme résultant d'une crise épileptique. Aucun traitement n'est connu mais la régression spontanée est constante avant 4-6 ans. Le *torticolis paroxystique* du nourrisson de moins d'un an en constitue vraisemblablement une variante mais les accès durent de quelques heures à quelques jours, souvent avec des vomissements.

Terreurs nocturnes

Elles sont très communes entre 2 et 4 ans. L'enfant s'assied, crie, paraît terrorisé. Les yeux sont grands ouverts, l'éveil paraît total, mais l'amnésie est complète. Ces incidents n'ont pas de rapport avec l'épilepsie et ne nécessitent aucun traitement.

Somnambulisme

Il est commun chez le grand enfant et l'adolescent (surtout garçon) et sans signification pathologique. Il comporte l'exécution d'activités nocturnes automatiques malgré la persistance de l'« inconscience » du sommeil. Aucun traitement n'est nécessaire.

Malformations et lésions congénitales
du système nerveux central

Malformations cérébro-médullaires

Anomalies de la fermeture du tube neural

Ce sont des malformations fréquentes (1/1 000 naissances environ), d'origine précoce (avant 1 mois) et de mécanisme complexe (facteurs génétiques multifactoriels et d'environnement).

Spina bifida

Défauts de fermeture de la partie médullaire du tube neural et/ou de sa couverture postérieure ; ils peuvent revêtir plusieurs types.

Spina bifida ouverts

Ce sont ceux dans lesquels le système nerveux est exposé à la surface. Le type est la *myéloméningocèle*, de siège lombaire dans 80% des cas. Elle donne lieu à des signes déficitaires variables avec le niveau : paralysies flasques des membres inférieurs avec déformation des pieds et souvent luxation paralytique des hanches, anesthésie et ulcérations trophiques, atteinte sphinctérienne anale et *vésicale* avec vessie atone ou de lutte. Une hydrocéphalie est présente dans 75% des cas, en relation avec une *malformation de Chiari II* (élongation bulbaire et languette vermienne descendant à la face postérieure de la moelle cervicale).

Le traitement est la couverture du défect. Son indication est discutée en cas de paralysie flasque étendue, de cyphose angulaire, de grande hydrocéphalie congénitale, de malformations associées, de lésions hautes (dorso-lombaires ou étendues). Le développement d'une hydrocéphalie évolutive exige la dérivation. De nombreuses interventions orthopédiques et urologiques sont en règle nécessaires. Le pronostic vital et social reste réservé.

Le risque de récurrence est de 3 à 5%. Le diagnostic prénatal par dosage de l'alpha-fœtoprotéine (parfois de la cholinestérase) dans le liquide amniotique et par ultrasonographie est possible. La détection systématique par dosage dans le sang maternel de la fœtoprotéine a été proposée dans les régions de haute incidence. Il est possible que le spina bifida puisse être prévenu par administration de folate à la mère.

Spina bifida couverts

Ils comportent des lésions très variables. Les *méningocèles* ne contiennent pas d'élément nerveux et se marquent par une tuméfaction médiane sans signes neurologiques et sans hydrocéphalie. A l'étage crânien existent des *méningoencéphalocèles*, en règle occipitales, associées à d'autres malformations cérébrales. Les *lipomes* et *lipoméningocèles lombosacrés* se traduisent par une tuméfaction molle, souvent latéralisée, sus-jacente à des anomalies osseuses. Elles nécessitent un traitement neurochirurgical si apparaissent des troubles neurologiques, souvent retardés. Il en est de même dans les *diastématomyélies* (moelle fixée par un éperon transfixiant). Les *fistules dermiques,* qui font communiquer les méninges avec l'extérieur et sont une cause de méningite récidivante, sont une indication opératoire formelle.

Anencéphalie

C'est une malformation léthale, équivalente de la myéloméningocèle (avec laquelle elle est génétiquement liée) à l'extrémité antérieure du tube neural. Son diagnostic prénatal est possible de la même façon que celui des myéloméningocèles puisqu'il s'agit d'une lésion ouverte.

Anomalies du développement du tube neural

Leur origine, acquise ou génétique, se situe avant 4 mois de gestation.

Défauts de segmentation ou de clivage du tube

Ils sont représentés par les divers types d'*holoprosencéphalie* (absence de division totale ou partielle de la vésicule cérébrale antérieure en deux hémisphères), qui donnent lieu à une encéphalopathie sévère ou léthale. Le diagnostic clinique est souvent possible en raison de l'association fréquente de malformations faciales avec hypotélorisme orbitaire (de la cyclopie aux fentes faciales médianes ou latérales). Il est confirmé par l'examen TDM qui montre les images du ventricule télencéphalique unique.

Défauts de formation des structures médianes

Le plus fréquent est l'*agénésie du corps calleux*, qui peut être latente quand elle est isolée, mais qui s'associe souvent à des malformations cérébrales réalisant une encéphalopathie avec parfois macrocéphalie, hypertélorisme, lacunes choroïdiennes. Le diagnostic est possible par l'examen TDM. L'*agénésie du septum pellucidum* n'a d'histoire clinique que quand elle est accompagnée de *porencéphalies* souvent bilatérales, produisant alors hémiplégie ou diplégie avec image TDM spécifique. Les *agénésies du vermis cérébelleux* réalisent soit un *syndrome de Dandy-Walker*, souvent associé à une agénésie calleuse et à une hydrocéphalie, soit un *syndrome de Joubert* avec hypotonie, hyperpnée et mouvements oculaires présents dès la naissance. Le diagnostic par TDM est possible.

Anomalies de la migration neuronale

La *lissencéphalie-pachygyrie* (absence ou réduction du nombre des sillons avec disposition anormale des couches neuronales) est en règle associée à un syndrome dysmorphique (microcéphalie, front haut et étroit, anomalies digitales) qui, joint à l'image TDM, permet le diagnostic.

Le syndrome de Zellweger associe des kystes rénaux, une atteinte hépatique et osseuse, un faciès caractéristique à des micropolygyries (sillons multiples et disposition anormale des neurones) avec hypotonie extrême et aréflexie.

La microcéphalie vraie comporte une réduction extrême du volume encéphalique (périmètre céphalique à plus de 6 écarts-types au-dessous de la moyenne) avec troubles de la gyration, associée à un retard mental mais avec un minimum de signes neurologiques. Elle doit être distinguée des *microcéphalies secondaires,* en général moins extrêmes et avec davantage de signes neurologiques.

Dans le groupe des anomalies du développement du tube neural, l'intérêt génétique d'un diagnostic précis est considérable. Certaines anomalies sont transmises comme des caractères autosomiques récessifs : microcéphalie vraie, syndromes de Zellweger et de Joubert, lissencéphalie, une minorité des holoprosencéphalies. D'autres n'ont qu'exceptionnellement (agénésies calleuses) ou jamais un caractère familial (agénésies calleuses de la fille avec lacunes rétiniennes et spasmes infantiles, agénésie septale, syndrome d'Aicardi).

Malformations et lésions tardives

Fréquentes, elles comportent :

● **Les micropolygyries,** qui correspondent à la destruction post-migratoire de certaines couches neuronales par des processus circulatoires, inflammatoires (cytomégalie) ou indéterminés et pour lesquelles il n'existe pas de moyen de diagnostic ferme.

● **Les porencéphalies clastiques, l'encéphalomalacie multikystique, l'hydranencéphalie,** qui constituent une série de gravité croissante de troubles d'origine circulatoire ou vasculaire, reconnaissables à l'examen neuroradiologique. Ces anomalies n'ont pas de signes cliniques évocateurs et elles seront aussi envisagées avec l'étude des encéphalopathies non progressives. Elles n'ont jamais de caractère génétique.

Hydrocéphalies

Les hydrocéphalies ne sont pas une malformation mais la résultante de processus multiples, malformatifs ou acquis, qui entraînent une distension des espaces liquidiens intracrâniens (et, en conséquence, du crâne chez le nourrisson) sous l'effet d'une pression excessive du LCR. L'incidence est de 1 à 4 pour 1 000 naissances. La très grande majorité des hydrocéphalies résulte d'un trouble de la *circulation* du LCR qui ne peut atteindre ses aires de résorption de la convexité et s'accumule en amont. Les causes et les localisations les plus communes de l'obstruction sont indiquées au tableau 7. Plusieurs mécanismes peuvent coexister. Par exemple, blocage inflammatoire de la base et/ou sténose de l'aqueduc en association avec une malformation de Chiari II.

Le diagnostic repose sur l'aspect du crâne, volumineux, à la fontanelle tendue, aux veines saillantes, sur l'abaissement des globes oculaires (signe du coucher de soleil). Il peut être difficile au début : l'accroissement excessif du périmètre céphalique par rapport aux valeurs standard (cf. pp. 70-71) est un élément essentiel d'orientation. Des signes neurologiques (signes pyramidaux, parfois tremblement) sont fréquents.

Les hydrocéphalies doivent être distinguées des épanchements sousduraux, des grosses têtes familiales ou sporadiques, de la croissance de rattrapage du prématuré ou du dystrophique, des kystes arachnoïdiens, de certaines tumeurs intracrâniennes et de l'hydranencéphalie. L'exploration clinique comporte une transillumination, négative en dehors des hydrocéphalies extrêmes. L'exploration TDM confirme l'hydrocéphalie et précise son type : elle est considérée comme communicante quand le 4e ventricule est dilaté. La présence d'hypodensités périventriculaires indique une résorption transépendymaire du LCR, donc une hydrocéphalie évolutive. Les examens spécialisés (cisternographie isotopique, mesure de pression intracrânienne) sont rarement indiqués.

Tableau 7 : Classification et causes des hydrocéphalies

Siège du blocage	Causes principales	
Aqueduc de Sylvius	• Sténose malformative et atrésie • Toxoplasmose et autres inflammations spécifiques • Sténose cicatricielle (posthémorragique ou postméningitique) • Tumeurs (rares)	Hydrocéphalies dites «bloquées» (il n'y a pas de communication directe entre ventricules et cul-de-sac lombaire)
Orifices de Magendie et de Lushka	• Malformation d'Arnold-Chiari (spina bifida) • Malformation de Dandy-Walker (imperforation congénitale des orifices du 4e ventricule avec dilatation kystique) • Oblitération inflammatoire (arachnoïdite) • Néo-formations de la fosse postérieure	
Citernes de la base et vallées sylviennes	• Posthémorragiques (prématurés) • Postméningitiques • Tumorales (leucoses) • Par surcharge (Hurler)	Hydrocéphalies dites «communicantes» (libre communication entre ventricules et cul-de-sac lombaire)
Sans obstruction	• Par hypersécrétion (papillome des plexus) • Par non-résorption : hyperpression veineuse (thrombose des sinus, de la veine cave supérieure), sténose des orifices de la base du crâne (achondroplasie) (?) hyperprotéinorachie (?)	Hydrocéphalies sans obstacle à la circulation du L.C.R.

L'évolution spontanée est progressive. L'arrêt évolutif n'est pas exceptionnel mais très difficile à affirmer et la compensation ne se fait pas souvent sans dégâts neurologiques. Le *traitement chirurgical* est rarement un abord direct de la lésion (kyste, tumeur), plus souvent une *dérivation* généralement *ventriculo-péritonéale*. Il est indiqué si l'hydrocéphalie est évolutive, plus discuté si la possibilité d'une hydrocéphalie compensée existe. Les cas incertains relèvent d'une dérivation. Un traitement médical (acétazolamide 25-50 mg/kg/j.) peut être essayé temporairement en cas de doute. Les résultats de la dérivation du LCR, tout en dépendant de la cause, sont satisfaisants dans $2/3$ des cas.

Les *complications du traitement* sont : 1. Le blocage du système avec hypertension intracrânienne, parfois suraiguë, nécessitant une révision d'urgence. 2. L'infection, en particulier à S. Albus, généralisée, méningée ou péritonéale, évoluant souvent sur un mode subaigu, nécessitant en règle l'ablation du shunt. 3. Les hématomes sous-duraux, surtout si les sutures sont fermées (indication éventuelle d'une dérivation interne, type ventriculo-cisternostomie). 4. Les thromboses veineuses avec embolie (shunts cardiaques). 5. Les ascites, non-résorptions, perforations viscérales (shunts péritonéaux).

Malformations du crâne et du rachis cervical

Craniosténoses ou craniosynostoses

Elles sont dues à l'ossification prématurée d'une ou de plusieurs sutures crâniennes, provoquant des déformations du crâne et souvent un défaut d'expansion avec hypertension intracrânienne. Celle-ci se marque sur les clichés par de très importantes impressions digitiformes avec amincissement de la voûte.

Tableau 8 : Principaux types de craniosténoses

Type et forme du crâne	Sagittale	Coronale	Lambdoïde	Commentaires	Hérédité
Scaphocéphalie	+			Hypertension intra-crânienne très rare Malformations associées très rares	Parfois familiale
Brachycéphalie		+		Hypertension intra-crânienne rare Malformations des membres possibles Débilité mentale souvent	Idem
Oxycéphalie	+	+		Hypertension intra-crânienne fréquente Malformations des membres ou du cerveau possibles	Idem
Microcéphalie	+	+	+	Hypertension intra-crânienne très importante et constante	Idem
Maladie de Crouzon	+	+	+	Hypoplasie du maxillaire supérieur Exophtalmie, prognathisme	Autosomique dominante
Maladie d'Apert	+ initiale	+ secondaire	+ secondaire	Syndactylie totale Débilité mentale Agénésie du corps calleux parfois	Autosomique dominante

La déformation produite est due au fait que le crâne croît seulement par ses sutures et dans une direction perpendiculaire à celles-ci. La pression intracrânienne entraîne un accroissement anormal dans les directions où les sutures sont patentes.

La gravité varie avec le nombre et la nature des sutures ossifiées (cf. tableau 8). Le danger principal est la *cécité* par atrophie optique, poststase ou primitive, et nécessite une surveillance ophtalmologique régulière. La débilité mentale est fréquente dans certaines formes, mais le rôle de l'hypertension crânienne à son origine est douteux. Des malformations associées sont fréquentes : anomalies de la face, des membres et du cerveau, qui ont une place importante à l'origine des troubles neuropsychiques.

Le traitement a pour but de permettre l'expansion du cerveau et donc le remodelage du crâne. Il peut être réalisé par des interventions de divers types. Son résultat sur la forme du crâne est optimum chez l'enfant jeune. Il est indiqué formellement en cas de stase papillaire ou de signes majeurs d'hypertension crânienne ou devant une baisse de l'acuité visuelle. Son indication est d'ordre psycho-esthétique dans les autres cas et dépend de l'importance du préjudice.

Malformations vasculaires cérébro-méningées

Elles comportent deux types principaux : les *angiomes* (artério-veineux, veineux, caverneux), pelotons de vaisseaux de petit ou moyen calibre, proliférés ; les *anévrysmes artériels*, dilatations sacculaires ou fusiformes des vaisseaux de la base, rares chez l'enfant.

La symptomatologie comprend trois ordres de signes : a) des *hémorragies* sous-arachnoïdiennes et/ou intraparenchymateuses par rupture ou fissuration de la malformation ; b) des *signes d'ischémie focale* par vol vasculaire à travers le shunt artério-veineux : déficits moteurs ou sensitifs, épilepsie, tableau pseudo-migraineux ; c) des *signes directs* : compression de la IIIe paire, souffles intracrâniens.

Le diagnostic peut être fait par la TDM, qui révèle (après injection) la majorité des angiomes artério-veineux et peut même mettre en évidence des angiomes caverneux non détectés par l'angiographie. Celle-ci est de toute façon nécessaire pour le traitement chirurgical, et parfois pour le diagnostic (anévrysmes).

Le traitement est l'exérèse de la malformation si elle est accessible. L'*embolisation sélective* permet de réduire la taille de certaines malformations et d'en permettre secondairement l'exérèse.

L'anévrisme artério-veineux de l'ampoule de Galien donne lieu à une symptomatologie particulière qui comporte : 1. souvent une hydrocéphalie par compression de l'aqueduc ; 2. un souffle crânien continu intense ; 3. dans les premiers mois une insuffisance cardiaque due à l'importance du shunt artério-veineux. Ces deux derniers signes peuvent aussi résulter de grosses malformations artério-veineuses méningées.

Maladie de Sturge-Weber et autres angiomatoses neurocutanées

La maladie de Sturge-Weber associe un angiome plan congénital siégeant dans le territoire du trijumeau (touchant toujours la branche supérieure), un angiome capillaro-veineux de la pie-mère, affectant tout ou partie de l'hémisphère homolatéral à l'angiome, et une nécrose calcifiée du cortex sous-jacent. Elle se manifeste par des crises épileptiques unilatérales, souvent une hémiplégie, inconstamment une arriération mentale. La TDM met en évidence les calcifications corticales bien avant qu'elles ne soient visibles sur les clichés simples, et (après contraste) l'angiome méningé.

Un traitement anticonvulsivant intensif est indiqué dès le diagnostic, en particulier dans l'espoir de prévenir l'hémiplégie — qui est en règle postcritique — et le retard mental ou son aggravation. Il n'y a pas de risque de rupture. Celui-ci existe par contre dans d'autres angiomatoses rares (syndrome de Bonnet-Dechaume-Blanc, de Rendu-Osler).

Malformations occipito-vertébrales

Les malformations osseuses de la charnière occipitale sont de types très variés : occipitalisation de l'atlas, blocs vertébraux C_2-C_3, impression ou invagination basilaire. Elles peuvent donner lieu à une symptomatologie clinique : torticolis, cou court, implantation basse des cheveux. Leur principal intérêt tient à l'association possible avec des malformations du névraxe : *malformation de* Chiari I (élongation du bulbe et descente des amygdales cérébelleuses dans la partie haute du canal rachidien) ; syringomyélie avec cavité intramédullaire communiquant le plus souvent avec le 4ᵉ ventricule. Ces anomalies nerveuses existent seules dans de très nombreux cas.

La symptomatologie neurologique comporte soit des troubles dissociés de la sensibilité thermique de type syringomyélique, soit des troubles de la sensibilité profonde des membres supérieurs, soit une hydrocéphalie, souvent intermittente, soit un syndrome pyramidal bilatéral, soit une atteinte des paires crâniennes, soit une association de ces divers syndromes.

L'intervention neurochirurgicale (décompression par résection du bord postérieur du trou occipital) peut entraîner une amélioration spectaculaire.

Encéphalopathies chroniques non progressives

Ce groupe comprend une série très étendue de maladies neurologiques dues à des lésions fixes de l'encéphale d'origine prénatale, périnatale ou postnatale (dans les premières années de la vie). Cliniquement, les tableaux réalisés comportent en proportions variables des troubles de l'*intelligence* et du comportement, *des signes neurologiques*, des *crises épileptiques* et parfois d'autres anomalies (troubles de la croissance, signes cutanés ou osseux, etc.). Bien que les lésions anatomiques soient en principe non progressives, des remaniements lésionnels peuvent parfois se produire (en particulier après des crises épileptiques) et la symptomatologie varie habituellement avec l'âge, en fonction de la maturation du système nerveux central.

Une partie importante de ces encéphalopathies donne lieu à une *symptomatologie neurologique* prédominante. Les tableaux réalisés sont alors groupés sous le nom d'*infirmité motrice cérébrale*. Dans d'autres cas, les signes neurologiques sont absents ou n'occupent que le deuxième plan d'un tableau dominé par les troubles mentaux et l'épilepsie. Certaines anomalies cérébrales non évolutives (certaines malformations et fœtopathies) ont des caractères cliniques très évocateurs qui permettent de les distinguer du tableau d'ensemble étudié dans ce chapitre, et sont décrites ailleurs (cf. pp. 911 ss.).

Tableau 9 : Encéphalopathies chroniques non progressives

Origine	Causes	Lésions anatomiques	Clinique
Prénatale	Infectieuses : — embryopathies et fœtopathies — rubéole — toxoplasmose — cytomégalie — syphilis	Lésions destructives inflammatoires, malformations parfois	Calcifications, choriorétinite, purpura ou ictère à la naissance, lésions osseuses, réactions sérologiques et recherches virales
	Circulatoires et vasculaires	Lésions destructives non inflammatoires : — hydranencéphalie — porencéphalie — encéphalomalacie multikystique	Augmentation du volume du crâne, transillumination positive
	Aberrations chromosomiques Agents physiques ou chimiques : — rayons X — antimétabolites — corticoïdes ? — alcool — anticonvulsivants	Malformations : — microgyries — pachygyries — hétérotopies — agénésie calleuse — holoprosencéphalie	Le plus souvent non spécifique : retard psychique, microcéphalie, épilepsie. Parfois malformations faciales (fentes faciales) et périphériques associées aux malformations cérébrales
	Causes géniques (mono- ou polygéniques)	Phacomatoses	Anomalies cutanées, squelettiques et viscérales (cf. tableau 10)

Suite au verso

Tableau 9 (suite) : Encéphalopathies chroniques non progressives

Origine	Causes	Lésions anatomiques	Clinique
Périnatale	Traumatisme physique	Hémorragies sous-durales et sous-arachnoïdiennes	
	Prématurité	Hémorragies ventriculaires	Hydrocéphalie post-hémorragique (diplégie ataxique parfois)
		Leucomalacie péri-ventriculaire	Syndrome de Little
	Anoxie, troubles circulatoires	Lésions localisées : — ulégyries localisées — ramollissements sylviens	Hémiplégie cérébrale infantile
		Lésions bilatérales ou diffuses : — état marbré du striatum	Dystonie-athétose
	Dysmaturité	— nécrose corticale	Diplégie, microcéphalie, état de mal convulsif du nouveau-né
	Hyperbilirubinémie	Ictère nucléaire	Athétose avec surdité
Postnatale	Traumatismes	Hémorragies sous-durales et sous-arachnoïdiennes	Encéphalopathie post-traumatique, épilepsie
	Infections : — abcès — encéphalites	Lésions cicatricielles	
	Encéphalopathies aiguës d'origine obscure État de mal convulsif	Lésions anoxiques diffuses ou localisées (hemiatrophia cerebri)	Syndrome H.H. (hémi-convulsions-hémiplégie)
	Lésions vasculaires	Ramollissements par thrombose vasculaire	Hémiplégie aiguë acquise
	Déshydratation, collapsus circulatoire	Lésions anoxiques diffuses (nécrose laminaire ou complète du cortex, gliose de la substance blanche)	Encéphalopathie diffuse avec épilepsie et microcéphalie

Les principales causes, les lésions anatomiques et les tableaux cliniques correspondants sont représentés au tableau 9. Les *causes périnatales* ont beaucoup diminué de fréquence, en raison des progrès de l'obstétrique et de la néonatologie. Les *causes prénatales* sont de loin les plus importantes, en particulier la prématurité et le *retard de croissance intra-utérin*. Celui-ci peut être diagnostiqué précocement (ultra-sons) et faire l'objet d'une surveillance et d'un traitement appropriés. Les fœtopathies infectieuses sont en partie évitables. Elles peuvent être détectées sérologiquement pendant la grossesse et un traitement spécifique est parfois possible (toxoplasmose). Une prévention est aussi théoriquement possible pour le *syndrome d'alcoolisme fœtal*. Celui-ci est proche des syndromes dysmorphiques attribués à certains médicaments, en particulier les anticonvulsivants. Leur faible fréquence ne justifie pas l'arrêt des traitements.

Il faut noter que cette présentation est schématique, car :

1. La distinction entre origine pré-, post- et périnatale peut être impossible, les facteurs pré- et périnataux étant souvent retrouvés chez les mêmes enfants.

2. Les mêmes lésions anatomiques peuvent relever d'étiologies très différentes et les mêmes causes peuvent donner lieu à des lésions très diverses ; ainsi des lésions destructives étendues comme une hydranencéphalie peuvent être le résultat de causes circulatoires ou inflammatoires ; de même une infection peut provoquer, selon la date à laquelle elle intervient, une malformation ou des lésions destructives.

3. Il n'y a qu'une relation inconstante entre la lésion anatomique et le tableau clinique qui n'est que rarement spécifique.

Infirmités motrices cérébrales

Hémiplégie cérébrale infantile

Elle affecte en règle générale surtout le membre supérieur, moins le membre inférieur, et respecte la face. Le degré de l'infirmité motrice est souvent modéré. Dans les $3/4$ des cas, son origine est *congénitale*, bien que la symptomatologie n'apparaisse le plus souvent qu'après un intervalle libre de 3 à 9 mois. Dans $1/4$ des cas l'origine est *postnatale* et l'hémiplégie fait alors suite soit à un état de mal convulsif unilatéral *(syndrome hémiconvulsions-hémiplégie ou syndrome H.H.),* soit à un ramollissement d'origine artérielle. Il existe souvent une hémianopsie et une astéréognosie du côté de l'hémiplégie. Un retard intellectuel existe chez 20-30% des malades et une épilepsie dans $1/4$ à $1/3$ des cas. Retard intellectuel et épilepsie sont bien plus fréquents dans les hémiplégies acquises, surtout postconvulsives. Les lésions anatomiques les plus fréquentes sont le ramollissement kystique du territoire sylvien dans les formes congénitales et les lésions corticales diffuses avec atrophie hémisphérique dans les formes acquises.

Une anomalie de l'accouchement ou de la période néonatale n'est trouvée que chez $1/3$ des hémiplégiques congénitaux. Il existe aussi dans ce groupe un excès d'enfants de faible poids de naissance.

Diplégie spastique (syndrome de Little)

Il comprend une atteinte prédominante, ordinairement symétrique, des deux membres inférieurs avec syndrome pyramidal et hypertonie très marqués. L'atteinte des membres supérieurs est discrète mais constante, avec maladresse, dystonie ou simple exagération des réflexes tendineux. Un retard intellectuel est présent dans $1/3$ des cas. L'épilepsie est rare. Ce syndrome atteint d'anciens prématurés dans la plupart des cas. Sa fréquence tend à diminuer. Il semble dû en général à une sclérose cicatricielle de la substance blanche périventriculaire, d'origine ischémique ou hémorragique.

Dyskinésie et athétose

C'est une infirmité grave qui comporte une *hypotonie de fond* très importante (en particulier posturale) avec persistance des réflexes archaïques (réflexes profonds de la nuque, signe de Moro), sur laquelle se surimposent, à partir de la fin de la première année, à l'occasion, des mouvements volontaires ou automatiques ou des tentatives de maintien de la posture, des *mouvements anormaux* de type variable : athétose vraie (mouvements lents de torsion plus marqués aux extrémités), mouvements choréiques brusques, *tensions* (contractions involontaires brusques affectant les agonistes et les antagonistes dans un territoire parfois très étendu à l'occasion des tentatives de mouvement), dyskinésie oppositionnelle, tremblement. Deux facteurs étiologiques principaux sont généralement invoqués : l'asphyxie prolongée à la naissance et l'ictère nucléaire. Dans le premier cas, il existe souvent un syndrome pyramidal des membres inférieurs ; dans le second, une *surdité* et une parésie de la verticalité du regard sont de règle.

Hémiplégie double (tétraplégie)

Elle constitue une grande infirmité, toujours accompagnée d'un gros retard intellectuel et souvent de microcéphalie et d'épilepsie. L'atteinte motrice prédomine aux membres supérieurs. Un syndrome pseudo-bulbaire est constamment présent. Cette forme rare (4 à 5% des I.M.C.) semble être le plus souvent d'origine malformative ou due à des fœtopathies.

Ataxies congénitales

Elles représentent 10% des infirmes moteurs cérébraux. Pendant la première année, elles se manifestent surtout par une *hypotonie*. Les signes ataxo-cérébelleux apparaissent ensuite. Ils peuvent être isolés ou associés à une diplégie spastique (diplégie ataxique assez caractéristique des hydrocéphalies). Dans certains cas, l'ataxie est purement statique (syndrome de déséquilibre de Hagberg), parfois associée à une cataracte (syndrome de Marinesco-Sjögren), d'origine souvent génétique.

Formes avec signes neurologiques discrets

Elles sont d'une grande fréquence et d'une grande variabilité d'expression. Le *retard mental* est constant et des *manifestations épileptiques* sont très communes, à type de crises généralisées, focales ou de spasmes en flexion. La microcéphalie est fréquente. Il existe très souvent des signes neurologiques : syndrome pyramidal bilatéral, hypotonie axiale, hypertonie, mais ils sont mal systématisés et ne permettent pas l'individualisation de syndromes neurologiques définis. Une grande variété d'atteintes oculaires, du langage, des sensibilités peut être observée.

L'étiologie est très variable (cf. tableau 9).

Eléments de pronostic

Le pronostic de ce groupe de maladies dépend pour une part de l'atteinte motrice. Il est sévère dans les athétoses et les quadriplégies, plus favorable en cas d'hémiplégie ou de syndrome de Little.

Les anomalies associées constituent un élément très important du pronostic. L'*atteinte intellectuelle* est fondamentale car elle conditionne les possibilités de rééducation motrice et d'insertion sociale ultérieure. $1/4$ à $1/3$ seulement de ces enfants ont un niveau normal et près de 25% un retard sévère (Q.D. < 55). L'*épilepsie* existe chez 30 à 50% des malades et est souvent résistante au traitement. Les *troubles du langage* sont fréquents et un déficit auditif existe chez 10% des enfants environ, surtout chez les athétosiques et les anciens prématurés. Des troubles visuels (strabisme, nystagmus, atrophie optique) sont notés dans la moitié des cas. Un examen complet et pas seulement neurologique est donc nécessaire, tant à l'établissement du pronostic qu'à la définition d'une orientation thérapeutique.

Indications thérapeutiques

Aucun traitement étiologique n'étant connu, le traitement repose : 1. sur la rééducation motrice et la physiothérapie ; 2. sur la rééducation fonctionnelle et l'ergothérapie ; 3. sur une éducation scolaire appropriée ; 4. éventuellement sur l'utilisation de la chirurgie orthopédique.

Rééducation motrice et physiothérapie doivent être entreprises si possible dès l'âge de 6-10 mois afin d'éviter les contractures et les déformations. Un appareillage peut être pour cela nécessaire. La rééducation fonctionnelle commence avec l'apprentissage de la station assise et verticale, puis de la déambulation. Elle se poursuit dans le domaine de l'utilisation manuelle (gestes courants, écriture). Une scolarité adaptée, normale ou spécialisée, selon l'importance des handicaps, est essentielle. Enfin les différents déficits sensitifs et sensoriels doivent être corrigés, en fonction des résultats du bilan initial.

Phacomatoses (neuroectodermoses)

Ce sont des maladies qui associent des anomalies du système nerveux central et une dysplasie cutanée. Les principales d'entre elles sont mentionnées au tableau 10.

La **neurofibromatose** de von Recklinghausen est une maladie très commune dont la transmission est héréditaire selon le mode autosomique dominant. La débilité mentale et l'épilepsie y sont fréquentes (20% des cas) et de nombreuses localisations tumorales sont possibles, la plus fréquente étant chez l'enfant le *gliome du chiasma*. Les formes purement

Tableau 10 : Les phacomatoses

Désignation	Localisations cutanées	Localisations dans le système nerveux et signes	Autres localisations
Neurofibromatose (von Recklinghausen)	Taches café-au-lait multiples Molluscums pendulums Neurofibromes Névromes plexiformes	Neurofibromes des nerfs périphériques et des racines rachidiennes Spongioblastome du chiasma optique Neurinomes du VIII Autres tumeurs du S.N.C. Débilité mentale (10% des cas)	● Os: scolioses évolutives, lacunes orbitaires, pseudarthroses du tibia. Macrocéphalie ● Viscères: tumeurs conjonctives, phéochromocytomes, hyperplasie artérielle fibromusculaire (reins++)
Sclérose tubéreuse de Bourneville (épiloia)	Naevi achromiques (précoces) Adénomes sébacés de Pringle Tumeurs périunguéales (Kœnen) Peau de chagrin en plaque	Nodules périventriculaires Nodules disséminés (dégénérescence tumorale possible) Spasmes infantiles, convulsions, débilité	● Œil: phacomes rétiniens ● Cœur: hamartomes multiples ● Reins: hamartomes kystiques ● Poumons: nodules ● Os: kystes
Maladie de Sturge-Weber ou angiomatose encéphalo-trigéminée	Angiomes géants «lie de vin» de la face dans le territoire de la première division du trijumeau	Angiome capillaro-veineux de la pie-mère de l'hémisphère homo-latéral à l'angiome cutané	Calcifications dans le cortex cérébral, sinusoïdes et à double contour Glaucome du côté angiomateux Gigantisme possible des membres atteints par un angiome
Maladie de von Hippel-Lindau		Angioréticulomes du cervelet, de la moelle	● Œil: anévrismes artério-veineux rétiniens ● Viscères: kystes rénaux, polyglobulie
Ataxie - télangiectasie (syndrome de Louis-Bar)	Télangiectasies de la conjonctive bulbaire et de l'oreille externe	Ataxie ou athétose progressives (atrophie cortex cérébelleux)	Croissance staturale déficiente Déficience immunitaire (tissu lymphoïde, IgA) Tumeurs malignes Retard statural
Mélanose neurocutanée	Naevi pileux pigmentés géants et multiples	Hydrocéphalie par infiltration mélanocytaire des méninges Tumeurs mélaniques	
Naevus sébacé avec atteinte cérébrale	Naevus sébacé médian de la face (Jadassohn)	Malformations cérébrales	● Atteinte oculaire

neurologiques sont très rares. Chez l'enfant, les manifestations cutanées se limitent aux taches café-au-lait. Les nodules cutanés (neurofibromes) ne se voient que chez l'adulte. Tous les porteurs de taches café-au-lait ne développent d'ailleurs pas de neurofibromes.

La **sclérose tubéreuse de Bourneville** est une cause commune d'épilepsie avec débilité mentale. Les spasmes infantiles avec hypsarythmie lui sont dus dans 10-20% des cas et leur association avec des naevi achromiques permet le diagnostic. Le retard mental n'est pas constant. Les adénomes sébacés de la face ne se développent que tardivement.

Les autres neuroectodermoses sont rares (cf. tableau 10).

Conseil génétique
dans les malformations et lésions congénitales du système nerveux central

Il repose malheureusement sur des bases le plus souvent incertaines. Les *fœtopathies infectieuses* ne comportent en pratique aucun risque de récurrence. Il en est probablement de même pour la plus grande partie des encéphalopathies dues à des lésions destructives (porencéphalies, etc.) d'origine sans doute circulatoire. En revanche certaines *malformations* ont parfois un caractère héréditaire avec transmission soit récessive soit multifactorielle. Les formes génétiques ne diffèrent pas des formes sporadiques (par exemple holoprosencéphalie). Une grande prudence s'impose donc dans le conseil génétique appliqué aux malformations cérébrales.

Maladies métaboliques et dégénératives
du système nerveux central

Encéphalopathies métaboliques génétiques

Elles résultent d'une perturbation héréditaire du métabolisme, démontrée ou probable, affectant l'encéphale de façon exclusive ou concomitamment à d'autres systèmes. Leur présentation clinique générale permet une première orientation diagnostique.

Certaines d'entre elles se présentent comme des *détresses neurologiques graves de la période néonatale*, débutant après un intervalle libre de

Tableau 11 : Principales encéphalopathies génétiques métaboliques de l'enfant

Métabolisme affecté	Maladie correspondante	Présentation clinique schématique	Confirmation du diagnostic	Diagnostic prénatal	Hérédité
Lipides					
Sphingomyéline	Maladie de Niemann-Pick A et C	Atteinte systémique	Enzymatique	+	AR
Glucocérébrosides	Maladie de Gaucher	Atteinte systémique	Enzymatique	+	AR
Galactocérébrosides	Leucodystrophie de Krabbe	Leucodystrophie + atteinte périphérique	Enzymatique	+	AR
Sulfatides	Leucodystrophie métachromatique	Leucodystrophie + atteinte périphérique	Enzymatique	+	AR
Gangliosides GM$_2$	Maladie de Tay-Sachs, de Sandhoff et variants	Poliodystrophie	Enzymatique	+	AR
Gangliosides GM$_1$	Gangliosidose généralisée	Poliodystrophie + atteinte viscérale	Enzymatique	+	AR
Acides gras à longue chaîne	Adrénoleucodystrophie	Leucodystrophie + atteinte surrénale	Etude endocrinienne, TDM, excès d'acides gras en C$_{26}$	+	GR
Lipopigments (céroïde-lipofuschine)	Céroïde-lipofuschinoses (plusieurs formes)	Poliodystrophie + atteinte rétinienne	Biopsies périphériques	0	AR
Autres substances					
Cuivre	Maladie de Wilson	Atteinte extra-pyramidale	Dosage céruloplasmine	0	AR
Cuivre	Maladie de Menkès	Poliodystrophie	Dosage céruloplasmine, examen des cheveux	+	GR
Purines	Maladie de Lesh-Nyhan	Atteinte extra-pyramidale	Enzymatique	+	GR
Polyglucosans	Maladie de Lafora	Epilepsie-myoclonie (poliodystrophie)	Biopsies périphériques	0	AR

(sphingolipides)

Inconnu

Leucodystrophies soudanophiles, maladie de Pelizaeus-Merzbacher	Leucodystrophie (sans atteinte périphérique)	0	AR ou GR
Dégénérescence spongieuse du névraxe	Inclassable	Biopsie cérébrale	AR
Maladie d'Alexander-Crome	Leucodystrophie	Biopsie cérébrale	AR (?), S
Epilepsies-myoclonies « dégénératives »	Epilepsie-myoclonie (poliodystrophie)	0	AR ou AD
Syndrome de Ramsay Hunt	Epilepsie-myoclonie (poliodystrophie)	0	AR ou AD
Poliodystrophies infantiles (Alpers)	Poliodystrophie	Biopsie cérébrale (?)	AR ou S
Dystonie musculaire déformante	Atteinte extra-pyramidale	0	AR, AD, S
Chorée de Huntington	Atteinte extra-pyramidale	0	AD
Maladie de Hallervorden-Spatz	Atteinte extra-pyramidale	0	AR, S
Dystrophie neuroaxonale infantile	Inclassable (proche des leucodystrophies)	Biopsies périphériques	AR
Maladie de Leigh	Inclassable	0	AR

AD = autosomique dominant
AR = autosomique récessif
GR = gonosomique
S = sporadique

Tableau 12 : Orientation du diagnostic des encéphalopathies dégénératives selon l'âge et le mode de présentation

	Atteinte systémique	Leucodystrophie	Poliodystrophie et épilepsie-myoclonie	Atteinte extra-pyramidale	Inclassable
1re année	Maladie de Niemann-Pick A Maladie de Gaucher infantile Gangliosidose à GM₁, type I	Maladie de Krabbe Maladie de Pelizaeus Maladie d'Alexander	Maladie de Tay-Sachs et de Sandhoff Céroïde-lipofuschinose infantile précoce Maladie de Menkès Poliodystrophies infantiles	Maladie de Lesh-Nyhan	Dystrophie neuro-axonale infantile Dégénérescence spongieuse du névraxe Maladie de Leigh
1-5 ans	Maladie de Niemann-Pick C	Leucodystrophie métachromatique Adrénoleucodystrophie	Gangliosidose à GM₁ type II Gangliosidose à GM₂ infantile tardive Céroïde-lipofuchsinose infantile tardive		Dystrophie neuro-axonale infantile Maladie de Leigh
5-10 ans	Maladie de Niemann-Pick C	Formes tardives des leucodystrophies (Krabbe et métachromatique) Adrénoleucodystrophie	Céroïde-lipofuchsinose juvénile Épilepsies-myoclonies « dégénératives »	Dystonie musculaire déformante Chorée de Huntington	Maladie de Leigh (formes juvéniles)
≥ 10 ans	Maladie de Gaucher juvénile Maladie de Niemann-Pick C	Idem	Idem et maladie de Lafora	Maladie de Wilson Maladie de Hallervorden-Spatz	

quelques heures ou quelques jours, et comportant, outre les signes neurologiques, une détérioration générale, souvent avec acidose. Elles sont dues, le plus souvent, à des désordres du métabolisme des aminoacides, des acides organiques ou du cycle de l'urée, parfois à un trouble du métabolisme glucidique (galactosémie, glycogénose, hypoglycémie) (cf. chap. 22).

Plusieurs des maladies du groupe précédent peuvent s'exprimer plus tardivement par des *manifestations neurologiques intermittentes* (troubles de la conscience, ataxie). Celles-ci peuvent aussi s'observer dans le syndrome de Leigh (cf. p. 809).

Certaines maladies métaboliques peuvent se manifester dans la première enfance par un retard mental, isolé ou associé à des *troubles du comportement*, à des signes neurologiques non évolutifs, à des crises épileptiques (p. ex. la phénylcétonurie).

Un grand nombre d'encéphalopathies métaboliques se traduisent par une *détérioration neuropsychique lentement progressive*. Le développement initial des enfants atteints est normal pendant quelques mois à plusieurs années (intervalle libre), puis apparaissent une *régression* mentale avec perte d'acquisitions antérieurement faites et des signes neurologiques évolutifs. Ces encéphalopathies progressives peuvent être subdivisées en deux sous-groupes : les unes s'associent à des dysmorphies avec atteinte squelettique et viscérale (mucopolysaccharidoses et mucolipidoses, cf. pp. 875 ss., 878). Dans quelques-unes de celles-ci, les signes neuropsychiques sont longtemps très prédominants : *maladie de San Filippo* manifestée par une démence avec troubles du comportement, certaines *sialidoses* avec épilepsie-myoclonie.

La plupart des encéphalopathies progressives ne sont pas associées à des dysmorphies. Les principales maladies de ce groupe sont indiquées au tableau 11. La symptomatologie clinique, qui comporte toujours une régression neurologique et/ou psychique, est classée schématiquement en cinq types selon ses modalités et signes d'accompagnement : 1. avec atteinte systémique évidente (hépatomégalie, splénomégalie, atteinte osseuse, présence de cellules de surcharge dans le sang ou la moelle osseuse) ; 2. leucodystrophies (atteinte prédominante de la myéline de la substance blanche avec syndromes cérébelleux et pyramidal, sans manifestations épileptiques précoces) ; hypodensité symétrique de la substance blanche à l'examen TDM ; 3. poliodystrophies et épilepsies-myoclonies progressives (atteinte prédominante de la substance grise avec convulsions, myoclonies, paroxysmes EEG, atrophie corticale à l'examen TDM) ; 4. symptomatologie extra-pyramidale (rigidité, dystonie, mouvements anormaux) ; 5. inclassable.

L'âge de début des signes a aussi une très grande valeur pour l'orientation du diagnostic (cf. tableau 12).

Principales encéphalopathies métaboliques de l'enfant

(cf. tableau 11)

Troubles du métabolisme des lipides

Sphingolipidoses

Elles sont caractérisées par l'accumulation dans le système nerveux central et parfois dans les nerfs périphériques et les viscères de glycolipides complexes, par suite d'un déficit enzymatique affectant sélectivement le catabolisme de l'un de ces produits qui sont des constituants essentiels du tissu nerveux (cf. pp. 812 ss.).

Leucodystrophie métachromatique

Elle est due au déficit en cérébroside-sulfatase conduisant à l'accumulation de sulfatides (esters sulfuriques des cérébrosides) dans le système nerveux central et périphérique et certains viscères (reins, vésicule biliaire). La maladie débute dans la 2ᵉ année par une diplégie spastique avec souvent syndrome cérébelleux, suivie de détérioration intellectuelle, et évolue vers la mort en quelques années. Une neuropathie périphérique est en règle associée, le plus souvent manifestée seulement électriquement. Une hyperprotéinorachie est fréquente. Il existe une forme juvénile débutant après 3 ans, révélée surtout par une détérioration mentale. Le diagnostic est fondé sur l'absence d'activité aryl-sulfatase A leucocytaire (parfois abaissée dans d'autres affections neurologiques ou chez des sujets normaux, d'où nécessité de déterminer l'activité naturelle de la cérébroside-sulfatase).

Leucodystrophie de Krabbe (ou à corps globoïdes)

Elle est due à un déficit en galactocérébroside-bêta-galactosidase. Dans la forme infantile, le début se manifeste entre 2 et 4 mois par une régression et une rigidité. L'abolition précoce des réflexes tendineux traduit l'atteinte périphérique (vitesses de conduction nerveuse effondrées). Il existe une hyperalbuminorachie. L'évolution est rapidement fatale. La forme juvénile est exceptionnelle.

Gangliosides

Les plus fréquentes sont les gangliosidoses à GM_2.

La *maladie de Tay-Sachs* (déficit en hexosaminidase A) débute dans les premiers mois par des sursauts ou clonies acoustiques. Une décérébration progressive s'installe dans le second semestre avec souvent mégalencéphalie. Il existe une tache rouge cerise maculaire. L'évolution est léthale en a trois ans.

La *maladie de Sandhoff* (déficit en hexosaminidase A et B) est cliniquement identique. Des variantes tardives, en particulier avec ataxie cérébelleuse, sont connues.

La *gangliosidose à GM_1*, due à un déficit en B-galactosidose, revêt deux formes : type I (Landing) avec atteinte osseuse et viscérale nette, de début néonatal ; type II de présentation purement neurologique dans la deuxième année, avec seulement de rares altérations osseuses (vertébrales).

Adrénoleucodystrophie (maladie de Schilder-Addison)

Cette maladie associe une leucodystrophie à une insuffisance surrénalienne souvent très dissociée. Elle semble en relation avec l'accumulation d'acides gras à très longue chaîne mais le déficit enzymatique n'est pas connu. Le début prend place après 3 ans. Il peut être marqué par des troubles endocriniens (surtout mélanodermie) ou neurologiques. L'adrénoleucodystrophie est la cause la plus fréquente de détérioration neuropsychique chez le garçon dans la seconde enfance (avec la panencéphalite subaiguë). Les convulsions et surtout les troubles de la vue et de l'audition sont fréquents. Le diagnostic repose : 1. sur la TDM (image hypodense postérieure des 2 centres ovales, bordée d'un liséré de prise de contraste) ; 2. sur la démonstration d'une atteinte surrénalienne (test à l'ACTH, élévation de l'ACTH circulante) ; 3. sur la biopsie cutanéoconjonctivale (images de fentes dans les cellules de Schwann) ; 4. sur la démonstration d'un rapport acides gras en C26/C22 élevé (fibroblastes et plasma).

Céroïdes-lipofuchsinoses

Elles sont caractérisées par l'accumulation intraneuronale de lipopigments dont l'aspect ultrastructural est distinct de celui de la lipofuchsine physiologique et varie avec les formes en cause. Ils pourraient résulter d'une oxydation anormale des acides gras avec polymérisation. La symptomatologie associe une atteinte rétinienne (rétinopathie pigmentaire, parfois seulement ERG éteint) à des signes de poliodystrophie, en particulier crises myo-atoniques avec détérioration mentale rapide. La forme infantile tardive (début entre 2 et 5 ans), la plus fréquente, débute par des manifestations épileptiques et est parfois confondue avec le syndrome de Lennox (cf. p. 905). La forme juvénile (début après 5 ans) est initialement marquée par des troubles visuels isolés. Le diagnostic repose sur : 1. les examens neurophysiologiques (ERG éteint, EEG variable selon les formes) ; 2. la TDM (atrophie corticale marquée) ; 3. la mise en évidence de la surcharge dans les cellules cutanées et conjonctivales ou dans les lymphocytes.

Autres troubles métaboliques déterminés

Maladie de Lesh-Nyhan

C'est un trouble complexe du métabolisme des purines dû à l'absence d'activité de l'hypoxanthine guanine-phosphoribosyltransférase. Elle débute dans la première année par un retard psychomoteur. Dans la 2e année s'y ajoutent une dystonie puis des automutilations, enfin une goutte sévère avec urolithiase. L'uricémie est généralement de 0,6 mmol/l

(100 mg/l) ou plus et l'uricurie dépasse 0,11 mmol/l (20 mg/kg/j.). Le diagnostic est confirmé par l'étude enzymatique (leucocytes, fibroblastes). Le traitement (allopurinol) n'est pas actif sur l'encéphalopathie.

Maladie de Wilson

Elle comporte une accumulation excessive du cuivre dans le foie, la cornée, le cerveau (noyaux gris centraux et cortex). Il en résulte un syndrome de rigidité avec dyskinésie, un faciès grimaçant, souvent des convulsions et des troubles psychiques s'installant après l'âge de 7-10 ans. Une atteinte hépatique, parfois clinique, est constante. Le diagnostic repose sur 1. la constatation de l'anneau péricornéen de Kayser-Flescher, constant dans les formes neurologiques ; 2. le taux effondré de céruloplasmine dans 95% des cas ; 3. l'élévation de la cuprurie, parfois seulement après chélateurs ; 4. l'élévation du cuivre hépatique (biopsie) au stade préclinique ou dans les cas difficiles.

Le traitement et la d-pénicillamine orale (0,5 à 0,75 g/j. avant 10 ans, 1 g/j. après) associée à un régime pauvre en cuivre. Il est efficace dans plus de la moitié des cas mais doit être poursuivi indéfiniment.

Maladie de Menkès (trichopoliodystrophie)

Elle est due à un trouble mal compris du métabolisme cuprique. Elle associe hypotrophie, hypothermie, cheveux rares et pâles, convulsions répétées, absence d'éveil, altérations artérielles et osseuses (pseudoscorbutiques). Le diagnostic repose sur : 1. l'examen microscopique des cheveux (pili torti) ; 2. la baisse de la cuprémie en dessous de 3,9 μmol/dl (25 μg). L'évolution est fatale en quelques mois, même si le niveau normal du cuivre sanguin est rétabli par le traitement.

Maladie de Lafora

Elle est liée à l'accumulation intraneuronale et diffuse de polyglucosans (proches du glycogène). Elle débute après 10 ans par crises généralisées suivies de myoclonies erratiques et de détérioration neuropsychique rapide, entraînant la mort avant 20 ans. Le diagnostic peut être fait par biopsie périphérique ou cérébrale. Les *épilepsies-myoclonies « dégénératives »*, sans surcharge cellulaire, ont une expression analogue mais avec un début plus précoce, une évolution très lente et peu de détérioration.

Le traitement par le clonazépam, la valproate de sodium, le 5-hydroxytryptophane est souvent efficace.

Encéphalopathies sans troubles métaboliques connus

Chorée de Huntington

Elle revêt souvent dans l'enfance un aspect de rigidité extrapyramidale sans mouvements choréiques. Les convulsions sont fréquentes. Le diagnostic repose sur l'histoire familiale et clinique.

Dystonie musculaire déformante

Elle débute, après 3-5 ans, par une dystonie qui touche, en général, un membre inférieur (pied varus équin) puis tend à se généraliser. Une dystonie de l'axe (lordose, rotation) s'y associe, donnant naissance à des attitudes bizarres, fluctuantes qui font évoquer, à tort, une hystérie. Il n'y a ni signes pyramidaux, ni anomalies de la TDM. L'évolution lente est parfois améliorée par la L-dopa, la bromocriptine, le 5-hydroxytryptophane.

Dystrophie neuroaxonale infantile

Dégénérescence diffuse des axones centraux et périphériques. Elle débute entre 6 mois et 2 ans avec un tableau proche de celui de la leucodystrophie métachromatique. Le LCR et les vitesses de conduction nerveuse sont normaux. Il peut exister des signes électriques de dénervation et l'hypotonie est massive. L'atrophie optique est fréquente. Le diagnostic repose sur la démonstration des « sphéroïdes » dans les terminaisons nerveuses (conjonctive, peau, muscle).

Encéphalomyélopathie nécrosante subaiguë (Leigh)

Syndrome anatomoclinique caractérisé par des zones de nécrose symétrique dans la calotte du tronc cérébral, les noyaux gris centraux, la substance grise de la moelle, parfois la substance blanche et le cortex, et relevant probablement de causes multiples. Il débute le plus souvent avant 2 ans (forme infantile) par un retard psychomoteur avec hypotonie. L'atteinte des paires crâniennes (oculomoteurs en particulier), les troubles du rythme et de l'amplitude respiratoire, l'atrophie optique sont évocateurs. La lactacidémie et la pyruvicémie sont parfois élevées. L'évolution est fatale, parfois après rémission partielle. La vitamine B_1 à doses massives a été préconisée.

Syndrome de Rett

Il atteint exclusivement les filles sans caractère familial et débute vers 6-18 mois par l'apparition progressive d'un autisme atypique avec ataxie et perte de l'utilisation des mains, remplacée par des stéréotypies. Après 3 ans, les troubles psychiques se stabilisent mais un syndrome pyramidal, une microcéphalie, une épilepsie apparaissent. L'évolution est lente mais très sévère (paraplégie et cyphoscoliose).

Maladies hérédo-dégénératives de la moelle

Les unes comportent une atteinte exclusive des neurones de la corne antérieure : ce sont des *amyotrophies spinales* (cf. p. 958) ; les autres, une dégénérescence progressive de certains faisceaux axonaux et peuvent être associées à des lésions cérébelleuses et du tronc cérébral : ce sont les *dégénérescences spino-cérébelleuses*.

Maladie de Friedreich

C'est la mieux individualisée et la plus fréquente de ce groupe. Elle débute entre 5 et 15 ans par une ataxie liée à la fois aux troubles de la sensibilité profonde (dégénérescence cordonale postérieure) et aux troubles cérébelleux (atteinte des faisceaux spino-cérébelleux). Les réflexes tendineux sont abolis. Il existe un signe de Babinski bilatéral. Tremblement et dysarthrie sont la règle. La conduction nerveuse sensitive est affectée électriquement. La scoliose et les pieds creux sont fréquents. L'atteinte cardiaque est rarement révélatrice mais existe dans 90% des cas au moins. C'est une cardiomyopathie hypertrophique prédominant sur le ventricule gauche, détectable radiologiquement par électrocardiogramme et par échocardiographie. Elle peut produire des troubles du rythme ou une insuffisance cardiaque, responsable de la mort dans 50% des cas. Un diabète sucré est fréquent. La durée d'évolution est de 15 à 25 ans. Le mode de transmission est autosomique récessif.

Ataxies spastiques

Elles sont rares chez l'enfant et diffèrent du Friedreich par la moindre intensité de l'atteinte neurale et cordonale postérieure (réflexes vifs), par l'absence d'atteinte cardiaque, par la spasticité. Elles sont transmises sur le mode dominant autosomique avec une expression très variable, même à l'intérieur d'une famille, ou sur le mode récessif. Il s'agit d'un groupe hétérogène dont la nosologie est incertaine. Le diagnostic ne peut être posé que s'il existe une notion familiale. En son absence, il faut éliminer une leucodystrophie ou une gangliosidose atypique.

Paraplégies spasmodiques familiales

Elles sont aussi classées dans les dégénérescences spino-cérébelleuses et sont caractérisées par une paraplégie spasmodique très lentement évolutive et longtemps isolée. Des signes d'atteinte des autres faisceaux médullaires peuvent apparaître ultérieurement. Le mode de transmission est dominant ou récessif autosomique, parfois récessif lié à l'X.

Ataxie-télangiectasie

Elle se rapproche par ses lésions neuropathologiques des dégénérescences spino-cérébelleuses. Elle débute dès l'âge de la marche mais les télangiectasies caractéristiques de la conjonctive bulbaire n'apparaissent qu'après plusieurs années. Les signes neurologiques (syndrome cérébelleux, choréo-athétose, contraversions oculaires) ont une progression très lente. Le déficit immunitaire associé (anomalies de l'immunité cellulaire, parfois déficit en IgA) peut rester infra-clinique ou se manifester par des infections respiratoires répétées avec parfois dilatation bronchique. Aucun traitement n'est connu. Transmission autosomique récessive.

Conseil génétique
dans les maladies dégénératives du système nerveux central

En raison de l'absence fréquente de traitement étiologique, le conseil génétique représente souvent la seule possibilité thérapeutique (préventive). Dans les cas où un diagnostic ferme est porté, il est généralement facile de connaître les modalités de transmission, donc le risque (cf. tableaux 11 et 12). Si l'on peut seulement, sans plus de précision, affirmer le caractère progressif de l'encéphalopathie, il est prudent de considérer qu'une transmission récessive autosomique est au moins probable.

Le *diagnostic prénatal* (par amniocentèse) est possible dans un nombre assez élevé de maladies dégénératives du système nerveux central (cf. tableau 11). Une étude enzymatique complète des familles est surtout nécessaire dans les formes cliniquement atypiques. Aucun diagnostic n'est possible dans la maladie de Werdnig-Hoffmann, l'ataxie télangiectasie, les dégénérescences spino-cérébelleuses.

Maladies infectieuses et para-infectieuses
du système nerveux central

Méningites purulentes (cf. tableau 13)

Leur début, ordinairement brutal, est marqué par des *céphalées,* des *vomissements* et de la *fièvre.* L'examen met en évidence la *raideur* de la nuque (empêchant la flexion de la tête en avant), du tronc et des membres inférieurs, extériorisée par la flexion forcée des membres inférieurs quand on tente de fléchir le tronc. Des troubles de la conscience (obnubilation et coma) sont possibles. L'*hyperesthésie* générale et cutanée, la photophobie contribuent à l'aspect particulier de ces enfants et facilitent le diagnostic. L'examen de la peau (à la recherche d'un purpura), la prise de la tension artérielle, la recherche d'une porte d'entrée éventuelle doivent être faits systématiquement.

La *ponction lombaire,* impérative au moindre soupçon, permet le diagnostic en montrant : 1. un liquide trouble avec une pléiocytose

Tableau 13 : Principales méningites purulentes de l'enfant

Germe	Age électif de survenue	Signes cliniques particuliers, complications	Etiologie
N. Meningitidis (méningocoque)	Nourrisson et grand enfant	Purpura cutané Collapsus circulatoire (syndrome de Waterhouse-Friedrichsen)	Endémique et épidémique
D. Pneumoniae (pneumocoque)	Nourrisson, grand enfant	Otites et infections respiratoires associées Convulsions et hydrocéphalie plus fréquentes	Parfois origine exogène (fracture ou défect de l'ethmoïde ou de la caisse du tympan, d'où récidives possibles)
H. Influenzae (b. de Pfeiffer)	Enfant de moins de 3 ans	Souvent précédée d'otite ou d'infection des voies respiratoires	Endémique et parfois épidémique
Streptocoque B	Nouveau-né	Isolée (2ᵉ semaine) ou associée à un tableau septicémique (1ᵉʳˢ jours)	Origine maternelle ou nosocomiale
E. Coli	Nouveau-né	Evolution plus sévère si présence d'antigène K	Origine maternelle habituelle Chez l'enfant plus grand, due parfois à la présence d'une fistule dermique sacrée
Proteus	Nouveau-né	Abcès cérébraux multiples	
P. Aeruginosa Citrobacter	Nouveau-né, parfois plus tard	Lésions cutanées d'ecthyma gangréneux Abcès cérébraux	Origine hydrique (incubateurs, sondes, canules, etc.), contamination opératoire parfois
Listeria monocytogenes	Nouveau-né	Lésions pulmonaires et hépatiques Septicémie, cyanose	Origine maternelle
Salmonelles	Nouveau-né et nourrisson	Evolution tenace et récidivante	Epidémique (?)
Staphylocoque (blanc ou doré)	Tout âge	Souvent à bas bruit	Contamination opératoire, shunts

importante à polynucléaires altérés ; 2. une hyperprotéinorachie ; 3. la présence de germes à l'examen direct et sur cultures ; 4. une hypoglycorachie inférieure à 1,1 mmol/l (0,20 g/l). La pléiocytose peut manquer ou être minime dans certains aspects initiaux (méningocoques-pneumocoques) malgré la présence de germes.

Evolution : Sous traitement immédiat, elle est le plus souvent favorable. La stérilisation du liquide est obtenue dans les formes communes en 24-36 heures. La normalisation du liquide est beaucoup plus lente et il n'est pas rare qu'au terme du traitement persistent une pléiocytose modérée et une protéinorachie un peu forte. Des complications peuvent survenir : *a)* précoces : crises convulsives parfois répétées en état de mal, thromboses artérielles ou veineuses entraînant une symptomatologie neurologique focale, *collapsus circulatoire* avec parfois hémorragies des surrénales et coagulopathie de consommation ; *b)* plus tardives : symphyse des méninges basilaires (ou de l'aqueduc) responsable d'une hydrocéphalie ou rarement d'une pyocéphalie nécessitant un abord ventriculaire ou une dérivation. La fréquence des *épanchements sous-duraux* est élevée, mais ceux-ci n'ont que rarement une histoire clinique propre et ne nécessitent généralement pas de traitement.

La mortalité globale se situe autour de 10% et des séquelles (débilité mentale, microcéphalie, syndromes pyramidaux uni- ou bilatéraux, convulsions) sont constatées chez 15% des enfants, surtout chez les nourrissons. La *surdité* par méningo-névrite de la 8e paire est à dépister.

Aspects particuliers : Les méningites du nouveau-né et des deux premiers mois sont dues à des germes très différents de ceux des méningites de l'enfant plus grand. Leur symptomatologie est fruste, réduite souvent à une anorexie, des troubles de la succion, une hyperesthésie, des troubles de la conscience avec ou sans fièvre. La raideur est exceptionnelle et le bombement ou la tension de la fontanelle peuvent eux-mêmes manquer. L'évolution est beaucoup plus grave avec une mortalité de 30 à 60% et des séquelles fréquentes (en particulier l'hydrocéphalie).

Traitement : Le traitement antibiotique est détaillé ailleurs (cf. pp. 631 à 637, chap. 19). Le traitement général est *essentiel* et comporte : 1. une hydratation correcte, limitée sur la base de 70 à 80 ml/kg/24 h ; 2. l'administration systématique d'anticonvulsivants ; 3. la lutte contre l'hypertension intracrânienne (cf. p. 951) ; 4. la lutte contre le collapsus circulatoire.

Complications du traitement : la fièvre « thérapeutique » est fréquente et due à des abcès, à une allergie aux médicaments ou à des causes non précisées. Des méningites chimiques sont observées parfois après emploi de sulfamides. Les convulsions dues à la pénicilline sont possibles après des doses élevées par voie générale. L'*hyponatrémie* doit être recherchée en présence de convulsions (sécrétion inadéquate d'hormone antidiurétique).

Méningites non bactériennes

La symptomatologie ressemble à celle des méningites purulentes, bien qu'elle soit souvent plus atténuée. Les principales causes des méningites abactériennes sont indiquées au tableau 14. Le liquide céphalo-rachidien

Tableau 14 : Causes principales des méningites à liquide clair

Agents microbiens :
- Tuberculose
- Leptospiroses
- Brucellose
- Syphilis
- Mycoplasmes

Mycoses :
- Torulose (cryptococcose)
- Candidose
- Actinomycose
- Mucoracées
etc.

Protozoaires :
- Toxoplasmose
- Paludisme
- Trypanosomiase

Virus :

a) Atteinte directe :
- Poliomyélite
- Chorio-méningite
- Coxsackie B
- ECHO
- Herpès
- Mononucléose infectieuse
- Virus EB et CMV
etc.

b) Atteinte indirecte :
- Oreillons
- Rougeole
- Rubéole
- Varicelle
- Vaccine
etc.

Processus de voisinage :

a) Foyer infectieux :
- Abcès cérébral
- Otite
- Mastoïdite
- Empyème

b) Foyer tumoral :
- Tumeurs cérébrales
- Leucémies
- Lymphomes
- Kystes dermoïdes et épidermoïdes

c) Autres foyers :
- Sarcoïdose
- Granulomes parasitaires ou allergiques

Causes inconnues :
- Uvéoméningites
- Syndrome de Behçet
- Méningite multirécurrente (Mollaret)

est ordinairement clair avec une pléiocytose d'importance variable, lymphomonocytaire le plus souvent, une hyperprotéinorachie modérée sans germes visibles et une glycorachie normale. Celle-ci peut cependant être basse dans quelques cas de méningite virale. L'évolution est bénigne. Des complications sont cependant possibles, en particulier la *surdité* dans les méningites ourliennes. Une participation encéphalitique peut accompagner la plupart de ces méningites. Le pronostic est alors fonction de l'atteinte parenchymateuse.

Méningite tuberculeuse

Symptomatologie : Le début de la maladie est marqué : 1. par une élévation fébrile modérée mais constante ; 2. par des vomissements répétés et faciles ; 3. parfois par des phénomènes douloureux abdominaux ou otalgiques. Il peut être précédé d'une phase prodromique d'altération de l'état général et de modifications du caractère. Les signes méningés sont souvent retardés par rapport à la symptomatologie fonctionnelle et générale ; ils sont fréquemment atténués ou discrets et ne doivent en aucun cas être attendus.

Diagnostic : Il repose : 1. sur la recherche d'une infection tuberculeuse (recherche d'une contamination possible habituellement familiale, étude de l'allergie cutanée à la tuberculine) ; la notion de virage récent (moins d'un an) des réactions cutanées est fondamentale ; l'allergie cutanée est cependant négative dans 15% des méningites tuberculeuse ; 2. sur la présence d'autres localisations tuberculeuses (complexe ganglio-pulmonaire de primo-infection, miliaire pulmonaire, tubercules du fond d'œil) ; 3. sur la ponction lombaire, qui ramène un liquide clair contenant un *excès de cellules* (habituellement lymphocytes), un *excès d'albumine*, et qui montre une hypochlorurachie et une hypoglycorachie ; la présence de bacilles de Koch affirme seule le diagnostic, mais leur recherche peut être difficile à l'examen direct, et la culture sur milieu de Löwenstein et l'inoculation au cobaye sont nécessaires, soit pour affirmer le diagnostic, soit pour confirmer la nature exacte du bacille et tester sa sensibilité aux antibiotiques.

Traitement : Il sera entrepris aussitôt le diagnostic de méningite confirmé, après prélèvement de 2 ou 3 échantillons de liquide céphalorachidien mis en culture et inoculé. Le traitement des tuberculoses aiguës est décrit ailleurs (cf. p. 681). Le traitement intrathécal n'est pas indispensable avec les médicaments actuels.

Evolution : Elle dépend de la souche en cause, des signes initiaux de gravité, du délai apporté au traitement. Elle est souvent *favorable* (80% des cas), le traitement étant alors poursuivi entre un an et 18 mois. Elle peut être compliquée (20% des cas) par des lésions vasculaires (hémiplégies), par une hydrocéphalie évolutive ou des signes oculaires (cécité). L'évolution fatale est aujourd'hui rare (< 10% des cas). Les méningites tuberculeuses doivent être distinguées de certaines méningites subaiguës à liquide clair, en particulier de certaines mycoses (toruloses) et de méningites consécutives à des lésions cérébrales de voisinage (abcès, etc.) (cf. tableau 14).

Encéphalites et encéphalomyélites

Encéphalites aiguës

La symptomatologie comporte, en proportions variées : des *troubles de la conscience* (obnubilation, confusion ou coma), des *convulsions*, parfois en état de mal, des *signes de localisation neurologique* souvent plurifocaux et fluctuants (signes pyramidaux, extra-pyramidaux, cérébelleux, parfois à prédominance unilatérale), un *syndrome inflammatoire* avec fièvre et modifications du liquide céphalorachidien (pléiocytose, hyperprotéinorachie, élévation des gammaglobulines) presque constantes.

On distingue deux types d'encéphalites aiguës :
● Les *encéphalites primitives*, dans lesquelles existe une réplication virale à l'intérieur du névraxe, sont le plus souvent dues au virus herpétique (type II chez le nouveau-né, type I plus tard). La symptomatologie est volontiers focale. Le LCR contient souvent des hématies. L'EEG

montre, mais parfois de façon temporaire, des complexes périodiques évocateurs. La TDM montre des hypodensités souvent temporales et, parfois, des foyers hémorragiques. Le diagnostic peut être prouvé par biopsie cérébrale, qui n'est pas sans risque. La mise en évidence d'une synthèse locale d'anticorps spécifiques est en fait suffisante mais elle est souvent tardive. La présence d'interferon I dans le LCR indique précocement qu'il s'agit d'une encéphalite primitive. Le traitement précoce par l'adénine-arabinoside ou l'acyclovir (pour certains associés aux corticoïdes) réduit la mortalité, mais les séquelles restent fréquentes.

● Les *encéphalites post-infectieuses* (ou périveineuses) touchent surtout la substance blanche et sont secondaires le plus souvent à une maladie exanthématique. Le virus en cause n'est pas mis localement en évidence et l'élévation des gammaglobulines n'est que transitoire. L'évolution est souvent favorable. Il n'y a pas de traitement spécifique.

Encéphalopathies aiguës para-infectieuses

Affections non inflammatoires du cerveau qui s'observent au décours de maladies virales diverses. Leur symptomatologie, très aiguë, est faite de coma et de convulsions, souvent prolongées, avec un LCR normal. Leur mécanisme, probablement multiple, reste mal compris et leur traitement symptomatique. Une forme particulière associe aux signes encéphaliques (coma, hypertonie musculaire) une atteinte hépatique avec anatomiquement stéatose microvésiculaire et lésions mitochondriales et, biologiquement, élévation des transaminases, de l'ammoniémie, hyper-aminoacidurie, parfois hypoglycémie : c'est le *syndrome de Reye,* dont les limites sont encore incertaines. Il fait suite à des infections virales (influenza, varicelle, en particulier) et débute généralement par des vomissements. Le traitement (en unité de soins intensifs) comporte le maintien des constantes vitales, la lutte contre l'hypertension intracrânienne (cf. p. 951). L'exsanguino-transfusion et l'hémodialyse restent discutées.

Encéphalites subaiguës

La panencéphalite subaiguë de la rougeole (encéphalite de Dawson-Van Bogaert) survient plusieurs années après une rougeole, souvent précoce. Elle semble exceptionnelle après rougeole vaccinale. Elle comporte : 1. une détérioration psychique et une atteinte des fonctions verbales et symboliques, progressives ; 2. l'apparition secondaire de mouvements anormaux rythmiques, stéréotypés, parfois de brèves crises atoniques ; 3. finalement une décérébration avec démence conduisant à la mort en quelques mois ou années.

Le diagnostic repose sur la présence de complexes monomorphes, rythmiques, à l'EEG, sur l'élévation oligoclonale des gammaglobulines dans le LCR, sur le titre élevé des anticorps contre le virus de la rougeole dans le sang et le LCR. Les traitements de renforcement immunitaire sont à l'étude.

Des formes plus précoces d'encéphalite retardée de la rougeole (2 à 6 mois après la contamination), de symptomatologie comateuse et convulsive aiguë, peuvent se voir, surtout chez les enfants immuno-déprimés.

La rubéole peut exceptionnellement donner une encéphalite chronique.

Abcès du cerveau

Ils peuvent résulter de la propagation d'une infection de voisinage (otite, mastoïdite), d'une métastase septique à partir d'un foyer à distance pulmonaire ou pharyngé (amygdalectomie). Un tiers des abcès observés actuellement le sont chez des enfants atteints de *cardiopathies congénitales* avec shunt droite-gauche.

La symptomatologie comporte l'association d'un syndrome infectieux parfois réduit à un amaigrissement, de signes d'hypertension intracrânienne et de signes de focalisation. Le liquide céphalo-rachidien présente souvent une réaction cellulaire aseptique. Le diagnostic est suggéré souvent par l'électro-encéphalogramme, qui montre un foyer limité de rythme δ polymorphe, et affirmé par les examens neuroradiologiques, en particulier par la TDM, qui précise le caractère unique ou multiple de l'abcès et permet d'en suivre l'évolution sous traitement.

Le traitement comporte : 1. l'administration d'antibiotiques à forte dose ; 2. l'évacuation chirurgicale de la collection par ponction ou exérèse.

La mortalité oscille entre 20 et 50 %. Des séquelles neurologiques ou épileptiques sont présentes chez une proportion variable des survivants.

Névrite optique et sclérose en plaques

Perte soudaine de la vision centrale d'un ou des yeux avec mydriase ne réagissant pas à la lumière. Le fond d'œil peut montrer un œdème papillaire (neuropapillite) ou être normal (névrite rétrobulbaire). La névrite optique reste unique et isolée dans la majorité des cas ; elle fait parfois suite à une virose (rougeole, rubéole). La récupération est habituelle. Une névrite peut être la première manifestation d'une sclérose en plaques, des signes neurologiques disséminés, en particulier médullaires, apparaissant après une durée variable. Dans ce cas, les gammaglobulines sont souvent élevées dans le liquide céphalo-rachidien. La TDM peut montrer des lésions disséminées du centre ovale. La compression du nerf optique par une tumeur intracrânienne ou orbitaire peut produire un tableau identique à celui des névrites.

Ataxies cérébelleuses aiguës et subaiguës

Elles sont caractérisées par l'installation rapide d'un syndrome cérébelleux statique et/ou cinétique. L'évolution se fait vers la régression en quelques semaines ou mois. Il s'agit d'un syndrome dont les causes sont multiples : certaines infections virales (poliomyélite, ECHO, Coxsackie), certaines intoxications (DDT, polymyxines, pipérazine, hydantoïnes, etc.) ou des processus analogues à l'encéphalite périveineuse (rougeole, varicelle). L'association à des *opsoclonies* (secousses oculaires brusques) et à des *myoclonies* (syndrome opso-myoclonique) doit faire rechercher la présence d'un neuroblastome. Le traitement est symptomatique.

Chorée de Sydenham

C'est une maladie de la seconde enfance, atteignant surtout les filles, caractérisée par l'association de mouvements anormaux, brusques, irréguliers (à prédominance faciale et rhizomélique, souvent à prédominance unilatérale), d'une hypotonie musculaire très marquée et de modifications du comportement (émotivité excessive, instabilité, troubles de l'attention). Elle évolue vers la guérison spontanée en 6 à 8 semaines, mais les récidives sont fréquentes. Elle est considérée comme une manifestation du rhumatisme articulaire aigu dont elle constitue un *critère majeur* (cf. pp. 851 ss.). Elle peut être par conséquent associée à des cardites, souvent insidieuses, et laissant souvent des séquelles valvulaires, mitrales en particulier. Les signes inflammatoires sont souvent absents.

Le traitement doit être celui du rhumatisme articulaire aigu quand les signes d'inflammation sont présents. On associe un traitement symptomatique : neuroleptiques à doses progressives. Dans tous les cas la prophylaxie pénicillinique sera celle de la maladie de Bouillaud (cf. p. 853).

Myélopathies aiguës

Elles donnent lieu à une paraplégie à début aigu, installée parfois au cours d'une maladie infectieuse. Elles doivent être distinguées des *compressions médullaires*, sur l'existence fréquente d'une pléiocytose du liquide céphalo-rachidien et sur l'absence de blocage manométrique. L'évolution est imprévisible, des régressions spectaculaires étant possibles.

Le traitement est symptomatique, la prévention des escarres, des infections urinaires et des attitudes vicieuses en formant l'essentiel. La corticothérapie est parfois utilisée.

Polyradiculonévrites (syndrome de Guillain-Barré)

Atteinte des racines rachidiennes et parfois des troncs périphériques par un processus de démyélinisation segmentaire, de mécanisme immunitaire probable, l'agression initiale étant sans doute virale. Les polyradiculonévrites sont caractérisées par l'installation rapide mais progressive de paralysies flasques symétriques diffuses touchant les membres mais souvent aussi la face (diplégie faciale), les muscles de la déglutition et les muscles de la respiration. Les réflexes tendineux sont abolis, parfois au-delà du territoire paralysé. La perte de la sensibilité, les paresthésies et les douleurs (crampes) sont variables. Le liquide céphalo-rachidien ne montre pas de pléiocytose mais une hyperalbuminorachie franche (> 0,60 g/l) qui ne s'installe qu'après plusieurs jours d'évolution. L'évolution se fait spontanément vers la guérison dans les formes communes. Dans les formes graves, la mort peut être le fait de la paralysie respiratoire, des troubles de la déglutition ou de troubles végétatifs.

Le traitement dans les formes communes est fondé sur la physiothérapie. Dans les formes avec paralysie de la déglutition, il faut : 1. suspendre toute alimentation orale ; 2. mettre le malade en position déclive ; 3. aspirer en permanence le pharynx et prévenir toute inhalation de salive.

La paralysie des muscles respiratoires commande l'utilisation des techniques de ventilation artificielle. La corticothérapie est discutée.

Paralysies faciales

La cause des *paralysies faciales a frigore* est inconnue. Ces paralysies donnent lieu à une atteinte égale du facial supérieur et inférieur, le plus souvent complète. Des aspects tout à fait analogues sont réalisés par certaines infections virales (zona, herpès, poliomyélite), mais le liquide céphalo-rachidien est alors le plus souvent anormal.

L'évolution est spontanément régressive dans la très grande majorité des paralysies faciales de l'enfant. Aucun traitement n'est donc ordinairement nécessaire, bien que la corticothérapie soit souvent préconisée. Les paralysies « a frigore » doivent être distinguées des paralysies faciales *otiques* par l'examen systématique des tympans et la radiographie des mastoïdes.

Tumeurs

du système nerveux central

Ce sont les plus fréquentes des tumeurs solides de l'enfance. Les tumeurs cérébrales sous-tentorielles sont les plus communes (60 % des cas). Les tumeurs supratentorielles (40 % des cas) sont à peu près également réparties entre les tumeurs médianes (gliomes du chiasma, craniopharyngiomes, etc.) et les tumeurs hémisphériques et des noyaux gris centraux. Les tumeurs médullaires sont beaucoup plus rares.

Tumeurs cérébrales

Le diagnostic des tumeurs cérébrales doit être porté tôt, car les possibilités d'exérèse chirurgicale sont d'autant meilleures et les séquelles d'autant plus limitées que la tumeur est moins développée. Le diagnostic est affirmé par des moyens paracliniques (surtout TDM), mais il doit toujours être soupçonné sur les seuls signes cliniques. Ceux-ci, souvent assez banals, ne peuvent être correctement interprétés que si la possibilité d'une néoformation est toujours présente à l'esprit.

Les principaux types de tumeurs encéphaliques sont indiqués au tableau 15.

Tableau 15 : Tumeurs cérébrales de l'enfant

	Localisation	Nature histologique	Traitement	Résultat
Tumeurs infra-tentorielles	Cervelet	Astrocytomes (spongioblastomes)	Exérèse chirurgicale	Favorable
		Médulloblastomes	Exérèse, radiothérapie, chimiothérapie	30 à 50 % de survie, métastases, séquelles fréquentes
		Hémangioblastomes, sarcomes, kystes	Exérèse, parfois radiothérapie	Défavorable Récidives locales et métastases
	Plancher du 4e ventricule	Ependymomes et épendymoblastomes	Exérèse partielle + radiothérapie	Métastases et récidives locales
	Région pinéale	Germinomes, tératomes	Radiothérapie, shunts	Défavorable
	Tronc cérébral	Astrocytomes	Radiothérapie	
Tumeurs supra-tentorielles	Base du cerveau	Craniopharyngiome Adénomes hypophysaires	Exérèse partielle + radiothérapie + traitement endocrinien	Assez favorable Récidives possibles
		Gliomes du chiasma	Radiothérapie	Evolution lente Régression partielle possible
		Astrocytomes du 3e ventricule	Radiothérapie	Défavorable Parfois évolution lente
		Pinéalome ectopique	Radiothérapie	Voir plus haut
	Hémisphère cérébraux	Astrocytomes Ependymomes	Exérèse + radiothérapie idem	Récidives fréquentes idem
		Glioblastomes	Radiothérapie Traitement anti-œdémateux	Défavorable
		Oligogliomes	Exérèse	Favorable
		Méningiomes	Exérèse	Favorable
	Noyaux gris centraux	Astrocytomes Glioblastomes	Radiothérapie	Défavorable

Tumeurs du cervelet et du 4ᵉ ventricule

Elles sont presque toujours révélées par un *syndrome d'hypertension intracrânienne* net avec *céphalées* violentes de la seconde partie de la nuit et du matin, *vomissements* matinaux également, souvent violents et faciles, calmant parfois les céphalées, *douleurs abdominales* parfois. De tels symptômes commandent : 1. l'*examen des fonds d'yeux* qui montre très souvent un *œdème de stase*, bilatéral ; 2. la prise de radiographies simples du crâne qui montrent presque toujours (même en l'absence de stase) une *disjonction des sutures*, parfois un agrandissement de la selle turcique avec érosion du dorsum sellae.

Au syndrome hypertensif s'adjoignent souvent : 1. des attitudes anormales de la tête (latero ou retrocollis) avec parfois raideur de la nuque ; 2. un syndrome cérébello-vestibulaire fait surtout d'ataxie statique dans les tumeurs du vermis ; 3. un syndrome néo-cérébelleux avec dysmétrie et tremblement intentionnel dans les tumeurs des hémisphères ; 4. des atteintes des paires crâniennes dans les tumeurs du plancher du 4ᵉ ventricule. Le syndrome hypertensif peut cependant être isolé.

Chez le *nourrisson,* le tableau peut être celui d'une hydrocéphalie commune, d'où la nécessité d'une TDM systématique.

Tumeurs du tronc cérébral

Elles donnent lieu essentiellement à un syndrome neurologique qui associe des atteintes multiples des nerfs crâniens (de la 3ᵉ à la 12ᵉ paire) et une atteinte des fibres longues, avec syndrome pyramidal, syndrome cérébelleux et troubles sensitifs uni- ou bilatéraux. Le fond d'œil est presque toujours normal, de même que les radiographies du crâne. En dépit de cette absence d'hypertension intracrânienne, les vomissements sont fréquents.

Tumeurs de la région pinéale

Outre une hydrocéphalie précoce, elles donnent lieu à un *syndrome de Parinaud* (paralysie de l'élévation du regard) et parfois à une *puberté précoce*.

Tumeurs médianes supratentorielles

Toutes les tumeurs médianes peuvent donner lieu à trois ordres de troubles :
1. Une atteinte du chiasma ou des nerfs optiques entraînant des anomalies visuelles (hémianopsie bitemporale ou atypique, baisse parfois soudaine, uni- ou bilatérale, de l'acuité visuelle, mouvements oculaires anormaux, atrophie optique ou œdème de stase).
2. Une gêne à la circulation du liquide céphalo-rachidien entraînant une hypertension intracrânienne (cette seconde éventualité est cependant très inconstante).
3. Des signes endocriniens : troubles de croissance, de maturation sexuelle, obésité, diabète insipide, etc.

Suivant leur siège et leur nature, ces tumeurs peuvent donner lieu à des syndromes particuliers, parfois révélateurs et qui ont toujours une grande valeur d'orientation diagnostique. Les *craniopharyngiomes* provoquent un *retard statural*, parfois un *diabète insipide*, des signes d'insuffisance thyroïdienne ou cortico-surrénale (cf. pp. 760 ss.). Les *gliomes du chiasma* ou du nerf optique produisent souvent une exophtalmie et un élargissement d'un trou optique sur les radiographies ; ils s'intègrent souvent dans le tableau d'une neurofibromatose de Recklinghausen. Les astrocytomes du plancher du 3ᵉ ventricule peuvent être responsables de la *cachexie diencéphalique* de Russell, qui peut aussi être due aux spongioblastomes du chiasma. Les *hamartomes* du plancher du 3ᵉ ventricule, les pinéalomes ectopiques sont responsables d'une précocité isosexuelle.

Tumeurs hémisphériques

L'hypertension intracrânienne y est plus rare et surtout plus tardive que dans les tumeurs de la fosse postérieure. Les *crises épileptiques*, surtout partielles, sont révélatrices dans 25 à 40 % des cas et peuvent précéder de plusieurs années les autres signes. Les hémiplégies ou monoplégies sont fréquentes.

Tumeurs des noyaux gris centraux

Elle donnent lieu avant tout à des hémiplégies progressives, rarement à des mouvements anormaux, sans signes d'hypertension intracrânienne et sans jamais de troubles sensitifs objectifs.

Moyens de diagnostic

En dehors des *radiographies simples du crâne,* qui peuvent montrer des calcifications ou des altérations osseuses, le moyen de diagnostic essentiel et initial est l'*examen tomosensitométrique* (TDM), qui révèle plus de 95 % des tumeurs, en indique la localisation et permet, dans de nombreux cas, d'en suspecter la nature. L'*angiographie cérébrale* peut être nécessaire pour préciser les connexions vasculaires et pour guider la tactique opératoire. L'encéphalographie gazeuse et la ventriculographie en contraste positif ne gardent que de très rares indications pour compléter ou préciser la TDM dans certaines localisations peu favorables (base du crâne, tronc cérébral).

La *ponction lombaire* est contre-indiquée en cas d'hypertension intracrânienne. L'*élévation du taux des protéines* est fréquente et a une valeur d'indication. Des *réactions cellulaires* importantes sont observées dans certains cas d'épendymomes, de pinéalomes, de médulloblastomes et dans les infiltrations tumorales méningées, en particulier les leucoses.

Evolution et pronostic

Laissées à elles-mêmes, les tumeurs encéphaliques aboutissent à la mort, mais dans un délai très variable. Il n'y a pas toujours de relation nette entre la nature histologique des tumeurs et leur évolution : des tumeurs anatomiquement bénignes peuvent être inextirpables du fait de leur extension alors que des tumeurs d'apparence maligne ont parfois une évolution favorable.

Des **accidents évolutifs,** qui constituent une *indication neuro-chirurgicale d'urgence,* sont souvent observés : accès d'opisthotonos ou crises d'hypotonie brutale, troubles respiratoires, mydriase uni- ou bilatérale fixe. Ces accidents sont liés à une *poussée aiguë d'hypertension intracrânienne* et commandent le transfert immédiat, en position couchée, en milieu neurochirurgical pour décompression immédiate.

Les **métastases** sont très rares, sauf dans les médulloblastomes, les pinéalomes et les épendymomes, où les métastases médullaires par la voie du liquide céphalo-rachidien sont courantes.

Traitement

Le traitement le plus satisfaisant est *l'exérèse chirurgicale,* complétée éventuellement par la radiothérapie. Celle-ci est parfois indiquée seule en cas de localisation inaccessible. Avec la chimiothérapie intrathécale, elle constitue le traitement principal des médulloblastomes. Le tableau 15 résume les indications thérapeutiques.

Hypertension intracrânienne pseudo-tumorale

(pseudotumor cerebri)

On désigne ainsi les hypertensions intracrâniennes acquises quelle qu'en soit la cause *en dehors des néoformations.* Le substratum anatomique de ces faits est mal connu, la place respective de l'œdème cérébral et des troubles de résorption ou de circulation du liquide céphalo-rachidien n'étant pas déterminée avec précision. La symptomatologie est celle d'une hypertension intracrânienne avec cependant très souvent des signes oculaires importants (œdème, paralysie du VI) et peu de signes fonctionnels et de troubles de la vigilance. Le diagnostic ne peut être retenu qu'après que l'examen neuroradiologique (TDM) a éliminé une néoformation. Les cavités sont ordinairement de taille normale ou petite. Diverses causes sont connues : traumatisme, otites, thrombose du sinus latéral, traitement prolongé par les corticoïdes (au moment de la diminution des doses), hypervitaminose A aiguë, surdosage en acide nalidixique, en tétracyclines. Dans la majorité des cas cependant, aucune cause n'est décelée. L'évolution est régressive en une durée variable (2 à 10 semaines). Le risque majeur est la *cécité par atrophie optique poststase.*

Le **traitement** est parfois étiologique (arrêt d'un traitement toxique, reprise des corticoïdes), plus souvent symptomatique. La décompression chirurgicale n'est plus guère indiquée depuis que le thérapeutiques osmotiques et les corticoïdes sont utilisés (cf. p. 951).

Tumeurs et compressions médullaires

Les compressions médullaires sont dues le plus souvent à des *néoformations,* mais peuvent relever aussi de lésions traumatiques (hématomes, fractures rachidiennes) ou infectieuses (épidurité staphylococcique).

Les compressions médullaires et les tumeurs intramédullaires se manifestent par : 1. un syndrome lésionnel, radiculaire, le plus souvent douloureux ; 2. un syndrome médullaire : signes pyramidaux et/ou sensitifs, sphinctériens ; 3. un syndrome rachidien : rigidité douloureuse avec déformation possible ; 4. un syndrome liquidien : blocage aux épreuves manométriques et hyperprotéinorachie. Le diagnostic peut être suggéré par les clichés simples du rachis. Il est confirmé par la myélographie par contraste iodé hydrosoluble (et parfois par la TDM), qui précise la localisation et le type de la compression.

Les tumeurs extramédullaires les plus fréquentes sont les *neuroblastomes* latéro-vertébraux, les tumeurs vertébrales, les infiltrations tumorales épidurales (lymphomes), les métastases de tumeurs cérébrales. Le traitement est l'exérèse d'urgence complétée par la radio et/ou la chimiothérapie, sauf pour les métastases qui ne relèvent que de ce dernier traitement. Les tumeurs intramédullaires (astrocytomes et épendymomes surtout) ont des indications chirurgicales plus limitées.

Lésions traumatiques
du système nerveux central

Lésions traumatiques chez le nouveau-né (traumatisme obstétrical)

L'attribution au traumatisme physique de la naissance ou à l'anoxie accompagnant les accouchements difficiles de la plus grande part des manifestations neurologiques des premiers jours de la vie est certainement très excessive. Des facteurs non traumatiques ou prénatals ont sans doute une importance plus grande. Néanmoins, les diverses anomalies d'origine vraisemblablement périnatale seront décrites, par commodité, dans ce chapitre.

Les *lésions anatomiques les plus communes* sont soit des hémorragies intracrâniennes, soit des nécroses parenchymateuses (cf. tableau 16).

Les **syndromes cliniques** qui accompagnent ces lésions n'ont en général pas de caractère spécifique. Il peut s'agir d'*apnées* de la naissance ou secondaires, d'accès de cyanose, de troubles du tonus, de trémulations ou de convulsions.

Tableau 16 : Lésions traumatiques du système nerveux central chez le nouveau-né

Nature de la lésion	Siège	Terrain	Mécanisme	Fréquence
Hémorragies :				
• sous-durales	Fosse postérieure ou convexité	Enfant à terme, gros poids de naissance, 1er né	Traumatique	Rares
• ventriculaires	Point de départ sous-épendymaire	Prématuré (surtout 28 à 32 semaines)	Inconnu	Très fréquentes
• sous-arachnoïdiennes	Arachnoïde	Prématuré et enfant à terme	Inconnu	Très fréquentes, rarement significatives
• parenchymateuses	Centre ovale surtout, souvent extension d'une hémorragie ventriculaire	Prématuré ou enfant à terme	Inconnu	Rares
Leucomalacies périventriculaires	Substance blanche périventriculaire symétrique	Prématuré	Ischémie (?)	Fréquentes
Nécroses corticales	Cortex en totalité ou nécroses circonscrites	Enfant à terme et postmature	Anoxie et/ou ischémie	Fréquentes
Nécrose des noyaux gris	Thalamus, corps strié, symétrique	Enfant à terme le plus souvent	Anoxie	Assez fréquente

Les *hémorragies sous-durales* de la convexité peuvent donner lieu à une symptomatologie analogue à celle de l'hématome sous-dural du nourrisson (cf. ci-dessous).

Les *hémorragies ventriculaires et sous-épendymaires* sont détectées (par TDM ou ultrasons) chez 40 à 50 % des prématurés de moins de 32 semaines. Elles apparaissent entre 24 h. et 72 h. et peuvent se traduire : 1. par une détérioration soudaine avec apnées, acidose, hypotension, convulsions toniques ; 2. par une détérioration progressive et souvent beaucoup moins nette (aggravation non spécifique de l'état). Beaucoup restent asymptomatiques. Le liquide céphalo-rachidien est généralement rouge ou xanthochromique, contient plus de 2,50 g/l de protéines et moins de 2,8 mmol/l (0,50 g/l) de glucose. Ces anomalies peuvent traduire une simple hémorragie sous-arachnoïdienne ou même résulter de suffusions indétectables.

La TDM ou l'*ultrasonographie* permettent le **diagnostic** et précisent l'importance du saignement, limité à la zone germinative ou occupant moins de 30 à 50 % du volume ventriculaire (stades I et II), ou occupant plus de la moitié des ventricules avec parfois fusées dans le centre ovale (stades III et IV).

Le **pronostic** est bon au stade I, assez bon au stade II, bien que le développement d'une hydrocéphalie soit possible, défavorable dans les grandes hémorragies où la mortalité est très haute et où les survivants conservent souvent des séquelles hydrocéphaliques et/ou neuropsychiques.

L'hydrocéphalie survient dans moins de 20 % des cas et son installation ne semble pas pouvoir être prévenue par les ponctions lombaires précoces répétées. Celles-ci pourraient parfois arrêter le développement d'une hydrocéphalie débutante. La détection et la surveillance de la dilatation ventriculaire sont essentielles et un shunt doit être utilisé en cas de dilatation ventriculaire progressive, si les lésions cérébrales ne sont pas trop étendues.

Epanchements sous-duraux du nourrisson

Ce sont des collections hématiques ou de liquide hyperalbumineux, situées sous la dure-mère. L'origine traumatique n'est pas exclusive, certains épanchements pouvant accompagner une méningite bactérienne ou rester d'origine imprécise. En raison de leur fréquence et de l'importance de leur diagnostic, il faut y penser chez tout nourrisson, en présence de *crises convulsives*, de troubles de la conscience ou de signes neurologiques d'apparition soudaine, de *vomissements* répétés ou d'une *augmentation du volume du crâne*. Ils doivent être recherchés également après tout traumatisme crânien et chez les enfants présentant les lésions périphériques du *syndrome des enfants battus*.

La suspicion d'épanchement est renforcée si l'examen objective une tension de la fontanelle, une augmentation du périmètre céphalique ou des hémorragies du fond d'œil, présentes dans plus de la moitié des cas.

Le diagnostic peut être confirmé par la *transillumination*, fortement positive si l'hématome date de plus de 4 à 5 jours, et surtout par la *ponction bilatérale de l'angle de la fontanelle* si elle ramène plus de 5 ml de liquide hémorragique ou riche en protéines.

Les explorations neuroradiologiques ou isotopiques sont le plus souvent inutiles. La TDM montre bien l'épanchement et précise l'état du parenchyme. Elle peut induire en erreur, l'épanchement pouvant être isodense.

Le **traitement** consiste en l'évacuation des épanchements afin d'éviter : 1. les accidents de l'hypertension intracrânienne ; 2. l'augmentation excessive du volume crânien. Cette évacuation peut être réalisée : a) par *ponctions évacuatrices* de la fontanelle en répétant l'opération à intervalles aussi éloignés que possible, quand la tension de la fontanelle et/ou l'augmentation rapide du périmètre céphalique l'exigent ; la quantité retirée est variable, l'évacuation est arrêtée quand l'écoulement sous pression cesse ; *il ne faut jamais aspirer ;* b) par drainage continu dans une cavité (péritoine). Cette dernière méthode n'a que des indications rares. L'exérèse en bloc de l'hématome et de sa poche membraneuse est généralement abandonnée. La quasi-totalité des épanchements peuvent être guéris par ponctions sans chercher à obtenir l'assèchement complet mais seulement le soulagement de l'hypertension crânienne.

Le **pronostic** est réservé, $1/3$ des enfants gardant des séquelles neuropsychiques.

Manifestations neurologiques des traumatismes crâniens

Fractures du crâne

Elles sont fréquentes, sans gravité si le cerveau n'est pas intéressé, et ne nécessitent qu'une surveillance clinique.

Commotion cérébrale

Elle résulte de l'accélération-décélération brusque et ne comporte pas de lésion cérébrale. Elle se traduit : a) par la *perte de conscience* immédiate ; b) par l'*amnésie* post-traumatique, lacunaire et antérograde. Le pronostic est favorable et seule une surveillance en milieu hospitalier est nécessaire.

Contusion cérébrale

Elle comporte la présence de lésions cérébrales d'étendue variable. Elle peut provoquer des signes neurologiques ou des crises focalisées, immédiates ou secondaires, et/ou des troubles prolongés de la conscience souvent accompagnés de troubles végétatifs et d'un syndrome d'hypertension intracrânienne. L'évolution est variable suivant l'étendue et la gravité des lésions. La conduite à tenir comporte une surveillance constante, la recherche de lésions traumatiques associées et d'une hémorragie intracrânienne.

En cas d'*hypertension intracrânienne,* plusieurs types de traitements peuvent être mis en œuvre : 1. les corticoïdes : dose de charge de 1 à 4 mg selon l'âge, i.v. ou i.m., puis de 0,25 à 1,0 mg/kg/24 h. en 4 doses si l'on utilise la dexaméthasone ; ce traitement peut être longtemps poursuivi puis arrêté progressivement ; 2. les substances à action osmotique : urée i.v., 1,0 à 1,5 g/kg en solution à 30 % ; mannitol i.v., 1,5 à 2,0 g/kg en solution à 20 %, en 30 à 90 minutes ; l'effet bref de ces substances peut être prolongé par le glycérol per os (1 g/kg/6 h.) ; 3. la respiration assistée avec hyperventilation en surveillant la PaO_2 ; 4. l'administration de furosémide (1 mg/kg) ; 5. les barbituriques à très haute dose (100-150 mg/kg), ce qui nécessite une réanimation respiratoire et circulatoire. La mesure de la pression intracrânienne par capteur extradural peut être utilisée.

Les *indications neurochirurgicales* sont tirées avant tout de l'*aggravation* de l'état de la conscience ou de signes neurologiques focalisés ou de leur apparition, après la mise en route systématique d'un traitement antihypertenseur. Un traitement chirurgical est également indiqué en cas de traumatisme ouvert ou en présence d'un écoulement de liquide céphalo-rachidien.

Traumatismes médullaires

Chez le nouveau-né (présentation du siège ou transverse), ils se présentent comme une hypotonie massive avec paralysie, évoquant une amyotrophie spinale (cf. p. 958) mais avec des troubles sensitifs et pyramidaux. Le pronostic est très grave, des lésions très étendues de la moelle cervicale étant le plus souvent en cause. Le traitement est préventif : césarienne systématique en cas de tête défléchie ou de présentation transverse.

Chez le grand enfant et l'adolescent, le tableau et le traitement ne diffèrent pas de ce qu'on observe chez l'adulte.

Traumatisme des racines et des troncs nerveux

Paralysie obstétricale du plexus brachial

Elle relève de deux causes principales : 1. la dystocie des épaules au cours de laquelle l'abaissement de l'épaule provoque un étirement ou une rupture des troncs supérieurs du plexus brachial ; 2. l'accouchement du siège au cours duquel l'élévation du bras traumatise les racines C_8-D_1.

La paralysie est apparente dès la naissance, le bras pendant inerte le long du corps. L'atteinte prédomine sur les muscles de la racine dans le type Duchenne-Erb (C_4-C_6) et sur les muscles de la main dans les atteintes de C_8-D_1. L'évolution se fait vers la rétrocession en moins de 2 mois dans la majorité des cas (surtout dans les formes hautes). Si la régression n'est pas obtenue à ce moment, une *contracture caractéristique* s'installe, de façon définitive, avec diffusion des mouvements volontaires à tous les muscles du bras.

Le **traitement** comporte : 1. le maintien du membre en abduction-rotation externe en flexion à 90° du coude dans une attelle avec ou sans traction ; 2. la mobilisation régulière passive, puis active ; 3. éventuellement la chirurgie orthopédique ou réparatrice.

Paralysie traumatique du nerf sciatique

Elle est fréquente chez les nouveau-nés et les prématurés chez lesquels elle est due presque toujours à des *injections intramusculaires.* Chez le petit enfant, même une injection correctement située peut être en cause, le volume injecté, relativement important, pouvant faire diffuser un produit caustique jusqu'au contact du nerf. L'atteinte peut être globale ou affecter seulement le sciatique poplité externe. L'*injection intrafuniculaire* de substances caustiques peut aussi être en cause.

Le **traitement** le plus efficace paraît être la *neurolyse* précoce (à 2-4 mois). Il est impératif, chez les petits enfants, d'utiliser la face externe de la cuisse pour les injections intramusculaires.

Maladies neuromusculaires

Anomalies congénitales du système musculaire

Torticolis congénital

Il se manifeste par une inclinaison latérale avec rotation de la tête et résulte d'une rétraction fibreuse du sterno-mastoïdien. Il est accompagné dans les cas graves d'une asymétrie faciale. Le torticolis peut succéder à une *tumeur fibreuse* néonatale du sterno-mastoïdien, celle-ci étant toutefois totalement régressive 4 fois sur 5. Le traitement du torticolis est la ténotomie du sterno-mastoïdien. Les tumeurs fibreuses néonatales ne relèvent d'aucun traitement.

Piet-bot congénital

C'est une malformation fréquente. Dans sa forme commune (varus équin), il comporte une atrophie avec fibrose des muscles de la loge antéro-externe de la jambe. Le traitement (cf. p. 169) comprend la mobilisation précoce et le port d'attelles.

Arthrogrypose multiple congénitale

Elle est définie comme le blocage congénital de plusieurs articulations, pieds-bots bilatéraux exclus. Les blocages sont le plus souvent très étendus avec extension des membres inférieurs, adduction des hanches, flexion forcée des mains, extension des coudes. Les muscles commandant les articulations atteintes sont atrophiés et souvent paralysés. Des formes *limitées* sont possibles. L'arthrogrypose est un *syndrome :* les formes neurogènes périphériques par atteinte prénatale de la corne antérieure sont les plus communes ; les formes myogènes et les formes d'origine centrale sont plus rares. Le traitement est orthopédique avec interventions multiples et physiothérapie.

Tableau 17 : Principales dystrophies musculaires progressives

	Âge de début	Durée d'évolution	Localisation	Biologie	Hérédité	Caractères particuliers
Dystrophie de Duchenne de Boulogne	Dès la marche, signes biologiques dès la naissance	< 20 ans, pas d'arrêt de progression	Proximale aux membres, prédominant aux membres inférieurs ; face, myocarde	Élévation très marquée, précoce, de la CPK	GR	Pseudo-hypertrophie fréquente (mollets, deltoïde, vaste externe) Débilité mentale dans $2/3$ des cas.
Dystrophie de Becker	5 à 15 ans	30 ans ou plus	Idem Pas d'atteinte faciale ; myocarde assez souvent	Élévation marquée et précoce de la CPK	GR	Pseudo-hypertrophie très marquée Crampes fréquentes Retard mental rare
Dystrophie facio-scapulo-humérale (Landouzy-Déjerine)	10 à 20 ans parfois très précoce	Très longue arrêts évolutifs fréquents	Face et membres supérieurs ; secondairement ceinture pelvienne et membres inférieurs	CPK normale ou peu élevée	AD	Expression très variable Existence de formes frustes
Dystrophie récessive de l'enfance	5 à 10 ans	20 à 30 ans	Atteinte rhizomélique des 4 membres, pas d'atteinte faciale ni cardiaque	CPK modérément élevée	AR	Hypertrophie rare Diagnostic difficile chez le garçon
Dystrophie congénitale	Naissance	Évolution non progressive le plus souvent	Généralisée, atteignant la face et muscles respiratoires	CPK modérément élevée ou normale	AR	Arthrogrypose dans certains cas Une forme comporte une atteinte cérébrale associée
Dystrophie myotonique (Steinert)	Naissance parfois Plus souvent adolescent ou adulte	Très longue (sauf nouveau-né)	Face, cou, extrémité distale des membres, diaphragme	CPK normale ou peu élevée	AD	Myotonie associée, cataracte Troubles endocriniens Forme néonatale de transmission maternelle, très grave

AD = autosomique dominant   AR = autosomique récessif   GR = gonosomique récessif

Maladies dégénératives et métaboliques des muscles

Dystrophies musculaires progressives

Ce sont des maladies primitives, héréditaires et évolutives des muscles striés qui se manifestent par une faiblesse musculaire proximale et dont l'âge de début, le rythme de progression et la topographie varient beaucoup selon les formes (cf. tableau 17).

La *dystrophie de Duchenne de Boulogne* ne touche que les garçons (1 pour 3 500 naissances masculines). 20 % des conductrices ont des signes cliniques, 75 % une élévation de la créatine-kinase. Celle-ci est présente dès la naissance et permet d'envisager un dépistage systématique. Le début clinique est insidieux. La moitié des enfants atteints ne marchent qu'après 18 mois et, vers 4 à 5 ans, le déficit proximal est responsable de la difficulté à passer de la position assise à la position debout (l'enfant « grimpe le long de ses jambes ») et l'hypertrophie de certains muscles (mollets, deltoïdes, vaste externe) est évidente.

Trois examens aident au diagnostic des dystrophies musculaires : 1. l'*électromyogramme,* qui peut montrer une diminution d'amplitude et de durée des potentiels d'unité motrice, des salves myotoniques ou pseudo-myotoniques ; 2. le dosage de l'aldolase et surtout de la créatine-kinase (d'origine musculaire), très élevées dans certaines formes, au moins au début ; ce dosage doit être fait systématiquement chez tout garçon qui ne marche pas encore à 18 mois ; 3. la biopsie musculaire, non indispensable dans la maladie de Duchenne, et la dystrophie myotonique, nécessaire dans les autres formes qui peuvent être simulées par des atrophies neurogènes et, en particulier, par une polymyosite.

Le **traitement,** palliatif, est fondé sur la physiothérapie, l'appareillage et, éventuellement, la chirurgie orthopédique. Il peut prolonger l'ambulation et éviter les déformations (en particulier vertébro-thoraciques) responsables de la mort par insuffisance respiratoire.

Myopathies congénitales

Ce sont des affections héréditaires se traduisant par une hypotonie congénitale avec diminution de la force musculaire. Le diagnostic repose sur la biopsie musculaire, qui peut mettre en évidence des altérations morphologiques multiples (par ex. « central core », bâtonnets, disproportion des types de fibres). L'évolution est souvent régressive, au moins partiellement. La mort est cependant possible par atteinte des muscles respiratoires.

Myopathies métaboliques

Elles donnent lieu à deux types de symptomatologies : 1. déficit musculaire permanent proche de celui réalisé par les dystrophies musculaires ; 2. symptômes intermittents (crampes et parfois myoglobinurie), surtout à l'effort.

Myopathies lipidiques

Elles résultent le plus souvent d'un *déficit en carnitine*, systémique (parfois avec cardiomyopathie ou syndrome de Reye à rechutes) ou purement musculaire. L'apport de carnitine peut entraîner une amélioration spectaculaire. Le *déficit en carnitine-acyltransférase* donne lieu à une symptomatologie intermittente. Un traitement cortisonique peut être essayé dans les formes sans déficit enzymatique connu.

Glycogénoses musculaires

Elles sont responsables d'une symptomatologie intermittente et comportent le type V par déficit en phosphorylase musculaire *(maladie de Mc Ardle)* et le type VII par déficit en phosphofructokinase. La glycogénose de type II a une symptomatologie cardiomusculaire dans sa forme infantile *(maladie de Pompe).* Les rares formes juvéniles ne peuvent être distinguées des dystrophies que par la biopsie.

Paralysies périodiques familiales

Ce sont des maladies dominantes rares, caractérisées par des accès de paralysie régressive associés à des troubles du métabolisme du potassium.

Paralysie hypokaliémique (Westphal)

Elle débute rarement avant l'adolescence. Les crises sont souvent nocturnes, longues, sévères, favorisées par des apports de glucides. Le potassium sérique est entre 2 et 3,5 mEq/l pendant les accès. Le traitement comporte l'administration orale (exceptionnellement veineuse) de 2 à 10 g de potassium, répétée 1 à 2 heures plus tard si nécessaire. La prévention des accès comporte un régime pauvre en glucides, l'administration de potassium (préparations à résorption entérale lente), l'acétazolamide ou la chlorothiazide.

Paralysie hyperkaliémique

Elle débute dans l'enfance. Les accès sont courts, succèdent à l'exercice, s'accompagnent souvent de crampes et parfois de myotonie. Le potassium sérique est entre 5 et 8 mEq/l pendant les accès. Le traitement aigu est l'administration veineuse de gluconate de Ca (1 à 2 g). L'acétazolamide et les thiazides peuvent prévenir les accès. L'inhalation de salbutamol semble efficace.

Myopathies mitochondriales

Elles sont caractérisées par une morphologie et, probablement, un fonctionnement anormal des mitochondries. Certaines donnent lieu à une élévation du pyruvate et du lactate. Les plus fréquentes sont les *myopathies oculaires.* L'ophtalmoplégie s'associe souvent à des arythmies cardiaques, à une rétinopathie pigmentaire, à des troubles cérébelleux *(syndrome de Kearns-Sayre),* ainsi qu'à un retard de croissance, une hyperprotéinorachie, etc. La mise en place d'un stimulateur cardiaque peut être nécessaire.

Myopathies toxiques et endocriniennes

Myopathie cortisonique

C'est la plus fréquente. L'atteinte musculaire est diffuse, avec atrophie marquée. Elle guérit à l'arrêt du traitement. Les *myopathies de l'hypothyroïdie* revêtent le plus souvent chez l'enfant l'aspect d'une hypertrophie musculaire avec pseudo-myotonie (syndrome de Debré-Sémelaigne). L'hyperthyroïdie peut s'accompagner de paralysie périodique.

Hyperthermie maligne

Elle comporte en cours d'anesthésie (surtout halothane et succinylcholine) une élévation thermique très marquée, en règle associée à une rigidité musculaire, léthale dans la moitié des cas. Le traitement d'urgence est l'arrêt de l'anesthésie, le refroidissement, la procaïnamide, les stéroïdes, le dantrolène. L'hyperthermie maligne est une réaction anormale aux anesthésiques qui s'observe dans des maladies musculaires familiales mal définies et difficiles à détecter (élévation inconstante de la CPK). Elle est exceptionnelle dans les myopathies et myotonies classiques.

Myotonies

La moins rare est la *dystrophie myotonique de Steinert* (cf. tableau 17). La *myotonie de Thomsen* ne comporte pas d'élément dystrophique mais une hypertrophie musculaire est fréquente. Le pronostic est bénin. Les autres myotonies (paramyotonie congénitale, chondrodystrophie myotonique) sont exceptionnelles.

Maladies inflammatoires des muscles

Les *polymyosites* sont le plus souvent, mais non toujours, associées à une atteinte cutanée (dermatomyosites, cf. pp. 861 ss.). Leur diagnostic est souvent difficile car les signes électriques et même inflammatoires peuvent manquer. Toute faiblesse musculaire progressive associée à une altération de l'état général chez un enfant souvent grognon et malheureux doit être considérée comme une myosite jusqu'à preuve du contraire. L'élévation des enzymes musculaires est inconstante et la biopsie même peut être d'interprétation très difficile. Au moindre doute, il faut mettre en route un traitement par les corticoïdes (en moyenne 1 mg/kg/24 h.) dont l'efficacité spectaculaire confirme le diagnostic. Les immunosuppresseurs peuvent être employés dans les formes rebelles.

Amyotrophies spinales

Maladies héréditaires caractérisées par une dégénérescence des cellules de la corne antérieure de la moelle (et souvent du bulbe) responsable d'atrophies musculaires symétriques isolées.

Maladie de Werdnig-Hoffmann (amyotrophie spinale aiguë infantile)

C'est la cause la plus fréquente du syndrome d'*hypotonie musculaire congénitale*. Le début est prénatal ou dans les trois premiers mois de la vie. Il existe une paralysie étendue aux quatre membres, affectant aussi les abdominaux et les intercostaux, *respectant le diaphragme*. Les paires bulbaires (langue, déglutition) sont souvent affectées. Les réflexes tendineux sont tous abolis. Il n'y a pas de troubles sensitifs et l'intelligence est normale. L'atteinte respiratoire entraîne constamment la mort avant 12-18 mois. La transmission est autosomique récessive. Pas de diagnostic prénatal.

Amyotrophie spinale proximale (maladie de Wohlfart-Kugelberg)

Elle débute après acquisition de la marche par un déficit musculaire prédominant aux racines, surtout des membres inférieurs. Les réflexes tendineux sont variables. Le diagnostic repose sur la dénervation à l'électromyogramme, sur la normalité des enzymes musculaires et, à un moindre degré, sur la biopsie musculaire, qui permettent d'écarter une myopathie (forme dite « des ceintures » qui représente en réalité un groupe hétérogène). L'évolution est lente, sans atteinte respiratoire. Transmission autosomique récessive, exceptionnellement dominante.

Autres amyotrophies spinales

Des *formes intermédiaires* entre les deux types précédents, transmises selon le mode autosomique récessif, peuvent apparaître entre 6 mois et 1 an ou davantage. L'atteinte est diffuse avec déformations squelettiques (scoliose). L'évolution s'étale sur des années. L'atteinte respiratoire est fréquente. Des *formes rares* peuvent simuler de très près les divers types de dystrophies musculaires, sauf la maladie de Duchenne de Boulogne et la dystrophie myotonique. Leur mode de transmission est variable.

Le traitement (physiothérapie et orthopédie) vise à prévenir les déformations et à promouvoir l'ambulation.

Neuropathies sensitivomotrices héréditaires

Affections touchant les axones moteurs et sensitifs, produisant : un déficit moteur distal, débutant ou localisé aux membres inférieurs avec atrophie (inconstante) et des troubles sensitifs surtout profonds, le plus souvent très légers, voire infracliniques.

On distingue :
- Des *formes hypertrophiques* (avec prolifération schwanienne macro- ou microscopique). Il existe un fort abaissement des vitesses de conduction nerveuse, souvent une hyperalbuminorachie. Le plus souvent la transmission est autosomique dominante. L'évolution est très lente et peu invalidante (type I). Les formes récessives (type III ou *maladie de Déjerine-Sottas*) ont une plus grande gravité.
- Des *formes neurales ou anoxales* sans hypertrophie schwanienne (type II) dans lesquelles les vitesses de conduction sont peu abaissées. L'hérédité est le plus souvent dominante et le tableau clinique ne se distingue pas de celui du type I, les types I et II correspondant à la « *maladie de Charcot-Marie-Tooth* ». Le traitement est orthopédique.
- La *maladie de Refsum*, qui est une neuropathie métabolique rare à transmission autosomique récessive due à l'accumulation d'acide phytanique. Une ataxie, une rétinopathie, une ichtyose, des troubles viscéraux, une surdité peuvent s'associer. Le régime pauvre en acide phytanique et la plasmaphérèse arrêtent l'évolution. Les neuropathies des *porphyries*, de l'*abétalipoprotéinémie*, très rares, sont à rapprocher des neuropathies toxiques (par ex. vincristine, furadoïne, etc.) et des neuropathies carentielles (en particulier par déficit en vitamine E).

Myasthénie

C'est une maladie chronique caractérisée par un bloc partiel de la transmission neuromusculaire, entraînant une fatigabilité anormale des muscles. La *forme juvénile* débute entre 2 ans et l'adolescence, le plus souvent par un *ptosis* et/ou une *atteinte oculaire* (paralysie de la musculature *extrinsèque,* asymétrique avec diplopie). L'atteinte des muscles de la phonation, de la déglutition, de la face, du cou et la racine des membres est la règle. Ces atteintes sont plus marquées en fin de journée et après l'effort. L'atteinte des *muscles respiratoires* est la complication majeure. L'évolution est fluctuante, généralement progressive, avec parfois des rémissions de longue durée et des exacerbations brusques (crises myasthéniques).

Le **diagnostic** repose : 1. Sur l'*épreuve au Tensilon*® (edrophonium) i.v. (1 mg chez le nourrisson ; plus tard, 1 à 2 mg pour recherche d'hypersensibilité, 30 secondes plus tard, si pas de réponse, injection du reste de la dose soit 0,2 mg/kg, réponse immédiate s'effaçant en quelques minutes) ou à la Prostigmine® (néostigmine) i.m. (0,125 mg chez le nourrisson ; 0,04 mg/kg chez le grand enfant ; réponse en 10-15 minutes durant 30 à 60 minutes). 2. Sur la recherche d'une diminution de la réponse du muscle à une stimulation électrique itérative.

Le **traitement** utilise en premier lieu les *anticholinestérases* par voie buccale : pyridostigmine (Mestinon®), 1 mg/kg 4 fois par jour (dose de départ) ; néostigmine, 0,3 mg/kg 4 à 6 fois par jour ; chlorure d'ambénonium (Mytélase ®), 1 à 5 mg/jour. Les *stéroïdes et l'ACTH*, utilisés chez l'adulte, n'ont pas été évalués dans les formes de l'enfant. La *thymectomie* paraît donner des résultats favorables et est probablement indiquée dans toutes les formes généralisées stables où la réponse aux anticholinestérases est faible ou non maintenue. Les crises myasthéniques exigent la ventilation artificielle. Le test au Tensilon ® aide à les distinguer des *crises cholinergiques* (par excès de traitement), mais l'arrêt des drogues sous ventilation assistée est souvent nécessaire.

Une *forme néonatale* survient chez 12 % des enfants de mère myasthénique, marquée par des difficultés de succion et une hypotonie (cf. tableau 1). Elle guérit en quelques semaines et peut être diagnostiquée par l'administration i.m. ou s.c. de 0,1 mg de Tensilon ®.

Des *formes congénitales et infantiles,* se traduisant soit par une atteinte surtout oculaire et une évolution bénigne, soit par des accidents de dépression respiratoire et d'apnées répétés qui peuvent aller jusqu'à la mort subite. De tels accidents doivent faire essayer les anticholinestérases.

Syndromes myasthéniformes

Des *blocs neuromusculaires* peuvent être provoqués par certains antibiotiques (polymyxines, aminoglycosides), surtout en période de récupération post-anesthésique (interaction possible avec la succinylcholine). Le traitement est le calcium i.v. éventuellement associé aux anticholinestérasiques. L'usage de ces antibiotiques est proscrit en cas de myasthénie.

Le *botulisme* réalise un syndrome myasthénique avec atteinte de la musculature lisse et intrinsèque de l'œil. Dans sa forme néonatale, il cause une hypotonie avec faiblesse musculaire généralisée, des troubles de la succion, une constipation. Le traitement comprend l'administration d'antitoxine, la guanidine, la 4-aminopyridine (à l'essai). Les *composés anticholinestérasiques* (médicaments antimyasthéniques, insecticides organophosphorés) produisent un bloc neuromusculaire associé à d'importants effets muscariniques. Ceux-ci peuvent être combattus par des doses massives d'atropine, le bloc étant traité par la pralidoxime (dose adulte lg i.v. répété si nécessaire après 20 minutes).

Chapitre 26

Pédopsychiatrie

par Cl. Launay

La pédopsychiatrie est l'étude des troubles psychiques de l'enfant. Le mode d'examen est psychiatrique dans la mesure où il s'agit d'observations et d'entretiens qui se proposent de définir la personnalité, il est pédiatrique en ce qu'il a pour référence constante l'enfant normal, dans son développement psycho-affectif. C'est dans cette perspective que les tests apportent une aide : tests de développement fondés sur les constatations faites dans la population enfantine normale (Binet-Simon, Terman, Terman Merill et, surtout, le Wechsler Bellevue, qui comporte des épreuves verbales et des épreuves pratiques), tests de personnalité (Rorschach, T.A.T., etc.). Mais il faut surtout apprécier l'évolution de la personnalité et des liens familiaux, puis sociaux. Les connaissances psychanalytiques sont à cet égard d'un précieux appoint, l'enfant exprimant souvent par ses actions, par ses jeux ou ses dessins des motivations dont il n'a pas conscience ou qu'il n'exprime pas. L'étiologie des troubles est presque toujours multifactorielle, elle associe des facteurs héréditaires et des facteurs acquis. La thérapeutique est faite davantage de conseils, de rééducation et de psychothérapie que de médication ; le trouble observé ne peut être étudié seulement en lui-même, il est un moment de la vie de l'enfant ; il est le plus souvent modifiable, et c'est le contexte mental en évolution qu'il faut avoir en vue beaucoup plus que le trouble lui-même.

Dans sa vie professionnelle, le pédiatre se trouve souvent en présence de troubles ou de difficultés plus psychologiques que somatiques, au sujet desquels il doit donner un avis.

Cela implique tout d'abord qu'il ait une connaissance exacte de ce qu'est l'enfant normal aux divers âges de sa vie : les dates habituelles d'apparition des caractéristiques psychomotrices du premier âge, l'importance du jeu entre trois et six ans, les changements psychiques qui se produisent à la préadolescence et à l'adolescence, etc.

Il faut qu'il conserve en toutes circonstances un jugement objectif : ainsi pour donner sa signification réelle à telle manifestation pathologique mineure dont la mère s'inquiète à tort, et par la suite accepter, si celle-ci se reconnaît anxieuse, qu'elle parle aussi d'elle-même et de ses propres difficultés ; ainsi quand il s'agit, comme c'est fréquent, de difficultés scolaires, situer à leur place les troubles de santé invoqués, et aussi indiquer à qui demander avis pour l'orientation et le choix d'une école, etc.

Il va de soi enfin que certaines situations exigent une collaboration avec un pédopsychiatre.

Troubles psychosomatiques de la petite enfance

Le pédiatre a surtout à connaître les manifestations dans lesquelles s'associent les troubles somatiques et psychiques de l'enfance dont la cause est essentiellement psychologique. Ces troubles dits psychosomatiques s'observent principalement dans la petite enfance.

Anorexie « nerveuse » de la petite enfance

Très commun dans la petite enfance est le comportement d'opposition à l'alimentation appelé anorexie nerveuse. Dans la forme habituelle, le début de ce trouble se situe entre 6 et 12 mois, soit à la suite d'une infection traînante (rhinopharyngite, otite) au décours de laquelle la mère, inquiète, veut forcer l'enfant à s'alimenter, soit sans cause apparente. Parfois l'enfant refuse uniquement les aliments consistants, n'acceptant que les liquides. Le conflit se renouvelle à chaque repas ; la mère use de la contrainte ou de stratagèmes multiples pour distraire l'enfant, celui-ci crie, refuse, ou vomit aussitôt une partie de ce qu'il a absorbé. Cependant l'état général reste bon ; en dehors des repas, tout est normal, seul le sommeil est parfois troublé. Ce conflit mère-enfant au sujet des repas peut se poursuivre durant des années, avec des périodes d'amélioration et d'aggravation.

Plus rares sont les formes sévères, formes précoces commençant dès les premiers jours de la vie, chez des enfants nés prématurément ou en état de débilité, ou formes cliniquement inquiétantes, le refus de boire s'associant au refus de manger ; une véritable phobie de l'aliment se constitue, l'enfant est insomniaque. Souvent il reste chétif et maigre.

Le diagnostic implique l'élimination soigneuse de tous les facteurs organiques. Cela étant, l'anorexie pose le problème de la relation mère-enfant ; le comportement de la mère est souvent sous-tendu par une anxiété dont on découvre parfois la cause dans un événement douloureux passé ou dans un conflit névrotique ancien.

La prévention de l'anorexie habituelle est entre les mains du pédiatre : que la mère sache éviter les règles trop rigides, qu'elle évite de forcer l'enfant à absorber les aliments, qu'elle tienne compte de ses réactions, de sa satiété, de ses appels, de ses besoins moteurs, plus tard de ses goûts. Ces conseils donnés à la mère sont souvent efficaces ; il faut aussi savoir la rassurer ou l'éclairer.

Mérycisme

Le mérycisme, ou rumination, s'observe entre 6 et 18 mois : l'enfant, spontanément, régurgite l'aliment qu'il vient d'absorber et le mâchonne interminablement, paraissant indifférent au monde extérieur. Activité autoérotique, le mérycisme est considéré comme une manifestation de compensation à une insatisfaction affective dans la relation avec la mère. Il disparaît le plus souvent quand le nourrisson est confié à une nourrice sachant établir avec lui le contact corporel et vocal sécurisant qui convient.

Troubles du sommeil

Pendant les premières semaines, le rythme du sommeil s'établit progressivement ; au sommeil fractionné du début de la vie succède peu à peu le sommeil à prédominance nocturne. Il existe des insomnies précoces de longue durée ; certaines d'entre elles sont manifestement liées à une conduite inadéquate de la mère, qui n'a pas les gestes, l'attitude apaisante qui conviennent, mais dans bien des cas la recherche étiologique reste vaine. A partir de trois mois, des périodes d'insomnie, ou de réveil prématuré, peuvent se produire. Après un an, il existe soit des difficultés d'endormissement, soit des périodes, parfois très longues, d'insomnie. Ces troubles du sommeil, qui perturbent parfois gravement la vie familiale, sont souvent sous la dépendance de facteurs reconnaissables : certains organiques, d'autres psychiques.

Les facteurs organiques sont essentiellement : dans la première année, des erreurs alimentaires ; ainsi, dans les premiers mois, le refus par la mère d'un biberon nocturne, ou un horaire alimentaire rigide ne tenant pas compte des besoins réels de l'enfant ; plus tard les éruptions dentaires ; après un an, la méconnaissance des besoins moteurs de l'enfant, trop confiné dans son berceau ou sur son siège.

L'enquête étiologique doit se préoccuper de l'environnement matériel : le lit de l'enfant placé dans un lieu trop bruyant, le logement trop petit et entouré de voisins que l'on craint de réveiller la nuit, les changements d'habitat, ou simplement de lit.

Ces circonstances défavorables sont ou non associées à un *comportement maternel* qui doit toujours être examiné par le pédiatre à partir de l'image sécurisante de la mère par sa présence et par ses gestes. A l'opposé, il peut rencontrer : une anxiété constante, s'exprimant par un comportement intempestif, qui ne tient pas compte des demandes de l'enfant, ou le stimule à contretemps, ou est sans cesse aux aguets de la moindre anomalie.

Certains comportements maternels d'indifférence à l'égard de l'enfant sont inquiétants s'ils s'avèrent persistants. Le trouble du sommeil coexiste généralement en ce cas avec un mauvais développement somatique, des troubles alimentaires, etc.

Il ne faut enfin pas méconnaître le fait que certains enfants se montrent, dès les premiers mois, très émotifs, irritables, et ont un sommeil fragile ; les troubles du sommeil sont alors fréquents et se reproduisent à la moindre difficulté.

Conduite à tenir

Le rôle du pédiatre, en présence de ces manifestations, très communes, est tout d'abord de s'assurer de l'inexistence d'une étiologie organique ; il est plus ou moins vite amené à penser à l'origine psychologique du trouble, c'est-à-dire à s'interroger sur ce qu'est la relation entre la mère et l'enfant. Il lui faut alors accepter de consacrer le temps nécessaire à écouter la mère et à observer l'enfant dans ses activités et ses jeux.

Une conclusion simple se dégage parfois de ces échanges, et le pédiatre est ainsi amené à donner un avis précis sur la manière dont l'enfant doit être alimenté, dont son sommeil doit être assuré, ou plus généralement sur la nécessité pour la mère d'être proche de lui (présence corporelle, regard, parole, etc.).

Souvent il s'avère que la conduite de la mère demeure inchangée ; elle n'écoute pas ce qui lui est dit. On peut apprendre qu'en réalité sa vie est perturbée par un conflit conjugal, par un deuil récent, ou tout autre problème grave dont il lui faut parler : il faut que le pédiatre sache l'écouter, en restant cependant maître du dialogue.

Plus souvent sa conduite traduit une manière d'être antérieure : infantile et sans cesse inquiète, ou superficielle et agitée, etc. Il devient évident qu'une intervention différente est nécessaire ; le recours à une aide pédopsychiatrique est alors proposé.

Il convient en effet, pour de tels cas, de procéder à des entretiens thérapeutiques tels que ceux que décrit A. Doumic : l'enfant est vu avec sa mère dans une salle de jouets, lors d'un entretien à trois ; la thérapeute verbalise le jeu de l'enfant, la mère regarde et parle. Elle est parfois surprise de découvrir son enfant différent de ce qu'elle imaginait ; de toute façon, le dialogue qui s'instaure entre elle et la thérapeute l'amène à parler de ses difficultés. Il peut se faire que le père soit lui aussi présent, à ce moment ou plus tard.

Il est exceptionnel que l'on soit amené à conseiller aux parents une véritable psychothérapie. Mais il arrive, quand il s'agit d'un trouble mental authentique, que l'on doive prendre temporairement l'enfant dans un service hospitalier de bonne qualité avant de décider de la meilleure solution d'avenir.

Carence de soins maternels

Pour comprendre le délaissement des enfants en bas âge, il faut se reporter aux multiples formes de dissociation familiale se produisant quand l'enfant est dans ses premières années ; ou à la situation de certaines mères seules contraintes de travailler. La conséquence habituelle est le placement de l'enfant, placement qui se renouvelle parfois à plusieurs reprises, de sorte que celui-ci passe de main en main sans avoir jamais eu de véritable « mère ».

Il arrive aussi, quand la structure familiale existe, que la mère ne remplisse pas sa tâche maternelle, qu'elle néglige tel de ses enfants, né alors qu'il n'était pas désiré ; il peut même y avoir, de sa part, une attitude de non-acceptation, voire de rejet plus ou moins camouflé.

L'enfant qui, entre 1 et 4 ans, a vécu dans ces conditions, est un enfant anxieux, instable. Il peut être gravement perturbé, retardé dans toutes ses acquisitions, mais en général de manière inégale : il parle mal, sa croissance intellectuelle est inférieure à la moyenne, il est incapable de s'intéresser durablement à un jeu. Il a un intense besoin d'affection, mais se montre jaloux dès qu'il voit la personne qui s'occupe de lui s'occuper aussi d'autres enfants. Souvent il ne peut s'endormir le soir, et réclame sans cesse une présence.

Si la situation reste inchangée, les suites, proches et lointaines, sont souvent néfastes : difficulté à nouer des liens sociaux, agressivité diffuse mal contrôlée, insuccès scolaires, risque ultérieur de délinquance juvénile. C'est pourquoi il importe d'examiner avec soin quelle aide peut être apportée aux parents et si ceux-ci sont susceptibles de modifier leur attitude. Une famille d'accueil peut parfois être proposée ; c'est là un des problèmes les plus difficiles du service social.

Troubles psychosomatiques de la grande enfance

Enurésie

L'énurésie est une miction normale se produisant pendant le sommeil sans lésion de l'appareil urinaire, chez un enfant de plus de trois ans. Deux énurétiques sur trois sont des garçons. L'énurésie peut être primaire (75 % des cas) ; beaucoup plus rarement elle est secondaire et apparaît au cours de l'enfance. Dans le tiers des cas il existe aussi des accidents diurnes : mictions partielles d'importance variable, surtout dans la petite enfance.

Le diagnostic avec l'incontinence d'urine se pose rarement : l'écoulement d'urine se fait alors goutte à goutte ; il y a obstacle du bas appareil créant une rétention (maladie du col, valvule ou sténose de l'urètre postérieur) ou agénésie du sacrum avec troubles sphinctériens. L'abouchement ectopique d'un uretère peut créer une pseudo-incontinence. La pollakiurie observée dans l'infection urinaire, rarement dans le diabète, peut entraîner une énurésie, d'où la nécessité d'un examen systématique du culot urinaire. Le diagnostic d'épilepsie (accident nocturne révélé par une miction) est très rarement en question.

Le pourcentage des cas organiques, dans le cadre d'une consultation de pédiatrie non spécialisée, est très faible ; en pratique, toute énurésie nocturne isolée est fonctionnelle (énurésie essentielle).

Cliniquement, il se produit souvent 2 ou même 3 mictions nocturnes ; l'énurésie est quotidienne ou intermittente, la cessation ou la reprise des accidents semble n'obéir à aucune règle.

Dans la petite enfance, l'énurésie nocturne s'accompagne souvent d'accidents diurnes : pollakiurie, envies impérieuses, émission d'urine dans la culotte. Dans la grande enfance, l'énurésie est en général isolée. Le plus souvent elle cesse avant l'évolution pubertaire ; rares sont les sujets qui restent énurétiques à la puberté.

La coexistence d'encoprésie diurne s'observe rarement.

Deux types d'hypothèses sont proposées :

● *L'hypertonie vésicale considérée comme retard de maturation.* L'étude cystométrique en fonction de l'âge montre que, normalement, entre 1 et 3 ans, la capacité vésicale s'accroît, tandis que l'éréthisme vésical se réduit progressivement. Chez l'enfant énurétique, on observe, beaucoup plus tard que normalement, les caractéristiques physiologiques du fonctionnement vésical de la petite enfance. Cette hypothèse s'accorde avec les manifestations cliniques diurnes de la petite enfance.

● *L'étiologie affective,* qui se fonde sur des constatations courantes : influence déclenchante ou salutaire d'incidents émotionnels ou de circonstances de vie dont le retentissement affectif est indéniable (présence ou absence de la mère, conflit avec un puîné). L'énurésie est considérée comme un symptôme inconsciemment utilisé par l'enfant, soit pour prolonger ou ressusciter le bien-être de l'enfance, en fixant l'intérêt maternel, soit comme une activité agressive à la suite de frustrations subies. Dans cette hypothèse, l'énurésie avec incidents mictionnels diurnes de la petite enfance est comprise comme la persistance et l'exploitation inconsciente d'un comportement infantile.

L'énurésie s'associe parfois à des troubles du comportement et du sommeil qui témoignent de troubles névrotiques ou psychopathiques. Cependant, l'énurésie nocturne du grand enfant est très souvent isolée, reliquat de problèmes d'enfance qui se sont résolus ; ce « conditionnement » énurétique est parfois entretenu par le port d'une culotte de protection.

Le **traitement** de l'énurésie doit se comprendre sur un autre plan que la thérapeutique pédiatrique habituelle : il s'agit d'un symptôme psychosomatique. Cependant, dans la grande majorité des cas, l'énurésie est isolée, et accessible au traitement. La participation de l'enfant est toujours nécessaire, sinon des rechutes sont à craindre. Il faut proscrire tous les appareils de protection utilisés par la mère. La réduction des liquides est sans grande importance. Parmi les nombreux médicaments proposés, il faut retenir, pour certains cas, les *tranquillisants* (méprobramate) et, après 6 ans, l'*imipramine,* qui augmente la capacité vésicale et qui, donnée au coucher (30 mg entre 5 et 7 ans, 50 mg après 7 ans), facilite sans conteste le contrôle mictionnel nocturne. La prise de médicaments doit être prescrite de manière que l'enfant se sente personnellement concerné. Quelques entretiens psychothérapiques sont utiles, surtout pour démythifier l'énurésie aux yeux de l'enfant (qui imagine souvent qu'il est différent des autres). Dans cet esprit on peut utiliser un appareil avertisseur, qui informe l'enfant de son besoin mictionnel. Quand il existe des troubles du comportement révélateurs d'un état névrotique ou d'un déséquilibre caractériel, des mesures d'hygiène mentale ou une véritable psychothérapie sont nécessaires.

Encoprésie

L'encoprésie est la défécation « involontaire », dans la culotte ou au lit, d'un enfant de plus de trois ans. Beaucoup plus fréquente chez le garçon, elle peut être primaire ou secondaire (apparaissant alors après une période de propreté acquise). Il s'agit de selles véritables, ou de simples souillures. Presque toujours l'encoprésie est diurne, très rarement nocturne ; elle se reproduit souvent chaque jour, l'enfant étant conscient de l'émission de la selle, qu'il dit ne pouvoir contrôler.

Dans sa forme de longue durée, la constipation est habituelle, le rythme des contractions intestinales est perturbé ou inexistant, les périodes de stagnation entraînent la formation de *fécalomes,* de consistance dure ou molle, qui forment un nouvel obstacle à l'installation du rythme de la défécation. En ce cas un *mégacôlon fonctionnel* est fréquent. Le toucher rectal montre un rectum plein, la contractilité du sphincter anal étant normale.

Dans d'autres cas, il s'agit d'épisodes encoprétiques sans constipation ni mégacôlon fonctionnel, dont la corrélation avec des incidents affectifs (opposition, vengeance) se démontre nettement.

Le **diagnostic** avec un mégacôlon congénital est facile à établir quand il s'agit de la forme haute habituelle, constituée dès les premiers jours de la vie. Exceptionnellement, la zone aganglionnaire est basse, juxta-anale ; la confusion est alors possible avec le mégarectum encoprétique. La biopsie après sphinctérectomie, ou l'étude des pressions rectale et juxta-anale, permet le diagnostic.

Le mécanisme de l'encoprésie est initialement une rétention fécale : au contraire de l'enfant qui acquiert le contrôle de sa défécation, le futur encoprétique retient sa selle (à la fois opposition à sa mère et satisfaction auto-érotique) ; à la longue se crée une *dyschésie* intestinale génératrice de fécalomes ; la sensation de besoin est émoussée, l'encoprésie devient quotidienne, les exonérations ne se faisant plus que par regorgement.

En cas d'encoprésie primaire, l'enfant n'a jamais répondu aux stimulations qui suscitent normalement la défécation quotidienne, il peut n'avoir pas la notion de ce qu'est une défécation volontaire.

Les facteurs émotionnels et affectifs en cause se réfèrent au mode de relation de l'enfant avec ses parents, et surtout avec sa mère, vis-à-vis de laquelle le refus de la selle peut être une première manifestation d'opposition. Puis l'encoprésie constituée suscite des sanctions familiales, un comportement rejetant de la part de tout l'entourage, qui peuvent aggraver le repli sur lui-même de l'enfant encoprétique. D'où l'association fréquente avec les troubles du comportement et l'énurésie nocturne.

Le **traitement** est éducatif et éventuellement psychothérapique. L'évacuation du fécalome qu'il faut parfois dissoudre progressivement est nécessaire, puis un véritable apprentissage de la défécation, une prise de conscience par l'enfant des stades successifs de l'exonération. Le problème psychologique au sein de la famille exige des entretiens avec les parents et souvent une véritable psychothérapie.

Les tics

Les tics sont des mouvements qui se répètent, identiques à eux-mêmes, sans rythme, semblant répondre à un but. Le plus souvent ils se produisent dans les muscles du visage (occlusion des paupières, contraction de la joue ou des lèvres), dans ceux du cou, des épaules ; certains tics affectent simultanément cou, épaules et visage.

Les tics respiratoires sont fréquents et souvent bruyants (aboiements), les tics vocaux sont voisins : croassement, ébauches incompréhensibles des mots orduriers.

Les tics s'observent après 7 ans et surviennent le plus souvent par périodes, la reprise des tics étant souvent en corrélation avec des incidents anxiogènes, des difficultés familiales ou scolaires.

La plupart des tics sont limités, ne créant pas de réelle difficulté, mais certains sont peu supportables en collectivité (tics d'aboiement) et il existe des formes sévères de tics intenses et ininterrompus qui sont incompatibles avec une vie sociale.

Une prédisposition familiale est fréquente : on trouve plusieurs tiqueurs dans une même famille. On insiste aussi sur la personnalité du tiqueur : hyperémotif et impulsif, qui se rapproche de celle du bègue. Toutes les circonstances qui créent l'insécurité peuvent être en cause dans la production des tics, d'où l'importance du climat familial, de la tolérance des parents ou des collatéraux. Le pronostic des tics dépend de leur caractère plus ou moins obsessionnel.

Les traitements proposés sont d'efficacité relative. La relaxation est ce qui donne les meilleurs résultats. Les tranquillisants (phénothiazine) sont des palliatifs. L'halopéridol à dose faible est souvent efficace. Les interventions auprès des parents sont nécessaires chaque fois que des facteurs d'insécurité familiale apparaissent. L'isolement peut être inévitable devant une période d'aggravation majeure.

Troubles du comportement

C'est à dessein que le terme purement descriptif de trouble du comportement est aujourd'hui utilisé, de manière à éviter toute définition étiologique. L'étude du comportement inclut, en face du comportement reconnu comme adapté, toutes les formes d'anomalies : colères, actes agressifs, violences, vols, fugues, l'instabilité et l'asthénie étant plutôt des états assez mal définis, en marge de la normale.

Il va de soi que l'appréciation d'un trouble du comportement ne peut se réduire à la plainte de la famille : telle difficulté est ignorée dans tel milieu, alors qu'elle n'est pas tolérée dans un autre. L'étude du trouble implique aussi qu'on soit informé non seulement de ses caractéristiques, de son intensité, de sa fréquence, de sa durée, mais aussi de ce qu'est l'enfant dans sa vie quotidienne et dans les divers milieux dans lesquels il vit. Le passé mental, la chronologie des moments successifs de sa vie, l'histoire de la famille et les constituants actuels de l'entourage sont des points essentiels. Il importe enfin d'étudier les traits de la personnalité de l'enfant par des entretiens et par des tests ; entretiens verbaux, si cela est possible, ou à l'aide de jeux si une expression aisée n'est pas encore acquise.

L'opinion défendue autrefois d'une genèse purement constitutionnelle, et la classification qui en dérivait, n'est plus admise aujourd'hui ; l'hérédité mentale a certes une place étiologique, mais qu'il est pratiquement impossible de délimiter ; elle s'associe inextricablement à tous les facteurs acquis à partir de la naissance : facteurs organiques tels que la prématuration ou les anomalies néonatales, facteurs sociaux et familiaux surtout, dont la connaissance exige une information précise, souvent difficile, puisqu'il n'est pas toujours possible d'ajouter foi aux renseignements fournis par les proches.

Certaines anomalies apparaissent uniquement liées à des erreurs éducatives, ou à un milieu incapable de donner une éducation. Il faut cependant savoir que, malgré l'apparence, beaucoup de ces anomalies sont déjà inscrites dans la personnalité, sous forme de conflits intérieurs que l'enfant projette au-dehors. Enfin la persistance de troubles du comportement au cours des années, avec un début très précoce sous forme de colères violentes et de troubles du sommeil, la corrélation de ces troubles avec une anamnèse parentale chargée (psychopathie ou déséquilibre mental chez l'un des parents ou chez les deux) posent le dilemme de l'hérédité mentale ou de la névrose de caractère : l'enfant pouvant être ainsi en raison de sa nature constitutionnelle ou en raison des perturbations précoces qui résultent, dès ses premières années, du comportement de ses parents.

Ainsi se trouvent distingués, mais aussi très souvent imbriqués, trois aspects syndromiques : les troubles purement réactionnels au milieu, les troubles névrotiques (qui résultent d'une situation conflictuelle dont le trouble du comportement n'est que l'expression) et les troubles liés au caractère, inné ou acquis. Il importe donc de s'efforcer de faire ces discriminations, mais aussi de suivre les enfants durant un temps suffisant pour juger de leur bien-fondé.

Instabilité psychomotrice

L'instabilité psychomotrice est une manifestation très commune, mais sans signification spécifique. Elle est le comportement habituel de beaucoup d'enfants de 2 à 3 ans, bien que, dès 3 ans, certains enfants soient déjà très capables d'une attention et d'un intérêt prolongés.

L'instabilité peut être surtout motrice. Au cours de la deuxième et de la grande enfance, l'agitation incessante de certains enfants constitue une véritable perturbation pour la vie scolaire ; cette « hypercinésie » s'associe parfois à un déficit moteur global ou à des difficultés practognosiques. Les anciens prématurés, surtout s'ils sont nés avec un poids inférieur à 1 500 g, ont souvent une instabilité de cet ordre.

L'instabilité psychomotrice est en général la conséquence de l'incapacité où se trouve l'enfant de trouver un intérêt réel aux activités auxquelles il est confronté. L'enfant de faible niveau intellectuel ou l'enfant sans cesse sollicité par des stimulations changeantes est instable, et la mise en place d'une pédagogie bien faite ou d'une organisation de vie tenant compte de ses intérêts en est le meilleur traitement.

Il existe aussi des états d'instabilité apparaissant au cours de la vie d'un enfant, en raison de tension familiale, de menace de séparation des parents, ou d'une appréhension scolaire ; ces instabilités réactionnelles sont plus rares.

Le traitement de l'instabilité doit donc d'abord viser à en modifier la cause ; quand il s'agit d'un état d'hypercinésie habituelle, on peut avoir recours à une médication telle que la chlorpromazine ou la thioridazine.

Vol

La prise de conscience du fait de voler se précise peu à peu chez l'enfant entre 3 et 7 ans. Aussi faut-il considérer différemment les « chapardages » du petit enfant et le vol réfléchi de l'enfant de 12 ans. De même la différence est grande entre le vol accidentel et le vol répété ou le même vol habituel, qui obligent à une enquête approfondie.

Plus que l'objet volé, c'est la personnalité de l'enfant qui importe, et aussi les circonstances du vol. A côté du vol dont l'intention est évidente : prendre et cacher de l'argent pour acheter un objet convoité, il existe de nombreuses circonstances apparemment illogiques qui engagent à se poser la question de la motivation : vol de vengeance, qui est une agression souvent à peine déguisée vis-à-vis d'une personne déterminée qui a exercé une sanction, ou fait subir une frustration ; vol « généreux », qui est le fait de voler pour faire des cadeaux à d'autres, comme s'il fallait à l'enfant s'acheter des amitiés, ce vol suggérant ainsi l'hypothèse d'une carence affective ; vol du « collectionneur », qui conduit à la mise en réserve, dans un lieu caché, d'objets dérobés, pour en constituer une sorte de trésor. Ces différents vols ont tous une motivation névrotique, dans la mesure où ils traduisent une intention subconsciente, et expriment un conflit.

Tout cependant n'est pas si simple, et bien des voleurs d'habitude agissent pendant un temps limité suivant l'une des modalités précédentes, et poursuivent cependant leur carrière de voleurs sous forme de vols impulsifs et répétés sans motivation apparente. Le vol d'habitude pose la question d'une éventuelle délinquance future : il s'avère en effet que les adolescents délinquants ont généralement commencé à voler dès leur 6e ou 7e année, et ont continué ensuite, presque chaque année. L'étude psychologique du voleur d'habitude fait apparaître souvent, mais non toujours, un passé de carence affective familiale : changement de milieu familial, foyer désorganisé, séparations répétées ; une image maternelle n'a pu ainsi se constituer. Dans d'autres circonstances, le milieu familial est stable et semble de bonne qualité, mais il apparaît, au cours de la psychothérapie, que le lien qui s'est constitué entre l'enfant et sa mère, ou entre lui et son père, est ambivalent ; tel est le cas du vol qui se fait longtemps aux dépens de la mère (l'enfant vole dans son sac ou dans son tiroir), celle-ci cachant au père les larcins commis par l'enfant, le père étant ressenti comme lointain et redoutable.

Ces exemples montrent la nécessité, en présence d'un enfant voleur, d'une enquête approfondie, poursuivie éventuellement par des entretiens psychothérapiques, et d'une attitude très nuancée, tenant compte de la personnalité du voleur et de la forme des vols. Dans les cas mineurs, des conseils peuvent suffire ; devant les vols répétés, quasi incoercibles, de certains préadolescents, il est très difficile d'avoir une action efficace.

Fugue

La fugue est le fait de quitter soudain son domicile ou l'école, en désorganisant son mode de vie habituel. On ne peut parler de fugue avant 6 ou 7 ans. Toute fugue d'enfant est consciente, et implique une insertion médiocre dans son milieu de vie, ou un désarroi soudain. La majorité des petits fugueurs sont de famille fragile ou dissociée ; le pourcentage des sujets de niveau intellectuel « limite » ou faible est élevé, ce qui fait comprendre leur insertion médiocre tant scolairement que dans le groupe d'enfants. Certains enfants recourent à la fugue, puis à la menace de la fugue pour manifester leur opposition au milieu familial. Il faut par ailleurs citer les fugues occasionnelles liées au désarroi chez un enfant qui vient d'être placé en internat, et qui, trop dépendant de sa mère, ne peut supporter d'être séparé d'elle. Les fugues des enfants psychotiques se situent dans le contexte d'irréalité de la mentalité psychotique. Ce sont à peine des fugues.

Comportement pervers

Autrefois trop utilisée, quand elle était conçue, à la suite de Dupré, comme une anomalie constitutionnelle et inamendable, la notion de perversité, ou plutôt de comportement pervers, doit encore être appliquée à un petit nombre d'actes dont le but paraît être essentiellement de nuire : bris d'objets, meurtres d'animaux, activités malignes à l'égard d'autrui. Les faits se déroulent comme si l'enfant ou le préadolescent n'avait pas pu constituer en lui de « surmoi » ou de conscience morale, restant uniquement mû par ses instincts primitifs. En fait, il faut avoir suivi longtemps un enfant pour pouvoir le qualifier de pervers, et il existe de multiples états de passage entre les actes de vengeance névrotique qui n'expriment qu'une situation temporaire et les activités nocives manifestes pendant toute l'enfance, au sujet desquelles on peut parler de névrose de caractère ou de constitution perverse. On ne peut en tout cas admettre ce dernier terme que si l'on a pu, par des entretiens successifs, aborder et examiner les problèmes personnels du sujet.

Troubles névrotiques

On n'observe pas chez l'enfant les névroses bien connues chez l'adulte, dont les principales sont : la névrose obsessionnelle, la névrose phobique, la névrose d'angoisse. Ces états n'apparaissent qu'à la puberté ou plus tard. Ce qu'on observe en revanche chez lui, ce sont des manifestations de type obsessionnel (auxquelles l'enfant a inconsciemment recours pour se sécuriser dans une situation qui l'angoisse), des manifestations phobiques et hystériques qui ont leurs caractères propres et n'annoncent généralement pas une névrose d'adulte.

Manifestations hystériques

Les manifestations simulant un état pathologique (astasie-abasie, tremblement, cécité, etc.) sont fréquentes dans l'enfance ; elles revêtent les caractères de l'hystérie en raison de leur plasticité, de leur peu de durée, de leur caractère théâtral, et impliquent le besoin de retenir l'attention d'autrui ; elles se trouvent en général chez des enfants qui ont un « moi » faible, avec parfois un niveau de débilité. L'hystéro-épilepsie est la survenue chez un enfant épileptique de crises non épileptiques simulant l'épilepsie, dont la répétition se conçoit dans le climat de surprotection ou d'utilisation de la maladie qui est le fait d'enfants atteints d'un mal de longue durée. Les manifestations d'hystérie de conversion, qui sont l'expression corporelle d'une angoisse sexuelle, ont une fixité et une durée beaucoup plus grandes que celles de l'hystérie infantile et ne s'observent guère que peu avant l'adolescence ou à l'adolescence.

Phobies

Angoisse intense liée à la présence d'un objet ou d'un être, ou d'une situation particulière qui ne la justifie pas, la phobie se conçoit comme la conséquence d'un conflit interne se projetant sur le monde extérieur. Elle est illogique et impérieuse ; il est vain de la nier ou de vouloir la réprimer. Les plus fréquentes sont les phobies de certains animaux (chien, chat, insecte, souris), les phobies d'objets (couteau), de l'eau, du sang, des microbes, de ce qui est sale, etc. Si elles persistent et se renouvellent, si la vie de l'enfant en est constamment perturbée, il s'agit d'un état névrotique sévère. L'indication d'une psychothérapie est formelle ; celle-ci peut faire apparaître des thèmes sous-jacents (crainte de castration, thème de dévoration) qui se relient au vécu de la vie passée.

La phobie de l'école est particulière : dans le jeune âge, la peur de quitter sa mère pour aller à l'école est chez l'enfant cause d'angoisse, de vomissements, de douleurs abdominales, d'encoprésie. Chez l'enfant plus âgé, le refus phobique de l'école est l'absolue incapacité de franchir le seuil de la classe ; cet enfant cherche le plus longtemps possible à dissimuler son absence, et tous les encouragements ne font que faire renaître l'angoisse. Quelques-uns de ces enfants entrent dans la voie de la psychose ; chez la plupart on observe une organisation névrotique de la personnalité (inhibition, rigidité pouvant se relier à l'angoisse de castration). La reprise ultérieure de la vie scolaire est cependant habituelle, mais après un long délai et dans des conditions difficiles.

Etats psychotiques

Le concept de psychose chez l'enfant est récent, il rassemble des états classés autrefois parmi les arriérations ou les troubles du caractère ; le trait essentiel est la perturbation plus ou moins profonde de l'appréhension du réel.

Psychose précoce (autisme infantile)

Dès les premiers mois, l'enfant ne sourit pas : plus tard il ne regarde pas les personnes, ne s'intéresse pas à elles, déçoit sa mère par son absence de participation aux échanges ; il est cependant sensible aux contacts corporels. Le langage n'apparaît pas, l'enfant émet seulement des sons, qui n'ont pas de caractère signifiant ; à 3 ou 4 ans il en est de même. On le croit sourd ; pourtant il réagit aux sons et à la voix ; en fait l'audition est intacte. Tout l'intérêt de l'enfant va aux objets, qu'il manipule non pas comme on le lui montre, mais suivant sa propre impulsion, avec de plus en plus d'adresse à mesure qu'il grandit. Une manifestation est particulière : la répétition stéréotypée de gestes sans motif apparent, comme regarder sa main en écartant les doigts, sautiller, flairer les objets, les faire tourner, etc. Il s'agit d'une activité tournée vers soi, non vers autrui. En présence d'une opposition, ces enfants sont pris d'angoisse ; chez certains cette anxiété devient habituelle et massive, se réveillant à la moindre modification de leur mode de vie ; une grande agitation et des rages incontrôlables en sont la conséquence. D'autres sujets restent calmes, s'occupant à leurs activités propres.

Dans les années qui suivent, la progression somatique est normale, mais le développement intellectuel subit un retard croissant, l'enfant ne pouvant ni accéder à un contact social ni acquérir les bases scolaires. Le langage apparaît le plus souvent, mais très tard, et sous forme de sons à peine ébauchés : propos écholaliques, rudiments de mots répétés de manière stéréotypée. C'est apparemment un arriéré d'un type particulier, mais qui peut, à certains moments, surprendre par sa compréhension des faits ou par des initiatives inattendues. L'absence de langage avant 5 ans implique un pronostic mauvais.

Psychose à début plus tardif

L'état psychotique peut ne se constituer qu'après l'installation du langage, à 3 ans, 4 ans, 5 ans : mutisme de durée variable, attitudes étranges, illogiques, colères soudaines, crises d'agitation anxieuse, fugues immotivées. C'est dans l'entretien avec l'enfant que se découvrent les signes essentiels : la confusion du réel et de l'irréel, l'intériorisation de la pensée.

50 % des enfants psychotiques deviennent à l'adolescence des psychopathes d'un type voisin de la schizophrénie ; l'évolution la meilleure se fait vers une adaptation sociale relative, avec une obsessionnalisation quasi inévitable des activités et du mode de pensée.

Etats parapsychotiques

Avant 6 ou 7 ans, on observe souvent des troubles du comportement (instabilité, colères faciles, troubles du sommeil) avec un déficit inégal du langage et de la motricité et un trouble dans l'appréciation du réel qui font évoquer un état psychotique. Certains de ces enfants s'améliorent quand le milieu de vie est modifié ou à la suite d'une psychothérapie.

Etiologie

Elle demeure incertaine. Si habituellement on ne trouve chez l'enfant psychotique ni anomalie neurologique ni anomalie organique, dans une minorité de cas (15 à 25 % en moyenne) il s'est produit une atteinte cérébrale manifeste. L'hérédité mentale pathologique est à retenir dans un important pourcentage de cas. Le problème d'une psychogenèse et surtout d'une perturbation grave et précoce de la relation mère-enfant est posé pour de nombreux cas : hérédité et troubles relationnels se trouvent souvent confondus.

Traitement

Il demeure précaire. Les médications neuroleptiques ont une action partielle : sur l'angoisse et l'agitation, sur les troubles du sommeil. La psychothérapie individuelle a donné, en des mains expérimentées, quelques résultats, surtout dans les états parapsychotiques.

Le placement dans un établissement tolérant et spécialisé est ce qui permet le mieux la prise de contact avec autrui. La solution la meilleure, quand l'état de l'enfant le permet, est l'hôpital de jour, qui laisse l'enfant dans son milieu familial tout en assurant son traitement et sa scolarisation.

Psychopathologie de l'adolescence

La crise d'identité juvénile de l'adolescence doit être connue pour que l'on puisse apprécier la signification des manifestations d'agressivité ou d'isolement, les changements d'attitude apparemment injustifiables de certains adolescents. Les expériences sexuelles précoces ne peuvent être comprises que dans leur contexte social. Des perturbations telles que les tendances homosexuelles, l'entrée dans la toxicomanie, doivent, si elles sont connues à temps, entraîner une intervention médicale préventive : le médecin qui a la confiance de la famille et de l'adolescent est le plus indiqué pour entreprendre les premiers dialogues, et éventuellement orienter le sujet vers un psychothérapeute.

Dans certaines conditions de vie urbaine moderne (famille désunie, grands ensembles, etc.), il arrive que les préadolescents et les adolescents quittent leur foyer pour une vie marginale, certains se rassemblant en bandes, dont chacune a sa loi et son chef, et qui conduisent souvent à la délinquance.

Il faut savoir que l'adolescence est aussi la période pendant laquelle apparaissent les premières manifestations des psychoses de type schizophrénique. 10 à 15 % des toxicomanes sont dans ce cas. Un avis psychiatrique s'impose.

Parmi les manifestations dont le début se situe électivement à l'adolescence, il faut enfin détacher l'anorexie mentale juvénile.

Anorexie mentale juvénile

Maladie de l'adolescence féminine, l'anorexie mentale juvénile peut, rarement cependant, apparaître dès l'âge de 10 ou 12 ans, avant la date des premières règles. C'est une perte progressive de l'appétit, la fillette s'alimentant de moins en moins et perdant du poids ; la constipation est habituelle. L'enfant devient triste, centrée sur elle-même, agressive vis-à-vis de la mère, préoccupée seulement de sa réussite scolaire. Manger, et surtout prendre du poids, devient une hantise ; il y a plus : un refus phobique de s'intéresser à son corps et un refus de la féminité à venir. Les formes graves exigent l'isolement et des entretiens psychothérapiques. Le pronostic d'avenir est souvent médiocre en raison de la persistance du trouble névrotique.

Anomalies du développement de la parole et du langage

Habituellement, le développement du langage se fait de telle sorte que les premiers vocables signifiants (les premiers « mots ») apparaissent vers un an, le premier assemblage de mots (la première phrase) entre 22 et 24 mois, l'étape décisive d'installation du vocabulaire et du langage se situant entre 2 et 3 ans.

L'*acquisition du langage* nécessite l'apport auditif, la possibilité de réalisations praxiques, une intelligence suffisante, et le dynamisme affectif nécessaire au désir de parler.

Insuffisance auditive (surdité et hypoacousie)

Elle a pour conséquence un déficit du langage, qui peut être total (surdimutité) ou partiel (en cas d'hypoacousie). D'où l'obligation, devant tout retard de langage, de s'interroger sur la qualité de l'audition, par la recherche clinique, et, si nécessaire, par le recours à l'audiométrie infantile.

Incapacité praxique

Elle est le fait des infirmes moteurs cérébraux ; l'absence ou le déficit de langage y est lié en général aux troubles neuromoteurs de la région phonatoire (spasticité, athétose, incoordination, paralysie). Par une exploration méthodique, il faut étudier la part de l'insuffisance respiratoire, vélaire, laryngée, labiale, linguale, connaître le degré d'intelligence (70 % des I.M.C. ont un déficit plus ou moins profond), s'assurer que l'audition est bonne. L'éducation de cette dysarthrie doit tenir compte de tous ces éléments.

Psychose et arriération

Elles ne posent pas de véritables problèmes de langage : dans le premier cas, c'est le désir de communiquer avec autrui qui fait défaut, dans le second, l'insuffisance d'intérêt et de contrôle.

Déficit essentiel du langage

En dehors de ces cas, on observe souvent chez l'enfant normal un déficit d'acquisition du langage, le plus souvent sous la forme d'un retard qui se comble entre 4 et 6 ans, plus rarement un déficit durable (dysphasie) qui conduit à une expression verbale suffisante pour la vie quotidienne, mais insuffisante pour organiser dans les délais scolaires le langage écrit.

Entre 3 et 6 ans, le retard de parole se caractérise soit par des troubles de prononciation (zozotement, incapacité à prononcer certaines consonnes), soit par un parler puéril, soit par un déficit du langage lui-même. Le bilan qu'il faut établir doit donc tenir compte non seulement de l'expression, mais aussi de la compréhension verbale. Celle-ci est toujours très supérieure à l'expression, elle semble toujours normale ; en réalité, elle peut, quand le déficit est important, être elle aussi déficitaire. La coexistence d'un déficit moteur global est fréquente. Le fait important est l'étude du comportement psycho-affectif : beaucoup de mal-parlants ont une immaturité affective, parfois des troubles du sommeil et des manifestations anxieuses. L'étiologie est multifactorielle : les conditions socio-familiales, les problèmes de relation enfant-parents sont souvent évidents, ils ont la place principale ; on ne doit pas cependant ignorer l'existence de facteurs organiques sous-jacents (anomalies néonatales mineures) et des facteurs génétiques.

La rééducation du langage peut être remarquablement efficace quand elle est effectuée au bon moment (entre 4 et 6 ans) et quand la participation de l'enfant est acquise. Elle est nécessaire pour réduire ou prévenir les difficultés de comportement se produisant chez l'enfant mal-parlant quand il est confronté aux autres enfants, aussi bien que pour préparer l'apprentissage de la lecture et du langage écrit.

Chapitre 27

Arriération mentale
par P. E. Ferrier

Dimension du problème

L'enfant arriéré représente un des problèmes majeurs auxquels le médecin qui s'occupe d'enfants est le plus souvent confronté et malheureusement aussi l'un de ceux pour lesquels il se sent le plus mal préparé. Ce sentiment est en partie inévitable — même des pédiatres chevronnés l'éprouvent — probablement parce que le réflexe médical de recourir à des techniques de guérison sûres et rapides est d'avance frustré. Le rôle du médecin est cependant de la plus haute importance, surtout dans la *détection précoce* des affections pouvant conduire à l'arriération. En effet, certaines débilités mentales peuvent être *prévenues* par un diagnostic et une correction précoce, métabolique, neurochirurgicale ou autre ; en outre, tous les retards ont un pronostic social d'autant meilleur qu'ils sont diagnostiqués et suivis ou pris en charge plus tôt. L'arriéré négligé acquiert très vite des caractéristiques psychotiques. Cela doit être évité. Enfin le médecin doit savoir détecter les pseudo-arriérations que représentent les cas de surdité congénitale et les psychoses (autisme).

On estime généralement que la proportion des personnes atteintes d'un degré évident d'arriération dépasse le 1 % de n'importe quelle population. En choisissant des critères plus stricts on arrive à 5 %, mais là il est évident que tout dépend des critères utilisés. De même si l'on ne considère que les handicapés mentaux nécessitant l'admission en institution spécialisée, les chiffres sont influencés par les critères légaux et sociaux gouvernant l'admission, et par la disponibilité de telles institutions. Le taux d'arriérés « internés », dans les pays occidentaux, varie entre 0,2 et 1,5 pour mille habitants.

On mentionne souvent le coût d'entretien d'un arriéré qui vit jusqu'à 50 ou 60 ans, et on cite des chiffres de plusieurs centaines de milliers de francs, de dollars, etc. Il est entendu que ce coût représente une charge pour la société, mais cela n'est pas le problème le plus difficile pour elle. Le problème le plus épineux pour la société est de trouver en son sein des personnes (infirmières, éducateurs, aides de toutes sortes, personnel dit « de maison ») qui veuillent bien travailler avec, pour ou parmi des déficients mentaux. C'est pourquoi il n'y a pas de petites victoires dans le traitement ou l'éducation des handicapés mentaux : un malade qui ne se souille pas, par exemple, demande à longue échéance des milliers d'heures de travail de moins que celui qui se souille.

Tableau 1 : Causes traitables d'arriération

Maladie	Signes et symptômes	Epreuves diagnostiques	Traitement
Phénylcétonurie	Eczéma Yeux bleus Cheveux blonds	Test de Guthrie (sang) Taux sanguin de phénylalanine élevé Test urinaire au $FeCl_3$	Régime pauvre en phénylalanine
Hypoglycémie, surtout néonatale	Hyperexcitabilité, convulsions Léthargie, hypotonie Cri plaintif Croissance trop lente	Glycémie basse (<0,3 g/l chez le nouveau-né)	Glucose i.v. Repas fractionnés et fréquents Si nécessaire, cortisone
Hypothyroïdie	Myxœdème, macroglossie, front ridé Somnolence, hypotonie Température basse, bradycardie Constipation Nouveau-né : ictère prolongé	Thyroxine plasmatique basse Iode protéique bas, TSH élevée Absence de glande thyroïde ou thyroïde ectopique à la scintigraphie	Extraits thyroïdiens L-thyroxine Tri-iodo-thyronine
Hypercalcémie	Visage d'«elfe» (pommettes saillantes) Hypotrophie Sténose aortique supravalvulaire	Calcium sanguin élevé	Régime pauvre en Ca et en vitamine D Cortisone
Galactosémie	Vomissements Ictère prolongé du nouveau-né Hépato-splénomégalie Hypotrophie	Galactosurie (substance réductrice dans l'urine) Démonstration d'une déficience érythrocytaire en gal-1-P-uridyl-transférase	Régime sans galactose
Convulsions néonatales pyridoxino-dépendantes	Convulsions survenant peu après la naissance	Electro-encéphalogramme: polypointes-ondes diffuses Traitement d'épreuve à la pyridoxine (vit. B_6)	Pyridoxine (vitamine B_6) à très fortes doses
Ictère néonatal par incompatibilité fœto-maternelle	Ictère néonatal grave	Taux d'anticorps anti-Rh Test de Coombs Taux de bilirubine non conjuguée	Exsanguino-transfusion Immunisation anti-D maternelle
Intoxication au plomb (saturnisme)	Irritabilité Convulsions Anémie Coliques	Ponctuations basophiles des globules rouges Zones de densification épiphysaires Plombémie et plomburie élevées	BAL et EDTA Pénicillamine Elimination de la source de Pb
Hydrocéphalie progressive	Augmentation trop rapide de la circonférence crânienne Signe du soleil-couchant	Radiographies du crâne (séparation des sutures) Pneumo-encéphalographie gazeuse	Pose d'un shunt ventriculo-jugulaire avec valve de Spitz-Holter

Enfin, une des dimensions du problème de l'arriération est réalisée par l'impact sur la famille. L'existence d'un enfant mentalement déficient a toujours un profond retentissement sur une famille. Les parents d'un enfant arriéré, et ses frères et sœurs, sont toujours éprouvés, transformés par la malheureuse expérience. Cela peut aller jusqu'à la dissolution de la cellule familiale d'une part, et le développement de comportements franchement psychopathiques d'autre part. Les frères et sœurs sont souvent inquiets au sujet de leur propre intégrité. C'est le rôle du médecin que d'essayer de limiter les dommages et les déviations obsessionnelles en demeurant un conseiller patient et disponible, même si cette tâche n'est pas toujours facile.

Etiologie

On estime que la cause de l'arriération est connue pour le 25 à 35 % des enfants atteints. De ce groupe, le 75 à 80 % relève de facteurs anténataux, soit : hérédité (arriération aspécifique familiale), malformations cérébrales, erreurs chromosomiques, enzymopathies affectant le métabolisme, infections ou intoxications intra-utérines (médicaments, produits chimiques). Le 10 % des causes connues représente le résultat d'un accident périnatal (anoxie cérébrale, hémorragie cérébrale, ictère, etc.). Enfin le 10 % restant est constitué de lésions acquises plus tard, telles que séquelles de méningite, d'encéphalite, de traumatisme crânio-cérébral et d'intoxication.

Le tableau 1 énumère les principales affections responsables de déficience mentale qui, si on les diagnostique à temps, sont justifiables d'un traitement efficace, capable d'empêcher l'apparition de l'arriération. Il est absolument capital que le médecin sache reconnaître à temps ces désordres, puisqu'ils impliquent une sanction thérapeutique immédiate. Il est probable qu'avec le temps quelques affections rares puissent être ajoutées à cette liste, notamment des affections métaboliques. Malheureusement, en nombre absolu, cette liste correspond à peu de malades, et le nombre de situations où l'on peut intervenir avec efficacité *après la naissance de l'enfant* est petit, comparé à la dimension du problème dans son ensemble. On a plus de chances d'agir efficacement et de réduire le nombre des arriérés par la *prévention* (prophylaxie) que par le traitement postnatal.

Voici quelques points sur lesquels la prévention doit porter ses efforts :
● Surveillance des grossesses, détection des « risques élevés » (cf. p.   ), prophylaxie de la toxémie gravidique, amélioration des critères d'intervention obstétricale.
● Dépistage néonatal des désordres endocriniens (thyroïde) et métaboliques (phénylcétonurie, galactosémie, etc.).
● Amélioration des soins périnataux : soins aux prématurés, détresses respiratoires, anoxie, sepsis.
● Prophylaxie de l'encéphalite morbilleuse (vaccination des enfants contre la rougeole).
● Prophylaxie de l'embryopathie rubéoleuse (vaccination des jeunes filles).
● Prévention des intoxications et des accidents (de la circulation routière surtout, traumatismes cranio-cérébraux).

- Prévention des sévices (enfants battus ou négligés).
- Amniocentèse et avortement prophylactique (affections héréditaires du métabolisme, du système nerveux central, aberrations chromosomiques).
- Protection contre les irradiations.
- Amélioration de la prévention et du traitement des méningites bactériennes.
- Détection des troubles sensoriels et moteurs, rééducation, prévention des « pseudo » retards mentaux (surdités, psychoses, infirmités motrices et cérébrales).
- Mesures éducatives tendant à décourager les mariages consanguins.

C'est à dessein que nous ne mentionnons pas le conseil génétique ou eugénique dans la liste ci-dessus, car il ne peut guère prétendre réduire ni le problème des mutations spontanées, qui se produiront toujours, ni le problème de l'hérédité polygénique de l'arriération, qui est rebelle à toute prédiction. Le conseil génétique, en d'autres termes, a son utilité dans les cas individuels, puisqu'il peut donner, avec précision ou avec approximation, le risque de récurrence, mais n'a pas la capacité d'améliorer la santé publique en général, en diminuant la fréquence des cas nouveaux.

Traitement

Le traitement découle naturellement du diagnostic (cf. tableau 1). Mais un petit nombre seulement de causes d'arriération peuvent mener à une thérapeutique étiologique directement et rapidement efficace.

Pour les autres cas d'arriération, il faut se fixer des buts moins ambitieux et faire, en quelque sorte, « flèche de tout bois ». La détection et la prise en charge de l'arriéré aussi précoces que possible demeurent essentielles. Dans certains pays, il existe des services psycho-éducatifs qui suivent le handicapé dès son plus jeune âge à domicile, apportant un support éducatif et moral très utile aux parents (guidance) et à l'enfant d'âge préscolaire. L'enfant arriéré non stimulé a tendance à aggraver son état en développant des traits psychotiques. Plus les automatismes sociaux et psychomoteurs seront solidement et précocement établis, mieux l'enfant débile sera socialement adaptable et apte à faire face à des situations nouvelles, et plus il pourra utiliser toutes ses possibilités. Dans les circonstances de l'arriération, la maturité sociale est plus importante que les performances intellectuelles pures, qui ne sont jamais compétitives de toute façon. La maturité sociale rend la tâche de ceux qui devront forcément un jour se substituer aux parents de l'enfant moins difficile. Quant au groupe des déficients les moins touchés mais les plus nombreux (« slow learners » et « éducable retardates »), ils méritent que l'on s'occupe d'eux au maximum puisqu'ils ont quelque chance de se rendre indépendants en gagnant modestement leur vie, à condition que tout leur potentiel de développement soit utilisé.

Enfin il faut aussi considérer les autres acteurs du drame, c'est-à-dire les parents et les frères et sœurs dont les problèmes personnels créés par le fait d'avoir un enfant, un frère ou une sœur débile, méritent aussi souvent une attention médicale. Le médecin de famille peut jouer un rôle très important auprès des parents, et il doit parfois se faire aider par un psychiatre.

Chapitre 28

La pédiatrie dans les pays en voie de développement

par J.-P. Grangaud, M.-S. Mazouni et S. Bakouri

Il est peut être discutable de consacrer un chapitre de ce Précis aux aspects de la pédiatrie dans les pays en voie de développement. D'une part, ces pays sont très différents les uns des autres, du point de vue de leur géographie, de leurs structures socio-économiques, de leurs systèmes de santé. D'autre part, la pathologie que l'on y rencontre n'est pas fondamentalement différente de celle qui est observée dans les pays dits développés. La plupart des thèmes abordés dans ce chapitre sont du reste envisagés également à d'autres endroits du Précis.

Cependant, tous ces pays se distinguent des autres pays par un certain nombre de caractéristiques :
- jeunesse de la population et forte mortalité infantile et juvénile ;
- gravité des tableaux cliniques, en rapport avec la faible accessibilité aux soins et avec les carences nutritionnelles ;
- prédominance de la pathologie infectieuse, due à des conditions d'hygiène encore précaires.

Dans ces pays, un accent tout particulier est mis sur la prévention. Cependant, les difficultés organisationnelles et les problèmes de coût représentent des obstacles importants à la réalisation de programmes de prévention efficaces.

Caractéristiques des pays en voie de développement dans le domaine de la santé

- *Aspects démographiques :* Tous les pays en voie de développement se caractérisent par une croissance démographique élevée. La conséquence directe en est la jeunesse de la population. Les moins de quinze

Tableau 1 : Population mondiale et enfants de moins de 5 ans (1980)

	Population (en millions)	Enfants de moins de 5 ans (en millions)	Décès à moins de 5 ans (en millions)
Pays en voie de développement :			
Afrique	470	94	3,8
Amérique du Sud	240	48	0,9
Asie	2579	516	19,6
Océanie	23	5	0,2
Total	3312	663	24,3
Pays industrialisés :			
Europe (URSS comprise)	749	56	0,2
Amérique du Nord	372	31	0,1
Total	1121	87	0,3
Total général	4433	750	24,6

Source : Annuaire statistique des Nations Unies.

---

ans représentent 40 à 50 % de cette population, et les moins de cinq ans environ 20 % (cf. tableau 1). Les grossesses ne sont généralement pas surveillées et, dans l'immense majorité des cas, les naissances ont lieu à domicile. Lorsque la mère reçoit une assistance au moment de l'accouchement, cette assistance est le plus souvent fournie par une matrone. Ces différents éléments expliquent la très forte mortalité néonatale qui est observée. La mortalité infantile et la mortalité juvénile sont également élevées (cf. tableau 2). Un enfant sur quatre ou cinq, et même un enfant sur deux dans certaines zones rurales défavorisées, meurt avant l'âge de cinq ans. La plupart de ces décès sont en rapport avec les infections et la malnutrition.

● *Aspects économiques et socio-culturels :* Pour expliquer cette situation, il est classique d'incriminer le bas revenu par tête d'habitant. Dans ces pays en effet, l'accroissement des disponibilités alimentaires est faible, et les budgets dévolus à la santé relativement peu élevés, alors que l'accroissement démographique est rapide. Mais tout autant que ces facteurs, les bouleversements subis par les sociétés traditionnelles durant le dernier siècle sont à mettre en cause : l'irruption d'un mode de vie différent a profondément modifié les habitudes alimentaires et l'habitat. Certaines attitudes bénéfiques pour l'enfant sont en nette régression (allaitement maternel), alors que d'autres, qui avaient une justification, ou n'avaient pas d'importance dans un contexte traditionnel, deviennent nuisibles (tabous alimentaires, techniques de lutte contre le chaud et le froid). L'impact de ces transformations est particulièrement sensible dans le domaine de la nutrition. La malnutrition, qui résulte à la fois d'un manque de disponibilités et d'une mauvaise utilisation des ressources existantes, constitue souvent la toile de fond de la pathologie

Tableau 2 : Natalité et mortalité dans différents pays du monde

Pays	Natalité pour 1000 habitants (1979)	Mortalité pour 1000 habitants (1979)	Mortalité infantile (1978)	Mortalité juvénile (1979)
Bengladesh	44	16	130	19
Chine	18	6	56	
Inde	34	14	125	15
Indonésie	36	13	120	14
Vietnam	36	9	62	5
Algérie	46	14	112	16
Bénin	49	19		25
Cameroun	42	19	157	25
Egypte	37	12	85	15
Kenya	51	13	91	15
Tunisie	31	11	90	13
Brésil	29	9	92	8
Colombie	30	8	65	8
Costa Rica	29	5	28	3
Cuba	18	6	25	2
Equateur	40	10	66	10
El Salvador	39	9	60	8
Mexique	36	7	60	5
Canada	17	7	12	1
Etats-Unis	17	9	14	1
Belgique	13	12	12	1
Bulgarie	15	11	22	1
France	14	11	11	1
Grèce	16	10	20	1
Hongrie	15	12	24	1
Portugal	18	10	39	1
Suède	12	12	8	0,5
Suisse	12	10	10	0,5
Tchécoslovaquie	18	11	19	1

Source : Rapport sur le développement dans le monde 1981. Banque Mondiale. Août 1981.

rencontrée. Elle aggrave considérablement l'évolution et le pronostic des différentes affections.

● *Aspects organisationnels :* Dans les pays en voie de développement, le personnel de santé est peu nombreux et, dans bien des cas, mal réparti. Par ailleurs, les structures de santé, souvent héritées d'un contexte colonial, ne répondent pas aux besoins de la population. L'insuffisance des moyens de communication et les grandes distances posent des problèmes délicats dont il faut tenir compte, non seulement pour l'organisation des soins, mais encore pour les programmes de prévention.

Différents aspects de la pathologie

Il ne saurait être question de passer en revue toute la pathologie susceptible d'être rencontrée dans les pays en voie de développement. Nous mettrons essentiellement l'accent sur les problèmes rencontrés chez le nouveau-né et sur la pathologie carentielle et infectieuse du nourrisson et de l'enfant.

Pathologie néonatale

Faible poids de naissance

C'est une anomalie fréquemment constatée (cf. tableau 3). Hypothèses : malnutrition sévère de la mère pendant la grossesse, anémie de la mère, paludisme ou infections.

Diathèse hémorragique

L'absence quasi totale d'administration préventive de vitamine K à la naissance explique la fréquence de la maladie hémorragique du nouveau-né.

Infections

Les infections représentent l'une des principales causes de mortalité néonatale. Elles peuvent intéresser n'importe quel organe. Certaines infections sont particulièrement fréquentes dans les pays en voie de développement :
- *Infections cutanées à staphylocoques :* Pemphigus, staphylococcie bulleuse.
- *Candidose buccale ou muguet :* Elle peut être à l'origine d'une infection généralisée à candida.
- *Gastroentérite aiguë :* Surtout chez les nouveau-nés soumis à l'allaitement artificiel. Germes en cause : shigella, colibacilles, salmonelles, parfois staphylocoques dorés.
- *Tétanos ombilical :* Incubation variable (3 à 10 jours). Plus l'incubation est courte, plus le pronostic est mauvais. Le début est progressif, marqué par des difficultés de succion, dues au trismus. Ce dernier apparaît ou s'accentue lors des tentatives d'ouverture de la bouche. La contracture intéresse ensuite les muscles du pharynx et du larynx, entraînant une modification du cri. Enfin s'installe une hypertonie généralisée et permanente qui s'aggrave lors d'accès spastiques, survenant soit spontanément, soit après stimulation tactile ou sensorielle. L'enfant se met alors

Tableau 3 : Prévalence des petits poids de naissance (PPN) selon les continents en 1975

Région	% PPN	Population en millions	Nombre de naissances	Nombre de PPN
Afrique	15	401	18 529 300	2 779 395
Asie	21	2255	78 699 500	16 526 895
Amérique du Sud	13	324	11 955 600	1 554 228
Océanie	20	21	520 800	104 160
Amérique du Nord	10	237	3 910 500	391 050
Europe	7	473	7 615 300	533 071
URSS	4	255	4 539 000	181 560
Total	17,5	3966	125 770 000	22 070 359

en opisthotonos, et des troubles respiratoires apparaissent, accompagnés de cyanose, d'encombrement pulmonaire et d'apnée. C'est au cours de ces accès, qui durent de quelques secondes à une minute, que la plupart des décès surviennent. L'examen montre en général une fièvre modérée. L'ombilic n'est que rarement le siège d'une plaie suintante et atone.

L'évolution est très grave : 40 à 95 % de mortalité selon les pays ; 10 % des décès de nouveau-nés dans les zones d'endémie.

Le traitement du tétanos ombilical varie selon les moyens locaux. En l'absence de moyens sophistiqués : apport entéral par sonde gastrique d'une ration calorique correcte, administration de diazépam (1 mg/kg/dose toutes les 4 à 6 heures), injections intrathécales d'anticorps spécifiques sous couvert d'une corticothérapie par voie générale. Dans les milieux médicaux plus favorisés : ventilation assistée, diazépam à plus forte dose, curarisants d'action rapide afin de diminuer la fréquence de certaines complications (atélectasies, lésions osseuses et musculaires).

La prévention demeure la meilleure arme thérapeutique. Elle repose sur trois principes :

a) Assurer la propreté du cordon lors de la naissance. Certaines pratiques traditionnelles (pansement ombilical à l'aide d'une mixture de feuilles et de boue ou de bouse de vache, section du cordon à l'aide d'instruments septiques) doivent être combattues par l'éducation sanitaire. L'application ombilicale de poudre d'hexachlorophène à 0,33 % ou de violet de gentiane à 1 %, ou de solution alcoolique à 50 % de vert brillant et de cristal violet est recommandée.

b) Mettre en place des programmes de formation ou de recyclage des matrones, qui pratiquent une grande partie des accouchements.

c) Augmenter l'immunité du nouveau-né dans les régions de haute endémicité. La vaccination des femmes durant la grossesse permet d'obtenir une élévation suffisante des anticorps antitétaniques passant la barrière placentaire. Chez les femmes non vaccinées, on recommande deux injections d'anatoxine à 6 semaines d'intervalle entre le 3e et le 6e mois de grossesse et une troisième injection à proximité du terme. Certains auteurs ont montré récemment que deux injections de vaccin concentré absorbé sur phosphate de Ca, réalisées au 4e et au 6e mois, sont suffisantes et efficaces. Chez les femmes vaccinées, une injection de rappel au 8e mois est suffisante.

Ictère

Les problèmes posés par les ictères néonataux ne sont pas spécifiques aux pays en voie de développement. Certains points doivent cependant être soulignés.

Mesure du taux de la bilirubine

Un ictéromètre peut être utilement employé dans les zones éloignées des centres hospitaliers : instrument simple utilisant la coloration cutanée comme repère, avec graduation qui peut être grossièrement quantifiée. Il permet d'identifier les nouveau-nés pour lesquels le seuil dangereux de l'hyperbilirubinémie a été dépassé et de les diriger sur un centre spécialisé. La mise au point récente d'un bilirubinomètre cutané permet actuellement une meilleure sélection de tels malades.

Tableau 4 : Critères utilisés pour une exsanguino-transfusion précoce

Auteur	Hémoglobine dans le sang du cordon	Bilirubine dans le sang du cordon	Moment de l'exsanguino-transfusion
McKay	12 g/l ou	85 µmol/l	A la naissance
Dunn	13,3 g/l et	60 µmol/l	Avant la 9e heure
Walker	13 g/l ou	70 µmol/l	Dans les 15 premières heures

D'après M. Jeffrey Maisels, *Pediatric Clinics of North America*, éd. Nicholas M. Nelson, W. B. Saunders Co., London, 1971, 19, 2, 465.

Par ailleurs, en cas d'ictère hémolytique, et notamment lors des incompatibilités fœto-maternelles, la décision de l'exsanguino-transfusion peut être prise en fonction du *taux d'hémoglobine,* plus aisément mesurable que le taux de bilirubine (cf. tableau 4).

Etiologie

Les ictères par déficit en glucose-6-phosphate-déshydrogénase (G-6PD) sont relativement fréquents dans les pays du bassin méditerranéen et de l'Asie du Sud-Est. L'incompatibilité rhésus est beaucoup plus rare dans la population noire que dans la population blanche.

Environnement du nouveau-né

L'environnement du nouveau-né peut être un facteur de morbidité. Les conséquences de l'hypothermie sont bien connues (cf. p. 90). Un moyen simple d'éviter le refroidissement à la naissance consiste à utiliser une source de lumière chauffante, par exemple deux lampes de 150 watts fixées et orientables à 90 cm au-dessus de l'enfant. Il ne faut pas non plus méconnaître les dangers de l'hyperthermie, humide dans les pays de mousson et sèche dans les pays désertiques. Elle conduit à des déshydratations sévères.

Compte tenu de ces éléments et de l'hygiène souvent défectueuse, il y a de grands avantages à garder les nouveau-nés auprès de leur mère : l'enfant est gardé naturellement au chaud et l'allaitement maternel est certainement stimulé par la présence de l'enfant. Dans le cas des prématurés, il est bon de pouvoir prévoir une hospitalisation pour la mère, dont l'allaitement ne sera pas interrompu et qui pourra s'exercer aux techniques d'élevage du nouveau-né grâce au contact avec le personnel de santé.

Transfert et transport

Il faut toujours évaluer les risques du transport et les comparer aux avantages obtenus en transférant l'enfant dans un service de référence. Lorsque ce transfert est décidé, tous les moyens doivent être utilisés pour éviter l'hypothermie, qui risque de s'installer durant le transport. Il faut abandonner l'usage du coton dont l'efficacité est douteuse. Par contre l'utilisation de feuilles de papier d'aluminium permet de conserver la chaleur, à condition que l'enfant ait été préalablement réchauffé.

Une grande partie de la pathologie néonatale dans les pays du Tiers Monde peut s'expliquer par le fait que la plupart des grossesses ne sont pas surveillées et que les accouchements se déroulent à domicile avec une assistance réduite ou nulle. La réduction de la mortalité périnatale passe par la captation et la surveillance des grossesses, ainsi que par l'encouragement des futures mères à accoucher dans une structure surveillée. Une telle attitude peut permettre de prévenir les diathèses hémorragiques, l'infection et l'hypothermie, et parallèlement, d'entreprendre dès la naissance un programme de prévention pour l'enfant. Elle peut permettre également d'entreprendre un programme d'espacement des naissances.

Pathologie du nourrisson et de l'enfant

Cette pathologie est dominée par les carences nutritionnelles et les maladies transmissibles. Nous en développerons ici certains aspects.

Pathologie carentielle

Malnutrition protéinocalorique (MPC)

La MPC représente dans les pays en voie de développement l'un des principaux problèmes auxquels se heurte le médecin. Elle peut réaliser par elle-même des tableaux sévères (marasme, Kwashiorkor et Kwashiorkor marastique), mais par ailleurs elle est fréquemment associée, sous une forme grave ou modérée, à de très nombreuses affections qui ont motivé la consultation ou l'hospitalisation et elle intervient alors comme facteur aggravant. De nombreux auteurs estiment qu'un enfant sur quatre des pays du Tiers Monde traverse une période de malnutrition avant l'âge de quatre ans. Si l'on se réfère aux données de différentes enquêtes, il est vraisemblable que cette estimation est encore inférieure à la réalité.

Indicateurs de malnutrition, classifications

Tous les indicateurs concernant l'état nutritionnel sont dans une certaine mesure critiquables. On utilise généralement le poids et la taille, parce que ces deux paramètres sont ceux que l'on peut obtenir le plus facilement. Mais on a également utilisé le périmètre brachial et le pli

Tableau 5 : Classification simplifiée des malnutritions

Catégories	Poids du corps en pourcentage par rapport au standard	Taille	Œdèmes	Déficit du poids par rapport à la taille
Kwashiorkor	80-60	Atteinte	+	++
Marasme	< 60	Atteinte	0	++
Forme mixte (Kwashiorkor marastique)	< 60	Atteinte	+	++
Malnutrition modérée	80-60	Atteinte	0	Minime
Nanisme nutritionnel	< 60	Déficit prononcé	0	Minime

D'après J.-M. Gengoa, *Nutrition, National Development and Planing*, éd. Alan Berg, Nevin S. Scrimshaw and David L. Call, The M.I.T. Press, London 1971, *107*.

Tableau 6 : Classification selon le degré de retard et de malnutrition

Stade	Retard (% de la taille)	Malnutrition (rapport poids/taille en %)
0	95	90
1	90 - 95	80 - 90
2	85 - 89	70 - 79
3	85	70

D'après Waterlow.

cutané tricipital. Sur le plan biologique, c'est le taux de sérum albumine qui est le plus souvent utilisé, mais il faut savoir que la durée de demi-vie du sérum albumine est de trois semaines et que, de ce fait, un taux de sérum albumine est un reflet incorrect d'une situation observée à un moment donné. L'utilisation des courbes de Harvard comme courbes de références a permis à Gomez de proposer en 1956 une classification des malnutritions fondée sur le poids. Cependant, cette classification en trois stades de malnutrition ne tenait pas compte du fait que les enfants atteints d'œdèmes peuvent avoir un poids normal tout en présentant une situation critique. C'est la raison pour laquelle en 1971, le 8e comité d'experts FAO-OMS a proposé de distinguer des malnutritions modérées et des malnutritions graves (cf. tableau 5). Enfin, en 1974, Waterlow a proposé une classification tenant compte du rapport poids/taille (cf. tableau 6). L'utilisation des courbes de références pour définir la malnutrition soulève cependant deux sortes de problèmes. D'une part, on a souvent tendance à ne se référer à ces courbes qu'à un instant précis, généralement le moment où l'enfant est hospitalisé ou consulte parce qu'il est malade ; pourtant, les courbes devraient être utilisées de façon dynamique pour suivre l'évolution du poids des enfants, ce qui permettrait alors de mieux identifier des cassures de la courbe de poids. D'autre part, l'utilisation de courbes nord-américaines ou européennes comme norme est discutable, encore que de nombreux travaux aient montré que la croissance d'un enfant « normal » s'effectue, grosso modo, toujours selon le même profil.

Facteurs favorisant la malnutrition

Un certain nombre de facteurs sont connus pour favoriser l'apparition d'une malnutrition. Ces facteurs ne sont pas tous médicaux (cf. tableau 7). Il faut insister sur le rôle des maladies infectieuses et parasitaires (rougeole, tuberculose, paludisme, parasitoses intestinales). La diarrhée

---

Tableau 7 : Facteurs divers intervenant dans l'étiologie de la malnutrition

- Facteurs climato-géographiques:
  - Sol improductif
  - Climat (température et pluviométrie)
- Facteurs éducationnels:
  - Analphabétisme
- Facteurs sociaux:
  - Illégitimité, instabilité familiale
  - Absence de planification familiale
  - Communications insuffisantes (circuits économiques)
  - Alcoolisme
- Facteurs économiques:
  - Misère à l'échelon national (faible produit national brut)
  - Misère à l'échelon familial
  - Faible industrialisation
- Facteurs agronomiques:
  - Méthodes agricoles périmées
  - Production insuffisante de protéines
  - Culture préférentielle de produits non comestibles
  - Insuffisance de moyen de stockage, de conservation, commercialisation des aliments
- Facteurs médicaux:
  - Prévalence élevée des infections favorisantes (rougeole, diarrhée, tuberculose, coqueluche, paludisme, parasitoses intestinales)
  - Insuffisance des services sanitaires (numérique, orientation)
  - Insuffisance du personnel (numérique, défaut de formation)
- Facteurs hygiéniques:
  - Approvisionnement insuffisant en eau et de mauvaise qualité
  - Mauvaise évacuation des excréta et des déchets
- Facteurs culturels:
  - Pratiques défectueuses d'alimentation des jeunes enfants
  - Urbanisation récente (changement d'attitude)
  - Equipement culinaire réduit
  - Répartition inégale des aliments parmi les membres de la famille
  - Travail excessif des femmes
    (réduction du temps consacré à la préparation des aliments des enfants)
  - Sevrage brutal (traumatisme psychologique)

D'après D. Jeliffe, *L'alimentation du nourrisson dans les régions tropicales et subtropicales*, OMS, Genève 1969.

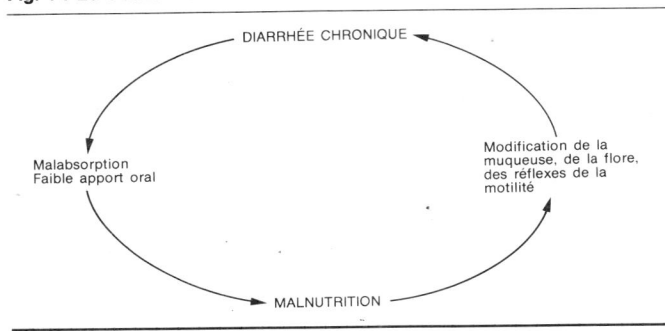

Fig. 1 : Le cercle vicieux de la diarrhée-malnutrition

```
            DIARRHÉE CHRONIQUE
          ↗                    ↘
Malabsorption              Modification de la
Faible apport oral         muqueuse, de la flore,
                           des réflexes de la
                           motilité
          ↘                    ↗
              MALNUTRITION
```

Tableau 8 : Aspects cliniques et biologiques de la malnutrition protéinocalorique

Marasme	Kwashiorkor
Sévère dans les 6 premiers mois Observé surtout chez les enfants au lait artificiel	Rare avant 6 mois Fréquent entre 8 et 30 mois Débute généralement dans les mois suivant le sevrage
Maigreur intense	Diminution des masses musculaires d'importance variable
Pas d'œdèmes	Œdèmes constants
Peau mince, trop vaste, ayant perdu sa souplesse	Lésions cutanées
Pas de modification des cheveux	Modification des cheveux
Protidémie et albuminémie normales ou faiblement diminuées	Hypoprotidémie Hypoalbuminémie très importante Déficit en potassium Kaliémie basse

D'après H. Dupin, *Pédiatrie Sociale*, Flammarion, Paris 1972, *327*.

d'origine virale (rotavirus), bactérienne ou parasitaire, joue un rôle important dans l'apparition des malnutritions. Il se constitue en effet un véritable cercle vicieux au cours duquel la diarrhée fait apparaître la malnutrition, mais où, réciproquement, la malnutrition elle-même est à l'origine de diarrhée (cf. fig. 1).

Aspects cliniques et biologiques

Il est classique d'opposer le marasme, dû à une insuffisance calorique globale, au Kwashiorkor, dû à une insuffisance d'apport ou d'utilisation des acides aminés (cf. tableau 8). Cependant, les tableaux cliniques observés ne sont pas toujours aussi nettement tranchés.

Sur le plan biologique, l'électrophorèse montre une hypoalbuminémie inférieure à 3 g/100 ml. Cette hypoalbuminémie est modérée dans les marasmes et importante dans le Kwashiorkor, alors que les alpha 2 globulines sont augmentées et que les gamma globulines sont normales ou légèrement élevées. La natrémie est normale ou diminuée, mais le pool total de sodium est augmenté du fait de l'augmentation du sodium intracellulaire. La kaliémie peut être normale, élevée ou basse. Mais dans tous les cas, elle n'est pas un bon reflet du pool potassique, qui est diminué. Il en est de même pour la magnésémie. Les oligo-éléments, notamment le zinc, sont diminués.

Infection et malnutrition

Les infections sont plus fréquentes et plus graves chez les malnutris que chez les eutrophiques. Toutefois, les nombreuses études biologiques et expérimentales ont apporté des résultats souvent contradictoires. Au cours des malnutritions sévères, le métabolisme et l'activité phagocytaire des leucocytes sont diminués.

Toutes les fractions du complément sont abaissées et l'activité anti-complémentaire du sérum est augmentée. Sur le plan de l'immunité humorale, le taux des immunoglobulines est normal ou légèrement élevé, mais la réponse aux stimulations antigéniques semble affaiblie. L'immunité cellulaire est affaiblie, ce qui explique la fréquence et la sévérité des surinfections dues à la tuberculose, aux candidoses et à certaines viroses. Ces modifications de l'immunité ne doivent cependant pas faire retarder l'exécution des vaccinations chez ces enfants. Enfin, il est possible que la sensibilité à l'infection des malnutris soit partiellement en rapport avec la carence en fer, qui est quasi constante chez ces enfants.

Diarrhée et malnutrition

La diarrhée est très fréquente chez les malnutris. Elle représente souvent l'une des premières manifestations de la MPC. Cette diarrhée peut être en rapport avec un agent pathogène (salmonelle, shigella, colibacille). Toutefois dans de nombreux cas, on ne retrouve pas de germe pathogène lors de la coproculture. Une des hypothèses avancées est que, du fait de la baisse des défenses de la paroi intestinale, la flore saprophyte peut avoir un effet pathogène. Par ailleurs, la diarrhée est souvent en rapport avec une intolérance aux disaccharides, et notamment au lactose. La preuve peut facilement en être apportée par la recherche de sucre dans les selles ; 10 gouttes d'un mélange d'eau distillée (2 parties) et de selles liquides (1 partie) sur un comprimé de « clinitest », ou dans la liqueur de Bénédict, permettent d'apprécier la présence de sucres réducteurs dans les selles. La réaction est considérée comme positive si la quantité de sucre est supérieure à 5 g/l (en se basant sur l'échelle colorimétrique). Plus rarement, on peut être en présence d'un trouble du transfert des monosaccharides. La diarrhée peut également être en rapport avec une intolérance aux protéines alimentaires, et notamment les protéines bovines. En effet, la barrière intestinale de l'enfant malnutri est moins efficace que celle de l'enfant normal et laisse plus volontiers passer les protéines étrangères.

Anatomo-pathologie de la malnutrition

Le tube digestif de l'enfant malnutri est le siège d'importantes anomalies : la motilité est diminuée, la muqueuse gastrique est atrophiée et la sécrétion d'acide chlorhydrique diminuée ; la muqueuse duodéno-jéjunale a perdu son relief. L'activité mitotique des cellules intestinales à bordure en brosse est nettement diminuée et l'épithélium intestinal est infiltré de cellules de type inflammatoire. La structure pancréatique est également modifiée. Les sécrétions pancréatiques sont de faible quantité et leur activité enzymatique est faible. Le foie est le siège d'un processus de stéatose. Les autres organes sont atteints de façon plus inconstante.

Traitement des malnutritions protéinocaloriques

Les MPC graves sont généralement traitées en milieu hospitalier. Il faut cependant soigneusement peser les avantages et les inconvénients d'une telle solution : en effet, l'hospitalisation a souvent pour conséquence la séparation de l'enfant et de la mère, l'exposition aux surinfections telles que la rougeole, les affections à entérobactéries, la coqueluche, etc. Par ailleurs, le personnel hospitalier est souvent insuffisant pour prendre en charge ces enfants malnutris. C'est la raison pour laquelle, actuellement, le traitement ambulatoire des malnutritions graves est de plus en plus préconisé. Seuls les enfants dont l'état nécessite une réhydratation parentérale prolongée, ou des soins sérieux sortant du cadre de la malnutrition, doivent être hospitalisés. Dans une telle éventualité, on fera tout pour que la mère soit hospitalisée avec l'enfant.

● *Apport nutritionnel :*
L'apport en calories, protides, électrolytes, oligo-éléments figure au tableau 9. La nécessité d'un apport vitaminique est certaine, mais les doses à administrer restent encore mal connues (cf. tableau 10).

● *Correction de l'hypoglycémie :*
L'hypoglycémie doit être prévenue par l'administration de glucides en quantités suffisantes. Lorsqu'elle existe, elle doit être corrigée par l'utilisation de sérum glucosé hypertonique (cf. p. 782).

● *Traitement antidiarrhéique :*
Les désordres hydroélectrolytiques occasionnés par la diarrhée seront corrigés dans la mesure du possible par la solution hydroélectrolytique recommandée par l'OMS. Elle apporte 3,5 g de NaCl, 2,5 g de CO_3 HNa, 1,5 g de KCl et 20 g de glucose à reconstituer dans 1 litre d'eau, par voie orale. Le glucose peut être remplacé sans inconvénients majeurs par le saccharose.

La constatation d'une diarrhée doit conduire à rechercher une intolérance passagère aux sucres (surtout le lactose) et/ou aux protéines alimentaires. L'utilisation de produits de régime spéciaux (diètes à base de soja, hydrolysats de caséine) rend de grands services, mais il s'agit de traitements coûteux. Il peut être intéressant d'utiliser des préparations faites sur place, qui tiennent compte des intolérances constatées et des ressources locales.

En cas de diarrhée grave, l'alimentation par sonde intragastrique avec débit continu et constant est utile dans la mesure où elle permet d'éviter d'avoir recours à la voie parentérale.

● *Traitement anti-infectieux :*
Le recours à une antibiothérapie systématique n'est pas conseillé. Les antibiotiques sont utilisés lorsque l'infection bactérienne est prouvée et, si possible, identifiée. Par contre, les anti-helmintiques et les antimalariques dans les zones d'endémies doivent être largement utilisés, selon les posologies habituelles (cf. pp. 707-715).

- *Traitement de l'hypothermie :*
L'hypothermie doit être combattue en mettant à la disposition de l'enfant une source de chaleur adéquate.
- *Transfusions sanguines :*
Le rôle des transfusions de sang frais est encore mal connu. On peut y avoir recours pour corriger une anémie inférieure à 6 g/100 ml d'hémoglobine. Il est préférable d'utiliser de la purée globulaire sous forme de petites transfusions répétées.

Tableau 9 : Traitement de la malnutrition protéinocalorique

Calories	180 à 200 cal/kg/jour	A atteindre en 15 jours Commencer par 60 - 70 cal/kg/jour, le 1er jour Respecter un équilibre entre protides (15 - 20 %), lipides (30 - 40 %) et glucides (40 - 50 %)
Protides	4 à 5 g/kg/jour	A atteindre en 15 jours Commencer par 1,5 à 2 g/kg/jour Utiliser le lait demi-écrémé coupé de moitié, puis à 15 % et/ou des protéines végétales En cas d'intolérance aux disaccharides, utiliser un hydrolysat de caséine
Potassium	6 mmol/kg/jour	Per os
Sodium	1 à 2 mmol/kg/jour	Per os
Calcium	1 mmol/kg/jour	Per os
Magnésium	0,7 mmol/kg/jour	Commencer par 0,7 mmol/kg/jour sous forme de sulfate de magnésie i.m. pendant 1 semaine Prendre le relais per os par du lactate ou du glycérophosphate de magnésium
Zinc	1 mg/kg/jour	Sous forme d'acétate de zinc pendant 3 à 6 semaines
Fer	10 mg/kg/jour	A ne donner qu'au 15e jour

Tableau 10 : Supplémentation vitaminique

Vitamines	Traitement initial i.m. ou i.v. pendant trois jours	Traitement d'entretien à poursuivre pendant 10 semaines
Thiamine	5,0 mg	0,6 mg
Riboflavine	5,0 mg	1,0 mg
Pyridoxine	2,5 mg	1,0 mg
Nicotinamide	37,5 mg	11,0 mg
Panthothénate	5,0 mg	5,0 mg
Acide ascorbique	200,0 mg	30,0 mg
Acide folique	1,5 mg	0,1 mg
Vitamine B_{12}	75,0 mg	50,0 mg
Vitamine A	5000 U.I.	2500 U.I.
Vitamine D	400 U.I.	400 U.I.
Vitamine E		50 U.I.
Vitamine K	3000,0 mg	1000,0 mg

D'après R. Suskind, *Protein-Caloric-Malnutrition*, éd. Robert E. Olson, Academic Press, London 1975, *406*.

Prévention

La mise en place d'un système de prévention efficace se heurte à de nombreuses difficultés inhérentes à la complexité des causes de MPC (cf. tableau 7). Il est indispensable, dans un premier temps, de mettre en place un système de recueil des données qui permet de connaître l'incidence de la malnutrition et d'identifier les enfants à risque élevé. Par ailleurs, l'effort doit porter sur le contrôle des infections par les vaccinations, la réhydratation précoce des enfants diarrhéiques et, éventuellement, l'administration d'antiparasitaires. L'éducation sanitaire doit viser à protéger l'allaitement maternel et à améliorer les conditions d'hygiène. Enfin, il est évident que la prévention de la MPC n'est pas d'ordre strictement médical et que des programmes de supplémentation alimentaire, ainsi que la prise de mesures améliorant les conditions socio-économiques, notamment dans le domaine de l'agriculture, sont indispensables.

Autres carences nutritionnelles

Elles ont été envisagées par ailleurs (cf. pp. 193-201). La carence en vitamine A est fréquente. Il en est de même pour la carence en vitamine D. Contrairement à une opinion couramment répandue, le rachitisme peut être observé chez les malnutris. Un grand nombre de formes sont sévères. Le rachitisme existe tout autant dans les campagnes que dans les villes, mais c'est surtout le rachitisme observé chez les citadins qui est grave. Ce dernier se caractérise par des modifications pulmonaires qui aggravent considérablement le pronostic de broncho-pneumopathies banales. La carence en fer est également fréquente. Cependant, étant donné la grande fréquence des anémies hémolytiques congénitales (thalassémie, drépanocytose) dans un grand nombre de pays en voie de développement, il est prudent de n'avoir recours au traitement martial qu'après avoir écarté une telle éventualité.

Pathologie infectieuse

Nous envisagerons ici les aspects particuliers de certaines maladies infectieuses ou parasitaires, étudiées par ailleurs dans cet ouvrage, ainsi que quelques autres affections qui se rencontrent assez spécifiquement dans certains pays du Tiers Monde.

Rougeole (cf. p. 601)

Contrairement à ce qui est observé en Europe et en Amérique du Nord, la rougeole est une maladie du nourrisson et du petit enfant, et elle est cause d'une forte mortalité. Ses signes cliniques sont sévères. Il existe dans certains cas un tableau de choc infectieux. L'hyperthermie donne fréquemment lieu à des convulsions. Les complications sont également fréquentes. Parmi celles-ci, les laryngites peuvent survenir soit à la période d'invasion, soit lors de l'installation de l'éruption. Elles peuvent également être tardives et s'accompagner d'une surinfection (staphylocoques-hemophilus). Les bronchopneumonies de surinfection, fréquemment observées chez les enfants rachitiques, ont également un pronostic sévère. La rougeole favorise l'installation d'une malnutrition et le développement de la tuberculose.

La prophylaxie, qui repose sur la vaccination, est gênée par le jeune âge auquel la maladie survient (la vaccination avant l'âge d'un an ne confère pas d'immunité durable) et également par le coût élevé du vaccin, ainsi que sa fragilité (chaîne du froid).

Choléra

Ces dernières années, le vibrion El Tor, responsable des cas actuels de choléra, s'est propagé dans de nombreux pays où la maladie était jusque-là ignorée. Les jeunes enfants sont touchés comme les adultes par cette affection. Le tableau clinique peut être celui d'une diarrhée profuse (les selles ont un aspect eau de riz et les matières fécales en disparaissent rapidement) qui apparaît après une incubation de 1 à 5 jours. Des signes de déshydratation avec collapsus sévère s'installent rapidement. Une anurie et une insuffisance rénale aiguë marquent la période terminale. Le diagnostic de choléra est évoqué dans un contexte endémique et en présence de selles riziformes. Un autre bon élément de diagnostic est l'apparition d'une déshydratation sévère chez un enfant dont l'âge est supérieur de quelques mois à l'âge classique de la déshydratation du nourrisson.

Dans certains cas, et surtout chez les petits nourrissons, la maladie peut revêtir l'aspect d'une gastro-entérite banale. Le diagnostic ne sera fait que par la découverte du vibrion dans les selles. Ces formes constituent un risque important de propagation de la maladie. C'est pourquoi, dans un contexte endémo-épidémique, les indications de la recherche du vibrion dans les selles doivent être très larges.

Le traitement repose sur la correction du collapsus et la réhydratation (cf. pp. 413 ss., 416). On veillera à couvrir les pertes en potassium et à corriger une éventuelle hypoglycémie. Dans un certain nombre de pays, le recours à la réhydratation par voie nasogastrique, très facile à mettre en œuvre, a donné de bons résultats, même dans le cas de diarrhées sévères comme celles du choléra. La solution orale recommandée par l'OMS contient : 3,5 g de NaCl, 2,5 g de NaHCO$_3$, 7,5 g de KCl et 20 g de glucose par litre (concentration en mmol/l : Na 90 ; Cl 80 ; HCO$_3$ 30 ; glucose lll). Elle est préparée en dissolvant dans un litre d'eau préalablement bouilli le contenu d'un sachet contenant, sous forme de poudre, les constituants ci-dessus. Le rythme d'administration se basera sur la soif du malade et l'intensité de la diarrhée (50-120 ml/kg en 4-6 heures, puis 100-120 ml/kg en 24 heures). L'administration de la solution sera poursuivie aussi longtemps que dure la diarrhée ; l'alimentation reprendra dès que possible. La tétracycline, qui s'est montrée efficace sur le vibrion, doit être prescrite à raison de 50 mg/kg en quatre prises, pendant 5 jours. Le chloramphénicol par voie intraveineuse à la dose de 50 mg/kg/24 h. est également recommandé.

La prévention de la maladie repose essentiellement sur des mesures d'hygiène individuelles et collectives. La vaccination à la dose de 0,2 à

0,3 ml puis de 0,4 à 0,6 ml de vaccin de 8000 millions d'organismes/ml — espacée de 8 jours — donne une immunité de faible durée et de mauvaise qualité. Elle est néanmoins utilisée en cas d'épidémie.

Tuberculose (cf. pp. 677 ss.)

L'aspect de la tuberculose observée dans les pays du Tiers Monde est assez différent de celui de la tuberculose des pays développés. La maladie reste très fréquente et les formes graves ne sont pas inhabituelles : il est courant d'observer chez le jeune enfant, et même chez le petit nourrisson, des lésions excavées, des blocs caséeux et des troubles étendus de la ventilation. Les formes graves (méningites tuberculeuses et miliaires) sont également fréquentes. Enfin, on observe aussi chez le jeune enfant des pleurésies, des ascites et des péricardites. Les réactions tuberculiniques sont très fréquemment négatives, en raison du mauvais état nutritionnel de beaucoup d'enfants tuberculeux. Par ailleurs, dans certains pays où la vaccination par le BCG est faite de façon indiscriminée, il est assez fréquent d'observer des tuberculoses pulmonaires chez des enfants porteurs de cicatrices vaccinales.

Le traitement de la tuberculose dans les pays en voie de développement doit tenir compte de considérations organisationnelles et économiques. L'utilisation anarchique des médicaments augmente le risque de résistance des bacilles. C'est pourquoi de nombreux pays adoptent, dans le cadre de programmes nationaux de lutte antituberculeuse, des directives techniques de traitement fondées sur la standardisation des régimes de chimiothérapie.

Le traitement moderne de la tuberculose fait appel à six médicaments : isoniazide (H), rifampicine (R), éthambutol (E), éthionamide (Z) streptomycine (S) et thiacétazone (T) et au régime court. Le régime court de 6 mois est actuellement bien codifié et a fait la preuve de son efficacité.

En cas de budget limité :
SRHZ pendant 2 mois tous les jours ;
TH tous les jours pendant 4 mois ;
ou H tous les jours pendant 6 mois.
En cas de budget non limité :
RHZ pendant 2 mois et RH tous les jours pendant 4 mois ;
RHZS pendant 2 mois et ZHS 2 fois par jour pendant 4 mois ;
RHZS pendant 2 mois et RHS 2 fois par jour pendant 4 mois.

La meilleure prévention de la tuberculose de l'enfant reste le traitement des sources d'infection constituées par les adultes tuberculeux et la vaccination par le BCG, qui permet d'éviter les primo-infections sévères, la tuberculose miliaire et la méningite tuberculeuse. Pour des raisons d'efficacité opérationnelle, cette vaccination par le BCG doit être pratiquée le plus tôt possible après la naissance, et sans test tuberculinique préalable. Le grand nombre des naissances à domicile impose une captation précoce des nouveau-nés, qui peut être réalisée par différents moyens (liaison avec l'état civil, avec les responsables d'organisations politiques ou administratives, etc.).

Paludisme (cf. pp. 707 ss.)

Le paludisme existe à l'état endémique dans de nombreux pays du Tiers Monde. Ses manifestations cliniques, surtout chez les nourrissons, sont assez différentes de celles classiquement observées dans la forme typique du paludisme aigu de rechute. Les éléments qui doivent faire évoquer le diagnostic sont la fièvre, sous ses formes les plus diverses, l'hépatosplénomégalie, l'anémie et les convulsions.

Le diagnostic repose sur la mise en évidence de l'hématozoaire dans le sang par la technique de la goutte épaisse. Cependant, dans de nombreux cas, la recherche peut en être négative. Dans ce cas, il est nécessaire de répéter cet examen à plusieurs reprises et, éventuellement, d'instaurer un traitement systématique qui est sans danger.

Les formes pernicieuses, dues au Plasmadium falciparum, peuvent se traduire par un coma fébrile avec convulsions et manifestations neurovégétatives, mais aussi par une hypothermie, un syndrome cholériforme et un collapsus.

Le traitement de ces formes fait appel à la quinine par voie i.v. (10 mg/kg à répéter 12 h. après) ou à la chloroquine (5 mg base/kg à répéter éventuellement 12 h. après). On utilisera comme véhicule 150 cc d'un soluté gluco-salin. Une réhydratation adéquate sera associée. La corticothérapie est préconisée par certains auteurs. En cas de convulsions, le paraldéhyde ou le diazépam sont utilisés par voie i.m. ou i.v.

Dans les zones de forte endémie, l'utilisation régulière d'antimalariques présente de nombreux avantages. Pour des raisons de coût, la pyriméthamine à la dose de 25 mg en une prise mensuelle est généralement utilisée.

Kala-Azar

La leishmaniose viscérale se caractérise par une fièvre au long cours, une hépatosplénomégalie monstrueuse et une anémie. L'état général s'altère progressivement.

Sur le plan biologique, on observe : leucopénie et neutropénie ; accélération de la vitesse de sédimentation ; thrombocytopénie ; électrophorèse des protéines plasmatiques : diminution de l'albumine et forte augmentation des gamma-globulines ; immunoélectrophorèse : forte augmentation des IgG et IgM ; mise en évidence (diagnostique) des corps de Leishmann dans la moelle osseuse et dans la rate (Leishmania donovani en grands nombres dans les monocytes, coloration de Pappenheim ou de Giemsa) ; sérologie : a) test de Napier, non spécifique ; 1 goutte de formaldéhyde (formaline) dans 1 ml de sérum provoque un gel opalescent, à cause de l'hyperglobulinémie ; b) réactions d'immunofluorescence (spécifiques).

Le traitement repose sur l'utilisation du glucantime (antimoniate de N-méthylglucamine) à la dose de 60 mg/kg/jour en cures de 15 jours. La dose efficace est atteinte progressivement en 3 jours. Deux cures au moins, espacées de 3 semaines, sont nécessaires pour assurer l'élimination du parasite. Dans les formes avec thrombopénie, la corticothérapie est indiquée (deltacortisone, 2 mg/kg). L'hépatosplénomégalie et les modifications du profil protéique ne régressent que lentement.

La prophylaxie fait appel à l'élimination des chiens errants, réservoirs de virus, et à la destruction des gites de phlébotomes, qui sont les agents vecteurs.

Kyste hydatique

L'échinococcose se localise dans l'immense majorité des cas au niveau du foie et du poumon. La localisation hépatique du kyste hydatique se traduit par l'apparition d'une tumeur de l'hypochondre droit ou d'un ictère. La localisation pulmonaire est la plus fréquente chez l'enfant. Les signes les plus fréquents en sont la toux, les douleurs thoraciques et les hémoptysies. La vomique est plus rare. Sur le plan radiologique, l'image peut être très évocatrice, que le kyste soit intact ou vomiqué. Toutefois, dans un grand nombre de cas, l'image est atypique et peut simuler une broncho-pneumopathie banale ou une tuberculose. Le diagnostic peut s'appuyer sur l'intradermo-réaction à l'antigène hydatique ou sur la recherche d'anticorps antihydatiques. Toutefois, ces réactions ne sont pas absolument constantes, et il existe des faux positifs.

Le diagnostic repose donc sur un faisceau d'arguments cliniques, radiologiques et biologiques.

Le traitement est uniquement chirurgical.

La prophylaxie repose sur l'abattage des chiens errants, hôtes intermédiaires du parasite, et sur l'organisation d'abattoirs pour le bétail.

Bilharziose

Les infections à Schistosoma haematobium et Schistosoma mansoni existent dans un très grand nombre de pays d'Afrique, ainsi qu'en Extrême-Orient. Les manifestations cliniques sont en rapport avec le cycle du parasite : une réaction urticarienne survient quelques heures après la pénétration du parasite à travers la peau, à l'occasion d'une baignade dans une eau contaminée ; une fièvre irrégulière, généralement modérée, associée à des poussées urticariennes, des adénopathies et parfois des manifestations pulmonaires, marque la migration des parasites dans le système nerveux. Enfin, des manifestations intéressant un organe (hématurie ou diarrhée muco-sanglante) traduisent la période de la ponte des œufs dans les différents organes. La présence des parasites dans l'organisme peut aboutir à une insuffisance rénale, une cirrhose ou une insuffisance cardiaque.

Le diagnostic peut être posé par immunofluorescence, ou par les examens endoscopiques selon l'organe atteint.

Le traitement de la bilharziose fait appel à l'Ambilhar® (niridazole) ou aux préparations antimoniées. Doses d'Ambilhar® : 25 mg/kg/jour per os pendant 7 à 10 jours (ou plus).

La prévention est difficile, car elle nécessite la destruction des hôtes intermédiaires qui vivent dans l'eau utilisée en général pour les cultures et les soins domestiques.

Organisation de la prévention

Dans tous les pays en voie de développement, la médecine préventive est considérée à juste titre comme le seul moyen valable de modifier les mauvaises conditions de santé.

L'organisation des activités de prévention se heurte cependant à de nombreux obstacles, liés d'une part aux faibles ressources disponibles dans le domaine de la santé et d'autre part à la non-pertinence des programmes de formation du personnel de santé. Le respect d'un certain nombre de principes de base est essentiel pour assurer la réussite des actions de prévention.

● *Ne pas dissocier prévention et soins :* La première demande des parents en matière de santé est une demande de soins. La prévention ne peut être envisagée que dans la mesure où, cette demande initiale étant satisfaite, il s'instaurera un climat de confiance entre l'équipe de santé et la population. Par ailleurs, il ne faut pas perdre de vue que de très nombreux actes préventifs (dépistage de malformations par l'examen systématique, vaccination par le BCG, administration de vitamine D par voie parentérale, etc.) peuvent être effectués dans le même temps que l'enfant atteint d'une affection aiguë est examiné et traité. Dans le même ordre d'idées, il est possible d'associer plusieurs vaccins (cf. tableau 11).

● *Ne pas séparer la mère et l'enfant :* La séparation d'un nouveau-né ou d'un nourrisson d'avec sa mère constitue un facteur de risque sérieux. Dans les maternités, les nouveau-nés doivent rester avec leur mère. En cas d'hospitalisation, la mère devra, dans la majorité des cas, être admise avec l'enfant. Enfin, on s'attachera à organiser dans un même temps et avec le même personnel les activités de prévention pour la mère et l'enfant.

● *Identifier les problèmes prioritaires :* Dans la mesure où les ressources sont limitées, il est important d'identifier les problèmes prioritaires. Cette identification nécessite la mise en place d'un système de recueil des données de base (natalité, mortalité, principales causes de morbidité). L'ordre de priorité dépendra d'une part de l'incidence des différentes affections et d'autre part de la possibilité réelle d'intervention dans ce domaine (il est par exemple plus facile de prévenir le rachitisme que la rougeole à cause des problèmes de conservation des vaccins).

● *Déterminer la population cible :* Pour assurer des programmes efficaces, il est nécessaire de connaître avec précision l'ensemble des enfants devant bénéficier de ce programme. Cela suppose un système d'identifi-

---

Tableau 11 : Associations vaccinales possibles chez un enfant vu pour la première fois

Enfant vu à	Associations		
3 mois - 9 mois	BCG + DTC + vaccin antipolio	N. B. : Délai maximum toléré entre les injections de DTC et les prises de vaccin antipolyomyélitique :	
Plus de 9 mois	BCG + DTC + vaccin antipolio + vaccin antirougeoleux	entre la 1re et la 2e prise entre la 2e et la 3e prise entre la 3e prise et le rappel	2 mois 6 mois 2 ans

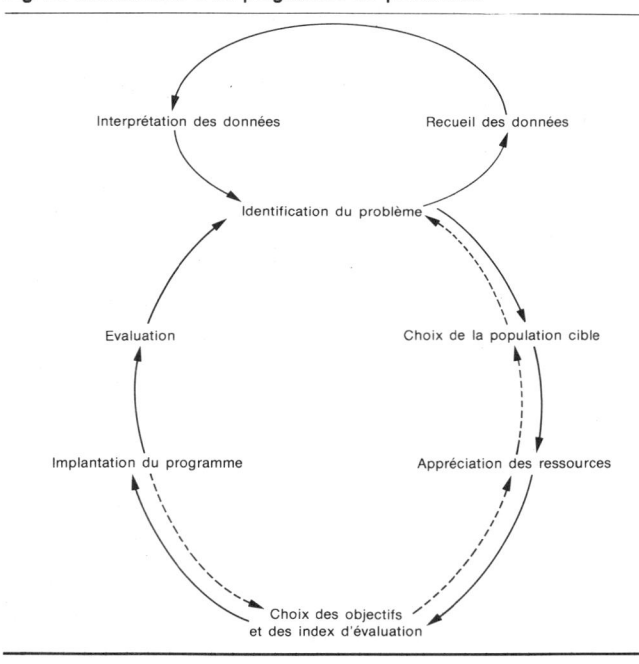

Fig. 2 : Planification d'un programme de prévention

```
         Interprétation des données      Recueil des données
                       \                /
                        Identification du problème
                       /                \
          Evaluation                     Choix de la population cible
              |                                   |
    Implantation du programme          Appréciation des ressources
                       \                /
                     Choix des objectifs
                     et des index d'évaluation
```

cation réaliste (liaison avec l'état civil ou les responsables de village) et un enregistrement — soit par ouverture de registres — ou la constitution d'un fichier. La connaissance de la population cible permet de prévoir un calendrier d'activités tenant compte du nombre des enfants et des prestations qui doivent être fournies.

● *Contrôler les aspects matériels des programmes :* Dans de très nombreux cas, l'efficacité des programmes de prévention est fortement diminuée pour des raisons purement matérielles, la conservation des vaccins (nécessité d'une chaîne de froid pour assurer le stockage et la prévention) et leur mode d'utilisation (durée de vie de 2 heures maximum du BCG et du vaccin antirougeoleux reconstitués).

● *Evaluer les programmes de prévention :* Seule une évaluation régulière des programmes de prévention permet de juger des progrès réalisés et de les modifier efficacement. Cette évaluation doit porter d'une part sur l'efficacité du programme (a-t-on réellement atteint les objectifs que l'on s'était fixés ?), sur la façon dont les activités se sont déroulées et enfin sur le coût. Tout cela suppose que les objectifs du programme et les index d'évaluation soient définis avant la phase d'implantation (cf. fig. 2).

Chapitre 29

Pharmacologie

par L. Paunier, P. E. Ferrier et A. Cuendet

Poids et mesures (rappel)

1 gramme	= 1 g
0,000001 g	= 1/1000 milligramme = 0,001 mg = 1 mcg = 1 gamma = 1 γ
0,001 g	= 1/1000 gramme = 1000 gamma = 1 milligramme = 1 mg
0,01 g	= 1/100 gramme = 1 centigramme = 1 cg = 10 milligrammes = 10 mg
0,1	= 1/10 gramme = 1 décigramme = 1 dg = 100 milligrammes = 100 mg

Substances liquides

1 millilitre	= 1/1000 litre = 1 ml = 1cm^3 = 1 cc
1 cuillère à café	= 5 ml
1 cuillère à dessert	= 10 ml
1 cuillère à soupe	= 15 ml

Répertoire alphabétique des médicaments et posologie[*]

Acétaminophène (paracétamol)
< 1 an : 60 mg
1-3 ans : 60-120 mg
3-6 ans : 120 mg
6-12 ans : 240 mg
Dose unique à répéter toutes les 4-6 heures, per os

---

[*] Les doses données sont indicatives et peuvent varier selon les prescriptions, l'âge, etc. Se référer aux chapitres précédents et aux instructions des fabricants.

Acétazolamide (Diamox®)
5 mg/kg/24 h., per os, i.m.

Epilepsie, glaucome :
8-30 mg/kg/24 h. en 3-4 doses, per os

Oedème cérébral :
25-50 mg/kg/24 h.

Acétylcystéine (Mucomist®)
2-5 ml sol. 20 % aérosol

Acide acétylsalicylique (Aspirine®)
Antipyrétique :
65 mg/kg/24 h. (max. 3,5 g/24 h.) en 4-6 prises,
per os ou rectal

Pour obtenir une salicylémie de 200 mg/l (1,45 mmol/l) :
3 g/m^2/24 h. (60-120 mg/kg/24 h.)
Attention au surdosage !

Acide folique
5 mg/24 h.

Acide nalidixique (Negram®)
20-50 mg/kg/24 h.

Acide para-aminosalicylique (PAS) (cf. tableau 22, chap. 19)
200-300 mg/kg/24 h. (max. 12 g/24 h.)

ACTH (cf. pp. 744, 907)
40 U i.v./jour × 1 sem.
Spasmes infantiles : 20-40 U/24 h., i.m. (cf. tableau 5, chap. 25)
Test au Synacthen : 0,25 mg i.m.
Test à l'ACTH : 20-40 U × 2-5 jours, i.m.

Actinomycine D : cf. tableau 2, chap. 17

Adrénaline
Sol. aqueuse à 1/1000 = 1 mg/ml
0,01 ml/kg/dose (max. 0,5 ml)
Dose à répéter après 4-6 h.
Dose max./24 h. : 0,04 ml/kg (adultes : 2 ml)

Adriamycine® (doxorubicine) : cf. tableau 2, chap. 17

Aérosporine® : cf. polymyxine B

Aldactone® : cf. spironolactone

Aldomet® : cf. méthyldopa

Allopurinol (Zyloric®) (cf. p. 533)
2 mg/kg/24 h.

Amantadine (Symmetrel®)
1-9 ans :   4-8 mg/kg/24 h. (max. 150 mg/24 h.), per os
9-12 ans :   200 mg/24 h., per os, en 2 prises

Ambenonium (chlorure) (Mytélase®)
1-5 mg/24 h.

Ambilhar® : cf. niridazole

Améthoptérine : cf. Méthotrexate®

Amikacine (cf. tableau 26, chap. 19)
Nouveau-né : cf. tableau 23, chap. 19
15-20 mg/kg/24 h.

Aminophylline (théophylline) (cf. chap. 18, p. 582)
Per os : 5-6 mg/kg/dose toutes les 6-8 h.
i.v. : dose initiale : 3-6 mg/kg en « push » (10 mg/min.)
entretien : 0,6-0,8 mg/kg/h, en perfusion continue en périodes de 6 h.
Rectal : 6 mg/kg/dose
taux sérique thérapeutique : 56 à 111 µmol/l (10-20 µg/ml)

Amoxicilline (Clamoxil®)
25-50 mg/kg

Amphotéricine B (Fungizone®)
0,25-1 mg/kg/24 h., en perfusion (cf. p. 699)

Ampicilline
Nouveau-nés : 50-100 mg/kg/12 h., i.m. ou i.v. (cf. tableau 23, chap. 19)
Enfants : 50-300 mg/kg/24 h., en 4 doses
Méningites : 300 mg/kg/24 h., i.v.

Anadrol® : cf. oxymétholone

Androcur® : cf. cyprotérone, acétate de

Antimoniate de N-méthylglucosamine (Glutantime®)
i.m. : 60 mg/kg/24 h., pendant 15 jours

Aprésoline® : cf. hydralazine

L-Asparaginase (Crasnitine®) : cf. tableau 2, chap. 17, p. 534

Atarax® : cf. hydroxyzine

Atébrine® (Atabrine®, Métoquine®, Mépacrine®) :
cf. quinacrine

Aurothiomalate de Na : cf. chap. 23, p. 855

Azathioprine (Imuran®, Imurel®)
1-3 mg/kg/24 h.

Bactrim® : cf. triméthoprime-sulfaméthoxazole

B.A.L. : cf. Dimercaprol®

Béclométhasone : cf. chap. 18, p. 583

Benadryl® : cf. diphenhydramine

Bénémid® : cf. probénécid

Benzathine pénicilline
1,2 million d'U, i.m., par mois

Berotec® : cf. fénotérol

Bétaméthasone (Célestone®)
1/40 de la dose de cortisone

Béthanéchol (Urécholine®)
7,5-15,0 mg/m^2/24 h, en inj. ss-cut. seulement !

Bicarbonate de Na
Sol. molaire = 8,4 %, 1 ml = 1 mmol NaHCO$_3$

Bléomycine : cf. tableau 2, chap. 17

Bleu de méthylène
1-2 mg/kg i.v.

Bricanyl® : cf. terbutaline

Busulphan : cf. tableau 2, chap. 17

Butazolidine® : cf. phénylbutazone

Cantharidine (Cantharone®)
Collodion à 0,7 %, application locale (verrues)

Cantharone® : cf. cantharidine

Captopril (Lopirine®)
Antihypertensif, cf. chap. 13, p. 398

Carbamazépine (Tégrétol®) (cf. tableau 5, chap. 25)
15-25 mg/kg/24 h.

Carbénicilline (cf. tableau 26, chap. 19)
Infection urinaire :   60-100 mg/kg/24 h., i.m. ou i.v.
Infection systémique :   300-500 mg/kg/24 h., i.v.
Nouveau-né :   cf. tableau 23, chap. 19

Carbimazole (Néomercazole®)
ɔse initiale :   10 mg 3-4 fois/24 h.
 tretien :   2,5-15 mg/24 h.
 ɪveau-nés :   2,5 mg 2-4 fois/24 h.

  ɪclor (cf. tableau 26, chap. 19)
   mg/kg/24 h.

   ɪandole (cf. tableau 26, chap. 19)
   ɪg/kg/24 h., i.v.
   ɕ
   ɜine
   Inf kg/jour, i.m. ou i.v. (nouveau-né : cf. tableau 23, chap. 19)
    ɪrave : 100 mg/kg/jour (max. 4 g)

Céfoxitine
50-150 mg/kg/24 h., i.v. (cf. tableau 26, chap. 19)

Célestone® : cf. bétaméthasone

Céphalexine (Keflex®)
25-50 mg/kg/24 h., per os, i.m., i.v.
Infection sévère : 100 mg/kg/24 h.

Céphalotine (Keflin®)
40-80 mg/kg/24 h., i.m. ou i.v.

Cérubidine : cf. rubidomycine

Charbon de bois activé : cf. chap. 15

Chloral, hydrate de (cf. tableau 6, chap. 25)
12,5-50 mg/kg, dose unique (ne pas dépasser 1 g), per os ou rectal (hypnotique)
Dose sédative : 4-20 mg/kg, dose unique, per os ou rectal
Ces doses peuvent être répétées 1 fois après 1 h., puis toutes les 6-8 h.

Chlorambucil (Leukéran®) : cf. tableau 2, chap. 17

Chloramphénicol (Chloromycétine®)
Nouveau-nés : 25-40 mg/24 h., i.m. ou i.v. (cf. tableau 23, chap. 19)
Enfants :   50-100 mg/kg/24h., per os, i.m. ou i.v. (max. 3 g/jour)

Chloromycétine® : cf. chloramphénicol

Chloroquine (Nivaquine®) : cf. tableau 33, chap. 19

Chlorpromazine (Largactil®, Thorazine®)
2 mg/kg/24 h., en 4-6 doses, per os
0,5 mg/kg i.v.

Chlortalidone (Hygroton®)
2-4 mg/kg, per os (dose unique)
A répéter 3 fois par semaine

Cholestyramine (Cuemid®)
Doses non établies : 5-20 g/24 h., per os

Cimétidine (Tagamet®)
300 mg/1,73 m^2 (cf. chap. 10, p. 235)

Clindamycine (cf. tableau 27, chap. 19)
10-50 mg/kg/24 h, per os, i.m. ou i.v.

Clobazam (Urbanyl®) (cf. tableau 5, chap. 25)
0,25-1 mg/kg/24 h.

Clofibrate
0,25-1,0 g/24 h., per os selon la réponse
Dose adulte : 2,0 g/24 h.

Clométhiazole (Hémineurine®) : cf. tableau 6, chap. 25

Clonazépam (Rivotril®)
0,1-0,2 mg/kg/24 h.

Cloxacilline (Orbénine®)
50-200 mg/kg/24 h., en 6 doses, per os, i.m. ou i.v.

Codéine, phosphate de
Per os : 0,8-1,5 mg/kg (dose unique comme sédatif ou analgésique) ;
3 mg/kg/24 h. (adultes : 8-60 mg)
Sous-cutané : 0,8 mg/kg/dose (adultes : 30 mg)
Antitussique : 0,2 mg/kg/dose

Colace® : cf. dioctyl-Na-sulfosuccinate

Colistin® (colimycine)
2,5-15 mg/kg/24 h.

Cortisone, acétate de
Dose physiologique de remplacement : 0,7 mg/kg/24 h., per os
(15-20 mg/m^2/24 h.)
Doses pharmacologiques variables selon indications :
2,5-10 mg/kg/24 h., per os

Crasnitine ® : cf. L-asparaginase

Cromoglycate disodique (Lomudal®)
Inhalation : capsules à 20 mg

Crotamiton (Eurax®)
Crème et solution à 10 %
Gale, prurit

Cuemid® : cf. cholestyramine

Cuprimine® : cf. pénicillamine

Cyclophosphamide (Endoxan®, Cytoxan®) : cf. tableau 2, chap. 17

Cyclosérine
5-15 mg/kg/jour en 2-3 prises (max. 500 mg/jour)

Cyklokapron® (acide tranéxamique)
10 mg/kg/6 h., per os (cf. chap. 16, p. 521 et 526)

Cynomel® : cf. L-triiodothyronine (T3)

Cyprotérone, acétate de (Androcur®)
75-150 mg/m^2/jour

Cytomel® : cf. L-triiodothyronine (T3)

Cytosine-arabinoside : cf. tableau 2, chap. 17, p. 535

Cytoxan® : cf. cyclophosphamide

Dacarbazine : cf. tableau 2, chap. 17

Daraprim® : cf. pyriméthamine

29. PHARMACOLOGIE

Daunomycine : cf. rubidomycine

DDAVP® (1-déamino-8-D-arginine vasopressine)
Diabète insipide pitresso-sensible :
50-200 µl/jour en 2 prises nasales

DDT (Néocid®, Dermatol®)
Poudre antiparasitaire

Dendrid® : cf. iodo-déoxy-uridine

Déoxycorticostérone (Percortène®) : cf. chap. 21, p. 748

Dépakine® : cf. valproate de Na (dipropylacétate)

Desféroxamine (Desféral®)
Intox. aiguë au fer :
20-40 mg/kg/dose, i.m. (cf. chap. 15, p. 462-463) ou
10-15 mg/kg/h., i.v. lente
Hémosidérose chronique : 2-3 g sc/24 h. (cf. chap. 16, p. 503)

Dexaméthasone
25-30 fois l'effet de l'hydrocortisone
Traitement de l'œdème cérébral : 0,4-1,5 mg/kg
Œdème de la glotte : 2-4 mg (chap. 14)

Diamox® : cf. acétazolamide

Dianabol® : cf. méthandrosténolone

Diazépam (Valium®)
Convulsions nouveau-nés : 0,2-0,3 mg/kg/dose, i.m. ou i.v.
dose max. : 2 mg/kg/24 h.
Spasmes infantiles : 0,5-2,0 mg/kg/24 h.
Anxiété simple : 0,05-0,2 mg/kg/24 h.

Diazoxide (Proglycem®)
2-12 mg/kg/24 h., i.v. (cf. chap. 22, p. 788)

Dicloxacilline (cf. tableau 26, chap. 19)
25-50 mg/kg/24 h. per os (max. 4 g/24 h.)

Digitoxine
Digitalisation :
per os, i.m. ou i.v.
< 2 ans : 0,035 mg/kg/24 h. en 2-3 doses
> 2 ans : 0,025 mg/kg/24 h. en 2-3 doses
Entretien :
10-20 % de la dose de digitalisation une fois par jour

Digoxine®
Digitalisation :
a) Nouveau-nés :
i.m. ou i.v., 0,03-0,05 mg/kg/24 h. :
$1/2$ dose d'emblée puis $1/4$ dose 8 h. après, et $1/4$ 16 h. après ;
per os, 0,04-0,06 mg/kg/24 h. en 4 prises

b) Enfants :
i.v. ou i.m., 0,03 mg/kg
per os, 0,04 mg/kg
Entretien :
¼ de la dose de digitalisation en 2 prises/24 h.

Dilantine® : cf. diphénylhydantoïne

Dimercaprol® (B.A.L.)
1ʳᵉ dose, 2,5-4 mg/kg, i.m.
2 mg/kg, i.m., toutes les 4 h.
Après 4-8 injections : 2 mg/kg, i.m., 2 fois par jour

Dioctyl-Na-sulfosuccinate (Colace®)
5-10 mg/kg/24 h.

Diphenhydramine (Benadryl®)
0,5-1,0 mg/kg/dose, i.v.
5 mg/kg/24 h., per os

Diphénylhydantoïne (Epanutine®, Dilantine®)
(cf. tableaux 5 et 6, chap. 25)
< 3 ans : 8-10 mg/kg/24 h.
> 3 ans : 5-7 mg/kg/24 h.
i.v. : 3-5 mg/kg

Dipropylacétate (Dépakine®) : cf. valproate de Na

Dobutamine (Dobutrex®)
7,5-20 mcg/kg/mn

Doxorubicine : cf. Adriamycine®

Doxycycline (Vibramycine®)
2-4 mg/kg/24 h., per os (max. : 200 mg/jour)

Dydrogesteronum
10 mg/24 h. (cf. chap. 21, p. 771)

Dyrénium : cf. Triamtérène®

Edrophonium (Tensilon®) (cf. chap. 25, p. 959)
Test de diagnostic pour myasthénie : 1-2 mg

Eltroxine® : cf. L-thyroxine (T4)

Endoxan® : cf. cyclophosphamide

Epanutine® : cf. diphénylhydantoïne

Ephédrine, sulfate d'
Hypoglycémie : 0,5-1,0 mg/kg, 3 fois par jour

Epinéphrine : cf. adrénaline

Erythromycine (cf. tableau 26, chap. 19)
ɔ-50 mg/kg/24 h., per os, i.m. ou i.v. (max. : 2 g/24 h.)

Esidrex® : cf. hydrochlorothiazide

Ethacrynique, acide (Edécrin®)
Dose initiale : 25 mg per os
Dose d'entretien : augmenter de 25 mg/24 h. jusqu'à l'obtention de l'effet thérapeutique en une dose/48 h.

Ethambutol (Myambutol®)
20-25 mg/kg/24 h. en 1 dose

Ethionamide (Trécator®)
15-25 mg/kg/24 h. (max. 1 g/24 h.)

Ethosuximide (Suxinutine®)
15-30 mg/kg/24 h. (max. 0,75-1,0 g/24 h.)

Eurax® : cf. crotamiton

Fénotérol (Berotec®) (cf. chap. 18, p. 581)
2,5-7,5 mg/24 h., per os
Aérosol : 0,2 mg

Fer-dextran (Imferdex®, Imféron®)
Complexe Fe-dextran pour injection i.m.,

1 ml = 50 mg Fe élémentaire

Dose max. :
nourrissons :   50 mg = 1 ml
jeunes enfants : 100 mg = 2 ml

$$\frac{[\text{Hb désiré - Hb mesuré}] \times 80 \times \text{poids (kg)} \times 3{,}4}{100} = \text{mg Fe}$$

Flagyl® : cf. métronidazole

Florinef® : cf. 9-α-fluorohydrocortisone

5-fluorodeoxyuridine : cf. tableau 2, chap. 17

9-α-fluorohydrocortisone (Florinef®)
0,025-0,100 mg/24 h., per os

5-fluorouracil : cf. tableau 2, chap. 17

Fungizone : cf. amphotéricine B

Furadantine® : cf. nitrofurantoïne

Furazolidone (Furoxone®)
5-7 mg/kg/24 h.

Furosémide (Lasix®)
Per os :   1-2 mg/kg 1-2 fois/jour
i.m., i.v. :   1 mg/kg

En cas d'insuffisance rénale, on peut donner des doses 10 fois plu'
vées

Furoxone® : cf. furazolidone

Gamma-globulines
Prophylaxie : hépatite :   0,02-0,06 ml/kg, i.m.
              rougeole :   0,25 ml/kg, i.m.
Hypogammaglobulinémie :   0,66 ml/kg/mois, si possible i.v.

Gantrisine® : cf. sulfafurazole

Garamycine® : cf. gentamicine

Gentamicine (Garamycine®) (cf. tableaux 24, 25 et 26, chap. 19)
1 sem. à 5 ans : ad 7,5 mg/kg/24 h., i.m., i.v.
5-10 ans :   ad 6,0 mg/kg/24 h., i.m., i.v.
> 10 ans :   ad 5,0 mg/kg/24 h., i.m., i.v.
max : 250 mg/24 h.

Si infection urinaire : 25 % de la dose

Glucagon
0,5-1,0 mg, sous-cutané

Glucantime® : cf. antimoniate de N-méthylglucosamine

Griséofulvine (cf. tableau 31, chap. 19)
10-20 mg/kg/24 h. en 2-4 doses
Adultes : 1 g/24 h.

Guanéthidine, sulfate de (Ismeline®)
0,2 mg/kg/24 h., per os, en 1 dose
Augmenter la dose tous les 7-10 jours jusqu'à l'obtention de l'effet thérapeutique
Adultes : 10-25 mg en 1 dose

Hémineurine® : cf. clométhiazole

Héparine
100-200 U/kg en infusion en 4-6 heures
Ajuster ensuite la dose pour maintenir une héparinémie entre 0,1 et 0,3 U/ml

Herplex® : cf. iodo-déoxy-uridine

Hexylresorcinol
0,1 g par année d'âge

Hormone chorionique gonadotrophique (Pregnyl®)
Cryptorchidie : 5 000 U/m², i.m., 4 injections en 2 semaines
Insuffisance hypophysaire : 1 000 U, 2 fois par semaine

Huile de paraffine
30 ml/10 kg/24 h. en 2 prises, per os

Hydralazine, hydrochlorure de (Aprésoline®)
Dose initiale : 0,75 mg/kg/24 h., per os, ou 0,2 mg/kg/dose, i.m.
Augmenter progressivement jusqu'à l'obtention de l'effet thérapeutique
jusqu'à 10 fois la dose initiale). Cf. chap. 12, p. 376

Hydrochlorothiazide (Esidrex®)
1-2 mg/kg/24 h., per os
Adultes : 25-200 mg/24 h.

Hydrocortisone (Solucortef®) : cf. cortisone
1-5 mg/kg/24 h., per os

Hydroxyzine (Atarax®)
5-10 mg, per os, 1-2 fois par 24 h.

Hygroton® : cf. chlortalidone

Imferdex® : cf. fer-dextran

Imféron® : cf. fer-dextran

Imipramine (Tofranil®)
5-7 ans :   10-30 mg/24 h., per os
> 7 ans :   30-50 mg/24 h., per os

Imuran® (azathioprine)
1-3 mg/kg/24 h.

Insuline : cf. pp. 793 ss.

Intralipid®
Emulsion à 10 % d'huile de soja, de lécithine, de glycérine, pour alimentation parentérale

Iodo-déoxy-uridine (Dendrid®, Herplex®)
Gouttes ophtalmiques pour lésions herpétiques ou vaccinales

Ipéca
Sirop à 15 %
Pour induire les vomissements : 10-30 ml (dose à répéter 1 seule fois)

Isméline® : cf. guanéthidine, sulfate de

Isoniazide de l'acide nicotinique (Rimifon®)
15-30 mg/kg/24 h., per os, i.m. ou i.v.
Chimioprophylaxie : 10 mg/kg/jour/1 an

Isoprénaline (Isuprel®)
0,1 mcg/kg/mn

Isoptin® : cf. verapamil

Kanamycine (Kantrex®) (cf. tableau 26, chap. 19)
15-20 mg/kg/24 h. Ne pas dépasser une dose totale de 1,5 g/24 h.

Kantrex® : cf. kanamycine

Keflex® : cf. céphalexine

Keflin® : cf. céphalotine

Kétotifène (Zaditen®)
0,05 mg/kg/jour, per os

Largactil® : cf. chlorpromazine

Lasix® : cf. furosémide

Leukéran® : cf. chlorambucil

Lincomycine (cf. tableau 26, chap. 19)
30-60 mg/kg/24 h., per os
10-20 mg/kg/24 h., i.m. ou i.v.

Lomudal® : cf. cromoglycate disodique

Lopirine® : cf. captopril

Lugol (iode 5 % + KI 10 %)
Nouveau-nés : 2-5 gouttes/24 h.

Luminal® : cf. phénobarbital

Magnésium, sulfate de
Cathartique : 0,25 g/kg/dose, per os
Hypertension : solution 50 %, 0,2 ml/kg/dose, i.m.

Mannitol
Oligurie, anurie (dose test) : 0,2-0,5 g/kg, i.v., en 3-5 min.
Œdème cérébral : 2 g/kg, i.v., en 1-6 h.

Marboran® : cf. méthisazone

Mébendazol (Vermox®) (cf. tableau 34, chap. 19)
100 mg matin et soir pendant 3 jours (enfants et adultes)

Médrol® : cf. méthylprednisolone

Médroxyprogestérone, acétate de (Provera®, dépôt)
Puberté précoce : 200-300 mg tous les 15 jours, i.m.,
               10-20 mg/24 h., per os

6-mercaptopurine (Purinéthol®) : cf. tableau 2, chap. 17

Mestinon® : cf. pyridostigmine

Méthandrosténolone (Dianabol®)
0,04 mg/kg/24 h., per os
Adultes : 2,5-10 mg/24 h.

Méthicilline (Staphcillin®)
250-300 mg/kg/24 h., i.v. ou i.m.
Nouveau-nés : cf. tableau 23, chap. 19

Méthimazole (Tapazole®)
Nouveau-nés : 2,5 mg 2-4 fois par jour
Enfants :   dose initiale, 10 mg 3-4 fois par jour
Entretien :   2,5-15 mg/24 h.

Méthisazone (Marboran®)
Dose initiale : 200 mg/kg, puis 50 mg/kg toutes les 6 h. pdt 48 h.

Méthotrexate® (améthoptérine) : cf. tableau 2, chap. 17

Méthyldopa (Aldomet®)
10 mg/kg/24 h., per os
Augmenter progressivement jusqu'à 65 mg/kg/24 h. (cf. p. 376)

Méthylphénidate (Ritaline®)
0,25-0,75 mg/kg/dose, per os
Adultes : 10 mg 3 fois/jour

Méthylprednisolone (Médrol®)
10-20 mg/24 h., en lavement

Méthyltestostérone
0,08-0,15 mg/kg/24 h. (sublingual)
Adultes : 5-10 mg/24 h.
Anémie aplastique : 1-2 mg/kg/24 h.

Métoclopramide (Primpéran®)
1-2 mg/kg/24 h.

Métopirone® : cf. Métyrapone®

Métrifonate (cf. tableau 34, chap. 19)
10 mg/kg/2 semaines × 3

Métronidazole (Flagyl®)
5-40 mg/kg/24 h. en 3 doses
(cf. chap. 10, p. 242, et chap. 19, tableau 34)

Métyrapone® (Métopirone®) : cf. p. 755

Mexilétine : cf. tableau 3, chap. 12

Mintézol® : cf. thiabendazole

Mogadon® : cf. nitrazépam

Morphine, sulfate de
0,1 mg/kg, sous-cutané,
à répéter toutes les 4 h. si nécessaire
Adultes : 10-15 mg

Myambutol® : cf. éthambutol

Mycostatine : cf. chap. 19, p. 701

Myleran® : cf busulphan

Mysoline® : cf. primidone

Mytélase® : cf. ambenonium (chlorure)

N-acétyl-cystéine (Parvolex®) : cf. chap. 15, p. 465, et chap. 18, p. 582

Nafcilline
50-200 mg/kg/24 h., i.m. ou i.v.
Max. : 4 g/24 h.

Naloxone (Narcan®)
Antagoniste des opiacés
Nouveau-nés : 10 µg/kg, i.v. ou i.m.

Nandrolone
1-1,5 mg/kg, i.m.

Narcan® : cf. naloxone

Natulan® : cf. procarbazine

Négram® : cf. acide nalidixique

Néocid® : cf. DDT

Néomercazole® : cf. carbimazole

Néomycine®
per os (non absorbé) : 50-100 mg/kg/24 h. en 4 doses :
nouveau-nés et prématurés : 50 mg/kg/24 h.
i.m. : 10-15 mg/kg/24 h. en 4 doses :
nouveau-nés et prématurés : 4 mg/kg/24 h.
Traitement maximum de 10 jours

Néostigmine (Prostigmine®)
Test myasthénie :
0,04 mg/kg/dose, i.m. (adultes : 1,5 mg)
Traitement per os :
0,25 mg/kg/dose (adultes : 15 mg)
i.m. : 0,03-0,04 mg/kg/dose (adultes : 0,25-1 mg)

Niclosamide (Yomésan®)
Antihelmintique (cestodes)
Tabl. 0,5 g. Dose unique de 4 tabl. (2 tabl. seulement pour enfants < 6 ans). Cf. tableau 34, chap. 19.
Faire suivre d'une purge

Nifurtimox (cf. tableau 34, chap. 19)
5-15 mg/kg/24 h.

Nilévar® : cf. noréthandrolone

Niridazole (Ambilhar®) (cf. tableau 34, chap. 19)
Bilharziose : 25 mg/kg/24 h., pendant 7-10 jours (cf. p. 998)

Nitrazépam (Mogadon®)
0,1-0,5 mg/kg/24 h., per os

Nitrofurantoïne (Furadantine®)
6-8 mg/kg/24 h., per os
Nourrissons : 2 mg/kg/24 h., per os

Nitroprussiate de sodium
0,2-8 mcg/kg/min

Nivaquine® : cf. chloroquine

Noréthandrolone (Nilévar®)
0,25-1,0 mg/kg/24 h.

Noréthistérone (acétate)
10 mg/24 h. (cf. chap. 21, p. 771)

Oncovine® : cf. vincristine

Orbénine® : cf. cloxacilline

Ornidazole (Tiberal®) (cf. tableau 34, chap. 19)
Amibiase et lambliase :
0- 1 an : 125 mg matin et soir ⎫
2- 6 ans : 250 mg matin et soir ⎬ pendant
7-12 ans : 375 mg matin et soir ⎨ 10 jours
> 13 ans : 500 mg matin et soir ⎭

Oxacilline
50-200 mg/kg/24 h., per os, i.m. ou i.v.
Nouveau-nés : cf. tableau 23, chap. 19

Oxamniquine
15 mg/kg, 2 fois par jour, pendant 2 jours
cf. tableau 34, chap. 19

Oxymétholone (Anadrol®)
Anémie aplastique : 2,5-5 mg/kg/24 h.

Oxyphenbutazone (Tandéril®)
Attaque : 100 mg 1-3 fois par jour, per os ou rectal
Entretien : 50-100 mg 1-2 fois par jour, per os ou rectal

Papavérine
1-6 mg/kg/24 h., per os, i.m. ou i.v.
Adultes : 0,1 g/24 h.

Paracétamol : cf. acétaminophène

Paraldéhyde
Dose sédative : 0,15 ml/kg/dose, per os, rectal, i.m.
Hypnotique et anticonvulsivant : 0,30 ml/kg/dose, per os, rectal, i.m.

Pavulon® (pancuronium)
0,1 mg/kg/1 h.

Pénicillamine (Cuprimine®)
25 mg/kg/24 h., per os, en 2 doses
Adultes : 250-500 mg 3 fois par jour

Pénicilline G (cf. tableau 26, chap. 19)
Nouveau-nés :
50 000-100 000 U/kg/24 h., i.m., en 4 doses
Enfants :
25 000-100 000 U/kg/24 h., per os, i.m. ou i.v.
Prophylaxie du rhumatisme articulaire aigu :
400 000 U/24 h., per os, en 2 doses

Pénicilline V
25-100 mg/kg/24 h., per os

Penthotal
2-3 mg/kg/h. (cf. chap. 14)

Péthidine
0,5 mg/kg

Phénergan® : cf. prométhazine

Phénéticilline
0,25 g toutes les 4-6 h.

Phénobarbital (Luminal®) (cf. tableaux 5 et 6, chap. 25)
Dose sédative :
0,5-2 mg/kg/dose, per os, toutes les 4-6 h.
Anticonvulsivant :
3-5 mg/kg/dose, i.m.
Anti-épileptique :
< 5 ans : 3-5 mg/kg/24 h.
> 5 ans : 2-3 mg/kg/24 h.
Hypnotique :
3-6 mg/kg/dose, per os (adultes : 100-200 mg)

Phentolamine (Régitine®)
2-20 mcg/kg/min. (cf. chap. 15, p. 461)

Phénylbutazone (Butazolidine®)
5-10 mg/kg/24 h., per os ou rectal

Phénytoïne : cf. diphénylhydantoïne

Physostigmine (salicylate)
0,03 mg/kg/dose, i.v.

Pipérazine, citrate de
100 mg/kg, per os, dose unique
Max. : 3 g

Pitressine, tannate de
3-10 U/24-48 h., i.m.

Plasmion® : cf. chap. 14, tableau 1

Polymyxine B (Aérosporine®)
Per os (non absorbée) : 10-20 mg/kg/24 h., en 4 doses
i.m. ou i.v. 1,5-2,5 mg/kg/24 h.
Max. : 200 mg/24 h.

Posthypophyse (cf. p. 760)
Poudre à priser
15-25 mg/24 h.
 uspension (gouttes nasales)

Pralidoxime (cf. chap. 15, p. 464)

Praziquantel (cf. tableau 34, chap. 19)
40 mg/kg, dose unique

Prednisone
Néphrose idiopathique } 2 mg/kg/24 h. ou 60 mg/m^2/24 h.
Hypoglycémie idiopathique

Des doses plus faibles ou administrées un jour sur deux sont utilisées dans de nombreuses autres affections

Pregnyl® : cf. hormone chorionique gonadotrophique

Primaquine : cf. tableau 33, chap. 19

Primidone (Mysoline®)
10-15 mg/kg/24 h.

Primpéran® : cf. métoclopramide

Probénécid (Bénémid®)
25 mg/kg/24 h., per os
Max. : 1,0 g

Procaïnamide : cf. tableau 3, chap. 12

Procarbazine (Natulan®) : cf. tableau 2, chap. 17

Proglycem® : cf. diazoxide

Prométhazine (Phénergan®)
0,5 mg/kg/dose, per os ou i.v.
Répéter au besoin

Propranolol : cf. tableau 3, chap. 12 ; tableau 4, chap. 13

Propylthiouracil (cf. p. 734-735)
Dose initiale :   75 mg 3-4 fois/24 h.
Dose d'entretien : 25-50 mg/24 h.
Nouveau-nés :   10 mg 3-4 fois/24 h.

Prostigmine® : cf. néostigmine

Protamine, sulfate de
Antidote de l'héparine : 1 mg pour chaque mg (120 U) d'héparine administré pendant les 4 h. précédentes

Provéra®, dépôt : cf. médroxyprogestérone

Purinéthol® : cf. 6-mercaptopurine

Pyrazinamide :
20-30 mg/kg/jour toutes les 8 h. : max. : 2 g/jour
Tablettes à 5 mg

Pyridostigmine (Mestinon®)
4 mg/kg/24 h.

Pyriméthamine (Daraprim®)
0,5-1,0 mg/kg/24 h.
Adultes : 25-75 mg/24 h.

Quinacrine, hydrochlorure de (Atébrine®, Mépacrine®, Atabrine®)
Lambliase :
6 mg/kg/24 h. (max. 300 mg), per os, pendant 5 jours
Taenia :
15 mg/kg en 2 doses à 1 heure d'intervalle (max. 800 mg)
Purge saline 2 h. après la dernière dose

Quinidine, sulfate de : cf. tableau 3, chap. 12

Quinine, sulfate de (cf. tableau 33, chap. 19)
Malaria :
jeunes enfants ⎫
5-10 ans ⎪
> 10 ans ⎬ 25 mg/kg/24 h.
Dose suppressive ⎭
Myopathies : 0,2-0,5 g/24 h.

Régitine® : cf. phentolamine

Réserpine (Serpasil®)
0,25-0,5 mg/24 h., per os
0,02-0,05 mg/kg, i.m., toutes les 12-24 h.
(0,5-1 mg, i.m., en dose unique si enfant > 25 kg)

Rheomacrodex® : cf. tableau 1, chap. 14

Rifampicine
Enfants : 10-20 mg/kg/jour, en 1 prise
Adultes : 450-600 mg/jour, en 1 prise
Chimioprophylaxie méningocoque : cf. chap. 19, p. 636-637

Rimifon® : cf. isoniazide

Ritaline® : cf. méthylphénidate

Rivotril® : cf. clonazépam

Rolitétracycline (cf. tableau 26, chap. 19)
10-20 mg/kg/24 h., i.v. ou i.m.

Rubidomycine (cérubidine, daunomycine) : cf. tableau 2, chap. 17)

Salazopyrine : cf. salicylazosulfapyridine

Salbutamol (Ventolin®)
2-6 ans : 1-2 mg, per os, 3-4 fois, par jour
6-12 ans : 2 mg, per os, 3-4 fois par jour
Aérosol : 0,1-0,2 mg/dose

Salicylazosulfapyridine (salazopyrine)
100-150 mg/kg 3-4 fois par jour
Max. : 4-8 g/24 h.

Serpasil® : cf. réserpine

Solucortef® : cf. hydrocortisone

Spironolactone (Aldactone®)
15-25 mg/kg/24 h. (dose unique diagnostique)
Enfants : 2-4 mg/kg/24 h., per os
Adultes : 100-150 mg/24 h.

Staphcillin® : cf. méthicilline

Stibogluconate sodique (cf. tableau 34, chap. 19)
10 mg/kg/24 h.

Streptomycine (cf. tableaux 21 et 26, chap. 19)
Nouveau-nés : 10-20 mg/kg/24 h., i.m. en 2 doses
Enfants : 20-40 mg/kg/24 h., i.m. en 2 doses
Max. : 1 g/24 h.

Sulfadiazine
Prophylaxie streptocoque :
< 30 kg : 0,5 g/24 h., per os
> 30 kg : 1,0 g/24 h., per os
100-150 mg/kg/24 h., per os, i.v. Max. : 6 g/24 h.

Sulfafurazole (sulfisoxazole, Gantrisine®)
150-200 mg/kg/24 h., per os

Sulfaméthoxazole
50-60 mg/kg/24 h., per os
Max. : 2 g/24 h.

Sulfisoxazole (Gantrisine®) : cf. sulfafurazole

Suxinutine® : cf. éthosuximide

Symmetrel® : cf. amantadine

Tagamet® : cf. cimétidine

Tandéril® : cf. oxyphenbutazone

Tapazole® : cf. méthimazole

Tégrétol® : cf. carbamazépine

Tensilon® : cf. édrophonium

Terbutaline (Bricanyl®) (bronchodilatateur)
Solution à 0,5 mg/ml : 0,05 mg/kg/dose toutes les 4-6 h.
Aérosol : 1-2 inhalations = 0,25-0,5 mg toutes les 4-6 h. (enfants > 5 ans)
Per os : 0,2 mg/kg/jour (2-3 doses)

Testostérone (énanthate et propionate)
100-250 mg/mois, i.m. (cf. chap. 21, p. 771)

Tétrachloréthylène
0,2 ml par année d'âge, jusqu'à 3 ml, en caps. de gélatine, per os, à jeun

Tétracycline (oxytétracycline, chlortétracycline)
20-40 mg/kg/24 h., per os
Max. : 2 g/jour

THAM : cf. chap. 5, p. 98

Théophylline : cf. aminophylline

Thiabendazole (Mintézol®, Mintérol®) (cf. tableau 34, chap. 19)
25-50 mg/kg/24 h., en 2 doses pendant 2-3 jours. Max. : 3 g/jour

Thioguanine : cf. tableau 2, chap. 17

Thorazine® : cf. chlorpromazine

Thyranon® : cf. thyroïde

Thyroïde, extrait de (Thyranon®)
Nourrissons : 10-30 mg/24 h., per os
Enfants : 30-150 mg/24 h., per os

L-thyroxine (T4) (Eltroxine®)
Nouveau-nés : 10 µg/kg/24 h., per os
Enfants : 3-5 µg/kg/24 h. per os

Tiberal® : cf. ornidazole

Ticarcilline
200-300 mg/kg/24 h., i.v.
Nouveau-nés : cf. tableau 23, chap. 19

Tobramycine (cf. tableau 26, chap. 19)
3-5 mg/kg/24 h., i.m. ou i.v.
Nouveau-nés : cf. tableau 23, chap. 19

Tofranil® : cf. imipramine

Trécator® : cf. éthionamide

Triamtérène® (dyrénium)
2-4 mg/kg/24 h., per os, en 1-2 doses

Tridione® : cf. triméthadione

Triéthylène mélamine (TEM) : cf. tableau 2, chap. 17

L-triiodothyronine (Cynomel®, Cytomel®)
Nourrissons : 15-25 µg/24 h., per os
Enfants : 25-100 µg/24 h., per os

Triméthadione (Tridione®)
40-60 mg/kg/24 h.

Triméthoprime-sulfadiazine
15-20 mg/kg/24 h.

Triméthoprime-sulfaméthoxazole (Bactrim®)
20 mg/kg/24 h. et 100 mg/kg/24 h., per os

Urbanyl® : cf. clobazam

Valium® : cf. diazépam

Valproate de Na (Dépakine®) (dipropylacétate) (cf. tableau 5 chap. 25)
< 3 ans : 20-60 mg/kg/24 h.
> 3 ans : 20-40 mg/kg/24 h.

Vancomycine
75-300 mg/m^2 toutes les 6 heures ou
10 mg/kg toutes les 6 heures

Vasopressine : cf. Pitressine®

Ventolin® : cf. salbutamol

Verapamil (Isoptin®) : cf. tableau 3, chap. 12

Vermox® : cf. mébendazol

Versénate de calcium (CaNa$_2$EDTA) : cf. p. 467

Vinblastine (Velban®) : cf. tableau 2, chap. 17

Vincristine (Oncovine®) : cf. tableau 2, chap. 17

Xylocaïne : cf. tableau 3, chap. 12 ; tableau 6, chap. 25

Yomésan® : cf. niclosamide

Zaditen® : cf. kétotifène

Zyloric® : cf. allopurinol

Chapitre 30

Valeurs normales
par L. Paunier

L'introduction dans plusieurs pays européens du « système international des unités » (S.I. Units) oblige les auteurs à donner les valeurs normales dans les unités conventionnelles et les nouvelles unités S.I. Ce système comporte l'utilisation de la grandeur « quantité de substance » (mole) chaque fois que le poids moléculaire d'une substance est défini avec précision.

Formules de conversion

$$\text{mmol/l} = \frac{\text{mg/l}}{\text{poids moléculaire}} \qquad \text{mmol/l} = \frac{\text{mEq/l}}{\text{valence}} \qquad \text{mm Hg} = 0{,}133 \text{ kPa}$$

Unités

Grandeurs fondamentales ou dérivées et unités correspondantes

Grandeur	Unité	Symbole
Longueur	mètre	m
Masse (poids)	kilogramme	kg
Temps	seconde	s
Température	kelvin	K
Quantité de substance	mole	mol
Volume	litre	l
Pression	pascal	Pa

Facteurs décimaux

Facteur	Préfixe	Symbole
10^{12}	téra	T
10^{9}	giga	G
10^{6}	méga	M
10^{3}	kilo	k
1	—	—
10^{-3}	milli	m
10^{-6}	micro	µ
10^{-9}	nano	n
10^{-12}	pico	p
10^{-15}	femto	f

Abréviations utilisées
conformes aux propositions des Commissions internationales

- a : artériel
- B : sang (blood)
- c : capillaire
- d : 24 heures (day)
- f : à jeun (fasting)
- F : feces
- Hb : hémoglobine
- P : plasma
- S : sérum
- Sp : liquide céphalo-rachidien (spinal fluid)
- U : urine
- v : veineux

Tableau 1 : Chimisme sanguin

		Unités traditionnelles		Facteur de multiplication	S.I. Units	
S	Acide ascorbique	0,4-1,5	mg/100 ml	56,77	22,7-85,5	µmol/l
S	Acides gras libres	190-500	mg/100 ml	0,01	1,9-5,0	g/l
S	Acide urique	2,0-5,5	mg/100 ml	0,05948	0,12-0,33	mmol/l
S	Aldolase	0,15-0,8	U/ml			
B	Ammonium					
	nouveau-nés	90-150	µg/100 ml	0,5872	52,8-88,1	µmol/l
	enfants	30-70	µg/100 ml		17,6-41,1	µmol/l
B	Amylase	60-180	U/100 ml	—	—	
S/P	Azote uréique	5-15	mg/100 ml	0,3569	1,78-5,35	mmol/l
S	CO_2 total	20-30	mEq/l	1,0	20-30	mmol/l
S	Bilirubine totale		mg/100 ml	17,10		µmol/l
	cordon	< 1,8			< 30,8	
	2-4 jours	2-12			34,2-205,7	µmol/l
	enfants	< 0,8			< 13,7	
S	Bilirubine directe (conjuguée)	< 0,4	mg/100 ml	17,10	6,8	µmol/l
S	Calcium	8,5-10,5	mg/100 ml	0,2495	2,1-2,6	mmol/l
S	Carotène	0,8-4,0	µg/ml	1,863	1,5-7,4	µmol/l
S	Céruloplasmine	30-50	mg/100 ml	—	—	
S	Chlore	94-106	mEq/l	1,0	94-106	mmol/l
S	Cholestérol		mg/100 ml	0,02586		mmol/l
	nouveau-nés	50-100			1,29-2,58	
	enfants	150-275			3,88-7,11	
S	Corps cétoniques	< 10	mg/100 ml			
S	Cortisol	5-25	µg/100 ml	0,02759	0,15-0,70	µmol/l
S	Cuivre	100-200	µg/100 ml	0,1574	16-31	µmol/l

Suite au verso

Tableau 1 (suite) : Chimisme sanguin

		Unités traditionnelles	Facteur de multiplication	S.I. Units	
S	Créatine kinase	mU/ml		5-35	
S	Créatinine	mg/100 ml	88,40	0,4-1,2	35,4-106	µmol/l
S	Fer	µg/100 ml	0,1791			
	naissance			110-270	19,7-48,4	µmol/l
	3 mois			50	8,9	
	enfants			50-180	8,9-32,2	
S	Fer, capacité de fixation		0,1791			µmol/l
	naissance	µg/100 ml		120-250	21,5-44,7	
	enfants	µg/100 ml		180-650	32,2-116,4	
	adultes			250-410	44,7-73,4	
S	Galactose	mg/100 ml	0,055	< 20	1,10	mmol/l
B	Glucose	mg/100 ml	0,0555			mmol/l
	prématurés			20-80	1,10-4,40	
	nouveau-nés à terme			30-100	1,65-5,55	
	enfants			60-105	3,3-5,78	
	Glucose-6-phosphate-déshydrogénase (globules rouges)	U/100 ml érythrocytes		150-215		
	Glycogène (érythrocytes)	µg/g hémoglobine				
	sang du cordon			123 (10-338)		
	0-1 jour			150 (48-361)		
	enfants			66 (22-109)		
B	Hémoglobine fœtale	% de l'hémoglobine fœtale				
	naissance			50-85%		
	1 an			< 15%		
	2 ans			< 5%		
	> 2 ans			< 2%		

B	Lactate (acide lactique)	mg/100 ml	10-20	0,111	1,11-2,22	mmol/l
S	Lactate déshydrogénase (LDH)	U/l	60-160			
S	Leucine amino-peptidase	U/l	15-50			
S	Magnésium	mg/100 ml	1,5-2,8	0,4113	0,61-1,15	mmol/l
B	Méthémoglobine	g/100 ml	0-0,3			
P	Méthionine					
	1 jour	mg/100 ml	0,2-0,6	67	13,4-40,2	µmol/l
	adultes		0,1-0,6		6,7-40,2	
S	Mucoprotéines	mg/100 ml	45-100			
S	Osmolarité	mosm/l	270-285			
	Oxygène (capacité de fixation du sang)	ml/g hémoglobine	1,34			
	Oxygène (PO$_2$ sang artériel)	mm Hg	85-100	0,133	11,3-13,3	kPa
B	pH		7,35-7,43			
S	Phénylalanine	mg/100 ml	0,7-3,5	60,54	42,3-211,9	µmol/l
S	Phosphatase alcaline	U/l				
	1-3 mois		73-200			
	3-10 ans		57-151			
	adultes		18-40			
S	Phospholipides	mg/100 ml	9-16			
S	Phosphore inorganique					
	nourrissons	mg/100 ml	5-7,5	0,3229	1,61-2,42	mmol/l
	1-10 ans		4,5-5,6		1,45-1,80	
	adultes		3,0-4,5		0,97-1,45	
B	Plomb	µg/100 ml	<50	0,04826	<2,4	µmol/l
S	Potassium	mEq/l	3,5-5,2	1	3,5-5,2	mmol/l
B	Pyruvate	mg/100 ml	1,3-2,3	0,113	0,15-0,26	mmol/l
S	Salicylate					
	normal	mg/100 ml	0	0,07240	0	mmol/l
	niveau thérapeutique	mg/100 ml	20-25		1,45-1,81	mmol/l
S	Sodium	mEq/l	136-143	1	136-143	mmol/l

Suite au verso

Tableau 1 (suite) : Chimisme sanguin

		Unités traditionnelles		Facteur de multiplication	S.I. Units	
S	Thyroxine	µg/100 ml	3,5-10	12,88	45,1-128,9	nmol/l
S	Transaminase glutamique oxalo-acétique (SGOT)	U/l				
	nourrissons		4-60			
	enfants		4-40			
	Transaminase glutamique pyruvique (SGPT)	U/l				
	nourrissons		1-40			
	enfants		0-27			
S	Triglycérides	mg/100 ml	10-350			
S	Tyrosine	mg/100 ml		55,1		
	nouveau-nés à terme		1,0-4,5		55,1-248	µmol/l
	adultes		0,6-1,5		33,1-82,7	µmol/l
S	Vitamine A	µg/100 ml		0,0349		
	nouveau-nés		15-46		0,52-1,60	µmol/l
	enfants		15-140		0,52-4,88	µmol/l
S	Zinc	mg/l	0,78-1,57	15,38	11,9-24,1	µmol/l

Tableau 2 : Protéines sériques

Age	Protéines totales g/100 ml	Albumine g/100 ml	Globulines g/100 ml
Nouveau-né prématuré	4,55 ± 0,59	3,55 ± 0,65	1,01 ± 0,45
Nouveau-né à terme	5,11 ± 5,70	3,76 ± 3,79	1,34 ± 1,66
0- 1 an	6,10 ± 0,29	4,97 ± 0,73	1,38 ± 0,68
1- 4 ans	6,94 ± 0,47	4,59 ± 4,83	2,03 ± 0,34
5-12 ans	7,30 ± 0,59	5,0 ± 0,78	2,4 ± 0,74
12 ans	7,16	4,72	2,49

Adapté de Nelson W.E., Vaughan V.C., McKay R.J., *Textbook of Pediatrics*, 9ᵉ éd., Saunders, Philadelphia, 1969

Tableau 3 : Gamma-globulines sériques

Age	Total g/100 ml	IgG (Gamma G) mg/100 ml	IgA (Gamma A) mg/100 ml	IgM (Gamma M) mg/100 ml
Sang du cordon	1,28 (0,81-1,61)	850 (400-1650)	<4 (0-15)	12 (0-23)
1-6 mois	0,63 (0,24-1,05)	400 (230-950)	19-25 (4-60)	32 (11-86)
1 an	0,84 (0,32-1,18)	725 (281-1280)	50 (16-170)	75 (36-176)
2-3 ans	1,08 (0,73-1,46)	700 (495-1562)	90 (21-250)	100 (43-230)
4-7 ans	1,22 (0,54-1,95)	850 (350-1760)	120 (30-330)	120 (26-325)
8-9 ans	1,38 (0,70-2,03)	900 (500-1719)	200 (50-650)	130 (27-280)
10-16 ans	1,38 (0,70-2,03)	1220 (600-1720)	200 (44-670)	130 (27-205)
Adulte		995 (620-1700)	200 (45-650)	187 (70-384)

D'après Silver H.K., Kempe C.H., et Bruyn H.B., *Handbook of Pediatrics*, 9ᵉ éd., Lange, Los Altos (Calif.), 1971

Tableau 6 : Sueur

Sodium }
Chlore } enfants : <50 mEq/l (= <50 mmol/l)

Tableau 4 : Liquide céphalo-rachidien (Sp)

Quantité chez le nouveau-né :	5 ml
Quantité chez l'adulte :	100-150 ml
Cellules : moins d'un an :	0-10 mononucléaires/mm³
1-4 ans :	0- 8 mononucléaires/mm³
5 ans et au-dessus :	0- 5 mononucléaires/mm³

Sp Protéines : nouveau-nés–1 mois : 20-100 mg/100 ml
dès 2 mois : 15- 40 mg/100 ml

Sp Albumine : 80% des protéines
Sp Globulines : 20% des protéines

Sp Chlorure : 7 j.–3 mois :	108-123 mEq/l = 108-123 mmol/l
4-12 mois :	113-129 mEq/l = 113-129 mmol/l
>13 mois :	130-165 mEq/l = 130-165 mmol/l
Sp Sodium :	130-165 mEq/l = 130-165 mmol/l
Sp Potassium :	2,0-4,0 mEq/l = 2,0-4,0 mmol/l
Sp Calcium :	4,5-5,5 mg/100 ml = 1,01-1,37 mmol/l
Sp Magnésium :	1,0-3,0 mg/100 ml = 0,41-1,28 mmol/l
Sp Phosphore inorganique :	1,0-1,5 mg/100 ml = 0,30-0,49 mmol/l
Sp Glucose :	45-80 mg/100 ml = 2,50-4,45 mmol/l

(Le glucose du LCR varie proportionnellement à la glycémie et a une valeur de 20 mg/100 ml (1,10 mmol/l) au-dessous du glucose sanguin).

Tableau 5 : Urine (U)

Compte d'Addis :	Erythrocytes : <1500/min.
	Cylindres : < 15/min.
U Protéines :	< 4 mg/m²/heure
U Leucocytes :	<10/mm³ d'urine
17-cétostéroïdes	
17-hydroxystéroïdes	voir chapitre 21
Aldostérone	
U Calcium :	1-5 mg/kg/24 h.
	(2,5-12,5 µmol/kg/24 h.)
U Phosphore :	15-20 mg/kg/24 h.
	(dépend de l'apport en P)
	(483-645 µmol/kg/24 h.)
U Magnésium :	2-4 mg/kg/24 h.
	(83,3-166 µmol/kg/24 h.)
U Hydroxyproline totale :	
0- 1 an :	21- 75 mg/24 h. = 0,16-0,57 mmol/24 h.
1-10 ans :	24-102 mg/24 h. = 0,18-0,77 mmol/24 h.
10-14 ans :	68-109 mg/24 h. = 0,52-0,83 mmol/24 h.
Adultes :	16- 46 mg/24 h. = 0,12-0,35 mmol/24 h.
U Osmolarité :	
nourrissons :	50- 600 mosm/l
enfants et adultes :	40-1200 mosm/l
U Plomb :	<400 µg/jour
U Mucopolysaccharides :	
0- 4 ans :	< 6 mg d'acide hexuronique
4-12 ans :	<12 mg d'acide hexuronique
U Porphyrines :	
Acide δ-aminolévulinique (ALA) : 1,3-7 mg/jour	
U Acide vanilmandélique (VMA) 83 ± 26 µg/kg/24 h.	

Tableau 7 : Poids atomique et valence de quelques éléments

	Poids atomique	Valence
Calcium (Ca)	40,08	2
Carbone (C)	12,01	2,4
Chlore (Cl)	35,46	1, 3, 5, 7
Hydrogène (H)	1,01	1
Magnésium (Mg)	24,32	2
Oxygène (O)	16,00	2
Phosphore (P)	30,98	2,5
Potassium (K)	39,1	1
Sodium (Na)	22,99	1

$$1 \text{ mEq} = \frac{\text{Poids atomique en mg}}{\text{valence}}$$

Conversion de mg/l en mEq/l :

$$\text{mEq/l} = \frac{\text{mg/l} \times \text{valence}}{\text{poids atomique}}$$

mmol (millimoles par litre) :

$$\text{mmol} = \frac{\text{mg/l}}{\text{poids moléculaire}}$$

Fig. 1 : Nomogramme permettant de déterminer la surface corporelle en fonction de la taille et du poids

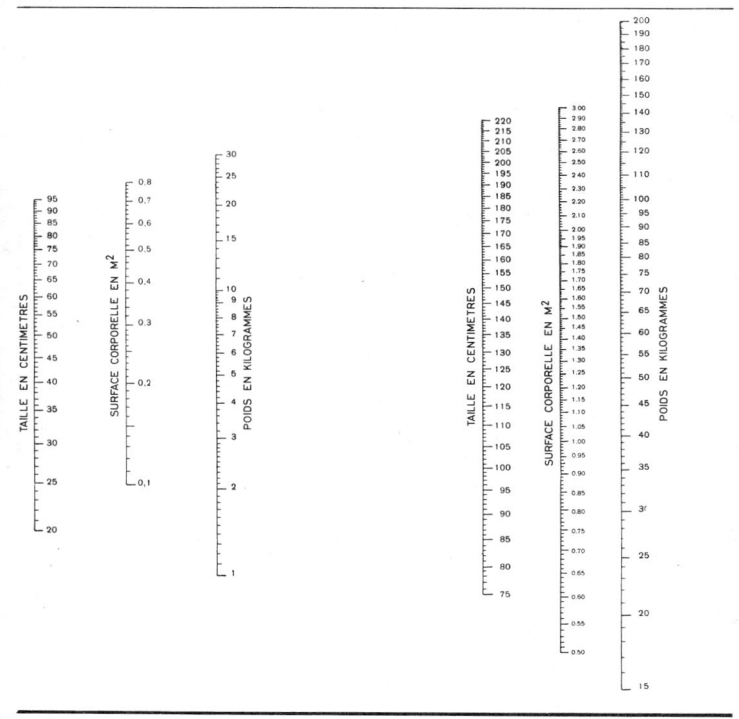

Index alphabétique

Abcès cérébraux 941
Abcès rétropharyngien 941
Aberrations chromosomiques 31-46
Abêtalipoprotéinémie (avec acanthocytose) 492, 823-824
ABO (Iso-immunisation) 132
Acanthocytose (avec abêtalipoprotéinémie) 492
Accroupissement (squatting, T.F.) 350
Acanthosis nigricans 799, 881
Acétaminophène (paracétamol), intoxication 465
Acétone, intoxication à l' 456
Acétyl-carnitine-transférase, déficit en 811
Achalasie 213
Achondroplasie 866
Acide arachidonique 575
Acide ascorbique : cf. vitamine C
Acide folique (acide ptéroylglutamique) 199-200
Acide nicotinique (Niacine) 198
Acide pantothénique 200
Acide ptéroylglutamique : cf. acide folique
Acides aminés essentiels (besoins selon l'âge) 189
Acides gras, déficits de l'oxydation des 811-812
Acidose métabolique néonatale 96-98
Acidose tubulaire distale 392
Acidose tubulaire proximale 392
Acidurie alpha-céto-adipique 841
Acidurie argininosuccinique 836
Acidurie dicarboxylique 811
Acidurie glutarique 811, 840-841
Acidurie orotique héréditaire 847, 850
Acné vulgaris 890-891
Acrodermatite entéropathique 192, 228
Acromégalie (adénome éosinophile anté-hypophysaire) 761
ACTH 755-756
ACTH, test à l' (Synacten®) 744
Actinomycose 662
Adaptation à la vie extra-utérine 109-110

Addis, compte d' 402
Addison, maladie d', avec dégénérescence progressive du système nerveux central (adréno-leucodystrophie) 738, *750-751*, 812, 881, 928, *931*
Adénosarcome embryonnaire du rein : cf. Wilms, tumeur de
Adénosine déaminase, déficience en 566, 847, 850
ADH (hormone antidiurétique) 757
Adrénaline (et sympathicomimétiques), intoxication à l' 461-462
Adréno-génital, syndrome : cf. surrénales, hyperplasie congénitale des
Adréno-leucodystrophie (sclérose cérébrale diffuse de Schilder et maladie d'Addison) 738, *750-751*, 812, 881, 928, *931*
Affections malignes chez l'enfant, fréquence des 530
Agammaglobulinémie congénitale (maladie de Bruton) 563
Agénésie du corps calleux 913, 914
Agénésie du vermis cérébelleux 913
Age osseux (tables) *72-73*
Agranulocytose 510-511
Aicardi, syndrome d' 914
Albers-Schönberg, maladie d' (ostéopétrose) 490, *868*
Albinisme 831
Alcalose hypochlorémique 157
Alcaptonurie 831
Alcool (agent tératogène) 147-148
Alcool éthylique, intoxication à l' 456
Alcool isopropyllique, intoxication à l' 456
Alcool méthylique (méthanol), intoxication 456-457
Alcoolisme fœtal, syndrome de l' 55-56, *147-148*
Aldostérone, traitement
Alexander-Crome, maladie d' 927-928
Alimentation (nouveau-né) 93-94, 202-206
Aliments solides, introduction des 207
Allaitement artificiel 94, *204-207*

Allaitement maternel *93-94, 202-204*
Allèle *19*
Allergie au lait, entéropathie exsudative (avec anémie hypochrome) *225-226*
Allergiques, réactions *571-578*
Alpha-fœto-protéine *50-52*, 545, 912
Alpha-iduronidase (Hurler) 51
Alpha-lipoprotéines, absence congénitale d' (maladie de Tangier) 823
Alpha-l-antitrypsine, déficience en 30, 268, *272*
Alport, syndrome d' 379
Ambiguïté sexuelle 46
Amibes (entamoeba histolytica) 308, 714-715
Aminoacides, anomalies de transport des *842-843*
Aminoacidémies à chaîne ramifiée *837-839*
Aminoaciduries dibasiques 843
Aminophylline (théophylline), intoxication à l' 457
Amniocentèse *49-52*
Amphétamines, intoxication aux 461-462
Amygdalites (angines) 290-291
Amyotrophies spinales, 934, *958*
Amyotrophie spinale proximale (maladie de Wohlfart-Kugelberg) 958
Anaérobies, infections à 660
Anamnèse *9-13*
Anaphylaxie, réaction d' 726
Anderson, maladie d' (amylopectinose, déficience en amylo-transglucosidase) 787, 803, 805
Anémies aplastiques acquises *488-489*
Anémie aplastique congénitale avec malformations multiples (anémie de Fanconi) *489-490*
Anémie congénitale idiopathique hypoplastique (anémie de Blackfan-Diamond) 487
Anémie falciforme (drépanocytose, sicklémie, hémoglobinose S) 30, 51, 132, 379, *497-500*, 564
Anémies hémolytiques 132, *491-508*, 609, 860.
Anémies hémolytiques acquises 505-508
Anémies hémolytiques acquises non auto-immunes 506-508
Anémie hémolytique auto-immune 505-506
Anémie hémolytique par déficience en vitamine E
Anémies hypochromes ferriprives *484-486*
Anémie hypochrome macrocytaire de l'acidurie orotique héréditaire 850
Anémies hypochromes résistant au fer (anémies sidéro-achrestiques) *486-487*

Anémie des inflammations chroniques et des infections 490-591
Anémie méditerranéenne : cf. thalassémie bêta majeure
Anémies mégaloblastiques 479-484
Anémies néonatales *137-140*, 479
Anémie du prématuré 479
Anencéphalie 25, 51, 912
Aneuploïdie 32
Anévrisme A.V. de l'ampoule de Galien 917
Angine (amygdalite aiguë) *290*
Angiocardiographie 320-322
Angiofibrome nasal juvénile 555
Angiomes (peau) 881
Angiome sous-glottique 427
Anguillule (Strongyloïdes stercoralis) 710-711
Ankylostomes (A. duodenale, Necator americanus) 710-711
Anomalie idiopathique du transport intestinal des graisses (maladie de Charlotte Anderson) 824
Anomalie totale du retour veineux pulmonaire *360-361*
Anorectales, anomalies, atrésies 161
Anorexie de la petite enfance 962
Anorexie mentale juvénile 771, 974
Anse exclue, syndrome de l' : cf. intestin contaminé (« blind loop syndrome »)
Antibiothérapie, principes de l' *684-695*
Antibiotique, choix de l' (en attendant la culture) 687
Antibiotique, choix selon le germe isolé *688-690*
Antibiotiques, mode d'administration, dosage, toxicité *692-695*
Antibiotiques (période néonatale) 686
Anticoagulants circulants 525-526
Antidépresseurs tricycliques, intoxication aux 457-458
Antigène Australie (HbsAg) 244, 613-614
Antihistaminiques, intoxication aux 458
Antimongolisme 40-41
Antiviraux (médicaments) *617-619*
Anus (atrésies, fistules de l') *161*, 162
Apert, maladie d' 916
Apgar (score d') *90-91*, 96
Aplasie congénitale du thymus et des parathyroïdes (syndrome de Di George) *566*, 738
Aplasie de la musculature abdominale : cf. « prune belly syndrome »
Apnées récidivantes (nouveau-né, prématuré) *113*
Aqueduc de Sylvius, sténose de l' 915
Arbovirus (Arthropod Borne Virus) 610-612
Argininosuccinate synthétase, déficit en 836
Arhinencéphalie 38

Arnold-Chiari, malformation d' (cf. aussi Chiari I et II) 915
Arriération mentale 977-981
Arriération mentale, causes traitables 978
Artère ombilicale unique 61, 92
Arthrite purulente aiguë du nouveau-né *123*
Arthrite rhumatoïde juvénile (Still) 512, *854-857*
Arthrogrypose multiple congénitale 953
Aryl-sulfatase A (leucodystrophie métachromatique) 51
Ascaris (A. lumbricoïdes) 308, 710-711
Aspergillose pulmonaire 308
Aspiration de corps étranger 309-310, *425-426*
Aspirine (salicylates), intoxication à l' 467-468
Asplénie congénitale (avec malformation cardiaque, syndrome d'Ivemark) 362, 528
Asthme bronchique *578-584*
Ataxies cérébelleuses 941
Ataxies congénitales 922
Ataxies spastiques 934
Ataxie-télangiectasies (Maladie de Louis Bar) 567, 924, *934-935*
Atélectasie *299-300*
Athyroïdie (athyréose) congénitale 730
Atopie (maladie allergique) 576-578
Atrésie des choanes *114*, 150
Atrésie duodénale 62, 127, *158*, 417
Atrésie jéjunale 158
Atrésie de l'œsophage 98, 126, *151-152*
Atrésie pulmonaire 346
Atrésie tricuspidienne *356-357*
Atrésie des voies biliaires extra-hépatiques 273-274
Atrésie des voies biliaires intra-hépatiques 274
Atropine (belladone), intoxication à l' 459
Austin, maladie d' 814-815
Autisme infantile 972-973
Autohémolyse, tests d' 495
Autosomes 32

Bacillus cereus 637-638
Bactéries anaérobies, infections à 660-674
Ballard (score de maturité néonatale) 102
Barbituriques, intoxication aux 459
Barlow, manœuvre de 92, 166
Barr (corpuscule de) : cf. chromatine sexuelle
Bartter, syndrome de 393, 751
Bébé collodion 883
Bec-de-lièvre 24
Becker, dystrophie musculaire de 954

Beckwith, syndrome de 61, 141, 154, 178
Berger, maladie de (glomérulonéphrite segmentaire et focale avec dépôts mésangiaux d'IgA et d'IgG) 379
Bêtalipoprotéines, absence congénitale de 492, 823-824
Bickel-Fanconi, syndrome de 805
Bile épaisse, syndrome de la 268, 274
Bilharzioses (schistosomiases) *712-713, 998*
Bilirubine conjuguée 133
Bilirubine non conjuguée 131
Biotine 200, 839
Blackfan-Diamond, syndrome de 487
Blalock, opération de 351
Bloch-Sulzberger, syndrome de : cf. Incontinentia pigmenti
Bonnet-Dechaume-Blanc, syndrome de 918
Bosse sérosanguine 91
Botulisme (Clostridium botulinum) 638-639, *665-667*, 725, 960
Bouchon-méconial, syndrome du (Clatworthy) 159
Bouchon muco-biliaire, syndrome du 275
Bouillaud, maladie de : cf. rhumatisme articulaire aigu
Bourneville, sclérose tubéreuse de 332, 768, *924-925*
Brachycéphalie 916
Brand-Meyer, réaction de 391
Brides amniotiques 164
Brock, opération de 347
Bronchectasies *300-301*
Bronchiolite *294-295*
Bronchites 294
Brucelloses *675-676*
Brûlures, traitement 418, *473-475*
Brushfield (taches de) 36
Bruton, maladie de (agammaglobulinémie congénitale) 563
Budd-Chiari, syndrome de (hypertension portale postsinusoïdale) *256*
Burkitt, tumeur de 540
Byler, maladie de 268

Cachexie diencéphalique (Russell) 946
Caféine 113
Calcifications métastatiques 740
Calories (besoin selon l'âge] *187-188*
Camphre, intoxication au 459
Campylobacter foetus (jejuni, etc.) 223, 638
Canal artériel persistant (CA) *341-342*
Canal atrio-ventriculaire (commun persistant, C.A.V.) *339-340*
Candida albicans (monilia) 126, 308, 885

Candida, infection mucocutanée chronique à 567
Carbamyl-phosphate-synthétase, déficit en 834
Cardiomyopathies essentielles 365-366
Cardiopathies congénitales : syndromes associés 332-333
Cardio-tubérositaire (nouveau-né) (malposition, malformations) 157
Carence affective 964
Carnitine, déficit en 811, 956
Carter et Robbins, test de 757
Cataracte 35, 58, 392, 738, 810
Catécholamines, métabolisme des 549
Catécholamines, dosage des 752
Cathétérisme cardiaque et angiocardiographie 320-322
Cellules L.E. (lupus érythémateux disséminé) 860
Céphalhématome 91
Céramide 812
Cerclage (« banding ») artériel (traitement) 339
Cérébroside 812
Céroïde-lipofuscinoses 926, 928, 931
Cétogenèse, déficit de la 811-812
17-cétoréductase, défaut de 777
17-cétostéroïdes urinaires (Zimmermann) 744, 748, 749, 765, 771, 775
Champignons, intoxication aux 460
Charcot-Marie-Tooth (atrophie musculaire péronière de) 959
Charlotte Anderson, maladie de (anomalie du transport intestinal des graisses) 824
Chediak-Higashi-Steinbrick, syndrome de 568, 831
Chiari I, malformation de 918
Chiari II, malformation de 912
Chimérisme 107
Chimiothérapie (des affections malignes) 534-537
Chlamydia trachomatis 297, 645-647
Chloridorrhée congénitale 231
Choc toxique, syndrome de (staphylococcique) 658-659
Cholécalciférol (vitamine D_3) 195, 874
1,25-dihydroxycholécalciférol 194, 871
25-hydroxycholécalciférol 194, 871
Cholédoque, kyste du 133, 268
Choléra 995-996
Chondrodysplasies 866-867
Chondrodystrophie des épiphyses ponctuées 867
Chondrosarcome 552
Chorionépithéliome (du SNC) 768
Christmas disease : cf. hémophilie B
Chromatine sexuelle (corpuscule de Barr) 32
Chromatine sexuelle (indications de sa détermination) 769, 771, 775, 777, 779

Chromosomes sexuels (hétérosomes, gonosomes) 32, 42-45
Chvostek, signe de 737
Cils immobiles, syndrome des 300
Cirrhose biliaire 274
Cirrhose hépatique 252-253, 525
Clearance à la créatinine 402
Clinodactylie 163, 866
Clostridium botulinum 638-639, 665-667
Clostridium difficile 224
Clostridium perfringens 639
Coagulation du sang, schéma de la 520
Coagulation intravasculaire disséminée (coagulopathie de consommation) 143, 432, 508, 525
Coagulopathie de consommation : cf. coagulation intravasculaire disséminée
Coarctation de l'aorte 46, 344-346
Code génétique 18-19
Cœliaque, maladie (cœliakie, entéropathie au gluten) 227, 259-262
Cœur : crise d'anoxie ou de dyspnée paroxystique 327
Cœur : cyanose 326
Cœur : décompensation (défaillance) 323-326
Cœur : données hémodynamiques normales 321-322
Cœur, ectopie du (nouveau-né) 155
Cœur : lésions congénitales susceptibles d'être opérées 334
Cœur : médicaments utilisés en cardiologie pédiatrique 324-325
Cœur : urgences cardiaques du nouveau-né 327-330
Colibacilles (Escherichia Coli) 639-640
Colibacilles entéropathogenèses (EPEC) 220
Colimycine
Colite pseudo-membraneuse 669-671
Colite ulcéreuse 228, 236-240
Côlon irritable 226-227
Coma diabétique 791
Coma diabétique, traitement du 416, 796-797
Coma hépatique (hépatite fulminante) 250-251
Coma hypoglycémique 782
Coma, appréciation du niveau de profondeur 438
Coma, échelle de Glasgow 439
Comas (soins intensifs) 437-442
Commotion cérébrale 951
Communication interauriculaire (CIA) 334-336
Communication interventriculaire (CIV) 336-339
Complément 381, 402
Complément, déficience en 564-565
Comportement pervers 970-971

INDEX

Comportement, troubles du 968-971
Concentration, épreuve de 402
Conseil génétique *47-52*, 980
Constipation *275-279*
Constipation (nouveau-né) 128
Constipation chronique, diagnostic différentiel de la 276
Contusion cérébrale 951-952
Conversions hystériques 971
Convulsions néonatales (traitement) 119
Cooley, maladie de : cf. thalassémie bêta majeure
Coombs (test de) 132, 138, *149*, 860
Coproporphyrie érythropoïétique héréditaire 845
Coproporphyrie héréditaire (hépatique) 845
Coqueluche (pertussis) 512, *672-673*
Corps calleux, agénésie du 913, 914
Corps étrangers, aspiration de 309-310, *425-426*, 475-476
Corrosifs (caustiques), intoxication aux 460-461
Corticosurrénale, blocs enzymatiques 746
Cortisol, blocs enzymatiques de la synthèse du 746
Coxa plana : cf. Legg-Calvé-Perthès (maladie de)
Coxsackie (virus) 268, 598
CPAP 111
Crâniopharyngiome *760-761*, 946
Crâniosynostoses, crâniosténoses 865, *916-917*
Crase sanguine, examens de la 515
Cri du chat, syndrome du *40-41*
Crico-pharyngée, incoordination 212-213
Crigler-Najjar, maladie de 131
Crises épileptiques, classification 900-905
Crohn, maladie de : cf. iléite régionale ou terminale 228, *240-243*
Croissance anténatale 66
Croissance, courbes de *68-71*, 101
Croup (diphtérie) 426
Crouzon, maladie de 916
Cryptococcose (torulose) 696
Cryptorchidie 46, *185-186*
Cubitus valgus 43
Cuivre, syndrome de carence en 192
Cushing, syndrome de 209-210, *749-750*, 761
Cutis hyperelastica (syndrome d'Ehlers-Danlos) 884
Cutis laxa 884
Cyanocobalamine : cf. vitamine B_{12}
Cyphoscolioses 170
Cystathionine-synthétase (homocystinurie) 51
Cystathionurie 833

Cysticercose *712-713*
Cystinose 51, *833*, 872-873
Cystinurie 387, 391, 842
Cytomégaliques, maladie à inclusions (cytomégalovirus) 57, 59, 124, 133, 268, *595-596*
Cytostéatonécrose 92

Daltonisme 22
Dandy-Walker, malformation de 913, 915
Dawson-Van Bogaerts, panencéphalie sclérosante subaiguë de 940
Debré-Sémelaigne, syndrome de 957
Décollement épiphysaire (néonatal) 100
Dégénérescence hépato-lenticulaire : cf. maladie de Wilson
Dégénérescence spongieuse du névraxe 928
Déjerine-Sottas, maladie de 959
Délétion (chromosomique) 33
Démographie mondiale 981-983
Dentition (première et deuxième) *74*
Dépakine®, effets secondaires 836
Dépistage néonatal (test de Guthrie) *26-27*
Dermatologie, traitements usuels 882-883
Dermatomyosite *861-862*
Dermatophyties (teignes) *700-705*
Déshydratation, états de 408, *410-419*
Desiccytose (érythrocytes hypokaliémiques) 492-493
20-22 desmolase, défaut de 747
De Toni-Debré-Fanconi, syndrome de *392*, 809, *872-873*, 875
Détresse cérébrale néonatale 116
Détresse respiratoire (nouveau-né) *110*, 114-115, 150, 151
Développement du langage, anomalies du 975-976
Développement psychomoteur *78-87*
Développement psychomoteur (score de Denver) 84
Dexaméthasone, test de freination à la 755
Dextrocardies *362*
Diabète insipide néphrogène 391-392, 759
Diabète insipide pitresso-sensible 759-760
Diabète maternel 54
Diabète sucré 750, *789-799*
Diabète sucré, acido-cétose 416
Diabète sucré, traitement du 792-795
Diabète sucré transitoire du nouveau-né 799
Diabète, type II (adulte) 797-798

Diagnostic prénatal 47-52
Diaphorase érythrocytaire, absence de (methémoglobinémie) 846
Diarrhée chronique 218
Diarrhée rebelle du nourrisson 227-228
Diarrhées, étiologie des 216-217
Diarrhées secondaires (antibiotiques, infections parentérales, malnutrition, erreurs diététiques et allergies alimentaires) 223-224
Diastématomyélie 912
Diathèses hémorragiques 514-527
Diathèse hémorragique du nouveau-né (maladie hémorragique du nouveau-né) 142-144, 523
Différenciation sexuelle, anomalie de la 773-779
Di George, syndrome de (aplasie congénitale du thymus et des parathyroïdes, syndrome des 3e et 4e arcs branchiaux) 566, 738
Digitale, intoxication à la 461
Dilution, épreuve de 403
Diphtérie 673-674, 725
Diphtéroïdes (agents d'endocardite post-cardiotomie) 659
Diplégie spastique (syndrome de Little) 108, 921-922
Disaccharidases, déficience en 230-231
Disaccharides, intolérance aux 229-231
Division labiale et palatine (fente labiale et palatine) 24
Dodge-Potter, syndrome de 787
Dolichosténomélie (syndrome de Marfan) 170, 870-871
Douleurs abdominales récidivantes 232-233
Down, syndrome de (mongolisme, trisomie 21) 33-37, 157, 158, 160, 332, 339, 513, 532, 896-897
Drépanocytose (hémoglobinose S) : cf. anémie falciforme
Duchenne, dystrophie musculaire de 954-955
Duodénum, atrésie du 62, 127, 158, 417
Duplication intestinale 160
Dysautonomie familiale (syndrome de Riley-Day) 213
Dysenterie bacillaire (Shigella) 221
Dysgénésie gonadique (syndrome de Turner) 43-44, 76, 172, 332, 778
Dysgénésie gonadique mixte (ou asymétrique) 776
Dysgénésie gonadique « pure » 778
Dyskinésie et athétose 922
Dysmaturité (« small for date ») 46, 65, 143, 148
Dysostose métaphysaire 867
Dysphagies 211-212
Dysplasie broncho-pulmonaire (nouveau-né) (maladie des ventilés) 115

Dysplasie chondro-ectodermique (syndrome d'Ellis-Van Creveld) 61, 332, 867
Dysplasie ectodermique anhydrotique 30
Dysplasie épiphysaire multiple 867
Dysplasie fibreuse polyostotique : cf. McCune-Albright, syndrome de
Dysplasie thymique avec immunoglobulines normales (syndrome de Nezelof) 566
Dystonie musculaire déformante 927, 928, 933
Dystrophies musculaires progressives (« myopathies ») 896-897, 955-957
Dystrophie myotonique (Steinert) 896-897, 954
Dystrophie neuro-axonale infantile 928, 933
Dystrophie thoracique asphyxiante (syndrome de Jeune) 867

Eau (besoins selon l'âge) 188-189
Ebstein, anomalie d' 354-355
Echinococcoses (kyste hydatique) 712-713
Echo (virus) 268, 598
Echocardiographie 317-320
Echographie fœtale 49
Ecthyma 885
Eczéma atopique 586-587
Eczéma de contact 890
Eczéma séborrhéique 891
Edrophonium (Tensilon®), test à l' (myasthénie) 959
Ehlers-Danlos, syndrome d' (cutis hyperelastica) 884, 896-897
Eisenmerger, complexe d' 338
Eklin, anémie d' (nouveau-né) 139
Electrocardiographie 311-315
Ellis-Van Creveld, syndrome d' (dysplasie chondro-ectodermique) 61, 332, 867
Ellsworth-Howard, test d' 736
Embryopathie cytomégalique 57, 59, 124, 595
Embryopathie rubéoleuse 56-59, 124, 603-604, 332
Embryopathie toxoplasmique 59-60, 125, 705-707
Embryopathies et fœtopathies infectieuses 56-60
Embryopathies et fœtopathies toxiques 55-56
Emphysème 304
Empyème 299
Encéphalite équine de l'Ouest (arbovirus A) 612
Encéphalites aiguës 939-940
Encéphalites aiguës (soins intensifs) 440

INDEX

Encéphalites subaiguës 940
Encéphalocèle 62
Encéphalopathies chroniques non progressives 918-923
Encéphalopathies métaboliques et dégénératives 925-932
Encéphalopathie nécrosante subaiguë : cf. Leigh, syndrome de
Encéphalopathie post-anoxique du nouveau-né 117-120
Encoprésie 277, 966-967
Endocardite lente (endocardite bactérienne) 368-370, 382, 654-655
Endocardite à staphylocoque 659-660
Enfant battu, syndrome de l' 470-471, 950
Entérobiase (oxyurase) 710-711
Entérocolite pseudo-membraneuse 224
Entérocolite ulcéro-nécrosante (nouveau-né) 127-128
Entérokinase, déficience en 282
Entéropathie au gluten : cf. cœliaque, maladie
Entérovirus 597-600
Enurésie 174, 965-966
Epanchements sous-duraux du nourrisson 950-951
Epidermolyse bulleuse congénitale 51, 884
Epidermophytie 885-886
Epiglottite 292-293, 424-425
Epilepsie et convulsions 899-911
Epilepsie bénigne de la seconde enfance avec paroxysmes rolandiques 904
Epilepsie, classification 900-905
Epilepsie myoclonique 905
Epilepsie psychomotrice 904-905
Epilepsie, traitement médicamenteux 906-907
Epinéphrine (adrénaline), intoxication à l' 461-462
Epiphysiolyse (tête fémorale) 166-167
Epispadias 185
Epistaxis 306
Epstein-Barr, virus 540-607
Erysipèle 885
Erythème infectieux (5ᵉ maladie) 605
Erythème marginé (R.A.A.) 370-372, 652-653, 852
Erythème noueux 236, 862
Erythème papulo-érosif du siège 889
Erythème « toxique » du nouveau-né 92
Erythrodermie ichtyosiforme 883
Escherichia Coli (infections entériques à) 639-640
Etat de mal épileptique 908
Ethylène glycol, intoxication à l' 462
Exanthème subit (roséole) 604-605
Exencéphalocèle 51
Expressivité (génétique) 23
Exsanguino-transfusion 135

Fabry, maladie de 812-815
Facteur Rhésus (Rh) 132, 138
Facteur XIII (stabilisateur de la fibrine), déficit en 522-523
Fanconi, anémie de 489-490, 532
Faux-croup : cf. laryngite striduleuse
Favisme : cf. déficience en glucose-6-phosphate déshydrogénase (G-6-PD) 28, 48
Féminisation testiculaire, syndrome de : cf. testicules féminisants, syndrome des
Fente labiale et palatine (cheilopalatoschisis) 24
Fer, intoxication au 462-463
Fibrinolysines 526
Fibroélastose sous-endocardique 364-365
Fibroplasie rétro-lentale 115
Fibrosarcome 544
Fibrose hépatique congénitale 254
Fibrose kystique du pancréas : cf. mucoviscidose
Fibrose pulmonaire interstitielle (syndrome d'Hamman-Rich) 303
Fièvre jaune (arbovirus B) 612
Fièvre typhoïde (Salmonella typhi) 641
Filaires 308, 712-713
Fissure anale 278
Fistule anale 279
Fistule trachéo-œsophagienne : cf. atrésie de l'œsophage
Fœtus arlequin 883
Folliculite 885
Fonctions pulmonaires 286
Forbes, maladie de (déficience en amylo-1-6-glucosidase, dextrinose limite) 803, 804-805
Fractures du crâne 951
Fredrickson, classification des lipoprotéines selon 818-819
Friedreich, ataxie ou maladie de 169, 170, 332, 809, 934
Fructose, intolérance au (fructosémie) 268, 810, 830
Fructose-diphosphatase, déficit en 783
Fructosémie : cf. fructose, intolérance au
Fugue, l'art de la 970
Furoncle 885

Galactosémie 48, 51, 133, 268, 809-810, 978
Galactosémie, variante Duarte 810
Gale 888-889
Gangliosidoses 926
Gangliosidose généralisée à GM_1 : cf. Landing, maladie de
Gangliosidose nerveuse à GM_2 : cf. Tay Sachs, maladie de

Gangrène gazeuse (myolyse-perfringens) *667-669*
Gastro-entérites à E. Coli entéropathogènes *639-640*
Gastro-entérites infectieuses (bactériennes) *218-223, 637-644*
Gastro-entérites virales 219-220, 615
Gastroschisis (nouveau-né) 155, 159
Gaucher, maladie de 490, 268, *812-815*, 926, 928
Gelures 475
Gémellité 106-107
Gène (définition) *18-19*
Genu recurvatum 168
Genu valgum 168
Genu varum 168
Gianotti-Crosti, syndrome de 244
Giardiase (lambliase) 264, 714-715
Gigantisme (adénome éosinophile antéhypophysaire) 761
Gigantisme cérébral (syndrome de Sotos) 763
Gilbert, maladie de 131
Glanzmann, thrombasthénie de 518
Gliome du chiasma 923, 946
Glomérulonéphrite aiguë 381
Glomérulonéphrite aiguë post-streptococcique 381
Glomérulonéphrite chronique 381
Glossite (nouveau-né) 126
Glotte, œdème de la 425
Glucocorticoïdes, déficit héréditaire isolé en
Glucose-6-phosphate déshydrogénase (G-6-PD), déficience en (favisme) 30, 48, 132, *494*
β-glucuronidase, déficit en 876-877
Glucuronyl-transférase 131
βOH-βCH$_3$-glutaryl-CoA-lyase, déficit en 811
Glycinurie 391, 842
Glycogénoses 51, *803-807*, 956
Glycoglycinurie 843
Goitre néonatal 734-735
Goitre simple non toxique 734
Gonades 763-779
Gonococcie 647-648
Gonococcie ophtalmique néonatale (prévention) 91, 647-648
Goodpasture, syndrome de 382
Goutte essentielle 849
Graisses dans les selles (dosage des) 258
Grand mal (épilepsie généralisée convulsivante) 904
Grandes tailles *77-78*
Granuleuse, tumeur de la (ovaire) 769, 772-773
Granulome éosinophile (os) : cf. histiocytose X
Graves-Basedow, maladie de (hyperthyroïdie) 733-734

Greffe-contre-hôte, réaction 571
Griffes de chat, maladie des (lymphoréticulose bénigne d'inoculation) *616-617*
Groupe HLA, détermination du, et associations 50, 744, 748, 789, 856
Guillain-Barré, syndrome de (polyradiculonévrite) 609, *942-943*
Günther, maladie de : cf. porphyrie érythropoïétique héréditaire
Guthrie, test de (dépistage néonatal) 26-27, 95, 732, *825*
Gynécomastie 770

Hallervorden-Spatz, maladie de 927, 928
Hamartomes 545
Hamman-Rich, syndrome de (fibrose interstitielle du poumon) 303
Hamolsky, test de 727
Hanche, luxation congénitale de la 24, *164-166*
Hanche, synovite transitoire de la (rhume de la hanche) 167
Hand-Schüller-Christian, maladie de 557
Hartnup, maladie de 391, 842
Hashimoto, thyroïdite lymphocytaire subaiguë de *732-733*
HBsAg (hépatite B) 613-614
Heimlich, manœuvre de (aspiration de corps étranger) 425
Heinz, corpuscules de (Howell-Jolly) 362
Hématémèse 264-268
Hématome (épanchement) sous-dural du nourrisson 449
Hématome sous-capsulaire du foie (nouveau-né) 139
Hématome surrénalien (nouveau-né) 139, 173, 184
Hématurie 174, 379
Hématurie familiale bénigne 379
Hémiplégie cérébrale infantile 921, 922
Hémivertèbres 170
Hémocultures 619-622
Hémoglobines, composition des 496
Hémoglobines, développement des 496
Hémoglobine fœtale, persistance héréditaire de l' 500-501
Hémoglobines instables (thermolabiles) 501
Hémoglobine M (méthémoglobinémie) 509-510, 846
Hémoglobinopathies *495-505*
Hémoglobinopathies avec affinité anormale pour l'oxygène 501
Hémoglobinopathie H 504
Hémoglobinose C 499
Hémoglobinose S (anémie falciforme, drépanocytose) *497-501*

Hémoglobinose S-C 499-500
Hémoglobinose S-Thal 500
Hémolytique urémique, syndrome 175, 382, 508
Hémophilie A 51, 144, *519-522*
Hémophilie B (Christmas disease) 522
Hémophilie C (déficit en facteur XI) 522
Hémorragies digestives 162, *264-268*
Hémorragies intraventriculaires (nouveau-né) 117, 139
Hémosidérose pulmonaire 303-304
Hémostase (nouveau-né) *142-144*
Hépatites chroniques 248-250
Hépatite chronique active (« agressive ») 249-250
Hépatite chronique persistante 249
Hépatite fulminante (coma hépatique) 250-251
Hépatite néonatale 142, *271-272*
Hépatite, prophylaxie *614-615*, 724-725
Hépatites virales 243-253
Hépatite virale A *244-246*, 490, 505, *613-615*
Hépatite virale B *243-244*, 268, *613-615*
Hépatome (hépatoblastome, carcinome hépatique) 554, 768, 787
Hérédité dominante autosomique *19-23*
Hérédité polygénique ou multifactorielle *23-26*
Hérédité récessive autosomique *19-23*
Hérédité récessive liée-au-sexe *19-23*
Hermaphrodisme vrai 776
Hernie du cordon (nouveau-né) 154
Hernie diaphragmatique (nouveau-né) 62, 98, 114, 150, *152-153*, 159
Hernie hiatale 153, 157
Hernies inguinales 156
Herpès hominis 125, 268, *594-595*
Hers, maladie de (déficience en phosphorylase hépatique) 803, 805
Hexosaminidase A, déficience en (maladie de Tay-Sachs) 51
Hirschsprung, maladie de (méga-côlon congénital) 127, 159, *160-161*, 227, 276
Histidinémie 825
Histiocytoses (réticulo-endothéliomes) *556-557*
Histiocytose X 512, *556-557*
Histoplasmose 698
HLA (génotype) 48, 50
Hodgkin, maladie de 505, 512, *540-542*
Holt-Oram, syndrome d' 332, 866
Holoprosencéphalie 913
Homocystinurie 48, 51, 825, *832-833*, 871
Hormone antidiurétique (ADH) 757
Hormone antidiurétique, sécrétion inappropriée d' 762, 937
Hormone de croissance (STH, somatotropine) 755, 758

Hormonosynthèse thyroïdienne, troubles de l' 731-732
Howell-Jolly (Heinz), corpuscules de 362
Hunter, syndrome de 876, 877
Huntington, chorée de 927, 928, 933
Hurler, maladie de (mucopolysaccharidose, gargoylisme) 51, 876, 877, 915
Hydantoïnes (agents tératogènes) 55-56, *146*
Hydramnios 151
Hydranencéphalie 116, 914
Hydrocalicose 178
Hydrocarbures, ingestion d' 463
Hydrocéphalies 866, *914-916*, 978
Hydronéphrose 175, *179-180*, 379
Hydro- et méga-uretère 172, 180-181
Hydrops foetalis 504
17-hydroxycorticostéroïdes urinaires (Porter-Silber) 744, 749, 751, 755
11β-hydroxylase, défaut de 747
21β-hydroxylase, défaut de 745
17-hydroxylase, défaut de 747
18-hydroxylase, défaut de 746, 752
17-hydroxyprogestérone 744, 747
Hygroma kystique (lymphangiome) 552
Hyménoptères, allergie au venin d' (piqûres d'abeille et de guêpe) 588
Hyperaldostéronisme (primaire et secondaire) 751
Hyperaminoacidurie dibasique 842
Hyperammoniémies 834-837
Hyperargininémie 836
Hyperbilirubinémies néonatales (ictères néonatals) *130-135*, 141
Hyperbilirubinémies néonatales, traitement 134
Hypercalcémie idiopathique (syndrome de Williams et Beuren) 332, 740, 978
Hypercalcémie (ECG) 315, 739
Hypercalcémie, traitement de l' 740
Hypercalciurie 387-388, 739
Hypercholestérolémie 805
Hypercholestérolémie familiale *819-821*
Hypercholestérolémie polygénique 821
Hypercystinurie 842
Hyperglycinémies *840-841*
Hyperkaliémie (ECG) 315
Hyperlactacidémies congénitales 808-809
Hyperlipidémie combinée et hyperlipoprotéinémie de type III 822-823
Hyperlipidémie essentielle héréditaire lipido-dépendante 821-822
Hyperlipidémie glucido-dépendante 822
Hyperlipoprotéinémies héréditaires *817-823*
Hyperlysinémie congénitale 840
Hyperornithinémie 836
Hyperostose corticale généralisée (maladie de Caffey) 870

Hyperparathyroïdie 739-740
Hyperparathyroïdie néonatale 149, 740
Hyperparathyroïdie secondaire 740
Hyperphénylalaninémie 26-27, *825-830*
Hyperpipécolatémie *840*
Hyperplasie congénitale des surrénales (déficience en 21 ou en 11-hydroxylase) 50, 127, 228, *744-749*
Hyperplasie surrénale lipoïde (Prader) 747
Hyperprolinémie héréditaire 839-840
Hypersplénisme *527*
Hypertension artérielle 130, 346, *372-376, 397-400*, 747
Hypertension intra-crânienne, traitement 951-952
Hypertension portale *254-256*
Hypertension portale extra-hépatique 254-255
Hypertension portale hépatique 256
Hyperthermie majeure (« maligne ») (soins intensifs) *450-452*, 957
Hyperthyroïdie (thyrotoxicose) 228, *733-734*
Hyperthyroïdie néonatale 735
Hypertyrosinémies 830-831
Hyperuricémies 387, *848-849*
Hypnotiques et sédatifs non barbituriques, intoxication aux 468-469
Hypoacousie 307
Hypoaldostéronisme 752
Hypocalcémie (ECG) 315, 737, 738
Hypocalcémie (nouveau-né) *136*, 141
Hypocalcémie (rachitisme) 872-873
Hypogammaglobulinémies 563-564, 847
Hypoglycémie (nouveau-né) 135-136, 141, 146, 978
Hypoglycémies *782-789*
Hypoglycémies (au cours du traitement d'un diabète sucré) 795
Hypoglycémies, causes des 783-784
Hypoglycémies fonctionnelles idiopathiques 787-788
Hypoglycémie par hyperinsulinisme tumoral 787
Hypoglycémie par non-réponse hypothalamique 788
Hypoglycémie récurrente avec cétose 788-789
Hypoglycine, intoxication à l' (vomissements de la Jamaïque) 811
Hypogonadisme 770-772
Hypokaliémie (ECG) 315
Hypomagnésémie *136-137*, 737, 738
Hypoparathyroïdie *737-739*, 750
Hypoparathyroïdie idiopathique 738
Hypoparathyroïdie néonatale (tétanie néonatale) 737-738
Hypophosphatasie 48, 51, 869
Hypophosphatémie familiale (avec rachitisme vitamino-résistant) 871-874

Hypophyse antérieure 755-759, 761-762
Hypophyse antérieure : insuffisance isolée en gonadotrophines (LH et FSH) ou hypogonadisme hypogonadotrophique) 758
Hypophyse antérieure : insuffisance isolée en hormone de croissance 758
Hypophyse : insuffisances multiples (panhypopituitarisme) 759
Hypophyse postérieure 759-761, 762
Hypoplasie du cœur gauche, syndrome d' *363-364*
Hypospadias 61, *185*
Hypothalamus, syndromes non tumoraux 762-763
Hypothyroïdie 210, 490, *729-732*, 768, 896
Hypothyroïdie acquise 730-731, 750
Hypothyroïdie, causes d' 730
Hypothyroïdie congénitale 729-731, 978
Hypothyroïdie congénitale avec goitre 734-735
Hypothyroïdie (ECG) 315
Hypothyroïdie (myopathie) 957
Hypothyroïdie, traitement de l' 732
Hypotonies congénitales *896-897*
Hypotonie congénitale bénigne 896-897
Hypotrophie (nouveau-né) *103-104*, 984
Hypo-uricémies 848
Hypoxanthine-guanine phosphorybosiltransférase (maladie de Lesch-Nyan) 48, 51, *847-849*
Hypsarythmie : cf. spasmes en flexion
Hystériques, manifestations (conversions hystériques) 971

Ichtyose (vulgaire) 883
Ictères cholestatiques du nouveau-né : diagnostic différentiel 268
Ictère cholestatique du nourrisson *268-275*
Ictère néonatal (hyperbilirubinémie) *130-135*, 920, 985-986
Ictère néonatal, traitement 134
Ictère physiologique du nouveau-né 131
IgA, déficit sélectif en 564
Iléite régionale ou terminale (maladie de Crohn, maladie granulomateuse de l'intestin) 228, *240-243*
Iléus à méconium 127, *158-159*, 281
Iminoglycinurie 843
Immunisation passive (gammaglobulines) *724-726*
Immunisations chez l'enfant, calendrier des 718, 999
Immunités (Tiers-Monde) 999
Immunité, mécanismes de l' 716-718
Immunité cellulaire *559-560, 561-562, 716-718*

INDEX

Immunité humorale 559, 561, 716-718
Immunité retardée, rédaction d' (type tuberculinique) 716
Immunodéficiences associées à une anomalie du métabolisme des purines 847, 850
Immunodéficience combinée grave et variantes 565-566, 847
Impétigo 884-885
Impétigo bulleux (staphyloc.) 658
Incompatibilité fœto-maternelle (iso-immunisation Rhésus, ABO) 132, 138, 978
Incontinence (urine) 174
Incontinentia pigmenti (syndrome de Bloch-Sulzberger) 882
Incoordination crico-pharyngée 212-213
Infections entériques bactériennes 637-644
Infection, facteurs non spécifiques de protection 558-559
Infections néonatales bactériennes 645-650
Infections urinaires 174-175, 383-387, 616
Infirmités motrices cérébrales (IMC) 108, 896-897, 921-923
Inhalation de liquide amniotique 111-112
Insecticides, intoxication aux 463-464
Instabilité psychomotrice 969
Insuffisances circulatoires 428-432
Insuffisances respiratoires 419-427
Insuline, test à l' 755
Insulinome 210, 787
Intersexe (nouveau-né), diagnostic différentiel et conduite à tenir 779
Intestin contaminé, syndrome de l' (anse exclue, « blind loop syndrome ») 262-263
Intestin court 227
Intestin, polypes 266
Intestinale, occlusion ou obstruction (nouveau-né) 156-162
Intoxications alimentaires d'origine bactérienne 637-644
« Intussusception » : cf. invagination iléocaecale
Invagination iléo-cæcale (intussusception) 160
Iso-immunisation : cf. incompatibilité fœto-maternelle
Ivemark, syndrome d' 362

Jamaïque, vomissements de la (intoxication à l'hypoglycine) 811
Jéjunum, atrésies et sténoses du 158
Jeune, syndrome de : cf. dystrophie thoracique asphyxiante
Job, syndrome de 568

Jones, critères de (R.A.A.) 371, 653, 852
Joubert, syndrome de 913
Jumeaux 106-107
Jumeaux monozygotes 141

Kala-Azar (leishmaniose viscérale) 714-715, 997
Kallmann, syndrome de 771
Kawasaki, syndrome de (adéno-cutanéo-muqueux) 862-863
Kearns-Sayre, syndrome de 956
Kératose palmo-plantaire 831
Kérion de Celse 886
Kimmelstiel-Wilson, néphropathie glomérulaire de 791
« Kinky hair syndrome » (syndrome des cheveux en vrille, maladie de Menkès, trichopoliodystrophie) 192, 926, 932
Klinefelter, syndrome de (XXY) 42-43, 185, 775
Klippel-Feil, syndrome de 865
Koplik, taches de 601
Krabbe, maladie de 812-814, 926, 928
Kussmaul, signe de 368
Kveim, test de 306
Kwashiorkor (malnutrition protéique pure) 208-990
Kystes entérogènes 160
Kyste hydatique (échinococcose) 712-713, 998
Kystes rénaux 177-178

Lactase, déficience en 231
Lactose, intolérance au 231
Lactosylcéramidose 813-815
Lafora, maladie de 926, 928, 932
Lait maternel (composition du) 202
Lait de vache, allergie au 225-226
Lait de vache (composition du) 202
Lambliase (giardiase) 264, 714-715
Landing, maladie de (gangliosidose généralisée à GM$_1$) 812-814, 928
Landouzy-Déjerine, dystrophie facio-humérale de 954
Langes bleus, syndrome des 842
Laron, syndrome de 758
Larva migrans (Toxocara canis) 308, 712-713
Laryngite sous-glottique (faux-croup) 292-293, 425
Laryngite striduleuse 426
Laurence-Moon-Biedl, syndrome de 164
Legg-Calvé-Perthès, maladie de (coxa plana) 167
Leigh-Feigin-Wolf, syndrome de (encéphalopathie nécrosante subaiguë 809, 927, 928, 929, 933
Leiner, eczéma séborrhéique grave de 565

Leishmanioses (Kala-Azar) 714-715, *997*
Lennox-Gastaut, syndrome de 905
Leptospiroses 268, *675-676*
Lesch-Nyhan, maladie de (hyperuricémie par déficience en hypoxanthine-guanine-phosphoribosyl-transférase) 48, 51, *847-849*, 926, 928, *931-932*
Lésions glomérulaires minimes (syndrome néphrotique) 379-381
Letterer-Siwe, maladie de 490, 557
Leucémies 529-539
Leucémie aiguë non lymphoblastique *531-532*
Leucémie lymphoblastique aiguë (LLA) *531*
Leucémie myéloïde chronique (LMC) 505, 512, *532-533*
Leucémoïdes, réactions *512*
Leucinose (maladie du sirop d'érable) 48, 51, *837*
Leucocyte paresseux, syndrome du 568
Leucodystrophies 929
Leucodystrophie métachromatique (leucodystrophie à sulfatides) 51, *812-814*, 928
Leucomalacie 117
Leucopénies 510-511
Leydig, tumeurs à cellules de 769, 772
Lipodystrophie généralisée 763
Lipoprotéines, classification 817
Lipoprotéines, déficits héréditaires *823-824*
Lipothymie et syncopes 782, 909-910
Liquides intra- et extra-cellulaires, composition et besoins d'entretien *405-409*
Lissencéphalie-pachygyrie 913
Listériose (congénitale) (Listeria monocytogenes) 120, 122, 133, 631
Lithiase à dihydroxy-adénine 847
Lithiase rénale 387-388
Little, syndrome de (diplégie spastique) 921-922
Lobstein, maladie de (ostéogenesis imperfecta) 868
Loeffler, syndrome de (pneumonie à éosinophiles) 308, *710-711*
Loefgren, syndrome de 305
« Long Acting Thyroid Stimulator » (LATS, Tsig, « Thyroid stimulating immunoglobulin ») 733
Louis-Bar, maladie de (ataxie-télangiectasies) 567, 924, *934-935*
Lowe, syndrome oculo-cérébro-rénal de 392, *896-897*
Lucite 890
Lupus érythémateux disséminé 382, 505, *859-861*
Lymphangiectasie intestinale 228, *263-264*
Lymphangiomes *552-553*

Lymphocytes B 716
Lymphocytes T 716
Lymphocytose infectieuse aiguë (Carl Smith) *512*
Lymphœdème (extrémités) 43, 46, 61
Lymphohistiocytose érythrophagocytaire familiale 556
Lymphomes malins *539-542*
Lymphomes malins non hodgkiniens *539-540*
Lymphoréticulose bénigne d'inoculation : cf. griffes de chat, maladie des
Lysine, intolérance congénitale à la 840-841

Mac Ardle, maladie de (glycogénose type V) 801
Macrodactylie 866
Macroglossie 61, 806
Malabsorption, syndrome de *257-264*
Maladie allergique (atopie) 225, *576-578*
Maladie chronique granulomateuse de l'intestin (iléite de Crohn) 240-243
Maladie cœliaque (entéropathie au gluten) 227, *259-262*
Maladie des griffes de chat (lymphoréticulose bénigne d'inoculation) *616-617*
Maladie des membranes hyalines (M.M.H., pneumonose à M.H.) *110-111*
Maladie des urines - sirop d'érable : cf. leucinose
Maladie fibrokystique du pancréas : cf. mucoviscidose
Maladie granulomateuse chronique *511-512*
Maladie hémorragique du nouveau-né 142-144, 523
Maladies inflammatoires chroniques de l'intestin *236-243*
Maladies inflammatoires chroniques de l'intestin, diagnostic différentiel 239
Maladies parasitaires *705-715*
Malaria (paludisme) 382, *707-709*, 714-715, *997*
Malformations congénitales *53-63*
Malformations vasculaires cérébro-méningées 917-918
Malnutritions 207-208, 988-990
Malnutrition protéino-calorique 207-208, 987, *990-993*
Malnutrition protéique pure : cf. Kwashiokor
Malposition cardio-tubérositaire 157
Malrotation intestinale *159*, 227
Marasme 157, 208
Marfan, syndrome de (dolichosténomélie) 170, *870-871*
Maroteaux-Lamy, syndrome de 876-877

Maturation osseuse 72-73
Maturité néonatale, score de Ballard 102
Mauriac, syndrome de 791
Mc Cune-Albright, syndrome de (dysplasie fibreuse polyostotique ou « ostéite » fibreuse disséminée) 768, 870
Mécanismes immunitaires naturels 716-718
Meckel, diverticule de 265
Meckel, syndrome de (Meckel-Gruber) 51, 62
Méconium, iléus à 127, *158-159*, 281
Médicaments antiviraux 617-619
Médullosurrénale 752-753
Mégacôlon congénital : cf. maladie de Hirschsprung
Mégavessie *182*
Membranes hyalines, maladie à 110-111
Méningites néonatales *122-123*, 631
Méningites purulentes (bactériennes) *627-637*, *935-937*
Méningites bactériennes : traitement 635-637
Méningite à Hemophilus Influenzae *632-633*
Méningites à liquide clair 938
Méningite à Listeria monocytogenes 631
Méningite à méningocoque (Neisseria meningitidis) 633
Méningite à streptocoque bêta-hémolytique du gr. B 631
Méningite tuberculeuse 681, *938-939*
Méningococcémie (purpura fulminans) *432-437*, 633
Méningomyélocèle (spina bifida) 25, 51, *911-912*
Menkès, maladie de (« Kinky hair syndrome », trichopoliodystrophie) *192*, 926, *932*
Mercure (agent tératogène) 55
Mérycisme 214, 962
Métabolisme du glucose (voies métaboliques intracellulaires) *799-803*
Métaldéhyde, intoxication au 464
Métaplasie myéloïde (myélofibrose, myélosclérose, métaplasie myéloïde agnogène) 513
Metatarsus varus *169*
Méthémoglobinémies *509-510*, 846
Méthémoglobinémie transitoire du nouveau-né 846
Méthionine, malabsorption de la 842
Métyrapone, test à la 744, 755
Microangiopathie diabétique 791
Microcéphalies 913, 916
Microkystique, maladie du foie et des reins 268
Micropolygyries 914

Microsphérocytose héréditaire : cf. sphérocytose héréditaire
Microspories (microsporum canis et microsporum audouini) 702, 886
Migraines 910
Mikity-Wilson, syndrome de 115
Milium (nouveau-né) 92
Millon, réaction de 830
Minkowski-Chauffard, maladie de (sphérocytose héréditaire) *491-492*
Molluscum contagiosum 887-888
Mongolisme : cf. Down, syndrome de
Moniliase 701, 738, 750, 886-887
Mononucléose infectieuse 505, 512, *607-609*
Monosaccharides, malabsorption des 231
Monosomie(s) 32
Monosomies partielles *40-41*
Morquio, maladie de (mucopolysaccharidose) 876-877
Morsures de serpent 472
Mort subite du nourrisson, syndrome de la 214, *471-472*
Mortalité infantile dans les pays en voie de développement 982-983
Mortalité périnatale et néonatale 89
Mosaïcisme 33
Mucolipidoses 878, 929
Mucopolysaccharidoses 51, *875-877*, 929
Mucoviscidose (fibrose kystique du pancréas) 22, 158, 227, 268, *279-282*, 300, *301-303*
Multifactorielles (affections) 23-26
Musculature abdominale, aplasie de la : cf. « Prune belly syndrome »
Mustard, opération de 353
Mutation 19
Myasthénie congénitale 896-897, 960
Myasthénie grave 959-960
Mycoplasma hominis 684
Mycoplasma pneumoniae (Agent de Eaton, PPLO) 296, *682-683*
Mycoplasmes, infections à *681-684*
Mycoses (maladies infectieuses mycotiques) 697-705
Mycoses profondes et viscérales *697-699*
Mycoses superficielles : dermatophyties et candidoses *700-705*
Myéloméningocèle (spina bifida) 51, 912
Myélopathies aiguës (moelle épinière) 942
Myéloprolifératifs, syndromes 513
Myéloprolifératif, syndrome, avec absence d'un chromosome C 513
Myocardites 366
Myoglobinurie 807
Myopathies d'origine métabolique *805-807*, *955-956*

Myopathies mitochondriales 956
Myopathies oculaires 956
Myosite ossifiante progressive 864
Myringite 293
Myringotomie (paracentèse) 293
Myxovirus *600-605*

Naevi pigmentaires 881
Naevi pigmentaires multiples, syndrome des (ou syndrome des carcinomes baso-cellulaires multiples) 882
Nanisme diastrophique 867
Nanisme thanatophore 867
Naphtalène (naphtaline), intoxication 464
Narcotiques, intoxication aux 465
Nécrolyse épidermique toxique (staphylococcique) 657
Neisseria gonorrheae 647
Néoglucogenèse, déficits enzymatiques de la *807-808*
Néphrite interstitielle 388
Néphrite de shunt 382
Néphroangiosclérose 388-389
Néphroblastome : cf. Wilms, tumeur de
Néphrocalcinose 387-388
Néphronophtise (« maladie des kystes médullaires ») 388
Néphrose lipoïdique *379-381*
Néphrotique, syndrome *379-381*
Nerf sciatique, paralysie traumatique du 952
Nésidioblastome 787
Neuroblastome 173, 184, *547-550*, 941
Neurofibromatose de Recklinghausen 168, 170, 547, 866, *923-925*
Neuropathies sensitivo-motrices héréditaires 959
Neutrophiles, déficiences fonctionnelles des *568-569*
Neutrophiles, déficience congénitale en myéloperoxydase des 569
Névrite optique 941
Névrotiques, troubles 971-972
Nezelof, syndrome de (immunodéficience combinée grave avec production d'immunoglobulines) 566
Niacine : cf. acide nicotinique
Niemann-Pick, maladie de (A et C) 268, 490, *812-815*, 926, 928
Nitrites, intoxication par les 846
Nitro-bleu de tetrazolium, test au 511, 562
Non-disjonction (génétique) 33
Noonan, syndrome de 776
« Nouveau-né à risque » *107-109*
Nouveau-né de mère diabétique 54, *144-146*
Nouveau-né de mère droguée 147
Nouveau-né de mère dysthyroïdienne 148

Nouveau-né de mère épileptique 55-56, 142, *145-146*
Nouveau-né de mère hypertendue *146-147*
Noyades 472
NSILA (« non suppressible insulin-like activity ») 781, 787
Nucléoprotéines, anomalies du métabolisme des *847-850*

Obésité *208-210*
Occlusions intestinales *156*ss
Oculocérébrorénal, syndrome (Lowe, syndrome OCR de) 392
Œdème angioneurotique héréditaire *564-565*
Œdème cérébral *443-444*
Œsophage, atrésie de l' 98, 126, *151-152*
Œsophage, compression extrinsèque de l' 212
Œsophage, sténose de l' 152
Œsophage, varices de l' 431
Œstrogènes, intoxication par les 769, 770, 882
Oligohydramnios (oligamnios) 62
Omphalocèle 62, *154-155*, 159
Ongle-rotule, syndrome 22
Ophtalmoplégie myopathique 956
Opsoclonies 941
Oreillons *600-601*, 723
Organisme, composition de l' 405
Ornithine-carbamyl-transférase, déficit en 834
Ortolani, signe d' 92
Osgood-Schlatter, maladie d' 167
Osler, nodules d' 654
Osmolarité 403
Ossification (âge osseux) 72-73
« Ostéite » fibreuse disséminée : cf. McCune-Albright, syndrome de
« Ostéite » fibreuse hyperparathyroïdienne 739-740
Ostéodystrophie héréditaire d'Albright (pseudo-hypoparathyroïde et pseudo-pseudo-hypoparathyroïdie) *738-739*
Ostéodystrophie rénale *395-396*, 875
Osteogenesis imperfecta (maladie de Lobstein) 868
Ostéomyélites 878-879
Ostéopétrose (maladie des os de marbre ou maladie d'Albers-Schönberg) 490, *868*
Ostéoporose juvénile idiopathique 869
Otite moyenne aiguë *293*
Otite moyenne séreuse (« glue ear ») *293*
Ouraque, anomalie de l' 182
Ovaire, tumeurs de l' 769, 772
Ovalocytose 492
Oxalose 388

Oxycéphalie 916
Oxyure (enterobius vermicularis) 710-711

Paludisme (malaria) 707-709, 714-715, 997
Pancréas exocrine, hypoplasie du (syndrome de Shwachman) 282
Pancréatite aiguë 282-283
Pancréatite chronique 283
Panencéphalite sclérosante subaiguë (Dawson-Van Bogaerts) 940
Papillomatose laryngée 427
Paracétamol (acétaminophrène), intoxication au 465-466
Paralysies faciales 943
Paralysies hypo- et hyperkaliémiques 956
Paralysie obstétricale du plexus brachial 99, 952
Paralysies périodiques familiales 956
Paralysie traumatique du nerf sciatique 952-953
Paraplégies spasmodiques familiales 934
Parasitoses intestinales et tissulaires 710-715
Parathormone, action et test à la 736
Parathyroïdes, glandes 736-740
Parole et langage, anomalies du développement de 975-976
Paul-Bunnell-Davidsohn, épreuve de 607
Peau, traitements usuels des affections de la 882-883
Pectus excavatum (thorax en entonnoir) 153, 865
Pédiculose (phtiriase) 888
PEEP 111
Pelade 891
Pelizaeus-Merzbacher, maladie de 927, 928
Pendred, syndrome de 731
Pénétrance (génétique) 23
Percentiles (courbes de croissance) 68-71
Perchlorate ou thiocyanate (thyroïde), test au 731
Périartérite noueuse (polyartérite noueuse) 859
Péricardites aiguës 367
Péricardite chronique constrictive 368
Péritonite méconiale 159
Persistance de la circulation fœtale (PCF) 112-113
Petit mal (vrai) 905
Petites tailles 75-77
Peutz-Jeghers, syndrome de 266, 554
Phacomatose (neuroectodermoses) 923-925

Phagocytes, tests de la fonction des 562
Pharmacogénétique 27-31
Phénothiazines, intoxication aux 466, 910
Phentolamine Régitine®), test à la 753
Phénylcétonurie (PKU) 27, 829-830, 929, 978
Phéochromocytome 753
Phobies 971-972
Phocomélie (embryopathie à la thalidomide) 332, 866
Phosphate, réabsorption tubulaire du 403
Photothérapie 134
Pied bot congénital 169, 953
Pied creux 169
Pied plat 169
Pierre Robin, syndrome de 61, 114, 150, 865
Pili torti : cf. Menkès, maladie de
Piqûres d'abeille et de guêpe (allergie au venin d'hyménoptères) 588
Pitressine (vasopressine), épreuve à la 755
Pityriasis rosé de Gilbert 892
Pityriasis versicolor 886
Pléthore (nouveau-né) 140-142
Pleurésies 298-299
Plexus brachial, paralysie obstétricale du 99, 952
Plomb, intoxication au (saturnisme) 466-467, 845, 978
Pneumocystis carinii 296
Pneumonie à éosinophiles (Loeffler, syndrome de) 308, 710-711
Pneumonies 296-298
Pneumonies virales 505
Pneumonose à membranes hyalines (maladie des M.H.) 110-111
Pneumopathies allergiques 585
Pneumothorax 305
Poland, syndrome de 164
Poliodystrophies infantiles (Alpers) 927, 929
Poliomyélite antérieure aiguë 170, 598, 599-600, 720
Polyartérite noueuse : cf. périartérite noueuse
Polycythémie vraie (maladie de Vaquez) 508-509
Polycythémie secondaire (compensatrice) 509
Polydactylie 866
Polygéniques (affections) 23-26
Polyglobulie néonatale 140-142
Polymyosites 957
Polype adénomateux du côlon 554
Polypose intestinale (multiple) 266, 267, 554
Polypose nasale 302

Polyradiculonévrite (syndrome de Guillain-Barré) 609, *942-943*
Pompe, maladie de (glycogénose cardiomusculaire) 332, 803, *805-806*, 956
Porphyries 843-845
Porphyrie aiguë intermittente 845
Porphyrie cutanée tardive 845
Porphyrie érythropoïétique héréditaire (maladie de Günther) 844-845
Porphyries hépatiques héréditaires 845
Porphyrie mixte 845
Porphyrie turque 845
Postmaturité 95, 104
Potter, syndrome de (faciès de) 62, 129, *175*, 177
Potts, opération de 347
Pouce à ressort 163
Pouls paradoxal 368
Poumon, emphysème 304
Poumon, fibrose interstitielle du (syndrome d'Hamman-Rich) 303
Poumon, fonctions pulmonaires *286*
Poumon, hémosidérose 303-304
Poumon, protéinose alvéolaire 304
Poumon, sarcoïdose du 305-306
Prader-Willi, syndrome de 771, 787, 797, *896-897*
« Premature adrenarche » 770
« Premature thelarche » 770
Prématuré, nutrition du 105
Prématurité *100-106*, 920
Pression artérielle, valeurs normales 373
Pronation douloureuse 171
Prostaglandines 110, 111, 112, 114, *575*
Prostigmine, test à la (myasthénie) *959*
Protéine C-réactive 371, 653
Protéines (besoins selon l'âge *188-189*
Protéines basiques, intolérance aux 836
Protéines bovines, allergie aux 225
Protéinose alvéolaire pulmonaire 304
Protéinurie orthostatique 403
Protéinurie sélective 403
Prothrombine, déficit en (nouveau-né) 142
Protoporphyrie érythropoïétique héréditaire 845
« Prune belly syndrome » (aplasie de la musculature abdominale) 61, 62, 150, *155-156*, 172, 185
Pseudo-fractures (scorbut) 201
Pseudohyperparathyroïdie *740*
Pseudohypoaldostéronisme 392
Pseudohypoparathyroïdie et pseudo-pseudohypoparathyroïdie : cf. ostéodystrophie héréditaire d'Albright
Pseudopuberté précoce 768-769
Pseudotumeur cérébrale 947
Psoriasis 891-892
Psychoses infantiles 972-973

Pterygium colli 40, 43, 44
Puberté précoce partielle 770
Puberté précoce vraie 767-768, 946
Puberté : retard pubertaire simple 770-771
Puberté : stades du développement pubertaire 764
Puberté, valeurs hormonales 766
Purpura fulminans *432-437*
Purpura rhumatoïde ou anaphylactoïde (de Schönlein-Henoch) 382, *526-527*, *857-858*
Purpura thrombocytopénique idiopathique (maladie de Werlhof) *514-516*, 609
Purpura thrombotique thrombopénique (thrombocytopénie thrombotique) 516
Pycnocytose 507
Pyélonéphrite aiguë 379
Pylore, sténose hypertrophique du 24-25, 214, 747
Pyridoxine (vitamine B_6) *198-199*
Pyropoïkilocytose 493
Pyruvate, déficits enzymatiques du carrefour du *808-809*
Pyruvate-carboxylase (PC), déficits en 809
Pyruvatedéshydrogénase (PDH), déficits en 809
Pyruvatekinase, déficience en *494-495*

Quincke, œdème de 425
Quotients de développement (Q.D.) et d'intelligence (Q.I.) 87

Rachitisme carentiel (Vitamine D) *194-195*, *871-874*, 896
Rachitismes, classification des 871
Rachitisme, prophylaxie du 195
Rachitisme pseudo-carentiel (rachitisme vitamino-dépendant) 872-874
Rachitismes vitamino-résistants (hypophosphatémiques) *871-874*, 391
Radiographie cardio-pulmonaire 316
Rage *605-607*, 725
Ramsay-Hunt, syndrome de 927
Rapport L/S (Lécithine/Spingomyéline) 110-111
Rashkind, septotomie selon 353
Raynaud, phénomène de 860
Réabsorption tubulaire du phosphore, taux de 740
Réactions leucémoïdes 512
Réanimation néonatale *97-98*
Rectorragies 267
Rectum, prolapsus du 281
5-α-réductase, défaut de 77
Réflexes néonataux (archaïques) 894-895

Reflux gastro-œsophagien 113, 152, 213-214
Reflux vésiculo-urétéral 180, 181
Refsum, maladie de 332, 959
Réhydratation, conduite de la *413-415*
Réhydratation orale 416
Rein : acidose tubulaire distale 392
Rein : acidose tubulaire proximale 392
Rein, anévrisme sacculaire 184
Rein, ectopie du 176
Rein « en-fer-à-cheval » 177
Rein « en galette » 177
Rein : épreuves fonctionnelles 401-404
Rein, fistule artério-veineuse 184
Rein : glycosurie rénale, type A et B 390
Rein : insuffisance rénale aiguë *393-395*
Rein : insuffisance rénale chronique *395-397*
Rein médullaire en éponge 178
Rein multikystique 173, 177
Rein : obstruction de l'artère rénale 184
Rein pelvien 176
Rein, sténose de l'artère rénale 175, 184
Reins, agénésie des 62, 129, *175*
Reins, dysplasie des 176
Reins, hypoplasie des 176
Reins, lésions vasculaires des 183
Reins, malformations des *175-178*, 400
Reins polykystiques 173, 175, 177-178, 379
Reins : tumeurs 401
Rendu-Osler-Weber, maladie de 266, 918
Retard de croissance intra-utérin 103-104
Réticulo-endothélioses : cf. histiocytoses X
Réticulohistiocytose avec hypergammaglobulinémie récessive liée-au-sexe 556
Réticulosarcome (os) 552
Rétinite pigmentaire 823
Rétinoblastome *553*
Rett, syndrome de 933
Reye, syndrome de *246-248*, 836
Reye, pseudo-syndrome de 811
Rhabdomyosarcome *543-544*
Rhinites allergiques *585-586*
Rhinopharyngites 289-290
Rhumatisme articulaire aigu (maladie de Bouillaud) 307, *307-372*, 652-653, *851-854*
Riboflavine 198
Riley-Day, syndrome de : cf. dysautonomie familiale
Risque élevé, grossesse à, nouveau-né à 95
Roger, maladie de 338
Rose Bengale radioactif, test au 270
Roséole (exanthème subit, « fièvre de trois jours », roseola infantum) *604-605*
Rotavirus 219
Rotule, luxation récidivante de la 168
Rougeole 601-603, 721, 724, 940, 994-995
Rubéole 56-59, *603-604*, 723
Rubéole congénitale *56-59*, 124, 268, 603-604

Saccharopinurie 841
Salicylés, intoxication aux 467-468
Salmonella (salmonelloses) *221-222*, 641
Sandhoff, maladie de 812-816, 926, 928, 930
Sandifer, syndrome de 214
San Filippo, syndrome de (mucopolysaccharidose) 876-877, 929
Sarcoïdose (maladie de Besnier-Boeck) 305-306
Sarcome d'Ewing (endothéliome malin de l'os) *551-552*
Sarcome ostéogénique *551*
Saturnisme : cf. plomb, intoxication au
Scaphocéphalie 916
Scarlatine *650-652*
Scarlatine staphylococcique 658
Scheie, syndrome de 876-877
Scheuermann, maladie de 170
Schilling, test de 483
Schistosomiase : cf. bilharziose
Schlatter-Osgood, maladie de 167
Schönlein-Henoch, purpura de (purpura rhumatoïde, purpura anaphylactoïde) 382, *526-527*
Sclérodermie 863-864
Sclérose en plaques (multiloculaire) 941
Sclérose tubéreuse de Bourneville *924-925*
Scolioses *170*
Scorbut (carence en vitamine C) *201*
Sels minéraux (besoins selon l'âge) 190
Senning, opération de 353
Septicémies *619-627*
Septicémies néonatales *120-121*, 268, 622
Septicémies à Entérobactéries 626-627
Septicémies à Haemophilus influenzae 622-623
Septicémies à Neisseria meningitidis 626
Septicémies à Pseudomonas aeroginosa 627
Septicémies à Streptococcus pneumoniae 623
Sérums équins hyperimmuns 725-726
Seuil du bicarbonate 404
Sévices : cf. syndrome de l'enfant battu

Shigella (shigellose, dysenterie bacillaire) 221, *642*
Shunt porto-cave (mésocave) 255
Sicklémie : cf. anémie falciforme
Sinusites 291, 302
Sirop d'érable, maladie du (leucinose) 837
Soif, défaut de régulation de (hypothalamus) 762
Somatomédines 753, 758, 781
Somatostatine 781
Sommeil, troubles du 963
Somnambulisme 911
Sotos, syndrome de (gigantisme cérébral) 763
Souffrance cérébrale du nouveau-né *116, 120*
Souffrance fœtale aiguë *96*
Souffrance fœtale chronique (postmaturité, dysmaturité) 95, 141
Spasmes en flexion (syndrome de West, spasmes infantiles, hypsarythmie) 905
Spasmes du sanglot 910
Sphérocytose héréditaire (maladie de Minkowski-Chauffard) 132, 491-492
Sphingolipidoses *812-816*, 930
Sphingomyéline 812
Spina bifida (myéloméningocèle) 25, 51, *911-912*
Splénectomie, conséquences 528
Sprengel, déformation de 163
Staphylococciques, affections *656-660*
Staphylococcus aureus (infection entérique à) 642-643, 656
Steinert, dystrophie myotonique de 954, 957
Sténose de l'aqueduc de Sylvius 915
Sténose de l'artère rénale 388
Sténose aortique 342-344
Sténose duodénale 157, *158*
Sténose hypertrophique du pylore 24, 153, *157*, 417
Sténose de l'œsophage 152
Sténose pulmonaire 346-347, 776
Sterno-cleido-mastoïdien (hématome du muscle) 100
STH : cf. hormone de croissance
Still, maladie de : cf. arthrite rhumatoïde juvénile
Stomatite 701
Stomatocytose 493
Streptococciques, affections *650-655*
Streptococcus viridens 654
Streptocoque β-hémolytique gr. B 120, 122, 133, 631
Sturge-Weber, maladie de (angiomatose encéphalo-trigéminée) 918, 924
Subluxation radio-cubitale inférieure 164
Sudamina 889
Sueur, test de la 258

Sulfite-oxydase, déficit en 833-834
Surcharge en eau, test de 741-742
Surdité 307
Surfactant (poumon du nouveau-né) 109, 110, 299
Surrénales : examens fonctionnels 744
Surrénales, hémorragies des 184
Surrénales, hyperplasie congénitale des 417, *744-749*
Surrénales, hypoplasie congénitale des 750
Surrénale, tumeurs de la 749-750
Suxaméthonium, sensibilité au 29
Sydenham, chorée de 653, 852, 942
Syncopes et lipothymies 909-910
Syndactylie 164
Syndrome néphrotique à lésions glomérulaires minimes 379-381
Synostose radio-cubitale 164
Syphilis 382
Syphilis (congénitale et acquise) *123-124*, 268, 647-650

Tabagisme (maternel) 141, *148*
Tache mongoloïde 92
Tachycardie supraventriculaire et ventriculaire (ECG) 315
Tachypnée transitoire (« wet lung ») 112
Tænias *712-713*
Taille, grande 77
Taille, petite 75-76
Tangier, maladie de (absence congénitale d'alpha-lipoprotéines) 823
Tanner, critères de (puberté) 765
Tarui, maladie de (déficience en phosphofructokinase musculaire) 801, 803, 807
Tay-Sachs, maladie de 48, 51, *812-816*, 926, 930
Teignes (dermatophyties) *700-705*, 891
Tensilon® (Edrophonium), épreuve au 959
Tératogènes (agents) 55
Tératomes *544-545*
Tératome sacro-coccygien 545
Térébenthine, intoxication à la 469
Terreurs nocturnes 911
Testicules féminisants, syndrome des (syndrome de féminisation testiculaire) 777
Testicules, tumeurs des 772
Tétanie (hypoparathyroïdie) 737-738
Tétanie néonatale 194, 737-738
Tétanie (rachitisme) 872
Tétanos *663-665*, 725
Tétanos ombilical *984-985*
Tétralogie de Fallot (T.F.) *349-351*
Thalassémies 51, 132, *501-505*
Thalassémies alpha *504*

INDEX

Thalassémie bêta majeure (maladie de Cooley, anémie méditerranéenne) 502-504
Thalassémie bêta mineure 502
Thalassémie bêta associée à l'hémoglobine S (S-Thal) 500
Thalassémies, variantes des 504-505
Thalidomide (agent tératogène) (Phocomélie) 55-56
Théophylline 113
Théophylline, intoxication à la 457
Thiamine : cf. vitamine B₁
Thomsen, myotonie de (maladie de) 957
Thorax en carène 154
Thorax en entonnoir (pectus excavatum) 153
Thorn, test de 744
Thrombasthénie de Glanzmann 518
Thrombocytopénies induites par des médicaments ou produits chimiques 143, 516
Thrombocytopénie du nouveau-né 143, 516
Thrombopathies héréditaires 518
Thrombose d'une ou des veines rénales 129, 139, 173, 183, 379, *389*
Thymectomie (myasthénie) 960
Thyréostimuline : cf. TSH
Thyroïde, cancer de la 735
Thyroïde ectopique 730-731
Thyroïde, goitre néonatal 734-735
Thyroïde, goitre simple, non toxique 734
Thyroïde : principales épreuves fonctionnelles et examens complémentaires 727-729
Thyroïde : troubles de l'hormonosynthèse 731-732
Thyroïdites 732-733
Tibia, pseudarthrose congénitale du 168
Tics 967-968
Tocophérol : cf. vitamine E
Torticolis congénital 100, 953
Torticolis paroxystique du nourrisson 911
Toxocara canis (larva migrans viscérale) 308, *712-713*
Toxoplasmose *705-707*
Toxoplasmose, diagnostic sérologique de la 706
Toxoplasmose congénitale 59-60, 133, 268, 705-707, 915
Tranquillisants, intoxication aux 468-469
Transfusion fœto-fœtale (jumeaux) 106, 139, 141
Transfusion fœto-maternelle 139, 141
Translocation (chromosomique) 32, 33, 37, 50
Transport maximum (Tm) 404

Transposition des gros vaisseaux (TVG) *351-354*
D-TGV (transposition classique) 351-353
L-TGV (transposition « corrigée ») 353-354
Traumatismes céphaliques (néonatals) 99
Traumatismes cranio-cérébraux *444-450*, 476-477
Traumatismes laryngés 427
Traumatismes médullaires (néonatals) 100, 952
Traumatismes obstétricaux 99-100, *948-951*
Traumatismes rachidiens (néonatals) 99
Trichine (Trichinella spiralis) 308, *712-713*
Trichocéphale (trichuris trichiura) 710-711
Trichophyties 702, 886
Trichotillomanie 891, 892
Triglycérides à chaîne moyenne (TCM) 228, 264
Triploïdie 32
Triradius (dermatoglyphes) 35-36
Trisomie(s) 32
Trisomie D₁ : cf. trisomie 13
Trisomie E : cf. trisomie 18
Trisomie 13 (D₁) *38*, 332
Trisomie 18 (E) *39*, 332
Trisomie 21 : cf. Down, syndrome de 32, *33-37*, 157, 158, 160, 332, 339
Tronc artériel commun *359-360*
Troubles du comportement 968-971
Trousseau, signe de 194, 737
Trypanosomes 714-715
TSH (thyréostimuline) 27
TSIg (« thyroid stimulating immunoglobulin », LATS) 733
Tuberculose *677-681*, 996
Tuberculose méningée 681
Tuberculose pulmonaire 677-681
Tuberculose rénale 379
Tuberculose, thérapeutique de la 680, 996
Tuberculose, vaccination contre la (BCG) *721-722*
Tubulopathies 389-393
Tuftsine, déficience en 564
Tularémie 675, 677
Tumeurs cérébrales 760, *943-947*
Tumeurs du foie 553-554
Tumeurs médullaires 948
Tumeurs mésenchymateuses 543
Tumeur mixte de la parotide 555
Tumeurs osseuses *550-552*
Tumeurs de l'ovaire 555
Tumeurs respiratoires 306
Tumeurs testiculaires 555

Tumeurs du tractus génito-urinaire 401, 555
Turner masculin, syndrome de (syndrome de Noonan) 771, 775-776
Turner (syndrome de, dysgénésie gonadique) 43-44, 76, 172, 332, 778
Tympan normal 15
Tyrosinémie héréditaire (tyrosinose, tyrosylurie) 830-831, 872-873
Tyrosinose : cf. tyrosinémie héréditaire

Ulcère gastro-duodénal 233-236
Ureaplasma urealyticum 684
Urétérales, malformations 179
Uretère, duplicité 179
Uretère, ectopie 179
Urétérocèle 179
Urètre, diverticule de l' 173
Urètre, malformations de l' 182
Urètre, sténose du méat 183
Uropathies obstructives 179-181
Urticaire 587
Uvéite 305, 854

Vaccin BCG (Bacille Calmette-Guérin) 721-722
Vaccin DCT ou DTP (Diphtérie-Coqueluche-Tétanos) 719-720
Vaccin contre les oreillons 723
Vaccin contre la poliomyélite 720
Vaccin contre la rougeole 721
Vaccin contre la rubéole 723
Vaccin contre la variole 721
Vaccinations, calendrier des 718, 999
Vaccine 593-594
Valves urétrales 178, 182
Valvulite anale 279
Varicelle-zoster 596-597
Varices œsophagiennes 431
Variole 593, 721
Vasopressine (lysine-8-VP), test à la 402, 403, 755, 757
Ventre en pruneau sec, syndrome du, ou aplasie de la musculature abdominale : cf. « Prune belly syndrome »
Ventricule unique (« cor triloculare biatriatum ») 357-358
Verrues juvéniles, planes 887
Verrues vulgaires 887
Vertiges paroxystiques bénins de l'enfance 911
Vessie, diverticules de la 182
Vessie, extrophie de la (nouveau-né) 155, 185
Vessie, malformations de la 182

Vibrio parahaemolyticus (infection entérique à) 643
Virus, méthodes de diagnostic et d'identification 591-593
Virus ADN 592
Virus pathogènes pour l'homme, classification 590
Virus respiratoires 609-610
Virus transmis sexuellement 616
Vitamines, besoins quotidiens en 191
Vitamine A (origine, carence, excès, doses recommandées) 193
Vitamine A, intoxication à la 870, 947
Vitamine B_1 (thiamine) 197
Vitamine B_6 (pyrodoxine) 198-199
Vitamine B_{12} (cyanocobalamine 199
Vitamine B_{12} (carence en) 483
Vitamine C (acide ascorbique) 200-201
Vitamine D 194-196, 738, 739
Vitamine D, carence en (rachitisme carentiel) 194-195
Vitamine D, intoxication à la 196, 740
Vitamine D_3, prophylaxie 195
Vitamine E (tocophérol) 196-197
Vitamine E, anémie hémolytique par déficience en 196. 482
Vitamine K 197
Vitamine K, déficience en 142, 197, 525
Vitamine K, traitement 142, 197
Vol 969-970
Von Gierke, maladie de (glycogénose par déficit de la glucose-6-phosphatase) 48, 803-804
Von Hippel-Lindau, maladie de 924
Von Willebrand, maladie de 517-519

Waardenburg, syndrome de 61
Waterhouse-Friederichsen, syndrome de 184, 633
Waterston, opération de 347
Wenckebach, périodes de (ECG) 315
Werdnig-Hoffmann, maladie de (amyotrophie spinale aiguë infantile) 896-897, 958
Werlhof, maladie de (P.T.I.) 514-516
Werner, test de 729
West, syndrome de (spasmes en flexion) 905
« Wet lung » : cf. tachypnée transitoire
Wilms, tumeur de (néphroblastome, adénosarcome embryonnaire du rein) 173, 379, 401, 545-547
Wilson, maladie de 926, 928, 932
Wilson-Lahey, syndrome de 225
Wiskott-Aldrich, syndrome de 517, 567
Wohlfart-Kugelberg, maladie de (amyotrophie spinale proximale) 958

INDEX

Wolff-Parkinson-White, syndrome de 315, 354
Wolman, maladie de 228, 268

X fragile, syndrome de l' *45*
Xanthinurie 847, *849-850*
XO (syndrome) (syndrome de Turner) *43-44*
Xylose, test d'absorption au 258
XYY (syndrome) 45

Yersinia enterocolitica (pasteurella) *222-223, 643-644*
Yersinia pseudotuberculosis *644*

Zellweger, syndrome de 268, 812, 840, 896-897, 913
Zinc, syndrome de carence en 192
Zollinger-Ellison, syndrome de 234-235
Zona (zoster) 597, 725

Imprimé en France. — JOUVE, 18, rue Saint-Denis, 75001 PARIS
N° 57709. Dépôt légal : Février 1984